Marthe Charette

www.quebecloisirs.com

UNE ÉDITION DU CLUB QUÉBEC LOISIRS INC.

Dépôt légal — Bibliothèque nationale du Québec, 2005
ISBN 2-89430-719-5
(publié précédemment sous ISBN 2-89431-335-7)

Imprimé au Canada

CŒUR DE GAËL

La Rivière des promesses

* * * *

Roman

SONIA MARMEN

CŒUR DE GAËL

La Rivière des promesses

* * * *

Remerciements

Comme à chaque fois, ma famille et mes amis, pour leur support et encouragements. Monsieur Angus Macleod, pour son aide précieuse dans la correction des dialogues en gaélique. Monsieur Michel Gros-Louis pour les mots en huron. Monsieur Jean-Claude Larouche, mon éditeur, et toute son équipe pour leur merveilleux travail. Bérengère Roudil, pour ses commentaires constructifs et sa correction appliquée.

... du fond du cœur.

S. M.

Nous reconnaissons l'aide financière du gouvernement du Canada par l'entremise du Programme d'aide au développement de l'industrie de l'édition (PADIÉ) pour nos activités d'édition. Nous bénéficions également du soutien de la SODEC et, enfin, nous tenons à remercier le Conseil des Arts du Canada pour l'aide accordée à notre programme de publication.

Gouvernement du Québec – Programme de crédit d'impôt pour l'édition de livres – Gestion SODEC

À mes parents
qui ont su me montrer les bons outils
pour construire ma propre vie...

Apprendre à être heureux
se fait trop souvent dans la souffrance.

Le Canada et les colonies anglaises vers 1759

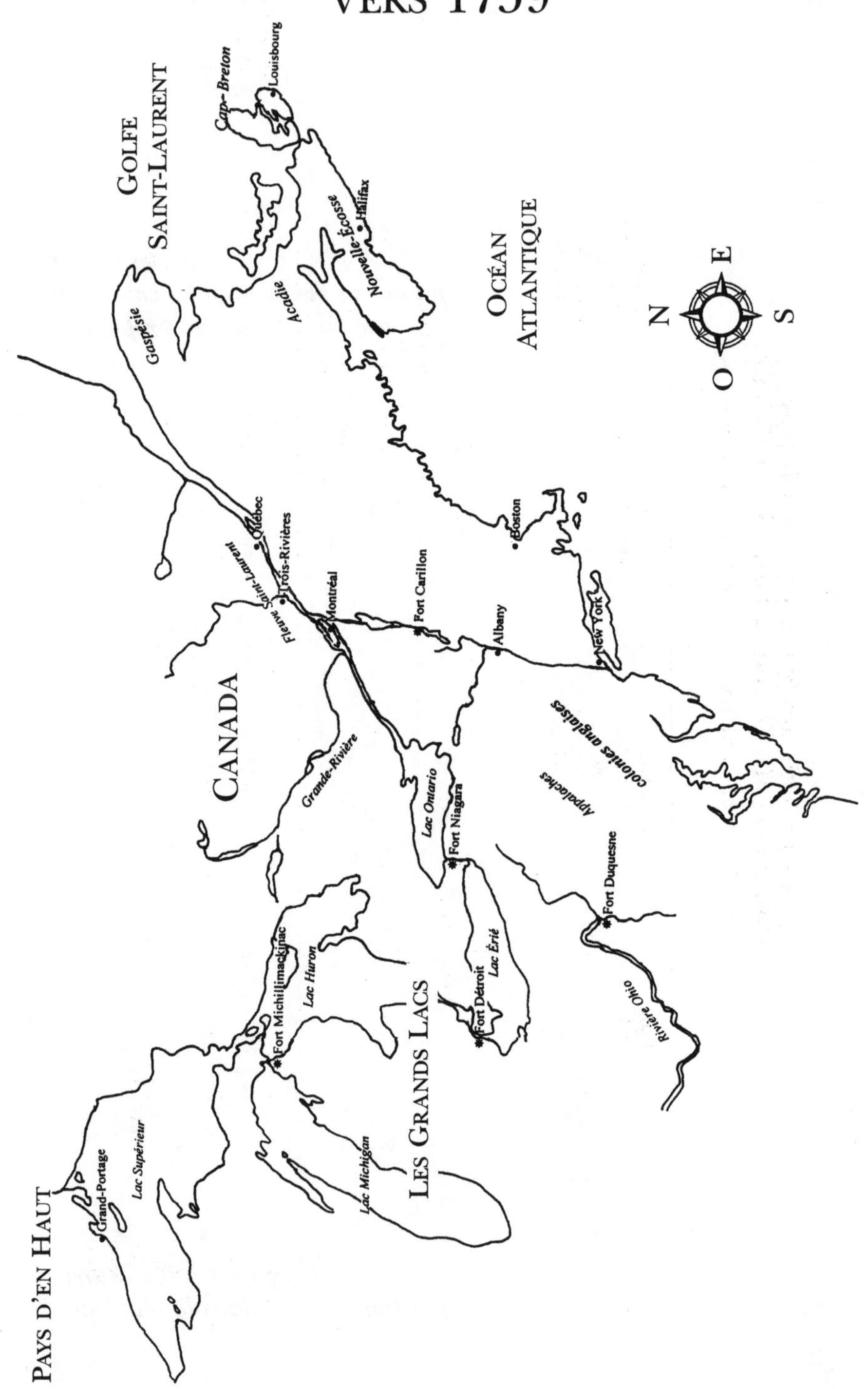

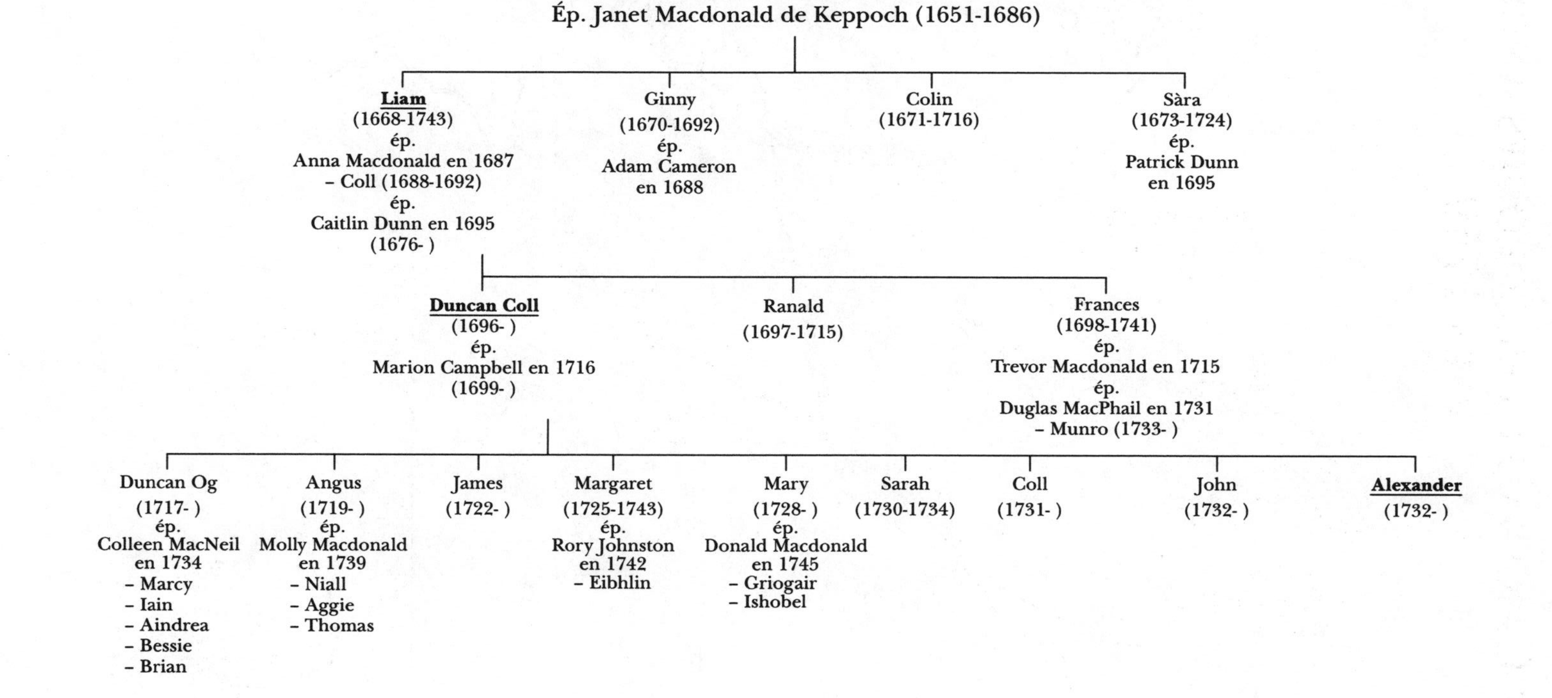
Généalogie des Macdonald de Glencoe
Duncan Og Macdonald de Glencoe (1647-1692)
Ép. Janet Macdonald de Keppoch (1651-1686)
Liam
(1668-1743)
ép.
Anna Macdonald en 1687
- Coll (1688-1692)
ép.
Caitlin Dunn en 1695
(1676-)
Ginny
(1670-1692)
ép.
Adam Cameron
en 1688
Colin
(1671-1716)
Sàra
(1673-1724)
ép.
Patrick Dunn
en 1695
Duncan Coll
(1696-)
ép.
Marion Campbell en 1716
(1699-)
Ranald
(1697-1715)
Frances
(1698-1741)
ép.
Trevor Macdonald en 1715
ép.
Duglas MacPhail en 1731
- Munro (1733-)
Duncan Og
(1717-)
ép.
Colleen MacNeil
en 1734
- Marcy
- Iain
- Aindrea
- Bessie
- Brian
Angus
(1719-)
ép.
Molly Macdonald
en 1739
- Niall
- Aggie
- Thomas
James
(1722-)
Margaret
(1725-1743)
ép.
Rory Johnston
en 1742
- Eibhlin
Mary
(1728-)
ép.
Donald Macdonald
en 1745
- Griogair
- Ishobel
Sarah
(1730-1734)
Coll
(1731-)
John
(1732-)
Alexander
(1732-)

Table des matières

Première partie

1764-1767

Les voies de l'oubli

Que quelques arpents de neige, monsieur Voltaire?

L'auteure

La haine, c'est l'hiver du cœur.

Victor Hugo

RÉSUMÉ DU TOME 3
La Terre des conquêtes

Une suite d'événements tragiques amènent Alexander Macdonald, fils de Duncan Coll et petit-fils de Liam et Caitlin, à fuir sa vallée natale. Après avoir erré pendant des années, à vivre du crime, il décide de s'engager dans le régiment écossais des Fraser Highlanders, qui participe à la conquête de la Nouvelle-France au cours de la guerre de Sept ans.

Il se retrouve ainsi en terre d'Amérique à combattre les Français et leurs alliés amérindiens, d'abord à Louisbourg, puis à Québec, sur les plaines d'Abraham où il est blessé. Là il fera la rencontre d'Isabelle Lacroix, la fille d'un riche marchand de l'endroit, qui aide aux soins des soldats blessés.

Québec se rend. S'ensuit l'occupation de la capitale de la colonie française par l'armée anglaise. Alexander et Isabelle se revoient par hasard dans les rues de la ville. Doucement, l'attirance qui les pousse l'un vers l'autre se développe en un amour passionné qui défie tout ce qui les sépare.

Mais la guerre n'est pas terminée et Alexander doit suivre son régiment pour une dernière campagne. Isabelle, qui attend un enfant de lui, se voit forcée par sa mère d'épouser Pierre Larue, un notaire de Montréal. Alexander revient plusieurs mois plus tard pour découvrir que celle qu'il aime l'a trahi. Désespéré, il sombre dans l'alcool et le jeu, ce qui l'amènera à être condamné à la pendaison.

Pendant ce temps, en même temps que grossit son ventre, la rancœur et la haine grandissent en Isabelle. Elle met difficilement au monde un garçon, Gabriel. Se sentant abandonnée par le père, indifférente aux attentions de son mari, elle se tournera vers son fils, qui deviendra le centre de sa vie.

Mais en dépit de tout, la flamme ne s'est pas éteinte dans le cœur des deux amoureux. Et la guerre arrive enfin à son terme...

1

Nouveaux départs

Christina Gordon alluma une chandelle et la posa au centre de la table. Elle sourit à Finlay, son mari, qui remplissait un pichet de bière au tonnelet posé sur un tréteau. La pluie avait cessé, mais le ciel restait gris et plongeait la pièce qui leur servait de logis dans la pénombre. Mary, l'aînée de leurs filles, se mit à hurler. Se levant, elle bouscula sa sœur Jane, qui se mit à pleurer. Leur mère venait de s'asseoir pour s'attaquer à la grosse pile de vêtements à ravauder qui attendait. La jeune femme soupira et ferma les yeux en frottant son ventre bien rond.

– Laisse, Christina, dit doucement Finlay en posant le pichet devant ses amis attablés. Tu en as assez fait pour aujourd'hui. Je m'en occupe.

Alexander observait le tableau familial avec un pincement au cœur: jamais il ne connaîtrait cela. Finlay et Christina étaient heureux. Pauvres, mais heureux. Que pouvaient-ils demander de plus que ces deux merveilleuses fillettes, un troisième enfant à naître et l'amour qui les unissait? Il se détourna et regarda par la fenêtre qui donnait sur une palissade de bois. Le silence revint dans la pièce. Finlay, ayant réglé le litige qui opposait les deux sœurs, se rassit en claquant la langue et en tapant des mains.

– Alors! claironna-t-il en versant de la bière à chacun. À quoi trinquons-nous cette fois-ci?

– À la liberté! clama Munro en levant son verre.

– *Slàinte!* crièrent-ils tous.

Les verres s'entrechoquèrent et des éclaboussures de bière atterrirent sur la table. Finlay essuya le liquide avec sa manche et remplit à nouveau les verres, déjà vides.

– À l'avenir et à la fortune!

– À la fortune! reprirent-ils tous en chœur.

– J'ajoute à cela l'amitié, annonça encore Munro.

– À l'amitié!

– Qu'elle soit longue, malgré...

Finlay ne put continuer, la gorge serrée d'émotion. Il toussota.

– Ouais... fit Alexander en lui donnant une tape sur l'épaule. Malgré nos départs.

Un long silence suivit. On n'entendait, derrière, que les babillages des fillettes. Christina essuya une larme avec son châle et repiqua en reniflant son aiguille dans un bas.

– Le pays est vaste. À chacun de s'y tailler une place! continua Alexander d'une voix qui se voulait assurée.

– Y a que Coll qui se défile, fit observer Munro avec une pointe d'amertume. Pourquoi retourner en Écosse, mon vieux, alors qu'il y a tant à faire ici?

– Allons, Coll! insista Finlay en remplissant de nouveau le verre de son ami, que risques-tu? Dans quelques années, tu seras assez riche pour te payer une bonne terre et, qui sait, une belle petite femme en prime!

– J'ai promis à Peggy, vous le savez... marmonna Coll en plongeant le nez dans son verre.

– *Fuich*[1]*!* fit Alexander. Les promesses... Rien que de la foutaise, ouais, si tu veux mon avis!

L'homme avala la moitié de sa bière d'une traite avant de reposer bruyamment son verre sur la table. Puis, regardant son frère bien en face, il reprit:

– C'est vrai, pourquoi tiens-tu à retourner en Écosse? Tu crois vraiment que ta fiancée t'aura attendu pendant toutes ces années? Viens avec moi et Munro!

– Ne sois pas si amer, Alas. Ne jette pas la pierre à toutes les femmes... Elle m'a écrit qu'elle m'attendait toujours.

– Tu ne la reconnaîtras même plus!

– J'ai promis. Et puis... je ne veux plus être lié à qui que ce soit par un contrat, tu comprends? Je désire être libre, faire ce dont j'ai envie. Je veux pouvoir dormir deux jours d'affilée, aller à la chasse ou tout simplement laisser le temps filer... Bon sang, Alas! Nous avons dû respecter un contrat pendant sept longues années! J'en ai marre! Je ne veux plus rien signer! Plus jamais!

– Arrête ça, Coll! Tu oublies que le mariage est un contrat... pour la vie! Les bois, voilà la vraie liberté! J'ai entendu des gars

1. Expression de dégoût en gaélique.

raconter leurs aventures. Crois-moi, dans ces contrées sauvages, elles ne manquent pas de piquant. Et puis, ajouta-t-il avec un clin d'œil, on dit que les femmes des tribus indiennes sont très chaleureuses. Tu ne voudrais pas laisser passer cette chance, hein?

– Alas...

– Tu as la tête aussi dure qu'une pierre, bon sang! Écoute... je te demande juste de rencontrer le marchand. Il organise une expédition pour le printemps. Il a besoin de quatre-vingts hommes et il en a déjà soixante-trois...

Tirant une bouffée de sa pipe, Coll se cala contre le dossier de sa chaise et laissa son regard se promener dans la pièce tout en écoutant d'une oreille distraite son frère qui s'escrimait à le convaincre. Libérés par l'armée depuis bientôt deux mois, ils avaient erré et vécu de petits travaux, se nourrissant le plus souvent de pain rassis et d'eau croupie. Seul Finlay avait trouvé un emploi stable: il était apprenti chez un cordonnier de la Haute-Ville, avait donc retrouvé le métier qu'il exerçait avant de s'engager. Alexander et Munro avaient décidé de partir pour la grande aventure, dans l'immensité du pays. Mais, lui, cela ne l'attirait pas particulièrement. Après plusieurs années de guerre, il souhaitait un peu de paix et de tranquillité. Son frère évoquait maintenant les mœurs libertines des Sauvagesses. Il le coupa brusquement.

– Pourquoi n'acceptes-tu pas l'offre de maître Dumoulin? Tu pourrais t'installer à Québec avec Émilie... Elle n'attend que ça: que tu la demandes en mariage!

Alexander se tut, fixant la surface moussue du liquide qui oscillait dans son verre. Maître Dumoulin était un menuisier qui travaillait à la restauration de la grande cathédrale de Québec. Informé de ses talents de sculpteur par les ursulines, l'homme lui avait proposé de s'occuper de l'ornementation des bancs. C'était bien rémunéré et cela lui permettrait d'avoir une place d'apprenti aux côtés du maître. Mais il aspirait à autre chose. Le marché de la fourrure offrait tellement plus...

Mais il y avait Émilie. La jeune femme se remettait difficilement de sa fausse couche. Évidemment, il était le père de l'enfant perdu. Mais, étrangement, il se sentait soulagé de ne pas avoir à assumer ce rôle. Bien qu'il cohabitât pratiquement avec Émilie, il n'arrivait pas à se décider à légaliser leur union. Il ne l'aimait pas vraiment et ne pouvait concevoir de l'épouser dans ces conditions. En fait, il se demandait s'il arriverait jamais à aimer une autre femme qu'Isabelle...

Le moment de quitter Québec était venu. Coll repartait pour

l'Écosse avec les premiers navires ramenant les soldats chez eux. Son frère avait vainement essayé de le convaincre de partir avec lui. Mais Alexander avait résisté. Sa vie était ici dorénavant. Puis, il désirait ardemment retrouver John. Sachant son jumeau trappeur, il savait qu'il aurait des chances de le retrouver en accompagnant le marchand canadien qui organisait une expédition. De plus, l'aventure lui occuperait les mains et l'esprit pendant quelque temps.

C'était Munro qui lui avait présenté l'homme deux semaines plus tôt. Ils buvaient alors un coup dans une taverne de la Basse-Ville. C'était le lendemain de la fausse couche d'Émilie. Les récits du négociant étaient tellement captivants! Le marchand prétendait que l'or brun[2] rapportait gros à celui qui n'avait pas froid aux yeux. Alexander n'avait pu résister... malgré la honte qu'il ressentait à l'idée d'abandonner Émilie en un moment tellement difficile pour elle. En même temps, il avait quand même une raison honnête de s'éloigner de la jeune femme.

– Qui est ce négociant? s'informa Coll en soufflant un rond de fumée.

Le visage de Munro s'éclaira d'un sourire.

– Van der quelque chose. C'est un Montréalais, à ce que je sais.

– Il est indépendant et organise des expéditions avec les deniers de sa propre société, précisa Alexander. Rien à voir avec la Compagnie de la baie d'Hudson, contrôlée par les Anglais. Il fraie plutôt avec les Américains qui cherchent à s'approprier les routes que détenaient les compagnies françaises et à en ouvrir de nouvelles à l'ouest des Grands Lacs. Il est retourné à Montréal. Mais si l'affaire te tente...

– Non, murmura Coll.

On frappa alors à la porte. Christina déposa son ouvrage et alla ouvrir. Une jeune femme toute souriante la salua et lui tendit un paquet.

– Bonjour, madame Gordon! Voici la robe de ma petite Julie dont je vous ai parlé.

Elle remarqua les hommes qui la dévisageaient en silence et en parut un peu gênée.

– Des amis, expliqua Christina en ouvrant plus grand la porte. Vous voulez entrer un moment?

– Euh... non, merci. C'est gentil, mais je dois me rendre chez ma belle-sœur. Une autre fois, peut-être.

– D'accord, une autre fois. Je vous remercie pour la robe. Après quelques retouches, elle ira parfaitement à Mary.

---

2. On appelait « or brun » les peaux de castor.

Ayant arrêté son regard sur Coll, la jeune femme aux joues rondes accentua son sourire. Puis, elle salua la compagnie et s'en alla.

Coll fixa la porte refermée pendant un moment. Les mèches blondes lui rappelaient la belle Madeleine, qu'il croisait à l'occasion au marché où elle vendait ses confitures. Elle le saluait froidement, puis se détournait aussitôt. Il n'osait s'en approcher, encore moins lui adresser la parole. Il comprenait son attitude. Cependant, un seul de ses sourires aurait sans doute suffi à le retenir au pays... Enfin!

Alexander, à qui la chevelure dorée avait ravivé des souvenirs douloureux, se rembrunit. Il baissa la tête et lança un regard de côté à Coll en soupirant.

– Je sais à qui tu penses.

Fronçant les sourcils, Coll se tourna vers lui.

– Qu'est-ce que tu dis?

– La cousine d'Isabelle... C'est bien à elle que tu rêvais, non?

Coll haussa les épaules et porta son verre à ses lèvres. Alexander sourit tristement. Ainsi, Coll était toujours secrètement amoureux de la grande furie.

Par deux fois, au cours des quatre années qui avaient suivi l'annulation de sa peine de mort, Alexander avait tenté de parler à la cousine d'Isabelle. La première fois, il avait dû s'armer de tout son courage pour l'aborder. Il l'avait pressée de questions. En fait, il s'était juré de ne rien lui demander, mais ne pas savoir était pire que tout. Cependant, Madeleine avait refusé de lui répondre. Elle avait prétexté qu'on l'attendait et s'en était allée. La sentant aussi mal à l'aise que lui, il n'avait pas cherché à la retenir.

La deuxième fois, torturé par l'incertitude, il n'avait pu s'empêcher de la brusquer un peu, et elle avait consenti à lui accorder quelques minutes de son temps. C'était un peu après sa démobilisation. Cependant, elle n'avait répondu qu'évasivement. Tout ce qu'elle avait bien voulu lui avouer, c'était qu'Isabelle se portait bien, qu'elle vivait heureuse à Montréal et que son époux était un notaire prospère. Rien de plus que ce qu'il savait déjà.

– Les femmes Lacroix... murmura Coll avec apathie.

Le jeune homme s'agita, mal à l'aise. Il fit une grimace d'amertume avant de poursuivre:

– Pourquoi n'épouses-tu pas Émilie? Tu arriverais peut-être à...

Alexander releva brusquement la tête.

– Plus de femme! Jamais!

– C'est stupide! Tu ne peux pas t'apitoyer sur ton sort indéfiniment...

Un éclat de rire aux notes sarcastiques fit sourciller les deux autres hommes.

– Je ne m'apitoie pas sur mon sort! Mais le passé... enfin...

L'émotion l'empêchait de parler. Si le temps avait estompé son chagrin, il ne l'avait pas effacé complètement, loin de là. Les souvenirs ne lui parvenaient plus qu'à travers un brouillard et par morceaux. Il se rappelait tantôt une odeur, tantôt un certain sourire, tantôt l'éclat de sa chevelure. Mais il y avait toujours cette incommensurable impression de vide qu'il ressentait depuis ce terrible jour où il avait su qu'Isabelle s'était mariée. Il vivait simplement avec ce vide, oubliant son malheur en s'occupant. Il avait survécu à l'amour, comme il avait survécu à la guerre. De l'un comme de l'autre, il portait les cicatrices. Il avait appris la leçon: jamais on ne l'y reprendrait.

Le silence s'appesantissait sur les quatre amis. Munro vida son verre et libéra un rot sonore en s'étirant sur sa chaise et en observant les fillettes qui s'amusaient avec une poupée de chiffon que leur avait confectionnée Christina.

– Quand partez-vous? demanda Coll de but en blanc pour alléger un peu l'atmosphère.

– L'expédition part de Lachine début mai. Il nous faut retrouver le marchand un peu avant. Je crois que nous devrions partir pour Montréal dans deux semaines, au plus tard.

– Hum...

Fixant la main de son frère à laquelle il manquait un doigt, Coll hocha la tête. Il lui restait deux courtes semaines à passer avec Alexander. Ce frère qu'il avait cru mort et qu'il avait retrouvé au bout de douze années, il avait appris à le connaître et à l'aimer. Cela le bouleversait de comprendre qu'il ne le reverrait probablement jamais plus. N'arrivant pas à dissimuler son malaise, il toussota et baissa la tête vers son verre de bière. Il voulait tant le ramener en Écosse avec lui, pour leur père notamment. Mais Alexander avait choisi de rester pour réaliser ses rêves de gloire et de fortune en parcourant le Canada.

Coll enviait sa liberté de choix, mais surtout son courage et sa ténacité. La vie l'avait tellement éprouvé, lui enlevant chaque bonheur qu'il connaissait. Après ce sinistre jour où il avait vu son existence suspendue au bout d'une corde, Alexander avait progressivement changé. Curieusement, il avait repris goût à la vie. S'imposant une sobriété relative et ne jouant plus que très peu, il économisait ce qu'il pouvait. Il concentrait son énergie sur les choses positives; c'était sa quête du Graal. Dans ce pays qui renaissait en même temps que lui, il se tracerait une voie nouvelle, se forgerait une âme toute neuve dans la solitude des forêts. Si Peggy ne l'attendait pas Coll serait bien resté aussi.

La main d'Alexander le tira de ses réflexions et son sourire sincère atténua quelque peu la tension. Il sourit à son tour.

– J'enverrai à père un capot de castor et à toi un col de renard pour ta future.

– J'y compte bien, Alas. Le renard ira merveilleusement bien avec le brun doré des cheveux et des yeux de Peggy.

***

Île d'Orléans

Lundi, vingtième jour de février de l'an de grâce mille sept cent soixante-quatre

Chère cousine,

Il neige sur l'île et la tempête me confine une fois de plus chez moi. J'en profite pour t'écrire ces quelques lignes qui, je l'espère, te parviendront avant la fin de l'hiver. Le mauvais temps des derniers jours a retardé les travaux de la maison. Cependant, je suis bien installée. Ce n'est pas que je n'appréciais pas l'hospitalité de madame Pouliot, mais me retrouver « dans mes meubles » me réjouit grandement.

Comme tu pourras le constater au printemps prochain, la maison est comme naguère. Les ouvriers que mon bon seigneur monsieur Mauvide a charitablement consenti à m'envoyer selon notre arrangement ont fait du beau travail. L'étage est cependant toujours condamné, la couverture n'ayant pas pu être terminée avant les premières neiges. C'est qu'il y a tant à faire par ici et que la main-d'œuvre se fait rare à l'automne, lorsque les blés sont mûrs. Mais je serais bien ingrate de me plaindre. J'ai aménagé le salon en chambre et, pour le moment, cela me convient parfaitement.

Voilà pour la première bonne nouvelle. La deuxième, c'est que l'abbé Martel m'a trouvé une place comme servante chez monsieur Audet, de la rivière Maheu. Le malheureux homme a perdu sa femme en octobre et s'est retrouvé seul avec ses quatre enfants. Jusqu'à maintenant, c'est sa sœur qui s'en est occupée. Il n'habite qu'à une lieue de chez moi, ce qui me permettra de revenir à la maison tous les soirs, après le souper et le coucher des enfants. Avec l'exploitation de la sucrerie, mes confitures de fraises, de framboises et de prunes, j'arriverai à bien me débrouiller. Mais j'entends déjà ta voix me demander quand je reprendrai époux! Ha! Je ne suis point pressée, ma cousine. Julien est encore trop présent dans mon cœur, vois-tu. Puis, les seuls partis qui se sont présentés jusqu'ici ne m'ont guère fait vibrer. Je suppose qu'une pauvre veuve de vingt-six ans n'a plus assez d'attraits.

Assez parlé de moi. Comment se porte le petit Gaby? Mon filleul a-t-il encore fait des bêtises depuis ma visite l'été dernier? Je suis bien malheureuse de n'avoir pu être présente pour son troisième anniversaire de naissance. Les travaux... Je lui envoie tout mon amour et lui promets une belle surprise lorsqu'il viendra me voir sur l'île, pour la première fois, en mai prochain. Et toi, ma belle Isa? Comment vas-tu? Je ne te cacherai pas ma joie de voir que Pierre et toi vous entendez plutôt bien. Cependant, je suis triste de constater que tu ne portes toujours point d'autre enfant. Je ne peux m'empêcher de penser que j'en suis peut-être en partie responsable: te rappelles-tu que j'avais noué l'aiguillette, le jour de tes noces? Je n'y croyais pas et voulais simplement m'amuser...

Des nouvelles de Québec. Tu as certainement entendu parler de l'horrible histoire de cette femme que tous se plaisent à appeler « la sorcière à Corriveau ». C'est une affaire qui s'est produite pendant que je me trouvais encore à Montréal. Le procès a débuté au moment où je revenais sur l'île. Eh bien, la femme a été condamnée à la pendaison. Après l'exécution, on a placé son cadavre dans une cage qui s'est balancée à tous vents, à la fourche des quatre chemins de la pointe de Lévy. À la fin, les os étaient tout blancs. Les gens ont présenté une pétition aux autorités pour qu'on enlève le corps. Les enfants faisaient des cauchemars et les femmes étaient lasses d'entendre la cage grincer en bougeant. Nul besoin de te dire que cette affreuse histoire de meurtre a bien alimenté les conversations.

En décembre, j'ai traversé le fleuve pour visiter quelques connaissances, à Québec. J'en ai profité pour faire un saut à l'Hôpital général. Guillaume va mieux depuis le début de l'automne. On m'a dit que ses hallucinations s'espaçaient et qu'il se tenait plus tranquille. Peut-être pouvons-nous espérer le voir sortir de là un jour... Je t'épargnerai les détails concernant ses conditions de vie. De toute façon, tu dois t'en douter un peu, vu que tu as déjà aidé les augustines à soigner les malades après la bataille sur les Hauteurs. Cependant, Guillaume ne semble pas s'en soucier.

Je me suis arrêtée rue Saint-Jean. Cela me fait toujours drôle de ne pas pouvoir entrer dans ton ancienne demeure. Comme tu le sais certainement déjà, un certain monsieur Smith s'en est porté acquéreur en juin, après le décès du vieux Clément Vignau qui l'avait achetée à ta mère. Elle n'a heureusement pas changé.

J'ai aussi rendu visite à ton frère, à la boulangerie. Tout le monde là-bas va bien. Ils t'envoient leurs baisers. Françoise te promet une belle brioche comme tu les aimes, lorsque tu viendras.

Depuis la signature du traité de Paris, en février de l'année dernière, les marchands anglais ne cessent de débarquer à Québec. Ils raflent tout ce qu'ils peuvent, pour des prix ridicules. C'est que la plupart des Canadiens sont dans une situation financière précaire, si ce n'est tout simplement désespérée. Cela m'inquiète énormément, mon Isa! Qu'une poignée de négociants pédants prennent d'assaut notre économie en laissant de côté ceux qui ont contribué à l'établir me révulse. Si le gouverneur Murray s'est montré compatissant envers le peuple vaincu, il n'en reste pas moins un Anglais qui défend sa patrie.

Pour terminer, peut-être suis-je la première à te l'annoncer: le régiment des Fraser Highlanders a été démembré en décembre dernier. Tout ce que je sais, c'est que plusieurs officiers ont choisi de rester au Canada et de prendre possession d'une terre. J'ai eu vent qu'un certain Alexander Fraser aurait acheté la seigneurie de La Martinière, dans la paroisse de Beaumont, en juillet. Il aurait rebaptisé la propriété Beauchamp. Les Écossais sont les bienvenus dans cette région depuis qu'ils ont fait preuve d'une grande générosité en donnant leur salaire d'une semaine aux habitants ruinés par la guerre. Plusieurs officiers auraient aussi obtenu des concessions en Nouvelle-Écosse.

Le temps des sucres approche, et je serai bientôt très occupée. J'attends tout de même que la poste m'apporte de tes nouvelles, ce qui me donnera une bonne raison de m'asseoir quelques minutes pour souffler. Je retourne maintenant à ma pâte à biscuits, qui est restée sur la table, en repensant à l'époque merveilleuse où nous nous amusions follement, toutes les deux, dans la cuisine de Mamie Donie, à confectionner des pâtisseries. Embrasse les tiens pour moi, ma chère cousine. Remercie particulièrement Pierre pour ses bontés à mon égard. Je t'embrasse bien fort et te souhaite d'être aussi heureuse que tu le mérites en cette nouvelle année 1764.

Ta cousine, ta sœur,

Madeleine Gosselin

Isabelle replia la lettre et la déposa sur sa coiffeuse, éclairée par un candélabre en argent. Caressant le magnifique damas broché vert mousse de sa robe de bal, elle posa sur elle un regard vide.

– Rien... Toujours rien...

C'était plus facile d'oublier de cette façon. Elle soupçonnait Madeleine d'avoir des nouvelles d'Alexander et de ne rien lui en dire. Sa cousine cherchait certainement à la protéger en se taisant...

– Mais de quoi donc? murmura-t-elle âprement en s'adressant à son reflet dans le miroir. Il n'a même pas essayé de me retrouver. Il ne m'a même pas envoyé un mot. Comme si je n'existais plus... Alors pourquoi me ferais-je du souci pour lui?

D'un geste machinal, elle ouvrit un tiroir du meuble, déposa la lettre sur les autres et le referma. Puis, du regard, elle parcourut la multitude de pots et de bouteilles qui couvraient sa coiffeuse. Parmi eux se trouvait la fiole ambrée que lui avait un jour offerte Nicolas des Méloizes. Elle avait entendu par hasard, dans l'un des salons qu'elle fréquentait à l'occasion, que son ancien amoureux vivait maintenant en France et avait obtenu la croix de Saint-Louis pour s'être distingué lors de la bataille de Sainte-Foy. Il lui arrivait d'essayer d'imaginer ce qu'aurait été sa vie si elle avait accepté de l'épouser. Serait-elle heureuse? Aurait-elle plusieurs enfants?

Sa main se crispa sur son ventre, qui restait désespérément plat. Se pouvait-il qu'elle ne puisse plus porter d'enfant? Elle avait perdu tant de sang à la naissance de Gabriel... Le médecin Larthigue lui avait pourtant affirmé qu'elle n'avait pas à s'inquiéter, que tout était bien guéri. Pierre aimait le petit garçon comme son propre fils. Mais elle se doutait qu'il désirait avoir ses propres enfants. Elle-même n'était pas pressée d'en avoir d'autres. Cependant, voir sur de petits visages d'autres traits que ceux d'Alexander se mêler aux siens l'installerait plus, en quelque sorte, dans sa nouvelle vie.

Hésitant entre l'essence de musc et l'esprit de tubéreuse, elle opta pour le second, dont le parfum était moins entêtant. Elle abhorrait tous ces cosmétiques dont les dames de la bonne société ne cessaient de parler. Ces crèmes à base de graisses qui rancissaient et puaient malgré les huiles essentielles qu'on incorporait. Ces pommades auxquelles on mélangeait des poudres d'oxydes de métaux dont elle oubliait sans arrêt les noms. Elle restait bien perplexe quant à l'efficacité de ces produits. Madame Hertel s'était fait préparer une nouvelle pommade pour «estomper les irrégularités de son teint», disait-elle. Au bout d'une semaine de traitement, il y avait effectivement eu un changement notable: sa peau s'était couverte de plaques rouges et de pustules! La pauvre s'était enfermée chez elle pendant deux semaines, le temps que les marques disparaissent complètement.

Isabelle détestait sentir ces substances suspectes sur sa peau. Son teint étant d'une pâleur naturelle, elle n'avait pas besoin du blanc de céruse. Elle se passait aussi des perruques, d'où tombait de la poudre sur les épaules et sous lesquelles elle transpirait. La seule coquetterie qu'elle acceptait, c'était un peu de poudre de vermillon sur ses pommettes et sur ses lèvres. Ce soir, elle en avait grandement besoin.

Elle entendit des pas faire craquer les lames du parquet de la chambre et sentit une présence derrière elle.

– Êtes-vous bientôt prête, ma douce? chuchota suavement Pierre à son oreille.

Les manchettes de dentelle de son mari effleurèrent sa joue. Une main masculine se posa sur sa gorge, la caressa en douceur puis glissa vers sa nuque qu'Élise avait habilement dégagée.

– Vous êtes sublime, ce soir! Élise s'est surpassée. Vous serez la plus belle en cet affreux début de printemps. Il neige encore...

Isabelle examina sa coiffure dans le miroir.

– Hum...

Elle devait bien admettre que cette petite bécasse d'Élise avait du talent lorsqu'il s'agissait de coiffer ses cheveux. Pierre avait engagé la jeune fille jusqu'à ce qu'elle fût en âge de se marier. Il avait signé un contrat avec son père : en échange de ses services, Élise devait être convenablement logée et nourrie. De plus, Pierre devait lui fournir un trousseau complet et l'habiller « tout de neuf ».

La jeune femme de chambre venait d'avoir dix-neuf ans et se faisait courtiser par le fils du tavernier Bernier. Elle s'en irait donc bientôt, et Isabelle pourrait se choisir quelqu'un qui arriverait à soutenir une conversation intéressante. Elle était lasse de s'entendre raconter les derniers ragots du marché et n'avait que faire des poids de plomb du boulanger Gervaise qui ne portaient pas le sceau du roi.

Pierre dégrafa le rang de perles qu'elle portait autour du cou.

– Que faites-vous? s'exclama-t-elle en croisant son regard amoureux dans le miroir.

– Attendez... Je crois que ceci sera plus approprié.

Le bijou était froid et glissait doucement sur la peau. Isabelle écarquilla les yeux en voyant le magnifique collier : à une chaîne en or étaient accrochés trois nœuds d'or incrustés de brillants qui retenaient chacun une émeraude en forme de larme. Heureux de l'effet que produisait sa surprise, Pierre embrassa sa femme derrière l'oreille en pensant à la façon dont elle pourrait le remercier à leur retour.

– Il vous plaît?

– Mais?... C'est trop! Cela vaut une fortune, Pierre, vous n'auriez pas dû!

– Vous devez être la plus belle, ma douce. Mais j'avais oublié... vous êtes déjà la plus belle, n'est-ce pas?

– Oh, Pierre!

Émue, Isabelle se retourna vers son mari et lui sourit. Lui s'approcha et l'embrassa tendrement sur la bouche. Elle aimait bien Pierre et se surprenait même parfois à attendre le moment où ils se retrouveraient seuls devant un bon verre de vin, à discuter de choses et d'autres. Au fil du temps, elle découvrait un homme charmant, intelligent et véritablement amoureux d'elle. Elle ne voulait pas le blesser et ne lui avait jamais reproché leur mariage de raison. Mais, dans toutes ses attentions et ses présents, elle devinait son fol espoir de faire naître en elle de l'amour pour lui... comme son père avait espéré en vain gagner le cœur de Justine. Un jour, peut-être, s'il savait être patient... elle arriverait à l'aimer autant qu'il le méritait.

– Mamaaaan! Mamaaaan! appela une petite voix au milieu des bruits d'une course dans le couloir.

Le petit Gabriel apparut dans l'embrasure de la porte, les joues en feu et l'œil humide. Marie était sur ses talons. Isabelle se précipita vers eux.

– Qu'as-tu, mon cœur de joie? Tu t'es fait mal? Il est où ton bobo?

– Pas bobo, maman. C'est Ma'ie, geignit le bambin en se tournant avec un air apeuré vers la Sauvagesse qui tortillait sa tresse, mal à l'aise.

Fronçant les sourcils, Isabelle se pencha vers lui dans un doux bruissement d'étoffes et de dentelles.

– Qu'est-ce qu'elle a, Marie?

– Veut pas que ga'de ma sou'is...

– Garrrde ma sourrris, corrigea Isabelle avec un peu d'impatience. Mais, de quelle souris parles-tu? Il n'y a pas de souris ici, Gaby.

– Ben... sou'is là, insista Gabriel en exhibant une souricière dans laquelle était prise la tête sanguinolente d'une petite bête.

– Beurk!

– J'ai essayé de lui prendre la souris, madame, mais il m'a mordue.

– Gabriel Larue! Je t'interdis de mordre les gens. Où as-tu appris ces manières?

Ce disant, Isabelle s'empara du petit bras qui tenait l'affreux jouet. La souris tomba sur le plancher en faisant un bruit mat et Gabriel, le menton tremblotant, regarda sa mère de ses yeux bleus déjà pleins de larmes. Pierre, se retenant de rire à grand-peine, ramassa le rongeur.

– Je crois que le moment est venu d'engager un chat. Il chassera les souris et les mangera. Tu ne pourras donc plus jouer avec elles, mon bonhomme.

De sa main libre, il ébouriffa la tignasse flamboyante de Gabriel, puis, souriant, quitta la chambre. Marie, voyant que la situation était réglée, demanda son congé. Isabelle acquiesça d'emblée. Prenant son fils dans ses bras, elle l'emmena alors jusqu'au fauteuil où elle s'était tant de fois réfugiée avec lui, la nuit, pour le nourrir, puis pour le consoler et le rendormir lorsqu'il faisait des cauchemars.

– Grimpe ici, lui dit-elle d'une voix radoucie qui rassura le garçon.

Il obéit et se réfugia dans les jupes maintenant toutes froissées de sa mère. Isabelle, voyant l'état de sa robe, poussa un soupir mais lui sourit néanmoins.

– Maintenant, Gabriel, tu vas m'expliquer ce que tu faisais avec une souris. Tu sais très bien que ces bêtes sont sales et qu'elles peuvent te mordre...

– Oui, maman. Mais la sou'is est mo'te... Voulais zouer avec.

– Sourrris. Répète, Gaby, sou-rrrris!

– Souuuu-iiis!

– Bonté divine! Ton sang écossais...

S'interrompant brusquement, elle mit une main sur sa bouche. Cela lui avait échappé.

– Il a quoi, mon sang?

– Rien, Gaby, rien. Il est très bien, ton sang. Bon, il est l'heure d'aller au lit maintenant.

Elle prit le petit garçon et le posa à terre. Puis, le prenant par la main, elle se dirigea avec lui vers la porte.

– C'est quoi du sang 'cossais, maman?

À ce moment-là, Pierre apparut dans l'embrasure de la porte, souriant, comme toujours. Elle rougit violemment, puis, prenant note qu'il n'avait rien entendu, lui rendit son sourire, le cœur battant.

– Je t'expliquerai un autre jour, Gaby, chuchota-t-elle à l'oreille du garçonnet. Vous voulez bien le mettre au lit, Pierre? Je dois remettre un peu d'ordre dans ma tenue.

– Hâtez-vous, la voiture est prête.

Se penchant alors vers Gabriel, elle reprit:

– Sois sage, mon cœur de joie. Je te donne ton bisou dans une minute.

***

Rien n'était trop beau pour célébrer l'arrivée, très progressive, lente, du printemps. Le faste explosait dans une débauche de couleurs, de textures, de nourriture et de sons qui excitaient tous les sens. Société hédoniste, la bourgeoisie grimpait les échelons du pouvoir, en ce pays où la noblesse s'était dissoute. Le château de Vaudreuil, résidence du gouverneur de Montréal, Ralph Burton, était sis rue Saint-Paul et ne se trouvait qu'à quelques pas de la maison des Larue. Cependant, Pierre avait préféré faire atteler la berline afin qu'Isabelle ne se salît pas dans la neige et la boue des rues labourées par les équipages.

La salle de bal brillait de mille feux. L'orchestre jouait une chaconne, tandis que les robes, telles des fleurs, étalaient leurs corolles chatoyantes et attiraient une nuée d'abeilles. Le spectacle captivait Isabelle, un peu lasse d'écouter la conversation portant sur la situation de l'Église catholique dans la nouvelle *province of Québec*.

– Mais c'est scandaleux! Les Anglais ne respectent pas le traité!

– Vraiment! s'exclama madame Berthelot en agitant son large éventail de nacre et de plumes teintes en rose tendre devant son visage luisant de blanc et de rouge. Le gouverneur Murray nous trouvera un nouvel évêque bientôt. Cet homme est si gentil et si conciliant avec nous...

Les petits yeux roulaient dans leurs orbites, sous des sourcils noircis, allant d'une robe à l'autre, évaluant, comparant, jugeant. Isabelle sirotait son punch en pariant mentalement sur le nombre de secondes que tiendrait encore la mouche de velours qui pendouillait au coin de la lèvre de la dame.

– L'article 4 du traité nous donne la permission de pratiquer notre culte selon leurs lois, et non plus les nôtres, madame Berthelot. Mais il ne nous permet pas de faire ce que nous voulons, fit remarquer Isabelle, qui n'en revenait pas de la simplicité d'esprit de certaines de ses compatriotes. Sachez que ce cher Murray, malgré toute sa bonne volonté, ne pourra rien y changer.

Voilà! La mouche tomba dans le verre de la dame. Fixant la petite chose noire qui flottait à la surface du liquide ambré, Isabelle déploya son éventail pour cacher son sourire.

Sans évêque depuis la mort de monseigneur Pontbriand, en 1760, le clergé canadien se heurtait aux autorités britanniques qui ne reconnaissaient pas le pape et invoquaient les lois de la Grande-Bretagne pour leur refuser la nomination d'un nouveau dignitaire. L'affaire faisait des remous. De plus, des religieux s'étaient convertis au protestantisme et des Canadiennes épousaient des Anglais protestants. De toutes les religieuses qui vivaient auparavant dans la colonie, il ne restait que les Canadiennes, les autres étant reparties en France. Les sulpiciens étant tous français, les autorités protestantes ne leur faisaient pas confiance. Tout comme on l'avait fait avec les récollets et les jésuites, on parlait de leur confisquer tous leurs biens. Il fallait trouver un modus vivendi permettant de sauver la religion du vaincu.

– Saviez-vous, ma chère amie, continua Isabelle dans un claquement d'éventail, que, depuis la signature de ce fameux traité, notre clergé a perdu près du tiers de ses effectifs dans la colonie? Qui donc, dites-moi, formera nos futurs prêtres si l'on ferme les séminaires et le collège? Le gouvernement britannique empêche tout nouveau prêtre français de venir ici.

Madame Berthelot leva le nez. Juliette Amyot, avançant sa tête de fouine, osa une opinion.

– C'est qu'on dit l'abbé de La Corne justement parti à Londres demander une audience auprès du roi afin d'obtenir la permission de nommer lui-même l'évêque, madame Larue.

– Sa Majesté britannique verra certainement sa requête d'un mauvais œil, à mon avis. Le fait qu'il vive maintenant en France ne peut que le rendre suspect aux yeux du roi George, qui va le prendre pour un espion ou l'instigateur d'une rébellion. Son zèle visant l'obtention de la mitre et les tendances anglophobes de sa famille ne feront qu'attiser les soupçons, j'en suis convaincue. On ne croira pas sa demande totalement désintéressée ni son choix de l'évêque objectif.

Croyant à juste titre qu'on cherchait à faire disparaître le catholicisme du Québec, le clergé canadien avait, de son côté, vers la fin du mois d'octobre, dépêché à Londres le député du peuple Étienne Charest afin qu'il porte une requête spéciale au roi. Isabelle commençait à partager les craintes de sa cousine quant à l'invasion anglaise et déplorait le laxisme de la population canadienne qui, occupée à plaire au nouveau maître des lieux, en oubliait de faire valoir ses traditions.

Madame Berthelot dévisagea Isabelle d'un air agacé et prit une gorgée de punch avant de répliquer:

– Mais nous sommes plus de dix mille âmes catholiques pour...

– Deux cents âmes protestantes? Soit! Seulement, ce sont ces âmes impies qui dirigent, ma chère, et qui feront en sorte que la situation reste ainsi. Avez-vous entendu parler de la loi du Test?

– Mais... monsieur Mounier est français, et pourtant bien vu par le nouveau gouvernement.

– Bien sûr, et je serais la première à m'en réjouir si monsieur François Mounier n'était pas huguenot. Ne le saviez-vous pas? précisa Isabelle sans cacher son impatience. Et... je crois que vous avez avalé votre mouche, madame Berthelot.

– Oh!

Isabelle entendit des voix dans son dos.

– Elle peut bien parler, celle-là. Son mari se taille une place parmi les grands.

– Il est huguenot?

– Les Larue sont catholiques... pour l'instant. Mais cela ne me surprendrait pas que lui ait secrètement prononcé le serment d'abjuration. Il se débrouille déjà assez bien en anglais.

Pivotant sur elle-même, Isabelle foudroya la veuve Brodeur du regard.

– Madame, la place que mon mari se taille à coups de serpe est bien petite, croyez-moi! Par ailleurs, mon époux est effectivement catholique, et il le restera, soyez-en assurée. Il sert, mais ne règne point! Quant à son anglais, il n'a d'autre choix que de le parfaire, ne serait-ce que pour éviter qu'on nous trompe.

La veuve pinça les lèvres et cligna des paupières. Ses joues rouges de poudre et de colère tranchaient sur son teint blanc accentué par le violet vif de sa robe. Sans attendre de réplique, Isabelle, après avoir poliment salué le petit groupe, se dirigea d'un pied ferme vers l'endroit où elle avait vu Pierre pour la dernière fois. Elle avait une soudaine envie de danser et de s'amuser.

L'orchestre entamait un menuet. La jeune femme chercha son mari des yeux, mais ne le vit point. Pourtant, il se tenait là il y avait à peine dix minutes. Scrutant la foule, elle chercha sa belle tête blonde qu'il avait à peine poudrée, sachant qu'elle détestait cela: cela la faisait éternuer.

À l'autre bout de la salle, elle aperçut son frère Étienne, qui était toujours dans le commerce des fourrures. Que pouvait-il bien faire ici, dans un endroit où la majorité des marchands portaient des noms tels que Dunn, Walker ou Livingstone, lui qui était tellement patriote? Il discutait avec deux messieurs. Le plus grand, distingué et à l'air hautain, était le sieur Luc de La Corne, un parent de l'abbé de La Corne, qui était militaire et commerçant de pelleteries. Elle le connaissait pour l'avoir croisé lors d'un souper auquel elle assistait en compagnie de Nicolas des Méloizes. L'homme s'était distingué sous le commandement de Montcalm, lors de l'attaque victorieuse du fort William-Henry et lors du siège de Carillon. Ses exploits lui avaient valu la prestigieuse croix de Saint-Louis en 1759. Mais, à cause de ses grandes connaissances des langues et des mœurs des Sauvages, qu'il avait commandés lors de la bataille de Sainte-Foy, les Anglais le soupçonnaient de fomenter la révolte dans la région des Grands Lacs.

Membre de l'élite coloniale, que l'occupant encourageait à retourner en France, il était l'un des rares survivants du naufrage de l'*Auguste*, sur les côtes du Cap-Breton, en novembre 1761. Il avait perdu ses deux enfants et son frère dans le malheureux événement. De retour à Montréal après un long et difficile voyage à travers les bois enneigés et sur les rivières gelées, La Corne avait abandonné son projet de retourner dans la vieille métropole et avait décidé de s'installer définitivement au Canada.

Le deuxième homme avec lequel s'entretenait son frère était aussi dans le commerce des fourrures et s'appelait Maurice Blondeau. Étienne était parti avec lui lors de sa dernière expédition. Ils étaient revenus de Michillimackinac[3] au début du mois d'octobre avec le récit effrayant du soulèvement des Ojibwas et des Chippewas dont ils avaient été témoins : les Sauvages avaient pris d'assaut le fort et massacré la garnison. Il y avait eu plusieurs attaques de ce genre au cours de l'été 1763. Très inquiètes, les autorités avaient émis une ordonnance interdisant à tout marchand de fournir vivres, armes ou munitions aux Sauvages de la région des Grands Lacs. Un certain chef odawa très influent, Pontiac, menaçait la paix dans cette région. Évidemment, les commerçants de Montréal avaient réagi et crié à l'injustice : on portait atteinte à la liberté du commerce.

Son frère la vit, lui sourit, puis reporta son attention sur ses interlocuteurs. Elle lui rendit son sourire et ne s'en occupa plus : ils ne se voyaient et ne se parlaient que très rarement maintenant. Bien sûr, Étienne était venu lui rendre visite rue Saint-Gabriel. Il s'était même lié d'amitié avec Pierre, qui le faisait gracieusement profiter de ses compétences professionnelles à l'occasion. Elle le croisait ainsi dans le bureau de son mari et lui servait le *tea* avec des gâteaux. Il lui demandait poliment des nouvelles de son neveu, qu'il ne cherchait cependant pas à voir. Étienne ne changerait jamais. Parfois, elle comprenait l'inimitié qui s'était installée entre Justine et lui. On n'enferme pas deux serpents dans le même bocal...

Au milieu de l'assemblée bigarrée, la jeune femme reconnut quelques visages familiers. Il y avait là Francis Maseres, qui discutait avec le marquis Alain Chartier de Lotbinière et son épouse, Marie-Josephte. Plus loin, elle vit un groupe d'hommes de loi, parmi lesquels se trouvaient William Hey, Charles York et James Marriott. Près d'eux, des négociants, dont l'arrogant Thomas Walker, riaient aux éclats.

---

3. À l'origine, Michillimackinac était une mission jésuite installée sur le détroit séparant le lac Huron du lac Michigan. Cette mission est devenue plus tard l'un des postes de traite français les plus importants dans la région des Grands Lacs.

Les gens se regroupaient par milieux: capitaines de milice canadiens entre eux, dames de noble naissance, épouses de roturiers, officiers... Une bonne partie de l'armée britannique était venue de Québec. Au milieu de toute cette foule, elle se sentait comme une fleur parmi les ronces. En définitive, les bals et les dîners officiels ne l'amusaient plus.

Enfin, elle vit Pierre avec cinq personnes, dont trois lui étaient inconnues. Le premier homme, grand et mince et d'un certain âge, avait une allure plutôt austère. Un Anglais, décréta-t-elle. Sans doute un de ces nouveaux marchands qui se targuaient de connaître la formule chimique pour tout changer en or. Les deux autres, nettement plus jeunes, avaient le visage rubicond à cause du bon vin. Deux frères, à n'en pas douter. La ressemblance était frappante.

Avec eux se tenait Edward Gray, un commerçant de la ville qui s'occupait particulièrement d'encans. Enfin, le cinquième homme, Pierre Foretier, spéculateur immobilier, était un ami de longue date dont l'épouse, Thérèse, était assez charmante.

Les affaires allaient bien et ces marchands qui avaient suivi l'armée anglaise étaient venus saigner ce qui restait de l'économie canadienne. Il fallait se faire une raison, car ces gens venaient régulièrement à l'étude de Pierre dont ils remplissaient les coffres. Se faufilant dans un sensuel froufrou sur lequel certains se retournèrent, elle arriva jusqu'à son époux.

– Ah! s'exclama-t-il dans un large sourire en la voyant arriver. Venez, ma douce, que je vous présente trois nouveaux venus dans notre belle *province of Québec*. John McCord, et Joseph et Benjamin Frobisher. Messieurs, ma merveilleuse épouse, Isabelle.

Les hommes la saluèrent et elle s'inclina poliment, agitant son éventail pour cacher la grimace qu'elle ne put s'empêcher de faire. Elle détestait lorsque Pierre se mettait obséquieusement à parler anglais. S'emparant de sa main qu'elle lui tendit à contrecœur et qu'il effleura de ses lèvres, Joseph Frobisher fit un large sourire qui lui donna l'air d'un brochet prêt à mordre dans un bel appât.

– Enchanté, murmura-t-il en français.

– Messieurs Joseph et Benjamin Frobisher sont venus ici pour se faire une place dans le commerce de la pelleterie. Tout comme monsieur McCord, ils veulent faire de grandes choses ici!

– Ne le veulent-ils pas tous? rétorqua Isabelle avec un grand sourire.

Foretier piqua du nez et Pierre prit le coude de sa femme, le pressant légèrement en guise d'avertissement. Il n'était pas question pour lui de s'aliéner ces clients potentiels. Elle le savait bien et n'avait pas envie de gâcher cette soirée.

— Vous êtes ici depuis longtemps, monsieur McCord?

— Non, mais assez pour... *notice* que ici l'hiver *is very cold. My wife, Margery,* aime pas beaucoup.

— Mais il ne fait que commencer! Je crains que vous n'ayez encore rien vu, monsieur McCord. Êtes-vous originaire d'Écosse?

— *No, north of Ireland.*

— Monsieur McCord possédait un débit de boissons, précisa Pierre.

— *Beer.*

— Et vous avez des enfants?

— *Yes.*

— Se plaisent-ils ici? Euh... *Do your children like live in Canada?*

— *Oh, yes! Do you speak English, madam?*

— *Aye, a wee bit!* répondit Isabelle en rougissant légèrement.

— *Oh! I see.* Vous appris avec un Écossais, je pense, remarqua l'Irlandais sans méchanceté. Peut-être que vous connaître lieutenant Alexander Fraser, du *Fraser's Highlanders regiment? My daughter, Jane,* vient de fiancer le lieutenant Fraser. Monsieur Fraser *has just...* acheté la seigneurie La Martinière *of Beaumont.*

— Euh... oui. J'en ai vaguement entendu parler, murmura Isabelle, le regard perdu vers un groupe d'hommes qui discutaient plus loin.

Le cœur de la jeune femme se mit à lui tambouriner la poitrine avec tant de force qu'elle en perdit momentanément le souffle. Pierre, qui lui tenait toujours le coude, la soutint.

— Ça ne va pas, Isabelle?

— Euh... cela passera...

Une gigue lui arrivait aux oreilles. Son corset la comprimait. La transpiration mouillait sa chemisette. Pierre se pencha sur elle, son beau visage tout chiffonné d'inquiétude.

— Vous êtes certaine que ça va aller, ma douce? Vous êtes si pâle. Peut-être devriez-vous vous asseoir un moment?

— Non, répliqua-t-elle un peu abruptement, je... Faites-moi danser, Pierre, je vous prie.

Le jeune Joseph Frobisher s'avança et s'inclina devant elle, une main posée sur son cœur à la manière chevaleresque et les yeux profitant d'un délicieux point de vue sur son corsage.

— Si madame me permet... *the honour of this dance?*

Isabelle resta un moment interdite devant l'audace du jeune Anglais. Ne sachant que répondre, elle interrogea silencieusement Pierre, dont la ligne des lèvres s'était amincie.

– Accordez-la-lui, ma douce, murmura-t-il en baissant les yeux. De toute façon, j'ai à discuter avec ces messieurs. Monsieur McCord veut se relancer dans le débit de boissons. Il aimerait bien s'installer à Québec, où la garnison constituerait une bonne clientèle. J'essaye de le faire changer d'idée avant qu'il ne parte là-bas la semaine prochaine. Ne vous en faites pas.

« Bien sûr, madame divertit les clients pendant qu'on discute affaires... » Elle sourit à Pierre, puis au jeune homme qui attendait, la main toujours sur sa veste. La tête haute, elle se laissa guider par cette main qu'elle découvrait maintenant, avec un certain dégoût, toute moite. Elle régla son pas sur celui de son cavalier, tout en scrutant les convives à la recherche de sa troublante vision. Cette chevelure aux reflets de bronze, ce nez busqué... L'homme vêtu d'un habit de drap noir lui tournait le dos, mais elle avait surpris son profil, reconnu son maintien. « Cela ne peut être lui... Il n'irait jamais dans une soirée comme celle-ci! » songea-t-elle, en émoi.

De son regard perçant, l'homme parcourait les rangs des danseurs qu'une vague d'allégresse faisait onduler. Apparemment, Kiliaen Van der Meer ne se trouvait pas là.

– Nous n'avons qu'à repartir, déclara-t-il en se penchant vers son compagnon.

Gabriel Cotté plissa les yeux et examina un à un les visages qui défilaient devant eux. C'était lui qui devait mettre l'Américain en contact avec le négociant que tous appelaient « le Hollandais ».

– Je vois Blondeau, mais pas Van der Meer. Désolé, mon ami. On m'avait pourtant assuré qu'il serait ici ce soir.

Tapant du pied au rythme de la musique, un troisième homme qui n'avait encore rien dit se tourna vers eux, la bouche de son mince visage fendue jusqu'aux oreilles. Le front arrondi, légèrement proéminent, le menton en galoche, on aurait dit un pierrot lunaire, de profil.

– Plutôt dommage pour le Hollandais, *I'll say*! Toutes ces charmantes créatures... Hum... *divine...*

Cotté partit d'un grand rire qui détourna momentanément l'attention des groupes voisins. Le premier homme en fut agacé.

– Van der Meer sait dénicher les plus jolies créatures dans cette ville, Jacob. Ne vous en faites pas pour lui. C'est sans doute ce qui l'a retenu, d'ailleurs. Tiens... fit brusquement Cotté en montrant d'un mouvement du menton un couple qui sautillait sur la piste. N'est-ce pas là l'un de ces nouveaux marchands anglais... Benjamin Frobisher?

– *He's Joseph,* corrigea Jacob Solomon en suivant le mouvement fluide de la robe vert mousse miroitante.

– Ah! Joseph! Bonté divine! Il n'a pas été long à folâtrer dans le jardin de notre cher notaire Larue! Mais quel appât il a, celui-là, aussi! Avec une femme comme ça, il ne faut pas chercher pourquoi il arrive à chiper toute la clientèle de Mézières!

– Qui est cette dame? demanda le premier homme, captivé par la splendeur de la femme en question.

– Madame Isabelle Larue, née Lacroix, l'Écossais. Mais, gare à celui qui se frotte à elle! Le notaire y tient comme à la prunelle de ses yeux. Si Frobisher a obtenu la faveur de danser avec elle, c'est que Larue doit avoir flairé une bonne affaire. Un beau finaud, ce notaire! Il s'acoquine avec les marchands anglais, pour lesquels il rédige des contrats, des testaments... Enfin... comme on dit, l'argent ne garde pas l'odeur de celui qui l'offre!

L'Écossais observait la dame depuis un bon moment. En fait, dès qu'il avait mis les pieds dans la salle de bal, il avait remarqué cette beauté en compagnie des épouses des notables de Montréal. Il l'avait ensuite suivie des yeux sur la piste de danse, tandis qu'elle sautillait avec son cavalier qui la dévisageait avec intensité. La grâce de ses gestes exprimait des choses qu'une femme de bonne naissance n'oserait jamais dire avec des mots. Cette sensualité qui se dégageait d'elle... Tous les hommes se tournaient discrètement vers elle lorsqu'elle passait près d'eux.

– Dites-moi, Cotté, ce notaire Larue n'est-il pas celui qui a rédigé le contrat du Hollandais?

Son compagnon se pencha vers lui.

– Oui, c'est bien lui. Pierre Larue.

– C'est donc son mari? Ah! Dommage!

– Beau brin de fille, hum? On raconte dans les alcôves que son fils de trois ans est... l'œuvre d'un autre, chuchota-t-il, et qu'il a les cheveux aussi rouges que le feu. Elle est de Québec, vous voyez? Vos régiments n'ont-ils pas passé l'hiver là-bas, après la capitulation?

– Hum.

Un raclement de gorge tira l'Écossais de sa rêverie. Ignace Maurice Cadotte se tenait derrière eux. Il avait les joues rougies par le froid, et des flocons de neige encore agglutinés sur son toupet.

– J'ai trouvé le Hollandais, annonça-t-il, essoufflé. Il est à l'auberge Dulong.

– Que fait-il là-bas, pardi? grogna Cotté.

– Ben, il fête.

– *Damn Van der Meer!* s'esclaffa Solomon en tapant des mains.

Préférer la compagnie des voyageurs à celle des plus belles femmes du pays? *This guy,* il m'intrigue!

L'Écossais sourit. Il ne connaissait Jacob Solomon que depuis trois mois. Mais l'homme lui avait plu d'emblée, avec sa simplicité et son entrain. Natif de New York, soldat dans les troupes coloniales américaines de l'armée britannique ayant été remercié dès la fin des conflits, ce jeune Juif avait déménagé avec sa femme et sa fille à Montréal pour tenter sa chance dans le commerce des fourrures. Son père, banquier, était mort moins d'un an auparavant et lui avait légué une petite fortune. N'ayant aucun intérêt pour la haute finance, il s'était laissé conduire ici par son goût de l'aventure.

Solomon était entré en contact avec lui par l'intermédiaire de Philippe Durand, qui était le frère de Marie-Anne, la femme avec qui l'Écossais vivait. Elle-même était la veuve de son ancien employeur, le marchand André Michaud. Solomon était un riche négociant qui se cherchait un associé habitué au pays. L'Américain, rendu amer par son expérience dans l'armée britannique et ne le cachant pas, préférait un négociant canadien connaissant les anciennes routes des Français et prêt à en découvrir d'autres à un marchand britannique.

Le Hollandais parcourait le pays en quête de fourrures depuis des années. Philippe, qui le connaissait, l'aurait tout de suite suggéré à Solomon. L'Écossais devait seulement mettre en contact les deux hommes. En s'associant avec Van der Meer, le Juif aurait sans doute la possibilité de racheter sous peu ses parts dans la compagnie: le marchand, qui se faisait vieux et trouvait les voyages de plus en plus difficiles, avait évoqué son désir de prendre sa retraite bientôt.

L'Écossais soupçonnait Philippe de vouloir favoriser cette association pour des raisons bien personnelles. Durand lui avait rapidement parlé du Hollandais. Lors de son dernier voyage, l'homme s'était apparemment vu confier une mission secrète par un groupe de marchands - dont Durand faisait partie - qui se rebellait contre les mesures sévères prises par le gouvernement anglais. Il semblait maintenant rechigner à la mener à bien et refusait de rencontrer le groupe avant son retour du Grand Portage, à la fin de l'été prochain. Tout l'hiver, les dents avaient grincé. Il fallait à tout prix que Van der Meer rende des comptes: le commerce de pelleteries était au plus mal.

L'agitation dans la région des Grands Lacs restreignait le territoire de traite et avait poussé ce groupe de négociants à former une ligue dans le but de prêter main-forte aux tribus qui se révoltaient contre les autorités britanniques. Évidemment, chacun y trouvait son intérêt, politique pour les uns, commercial pour les autres.

Mais le but était commun : bouter les garnisons anglaises hors du pays et reprendre possession des terres.

On avait sollicité le concours des Français toujours postés en Louisiane[4]. Mais les démarches n'avaient eu jusqu'ici qu'un succès mitigé. Dans l'espoir d'obtenir son appui, Pontiac avait communiqué avec le capitaine Neyon de Villiers, commandant du fort de Chartres[5]. Cependant, l'homme lui avait conseillé d'enterrer la hache de guerre. De toute évidence, il cherchait à entrer dans les bonnes grâces de ses nouveaux maîtres. Il n'était donc pas intéressé à soutenir le mouvement. Pourtant, une poignée de marchands d'origine française, du pays des Illinois et des Delawares, s'étaient joints à eux. De plus, on soupçonnait certains négociants américains, désireux de s'approprier le marché prometteur de l'ouest du continent, de participer secrètement à la rébellion de Pontiac, bien que, par peur des représailles, aucun ne se fût ouvertement déclaré.

Ainsi, au cours de l'été 1763, pendant que les Sauvages mettaient les avant-postes fortifiés de la vallée de l'Ohio et des Grands Lacs à feu et à sang, un coffre rempli de louis d'or et de piastres espagnoles avait remonté le Mississippi jusqu'au lac Supérieur, où le Hollandais devait en prendre livraison. L'argent était destiné à payer les armes et les munitions que réclamaient les rebelles canadiens. Cependant, le Hollandais, que l'on savait revenu du poste de traite du Grand Portage à la fin de septembre, était resté introuvable. Il n'était sorti de l'ombre que depuis un mois et recrutait des hommes pour sa prochaine expédition. Lorsqu'on l'avait interrogé sur l'argent qu'il était censé avoir en sa possession, il avait déclaré qu'il l'avait caché dans un endroit sûr. L'encre du traité de Paris était encore fraîche. Il était plus sage d'attendre afin de voir ce qu'allait décider le gouvernement quant aux territoires de traite, maintenant que Pontiac se tenait tranquille.

La rébellion des Sauvages semblait effectivement s'être éteinte depuis la fin du siège du fort Detroit[6]. Les membres de la ligue avaient donc acquiescé, du bout des lèvres, à la suggestion du

4. Pour protéger la Louisiane d'une invasion anglaise, la France avait cédé à l'Espagne, en 1762, la partie du territoire située sur la rive droite du Mississippi. À la signature du traité de Paris, la région est donc revenue à la Couronne de Madrid. Toutefois, pour diverses raisons, les Français continuèrent de l'administrer.

5. Fort de pierre construit sur la rive du Mississippi qui était le quartier général français de l'Illinois. Le territoire étant devenu possession britannique en 1763, le commandement du fort fut relevé de ses fonctions en 1765 par le 42e régiment royal des Highlands.

6. Construit par les Français et portant originellement le nom de fort Pontchartrain, cet ouvrage était situé sur la rive nord de la rivière Detroit, à l'endroit où est aujourd'hui sise la ville du même nom, dans le Michigan, aux États-Unis.

Hollandais. Mais la rancœur continuait de faire son œuvre et les dissensions avaient divisé le groupe. Philippe Durand, qui avait repris le commerce de son beau-frère, André Michaud, était de ceux qui souhaitaient à tout prix mettre la main sur le coffre. Jacob Solomon tombait à pic pour lui, car sa haine des autorités anglaises faisait de lui un associé idéal pour l'aider à arriver à ses fins.

Délaissant la frénésie des danseurs, l'Écossais se tourna vers le Juif, qui tapait des mains en suivant une jolie demoiselle des yeux.

– Soit! fit-il en faisant mine de partir. Gabriel vous conduira à Van der Meer demain. Aujourd'hui, il est trop tard. Je dois retourner à la Batiscan dès ce soir pour retrouver Marie-Anne. De toute façon, le Hollandais ne doit plus être en état de parler affaires.

Comme il se retournait pour jeter un dernier coup d'œil vers la belle épouse de Larue, il la surprit en train de le fixer, figée sur la piste. Son teint était si pâle...

– *Madam? Madam? Are you...* Vous allez bien?

Le cœur d'Isabelle battait à lui rompre la poitrine. Il était bien là, à quelques pieds d'elle, la dévisageant d'un air indéchiffrable. Une bouffée de chaleur la fit vaciller. «Alex!...» L'homme fit simplement une petite révérence et se détourna, sans plus, la laissant pantoise au milieu des danseurs qui l'évitaient. Elle demeura là, immobile, le regard braqué sur la sombre chevelure aux reflets de bronze qui disparut dans une mer de perruques. Les larmes lui voilaient les yeux.

– *Madam!*

Une pression sur son avant-bras lui fit tourner la tête. Monsieur Frobisher, penché sur elle, la regardait d'un air inquiet.

– Je suis... confuse, monsieur, arriva-t-elle à articuler en retenant à grand-peine les sanglots qui l'étranglaient. Pardonnez-moi, je... suis un peu fatiguée. Je crois que je devrais m'asseoir un moment. Vous seriez bien gentil d'aller me chercher un verre de punch, cela me ferait le plus grand bien.

– *Punch, yes, yes! With great pleasure, madam!*

La voix se perdit dans une envolée musicale, tandis qu'Isabelle plongeait dans ses souvenirs.

– Bon Dieu! Les Canadiens ont à peine eu le temps de se remettre des horreurs de la guerre que Thomas Gage leur demande de s'engager dans la milice pour combattre les Sauvages qui, par le passé, ont été leurs alliés! C'est impensable, je vous le dis! claironna Blondeau avec irritation.

– On recrute des volontaires, intervint La Corne. Personne

n'est contraint de s'engager, vous le savez bien. D'ailleurs, Burton s'y oppose farouchement. Il craint que les sulpiciens n'incitent les soldats de la milice, des hommes armés, à se révolter. Il n'a pas tort! Pour ces mêmes raisons, plusieurs traiteurs[7] anglais sont en froid avec Murray, qui se sert du clergé catholique pour le recrutement. Il y a de la colère et du ressentiment chez eux. Nous savons tous combien l'Église est influente au sein de la population... Je ne prédis rien de bon.

– À Québec, le vent de la révolte ne souffle pas très fort, intervint Étienne. Les listes de recrutement ne sont pas longues. Mais icitte, à Montréal, c'est une autre histoire. Les marchands canadiens craignent la concurrence des Anglais, avec raison, j'vous l'dis! Les territoires autorisés pour la traite n'offrent plus rien. Les marchands demandent la possibilité d'ouvrir des voies vers l'ouest.

– Et ce vent qui souffle sur Montréal, monsieur Lacroix, vous aurait-il happé dans sa course? s'informa La Corne avec un demi-sourire.

L'air sibyllin, Étienne retroussa les coins de sa bouche, préparant une réponse tout en laissant son œil vagabonder parmi l'assemblée bourdonnante. Tout à coup, il figea son expression et plissa les yeux pour mieux scruter les traits de l'homme qui se tenait aux côtés de Gabriel Cotté, qu'il venait d'entrevoir.

– Tiens, tiens! ricana Blondeau, interprétant mal l'air médusé d'Étienne. Je crois que notre ami Lacroix vient d'être envoûté par une sylphide!

L'homme quittait la salle. Étienne bredouilla des excuses et traversa d'un pas décidé la piste de danse, provoquant des exclamations et des regards réprobateurs. Isabelle se trouvait là. Livide, elle avait les yeux rivés sur l'endroit où venait de disparaître l'inconnu, ce qui confirma les soupçons d'Étienne. L'homme rejoignit Cotté, qui s'apprêtait lui aussi à quitter la salle. Lui attrapant le coude, il le poussa dans un coin.

– Ah! Si c'est pas mon bon ami Étienne Lacroix! Que fais-tu à Montréal? Tu pars pour les Pays d'en Haut en mai?

– Bonsoir, Gabriel. L'homme à qui tu parlais il y a deux minutes, c'était qui?

La nervosité éraillait la voix d'Étienne plus que de coutume. Cotté fronça les sourcils.

– Le Juif? Jacob Solomon. Il...

– Non, l'autre. Un Écossais, je pense.

---

7. Marchands de fourrures.

– Ah! L'Écossais? Jean l'Écossais. Il travaille pour Philippe Durand. Pourquoi, tu cherches des recrues?

«Jean l'Écossais», répéta mentalement Étienne. Se serait-il trompé? À moins que le type ne se serve d'un pseudonyme... ce qui serait fort possible. Il se tourna vers l'endroit où s'était pétrifiée Isabelle: elle avait disparu. Non, il n'avait pas fait d'erreur. L'homme qu'il avait aperçu était bien l'ancien amant de sa sœur. Il toussota et remua pour contenir sa nervosité grandissante.

– Euh... non. Enfin... peut-être. Il travaille pour Durand, tu dis?

– C'est son homme de confiance, en fait. Il vit avec sa sœur, la belle Marie-Anne. La veuve de Michaud, tu te souviens?

– Hum... oui. Merci, Gabriel.

– Je sortais pour prendre un dernier verre avec le Hollandais, à l'auberge Dulong. Tu veux te joindre à nous?

– Avec Van der Meer?

– Oui, je dois le voir. J'ai un homme qui cherche un associé. Ce Solomon dont je t'ai parlé.

– Une autre fois, peut-être. Bonsoir, mon ami.

Quelques minutes plus tard, Étienne se retrouvait dans la rue obscure. La neige fraîchement tombée couvrait le bourbier qu'était la rue Saint-Paul et étincelait comme un lit d'étoiles. Il examina un instant les pistes qui la marquaient. La boue ne s'était pas encore cristallisée sur les bords. Il les suivit donc.

Près de la porte Saint-Martin menant au faubourg Québec attendait un équipage. Trois individus discutaient. Caché dans l'ombre des remparts, Étienne les épia. Il reconnut la silhouette de celui qui se faisait appeler l'Écossais. L'homme grimpait dans la voiture. Un autre le suivit, tandis que le troisième montait sur le siège avant et empoignait les rênes. Le fouet claqua sur les croupes enneigées, accompagné d'un «hue!» L'équipage s'ébranla dans un grincement, fit demi-tour et s'engagea dans la rue Sainte-Marie, en direction de l'est. La main encore crispée sur son couteau, Étienne fixa la masse sombre de la voiture jusqu'à ce qu'elle fût complètement avalée par l'obscurité et les volutes de neige qui flottaient derrière elle.

– Nous nous retrouverons, l'Écossais. Pour Marcelline.

***

– Êtes-vous prête, ma douce?

Pierre soutenait par le coude Isabelle, qui tenait à peine sur ses jambes molles.

– Ouuui.

C'était plus un miaulement qu'un mot. La jeune femme ferma les yeux pour atténuer son tournis et se retint au mur pour ne pas piquer du nez. Une nausée lui souleva l'estomac. Voyant son teint grisâtre, Pierre pressa le pas. La voiture attendait. Un peu confuse, Isabelle rata une marche et glissa sur quelques degrés.

— Oooh! fit-elle en se rattrapant au bras de son époux. Je... su-suis...

— Un peu ivre, je dirais, compléta Pierre en souriant. Ce jeune Frobisher n'arrêtait pas d'aller et venir entre la fontaine de punch et vous. Vous l'avez ensorcelé, je le crains. Je ne vous en tiens pas rigueur... Comment un homme pourrait résister à vos charmes, madame Larue? Vous étiez la plus... divine des fées du printemps... Hum... Vous inspirez l'amour. Psyché doit être pâle de jalousie.

Isabelle émit un hoquet en affichant une expression ironique.

— Vrai-vraiment? Enfin... si vous le dites!

Elle pouffa de rire. Le seul homme à qui elle aurait vraiment voulu plaire et inspirer quelque chose s'était éclipsé dès qu'il l'avait vue. Pourtant, le regard qu'elle lui avait surpris était dénué de toute forme d'animosité. Il lui avait même paru... serein. Cela l'avait laissée perplexe, voire inquiète. S'il l'avait aimée, il aurait certainement eu du ressentiment contre elle, qui l'avait trahi si honteusement... Il aurait dû lui témoigner ne serait-ce qu'une légitime froideur. Elle l'aurait compris et accepté. Mais qu'il fût... si calme et souriant... Se serait-elle trompée à ce point sur ses sentiments?

Son pied dérapa sur la pierre couverte de gadoue, et son rire s'acheva dans un petit cri. La plus belle des fées? Pour l'instant, les charmes de la fée faisaient piètre figure et allaient s'imprimer dans la neige si Pierre ne la soutenait pas de sa main ferme. Elle se sentit poussée sur le siège de la voiture.

— Basile!

— Oui, monsieur?

— Conduisez-nous sur le coteau Saint-Louis.

— Bien, monsieur.

Isabelle tourna un œil vitreux vers son mari qui refermait la portière.

— Le coteau Saint-Louis? Par ce temps? Je préférerais aller dormir... geignit-elle en bâillant.

— L'air pur vous fera le plus grand bien, ma douce, et l'aube se lèvera d'ici peu. Vous verrez, le lever du soleil est magnifique du haut de la montagne.

— Magnifique, répéta Isabelle dans un faible murmure et en luttant contre le sommeil et la nausée.

L'air frais lui fit en effet beaucoup de bien et la vue de la ville sous le ciel pâlissant aux tons pastel apaisa son trouble. Une vision... Ce n'était qu'une vision, se disait-elle, les yeux perdus dans les rubans bleus au-dessus d'elle. Alexander ne pouvait se trouver à ce bal. C'était un homme qui lui ressemblait, rien de plus. Puis, le bleu intense du regard et la ligne si particulière du sourire lui revenaient, semant le doute dans son esprit bouleversé.

Se tenant à ses côtés, Pierre, le menton posé sur son épaule, l'enveloppait de ses bras. Son haleine réchauffait sa joue. Elle ferma les yeux, se laissa bercer par le gazouillis des oiseaux qui se réveillaient après une nuit froide. Quelle nuit! Quel bal! Madame Larue s'y était amusée, le pied et le coude légers. Mais son cœur lourd s'y était ennuyé.

– Votre tête va mieux?

Tendre Pierre, toujours aussi bienveillant et attentionné. Comment pouvait-elle lui confier son bouleversement?

– Un peu.

– Vous voulez marcher encore?

– Basile doit s'impatienter... Nous devrions peut-être rentrer.

– Basile fait ce qu'on lui demande, Isabelle, susurra Pierre en la faisant pivoter entre ses bras pour lui faire face. Il a dormi toute la soirée. Et je n'ai pas envie de rentrer... du moins, pas tout de suite. À moins que vous n'ayez froid?

– Je n'ai pas froid.

Une galette de neige mouillée tomba tout près d'eux. La douceur de l'air dégarnissait les branches des sapins de leur parure immaculée. D'où ils se trouvaient, ils pouvaient admirer la ville et ses faubourgs. Le faubourg Saint-Joseph, au sud-ouest des remparts, se trouvait à leurs pieds, tout au bout du chemin sinueux et abrupt de la montagne. Depuis la ville, on y accédait par la porte des Récollets. Si on regardait vers le nord-est, on apercevait la côte Saint-Laurent et ses vergers, qui ne tarderaient pas à embaumer la campagne. Isabelle y emmènerait Gabriel faire des pique-niques. Le petit garçon adorait s'amuser dans la nature, courir après les papillons.

Suivant le mince filet givré de la Petite Rivière qui longeait les murs de la ville, le regard d'Isabelle aboutit au faubourg Québec, bordé de bouts de landes marécageuses et de champs endormis sous la neige. Le nom de l'endroit lui fit penser à sa ville qui lui manquait tant, avec ses marées, son vent du large légèrement iodé et sa grande île d'Orléans. Dans quelques semaines, elle y retournerait, enfin. Ce serait la première fois depuis plus de trois ans. Gabriel était maintenant assez grand pour supporter un si long voyage.

Se faisant câlin, Pierre caressait ses épaules et sa nuque d'une main gantée. Elle sentait son corps chaud et solide se presser contre le sien. Dans les salons de Montréal, on enviait madame Larue d'avoir réussi à le retenir dans les filets du mariage. Elle savait bien qu'on faisait des gorges chaudes des aventures passées du beau notaire. Ainsi, elle avait appris que Pierre avait été plutôt galant avec la gent féminine. Cela la contrariait un peu de savoir que certaines de ces femmes connaissaient son mari aussi «intimement» qu'elle. Non qu'elle fût jalouse, mais cela l'embarrassait de servir de sujet de plaisanterie à ces charmantes dames de la bonne société.

Exprimant son besoin de sommeil par un bruyant bâillement, elle se remplit les poumons de l'air frais qui embaumait la résine de conifères. Levant son visage vers celui de Pierre, elle rencontra son regard pénétrant. Ses traits étaient détendus et doux. Il posa ses lèvres sur son front et la serra fortement contre lui.

—Vous me comblez, madame Larue. Vous me comblez... Isabelle. Le saviez-vous? Vous l'ai-je déjà dit?

Elle entendait dans sa voix combien il était sincère.

—Non... enfin, peut-être... murmura-t-elle en fermant ses paupières sur ses yeux brûlants.

Elle aurait tellement aimé lui répondre pareillement. Mais elle n'y arrivait pas, malgré tout l'effort qu'elle faisait.

—Je vous aime, ma douce, mon ange... Je vous aime comme j'aime l'aube qui se lève sur un jour nouveau, comme j'aime une nuit constellée d'étoiles. Vous êtes l'astre de ma vie, Isabelle...

Avec une infinie douceur, il posa sa bouche sur celle d'Isabelle. Le baiser était tendre, puis se fit avide. Déstabilisée, la jeune femme se laissa porter par les bras qui se resserraient autour de sa taille. Les mouvements sensuels de Pierre lui procuraient, malgré elle, des sensations. Elle n'aimait pas son mari d'un amour fougueux. Mais elle n'arrivait pas non plus à le détester complètement. Bien qu'elle en eût honte, elle aimait ses caresses, ses mains sur elle. Il savait comment faire naître le désir en elle. Mais ressentir du plaisir avec un autre homme qu'Alexander la culpabilisait.

En dépit de tous ses efforts pour oublier le père de son fils, elle n'y arrivait pas. L'aimait-elle encore vraiment cependant? N'entretenait-elle pas secrètement son souvenir pour nourrir sa frustration d'avoir été forcée de le quitter? Elle l'avait espéré, attendu durant les semaines qui avaient suivi son mariage avec Pierre Larue... Il n'avait donné aucun signe de vie: il l'abandonnait à son sort. Elle ne comprenait pas son comportement et en était profondément attristée. N'aurait-il pas dû chercher à la revoir, à la reprendre s'il l'aimait? Elle se disait qu'il n'en valait pas la peine, que finalement Pierre était peut-être ce qui avait pu lui arriver de mieux, compte tenu de la situation. Elle pensait qu'Alexander avait sans doute appris qu'elle était mariée et se réjouissait de ne pas avoir à entretenir une femme et un enfant. Elle l'avait pourtant tellement aimé! Les années qui passaient déformaient-elles la perception qu'elle avait de cet homme?

Pierre s'écarta, plongeant son regard enamouré dans le sien.

– Il est temps de rentrer. Venez, mon ange, retrouvons la chaleur d'une étreinte avant que le jour ne se lève complètement... avec notre petit homme.

Et cet amour inconditionnel qu'il portait à Gabriel! Tout cela ébranlait son indifférence.

La maison était encore silencieuse. Les premières lueurs du jour s'infiltraient par la fenêtre et jouaient sur les cheveux d'Isabelle qui tombaient sur ses épaules nues, frémissantes. Les yeux fermés, la jeune femme laissait les mains de Pierre s'affairer sur les rubans et les agrafes qui retenaient ses vêtements. C'était d'habitude à Élise qu'incombait la tâche fastidieuse de la déshabiller. Mais Pierre savait faire. Ses doigts se mouvaient avec une agilité surprenante sur l'étoffe soyeuse et avec beaucoup de délicatesse. On aurait dit que l'homme effeuillait la plus fragile des fleurs cueillies dans les jardins de l'Amour.

– Vous me faites perdre mes sens, ma toute belle!

Ses caresses, les mots qu'il lui susurrait eurent raison des dernières réticences d'Isabelle. Posté derrière elle, il la délivra enfin du corset, ne la laissant parée que du magnifique collier d'émeraudes qu'il lui avait offert. Il fit alors glisser ses mains le long de ses flancs, jusqu'à ses seins qu'il emprisonna dans leur chaleur. Elle s'arc-bouta légèrement dans un faible gémissement. La tiédeur du corps de Pierre contre son dos l'attirait au milieu de la fraîcheur de la chambre.

– Ma déesse! Même Botticelli ne pourrait vous rendre grâce. Vous êtes si... si...

Il l'embrassa sur les épaules, laissant ses lèvres s'attarder sur sa peau, comme s'il voulait croquer dedans. Puis, tenant ses hanches dans ses mains, il la fit pivoter et s'accroupit devant elle. La tête encore étourdie par l'alcool, Isabelle garda son équilibre en prenant dans ses mains la chevelure de Pierre.

– Si... quoi?

– Si...

Dans un geste éloquent, il préféra goûter à la douceur du fruit plutôt qu'à celle des mots. Isabelle ne put empêcher ses jambes de fléchir, mais il la retint contre sa bouche. Tandis que des frissons extatiques la secouaient, elle revoyait des lambeaux de souvenirs et en était remuée. Puis, en même temps que son corps, elle sentit son esprit basculer et se retrouva couchée sur le lit. La bouche la parcourait, l'explorait, éveillait en elle des images. Psyché aimée de l'Amour, dont elle n'avait pas le droit de voir les traits, au risque de voir son âme déchue. Elle garda donc les yeux fermés et se concentra sur les gestes de l'amant sans visage qui se rendait maître de sa volonté, de son corps, de ses sens.

– Je vous aime... mon ange!

Sous les multiples baisers, elle se sentait envahie par la langueur.

– Mon amour, mon ange... répétait la voix, tandis que le corps de l'amant la recouvrait, se coulait en elle.

Non, ne pas ouvrir les yeux, ne pas voir son visage, sinon le rêve éclaterait. Les images défilaient derrière ses paupières, contribuant à son plaisir. L'Amour s'emparait d'elle, la possédait, la transportait au-delà d'elle-même, l'entraînait sur le faîte du Magnifique... où elle se tint en équilibre un moment avant que le grand frisson de la volupté ne la saisisse. Son amant prit son plaisir avec elle. « Alexander... je t'aime... »

– Alex... murmurèrent doucement ses lèvres.

Elle entrouvrit les yeux, vaguement consciente des mots qui lui avaient échappé. Psyché découvrit alors le visage de son amant...

Il lui sembla que la Terre cessait de tourner, que les astres arrêtaient leur course dans le ciel et que le sol s'ouvrait sous elle. Psyché, la malheureuse. Celle qu'on a punie pour sa beauté en la mariant à un homme inconnu. L'oracle avait dit: « Sa parure de mariage sera sa tenue funèbre. » Psyché, l'éprouvée. Celle qui n'avait jamais perdu l'espoir de retrouver un jour son amour, et qui avait ainsi pu franchir les obstacles et marcher au bord des précipices. Psyché, celle qui, au bout de ses peines, avait été récompensée, recevant l'immortalité et vivant heureuse avec son bien-aimé pour l'éternité... Mais quand? Dans l'au-delà? Était-ce là sa destinée à elle, Isabelle: retrouver Alexander dans l'éternité? Errer dans son imaginaire à la recherche de son amour? Tout cela n'était qu'un conte, qu'un mythe...

Pierre, qui soufflait dans son cou, remua et se dégagea de son étreinte. Le lit grinça. Isabelle n'osait regarder son mari, de peur de voir au fond de ses yeux la blessure profonde qu'elle lui avait infligée involontairement. Mais, en même temps, elle ne pouvait le laisser partir comme cela. Lentement, elle ouvrit complètement les paupières et se tourna vers lui. Assis sur le bord du lit dans la lumière crue du jour, il lui montrait son dos et ne bougeait pas.

– Pierre... articula-t-elle avec difficulté.

Une épaule bougea très légèrement.

– Je suis... dé-désolée... hoqueta-t-elle en étouffant un sanglot dans sa paume.

Que pouvaient les mots? Se recroquevillant sur elle-même, elle se laissa aller à son chagrin.

– Je suis... désolée... désolée... répétait-elle dans les draps.

La porte claqua. Elle demeura seule, terriblement seule.

***

Quelques jours s'écoulèrent, moroses. Pierre ne parut pas aux repas, demeurant enfermé dans son bureau s'il ne sortait pas tout simplement. Isabelle respecta son isolement. Elle profita de ces jours de solitude pour commencer à préparer ses malles en vue de son prochain voyage à Québec. La perspective du départ apaisait son chagrin. La séparation ne pourrait être que bénéfique. Pierre se languirait d'eux; le temps ferait son œuvre. Elle devait partir avec Gabriel dans trois semaines, le lendemain de son anniversaire. Elle aurait bientôt vingt-cinq ans. En y pensant, elle se sentit soudain vieille.

Le trouble qu'elle avait ressenti le fameux soir du bal lorsqu'elle avait croisé le regard de saphir ne la quittait plus. Avec lui revenaient des souvenirs qu'elle n'arrivait pas à repousser. Quels que fussent les efforts qu'elle mit à le haïr, elle devait bien se l'admettre: elle aimait toujours Alexander. Chaque rappel de ses baisers brûlait encore sa peau; chaque évocation de ses caresses faisait vibrer son cœur. Pour son plus grand malheur... et celui de Pierre.

Pourtant, c'était Pierre qu'elle avait épousé et avec qui elle devait partager sa vie, jusqu'à ce que la mort les sépare. Cette vie s'annonçait d'une tristesse terrible... Tomber enceinte lui paraissait maintenant la solution pour les rapprocher, Pierre et elle. Mais, pour cela, encore faudrait-il qu'ils se retrouvassent dans un lit.

Assise sur le tabouret de sa coiffeuse, perdue dans ses pensées, elle se brossait les cheveux. Elle posa lentement la brosse sur le plateau et essuya du revers de la main une larme qui coulait sur sa joue. Elle devait se ressaisir, ne serait-ce que pour le petit Gabriel qui ne comprenait pas pourquoi son papa ne soupait plus avec eux.

– Il est... fâché cont' moi?

« Pas contre toi, mon amour, pas contre toi... »

– Bien sûr que non, mon cœur de joie. Ton papa est très occupé avec tous ces messieurs qui veulent des contrats.

– Ceux qui pa'lent ang'ais?

– Parrrlent, Gabriel.

L'enfant fit une moue déconfite.

– Ça va. Tu y arriveras bien un jour, je le sais.

La maisonnée était plongée dans le silence. N'arrivant pas à dormir, Isabelle se leva et tenta de lire un peu. Puis, pensant à Pierre, elle décida qu'il était temps de l'affronter, bien que cela la rebutât. Ils devaient tous les deux discuter et trouver un compromis qui allait redonner un semblant d'équilibre à la vie de leur fils. Résolue, elle se leva, enfila son peignoir et se glissa dans l'obscurité du couloir. Elle évita la lame du plancher qui craquait devant la porte ouverte de la chambre de son mari. La pièce était vide : il était sans doute encore dans son bureau.

Resserrant les pans de son peignoir sur elle, elle descendit les marches et avança à pas feutrés dans le salon. Dans la faible lumière lunaire, le clavecin qui trônait au centre de la pièce luisait. Elle s'en approcha et fit glisser ses doigts dessus, suivant le contour des roses peintes dans un enchevêtrement de rinceaux. Dans sa tête, la voix de l'instrument s'éleva. La musique, complice de ses états d'âme. Il y avait maintenant si longtemps qu'elle ne s'était pas livrée à ses influences lénitives.

Avant de partir pour la France, Justine lui avait fait livrer le clavecin, seul bien meuble hérité de son père et sauvé lors de la vente de la maison. Pierre lui avait réservé une place de choix dans le salon. Mais les doigts d'Isabelle n'avaient quasiment plus frôlé les touches d'ivoire depuis ce jour terrible où Justine avait annoncé le mariage avec le notaire Larue.

Une image vint à l'esprit de la jeune femme : sa mère assise devant ce même meuble, faisant courir ses doigts sur le clavier, les faisant voler même, éclaboussant la pièce d'une musique merveilleuse. Sa mère avait déjà joué de ce clavecin. Mais quand? Cela devait faire bien longtemps. Le souvenir était tellement flou.

Délaissant ses tristes évocations, Isabelle se dirigea vers le bureau, qui était éclairé. Doucement, elle poussa la porte et passa sa tête dans l'embrasure. Personne. Où était Pierre? Des murmures étouffés, un grondement sourd. Elle tourna la tête vers le fond de la pièce, où se trouvait un réduit qui servait de greffe. Elle n'était jamais entrée là, n'y trouvant aucun intérêt. Pierre devait y chercher un document. Il serait peut-être préférable d'attendre au lendemain pour lui parler. Il était si occupé ces jours-ci. Non, elle n'aurait alors sans doute plus le courage de le faire. Fermant les yeux, prenant une profonde aspiration, elle se dirigea vers le réduit et ouvrit prudemment la porte.

Pierre se trouvait là effectivement, mais... mais... Plaquant sa main sur ses lèvres pour s'empêcher de crier, elle se retint au chambranle avec difficulté, les yeux écarquillés devant le spectacle qui s'offrait à elle: Pierre, de dos, martelait de son bassin le corps d'Élise, qui gémissait à chaque coup. La jeune femme, ayant probablement aperçu l'ombre de sa maîtresse, tourna la tête et poussa un petit cri qui se confondit avec le râle de Pierre, cambré et tendu dans la jouissance.

Fixant Isabelle de ses grands yeux de chouette, la servante se dégagea rapidement des mains de son maître, rabattit sa chemise de nuit et se recroquevilla dans un coin sombre. Pierre, encore engourdi par son plaisir adultère, mit plus de temps à réagir. Il resta un moment dressé sur les genoux, pantelant, la tête vers l'arrière, les bras ballants et la pièce à conviction bien en vue.

Enfin, voyant le visage effrayé d'Élise, il se retourna lentement et vit l'expression choquée de sa femme. Il y eut un moment de flottement, durant lequel Isabelle sentit le fragile lien qui les unissait tous les deux se rompre définitivement. Puis Pierre, rattrapé par la réalité, s'écroula sur le plancher en sanglotant.

– Oh, mon Dieu! Pardonnez-moi...

Tout à fait ressaisie, Isabelle le fixait froidement. Puis, après avoir lancé un dernier regard mauvais à la servante, elle pivota sur elle-même et quitta le réduit sans un mot.

Assise sur son lit, entourant de ses bras ses jambes repliées sous son menton, elle attendait. Il allait venir, frapper à la porte de sa chambre, elle le savait. Il prit une bonne heure avant de le faire. Elle leva la tête. La silhouette masculine apparut et se tint sur le seuil, prête à déguerpir. Aucune chandelle n'éclairait la pièce. Tandis que les secondes s'égrenaient, ils cherchaient chacun dans le regard de l'autre, à la lueur des flammes qui montaient dans l'âtre, un signe de fureur ou de repentir. Pierre se détourna le premier.

– Isabelle... vous devez comprendre...

– Comprendre quoi? Que vous n'arrivez pas à contrôler vos bas instincts?

– Il n'est pas question de cela, vous le savez...

– Dites-moi alors de quoi il s'agit, mon cher mari! Ce que j'ai... vu... Oh! Batinse! Élise partira dès demain! Il n'est pas question que vous rendiez grosses toutes les femmes du service domestique, pendant que moi...

– Rendre grosses?! C'est donc tout ce qui vous choque, qui vous préoccupe? Que je rende grosse la servante?

Il la dévisagea un bref moment, grimaçant d'incrédulité et de colère. Puis, il éclata d'un rire qui donna froid dans le dos à Isabelle.

– Rendre grosse? Ha! ha! ha! Ne vous en faites pas pour ça, il ne saurait en être question! Impossible! Je ne pourrais...

Il s'interrompit brusquement, voyant Isabelle froncer les sourcils.

– Et pourquoi en êtes-vous si certain? Sauriez-vous quelque chose sur Élise? À moins que...

Elle scrutait les traits de Pierre qui, ne pouvant plus soutenir son examen plus longtemps, se tourna vers le feu.

– Pierre, quelque chose m'échappe. Voulez-vous bien m'expliquer? Que voulez-vous insinuer?

– Je... Il... m'est impossible de... bafouilla-t-il en prenant appui sur le manteau de la cheminée et en baissant la tête. Je veux dire... Je suis stérile, voilà!

Un lourd silence tomba dans la pièce après ce terrible aveu: Isabelle mesurait le sens des mots qu'elle avait entendus. Sentant son ventre se crisper douloureusement, la jeune femme poussa un gémissement dans la paume de sa main.

«Je suis stérile... stérile.» La voix de Pierre résonnait encore dans sa tête. Il lui avait menti! Non, pas menti, puisqu'ils n'avaient jamais abordé le sujet d'avoir des enfants. Mais il s'était bien gardé de lui parler de ça, ce qui, à ses yeux, était comme un mensonge. La colère grondait en elle. Elle se retint avec difficulté de crier.

– De-depuis quand... le savez-vous?

– J'ai eu les auripeaux[8] à treize ans, expliqua Pierre en fixant une petite boîte à mouches de faïence qui ornait la tablette à laquelle il s'agrippait. Le médecin... enfin, vous savez... Lorsqu'un garçon contracte les auripeaux à cet âge...

– Treize ans... Vous le saviez depuis longtemps... et vous ne m'en avez rien dit, murmura-t-elle âprement. Vous ne m'en avez rien dit!

Elle se rappela les regards réprobateurs de la fratrie de Pierre. Sa famille savait qu'elle portait le bâtard d'un autre. Il ne pouvait en être autrement, puisque Pierre ne pouvait procréer!

– Pardonnez-moi, Isabelle... J'aurais dû vous le dire, je sais.

8. Oreillons.

Elle ne répondit rien, figée dans le noir, pressentant le vide que lui réservait l'avenir. Instinctivement, elle posa sa main sur son ventre plat, réalisant qu'il resterait désespérément ainsi et ne sachant trop qu'en penser. Gabriel serait son seul et unique enfant? Celui d'Alexander. De Pierre, elle n'aurait jamais d'enfants. Puis, son esprit tourmenté fut saisi d'horreur: Pierre l'avait-il épousée uniquement parce qu'il la savait enceinte? Avait-il détruit sa vie pour bâtir la sienne? Une longue plainte s'échappa de sa poitrine, et elle se laissa tomber sur l'édredon froissé.

Pierre s'approcha, lui prit les mains et les baisa. Elle sentit son haleine avinée et ses joues mouillées sur sa peau. Mais cela la laissa froide.

– Isabelle, je vous aime. Je n'ai jamais voulu vous blesser, vous devez me croire...

– Vous m'avez menti!

Elle dégagea ses mains de son étreinte, mais il revint à la charge, la saisissant par les épaules et la secouant.

– Isabelle, je vous aime et j'aime Gabriel comme mon propre fils, vous comprenez? Le jour où j'ai posé les yeux sur vous... je vous ai aimée d'emblée. Je ne savais alors rien de votre état, je vous le jure! Votre mère m'en a informé quelque temps plus tard seulement. Au début, cela m'a choqué de savoir que vous aviez eu un amant. Mais... d'un autre côté, vous m'offriez le plus beau cadeau, ce que je ne pourrais connaître autrement. Vous avez fait de moi un père, Isabelle...

– J'ai fait de vous un père... murmura-t-elle. Mais, pour cela, j'ai privé Gabriel de son véritable père. J'ai trahi cet homme! J'ai trahi... Vous m'avez contrainte!

– Je ne vous ai contrainte à rien du tout. Vous avez accepté, Isabelle.

– Non! hurla-t-elle en se dégageant. Non! Je n'ai jamais accepté! C'est ma mère... C'est ma mère! Elle... Oh! Elle m'a menacée. Je ne voulais pas...

– Isabelle, poursuivit Pierre, désorienté, elle m'a assuré que vous aviez été abandonnée. Je croyais...

– Oh, non! Oh, non! scanda-t-elle en se balançant, les paupières fermées et les mains crispées sur sa chemise de nuit.

Pierre l'entoura de ses bras et la berça doucement contre lui. Elle pleura un long moment tout ce qu'on lui avait volé.

– Je vous aime, Isabelle, murmura Pierre, le nez enfoui dans les cheveux en broussaille. Vous l'oublierez, je vous ferai oublier...

Il embrassa la jeune femme sur le front, chercha sa bouche tandis que ses mains caressaient la fine batiste. Isabelle se raidit, esquiva le baiser en tournant la tête.

– Non, je ne veux pas! Je ne veux pas l'oublier!

– Vous le devez, mon ange. Vous êtes ma femme, devant l'Église. Vous m'appartenez.

– Vous appartenir? hoqueta-t-elle en le toisant froidement. Vous appartenir? Je ne vous ai jamais appartenu, Pierre Larue. Mon cœur, je l'ai donné à un autre. Cela, je ne saurais vous le cacher, et vous le savez très bien. Il en restera toujours ainsi, car je lui en ai fait le serment devant Dieu.

– Inepties, vous êtes MA femme! insista Pierre d'une voix durcie en l'attirant vers lui.

Isabelle avait la gorge sèche et l'estomac contracté. Quelle situation absurde! Elle se débattait, s'étranglait avec ses sanglots. Pierre ne la lâchait pas, obstiné qu'il était, dans son débordement d'amour, à la convaincre qu'elle devait l'aimer. Ils luttèrent ainsi sur le lit, dans un pêle-mêle de draps, de membres et de cheveux. Au bout de quelques minutes, il réussit à l'immobiliser en lui plaquant les épaules sur le matelas et en la retenant de tout son poids. Plongeant son regard pers dans le vert piqueté d'or qui le braquait avec rage, il affirma, d'une voix calme mais ferme:

– Vous êtes *ma* femme, Isabelle, quoi que vous disiez, quoi que vous fassiez, vous comprenez? Nous sommes mariés selon les rites de l'Église catholique apostolique romaine. Contre cela, vous ne pouvez rien. Vous me devez donc obéissance et loyauté, jusqu'à ce que la mort nous sépare. Croyez-moi, je ferai en sorte qu'il en soit ainsi.

Il baissa lentement la tête vers la gorge palpitante de fureur d'Isabelle, que la chemise de nuit laissait entrevoir. Il y posa les lèvres et y aventura une main. La jeune femme remua comme elle put pour se libérer. Il la repoussa avec rudesse, reprenant là où il en était, bien décidé à lui montrer qu'en tant que mari il pouvait faire d'elle ce qu'il voulait.

– Vous n'en avez pas eu assez, cette nuit?! siffla Isabelle avec hargne. Élise ne vous a pas suffi?

Il ralentit ses élans jusqu'à s'arrêter complètement, la joue contre son sein. Puis, après un instant, il se mit sur les genoux, releva la chemise de nuit et dégrafa sa braguette. Il la prit alors brutalement, l'empêchant de se dégager de son rude assaut, étouffant ses protestations en écrasant ses lèvres sur les siennes. Enfin, il s'écroula sur elle. Submergée par la douleur de l'âme, elle ne tenta même plus de bouger. Lentement, il se souleva sur un coude et, sans la regarder, se laissa rouler sur le dos, à côté. Seuls le crépitement du feu et leurs respirations saccadées à cause de l'épuisement et de la colère emplissaient maintenant la pièce. Il tendit vers elle une main tremblante, qu'elle repoussa vivement. Un sanglot s'échappa de sa gorge.

– Je... vous demande... pardon.

– J'espère que vous avez eu beaucoup de plaisir, mon mari, dit Isabelle d'une voix cinglante, car c'est la dernière fois que vous abusez de moi.

Il ne dit rien, ne bougea point. Mais sa respiration s'accéléra. Elle poursuivit:

– Élise part demain. Vous lui remettrez son dû et la renverrez chez son père avec l'explication qui vous plaira. Nous continuerons de vivre selon les termes du contrat de mariage qu'on m'a imposé, mais la porte de ma chambre vous sera dorénavant fermée. Vous veillerez à être prudent dans le choix de vos maîtresses et vous serez discret avec elles. De plus, je ne veux plus vous y reprendre sous notre toit. JAMAIS! Gabriel ne doit pas souffrir de cette nouvelle situation, vous avez compris? Pour ce qui est de Marie, si j'apprends que vous la touchez... je vous jure, Pierre, que je demande la séparation et que Gabriel...

– Non... non... fit-il faiblement en se relevant. Vous ne me retirerez pas mon fils...

– MON fils!

– Isabelle, pour Gabriel, je suis son unique père, et je l'aime. Tout comme je vous aime... Oh, bon Dieu!

Désespéré, il se tut et se prit la tête dans les mains. Consciente qu'il était sincère, elle n'insista pas. Il avait raison. Pour Gabriel, il était son père: celui qui le chérissait et le protégeait.

– Il n'en tient qu'à vous, Pierre.

D'un pas traînant, il quitta la chambre, refermant doucement la porte derrière lui. Restée seule, baignant dans les relents de luxure et d'alcool, Isabelle fixa le plafond. Sa vision s'embua. Mais elle ferma les paupières et se mordit la lèvre pour contenir les sanglots qui menaçaient. Non, elle ne pleurerait pas. Pour Gabriel, elle serait forte... Pour Gabriel, qui était tout ce qui lui restait.

2

Le contrat

Cet après-midi-là, le ciel était beau et l'air, agréablement tiède, entrait par les fenêtres qu'on avait ouvertes pour aérer la maison. Marie finissait de placer les biscuits sur une assiette, qu'elle déposa sur un plateau. Élise, tel que convenu, avait quitté les Larue dès le lendemain des malheureux événements. Elle était en larmes. La petite Sauvagesse se retrouvait temporairement avec un plus grand nombre de tâches à accomplir, mais elle ne rechignait pas.

– Laisse, dit Isabelle dans un élan de compassion en se levant. Va plutôt chercher Gabriel et aide-le à se débarbouiller avant sa collation. Je vais moi-même porter le plateau dans le bureau de mon mari. Combien sont-ils?

– Trois. Quatre avec monsieur Larue, madame.

– Bien, fit Isabelle en prenant quatre tasses dans le buffet.

Reconnaissante, Marie lui sourit et sortit par la porte qui donnait sur la cour. Isabelle la regarda partir. «Quelle étrange enfant!» se dit-elle. Mohawk de naissance, la fillette avait été enlevée à sa famille à l'âge de cinq ans. Son père, alcoolique, battait son épouse et ses filles aînées, dont il aurait peut-être aussi abusé. C'était donc pour protéger Marie qu'on l'avait retirée de son milieu et qu'on l'avait placée chez les religieuses de l'Hôtel-Dieu de Montréal.

Lorsque la fillette avait eu neuf ans, le commerçant Mercier l'avait prise à son service pour qu'elle assiste son épouse tombée malade après la naissance de leur neuvième enfant. Marie parlait peu, mais elle savait s'y prendre avec les petits. Cependant, la dame mourut. Le veuf, malade et ruiné, était incapable de s'occuper de sa progéniture. Il se résigna à la placer dans la famille et à se débarrasser de la servante. La chance voulut que Pierre fût celui qui rédigea l'inventaire des biens du couple Mercier. Il prit Marie à son service.

Au fil des jours qui avaient suivi le congédiement d'Élise, tous s'étaient adaptés à la nouvelle situation. L'arrivée d'un nouveau domestique distrayait heureusement Gabriel qui s'intéressait au sort de la servante disparue. Pierre, comme promis, lui avait rapporté une grosse chatte. L'animal se prélassait d'ailleurs en ce moment même sur le rebord d'une fenêtre, exposant son ventre immaculé aux chauds rayons du soleil. Gabriel l'avait baptisée Arlequine, à cause de son pelage bariolé d'orange, de noir et de blanc.

Étonnamment, Pierre n'avait montré aucun ressentiment à Isabelle. Il était présent à tous les repas, lorsqu'il se trouvait à la maison, et participait comme d'habitude aux conversations. Gabriel ne s'était rendu compte de rien : il était simplement heureux d'avoir un nouvel ami et de retrouver son père à la table familiale.

Des éclats de voix venant de l'étude de Pierre ramenèrent Isabelle à la réalité. La jeune femme referma la porte sur le soleil éblouissant. Puis, après avoir déposé la théière fumante sur le plateau, elle se dirigea, chargée, vers le bureau.

Tout en promenant un regard appréciateur sur les élégantes étagères de bois où le notaire rangeait ses livres et documents, Alexander écoutait distraitement la conversation des autres occupants de la pièce et le chant des oiseaux qui lui parvenait de la rue, par la fenêtre entrouverte. Reliures de cuir, bibelots de faïence, précieux objets qui respiraient le bon goût et la richesse... Il serra les dents, se jura qu'un jour lui aussi posséderait un endroit aussi confortable et luxueux. Sa rencontre avec le marchand canadien, Van der Meer, lui ouvrait les portes d'un avenir prometteur.

Le Hollandais finissait de lire le contrat qui le liait à son nouvel associé, Jacob Solomon. Satisfait, il déposa le document sur le grand bureau de chêne et prit la plume que lui tendait le notaire d'un geste élégant.

– Je suis heureux que vous ayez pu rédiger ce nouveau contrat en de si brefs délais, monsieur. Je vous en remercie.

– Vraiment, il n'y a pas de quoi, monsieur Van der Meer. Pour un client tel que vous...

Après avoir ajusté son lorgnon sur son nez, le Hollandais pencha sa corpulence au-dessus du meuble. Il trempa la plume dans l'encrier et en essuya la pointe sur le rebord. Puis, il la fit crisser avec application sur le papier, sous la signature de Solomon. Appuyé à une étagère, Alexander l'observait. Dès son arrivée à Montréal, il avait signé avec le « bourgeois » Van der Meer, comme se faisaient appeler les marchands-voyageurs, un premier contrat d'engagé[9] chez le notaire Martel. Le document le désignait comme « milieu[10] » pour une durée de trois ans, sans hivernement[11] pour la première année.

Sans lui expliquer pourquoi, Van der Meer avait insisté pour qu'il signe un deuxième contrat particulier le liant à lui comme valet personnel. Les deux hommes ne se connaissaient que depuis un mois. Mais, dès les premiers instants, Van der Meer lui avait témoigné un vif intérêt. Le fait qu'il sût lire et écrire l'anglais n'était pas étranger à cette attention. Son nouvel associé étant américain et ne connaissant rien au français, à part quelques mots, le marchand avait besoin d'un homme qui pourrait lui traduire l'anglais, qu'il ne savait lire lui-même qu'avec difficulté. Grâce à Alexander, il communiquerait plus facilement avec Solomon et avait la garantie de ne pas se faire flouer. Évidemment, l'Écossais n'avait pu refuser son offre.

– Et voilà! s'exclama le Hollandais en reposant la plume. Maintenant, si nous passions au deuxième contrat avec monsieur Macdonald.

– Bien sûr. Le voici, dit le notaire en exhibant un document qui était posé dans un coin du bureau, où régnait un ordre impeccable.

Il en entreprit la lecture :

– Par-devant maître Pierre Larue, notaire de la province du Québec à Montréal, y résidant temporairement, je soussigné, fus présent... Vous devrez apposer votre marque ici, monsieur Macdonald, indiqua le notaire à Alexander, qui s'était approché. Puis il reprit : ... m'engage volontairement par le présent contrat à servir monsieur Kiliaen Van der Meer, de Montréal...

Alexander écouta les termes dudit contrat qui fixait son salaire, la durée de son service, les effets qu'il recevrait ainsi que les obligations qu'il devrait respecter pour la durée indiquée. À la fin de sa lecture, le notaire leva les yeux de la feuille pour lancer un coup d'œil vers la porte, qui s'entrouvrait. Puis, après avoir signé le document, il tendit la plume à Van der Meer. Enfin, ce fut le tour d'Alexander.

Des voix leur parvenaient du corridor, où deux femmes s'entretenaient en chuchotant, certainement l'épouse du notaire et une

9. Dans le domaine de la traite des fourrures, voyageur qui, en échange d'un salaire spécifié dans un contrat d'embauche, manœuvrait les longs canots pour approvisionner les postes de traite et rapporter les fourrures.

10. Dans le jargon des voyageurs, pagayeur qui se situait au centre du canot.

11. Pour un engagé, l'hivernement signifie qu'il doit demeurer au poste de traite durant tout l'hiver et commercer avec les autochtones du territoire.

domestique. Se penchant sur le contrat, Alexander jeta un œil curieux vers l'entrebâillement. Saisi, il crispa ses doigts sur la plume. Croyant être victime d'une hallucination, il cligna des yeux. Non, il avait bien vu...

– Vous pouvez faire une croix, monsieur. C'est ce qu'ils font presque tous...

Serrant les mâchoires, Alexander respira profondément pour maîtriser les émotions qui faisaient trembler sa main. Il avait chaud, terriblement chaud. Isabelle était l'épouse du notaire Larue? L'homme lui avait semblé vaguement familier. C'était certainement le soupirant qui l'avait un jour bousculé devant la maison de la rue Saint-Jean, à Québec... Cette prise de conscience lui donna brusquement des envies de meurtre.

– Je sais lire et écrire, *monsieur*, répondit-il sur un ton cassant. Bien que le français me soit encore parfois difficile à déchiffrer, j'aimerais prendre connaissance de ce que je m'apprête à signer, si vous le voulez bien.

– Bien sûr, marmonna Pierre Larue, faites, faites. Prenez tout votre temps. Mon épouse vient nous servir le thé. Je suis à vous dans un instant.

Après avoir rapidement parcouru le document, Alexander signa et reposa la plume. Puis, il fit quelques pas vers la fenêtre, le dos tourné à la pièce, et croisa les bras, tout en émoi. Il ferma les paupières. Rencontrer Isabelle ici était vraiment la dernière chose à laquelle il s'attendait... Vraiment la dernière chose qu'il eût souhaitée.

La faïence tinta lorsque la jeune femme déposa le plateau et la douce voix résonna. Savoir Isabelle mariée à un autre homme était déjà difficile. Les voir tous les deux ensemble était plus qu'il ne pouvait supporter. Il souhaita qu'elle quittât aussitôt la pièce.

– Bonjour, monsieur Van der Meer. Vous préparez une nouvelle expédition? l'entendit-il demander joyeusement.

– Madame Larue, c'est toujours pour moi un plaisir de vous voir. C'est ma dernière expédition, je le crains. L'âge, vous comprenez?

– Pourtant, vous débordez d'énergie et la maladie semble vous fuir!

– Isabelle, je vous présente le nouvel associé de monsieur Van der Meer, Jacob Solomon. Il est américain... de New York, je crois?

– *Yes, New York, sir.* Enchanté, madame *Laroue*.

– Enchantée, monsieur.

Alexander pouvait deviner qu'un sourire se dessinait sur la bouche d'Isabelle. La jeune femme avait toujours trouvé amusantes les déformations de son nom.

– Et voici... monsieur Macdonald, continua Pierre sur sa lancée. Il entre au service de ces messieurs.

Alexander n'eut pas le choix. Il se retourna pour faire face à la réalité. Décroisant les bras, relevant la tête, il se tint aussi droit qu'il le put. Il avait l'impression que sa poitrine allait éclater, tant son cœur la martelait. Une légère faiblesse aux genoux l'obligea à prendre appui sur le dossier du fauteuil qui se trouvait sur sa gauche.

Le sourire d'Isabelle disparut aussitôt et le sang quitta son visage. La jeune femme vacilla et recula d'un pas, se heurtant au bureau derrière elle. Les tasses cliquetèrent sur les soucoupes lorsque sa main accrocha le plateau.

– Madame Larue, dit Alexander tout en s'inclinant avec raideur.

L'affolement s'empara d'Isabelle. La jeune femme voulut disparaître, fuir à toutes jambes cet endroit, ces yeux d'un bleu trop glacial qui la toisaient.

– Monsieur Macdonald... arriva-t-elle à articuler non sans peine, sentant bien le regard inquisiteur de son mari posé sur elle.

Retenant ses larmes, elle présenta sa main, comme le voulait la bienséance. Alexander hésita un très bref instant, qui fut cependant assez long pour éveiller la suspicion de Pierre. Le contact de leurs doigts provoqua en eux des décharges électriques qui traversèrent tout leur corps. De ses lèvres tremblotantes, Alexander effleura la main de la jeune femme en la humant. Puis, il la relâcha aussitôt comme s'il s'était agi d'un tison ardent.

– Monsieur... Macdonald vient de signer un contrat de trois ans, annonça lentement Pierre en insistant bien sur la durée.

– Trois ans... murmura Isabelle.

– Un contrat... n'est de toute façon qu'un bout de papier, n'est-ce pas, madame? lança Alexander en fixant la femme avec dureté. J'ai signé pour la forme, parce que la loi l'exige. Mais la parole que j'ai donnée à monsieur Van der Meer vaut bien plus qu'un simple trait d'encre. Qu'en pensez-vous?

Décontenancée, Isabelle fit aller son regard de Pierre, qui fronçait les sourcils et serrait les mâchoires, à Alexander.

– Je crois, monsieur, que parfois un trait d'encre assure nos engagements avec plus de sûreté que les mots, du moins aux yeux de la loi. C'est le seul moyen qui oblige les parties en cause à les respecter, si toutefois il advenait... un imprévu.

– Un imprévu... oui, un imprévu.

Alexander posa le regard sur le corsage de fine cotonnade bleu pervenche qui mettait en valeur la couleur des cheveux d'Isabelle. Il le laissa ensuite glisser sur la rondeur des hanches, qu'un modeste panier amplifiait avec grâce. Il remonta sur la taille fine, replongea de façon inconvenante dans la profondeur du décolleté. L'étoffe se tendait par à-coups, faisant jaillir la courbe des seins... qu'il avait maintes fois caressés. Il délaissa enfin la poitrine pour fixer de nouveau le visage, que le sang avait recommencé à colorer, et s'attarda sur les lèvres frémissantes.

– Quand partez-vous? s'enquit-elle nerveusement.

– Le premier jour de mai, madame Larue, répondit le Hollandais, qui avait senti un certain malaise s'installer dans la pièce.

– Le premier jour de mai. C'est... bientôt.

– Dans cinq jours, madame, précisa Alexander le plus courtoisement du monde en esquissant un sourire.

– Trois ans, c'est long... très long lorsqu'on est en pays inconnu, parmi des gens inconnus.

– J'ai vécu pire solitude, madame, je vous assure, insista Alexander en plissant les yeux pour guetter la réaction d'Isabelle.

Pierre prit la jeune femme par la taille pour l'attirer à lui. Elle se tendit sous la main possessive qui lui rappelait qu'elle lui appartenait toujours. Elle leva le menton, croisa de nouveau le regard d'Alexander. Il était toujours aussi profond, mais comportait une froideur qu'elle ne lui avait jamais vue. Elle en frissonna. Un raclement de gorge la tira de sa contemplation. Pierre la relâcha, prit les deux contrats et les glissa dans une chemise de carton qu'il laissa tomber avec un bruit mat sur la surface du bureau.

– Bon, je crois que tout est en ordre, conclut le notaire en s'avançant vers le marchand canadien. Messieurs, accepteriez-vous une tasse de thé et quelques pâtisseries?

– Euh... non, je vous remercie, refusa poliment le Hollandais en récupérant son chapeau sur le guéridon situé près de la porte. Je dois m'occuper des derniers préparatifs avant le grand départ. Mais si vous avez besoin de me parler, veuillez envoyer un message à l'auberge Dulong, où nous logeons.

– Dulong... c'est noté. Il ne me reste donc plus qu'à vous souhaiter bonne chance, monsieur Van der Meer. Que Dieu vous protège. Monsieur Solomon...

– Merci, *sir Laroue*.

– Monsieur Macdonald, fit encore Pierre en tendant la main à Alexander. Ce fut un plaisir...

Alexander fixa cette main qui avait pétri le corps d'Isabelle. Il leva le menton, croisa les yeux mi-clos du notaire qui le jaugeait. Enfin, il prit la main et la serra.

– Bon voyage.

À l'attitude de Pierre Larue, à sa voix mielleuse et à son petit sourire calculé, Alexander devinait que l'homme se doutait de quelque chose. Mais que savait-il exactement?

Isabelle, paralysée par la stupeur, sentait la panique la gagner en voyant Alexander quitter l'étude. Allait-elle le laisser partir comme ça? Mais que pouvait-elle faire ou dire de plus? Pierre la surveillait du coin de l'œil, elle aurait pu le jurer. Bien qu'il n'eût jamais vu le père de Gabriel, il savait dans les grandes lignes qui il était et avait pu, à partir des propos sibyllins qu'Alexander et elle avaient tenus, tirer des conclusions assez justes sur les liens qui avaient déjà uni son épouse et son client.

De marbre, Alexander passa devant elle, la frôlant presque de sa main. Cette main... Elle poussa un gémissement en remarquant qu'il y manquait un doigt. Tous se retournèrent vers elle. Alexander, qui avait suivi son regard horrifié, leva son bras en fermant le poing.

– Vous... vous êtes blessé, monsieur Macdonald?

– Une engelure, madame. Rien de plus qu'une engelure. Il y a pire que de perdre un doigt, ne pensez-vous pas?

Elle le dévisagea, le suppliant de ses yeux humides de comprendre l'inconcevable. Comment lui expliquer? Comment lui demander pardon? Pourrait-il un jour lui pardonner?

– Ou-oui, vous avez raison, monsieur.

Portant sa main à sa bouche, elle se détourna. Les trois hommes passèrent dans le couloir; leurs voix résonnèrent encore un moment dans l'entrée. L'idée que Gabriel pût faire irruption à ce moment-là lui causa une vive angoisse. Mais la porte s'ouvrit, laissant pénétrer la cacophonie de la rue, puis se referma. Alexander était parti. Un lourd silence régnait maintenant dans la maison. Refoulant un sanglot, elle allait sortir du bureau lorsque Pierre lui barra le chemin.

– Vous êtes bien pâle, ma femme, fit-il remarquer avec une pointe de cynisme. Serait-ce ce doigt manquant, vraiment? La jambe amputée de notre bon ami Franchère ne vous a pourtant jamais bouleversée à ce point!

Le notaire se dirigea vers son bureau où se trouvait la chemise de carton contenant les contrats. Il sortit le document concernant l'Écossais et le parcourut des yeux, s'attardant sur les signatures.

– Voyons voir... Alexander Macdonald... Ce nom me dit quelque chose.

Il y eut un long moment de silence. Isabelle, qui n'avait pas bougé d'un pouce, attendait, ne demandait qu'à courir à sa chambre pour s'y enfermer. Pierre s'avança vers elle.

– Un contrat est un contrat, madame Larue, rappela le notaire en exhibant le document qu'il avait sorti. Comme vous l'avez si bien expliqué à ce monsieur Macdonald, les parties ne sont pas tenues de respecter un engagement qui n'est pas couché noir sur blanc. Ce qui n'est pas le cas pour nous, n'est-ce pas, ma chère épouse?

Les yeux mouillés de son immense chagrin, elle le fixa un instant, puis tourna les talons. Peu après, la porte de sa chambre claqua. Pierre tressaillit. Laissant le contrat tomber sur le bureau, il regarda encore un moment le nom qui y était inscrit. Puis, il rangea la feuille dans la chemise, qu'il referma avec un claquement.

– Il me faut voir Étienne... le plus tôt possible, marmonna-t-il.

***

Durant les jours qui suivirent, Isabelle erra dans la maison comme une âme morte. Son appétit l'avait fuie, de même que le sommeil dont le manque marquait horriblement ses traits. Prétextant des malaises, elle passait le plus clair de son temps dans sa chambre, n'en sortant que pour voir un peu Gabriel. Mais le petit garçon lui rappelait encore plus cruellement l'homme qu'elle avait aimé. Le soir, s'écroulant de désespoir, seule dans son lit, elle pleurait de longues heures ce qui n'était plus.

Étrange retournement des sentiments. Elle ne haïssait plus. Mais alors, avait-elle déjà haï? Elle s'était efforcée de le faire, en tout cas. Mais elle se rendait compte qu'elle n'avait sans doute jamais cessé d'aimer Alexander, et elle découvrait qu'il ne l'aimait plus. Pire, il la détestait. Cela la blessait encore plus impitoyablement que le fait de ne plus pouvoir le revoir.

– Deux jours, murmura-t-elle en caressant le coffret de vermeil qu'elle venait de déposer sur ses genoux. Encore deux jours, et il partira.

Ses doigts hésitaient à soulever le couvercle qu'elle avait un jour fermé sur une partie de sa vie. Tremblants, ils poussèrent le verrou. Elle contempla alors son trésor secret. Faisant glisser l'anneau sur son doigt, elle admira la finesse du travail, imagina la magnificence du motif avec des éclats d'or ou d'argent. C'était un travail de maître. Baisant l'anneau, elle le retira en versant une larme et le remit à sa place sur le velours bleu nuit. Juste à côté se trouvaient le médaillon et une carte à jouer tout écornée: un as de cœur. *Love you*, avait gribouillé Alexander à la hâte, le jour fatidique de son embarquement à destination de Montréal.

– Alexander, gémit-elle, je t'aime aussi. Tu dois me croire. Tu dois savoir que je n'ai jamais voulu te trahir de cette façon. Tu dois comprendre. Oui, tu dois comprendre.

Refermant le coffret, elle se leva pour le ranger et s'empara de son écritoire. Quelques minutes plus tard, elle appelait Marie. Faisant entrer la jeune fille dans la chambre, elle ferma soigneusement la porte derrière elle.

– Marie, j'ai une mission à te confier. J'ai besoin de ton entière discrétion et de ta loyauté. Peux-tu me jurer que tu ne diras rien à personne?

Les grands yeux noirs de Marie s'agrandirent encore davantage.

– Une mission? Madame, je vous jure sur ma vie que je vous serai loyale. Si madame me demande de pas répondre à monsieur, je le ferai pas.

Un peu surprise du débit inhabituel de la Sauvagesse, Isabelle resta coite un court moment. Puis, elle se souvint du billet soigneusement plié qu'elle tenait entre ses doigts.

– Oui, bon. Je crois pouvoir te faire confiance. Je veux que tu portes ceci à un monsieur. Il s'appelle Alexander Macdonald et il loue une chambre à l'auberge Dulong. Tu connais?

– Oui, c'est tout en haut de la rue Saint-Gabriel.

– Bon. Si le monsieur en question n'est pas là, je veux que tu t'informes de l'heure de son retour pour le voir. Il faut absolument que tu lui remettes ce message en mains propres, tu comprends?

Marie hocha la tête de haut en bas en faisant un petit sourire sagace.

– Bon. Si jamais le monsieur avait déjà payé sa note, tu viens me prévenir.

– Oui, madame. Ne vous en faites pas. Ce billet ne quittera ma main que lorsque j'aurai vu ce monsieur Alexander Macdonald. Vous pourriez me le décrire?

– Vous le décrire? Ah! oui! Vous vous souvenez des hommes qui sont venus rencontrer monsieur mon mari, il y a quelques jours? Eh bien, c'est celui qui est grand et qui a des cheveux presque noirs, mais aux reflets de bronze.

– Comme le plumage des quiscales?

– Des quiscales? Oui, c'est ça. Et ses yeux sont bleus... comme ceux de Gabriel.

– Comme ceux de Gabriel.

Isabelle rougit violemment. La comparaison lui était venue tout naturellement. Et le regard que Marie posait maintenant sur elle montrait sans équivoque qu'elle avait bien compris qui était l'homme qu'elle devait trouver. Alors, soit! La jeune fille serait complice de sa manigance. Mais elle lui serait totalement loyale, elle n'en doutait pas.

Étienne croisa la Sauvagesse dans l'entrée.

– Bonjour, monsieur Lacroix! lança la jeune fille en dévalant les marches.

– Bonjour... Marie, répondit Étienne.

Mais elle avait déjà disparu derrière un chariot qui remontait le chemin vers la rue Notre-Dame. Haussant les épaules, le frère d'Isabelle referma la porte et se dirigea vers l'étude du notaire. À son arrivée, Pierre, penché sur une pile de documents, l'invita sans lever la tête à s'asseoir. Mais Étienne préféra rester debout. Au bout d'un moment, l'homme leva enfin le menton.

– Il est venu.

– Vous êtes bien certain qu'il s'agit de...

– Certain? claironna vivement Pierre.

Puis, baissant le ton:

– Votre sœur n'est plus que l'ombre d'elle-même depuis ce jour, Étienne! C'est lui, à n'en pas douter. D'ailleurs, il lui lançait de ces regards...

– Isabelle est très belle. Les hommes la regardent tous de cette façon.

– Non, justement. Macdonald la toisait avec une froideur à peine dissimulée.

Étienne hocha la tête en pianotant de ses doigts sur sa cuisse.

– Bon, d'accord. Qu'attendez-vous de moi, astheure?

– Arrangez-vous pour que ce Macdonald ne revienne pas fourrer son nez ici. Si je ne me trompe pas, après le bal du printemps, vous m'avez clairement fait comprendre que vous désiriez régler vos comptes avec lui. Je sais où il loge: chez Dulong.

Étienne nota mentalement et attendit la suite.

– Il s'est engagé avec Van der Meer pour trois ans. Il a signé il y a trois jours et m'a laissé une enveloppe contenant son testament et des effets à envoyer à son frère, en Écosse, si jamais par malchance... il devait lui arriver malheur.

– Si, par malchance... Oui, les choses peuvent mal tourner. Les expéditions vers les Grands Lacs sont pas toujours sûres. Il part avec Van der Meer, vous dites?

– Oui, confirma Pierre en se calant dans son fauteuil, l'air intrigué. Vous avez quelque chose en tête?

– P't'êt' ben! V'là justement que j'ai aussi une affaire à régler avec le Hollandais.

L'air mauvais d'Étienne éveilla des craintes chez Pierre.

– Je ne veux pas m'en mêler, Étienne, mais...

– Si vous me chargez de cette affaire-là, Pierre, vous y êtes mêlé de toute façon, que ça vous plaise ou non. Pis d'ailleurs, vous auriez p't'êt' quelque chose à y gagner... J'ai des gens à voir, j'vous en reparle demain.

Les lèvres de Pierre s'amincirent. Sachant quelle affaire Étienne voulait régler avec le Hollandais, il fixa, pensif, la chemise qui contenait les contrats des hommes en question et qui reposait sur le dessus de la pile soigneusement placée sur le coin du bureau. Il n'aimait pas les méthodes de son beau-frère et n'était pas dupe de ses intentions. Mais... enfin. Il ferma les yeux et soupira profondément, se laissant aller contre le dossier du fauteuil.

Cette histoire lui avait trotté dans la tête toute la nuit, et il n'avait pu fermer l'œil. Van der Meer avait déjà choisi sa destinée en refusant de remettre l'argent aux rebelles. Pour ce qui était de ce Macdonald... l'amant de sa femme, le père naturel de son fils... Bon sang! Il ne fallait absolument pas qu'Isabelle apprenne ce qui se tramait! Il était certain, sinon, de ne plus revoir Gabriel, le seul enfant qu'il aurait jamais.

D'un autre côté, en laissant Étienne agir, il s'assurait une certaine paix d'esprit; il était sûr de ne plus croiser ce Macdonald, et c'était tout ce qu'il voulait. Isabelle aimait toujours cet Écossais, même Van der Meer avait pu le constater. Si son épouse, comme il l'imaginait, attendait le retour de ce Macdonald, comment pouvait-il espérer regagner un jour son cœur? C'était pourtant ce qu'il voulait: être aimé de celle qu'il aimait... Jamais il n'aurait cru être capable de faire ce qu'il faisait, par amour pour une femme.

Lentement, il se redressa et se mit sur pied dans un froissement d'étoffes et dans des craquements de cuir. Étienne le dévisageait de ses yeux sombres bien enfoncés dans un visage hâlé et sillonné de rides. Son beau-frère devait avoir autour de quarante ans, mais en paraissait dix de plus. Était-ce le contact prolongé avec ces Sauvages impies qui avait rendu son âme si noire ou bien venait-il directement de l'Enfer?

– Isabelle ne devra jamais savoir, murmura le notaire en s'appuyant sur le dossier du fauteuil.

Un rire étrange, quasi démoniaque, s'éleva et le fit frémir. Il vit les yeux noirs d'Étienne briller de haine. Oui, il venait de l'Enfer.

– J'vous rapporte un souvenir?

– Ce n'est pas utile. Je ne veux pas faire souffrir Isabelle plus qu'il n'est nécessaire.

– Non, ben sûr. Se débarrasser de l'amant est après tout quelque chose de ben banal, pis ça sert vos intérêts, Larue. Mais... si Isabelle n'a pas de preuves de sa... disparition définitive, à quoi bon?

– Je ne veux pas de scalps, d'oreilles coupées ou d'horreurs de ce genre.

– L'amour rend fou, hein? Vous pensez pas, le beau-frère?

Sans répondre, Pierre passa sa main moite dans sa chevelure.

***

Le soleil se couchait derrière les remparts. Lui tournant le dos, Isabelle contemplait le fleuve en écoutant le clapotis des vaguelettes sur les galets et les rires de quelques marins qui débardaient les marchandises d'une goélette sur un quai du port du marché, au loin. Des colonnes de fumée s'élevaient de l'Hôpital général des sœurs grises, sur la «pointe à Callière», et des cabanes des Sauvages, le long de la rivière Saint-Pierre.

Les bruits de la ville étaient étouffés par les murs de pierre, derrière elle. Mais ceux du faubourg Québec situé sur sa gauche étaient portés par le vent jusqu'à elle. Un chien aboya furieusement et des enfants se mirent à crier. Les roues d'une charrette grincèrent.

Par-dessus tout ça, elle entendait les battements de son cœur. Cela faisait près d'une heure qu'elle était là, à attendre.

– Tu lui as bien remis le message en mains propres, Marie? Tu es certaine que c'était bien lui?

– Oui, madame. Les yeux de Gabriel.

– Oui, les yeux de Gabriel. Et il l'a lu?

– Devant moi, madame. Il m'a dit que rien ne l'empêchait de venir.

– Mais il n'a pas confirmé qu'il viendrait.

– Non, répondit la servante en baissant les yeux, il n'a pas confirmé.

– Et comment était-il? Je veux dire... À son air, que pensez-vous que je puisse espérer?

– Il m'a paru triste, madame, bien triste.

Les eaux du fleuve reflétaient les teintes du ciel qui flambait. Devant la jeune femme, perçant l'horizon, une pinasse rentrait tranquillement au port. Des canots quittaient l'îlot Normand[12]. Tout était d'une telle quiétude... en comparaison des turbulences de son

12. Situé alors sur le fleuve Saint-Laurent, à l'embouchure de la rivière Saint-Pierre, cet îlot a aujourd'hui disparu.

âme. Elle avait envie de crier, de hurler sa peine et son amertume. « Encore dix minutes, et je pars. » C'était la troisième fois qu'elle se promettait cela. Si Alexander ne venait pas...

Bien caché dans le renfoncement d'un mur, l'homme épiait la silhouette qui lui tournait le dos. Combien de fois avait-il fait cela, à Québec, lorsqu'il attendait Isabelle pour leurs rendez-vous clandestins? Souvent, il s'était demandé pourquoi elle s'intéressait à lui qui n'avait rien d'autre à lui offrir que son cœur. Maintenant qu'elle avait pris puis rejeté son cœur, que lui voulait-elle donc de plus?

Il l'observait, luttant contre son envie d'aller la retrouver. Ne serait-ce pas mieux de laisser les choses telles qu'elles étaient? Il avait mis quatre ans à panser sa plaie. Alors qu'il croyait y être enfin parvenu, voilà qu'il l'avait revue... Depuis le jour de la signature du contrat, le passé qui rejaillissait le blessait; Isabelle était redevenue son obsession. La haine, le dégoût crispaient tous ses muscles. Il imaginait trop clairement la jeune femme dans les bras de ce Pierre Larue qui ne manquait pas de charme.

Il se haïssait de l'aimer toujours. Il la haïssait d'avoir sali cet amour, de jouer ainsi avec ses sentiments. Ne savait-elle pas l'effet que produiraient sur lui sa toilette qui mettait en valeur sa taille menue et sa coiffure qui dégageait si délicieusement sa nuque et ses épaules? Elle avait tout bien préparé après avoir envoyé la petite Sauvagesse avec ce billet qu'il froissait depuis le matin entre ses doigts. « Maudite sois-tu, Isabelle Lacroix! »

La femme se redressa, jeta des regards tout autour d'elle. Elle s'impatientait. Le cœur d'Alexander se mit à battre plus vite. Il fallait se décider. Sortant enfin de l'ombre, l'homme avança d'un pas hésitant. Elle lançait un galet, qui fracassa le miroir de l'eau. Il inspira profondément pour se donner du courage, fermant momentanément les yeux pour graver dans son esprit cette dernière image d'elle. Elle se pencha, ramassa un galet plat. Puis, se redressant avec souplesse, elle demeura immobile. Quelques pas seulement le séparaient d'elle, mais il avait soudain peur de les franchir.

Le papier craquait dans sa main. Il revit la signature d'Isabelle. Une fleur de lys était dessinée juste au-dessous, lui indiquant qu'il ne s'agissait pas d'un piège tendu par un mari jaloux. Du moins... le souhaitait-il.

Le sable crissa une première fois, puis une deuxième. Isabelle pivota dans une virevolte de jupes. Le souffle coupé, les deux se dévisagèrent dans un silence troublant. Le galet qu'elle tenait tomba au sol. Alexander était là, devant elle. Il était habillé d'une culotte de grosse toile brune, usée aux cuisses et aux genoux, et d'une chemise tachée à maints endroits. Il portait aussi une vieille soubreveste de laine grise, sous une vareuse noire, et un tricorne de feutre bosselé. Rasé de près, il fleurait bon le savon.

Elle se retint de se jeter dans ses bras, ces bras qu'elle avait imaginés tant de fois se refermer sur elle. Elle voulait poser sa joue sur sa poitrine, prendre son visage dans ses mains, lui dire combien sa vie était vide sans lui... Mais, de tout cela elle s'abstint, de peur de le voir disparaître de nouveau. Elle se tenait aussi immobile qu'elle le pouvait, étant donné la tempête d'émotions qui se déchaînait en elle.

– Tu es venu... murmura-t-elle.

– Madame Larue, dit-il en inclinant légèrement la tête sans la quitter des yeux.

– Alex... nous... devons parler. Je crois... enfin... je sais que tu m'en veux...

Lui en vouloir? Le mot était faible!

– Que savez-vous au juste, madame, de mes sentiments?

Son ton tranchant la fit tressaillir.

– Ne réagis pas comme ça, Alex, je t'en prie...

Il la dévisagea sans rien dire. À un moment, elle crut voir un sourire incurver sa belle bouche. Mais ce n'était qu'une illusion. Il restait d'une placidité glaciale qui la blessait autant qu'un coup de poignard. Ce qu'elle avait pu être naïve de croire qu'il l'écouterait, qu'il comprendrait qu'elle n'était pas maîtresse de sa destinée. Une femme obéissait et subissait. Ne le savait-il donc pas? Redressant les épaules et le menton, elle soutint son regard. Ce serait donc comme il voudrait. À la guerre comme à la guerre!

La soudaine assurance d'Isabelle déstabilisa Alexander. Pour lutter contre la faiblesse qui le gagnait, l'homme se mit à marcher. Il tourna autour d'elle comme un loup autour de sa proie, l'observant, cherchant la faille à exploiter pour l'atteindre. Mais Dieu que cela lui faisait mal de la revoir! Après toutes ces années passées à accepter les choses, à apprivoiser la souffrance, quelques secondes avaient suffi à réveiller la blessure. La colère montait en lui contre cette femme qui lui infligeait cette torture.

Isabelle lui paraissait encore plus belle qu'avant, plus désirable. Elle avait gardé sa fraîcheur, mais sa beauté s'était épanouie. Avec sa bouche arrondie, sa poitrine qui se soulevait à un rythme précipité et sa peau de velours, elle était d'une sensualité troublante. Était-ce son mariage qui lui réussissait si bien? La brise faisait virevolter ses boucles dorées dont l'éclat était rehaussé par le feu du soleil couchant. Son parfum douceâtre et sucré se mêlait aux odeurs fluviales. Il ferma les yeux pour s'en imprégner.

Des images qu'il avait cru bien enfouies dans un coin de sa mémoire surgirent alors. Il ébaucha une grimace, trahissant son émoi, mais se reprit aussitôt. Surtout ne pas lui dévoiler ses sentiments. Elle l'avait trahi, et il se fichait de ses raisons. De plus, pourquoi l'avait-elle fait venir, sinon pour réveiller cette souffrance qu'il avait mis si longtemps à endormir? Non, il ne la laisserait pas faire! Aucun mot, aucun geste ne pourrait réparer, effacer. Rien! Devant lui se tenait madame Larue; Isabelle Lacroix était morte, et il en portait le deuil.

– Que me voulez-vous, madame, qui ne puisse attendre et qui demande autant de discrétion? Je ne crois pas que ce soit votre... mari qui vous ait envoyée pour me demander de modifier certaines clauses de mon contrat...

– Je voulais... t'expliquer... te donner les raisons.

– Les raisons?

Il se planta juste devant elle.

– Oui, pour ce... mariage. On ne m'a pas laissé le choix, Alex, tu dois me croire! Je ne voulais pas, je te le jure!

D'un doigt tremblant, elle effleurait une résille d'or fin dans laquelle était emprisonnée une perle et qui pendait à un mince ruban noué autour de son cou. Il fixa le bijou le temps d'en évaluer la qualité et la valeur. Puis, il éclata de rire pour cacher son trouble.

– Non, bien entendu! L'argent... vous laisse indifférente. Suis-je bête! Cependant, madame Larue, votre mari est quand même un homme de belle apparence... qui sait vous parer. Avec tout cela, vous ne devez laisser aucun homme froid...

– Les bijoux et le reste m'indiffèrent, Alex, tu le sais.

– Oui, bien sûr, les bijoux en corne ou en bronze!

– Alex, ne sois pas si sarcastique! Tes propos dépassent ta pensée, j'en suis certaine. Je comprends que tu veuilles me blesser, mais ce n'est pas loyal...

Pâle, Isabelle dévisageait Alexander avec un mélange de crainte et d'ahurissement.

– Loyal? Ha! ha! ha! Mais qu'est-ce que la loyauté? Vous le savez, peut-être?

L'évocation de cette qualité le mettait hors de lui. Attrapant le poignet de la jeune femme, il le broya entre ses doigts sans s'en rendre compte. Elle geignit et tenta de se dégager. Mais il la retint et s'approcha d'elle jusqu'à sentir son haleine sur son cou. Il huma sa chevelure, qui dépassait d'un chapeau de paille enfoncé sur une coiffe de dentelle. Le rose du corsage mettait en valeur sa peau crémeuse qui prenait des reflets de nacre. Il la caressa en pensée... Voulant se ressaisir, il ferma les yeux.

Son nez frôla les boucles odorantes, ses lèvres effleurèrent le front de velours. Ce contact le foudroya, et il sentit le trouble gagner son corps tout entier. Elle hoqueta et baissa les yeux. Sous sa main qui se refermait sur la taille, il la sentait frémir. La garce! Elle le provoquait! Elle n'avait pas le droit de le faire souffrir ainsi! Il abaissa sur elle un regard glacial et se drapa dans un mépris souverain.

– Que voulez-vous de moi? souffla-t-il. Qu'attendez-vous de moi aujourd'hui, après ce que vous avez fait? Vous vous êtes bien jouée de moi! Vous m'avez rendu fou d'amour pour vous, pour me rejeter ensuite comme un chien! Mais, avec le temps, la blessure s'est refermée... Ma vie a pris une autre voie. Alors, inutile de revenir sur le passé. Croyez-vous être la seule femme avec qui j'ai partagé quelques moments de folie?

– Arrête, Alex, je t'en prie! Je ne peux croire que tes sentiments pour moi fussent si légers! Les miens sont toujours aussi profonds...

Absurdités! Quels sentiments pouvaient animer le cœur de cette traîtresse? Amour et désir, on confondait souvent l'un et l'autre. Pourtant, ils étaient si différents. Amour: don de soi, abnégation, éblouissement, pardon, acceptation. Désir: passion, besoin charnel, appropriation, déchirements.

Il se pressa contre elle, fit courir ses doigts le long de la colonne vertébrale. Projetant sa tête vers l'arrière, Isabelle soupira, crispa sa main sur le lainage de sa vareuse. Amour de la volupté, désir charnel... Ah! bien sûr! Mais n'avait-elle pas assez de son mari? La malicieuse désirait-elle vivre la folie d'une aventure avec un valet de bas étage? Il devait la repousser, s'éloigner en courant! Mais, perdu qu'il était dans le tourbillon d'émotions qui le bousculait, il n'arrivait pas à se détacher d'elle.

– Alex... je t'aime... Je t'aime toujours.

Ruse? Vérité? Il ne savait que penser. Elle l'avait trahi. Elle avait épousé un autre homme en dépit de ce qu'ils s'étaient promis. Pour quelle raison, si ce n'était pour la stabilité d'une fortune que lui n'aurait jamais pu lui offrir? Le parfum de fleurs blanches qu'elle dégageait l'enivrait, éclipsant les odeurs de terre humide et de poisson pourri qui leur montaient au nez. Oh, Dieu! L'aimait-elle toujours, vraiment?

Il avait autant envie d'elle qu'au premier jour, que trois jours plus tôt, que dans dix ans. Il lui baisa les paupières, descendit jusqu'à sa gorge. Elle gémit, mollit dans ses bras. Il pourrait la prendre là, contre le mur. Elle s'abandonnerait à lui, il le devinait aisément. Seulement... pourquoi avait-elle cherché à le revoir? Qu'attendait-elle de lui, l'exilé qui n'avait ni titre ni fortune? L'idée qu'elle voulait juste profiter de lui, prendre un peu de plaisir avec lui ne le quittait pas depuis qu'il avait reçu son billet. Qu'est-ce que cela pourrait lui apporter, en effet, hormis des bienfaits d'ordre physique?

Isabelle s'accrocha à lui, se tendit. Il l'entraîna vers le coin qui lui avait servi de cachette et la poussa contre le mur de pierre recouvert de mousse. Glissant un genou entre ses jambes, il commença à retrousser ses jupons, mettant à nu ses cuisses, qu'il pétrit aussitôt avec ardeur. Elle se cambra, enfonça ses doigts dans ses épaules. Lorsque la main d'Alexander glissa vers son intimité, elle eut une violente secousse et sentit son ventre s'embraser. Il y avait si longtemps...

– Alex... Oh, Alex!

Elle chercha ses lèvres, les mordilla farouchement, l'étreignit avec fougue. Engourdie par sa chaleur et ses caresses, elle en oubliait toute forme de prudence. Elle était dans les bras d'Alexander, et c'était tout ce qui lui importait. Comme jadis, elle tremblait de plaisir sous les mains de son bien-aimé...

Brusquement, Alexander s'empara de sa main et la posa sur son cœur, qui battait à tout rompre.

– Est-ce cette partie de moi que vous désirez?

La fixant malicieusement, il masquait à peine son aigreur. Il se remit à l'embrasser, mais bestialement. Il reprit ses caresses, mais avec véhémence.

– Vous aimez, madame?

Tirant sans douceur sur le corsage, il libéra un sein pour le mordre délicatement, jusqu'à provoquer cette exquise douleur qui lui arrachait des gémissements. Les lèvres et les mains glissaient sur sa peau, jalouses et possessives.

– Vous aimez ce que je vous fais? Cela vous plaît-il?

Sa brutalité, son ton froid et cinglant firent réagir Isabelle. Non! Non! Il n'avait pas compris. Elle devait lui parler, lui expliquer... Malheureusement, elle ne pouvait rien lui dire encore pour Gabriel. Il exigerait de voir le garçon, pour la manipuler ou par désir sincère de le connaître. Or, pour l'équilibre émotionnel de son fils, elle ne pouvait le permettre. C'était trop tôt... trop tôt... Elle devait d'abord s'assurer de ses sentiments à l'égard de l'enfant.

Elle chercha à le repousser. Elle était sur le point de se donner à un homme qui ne l'aimait probablement plus et qui voulait sans doute simplement abuser d'elle. Quelle sotte elle était! Mais Alexander, emporté, la retint fermement, s'apprêtant à déboutonner sa braguette.

– Non, non, Alex! Pas ça, pas comme ça! Tu ne comprends pas! Nous devons parler!

– Oh, bien entendu, vous avez peur de porter un bâtard... Mais vous n'aurez qu'à laisser votre époux honorer votre couche cette nuit, et il n'y verra que du feu!

La gifle le surprit, puis il sentit une cuisante douleur à la joue. Relâchant complètement la jeune femme, il s'écarta et porta sa main là où elle l'avait violemment frappé.

– Alexander Macdonald! siffla hargneusement Isabelle entre ses dents. Je croyais que tu serais disposé à écouter ce que j'avais à te dire. Mais je constate que tu n'es qu'un rustre, un sale vicieux qui ne cherche qu'à profiter de mes faiblesses! Peut-être est-ce tout ce que tu as toujours recherché, finalement? Tu me trouvais certainement plus excitante que ces filles de joie farcies de vermine que tu pouvais te payer à Québec! Je me suis trompée sur ton compte, Alexander... S'il y en a un qui s'est servi de l'autre, c'est toi. Je t'ai donné ce que j'avais de plus précieux, et... je constate maintenant que... Oh! Était-ce donc tout ce que tu voulais de moi? Finalement, mon père avait raison. Pour le conquérant, prendre la vertu de la fille du vaincu affermit sa victoire!

Sous la virulence des paroles et devant les traits convulsés d'Isabelle, Alexander se rendit brusquement compte de son erreur de jugement. Elle l'aimait donc encore?! Et il avait tout gâché! Mais sans doute était-ce mieux ainsi... Quel avenir s'offrait à eux, de toute façon? Il valait mieux que les choses restassent telles qu'elles étaient.

Isabelle haletait de fureur. Retenant ses larmes, les poings serrés, elle poursuivit :

– Je ne te reconnais plus, Alexander Macdonald. Tu es grossier, vulgaire! Et tes « madame » par-ci et tes « vous » par-là, tu es pathétique! Je comprends ton amertume... mais tu n'as pas le droit de me traiter de la sorte. On m'a forcée à me marier, tu entends?! Je ne le voulais pas, je te le jure!

– Forcée? Vraiment? s'écria-t-il, de nouveau emporté par la colère. Tu aurais pu fuir, *God damn!* À mon retour, je t'aurais rejointe, et...

– Fuir pour aller où, dis-moi? J'étais seule, sans ressources. Le pays était toujours en guerre. Et... je... je ne pouvais pas! Alex, ma mère... elle savait pour nous, elle a menacé de m'enfermer au couvent et de... oh, bon Dieu! Elle m'aurait retrouvée! Elle voulait te faire accuser de rapt de séduction!

– De rapt de séduction?! *Mo chreach*[13]*!* s'exclama-t-il, ahuri, avant d'éclater de rire. Mais avec quelles preuves? Tu aurais témoigné contre moi?

– Arrête tes bêtises! Elle n'aurait pas eu besoin de mon témoignage, Alex! Ils t'auraient pendu pour ça...

– Me pendre?

Il reprit d'un coup son sérieux et la regarda tristement en hochant la tête. Il sentit la corde se resserrer sur sa trachée et empêcher l'air d'arriver. Il déglutit. Être pendu, il avait connu. Mais elle n'avait pas à le savoir.

– Alex, ma mère avait tout organisé à mon insu: les rencontres avec Pierre, le contrat qu'il ne me restait plus qu'à signer...

– À ton insu? Tu te fous de moi? J'ai vu ton «fiancé» sortir de chez toi, et tu m'as affirmé, juré qu'il n'était qu'un «ami» venu s'occuper des affaires de ton père! Le moins qu'on puisse dire, c'est que tu as une conception bien étrange de l'amitié. Tu m'as menti, Isabelle!

– Non, c'était la vérité! Pierre n'était qu'une connaissance. Je ne m'intéressais pas à lui, Alex. Mais lui... Je ne croyais pas que... je veux dire... Je ne pensais pas que ma mère irait aussi loin. Ils ont tout fait sans mon consentement, et tout s'est passé en quelques jours. Je ne pouvais rien faire; je n'avais pas légalement le pouvoir de m'opposer à ce mariage.

– Ainsi, ta mère seule aurait eu raison de tes sentiments? Mais pourquoi ne pas avoir tenté de me revoir par la suite et de m'expliquer? Si tu avais rompu ce silence qui te rendait coupable à mes yeux, j'aurais pu comprendre la situation. Nous aurions pu fuir ensemble! Vers les colonies anglaises, par exemple. En Écosse même, peut-être.

À vrai dire, cette idée avait effleuré l'esprit d'Isabelle. Mais à cause de l'enfant, la jeune femme y avait renoncé. Puis, son acharnement à haïr Alexander avait finalement eu raison de ses sentiments. Elle regarda tristement l'Écossais.

– À quoi bon, Alex? Tu es demeuré tout aussi muet. J'ai espéré que tu viennes... surtout depuis que je t'ai aperçu au bal...

– Au bal?

– Au bal du printemps, chez le gouverneur. Je sais que tu y étais, Alex, je t'y ai vu.

---

13. Exclamation de dépit en gaélique.

Il fronça les sourcils. Comment avait-elle pu le voir à un bal auquel il n'avait pas assisté... Serait-ce possible qu'elle ait vu John? Son jumeau se trouverait donc à Montréal?

– Pourquoi ne m'as-tu pas donné signe de vie, Alex? Tu n'avais qu'à demander où j'habitais et...

– Ce n'était pas à moi d'aller te voir, ce n'est pas moi qui ai rompu mon serment, Isabelle. Mais c'est vrai... qu'est-ce qu'un serment s'il n'a pas été consigné sur du papier?

– Malgré tout ce que tu penses, je n'ai pas rompu mon serment, Alex! Je respecte toujours les mots que j'ai prononcés!

Alexander retroussa les coins de sa bouche dans une moue sceptique.

– Tu... tu les respectes? Vraiment? Et comment le peux-tu dans le lit d'un autre? cracha-t-il hargneusement. Explique-moi, car là je ne te suis plus du tout!

– Je n'ai jamais aimé que toi. Toi seul habites mon cœur, à jamais.

– C'est très réconfortant! Mais, dis-moi, que dois-je faire, maintenant, de cet « amour »?

– Je... je...

À la vérité, elle ne savait quoi répondre. Elle haussa les épaules. En définitive, elle avait eu tort de vouloir le revoir. Il n'avait rien à faire de ses aveux! Rien! Elle voulut s'enfuir en courant, mais il lui attrapa le bras et la retint avec rudesse.

– Tu n'as pas répondu à ma question, Isabelle, grinça-t-il. Tu ne m'as toujours pas dit ce que tu me voulais, pourquoi tu m'avais fait venir.

Le souffle court, elle ferma les yeux et s'appuya contre le mur.

– Je ne sais que te répondre, Alex. Je ne sais plus... Tu as sans doute raison : je n'aurais jamais dû chercher à te revoir...

Elle sentit ses doigts glisser doucement sur sa joue, dessiner le contour de ses lèvres, descendre le long de son cou et sur sa gorge, où sa bouche se posa avec délicatesse. Retenant la main contre son cœur qui battait follement, elle caressa le moignon qui restait de son doigt amputé.

Il y eut le vacarme d'une voiture, non loin d'eux. Puis des voix d'enfants un peu plus près. Les gamins se mirent à rire en les apercevant, puis s'enfuirent. Alexander soupira. Et voilà! pensa-t-il avec amertume, voilà où l'avaient conduit ses sentiments exaltés, les moments qu'il avait réussi à voler à un destin bien différent du sien. Coll l'avait prévenu : cette bourgeoise ne pourrait jamais lui appartenir. Mais, aveuglé par l'amour, il ne l'avait pas écouté. Il n'avait pas senti sous ses doigts la finesse de la soie qu'elle portait; il n'avait pas vu l'éclat de l'or et de l'argent qui la paraient; il n'avait pas humé la richesse de son parfum. Sourd et aveugle à tout, il avait foncé tête baissée dans sa folie.

— Isabelle... murmura-t-il, cela n'aurait pas pu marcher entre nous, de toute façon. Tout nous sépare, ne le vois-tu donc pas? Nos mondes sont trop différents, à l'opposé l'un de l'autre. Tu vis dans l'opulence, alors que moi, je dois me contenter de miettes de pain... Sais-tu seulement ce que c'est que d'avoir faim? Bien sûr que non! Pourtant, c'est ça, ma vie. Tu ne peux imaginer tout ce que j'ai vécu... Ma vie est trop différente de la tienne! Oh, Isabelle! Que reste-t-il de nous deux, de notre amour? Des souvenirs... Rien de plus que des souvenirs qui s'effaceront avec le temps.

« Non, bien plus que des souvenirs, Alex, hurla-t-elle dans sa tête. Il nous reste un fils! » Mais cela, elle ne pouvait le lui avouer. Enfin, pas tout de suite. Elle empoigna le col de la veste d'Alexander.

— Alors, sois mon amant! Aime-moi, j'en ai besoin... j'ai besoin de toi. Reste ici... nous pourrons nous retrouver encore. Raconte-moi ta vie. Je veux te connaître mieux, t'aimer plus, toujours plus.

Elle se pressa contre lui et, sentant ce corps souple qui avait tant hanté ses nuits, il se crut pendant un instant de retour quatre ans en arrière. Les yeux fermés, il s'imagina sur les rives de la rivière Saint-Charles, écoutant le clapotis de l'eau sur la berge et les battements du cœur d'Isabelle à son oreille. Une nouvelle flambée de désir lui dévora les tripes. « Sois mon amant! »

Son amant? L'amant de madame Pierre Larue? Son estomac se crispa. Il le pourrait, bien sûr. Mais saurait-il s'en satisfaire? Pourrait-il l'aimer épisodiquement, selon le jour, l'humeur et les circonstances? Son cœur se contenterait-il de quelques étreintes? Non, il ne pourrait humer sa peau et la caresser sans penser qu'un autre homme avant lui l'avait fait. Avec une autre, il le pourrait, mais pas avec Isabelle... non. Prenant doucement les mains de la jeune femme dans les siennes, il les détacha lentement de son vêtement. Puis, il parla d'une voix profonde, mais trop calme pour la rassurer.

— Non, jamais, Isabelle. Je ne partage pas. Avec moi, c'est tout ou rien. En mon âme et conscience, je pense que ce qu'il y a de mieux à faire pour toi est de m'oublier...

Il la fixait de son regard de saphir qui pénétra en elle jusqu'au tréfonds de son âme chavirée. Non, elle ne voulait pas le perdre une deuxième fois! Elle ne pourrait supporter une autre séparation! Ses jambes se dérobèrent sous elle, et elle se rattrapa à lui, enfouissant son visage dans sa chemise. Un éclat accrocha son œil près du cou, puis disparut sous l'étoffe. Elle fouilla le tissu, trouva l'objet et le tâta: il portait toujours sa croix d'argent! Elle éclata en sanglots.

– Dis-moi que tu ne m'aimes plus, Alex! Dis-le-moi, sinon je n'arriverai jamais à t'oublier!

– Je...

– Non! cria-t-elle en plaquant sa main sur sa bouche. Ne dis rien...

Il ferma les yeux pour contenir les larmes qui y montaient.

– Tu es mariée à un autre, Isabelle. Le fait est là, et nous n'y pouvons plus rien. Je... t'ai aimée, de toute mon âme. Mais aujourd'hui...

– Tu ne m'aimes plus? C'est ça?

Elle hurlait presque, en proie à l'affolement le plus total à l'idée de ne plus jamais revoir celui qu'elle aimait alors qu'elle le retrouvait à peine.

– Sois mon amour, mon amant, je t'en supplie!

– Ce ne serait rien de plus qu'une aventure... Je ne pourrais me contenter de cela. Je te veux tout entière, pour moi seul! Ou plutôt, je te *voulais* tout entière!

– Pierre n'en saura rien... Il ne pourra s'opposer...

– Isabelle, comment pourrais-je croire un seul instant que ton mari bénirait notre relation? C'est ridicule!

Elle était sur le point de lui raconter l'humiliation qu'il lui avait fait subir et l'entente qu'ils avaient conclue, mais elle se ravisa. Elle serait alors obligée de lui parler de Gabriel, qui était le nœud de cette entente. Avait-elle le droit de sacrifier son enfant pour une aventure? Car Alexander avait raison: ce ne serait rien de plus qu'une aventure... Était-ce ce qu'elle voulait? Est-ce que cela ne la rendrait pas encore plus malheureuse? De plus, Alexander accepterait-il de voir son fils grandir dans les bras de Pierre?

Il s'écarta d'elle et replaça ses vêtements froissés.

– Il est temps que j'aille préparer mes affaires, maintenant. Je pars... demain.

– Tu reviens à l'automne, Alex... Peut-être que...

– Non. Je ne reviendrai pas, Isabelle. Inutile de m'attendre. Je te souhaite... beaucoup de bonheur.

– Alex! appela-t-elle, la main tendue.

Il leva les yeux vers elle: Dieu qu'elle était belle! Mais une relation entre eux ne pourrait que mal tourner. S'ils ne finissaient pas par se haïr, ils deviendraient indifférents l'un à l'autre. C'était mieux ainsi. Il valait mieux qu'elle vive sa vie. Au moins, ils garderaient de beaux souvenirs de leur amour, même si ce serait difficile. Leur histoire était chose du passé.

Il prit doucement sa main et la baisa. Puis, faisant une révérence en effleurant l'herbe de son tricorne, il se détourna et s'éloigna. Il l'entendit l'appeler. Pourquoi avait-il accepté de la revoir? Cela ne lui avait rien apporté d'autre que de la souffrance. De plus, il se trouvait maintenant ridicule d'avoir joué la carte du détachement pour la blesser. Un flot d'émotions l'envahit, et il fut incapable, cette fois-ci, de retenir ses larmes. Il les laissa couler sur ses joues, mouiller sa chemise. Les gravillons humides crissaient sous ses pas, telles les charnières mal entretenues d'une porte qu'on fermait sur une partie de sa vie.

– *Beannachd leibh, mo chridh' àghmhor*[14]...

Il se retrouvait de nouveau seul dans le silence de l'errance qui le rattrapait.

***

Un bourdonnement emplissait ses oreilles. Isabelle porta les mains à sa tête pour le chasser, mais n'arriva qu'à provoquer une douleur. Elle gémit. Une main se posa sur son front, avec douceur. Prenant les siennes, elle les détacha de sa chevelure et les croisa délicatement sur la couverture, sur sa poitrine. Isabelle ouvrit péniblement les yeux. Pierre était penché sur elle et la regardait avec tristesse.

– Que?...

– Chut! Reposez-vous, mon ange...

Le notaire posa un doigt sur les lèvres exsangues pour réduire sa femme au silence. Le regard vert mordoré bordé de cernes le fixait, un peu hagard. Il s'en était fallu de peu, de si peu...

La veille, Isabelle était rentrée à la maison dans un état d'agitation extrême et s'était enfermée dans sa chambre. Elle avait refusé de voir quiconque, même le petit Gabriel, qui avait pleuré une partie de la soirée pour n'avoir pas pu dire bonne nuit à sa maman. Après avoir réussi à endormir son fils, Pierre s'était rendu à la chambre de son épouse, exigeant qu'elle lui ouvre. En vain. Entre deux bruits de verre qui se fracasse et deux claquements de portes d'armoire, elle lui criait de la laisser tranquille. Il avait alors interrogé Marie sur ce qui pouvait la bouleverser à ce point. Mais la servante était restée muette et s'était éclipsée en haussant les

14. Adieu, mon cœur de joie...

épaules. En attendant qu'Isabelle se calme, impuissant et inquiet, il s'était réfugié dans son bureau pour y terminer la rédaction d'un inventaire qui ne pouvait attendre.

La nuit s'était sournoisement insinuée dans la maison. Le notaire avait du mal à se concentrer sur son travail : le silence qui régnait maintenant lui semblait lourd, l'angoissait. Tout en estimant le montant des biens du couple Lefrançois, il n'avait pu s'empêcher de réfléchir, d'essayer de comprendre l'attitude étrange et inhabituelle de sa femme. Elle était sortie, et il s'était passé quelque chose... Finalement, il lui vint brusquement à l'esprit une idée qui lui glaça le sang : elle avait revu son ancien amant.

Fou d'inquiétude, il s'était alors précipité à la chambre d'Isabelle. La porte était fermée à clef. Il écouta : toujours ce même silence. Voulant s'assurer que la jeune femme était là et allait bien, il décida d'utiliser son passe-partout.

– Isabelle?

Accueilli par une fétide odeur d'alcool mêlée à quelque chose de plus âcre, il balaya la chambre du regard, cherchant Isabelle. Il y avait un fouillis indescriptible : des vêtements jonchaient le plancher; la coiffeuse était renversée; des bouteilles brisées et des articles de beauté étaient éparpillés tout autour. Les parfums répandus lui piquaient déjà les narines. Tout cela ne ressemblait pas à Isabelle. L'angoisse de Pierre grandissait.

Il trouva enfin sa femme dans le petit cabinet contigu à la pièce : en chemise de nuit, les cheveux en bataille, elle était recroquevillée contre la baignoire de cuivre, à côté d'une bouteille de marc vide. Du sang maculait son vêtement. Affolé, il la prit dans ses bras pour la porter sur le lit, appelant à l'aide.

Fouillant l'étoffe imbibée qui collait à la peau, tâtant et examinant les différentes parties du corps, il chercha frénétiquement la blessure qu'Isabelle s'était infligée. Enfin, il découvrit sa paume profondément entaillée par un morceau de verre : le récipient dans lequel elle buvait s'était brisé dans sa main. Alors, il pleura de tristesse en bandant la plaie. Puis, il pleura de soulagement en la berçant contre lui. Isabelle, sa douce Isabelle...

Il avait cru un bref instant qu'elle avait tenté l'impardonnable. Qu'elle avait voulu faire ce geste qui condamne aux flammes éternelles. Cela, il ne l'aurait jamais accepté! Ce bâtard d'Écossais, ce Macdonald! C'était lui, le coupable! Après avoir abandonné Isabelle, il revenait la torturer. Il allait payer pour cela!

– Reposez-vous, mon ange, murmura-t-il en embrassant la jeune femme sur la joue.

Isabelle sortit alors de sa torpeur et se redressa d'un coup dans le lit en poussant un cri. Pierre l'emprisonna dans ses bras pour la rassurer. Quelques minutes s'égrenèrent, et elle se détendit un peu, retrouvant une respiration normale.

Resserrant ses doigts sur la chemise de Pierre, elle grimaça de douleur et laissa son bras gauche retomber sur la couverture. Elle avait un goût de bile dans la bouche. Baissant les yeux sur le pansement qui recouvrait sa main, elle se mordit la lèvre et se souvint: elle avait perdu l'équilibre et était tombée avec son verre, qui s'était brisé entre ses doigts; des éclats tranchants s'étaient enfoncés dans sa paume... Une terrible idée lui était alors venue à l'esprit.

Elle avait pris un fragment de verre et, le faisant glisser sur la peau délicate de son poignet, avait longuement hésité. « Ce qu'il y a de mieux à faire pour toi est de m'oublier... » Mais comment oublier Alexander, alors qu'elle voyait tous les jours ses traits chez son fils? L'oublier? Elle ne connaissait qu'une seule méthode pour y arriver...

Puis, elle avait entendu Gabriel pleurer et frapper à sa porte. Son fils l'avait empêchée, dans un accès de folie et de désespoir, de concrétiser ses sombres pensées. Qu'avait-elle fait?! Qu'avait-elle donc fait?!

– Ça va aller, ma douce, lui susurra la voix basse et compatissante de Pierre. Je vous aiderai. Vous vous en sortirez... Plus personne ne vous fera de mal, mon amour. Je vous aime, Isabelle. Croyez-moi, je vous aime. Pourquoi le refuser, pourquoi?

Entendant ces mots, elle sanglota doucement dans les bras de son mari. Il lui avouait son amour... alors qu'elle avait failli commettre un geste impardonnable, alors qu'elle l'avait expulsé de sa couche! Tandis que l'homme qu'elle aimait véritablement l'avait irrévocablement bannie de sa vie, celui qu'elle fuyait l'accueillait, la consolait. Alexander ne l'aimait plus, et elle n'aimait pas Pierre... Il lui restait Gabriel, son fils, son unique amour. Lui seul la retenait sur cette terre. Pour lui, elle devait continuer à vivre.

– Pardonnez-moi, souffla-t-elle.

3

Le voyage

Une main sur la crosse de son pistolet passé dans sa ceinture, Kiliaen Van der Meer, le torse bombé sous une avalanche de dentelles, surveillait ses hommes qui s'occupaient des derniers préparatifs avant le grand départ.

Amarrée aux quais de Lachine, la flottille du Hollandais était impressionnante : quatre canots de maître mesurant plus de trente-cinq pieds de long sur cinq pieds de large et pouvant porter trois tonnes de marchandises en plus de dix à douze hommes; six canots du nord, un peu plus petits, dans lesquels pouvaient prendre place six hommes.

C'étaient les tribus algonquines qui avaient conçu ces extraordinaires esquifs d'écorce de bouleau jaune sans lesquels les voies d'eau du pays n'auraient pas été accessibles aux Blancs se livrant à la traite des fourrures. Malgré leur étonnante solidité, ils restaient fragiles. Les hommes qui les manœuvraient devaient donc faire bien attention à éviter les écueils qui pourraient les déchirer.

Les canots de la flottille portaient tous à la proue un aigle peint en rouge, emblème de la compagnie de Van der Meer. Plusieurs ballots de quatre-vingt-dix livres y étaient soigneusement répartis, posés sur des planchettes de cèdre qui les surélevaient légèrement du fond pour qu'ils n'abîment pas la mince coque et qu'ils soient protégés de l'humidité. Ces paquets contenaient les marchandises à échanger et des provisions pour le voyage, qui devait durer cinq semaines à raison de douze à quatorze heures par jour à pagayer.

Une foule bigarrée s'était rassemblée pour assister aux cérémonies de ce grand départ annuel. Épouses, sœurs, amantes, enfants et amis participaient au pique-nique offert par le marchand et se pressaient aux abords des berges, admirant, étreignant et bénissant ceux qui partaient. Engloutissant un morceau de saumon fumé qu'il arrosa de bordeaux, Van der Meer pointait du doigt un arrimage un peu relâché ou un ballot mal calé. On s'appliquait aussitôt à corriger la situation. Le chargement des canots, tâche fastidieuse, avait débuté un peu avant l'aube.

Debout à côté de l'embarcation dans laquelle il devait voyager, les oreilles emplies des bourdonnements de voix, Alexander contemplait le spectacle comme dans un rêve. Les odeurs des viandes rôties dont s'empiffraient les notables venus à la fête venaient chatouiller ses narines et le faisaient saliver. Munro, déjà assis sur un étroit banc de nage, souriait.

– On embarque! cria une voix.

– C'est le grand jour! claironna Munro en s'emparant de sa pagaie de cèdre rouge qu'il avait joyeusement peinte de couleurs vives.

– Ouais, grommela Alexander, sortant de sa rêverie et mettant précautionneusement le pied dans l'embarcation, dont le plat-bord ne dépassait le niveau de l'eau que de six pouces.

Le barreur s'installa debout à la poupe, serrant solidement le gouvernail dans sa main calleuse. On le surnommait la Grenouille. Alexander avait compris pourquoi dès qu'il avait vu ses yeux de batracien. À la proue était déjà assis le guide, vêtu d'un capot bleu orné de plumes d'oie teintes de couleurs vives. Sébastien Lemieux était un homme plutôt taciturne qui ne prenait jamais activement part aux conversations, mais était capable d'en suivre trois en même temps à ce qu'on racontait.

En plus d'Alexander et de Munro, six pagayeurs prenaient place dans le canot de maître qu'on appelait « canot de Montréal ». Tous étaient d'humeur gaie. Pagaie bien en main, ils attendaient le signal de départ que donnerait le bourgeois. Jacob Solomon s'installa devant Alexander, qu'il salua au passage. L'Écossais lui répondit par un sourire.

– *Ready?* demanda Solomon à l'équipage.

– Oh! Encore un autre Bostonnais! gronda un pagayeur derrière Alexander. Sont même pas foutus de parler français, pardieu!

Mathurin Joly ne cachait pas son aversion pour les bourgeois anglophones et n'avait cessé de se plaindre de la nouvelle association du Hollandais avec l'Américain. Solomon, qui avait appris quelques mots de français depuis son arrivée à Montréal, se retourna en affichant un large sourire.

– Pas « Bostonnais », *New Yorker*, l'ami!

– Les gens de la Nouvelle York pis les Bostonnais, c'est du pareil au même, ronchonna l'autre dans sa barbe.

Munro, toujours souriant, fit un clin d'œil à Alexander. Leurs pagaies se réfléchissaient dans l'eau glacée du lac Saint-Louis. Courbant l'échine comme les autres, ils se tinrent prêts, l'œil rivé sur le premier guide, qui levait les bras. Les canots s'étaient regroupés à quelques pieds de la rive, la proue pointée vers le nord-ouest. Dans un silence cérémonieux, tout le monde attendait avec fébrilité dans l'air frisquet de ce mardi 1er mai, au milieu de volutes de brume. Alexander ferma les yeux. Il n'entendait plus que l'eau qui clapotait doucement sur l'écorce de l'esquif. Pour un peu, il se serait cru seul.

– Avant! hurla enfin la voix forte du guide.

Dans un ballet de couleurs vives, les voyageurs plongèrent alors leurs pagaies dans l'eau avec un synchronisme parfait. Une clameur de joie explosa, autant sur la terre ferme que dans les canots qui fendaient la surface lisse du lac. Alexander suivait la cadence de nage, d'environ quarante-cinq coups la minute. Il lui semblait avoir déjà vécu ce moment, avoir déjà ressenti ce déchirement qui se muait en exaltation au fur et à mesure que la terre ferme s'éloignait. Les yeux perdus dans l'immensité des forêts qui bordaient les rives, il se rappela les côtes d'Irlande disparaissant entre ciel et mer, tandis que le *Martello* fendait l'onde grise. Puis, il pensa à Glencoe, sa vallée majestueuse. Il revit son camaïeu de verts... puis le vert des iris d'Isabelle qu'il ne contemplerait plus. Tout cela était derrière lui maintenant. Ce n'était plus que des souvenirs... Redoublant d'ardeur, il respira un bon coup. Puis, il porta son regard au loin, vers l'inconnu, vers l'avenir.

Le soleil les accompagnait. Les voix des engagés entonnant des chants s'élevaient au-dessus de l'eau. Peut-être parvenaient-elles jusqu'aux rares habitants qu'ils apercevaient à l'occasion, debout sur la berge, et qui leur faisaient signe de la main ou avec leur chapeau. Entre deux pauses de quelques minutes qui leur permettaient de se reposer et de fumer une pipe, Alexander vit défiler quelques maisons d'où s'échappaient des colonnes de fumée. Après avoir entraperçu le clocher de La Présentation[15], ils traversèrent la Grande Anse. La flèche de Pointe-Claire se dressait, haute et droite, au sommet de son église, tandis que les ailes du moulin les saluaient en grinçant. Ils dépassèrent l'île Sainte-Geneviève et arrivèrent finalement, une quinzaine de milles plus loin, aux premiers rapides de leur voyage: ceux de Sainte-Anne. Ils allaient passer là leur première nuit.

---

15. Cette église est aujourd'hui située dans la ville de Dorval.

Complètement harassé, Alexander se laissa tomber sur le sable, après avoir porté ses ballots sur la rive. Il ne sentait plus ses bras et avait de douloureuses crampes aux jambes, restées pliées durant de longues heures. Quant à ses reins, ils lui donnaient l'impression d'avoir été piétinés par un troupeau de vaches. Tout en cherchant une position qui ne le ferait pas trop souffrir, il observait distraitement deux hommes qui, torse nu, s'aspergeaient allègrement d'eau dans le lac, non loin du jeune Chabot, qui remplissait un seau. Le plus vieux, un dénommé Dumais, était plutôt impressionnant. Aussi large que haut, il arborait des tatouages aux formes animales de couleur sombre sous l'épaisse toison de son poitrail. Il éclaboussa en riant le petit jeune, qui protesta d'un juron et se redressa vivement. Chabot n'avait guère plus de dix-huit ans Et, bien qu'il fût de forte constitution, son jeune âge et sa naïve témérité semblaient devoir faire de lui le souffre-douleur du groupe. Alexander en eut soudain le pressentiment.

– Sacré chien mort! gronda le petit jeune.

– Quoi? fit le poilu. Répète un peu que je te fasse cracher tes dents!

– J'ai dit... Aïe! Aïe! J'sais pas nager, espèce de...

Le reste des protestations se perdit dans un gargouillis d'eau qui fit sourire Alexander. Ayant attrapé Chabot par un bras puis lui ayant coincé la tête sous son aisselle, Dumais l'avait plongé dans l'eau avec lui. Sentant une présence à ses côtés, Alexander se retourna. Un petit roux trapu arborant un singulier bec d'acier à la place du nez et portant un chapeau de feutre rond déformé lui souriait. Il exhibait une bouteille contenant sa régale[16], dont il avala une bonne rasade. Alexander reconnut en lui celui qu'on lui avait désigné comme étant Hébert Chamard, surnommé «le Revenant».

– Faut pas embêter Dumais! l'avertit le rouquin dans un ricanement. Tu as vu son épaule?

Alexander avait effectivement remarqué que l'une des épaules de Dumais portait un dessin un peu différent des autres et ressemblant vaguement à une fleur de lys.

– Hum.

– Il a été marqué au fer rouge le jour de ses quinze ans pour avoir fabriqué de la fausse monnaie de carte. Il se vante d'avoir été élevé en prison. C'est un dur de dur. Il faut se méfier de lui et surtout éviter de lui dire des bêtises.

---

16. Mesure de rhum donnée aux engagés, à la signature de leur contrat, en guise de récompense.

– J'essaierai.

Rouge de rage et tout dégoulinant, Chabot sortait de l'eau en maugréant. Il ramassa son seau et s'éloigna sous les rires des spectateurs. La leçon était terminée.

– Le petit jeune vient de recevoir son baptême. Tous les nouveaux y passent, d'une façon ou d'une autre, expliqua le Revenant avec un air entendu. Puis, faisant une pause, il contempla le lac d'un œil rêveur.

– Ce sera ici le vrai départ. Aujourd'hui, ce n'était qu'une petite balade. Ce soir, nous aurons droit à la bonne cuisine de Jomé, puis nous irons à la chapelle pour la bénédiction. Je suis certain que tu aimeras, conclut-il avec un sourire en coin.

– Jo-mé?

– Joseph-Aimé Baby, notre chef cuisinier! On le surnomme Jomé, c'est plus court. Tout le monde a un surnom. Moi, je suis « le Revenant ». Toi, eh bien... « le Sauvage » t'irait plutôt bien. Cependant, « le Géant » ne serait pas mal non plus. T'es un peu grand pour voyager. Il n'y a pas beaucoup de place pour des échasses comme les tiennes dans les canots. Mais je suppose que, si le Hollandais t'a engagé, c'est qu'il avait de bonnes raisons. Tu m'as l'air pas mal solide. Tu survivras probablement au voyage!

– Humph...

Alexander avait remarqué, en effet, que la majorité des hommes étaient plutôt de petite taille; le plus grand lui arrivait à l'oreille. Ainsi, ses genoux frottaient-ils sans cesse à la barre de nage avant, rendant ses mouvements difficiles. Munro, moins grand que lui, avait plus de facilité. Mais, un seul jour s'était écoulé. Il en restait encore mille neuf cent quatre-vingt-quatorze... Il avait donc le temps de s'adapter. Il soupira.

– Pour parler franchement, l'ami, continua le Revenant, les nouveaux qui se tournent les pouces ne restent pas longtemps parmi nous, si tu vois ce que je veux dire! Et puis, il faut éviter de traiter les compagnons de « chien mort »; il n'y a pas pire insulte pour un voyageur.

Saluant Alexander avec un sourire, l'homme alla rejoindre les autres, qui faisaient sécher leurs mocassins devant le feu. Le fameux Jo-mé s'affairait justement près d'une grosse marmite fumante. Daniel Chabot le secondait. Il avait ôté sa chemise, qui pendait à un crochet, au-dessus du repas qui mijotait. Prenant conscience que ses propres mocassins de chevreuil étaient trempés eux aussi, Alexander les retira. Il enleva aussi les mitasses de coton qui lui couvraient les jambes. Grognant de satisfaction, il remua les orteils et les enfouit dans le sable. Il se sentait aussi mou qu'une outre remplie de porridge! Les campagnes militaires étaient des balades en comparaison de ce voyage. Se massant les épaules, il laissa son regard errer parmi les voyageurs. Les embarcations, délestées de leurs lourdes charges, avaient été renversées sur la rive. De larges toiles cirées étaient tendues dessus, offrant des abris pour dormir.

Un peu plus loin, Munro gesticulait en compagnie de Mathurin Joly, qui lui expliquait les techniques de réparation des canots. Bien qu'il ne maîtrisât pas parfaitement la langue française, son cousin arrivait toujours à se débrouiller pour communiquer avec ceux qui ne parlaient pas anglais. De plus, son humour et sa bonne humeur lui faisaient rapidement gagner la sympathie des autres. Il ne s'ennuyait jamais.

Sous une bâche accrochée aux branches d'un arbre, Van der Meer discutait avec Solomon. Il était penché au-dessus de ce qui devait être des cartes étalées sur le sol. Avalant une gorgée de sa propre régale, Alexander reporta son regard sur le lac des Deux-Montagnes qui se prolongeait vers l'ouest.

Plissant les yeux, l'homme chercha l'embouchure de la Grande Rivière, que certains appelaient aussi la rivière Ottawa ou la rivière des Outaouais. On disait que ce cours d'eau périlleux par endroits était aussi majestueux. Il était pour tout voyageur la porte d'entrée vers la liberté et les Pays du Nord. Les croix de bois érigées sur ses berges rappelaient à ceux qui osaient s'aventurer là combien la vie était fragile. Lors des beuveries qui avaient eu lieu dans les jours précédant le grand départ, Alexander avait entendu des récits de naufrages dans des rapides : les hommes s'étaient fracassés contre des rochers s'ils n'avaient tout simplement pas été engloutis par l'eau écumante.

On racontait beaucoup d'histoires de ce genre aux nouveaux engagés, pour décourager ceux qui ne recherchaient que la fortune et n'étaient pas taillés pour l'aventure. Alexander n'avait pas été impressionné; il s'était au contraire senti plus attiré encore par le grand défi que constituait ce voyage. C'était avant tout une nouvelle vie qui s'offrait à lui et dans laquelle il se lançait. Oui, il chevaucherait et dompterait cette rivière pleines de promesses. Oui, il en reviendrait vivant!

Un vacarme assourdissant le tira de ses rêveries. Jo-mé frappait avec sa grosse louche d'acier sur le couvercle de la marmite : le repas était prêt. Rapidement, les hommes attrapèrent leur écuelle et leur cuillère et formèrent une file d'attente. Ils avaient hâte de recevoir leur portion de lard salé et de pois qu'ils avaient pris dans leurs provisions personnelles et jetés dans la marmite.

– Tenez, monsieur le curé! s'écria le jeune Chabot en servant une louche de l'épaisse purée obtenue dans l'écuelle de Rémi Aunay. Bon appétit!

– Merci, mon petit.

– Vous direz une prière pour moi ce soir?

L'homme qui portait le sobriquet de « monsieur le curé » pour une raison méconnue d'Alexander dévisagea Daniel Chabot, les yeux écarquillés. Derrière lui, on pouffa de rire.

– Ben... si tu y tiens, mon garçon...

– Allons, Aunay, ricana Michel Perrault, il n'y a pas que les demoiselles qui méritent la protection du bon Dieu! Les damoiseaux aussi! Ha! ha! ha! Hé! Chabot, t'aurais pas besoin de te faire confesser aussi par hasard?

Le jeune aide haussa les épaules.

– Pas de chance, monseigneur Aunay!

– Perrault, si tu n'apprends pas à te la boucler, je t'assure que tu me demanderas un jour à genoux de dire une prière pour toi, marmonna Aunay en s'éloignant.

– Pas à genoux, non! protesta Perrault en riant de plus belle. Surtout pas à genoux, monsieur le curé!

Les rires fusèrent, tandis qu'Alexander tendait son écuelle. Le jeune Chabot, mal à l'aise, lui servit une louche.

– Hé, le Sauvage!

Alexander se retourna pour voir qui l'appelait, mais ne vit que des paires d'yeux qui le fixaient en silence. Un petit cri le ramena à Chabot, qui grimaçait devant la portion fumante. Le cuistot, adressant un regard menaçant à son aide, lui fourra brusquement un seau entre les mains et l'envoya chercher de l'eau.

– Mais...

– Tais-toi, Pas-de-poil! Sinon t'as pas ta portion pis tu nettoies toute la vaisselle tout seul, compris?

Ne se le faisant pas dire deux fois, Chabot obtempéra en jetant un œil inquiet vers Alexander, qui ne comprenait pas ce que le jeune avait fait.

– Vous m'en donnerez des nouvelles! dit le cuistot en souriant et en tendant un morceau de pain avant d'indiquer poliment d'un signe de tête qu'un autre attendait derrière.

Alexander haussa les épaules et alla s'asseoir sur un tronc d'arbre, près du feu où les moustiques étaient moins nombreux. Plongeant sa cuillère dans la purée, il s'immobilisa et releva la tête. Tous le regardaient, la bouche ouverte, la cuillère en l'air, comme en attente de quelque événement.

– Il y a un problème? dit-il, agacé.

Joly secoua la tête de droite à gauche; d'autres l'imitèrent. Puis, ils plongèrent tous à leur tour leur ustensile dans leur écuelle, sans le quitter des yeux.

– Allez, goûte, l'ami! lui ordonna presque le Revenant qui venait de le rejoindre sur le tronc.

– J'ai fait quelque chose?

– Non. T'es un nouveau, c'est tout. C'est toujours comme ça avec les nouveaux. T'en fais pas, va! Faut pas te laisser intimider!

La purée était insipide, mais nourrissante. À la cinquième bouchée, quelque chose craqua sous la dent d'Alexander. L'homme leva la tête et vit des dizaines de paires d'yeux braquées sur lui alors qu'il crachait ce qu'il avait dans la bouche.

– Mais, qu'est-ce que?...

Puis il comprit. Un gros hanneton pataugeait dans la purée qu'il avait recrachée. Il le fixa pendant un moment, réfléchissant à l'attitude à adopter. Puis, repêchant l'insecte avec sa cuillère, il l'examina de plus près. Personne ne bougeait; on attendait sa réaction.

– *Hey! Munro! What do ye think? Ro bheag*[17]*?*

Son cousin, debout derrière lui, se pencha sur la bestiole, qui gigotait pour se dépêtrer de la nourriture. Puis, il fronça les sourcils et fit une moue dubitative.

– *Hum... Dinna know, Alas... Glé bheag*[18]... Oui, un peu petit, hein? Les nôtres sont beaucoup plus gros.

Alexander sourit.

– Chez nous, en Écosse, on les sert avec du porridge. C'est plus efficace pour la régularité des intestins.

– *Aye!* Beaucoup plus efficace, *aye!* pouffa Munro.

– Hum... fit Alexander en prenant le hanneton entre le pouce et l'index et en le remettant dans sa bouche sous les regards stupéfaits.

Il mâcha longuement en fermant les yeux pour maîtriser la nausée qui montait malgré lui. Puis il avala et claqua la langue d'un air satisfait.

– Pas mal! lança-t-il à l'assemblée figée. Un peu petit, mais savoureux!

Le jeune Chabot, qui était revenu avec son seau d'eau, porta une main à sa bouche et repartit en courant jusqu'au lac où il vomit. Sa

---

17. Hé! Munro! Qu'en penses-tu? Trop petit?

18. Hum... je ne sais pas, Alas... Très petit...

réaction déclencha l'hilarité générale, et tous se remirent à manger. Le Revenant se pencha tout sourire vers Alexander.

– Eh bien, le Sauvage, je crois que t'es apte à continuer la route jusqu'au Grand Portage. Te voilà officiellement un « mangeur de lard », comme on nous appelle.

Le clocher de l'église de Sainte-Anne-du-Bout-de-l'Île[19] se découpait faiblement sur le ciel qui s'obscurcissait rapidement. Ils s'étaient rendus dans le lieu de culte sitôt le souper terminé pour faire des offrandes à la patronne des voyageurs, la bonne sainte Anne. Tous, sans exception, qu'ils soient catholiques ou protestants, respectèrent cette tradition. De retour au campement, Van der Meer avait procédé au baptême officiel des nouveaux, qui consistait à leur asperger la figure avec l'eau glacée du lac à l'aide d'une branche de cèdre.

Un peu en retrait, Alexander écoutait les engagés deviser amicalement en s'enveloppant de fumée de tabac. On se racontait des anecdotes des voyages précédents qui ne manquaient pas d'attrait pour les nouveaux. Les belles Sauvagesses ojibwas ou chippewas, qu'on décrivait comme aussi jolies et raffinées que les dames de Montréal, bien que d'une manière différente, intéressaient particulièrement.

– Vous me paraissez bien tranquille, mon ami, dit une voix dans le dos d'Alexander. Le souper ne passe pas?

Se retournant vivement, l'homme croisa le regard clair de Van der Meer. Depuis combien de temps le Hollandais était-il là, à le surveiller?

– Le souper passe sans problème. Je suis bien ainsi, c'est tout.

– Le Sauvage... Hum, je comprends pourquoi ils vous ont choisi ce surnom. Vous permettez que je vous tienne compagnie?

– Faites, monsieur.

– Kiliaen... ou Killie, si vous préférez. C'est ainsi que m'appellent mes amis.

Le Hollandais s'assit sur le sol en souriant. Puis, il porta son regard sur ses hommes, regroupés autour du feu.

– Vous avez brillamment réussi l'initiation, Alexander. Mais ne croyez pas pour autant qu'ils vous laisseront aller aussi facilement. Ils ne sont pas méchants... Ils cherchent simplement à s'amuser aux dépens des nouveaux venus en les mettant à l'épreuve. Restez vigilant! Comment va la machine après cette première journée?

– Ça peut aller, répondit Alexander en faisant rouler ses épaules avec une petite grimace.

---

19. Aujourd'hui Sainte-Anne-de-Bellevue.

Le Hollandais rit.

– Ah! C'est comme ça! La première semaine, c'est l'enfer. La deuxième, la peau des pieds et des mains éclate et pèle. La troisième, vous êtes rôti à point par le soleil. La quatrième, vous n'arrivez plus à vous tenir droit sur vos jambes. À partir de la fin de la cinquième semaine, si les moustiques ne vous ont pas rendu fou, vous êtes sauvé. Mais, pour le chemin du retour, tout est à recommencer. Je connais ça depuis maintenant trente ans, vous savez, et je commence juste à m'y habituer. Je vous assure que ça vous forme un homme! conclut-il en frappant sa cuisse musclée du plat de sa main.

Alexander acquiesça d'un sourire. Le marchand, soupirant, reprit, d'un air plus grave:

– Je ne suis plus très jeune, et vous devez savoir que ce voyage sera mon dernier... Cette vie, quoique rude, me manquera beaucoup. Mais il est plus que temps que je m'occupe de mon épouse. Sally a été trop patiente avec moi. Vous l'ai-je déjà présentée?

– Non, murmura Alexander, qui se souvenait seulement d'avoir entraperçu la femme du Hollandais le matin même, parmi les gens venus à Lachine pour souhaiter bonne chance au groupe.

– Brave Sally... Elle a été l'étoile qui m'a guidé tout au long de ma vie. Elle ne m'a jamais donné d'enfants, et je sais que cela la peine énormément. Parfois, je me dis que Dieu en a décidé ainsi, qu'il a ses raisons. De toute façon, je ne les aurais guère vus grandir, étant donné que je partais toujours durant de longues périodes. Vous-même, avez-vous une femme et des enfants?

Le marchand dévisageait avec intérêt Alexander, qui se détourna pour cacher son trouble.

– Non.

– Hum... Lorsque nous n'avons pas de femme, c'est parce qu'il y en a trop autour de nous.

Il se tut pendant un moment, avant de reprendre:

– Sally est iroquoise. Mohawk, plus précisément. Je l'ai connue à la mission située de l'autre côté du lac des Deux-Montagnes, annonça-t-il en désignant le plan d'eau d'un mouvement de son menton recouvert d'une épaisse barbe blanche. Elle n'avait que treize ans à l'époque, et moi, dix-neuf. Elle n'était qu'une enfant, mais elle avait déjà une beauté mystérieuse. Ses beaux yeux noirs, en particulier, m'attiraient irrésistiblement. Je faisais mon premier voyage en direction de la mer douce[20]. C'était en... 1723, si je me

---

20. Lac Huron.

souviens bien. Je portais encore le nom de ma mère adoptive: Dupuis.

Intrigué, Alexander tourna un regard étonné vers le Hollandais, qui sourit.

– En effet, je suis un enfant adopté... ou plutôt, pourrait-on dire, volé.

– Volé?

– Je suis né au Massachusetts. Lors de la guerre de Succession d'Espagne, des Français dévastaient les villages de la Nouvelle-Angleterre. Bien avant le traité de Paris, on se livrait à une guerre perpétuelle sur ce continent. Nos territoires de chasse sont prisés par les Américains, et l'arrivée constante de nouveaux colons en repoussent les frontières vers l'ouest. Les enjeux ne sont pas forcément les mêmes qu'en Europe. Coincés entre la Louisiane et l'Atlantique, les Américains voulaient mettre la main sur quelques arpents de nos terres, plus particulièrement dans la vallée de l'Ohio. Mais les Français se sont farouchement défendus et se sont permis quelques expéditions punitives pour bien montrer qu'ils ne se laisseraient pas faire. Alors, lorsqu'une guerre éclate sur le vieux continent, cela réveille ici de vieilles rancunes. C'était en 1709. Évidemment, j'étais très jeune à l'époque, et je ne me souviens plus très bien de ce qui s'est passé. Néanmoins, des images me reviennent parfois. Mon père a été tué d'un coup de tomahawk en pleine poitrine. Ça, je m'en rappelle très clairement. Il s'était interposé entre, d'un côté, ma mère, mes sœurs, mon jeune frère qui n'était qu'un nourrisson et moi-même et, de l'autre, trois Sauvages et un Français qui avaient fait irruption dans notre maison. C'était l'hiver et la tempête faisait rage. La neige et le froid s'engouffraient par la porte restée ouverte. Je me souviens de m'être enveloppé les pieds dans le châle de l'une de mes sœurs... J'en avais trois: Rebecca, Catherine et Joana.

Le marchand fronça les sourcils, songeur. Alexander sentit qu'il était soudain très ému.

– C'est bizarre, je n'arrive plus à me rappeler le prénom de ma mère... Je l'appelais *mommy*, comme les autres. Mon père mort, on nous a emmenés de force avec tous les survivants du village, des femmes et des enfants en grande majorité, les hommes ayant presque tous été tués. Nous avons marché dans les montagnes enneigées pendant des jours et des jours. Nous étions gelés et affamés. Ceux qui étaient trop faibles pour suivre et qui retardaient le groupe étaient abattus sur place. C'était l'horreur, mon ami, l'horreur! Je me souviens d'avoir vu un Sauvage – un Abénaquis, je crois - entraîner derrière un hallier ma sœur Rebecca, qui ne cessait de se plaindre de ses pieds gelés... L'homme nous a rejoints quelques minutes plus tard, seul. Voilà les images que je garde de ma petite enfance... Je revois le visage terrifié de ma mère, les yeux pleins d'angoisse de mes autres sœurs, puis le corps de mon petit frère, Karel, inerte dans les bras de ma mère. Au bout de ce voyage éreintant, nous sommes arrivés dans un village indien, sur le bord de la rivière Saint-François, à quelques milles au sud de Trois-Rivières. J'ai été adopté par une famille d'autochtones. Mes sœurs ont été vendues à des tribus voisines. Quant à ma mère... elle est morte là-bas, après quelques mois.

– Vos sœurs, vous ne les avez jamais revues?

– Non, jamais. J'imagine qu'elles ont épousé des hommes des tribus qui les ont adoptées, comme cela se fait habituellement... à moins qu'elles ne soient mortes entre-temps. Moi, un an plus tard, je suis parti avec un groupe de Français venus au village. On m'a placé chez celle qui allait devenir ma mère adoptive, Marguerite Dupuis. C'était la veuve d'un marchand de fourrures. Elle avait quatre filles, toutes plus âgées que moi, mais aucun fils. Son mari participait à l'expédition, durant laquelle j'ai été enlevé, et y avait été tué.

Le Hollandais ferma les yeux et se tut. À ce moment-là, Alexander sut qu'ils deviendraient amis. Ce vieil homme avait vécu de nombreux déchirements, comme lui.

– Van der Meer, c'est votre nom de baptême?

– Oui. Je suis d'origine hollandaise, protestant de naissance. Ici, on m'a fait abjurer ma foi. Mais, si vous voulez mon avis, cela n'a pas changé grand-chose à mon destin. Mon père était natif d'un village de Hollande situé dans la région de Le Helder, au bord de la mer du Nord. Il était charpentier. C'est tout ce que je me rappelle à son sujet. J'ai repris mon nom à la mort de ma mère adoptive; j'avais vingt ans. Marguerite m'a toujours aimé comme si j'étais son propre fils. Mais je ne voulais pas perdre la seule chose qui me reliait encore à mes origines. Vous savez, Alexander, pour savoir où l'on va, il faut savoir d'où l'on vient. Ne l'oubliez pas. Vous êtes écossais, mais de quelle région venez-vous?

– L'Ouest. Je suis né dans la vallée de Glencoe, dans le comté d'Argyle.

– J'ai connu un Écossais du nom de Smith. Il était du Ayrshire, je crois.

– Un Lowlander, marmonna Alexander.

– Et vous, vous êtes un Highlander, c'est ça? dit le Hollandais en riant, mais sans malice. Enfin, une chose est certaine: vous, les

Écossais, possédez tous cette fichue fierté et cette volonté d'indépendance qui hérisse le poil des Anglais! J'aime votre franc-parler. Vous vous emportez pour un rien... sauf lorsque vous acceptez d'écouter la voix de la sagesse. Est-ce elle qui vous a poussé à avaler cette bestiole sans rien dire?

– C'est que j'ai déjà avalé pire, monsieur.

– Killie, Alexander, je vous en prie. Avalé pire...

Le marchand scruta les traits de l'Écossais.

– Oui... je veux bien le croire. Vous étiez dans l'armée à votre arrivée ici, c'est bien ça?

– Oui, les Fraser Highlanders.

– Pouvez-vous me dire ce qui vous a poussé à vous engager dans ce régiment?

Alexander s'apprêtait à mentir, à enjoliver sa triste histoire. Mais quelque chose dans le regard clair du Hollandais lui fit sentir que l'homme s'en apercevrait, et il n'avait pas envie de fonder sa nouvelle vie sur de mauvaises bases.

– J'étais recherché pour le meurtre d'une femme et de trois hommes, pour vol de bétail et pour d'autres menus larcins, annonça-t-il tout de go.

Le Hollandais ne cilla pas. Un sourire étira ses minces lèvres.

– J'apprécie votre franchise. Étiez-vous coupable?

– Non. J'aimais cette femme, et les trois hommes étaient mes compagnons. Je me suis simplement trouvé au mauvais endroit au mauvais moment.

– Comme cela nous arrive parfois. Et... votre famille? Elle est restée là-bas, je présume?

– Oui... répondit Alexander, hésitant, en plongeant son regard dans les flammes.

– Ainsi, vous êtes seul, ici, hormis votre cousin Munro, c'est ça?

Le jeune homme avala avec difficulté. Le Hollandais ne le quittait pas des yeux, le détaillait même comme s'il était un rare spécimen d'une race qui était sur le point de disparaître.

– J'ai un frère.

– Oh! Et où est-il, votre frère?

L'agacement fit frémir les narines d'Alexander. Mais où voulait en venir le marchand avec son interrogatoire?

– Je ne sais pas. La dernière fois que je l'ai vu, c'était il y a trois ans.

– C'est malheureux que deux frères jumeaux ne s'entendent pas.

– Pardon? s'exclama Alexander avec vivacité en se retournant d'un bloc. Comment?...

– Je sais des choses sur vous, Alexander.

Et quoi encore? Un élan de colère le fit bander ses muscles endoloris. Le Hollandais posa la main sur sa cuisse pour l'inciter au calme.

– Solomon a rencontré votre frère.

– John?

– Il se fait appeler Jean l'Écossais et travaille pour un marchand que je connais très bien. Solomon trouvait curieux que vous vous soyez engagé chez moi alors que vous étiez un homme de main de Durand, dont je me méfie. C'est pourquoi j'ai fait une petite enquête.

– Vous avez?!...

Alexander dut faire un effort pour ne pas abattre son poing sur la figure du Hollandais.

– Sachant que vous aviez fait partie d'un régiment écossais, je me suis adressé à un officier, le capitaine Hugh Cameron, qui a vérifié votre identité. Il m'a appris que vous aviez un frère jumeau porté disparu dans les jours qui ont suivi votre arrivée à Québec en 1759. Apparemment, il a déserté, puisqu'il vit toujours. Il fallait que je vérifie; ne m'en voulez pas! Comprenez-moi, je dois être prudent. S'il était au courant des intentions de son patron, je ne pense pas que votre frère aurait osé s'engager chez moi. C'est lui qui a cherché à mettre Solomon en contact avec moi. Cela aurait été vraiment stupide de sa part; Solomon aurait pu le trahir.

– Le trahir? Mais pourquoi? De quoi parlez-vous?

– C'est une longue histoire, Alexander, murmura avec lassitude le marchand. Avant de vous la raconter, je voulais m'assurer de votre identité véritable. Je ne connais pas votre frère... John ou l'Écossais... et je ne peux me permettre de lui faire confiance. Il travaille pour un homme qui cherche à me nuire, vous comprenez? Mais j'ai besoin de vous et de votre entière loyauté.

– Moi? Mais... vous ne me connaissez pas! Je suis un parfait étranger!

– Laissez-moi terminer. Vous êtes un étranger, d'accord. Cependant, vous n'êtes ni français, ni anglais, ni marchand, et vous n'avez aucun intérêt dans le conflit qui agite les territoires de traite. C'est important pour moi, car cela signifie que vous êtes neutre et que vous pouvez analyser la situation en toute objectivité. Vous me semblez être un homme intelligent, doté de sang-froid; cela me plaît. Je vous ai observé, à Québec et à Montréal. Ce que j'ai constaté m'a convaincu que vous pourriez remplir le rôle de valet que je veux vous confier.

– C'est que je n'ai pas l'étoffe d'un valet, monsieur... s'étonna Alexander, dont la colère cédait peu à peu la place à la curiosité.

– Vous nommer valet n'est qu'un subterfuge, un prétexte pour expliquer votre présence à mes côtés. Vous avez vécu la rébellion, l'oppression, Alexander? J'ai entendu parler du massacre de Culloden. Quel âge aviez-vous à cette époque?

– Quatorze ans.

– Vous savez donc jusqu'où peuvent aller des gens qui veulent assujettir un peuple, n'est-ce pas?

Comme le Hollandais pinçait les lèvres en une moue amère, Alexander fut soudain bombardé d'images horribles des massacres perpétrés par le duc de Cumberland et ses troupes. Il hocha lentement la tête sans rien dire.

– J'ai une petite idée de ce que vous avez pu vivre. M'aiderez-vous? Il y va de la survie d'un peuple.

– Comment pouvez-vous me faire confiance? Qu'est-ce qui vous garantit que je ne vous trahirai pas? Qui vous dit que je ne suis pas de mèche avec John? Que je n'irai pas le retrouver?

Fermant les yeux à demi, le marchand l'examina longuement.

– Vous n'avez pas vu votre frère depuis trois ans, vous venez de me le confirmer.

Après une petite pause, il reprit:

– Mais aussi, lorsque je vous ai parlé de lui, j'ai lu dans votre regard une rivalité avec lui. Je ne suis pas devin, mais jusqu'aujourd'hui je ne me suis jamais trompé dans mes jugements sur mes hommes. Cependant, pour cette affaire, je n'ai pas droit à l'erreur. Alors, j'ai fait mon enquête sur vous après la signature de votre premier engagement. Le capitaine Hugh Cameron m'a dit que vous aviez un oncle qui était officier dans votre régiment. Je suis allé le trouver. Si tout ce que m'a dit sur vous le capitaine Archibald Campbell est vrai, je peux avoir confiance. Sinon, que Dieu me vienne en aide. Demain, si tout se passe bien, nous devrions nous arrêter au Long Sault. Là, vous viendrez me donner des leçons de lecture en anglais et je vous expliquerai mon problème plus en détail.

Après un silence empli des bavardages des voyageurs se préparant à aller dormir, le Hollandais se leva. En un geste qui se voulait amical, il serra l'épaule d'Alexander et la tapota gentiment. Puis, après lui avoir souhaité une bonne nuit, il s'éloigna.

Le suivant des yeux jusqu'à son abri, Alexander, encore bouleversé, demeura pensif. Bien qu'il pût comprendre ses raisons, il était agacé que son patron ait enquêté sur lui. Mais savoir que Van der Meer craignait John le troublait davantage. Que manigançait ce Durand qui inspirait tant de soupçons? Le vieux marchand venait de disparaître sous son abri. En dépit de ce qu'il savait sur lui, l'homme lui faisait confiance... Oui, il avait senti quelque chose passer entre eux deux, comme si chacun comprenait les secrets que l'autre gardait enfouis dans l'ombre de sa mémoire.

***

Le Long Sault était situé à environ une lieue à l'ouest de l'embouchure de la rivière du Nord, sur la Grande Rivière. Après avoir transporté tout le matériel et toutes les embarcations en trois pénibles voyages à la tête des rapides, où le campement serait érigé, les hommes se préparèrent à souper. Discrètement, Alexander fouilla dans sa portion de purée avant de l'avaler. Puis, épuisé, il s'allongea près de son canot renversé et alluma sa pipe, comme il le faisait après chaque repas depuis quelques années. Le ciel se parait d'un manteau scintillant. La nuit serait belle : il pouvait se passer d'un abri. Baissant les paupières, il respira profondément l'air empli de l'âcre odeur de la *gomme de pin* fondue.

Il n'avait pas fermé les yeux depuis une minute qu'un froissement d'herbe près de lui le força à les rouvrir. Une silhouette se découpait sur la voûte étoilée. Une lanterne se balançait lentement au bout d'un bras et éclairait un visage portant un lorgnon au-dessus d'une broussaille neigeuse.

– Vous n'aviez pas l'intention de dormir si tôt, j'espère, mon ami? lança amicalement la voix grave de Van der Meer.

Se redressant prestement, Alexander s'excusa et offrit au marchand de s'asseoir. Déposant la lanterne sur le sol et s'installant, l'homme lui sourit et lui tendit un livre.

– C'est le seul livre en anglais que je possède. Il me vient de ma sœur Joana.

C'était un livre d'enfant, un recueil de comptines à rimes. Il était dans un piteux état. L'ouvrant, Alexander put lire sur la première page une dédicace manuscrite : *To my beloved brother, Kiliaen. Love, Joana*[21].

– Je l'avais avec moi cette terrible nuit où mon père a été tué, et je l'ai précieusement conservé tout au long de mon exil. C'est tout ce qu'il me reste de mon passé. Ma sœur me l'avait offert pour que j'apprenne à lire, murmura le Hollandais avec émotion. Elle devait me donner ma première leçon le lendemain... J'avais tellement hâte que j'avais gardé le livre avec moi pour dormir. Il

21. À mon frère bien-aimé, Kiliaen. Avec amour, Joana.

m'aura fallu attendre cinquante ans. Mais, comme on dit, mieux vaut tard que jamais, n'est-ce pas?

– Oui, en effet, balbutia Alexander.

– Bon, commençons!

Pendant près d'une heure, l'Écossais s'improvisa maître d'école. L'élève se montra particulièrement doué. Il n'avait pas totalement oublié sa langue maternelle, ce qui lui facilitait l'apprentissage de la lecture. Ils avaient déjà lu l'histoire de la vache qui saute par-dessus la lune et celle des trois marmitons assis dans une tasse lorsque le Hollandais ferma le livre pour le glisser dans sa poche.

– C'est assez pour ce soir! annonça-t-il avant de sortir une belle pipe de faïence peinte de jolis motifs colorés.

La nuit, fraîche et humide, plongeait maintenant les bois qui se trouvaient derrière eux dans une épaisse obscurité. Toute une série de sons étranges, maintenant familiers à Alexander, s'élevaient de tous les côtés. Les voyageurs s'étaient installés autour du feu qui crépitait doucement et crachait à l'occasion une gerbe d'étincelles tourbillonnant dans les airs comme une envolée de lucioles. L'ambiance était plus tranquille que la veille. Seuls quelques éclats de voix et des bribes d'histoires leur parvenaient de temps en temps. Le Hollandais battit son briquet à quelques reprises en maugréant. Enfin, la flamme jaillit, éclairant son visage, dorant sa barbe et ses sourcils. Il alluma sa pipe et en tira une longue bouffée qu'il exhala lentement.

– Les temps changent, mais l'homme reste toujours le même. L'homme... la plus belle créature de Dieu. Ne trouvez-vous pas?

– Non, monsieur, je ne suis pas de cet avis.

– Killie, Alexander.

– Je préfère dire « monsieur » pour le moment, si vous n'y voyez pas d'inconvénient.

Le Hollandais le dévisagea un instant. Puis sa barbe frémit et sa moustache s'étira.

– D'accord. Ainsi, j'ai tort... et vous avez raison. L'homme est la créature la plus terrifiante sur cette terre. Bien sûr, il y a les tigres du Bengale, les alligators, les crotales, les loups... qui hantent les nuits des enfants. Mais ces bêtes sont guidées par l'instinct. Elles tuent pour se nourrir, pour défendre leurs petits. C'est pour elles une question de survie, rien de plus. Elles s'en prennent à vous si vous vous trouvez devant elles au mauvais moment. Pour l'homme, c'est différent. Sa survie assurée, il a besoin de s'occuper l'esprit. Il recherche un certain bien-être. Mais certains êtres désabusés tendent malheureusement vers le vice, puis vers la perversité et la cruauté. Ils finissent par trouver leur bonheur dans la souffrance des autres. Qu'est-ce qui vous rend heureux, mon ami?

Interloqué, Alexander resta muet. Ce qui le rendait heureux? Le savait-il seulement? Il tenta de retrouver dans sa mémoire des images de moments heureux qu'il avait vécus. Le visage d'Isabelle lui apparut, et il le chassa aussitôt. Puis, ce fut un ciel étoilé, traversé par le vaporeux ruban de la Voie lactée. Surgit ensuite un champ d'avoine ondulant sous la brise, avec une femme au milieu, un panier sous le bras et un chien gambadant à ses côtés: sa mère et son chien, Branndaidh. Enfin, ce fut John l'éclaboussant dans le loch, riant aux éclats et plongeant dans l'eau glacée.

– Ce qui me rend heureux m'est inaccessible... bredouilla-t-il en baissant les yeux.

– Nous croyons tous que ce qui nous est inaccessible nous rendrait heureux. Mais il doit bien exister des bonheurs à votre portée, non?

Les reflets du manche patiné de son poignard accrochèrent le regard d'Alexander qui repensa alors au vieux prêtre O'Shea et à ses paroles sages depuis longtemps oubliées: «Faire une activité qui nous amène à contempler la perfection.» Une activité qui occupe l'esprit et chasse tous les soucis, qui porte l'œil à admirer la beauté, celle qui... rend heureux, ne serait-ce que pour un instant. Du bout des doigts, le jeune homme caressa les entrelacs du manche dont les détails s'estompaient. Il y avait bien longtemps qu'il n'avait rien sculpté.

– J'aime travailler le bois, à l'occasion.

– C'est à votre mesure, c'est bien. Maintenant, qu'en est-il de l'argent et du pouvoir? Ne vous tentent-ils pas?

– Pour ce qui est de l'argent, monsieur, je n'en possède guère. Quant au pouvoir, il m'indiffère.

– Mais que feriez-vous si je vous offrais les deux?

Perplexe, Alexander fronça les sourcils. Y avait-il un piège? Un sens caché dans la question du Hollandais?

– Pour être honnête, je ne sais pas, monsieur. Je m'achèterais une terre, je crois.

– Et vous y construiriez une belle maison; vous achèteriez des chevaux de race, des voitures confortables; vous engageriez des domestiques...

Alexander se demandait vraiment où le marchand voulait en venir.

– Monsieur, depuis toujours, je n'ai jamais rien possédé que ma vie. Seuls mon courage, ma fierté et... mon intelligence, si je puis dire, m'ont permis de la conserver jusqu'à ce jour. Je ne demande rien d'autre à Dieu que la paix. Tout ce que je veux, c'est ne plus devoir brandir une arme pour voir le soleil se lever encore. Je prends ce qu'on me donne; je ne cherche pas à obtenir ce que le destin ne place pas sur ma route. C'est la leçon que j'ai tirée de ce que j'ai vécu.

– Se soumettre au destin; reconnaître sa finitude. Voilà qui est plein de sagesse. Si tout le monde était comme vous, la vie serait beaucoup plus simple et la justice commune aurait plus de sens. Mais, bien sûr, ce n'est pas le cas. Trop d'hommes ont une attirance pour le vice et une répugnance pour le bien. Moi aussi, j'ai appris à renoncer, Alexander... au pouvoir, à la richesse, à la luxure, à toutes ces choses extrêmes qui ne garantissent pas le bonheur, finalement. Avec le temps, j'ai appris que certains plaisirs n'apportaient pas nécessairement la félicité, que les chemins qu'on suit pour les obtenir nous éloignent plus souvent qu'autrement de la morale et conduisent aux tortures de l'âme. Depuis mon renoncement, je me sens mieux. Croyez ce que vous voulez... que je cherche dans ma réhabilitation spirituelle à obtenir la clémence divine lors de mon jugement. Peut-être... enfin. Toutefois, il me reste une chose à accomplir pour ne plus avoir mauvaise conscience du tout, pour me sentir libéré. C'est là que vous intervenez. Vous êtes fondamentalement honnête.

– Qu'attendez-vous de moi, monsieur?

– Je veux vous confier un trésor, mon ami. Pour plusieurs, comme moi-même à un certain moment, il représente le pouvoir et la richesse. Mais, aujourd'hui, il représente pour moi la vie d'hommes, de femmes et d'enfants qui sont innocents. La survie d'un peuple. Vous avez certainement entendu parler du soulèvement des nations des Grands Lacs...

– Les massacres des garnisons anglaises par Pontiac, oui.

– Connaissez-vous les raisons qui ont poussé Pontiac à commettre ces tueries?

– Les Anglais affament son peuple et le traitent avec mépris.

– Si on veut. Il est vrai que le général Amherst n'était pas conciliant avec les natifs du pays. Il souhaite leur disparition. Les soldats ont reçu l'ordre de ne plus échanger d'armes contre des peaux. Thomas Gage, le remplaçant d'Amherst, me semble plus humain. Malheureusement, la graine de la haine a été semée et a germé dans le cœur des peuples autochtones. Je ne veux pas jeter tout le blâme sur les autorités britanniques, bien qu'elles aient grandement contribué à faire naître la haine. Mais ce que font aujourd'hui les Anglais, les Français le faisaient hier, d'une certaine manière. Les méthodes diffèrent, mais le résultat est le même. Les Sauvages n'avaient pas besoin de nous pour survivre. Ils y arrivaient assez bien avant que nous mettions les pieds ici. Malheureusement, on ne peut revenir en arrière... J'ai vécu parmi ces gens assez longtemps pour apprendre quelques-unes de leurs langues et leurs coutumes, et pour comprendre en partie leur façon de voir les choses. Ces hommes et ces femmes ont compris ce que nous, les Blancs, ne comprendrons jamais : rien de tout ce qui fait ce monde ne nous appartient ni ne nous appartiendra jamais. La terre, les animaux, les plantes, comme notre vie, nous sont prêtés en quelque sorte. Le seul pouvoir que nous donne l'Être suprême, c'est celui de jouir tous ensemble de ce que la terre nous offre. Il faut donc partager. Le problème, c'est que l'homme blanc ne partage pas; il prend tout. Son désir de tout posséder l'a rendu malade. Oh, bien sûr! les deux races ont fini par apprendre à coexister. Mais les autochtones ont été contaminés par la maladie de l'homme blanc. Aujourd'hui, ils ne peuvent plus chasser sans fusil ni poudre; ils ne peuvent plus se vêtir sans draps de laine ou de coton. Ils n'écoutent plus la voix de leurs ancêtres, mais celle des hommes dont ils dépendent pour obtenir ce dont ils ont besoin. Ils ont perdu leur âme, mon ami. Or un peuple qui n'a plus d'âme n'est plus un peuple.

Le Hollandais fit une pause, pendant laquelle une voix lointaine s'éleva dans l'esprit d'Alexander : « Ne les laisse pas te voler ton âme... » C'étaient les paroles de grand-mère Caitlin... La mort d'un peuple, de ses traditions, de sa langue... Tenait-il sa promesse? Un bruit mat ramena Alexander à la réalité du moment. Le marchand frappait sa pipe contre sa botte. Il la fit ensuite disparaître dans son sac à feu.

– Qu'espérez-vous? Voulez-vous sauver tous ces gens? s'informa Alexander avec une pointe de sarcasme.

Le Hollandais poussa un long soupir et haussa les épaules.

– Non, cela, je ne le pourrai jamais. Mais je refuse de contribuer davantage à leur perte. L'été dernier, je me trouvais dans la région des Grands Lacs au moment où les massacres ont eu lieu. J'ai assisté à la tuerie du fort Miami[22]. Je venais de fournir une cinquantaine de fusils avec poudre et munitions aux Sauvages. Peut-être ai-je été naïf ou aveugle... Je croyais à ma mission, qui était d'aider ces nations

22. Le fort Miami était situé sur la rivière Maumee, tout près de ce qui est maintenant la ville de Fort Wayne, dans le nord de l'Indiana, aux États-Unis.

démunies que les Anglais cherchaient à repousser vers l'ouest pour s'approprier leurs terres. Cependant, ce jour-là, le commandant du fort, Robert Holmes, a été attiré à l'extérieur par sa maîtresse – une Sauvagesse. Il a alors été abattu froidement par un homme que je venais d'armer. Son aide, alerté par le coup de feu, s'est précipité pour lui porter secours et a subi le même sort. Les Sauvages ont tranché la tête de Holmes et l'ont balancée par-dessus les murs du fort. Puis, ils m'ont demandé de parlementer avec les soldats : ils leur laissaient la vie sauve s'ils abandonnaient les lieux. J'ai bêtement offert ce marché à la garnison. Les soldats, terrifiés, ont accepté d'emblée et ont aussitôt ouvert les portes... Six d'entre eux seulement en ont réchappé. Un sursis : ils ont été brûlés vifs quelques heures plus tard.

Le vieux marchand tourna un visage tourmenté vers Alexander. Ses yeux étaient humides.

– J'ai naïvement armé ces gens dans le but de les aider à se nourrir. Mais ils ont chassé un tout autre gibier que celui auquel je pensais, Alexander! Je suis responsable du massacre d'une garnison entière! Bien sûr, cela se passait entre guerriers, mais... Je me suis alors demandé quand tout cela allait se terminer. J'ai vu des choses qui hantent mes nuits depuis près d'un an. J'ai vu des villages entiers décimés par la maladie. Déclarant vouloir la trêve, le colonel Bouquet, gouverneur du fort Pitt, a fait distribuer en guise de cadeaux des boîtes de métal qui contenaient soi-disant des remèdes. Elles devaient être ouvertes dans les villages seulement. En fait, elles contenaient des morceaux de couvertures contaminées par la variole. L'épidémie sévit toujours... Depuis l'attaque-surprise, par des Sénécas, des Odawas et des Chippewas, d'un convoi de l'armée, au portage du Niagara, les Anglais se sont livrés à toutes les infamies possibles pour éliminer les Sauvages. L'ordre est de les abattre à vue. On promet une récompense pour la tête de Pontiac. Mais il y a aussi les Paxton Boys. Ces miliciens volontaires de Pennsylvanie ont massacré un groupe d'autochtones pacifiques de Canestoga en décembre dernier. Les Mohawks, alliés des Anglais, ont dévasté le village delaware de Kanhanghton, sur la « suggestion » de l'agent des affaires indiennes, William Johnson. De leur côté, les Sauvages rebelles s'en prennent aux colons, qui ne demandent pourtant qu'à cohabiter avec eux en paix. Des femmes et des enfants sont tués lâchement. Cette guerre est une guerre de désespoir. Elle sera fatale aux nations des Grands Lacs. Ces tribus souffrent de la famine et de la maladie. Elles connaissent une mortalité infantile élevée et des dissensions familiales. C'est qu'elles sont coupées de toutes les sources d'approvisionnement à l'est et que les tribus de l'Ouest, qui nous sont hostiles, ne veulent pas se mêler de tout ça. Ainsi, ces pauvres gens vivent dans la misère la plus totale. Ils sont les victimes de la cupidité de rapaces qui cherchent à s'approprier leurs terres et leurs richesses, pour les exploiter et s'enrichir, et qui ne pensent qu'à eux-mêmes. *Auri sacra fames!* Cette exécrable faim de l'or! J'étais de ces rapaces, mon ami, et je ne peux plus accepter cela! Il n'est plus question de guerre, ici, ni de commerce. Il s'agit de l'extermination d'un peuple! Plus les Sauvages se rebelleront contre les Anglais, plus ces derniers voudront se débarrasser d'eux. Ils doivent comprendre cela... pour leur survie!

– Pour leur survie... répéta machinalement Alexander. Mais, pour survivre, doit-on se soumettre sans se battre? Sans revendiquer ses droits?

Van der Meer retira d'une main son lorgnon et frotta lentement de l'autre, avec son pouce et son index, ses yeux fatigués. Puis, satisfait de voir qu'Alexander se sentait personnellement concerné, il sourit.

– Vous vous êtes battu, Alexander, à la bataille de Culloden? Sinon, vous avez au moins vu les vôtres le faire. Que s'est-il produit? Quel a été le résultat? On vous a écrasés, n'est-ce pas? Les souris ne s'attaquent pas aux éléphants. Si elles sont sages, elles leur filent entre les jambes. Vous n'aviez aucune chance contre les troupes organisées et bien équipées des Britanniques. Pas plus que les Sauvages. Il aurait fallu attendre d'être mieux armés. Sinon découlent les conséquences que vous connaissez... Représailles et répression ne font qu'affaiblir davantage.

Le spectacle des corps tordus et fumants de Highlanders, dans les ruines calcinées d'une église, revint hanter Alexander. Le jeune homme cligna des yeux pour le chasser.

– Vous avez vu et vécu ces conséquences, mon ami...

– Oui.

– Alors, vous comprenez ce que j'essaie de vous expliquer?

– Oui, je crois, répondit Alexander, troublé. Mais je ne vois pas comment je peux vous aider, monsieur.

– Vous le saurez bientôt, si vous voulez vraiment faire quelque chose... pour moi et ces gens qui, comme vous, ont été mis au ban de la société.

– Mais... nos situations sont très différentes. Nous, nous revendiquions un trône, et...

– Et eux, leurs terres. Je sais cela, acquiesça Van der Meer en regardant l'Écossais droit dans les yeux. Mais, à bien des égards, elles se ressemblent. Vous cherchez à préserver votre identité, non? Alors?

– Je ne sais pas, monsieur... Je ne peux vous promettre mon aide sans savoir dans quoi je m'engage exactement.

– Non, bien entendu...

Le vieux marchand resta silencieux un moment.

– Je suis le gardien d'un coffre rempli d'or, laissa-t-il enfin tomber.

Alexander cligna des paupières et resta bouche bée. Le Hollandais le fixait intensément, étudiant sa réaction comme s'il eût été une quelconque bête menaçant sa vie.

– Cet or est le fruit de la vente, sur le marché européen, de fourrures récoltées par un groupe de marchands qui veulent agrandir les territoires de traite. Il doit servir à acheter de l'armement pour les rebelles. Les Espagnols, qui occupent une partie de la Louisiane, peuvent nous fournir des armes.

– Je croyais les Espagnols neutres dans ce conflit...

– Qui peut rester totalement neutre dans une situation dont il sait qu'il peut tirer quelque profit? Et puis, l'or fait toujours pencher la balance du côté de celui qui le possède. Je... je ne veux plus remettre cet or à ces marchands qui m'ont chargé de son transport, Alexander. Je ne suis plus d'accord avec ce qu'ils comptent en faire. Or je ne pense pas pouvoir les convaincre de se contenter de récupérer leur investissement initial et d'employer les profits pour soigner et nourrir les nations qui ont souffert durant le conflit. Ils ne voudront jamais dissoudre la ligue. Ils voient plutôt leurs propres intérêts, leurs propres fins. Voyez-vous, le bien des nations n'est pas le nœud de cette association. Il y en a pour près de dix mille livres en louis, piastres espagnoles et autres devises...

Alexander ne put retenir un sifflement. Son cœur se mit à battre plus vite dans sa poitrine. Dix mille livres! Avec une telle fortune... Le Hollandais, semblant deviner ses pensées, ricana.

– C'est beaucoup d'argent, n'est-ce pas? Bien plus qu'un homme ne possédant que sa vie ne pourrait jamais espérer avoir.

Alexander se détourna.

– C'est vrai, concéda-t-il avec honte.

– Vous êtes au courant, maintenant, mon ami. Alors?

– Un problème se pose, monsieur. Mon frère... Il travaille pour Durand.

– Oui, j'y ai réfléchi. Mais cette promesse ne vous engagerait envers moi que jusqu'à l'automne. Lorsque je serai de retour à Montréal, vous serez libre, car je pourrai m'occuper moi-même de cette affaire. Vos chances de rencontrer votre frère d'ici là sont... bien minces. Durand fait son commerce au poste de Michillimackinac, situé à des centaines de lieues.

Alexander hésitait encore. Donner sa parole à Van der Meer le plaçait dans une situation délicate. Cela n'était que temporaire, il était vrai...

– D'accord, murmura-t-il sans être tout à fait sûr de prendre la bonne décision en accordant son aide.

– C'est bon, c'est bon. Je sais ce que vaut la parole d'honneur d'un Écossais qui se respecte. Promettez-moi que vous ferez ce qu'il faut pour le bien de l'humanité, Alexander.

– Je vous le promets, monsieur. Je vous donne ma parole... jusqu'à notre retour à Montréal.

– Je souhaite de tout cœur ne pas m'être trompé à votre sujet... Il faut empêcher une nouvelle guerre d'éclater, car elle ne conduirait qu'à l'extermination d'une race. Je ne peux redonner aux nations ce qu'elles ont perdu. Mais je peux essayer de faire quelque chose pour éviter qu'elles perdent ce qui leur reste. Cet or doit servir à les nourrir, à les soigner et à les vêtir... vous comprenez?

– Pourquoi vous adresser à moi? demanda Alexander, de moins en moins sûr de l'aide qu'il pourrait apporter. Vous êtes bien plus en mesure que moi de distribuer cet or comme bon vous semble!

– Rien n'est moins certain. Depuis mon retour des Grands Lacs, tous ces marchands qui forment la ligue me harcèlent pour connaître l'endroit où j'ai caché l'or. Après la signature du traité de Paris, j'ai réussi à les convaincre qu'il valait mieux attendre: l'hiver arrivant à grands pas, il était préférable de repousser l'opération au printemps. Or c'est maintenant. Je sais qu'ils vont chercher à me rejoindre, où que je sois. Pontiac piétine. Bien que les Français de Louisiane se fassent plus discrets, il ne cache pas son désir de rassembler de nouveau ses guerriers et tente de rallier les Illinois à sa cause. De plus, il sait que les marchands sont pressés d'agrandir les territoires de traite et sont mécontents des édits leur interdisant de faire du commerce avec les Sauvages de la région. C'est que, depuis le début de la dernière guerre, les affaires stagnent. Et, maintenant que l'Angleterre s'est rendue maîtresse du pays, les marchands anglais font tout ce qu'ils peuvent pour s'approprier les réseaux déjà bien organisés et très efficaces des Français. Pour nous, les marchands français, le problème vient maintenant du fait que nous ne pouvons plus nous approvisionner dans la mère patrie pour les marchandises à échanger. Il nous faut dorénavant les acheter aux Anglais ou aux Américains d'Albany ou de New York. Voilà pourquoi j'ai accepté de m'associer avec Solomon, bien qu'il soit en relation avec Philippe Durand. Cet homme me paraît honnête. Mais je ne sais pas s'il m'espionne pour le compte de la ligue de marchands. Je dois donc être très prudent avec lui. Après ce voyage, je tire ma révérence. J'ai plus d'argent que nécessaire pour vivre convenablement avec Sally les années qu'il nous reste. Sur le chemin du retour, je récupérerai le trésor et ferai ce qui doit être fait avec l'or. J'offrirai à Solomon de lui vendre ma part de la compagnie, s'il en veut. Sinon, je la céderai à Alexander Henry, qui m'a déjà confié son intérêt. Peut-être vous êtes-vous demandé pourquoi, dans votre contrat, je vous faisais revenir à Montréal à la fin du premier voyage?

– La question m'a effectivement effleuré l'esprit. Mon cousin Munro, lui, passe l'hiver au Grand Portage.

– Oui, comme la plupart des autres. Je ne garde que le minimum d'hommes pour revenir à Montréal en septembre. Vous en faites partie pour la simple raison que vous connaîtrez l'endroit où est caché l'or. S'il devait m'arriver malheur... quelqu'un devrait prendre cet or et le distribuer de la façon qu'il se doit. Je vous ai choisi pour cela.

– Mais comment ferais-je?

– Les noms des membres de la ligue et le montant investi par chacun sont inscrits dans un carnet qui se trouve avec l'or, dans le coffre. Il suffirait de rendre à chacun ce qui lui est dû. Mon épouse Sally sait à qui envoyer le reste.

– Monsieur... je ne sais pas... Dix mille livres!

Le Hollandais le regardait fixement.

– Imaginez que ces Sauvages sont comme votre peuple, Alexander. Que feriez-vous pour les vôtres si vous aviez tout cet or entre les mains? Réfléchissez.

Puis, fouillant dans une poche intérieure de son capot, le marchand tendit à l'Écossais un bout de papier froissé couvert d'un gribouillis de chiffres et de lettres.

– Qu'est-ce que c'est?

– L'indication de l'endroit où est caché l'or.

Alexander, le cœur tambourinant furieusement et les doigts se crispant, releva lentement la tête pour croiser le regard scrutateur de son patron.

– Derrière nous, à droite de la futaie de bouleaux, se trouve un sentier dissimulé par des ronces et des fougères. Si on l'emprunte, il nous conduit à un endroit de la rivière du Nord qui a une forme d'anse. Une marche de quelques minutes. Là, on aperçoit une île, en face. Si vous savez nager, vous n'aurez aucun problème pour traverser. La rivière n'est pas large à cet endroit. À l'extrémité nord de cette île se dresse une cabane en bois abandonnée. Les indications inscrites sur ce papier permettent de trouver la cachette. Les chiffres suivis de lettres indiquent le nombre de pas, d'une longueur de trois pieds environ, et la direction à prendre. Voyez... ici, poursuivit-il en approchant la lanterne et en désignant du doigt une inscription, «8 P-N» signifie «huit pas vers le nord». C'est plutôt simplet comme code. Mais, pour arriver au bon endroit, il faut partir du bon endroit.

– Qui est? demanda tout bonnement Alexander en ne quittant pas le bout de papier des yeux.

– Derrière la cabane, il y a un gros érable isolé des autres arbres. Vous ne pouvez pas le manquer. Il suffit de s'adosser au tronc en faisant face à la seconde île qui sort de la rivière: l'île aux Chats.

– L'île aux Chats. Oui, c'est simple en effet.

– J'ai sur moi une copie des indications, précisa le Hollandais à voix basse. Gardez ce papier. S'il m'arrivait quelque chose...

Sortant de sa bulle, Alexander chassa les pensées qui lui taraudaient l'esprit et se tourna vers le marchand. Dix mille livres... S'il lui arrivait quelque chose, cet argent lui revenait en entier. C'était complètement ahurissant! L'attrait que le trésor exerçait sur lui était indéniable. Il en serait de même pour n'importe quel homme, bon sang! Il soupira bruyamment, maudissant le Hollandais de lui infliger pareille torture morale.

Étendu sur le dos, fixant la constellation de Cassiopée que voilait la Voie lactée, Alexander n'arrivait pas à dormir. Le secret que lui avait confié Van der Meer le hantait. «Dix mille livres... Dix mille livres...» scandait son esprit. Il serait si facile de les voler, avec les indications données... D'un autre côté, pourrait-il vivre avec le poids d'un tel acte? Et puis, le Hollandais le pourchasserait certainement. Il faudrait le tuer... Bon Dieu! Il n'arrivait pas à croire que de telles idées lui venaient. Certes, il avait volé souvent dans sa vie d'adulte. Il lui était arrivé de tuer aussi. Mais c'était vraiment lorsqu'il n'avait pas eu le choix. Cette nuit, par contre, il avait le choix. Et le choix qui s'offrait à lui le terrifiait.

Il se retourna sur sa couche en écrasant un moustique dans son cou, et fixa le dos de Munro. Devait-il lui en parler? Qu'en penserait-il? Ils pourraient se partager le magot... Serrant les poings et les mâchoires, tourmenté, il se recroquevilla sur lui-même. Il n'arrivait pas à dormir. Dix mille livres... Avec une telle somme, il pourrait retourner en Écosse, aller voir son père... Son fils, riche! Mais, où serait la fierté? Sa fierté était tout ce qui lui restait. Allait-il la perdre elle aussi en commettant un vol aussi ignoble?

D'un geste incertain, il sortit le papier glissé dans sa chemise et le froissa entre ses doigts, l'écoutant craquer et récitant mentalement les codes qui étaient inscrits dessus. Puis, il s'assit.

Un pépiement nocturne ponctuait le chant continu et monocorde des grenouilles. Le bourdonnement incessant des moustiques. Le léger clapotis des vaguelettes sur la berge. Le doux bruissement des feuilles. L'odeur douceâtre du maïs lessivé[23] qui mijotait dans une marmite au-dessus des braises et qu'on servirait au petit-déjeuner. Tout semblait tranquille autour d'Alexander, tandis qu'en lui une violente tempête secouait son âme. Non loin, sous les embarcations renversées, s'étaient réfugiés quelques dormeurs. Plusieurs autres voyageurs avaient, comme lui, choisi de dormir à la belle étoile. À quelques pieds de l'eau seulement, deux canots ne servaient à personne. S'il le voulait, il pourrait facilement s'éloigner avec l'un d'eux et se laisser porter par le courant.

Froissant toujours le bout de papier dans sa main, Alexander dirigea son regard vers l'endroit où dormait Van der Meer. À la lueur de la lune, la toile était lumineuse. Ce serait si facile, si facile... La voix du vieux marchand résonnait encore dans son esprit: «Je sais ce que vaut la parole d'honneur d'un Écossais qui se respecte. Promettez-moi que vous ferez ce qu'il faut pour le bien des hommes, Alexander.» Il lui avait donné sa parole d'honneur. Mais que valait-elle? Dix mille livres? Non, bien plus... Son honneur n'avait pas de prix.

Doucement, il glissa le papier dans son *sporran*[24] attaché à sa ceinture. Se tournant une dernière fois vers l'abri du Hollandais, il crut percevoir un mouvement. Van der Meer le surveillait-il? Il attendit quelques secondes, puis se recoucha et baissa ses paupières lourdes.

Le lendemain, comme tous les matins qui allaient suivre jusqu'à ce qu'ils arrivent au Grand Portage, ils plièrent bagage une heure avant l'aube. Alexander maintenait le canot par la pince avant, pendant le chargement, lorsqu'il vit le Hollandais s'avancer vers lui. L'homme le dévisagea longuement.

---

23. Maïs débarrassé de sa pellicule coriace lors d'une cuisson préalable dans des cendres de bois.

24. Sorte d'escarcelle, souvent en fourrure, que portaient les Highlanders à leur ceinture (sur le devant de leur kilt quand ils en avaient un).

– Bien dormi, l'ami?
– Si on veut, monsieur.
– C'est bon, c'est bon.

Puis, d'un air qui ne trompait pas, il sourit en soulevant son chapeau et tourna les talons. Alexander sentait son cœur lui marteler la poitrine. L'homme savait très bien quels tourments avaient troublé son sommeil.

***

Les jours s'écoulaient au rythme des chansons qui marquaient la cadence, et le majestueux paysage qui défilait rappelait à Alexander la petitesse de l'homme. Il n'était pas facile d'apprivoiser cette nature sauvage, sans merci. Ils ne rencontrèrent aucun obstacle jusqu'à la Grande Chaudière. Là, cependant, ils durent faire un portage de six cent quarante-cinq pas pour longer la chute, qui les éclaboussa. Ensuite, il y eut le long et harassant portage du Grand Calumet, qui ne mesurait pas moins de deux mille pas.

Ils passèrent l'île aux Allumettes, atteignirent les rapides des Joachims et pagayèrent à un rythme d'enfer jusqu'à la fourche de Mattawa. Là, ils prirent la direction des Grands Lacs. Après les multiples obstacles de la rivière Mattawa, il leur restait une petite traversée sur le lac Nipissing et la descente de la rivière des Français.

Parfois calme, parfois impétueuse, l'eau s'enroulait autour de leurs pagaies, les entraînait dans une enfilade d'anses et de baies sablonneuses. Parfois, sur leur passage, des familles de sarcelles sortaient des broussailles en battant l'air et en caquetant. D'autres fois, ils voyaient des croix de bois au bord de l'eau. Ils se découvraient alors et récitaient une courte prière. Ils en comptèrent jusqu'à douze au même endroit.

Les rives étaient souvent couvertes d'aulnes et de saules touffus. On pouvait voir à l'occasion les petits yeux noirs des rats musqués briller dessous. La rivière passait entre des murs de roc, empruntant la voie pratiquée des milliers d'années auparavant par les glaces qui, en se retirant, avaient laissé derrière elles des rochers parfois gigantesques à l'échelle humaine. Les spectaculaires paysages rappelaient à Alexandre son Écosse natale et le rendaient nostalgique.

Pas moins de trente-six portages, certains relativement courts, d'autres longs et pénibles, séparaient Lachine du Grand Portage. Lorsqu'ils atteignaient des rapides, les canotiers devaient s'arrêter pour décharger précautionneusement les ballots. Comme ils avaient souvent les pieds dans l'eau, ils laissaient leurs mitasses et leurs mocassins au sec et ne gardaient que leur brayet[25] et leur chemise. Voyant les hommes à demi nus, Alexander pensa que le kilt leur serait utile et leur donnerait meilleure allure que ce morceau de tissu.

Si se promener dans cette tenue s'avérait pratique pour les portages, cela les exposait aussi aux moustiques. Entre deux attaques de hordes d'insectes carnivores, Alexander se saisissait d'un ou deux ballots de quatre-vingt-dix livres chacun qu'il calait contre ses reins et retenait à l'aide d'un harnais de cuir, appelé *tomlan*, passé en travers de son front. Ployant sous son lourd faix comme s'il portait toutes les misères du monde, il suivait des sentiers plus ou moins praticables, traversait des terrains escarpés ou marécageux, jusqu'à l'endroit où on remettait les canots à l'eau après une brève inspection. Quelquefois, par défi ou pour gagner un pari, des voyageurs se lestaient d'un ballot supplémentaire. Sheldon Kilpretin, surnommé « l'Irlandais », réalisa le meilleur exploit : il transporta une charge de plus de deux cent cinquante livres sur toute la longueur du portage du Grand Calumet.

L'incroyable effort que devait fournir Alexander pour porter sa charge lui procurait la chaleur nécessaire pour combattre les coups de froid qu'il subissait lors des transbordements. Quand il reprenait place dans le canot, le bain forcé d'eau glacée qu'il venait de prendre lui redonnait l'énergie pour battre à nouveau l'eau de sa pagaie, au rythme d'*À la claire fontaine* ou de *C'est l'aviron qui nous mène*.

À l'occasion, on se contentait de portages « à la cordelle », moins laborieux. Il s'agissait de haler les canots vers le haut des rapides, à l'aide de cordes. Lors de l'opération, on devait diriger les esquifs avec précaution entre les écueils. Malgré tout, des embarcations se déchiraient invariablement sur des saillies rocheuses dissimulées dans les remous. Il fallait donc prendre le temps de les réparer avec du *watap*[26] et de la résine de pin qu'on faisait fondre à la torche.

Lorsque le débit des rapides était modéré, il arrivait que le goût du défi l'emportât. Après une courte prière, la pagaie bien en main et les muscles bandés, on s'élançait alors avec détermination. La rivière déchaînée grondait dans son lit, réduisant la nature environnante au silence. Cependant, chacun entendait les battements de son cœur presque aussi fort que le vacarme du pouls de la rivière.

---

25. Sorte de caleçon formé d'un pan de tissu ou de peau passé entre les cuisses et retenu à la taille par une ceinture.

26. Mot d'origine algonquine qui désigne les racines de thuya.

L'eau rageuse crachait sur les hommes, se riait de leurs coups de pagaie inefficaces, se moquait d'eux en les trempant jusqu'à l'os, les aveuglait d'une écume blanche qui secouait violemment leurs canots et menaçait de les avaler à tout moment. Il fallait redoubler d'effort et de prudence pour ne pas heurter d'écueil et éventrer la coque. Mais, dans leurs embarcations qu'ils pilotaient avec adresse, les hommes chevauchaient avec opiniâtreté le torrent en furie et finissaient par avoir raison de cette rivière qui se croyait indomptable.

La témérité dont ils faisaient preuve pour avancer le plus rapidement possible vers l'ouest était récompensée à la tombée de la nuit, lorsqu'ils devaient faire halte pour se reposer. On montait alors prestement le camp, on allumait des torches et on examinait et réparait si nécessaire les coques d'écorce. Rapidement, par-dessus celle de la sueur, commençait à flotter dans l'air l'odeur de l'éternelle purée de pois ou de maïs agrémentée de porc ou de saindoux.

Le dos, le cou et les bras meurtris, Alexander se laissait aller contre un tronc d'arbre et fumait la pipe ou buvait du rhum. Parfois, le Hollandais le rejoignait pour une leçon de lecture, qu'il écourtait de plus en plus souvent pour discuter un moment. Aucun des deux n'aborda de nouveau le sujet du trésor. C'était mieux ainsi. Un peu plus tard dans la soirée, Alexander écoutait les histoires de ses compagnons qui, à tour de rôle, narraient leurs exploits ou racontaient une légende des bois qui glaçait le sang.

— ... et ses yeux aussi noirs que du charbon s'embrasèrent comme il mordait dans la chair!

La voix du Revenant, que tous écoutaient religieusement, résonnait dans l'obscurité.

— C'était terrifiant! Les cris des Sauvages dans la nuit ressemblaient à ceux d'une meute de loup. La folie s'était emparée d'eux. Ils dansaient, torturaient, chantaient, mangeaient et forniquaient. Une orgie, j'vous dis! Une vision d'enfer!

— Ooooh!

Le dénommé Revenant portait bien son surnom. Alexander avait appris qu'Hébert Chamard, voyageur ayant plus de quinze années d'expérience, avait jadis été fait prisonnier par une tribu iroquoise onondagua, peuple des montagnes et gardien du feu. Il avait subi leurs tortures et en portait encore les cicatrices.

— Oh oui! Ce sont des démons! Ils se repaissent de la chair des hommes, insista-t-il sinistrement en exhibant sa main droite, à laquelle il lui manquait deux doigts. Ils m'ont tranché les doigts, l'un après l'autre, après avoir pris soin d'en arracher les ongles. Puis, sous mon regard horrifié, ils les ont fait griller et les ont donnés à manger aux enfants. Ces Sauvages nourrissent leurs rejetons avec de la chair humaine, mes amis!

Dans un geste théâtral qui paralysa d'effroi son auditoire, il retira son nez de fer: un sombre orifice marquait l'endroit où s'était trouvé son nez. Puis, pour compléter ce spectacle morbide, il retira son chapeau tout bosselé. Alexander ne put réprimer un frisson de dégoût en découvrant le crâne scalpé du Revenant. En même temps, il admirait cet homme qui avait réchappé à un tel supplice, ce qu'il ne croyait pas possible.

Se penchant pour que chacun vît bien, le Revenant faisait le tour de ses compagnons. Certains osaient poser un doigt sur la mince peau luisante qui laissait transparaître le délicat réseau de vaisseaux sanguins. Le jeune Chabot, défiguré par ses dizaines de piqûres d'insectes, était blanc comme la mort et vacillait sur son siège. Avisant son état, Jo-mé lui plaça la tête entre les jambes pour lui faire passer son malaise. En vain. Le pauvre jeune vomit son repas, ajoutant l'odeur fétide des reflux gastriques à celles qui les enveloppaient déjà.

– Pourquoi t'es encore en vie?

– Une squaw m'a délivré de mon calvaire, mon brave, expliqua le Revenant en souriant, narquois. Elle a certainement été subjuguée par ma virilité, qu'on s'apprêtait à me couper pour la jeter dans le bouillon, et a exigé qu'on me délivre.

– Une squaw qui décide de la vie d'un homme? s'étonna Josiah Corbin.

Le regard gris sombre du Revenant se posa sur le révérend huguenot.

– Je constate que vous ne connaissez pas très bien les us et coutumes des Sauvages, mon ami. Les Iroquois écoutent la parole sage des femmes, qui ont droit de vie ou de mort sur le prisonnier coupable de la mort de leur époux ou de leur fils. Un soir de l'été 1756, deux compagnons voyageurs et moi-même avons rencontré des Sauvages peu après avoir quitté le fort Presqu'île[27]. Un de mes camarades a été tué et scalpé, l'autre a réussi à fuir. Pour ma part, ayant reçu un coup de couteau dans l'aine, j'ai fait le mort. Je croyais qu'ils partiraient et que je pourrais ainsi m'en tirer. Quelle erreur! Ils ont empoigné ma chevelure, et j'ai crié. Voyant que je vivais

27. Fort construit en 1753, sur le bord du lac Érié, près de Mill Creek, par les Français, qui le brûlèrent en 1759 pour empêcher les Anglais d'en prendre possession.

toujours, ils m'ont transporté sur un brancard jusqu'à leur village. J'avais tué l'un des leurs avant d'être blessé. Leurs lois les poussant à la vengeance du sang par le sang, ils allaient me faire subir leurs abominables tortures et me faire chanter mon chant de la mort pour que mon âme s'élève. J'ai chanté, mes amis, oh oui! Et quel chant! Essayez d'imaginer quels cris de douleur jailliraient de vos poumons si on vous posait un tison ardent sur la plante de votre pied, si on vous entaillait la chair des cuisses avec une lame chauffée à blanc! Imaginez l'odeur de votre propre chair grillée vous piquant les narines et vous soulevant le cœur! Imaginez ces êtres féroces à moitié nus, assoiffés de sang, fous, dansant de joie autour de vous comme autour d'un cochon bien juteux qui tourne sur une broche. J'étais un cochon pour eux, les amis, déclara le Revenant d'une voix grave et lugubre, j'étais leur souper...

– Mais, grâce à tes... superbes roupettes, tu as servi de repas à une seule squaw! lança Aunay en se tapant sur la cuisse. Quelle belle fin!

Tous éclatèrent de rire, ce qui détendit l'atmosphère et ramena la gaieté.

– Et voilà! acquiesça le Revenant avec un grand sourire.

L'homme replaça son chapeau sur son crâne lisse couronné d'une seule frange rousse, noua la lanière de cuir qui retenait son faux nez et salua son assistance d'une petite révérence.

À partir de ce soir-là, Alexander considéra ce compagnon avec le plus grand respect. De plus, bien que le terrifiant récit eût dû lui faire craindre encore plus les Sauvages, il ne fit au contraire qu'attiser sa curiosité. À quelques reprises, déjà, ils avaient croisé quelques Algonquins sur leur chemin. Cependant, ils ne s'étaient nullement montrés agressifs avec eux. Au contraire, ils se joignaient parfois à eux pour faire quelques brasses, discutaient amicalement et troquaient, directement sur l'eau, quelques peaux contre de menus objets. Les armes, la poudre et le plus gros des marchandises de troc qu'eux-mêmes transportaient étaient cependant destinés aux échanges prévus au poste du Grand Portage. Là viendraient les Ojibwas, les Potawatomis et des Sauvages d'autres nations de la région qui avaient pratiqué la trappe tout l'hiver dans le but de se procurer là le nécessaire pour agrémenter leur quotidien. Les peaux seraient alors soigneusement choisies, pesées et marchandées pour rapporter ensuite le maximum de profits. Mais, pour le moment, ce poste semblait se trouver à la frontière du monde.

4

Solitudes

Le matin du 27 mai, après avoir contourné une série d'îlots granitiques et les dangereux rapides des Dalles, à l'embouchure de la rivière des Français, la flottille de Van der Meer pénétrait dans l'impressionnante baie Georgienne. Une brise tiède soufflant en poupe ridait doucement la surface de l'eau. « La vieille souffle! » cria-t-on avec joie. Le temps était idéal. Ainsi, dans chaque embarcation, on attacha à la barre de nage centrale une pagaie sur le manche de laquelle on avait préalablement installé une petite voile. Cela permit d'avancer bien plus vite.

Le paysage s'était métamorphosé. Aux étroits corridors bouillonnants d'écume avaient succédé les grands espaces. Ils se trouvaient sur une mer d'eau douce au milieu d'un continent. Ainsi, les histoires qu'Alexander avait entendues étaient véridiques. Ils louvoyèrent entre des îles, formant l'archipel de Manitoulin, où foisonnaient des milliers de rochers mousseux parfois coiffés de touffes de conifères. On aurait dit d'immenses pots de fleurs. Ensuite, ils franchirent le dernier portage, celui du Sault Sainte-Marie, qui reliait le lac Huron au lac Supérieur et où était jadis établie une mission jésuite. Puis, ils firent escale à la pointe des Pins. Comme à leur habitude, ils repartirent avant le lever du jour. Le grand lac Supérieur leur apparut encadré de deux sombres massifs de pierre émergeant de la brume, le Gros Cap et la pointe Iroquois, qui plongeaient dans les eaux miroitantes s'étalant à perte de vue.

– Allumez! cria le guide.

Dans un seul mouvement maintenant bien rodé, les pagaies furent rangées à l'intérieur des canots, qui continuèrent de fendre un jardin de nénuphars. Chacun tira sa pipe et son tabac de son sac à feu. Quelques secondes plus tard, un nuage odorant flottait au-dessus de la flottille, silencieuse devant la majesté des lieux.

– Un lac, ceci? marmonna Alexander pour lui-même.

– C'est impressionnant, hein? lui répondit le Revenant en plissant les yeux dans la lumière éblouissante. Je suis certain qu'il n'y a pas plus grand lac au monde. Si je me trompe, que je sois foudroyé.

Levant les yeux au ciel, il ouvrit ses mains, paumes vers le haut, et attendit un court moment. Puis il rit.

– C'est certainement la dixième fois que je dis ça, et jamais le ciel ne me tombe sur la tête. C'est que ça doit être vrai!

Munro secoua sa chevelure pour chasser la horde de moustiques qui venait de les rattraper.

– *Mac an diabhail!* jura-t-il en s'administrant une claque sur la nuque. *Damn midgets!*

– Qu'est-ce que tu veux, cousin, les moustiques raffolent du rhum! le taquina Alexander en écrasant un insecte sur sa propre cuisse.

Paysage fantastique, immuable, austère mais en même temps étrangement accueillant. Le bleu de l'eau teintait les côtes rocheuses. Falaises abruptes, caps dominants, cette nature semblait endormie depuis le commencement du monde. Le temps ne paraissait pas avoir d'emprise sur elle.

Deux hérons filant vers l'est les survolèrent. Au bord de l'eau, un orignal mâchonnait son petit-déjeuner en jetant à l'occasion un coup d'œil vers les canots. Dans le silence qui s'installait, Alexander ferma les paupières et écouta son cœur battre au rythme des vagues. S'abandonnant sereinement à cet instant magique, il se sentit en harmonie complète avec la nature... Quelques minutes plus tard, le guide lança l'ordre de reprendre la nage. Détournant leurs regards des hautes falaises qui encadraient la partie nord du lac, les dizaines de canotiers plongèrent leurs pagaies dans l'eau calme.

– *M'en revenant de la jolie Rochelle...* entonna joyeusement quelqu'un d'une voix de stentor.

– *J'ai rencontré trois jolies demoiselles... C'est l'aviron qui nous mène, qui nous mène, c'est l'aviron qui nous mène en haut!* reprit tout le monde en chœur alors qu'on s'engageait dans l'immensité bleue conduisant au poste du Grand Portage, enfin.

***

La brigade longea la côte pendant quelques jours. Pour ne pas perdre de temps, elle voyagea plus souvent la nuit, lorsqu'il y avait moins de vent et de houle. Dans la baie Nipigon, une pluie diluvienne la força à rester à terre une journée entière. Sous leurs toiles huilées, les hommes fumèrent en ronchonnant. La fumée des feux n'éloignait même pas les moustiques et les brûlots qui s'abattaient sur eux.

De tous les maux qu'ils avaient à endurer, celui que représentaient les insectes était certainement, et de loin, le pire. Le Revenant raconta l'histoire d'un compagnon voyageur qui, rendu complètement fou par les nuées bourdonnantes qui les torturaient de nuit comme de jour, s'était jeté dans des rapides et s'y était noyé.

Après avoir traversé la baie du Tonnerre et être passés près de l'île Royale, Van der Meer et ses hommes arrivèrent enfin, le 13 juin, à leur destination. C'est un troupeau de bêtes barbues et crasseuses qui atterrit à la « pointe au Chapeau » pour y effectuer un brin de toilette. Connaissant la grande répulsion des Sauvagesses pour les hommes poilus, les voyageurs prirent le temps de se raser de près avant de se présenter au poste de traite. Puis, parés de leurs plus beaux atours, parfois même de plumes colorées et de ceintures aux couleurs vives, ils franchirent en formation de bataillon les derniers milles les séparant du Grand Portage, où ils firent une arrivée remarquée.

Poste de traite important, principale porte des Pays du Nord, Le Grand Portage était presque un village. Quelques centaines d'hommes y habitaient, protégés par une palissade de bois de cèdre. Outre les habitations, on y trouvait des entrepôts pour les marchandises de traite et des magasins de provisions, ainsi qu'un pavillon où les voyageurs se réunissaient pour manger et faire la fête. Seuls les bourgeois, les interprètes, les guides et les commis logeaient à l'intérieur de l'enceinte. Les autres voyageurs et quelques Sauvages habitaient des baraques à l'extérieur, autour, où se trouvaient aussi les pacages pour les animaux. Ceux qui vivaient en concubinage avec une gentille Sauvagesse se construisaient une petite habitation que l'épouse de fait entretenait et remplissait souvent de marmots.

Ici, pendant que les bourgeois négociaient les peaux que les Sauvages apportaient, les engagés étaient condamnés à une vie oisive en attendant le grand voyage du retour. Envahissant la cantine, ils faisaient bombance, s'empiffrant de bœuf salé, de jambon, de beurre, de pain, de sucre, de café, bref, de toutes ces choses dont ils avaient presque oublié la saveur pendant les longues semaines de leur harassant voyage.

Pour compléter les menus, surtout durant les longs hivers, on achetait aux Sauvages, aux nations des Grandes Prairies en particulier, du pemmican: des lanières de viande séchée crue – essentiellement du bison – enduites de gras d'ours ou d'orignal pour la conservation. On mêlait souvent cette viande qui devait être laborieusement mastiquée à de la farine de maïs et à de l'eau. Cela donnait une sorte de soupe épaisse qu'on appelait *rababoo*. Les tribus autochtones obtenaient, en échange de cette viande, l'eau-de-vie qu'elles convoitaient.

Le soir venu, ils se saoulaient à la taverne et côtoyaient les prostituées qui leur offraient leurs faveurs. Ces femmes étaient des Sauvagesses des tribus algonquines du nord des Grands Lacs qu'on appelait gentiment les « poules ».

Loin de la civilisation qui poliçait les manières, les voyageurs réglaient leurs différends par de violentes bagarres où on dégainait rapidement les couteaux. Il n'était donc pas rare de voir un homme se faire arracher une oreille ou crever un œil.

Néanmoins, une forme d'ordre régnait dans la petite communauté. Chacun avait une tâche à accomplir. Ce pouvait être l'entretien des bâtiments, la coupe du bois, la chasse, la pêche, les soins à donner aux chiens qui tiraient les traîneaux l'hiver, ou la construction de nouvelles cabanes en rondins. Les hommes qui désiraient parcourir les grands espaces travaillaient comme messagers pour assurer une liaison constante avec les postes avoisinants. Enfin, il y avait ceux qui « couraient la dérouine », c'est-à-dire qui allaient rencontrer les Sauvages sur leur propre terrain pour les inciter à commercer avec eux.

Alexander partageait une cabane avec une vingtaine d'hommes qui s'entassaient sur des lits superposés. Un poêle de fer trônait au milieu de l'unique pièce. Le mobilier, rustique, se résumait à une table et à quelques bancs grossièrement taillés dans des rondins. Pour respecter sans doute son caractère, le Hollandais l'avait chargé de la chasse, où il excellait. Cette tâche lui permettait de vivre de précieux moments de solitude et d'échapper à l'activité bruyante du poste de traite. En attendant le gibier, il pouvait laisser son esprit vagabonder librement en d'autres lieux. Il lui arrivait même de voyager jusque dans les montagnes de Glencoe. Curieusement, il découvrait alors que la nostalgie qu'il ressentait naguère s'estompait. L'Écosse lui semblait maintenant un souvenir si lointain...

Si la solitude apaisait son âme, elle faisait aussi ressurgir des souvenirs douloureux. Les traits d'Isabelle se dessinaient invariablement, à un moment ou à un autre, derrière ses paupières. Pour satisfaire ses pulsions viriles et se libérer de l'emprise que la jeune femme avait toujours sur lui, il lui fallait alors partir avec une Sauvagesse pour une folle chevauchée. Puis, désabusé, il reprenait son fusil et repartait dans les bois pour traquer les bêtes sauvages et fuir ses démons. Ainsi alla sa vie au Grand Portage tout au long de l'été 1764.

***

Lorsque les premiers jours de septembre arrivèrent, le poste se prépara à hiverner. La saison froide était rude et bien longue pour celui qui ne faisait pas de provisions de bois et de nourriture en quantité suffisante. De plus, il fallait réparer et isoler les habitations.

Au début de l'automne, des voyageurs qu'on appelait « hommes du Nord » revinrent d'une longue et périlleuse expédition de plusieurs mois dans leurs canots mieux adaptés au terrain septentrional hostile que les grands canots de maître des voies de l'est.

Du Grand Portage, une route partait vers le nord-ouest. Après une navigation sur la rivière Pigeon, un pénible portage de neuf milles conduisait jusqu'au lac à la Pluie. Ensuite, on atteignait le lac Winnipeg et la rivière Rouge en traversant une région recouverte de forêts de conifères et parsemée de petits lacs et de rivières coulant dans des lits creusés dans le granit et le basalte.

De là, les voyageurs ouvraient de nouvelles voies, sur lesquelles ils établissaient des postes de traite. C'était le début d'une ère nouvelle dans le commerce florissant de la fourrure. La Compagnie de la baie d'Hudson, qui avait toujours profité d'un monopole absolu dans les régions boréales, voyait brusquement « ses » territoires envahis par une nouvelle génération de trafiquants qui étaient prêts à tout pour s'approprier une part de ce marché très lucratif. C'était le début d'une concurrence féroce, d'une guerre même qui allait durer des décennies.

L'automne se plaisait quotidiennement à retoucher les couleurs du manteau forestier. Dans quelques semaines, les teintes flamboyantes auraient disparu et la nature serait enfouie sous un linceul blanc et froid. Seuls quelques groupes de conifères conserveraient leurs habits d'émeraude. Assis sur un rocher, Alexander contemplait ce paysage sauvage dont la beauté lui coupait le souffle. Il laissa son regard glisser sur les plis froissés des montagnes, puis sur la surface de la mer d'eau douce. Il soupira. Pourquoi chaque automne devait-il le rendre aussi nostalgique?

Il songea à Coll, reparti pour les Highlands. Son frère devait, en ce moment même, se trouver au milieu de l'océan, entre ciel et mer dont les gris et les bleus devaient se confondre. Comme lui, la plupart des soldats rentraient chez eux, dans leur patrie, dans leur famille. Ceux qui étaient restés étaient majoritairement des officiers à qui on avait offert un beau lot de terre ou une seigneurie à bon marché.

Alexander ne put s'empêcher d'envier Coll de retrouver bientôt leur terre natale. Il s'y enracinerait, y aurait des descendants à son image qui, à leur tour, enfonceraient solidement leurs racines dans le sol de granit d'Écosse. Bien ancrés dans la terre de leurs ancêtres, ils pourraient résister aux assauts du temps et des hommes, se laisser doucement bercer par la brise tiède venant du loch Leven et transportant les odeurs de varech, de bruyère et de tourbe : les parfums de son enfance.

Sachant d'où ils venaient, ils connaîtraient avec certitude leur identité : « Pour savoir où l'on va, il faut savoir d'où l'on vient », avait déclaré Van der Meer. Une impression de vide envahit soudain Alexander : savait-il seulement d'où il venait? Pourquoi avait-il cette étrange sensation qu'il arrivait de nulle part?

Ne souhaitant pas se perdre dans le dédale des questions existentielles auxquelles il ne trouvait jamais de réponses, Alexander se replongea dans la contemplation du paysage. Le lac Supérieur jetait ses vagues sur la grève, qui les repoussait aussitôt. Les flots écumants revenaient à l'attaque, s'agrippaient au sable blond de leurs longues mains blanches pour l'engloutir. Mais la terre résistait, s'obstinait à protéger ses fragiles frontières, n'abandonnant que quelques galets et coquillages. Ainsi, la constante lutte des éléments modelait le paysage. Alexander aimait ce pays : sa rudesse et ses douceurs, reflets de ses états d'âme. Il n'aurait jamais assez d'une vie pour découvrir ces grands espaces...

Un huard pleura au loin, dans la baie. Des rires cristallins s'élevèrent au-dessus du bruit des vagues. Des femmes ojibwas s'amusaient à s'éclabousser, à se lancer des poignées de sable, à plonger dans l'eau. La lumière du soleil couchant dorait leur peau nue, sculptait leurs muscles et leurs rondeurs, faisait briller leurs longues chevelures d'ébène. Alexander se détourna et ferma les yeux.

Malgré la chaleur étouffante, il pressait le pas pour ne pas se faire gronder encore une fois. Cette semaine, il avait dû empiler les blocs de tourbe à trois reprises déjà, après s'être fait chauffer les fesses par son père avec la ceinture de cuir. Il ne devait plus se présenter en retard pour le dîner. Pour arriver plus vite, il emprunta le sentier qui longeait le loch. Au loin, il aperçut un groupe de cygnes blancs qui battaient des ailes sur l'eau. Il espérait pouvoir les admirer de plus près. Plus il avançait et plus les formes se précisaient, plus son rythme cardiaque s'accélérait. Au bout d'un moment, il ralentit, hésitant. Il ne voulait pas faire fuir ces magnifiques cygnes, les plus beaux qu'il eût jamais vus...

Les femmes riaient, agitaient leurs bras nus, s'éclaboussaient. Le cœur battant, Alexander décida de s'approcher malgré tout, mais en passant par les bois. Il zigzagua entre les arbres, trébucha sur des racines. Enfin, il ne se trouva plus qu'à quelques pieds des créatures, qu'il épia, béat, depuis sa cachette. Les magnifiques peaux blanches captaient le soleil et lui rappelaient la belle statuette de son grand-père Campbell. Les chemises dansaient, tantôt cachant les formes, tantôt les épousant étroitement. C'était merveilleux...

Alexander avait soudain envie d'une femme. Il en avait un besoin physique, certes, mais aussi un besoin affectif, comme tout être humain. Il désirait Isabelle, ardemment, désespérément.

À l'approche du voyage de retour, il ne pouvait s'empêcher de repenser à la jeune femme. Il rêvait de son corps dans ses bras, la nuit. Il la sentait alors dans tout son être, qui vibrait, s'emballait. Mais, avec la grisaille de l'aube, il retrouvait la réalité sous la forme d'une couverture, parfois d'une insipide créature qu'il avait dégotée la veille dans une taverne ou dans la rue.

Il allait bientôt retourner à Montréal. Résisterait-il à cette envie de la revoir qui le taraudait? Cela lui aurait pourtant grandement facilité les choses de rester au Grand Portage avec les autres, de vivre comme un ours dans sa tanière et de passer les jours blancs devant le poêle de fer, à sculpter. Cela le contrariait de devoir repartir pour Montréal, mais son contrat l'y contraignait. Il n'avait pas le choix. De plus, il y avait ce secret dont il était le détenteur, ce trésor dont il aurait la garde s'il arrivait quelque malheur au Hollandais...

Des galets s'entrechoquèrent derrière lui. Il ne quitta pas pour autant le somptueux tableau qu'il avait devant les yeux.

– Hé, Macdonald! l'appela une voix de fausset.

C'était le jeune «Pas-de-poil», Chabot. Se retournant, il l'interrogea du regard.

– Le Hollandais demande à te voir immédiatement. Il est dans l'arrière-boutique du comptoir de traite.

Le bâtiment du comptoir de traite bourdonnait d'activité.

Chaque jour, des dizaines de Sauvages y défilaient avec leurs pelleteries, enveloppes charnelles de toutes les espèces animales vivant dans la contrée. Alexander avait eu à plusieurs reprises l'occasion d'assister au marchandage interminable au cours duquel la fourberie de l'homme blanc n'avait d'égal que la mesquinerie de l'autochtone. Ce dernier venait troquer le précieux castor, l'ours noir, le renard dans toute sa panoplie de teintes, le loup, le lynx, l'hermine et ses cousins pour pouvoir s'approprier diverses marchandises qui se trouvaient sur les rayons du magasin: chemises, tissus tels que la serge et la toile, couvertures de laine, couteaux, armes et poudre, pipes et tabac, alcool, pièges, haches, marmites, gamelles, cuillères, guimbardes, ainsi qu'une foule de menus articles tels que de la verroterie, des plumes d'autruche, des chapeaux de feutre et des habits rouges.

Chaque partie voulant retirer le maximum de bénéfices, on discutait âprement les prix des peaux. Quand deux Sauvages voulaient le même objet, l'emportait le plus offrant, qui y laissait une ou deux peaux de plus, pour le plus grand plaisir du commis.

Quand il pénétra dans le bâtiment enfumé, Alexander vit trois Sauvages qui discutaient avec le commis, William Long, un Américain d'Albany. Il reconnut l'un d'eux, pour l'avoir croisé à quelques reprises. La discussion se déroulant en algonquin, il ne put comprendre ce qui se passait. Cependant, aux regards des hommes et aux gestes qu'ils ne cessaient de faire en direction d'une jeune Sauvagesse attendant sagement près d'eux, il devina qu'elle était au centre du litige. Long hochait la tête de droite à gauche, refusant d'accéder à la demande des Algonquins. Le ton monta et les curieux s'assemblèrent pour écouter. Au bout d'un moment, manifestement irrité par le raffut, Van der Meer fit irruption dans la pièce.

– *Bezaan! Bezaan*[28]*!*

Se tournant vers le commis, le Hollandais demanda des explications.

– Ils veulent rembourser une dette datant de l'hiver dernier en nous offrant cette femme, monsieur.

Van der Meer lorgna la Sauvagesse, l'examinant comme s'il s'agissait d'une fourrure de plus à troquer. Puis, grognant d'impatience, il reporta son regard sur Long.

– À combien s'élève cette dette?

Le commis fit glisser son index sur la page d'un vieux registre taché d'encre.

---

28. Silence! (En algonquin.)

– Un barillet d'eau-de-vie, une livre de poudre, deux de plomb et... un couteau.

Le Hollandais soupira.

– Sainte mère de Dieu! Wemikwanit, c'est toi qui veux vendre cette femme?

Il s'adressait au plus petit des trois Sauvages, habillé à la manière des Blancs : chemise de coton rouge serrée par une ceinture fléchée, jambières de laine brune joliment décorées à l'indienne. L'homme redressa les épaules et pinça ses lèvres déjà fines en une mince ligne exprimant son indignation.

– Non. C'est Kaishpa qui veut offrir cette femme... Il a une dette, *diba'amaage*[29].

– C'est son épouse?

Silence. Les coins de la bouche du Hollandais se retroussèrent légèrement.

– *Oshkiniigikwe! Gigishkaajige*[30]*!* insista Kaishpa en désignant la femme. Échange bon. Très bon.

Van der Meer fit le tour de la jeune femme, qui gardait la tête haute et fixait le mur.

– Kaishpa doit savoir que je ne fais pas de commerce d'esclaves.

– Kaishpa le sait, je le lui ai dit, répliqua Wemikwanit sans se départir de son air renfrogné. Il dit que, si vous refusez, il ira la vendre ailleurs et reviendra avec des pièces. Mais il croit qu'elle sera mieux ici.

– Ah oui? Il croit cela?

– Oui, rétorqua Wemikwanit en regardant le Hollandais droit dans les yeux. Je lui ai confirmé que *Wemitigoozhi*[31] tient toujours parole.

– Je tiens toujours parole, c'est vrai. Mais je ne me souviens pas de te l'avoir donnée en ce qui concerne... le bon traitement des femmes ici...

– *Wemitigoozhi* dit vouloir nous protéger des mauvais traitements de *Zhaaganaash*[32]. Cette femme est une *wiisaakodewikwe*[33]. Son père était un soldat français de la garnison du fort Michillimackinac et sa mère est morte de la petite vérole l'été dernier. *Zhaaganaash* veut la posséder pour son plaisir seulement. Elle a déjà un petit enfant de

29. Il paie.
30. Elle est jeune! Elle est enceinte!
31. Le Français.
32. L'Anglais.
33. Métisse.

lui et en attend un autre. Mikwanikwe travaille bien. Elle mâche bien le cuir et fabrique les plus beaux *makizins*[34]...

– Mikwanikwe? C'est ton nom? demanda le Hollandais en s'adressant à la jeune femme, toujours immobile. Tu parles français?

– *Gaawiin*[35].

– Mais alors, tu le comprends?

– *Miinange*[36].

– C'est bon. Et tu acceptes de faire partie de ce marché, Mikwanikwe?

Elle acquiesça du chef, avec de petites secousses rapides. Plutôt grande, elle n'avait pas besoin de lever la tête pour regarder le Hollandais. Ce dernier, les sourcils froncés, se grattait la barbe.

– C'est bon, murmura-t-il en se tournant vers Wemikwanit. Je veux bien effacer le barillet d'eau-de-vie. C'est tout. Il me doit toujours la poudre, le plomb et le couteau.

Wemikwanit se tourna vers Kaishpa pour lui expliquer l'accord. Le Sauvage grogna.

– C'est à prendre ou à laisser, l'avertit Van der Meer en croisant les bras. Si je suis trop généreux, il en fera une habitude.

– *Odaapinige*[37].

– C'est bon. Wemikwanit, note bien que c'est le dernier trafic de ce genre que je fais avec vous. La prochaine fois, il faudra négocier des pelus[38]. Là-dessus, *Wemitigoozhi* tiendra aussi parole.

– Ils ont compris.

Le Hollandais allait ajouter autre chose, mais soudain il vit Alexander, qui se tenait à l'écart.

– Ah! Vous voilà, mon ami! s'exclama-t-il avec un large sourire. Venez, je veux m'entretenir avec vous en privé avant notre départ.

Les trois Sauvages se tournèrent vers l'Écossais. Wemikwanit, qui semblait être un métis, attarda son regard de maquignon sur lui, tout en donnant un coup de coude à Kaishpa, qui plissa les yeux. Mal à l'aise, Alexander secoua les épaules et suivit le Hollandais. Sur son passage, la Sauvagesse releva brusquement la tête, faisant tinter ses longs pendants d'oreilles faits de perles de

---

34. Mocassins.
35. Non.
36. Oui.
37. Il accepte.
38. Dans le domaine de la traite des fourrures, unité d'échange valant une peau de castor de bonne qualité.

verre et de plumes. Elle fit un timide sourire, qui le troubla. Bien qu'il sût que la vente aux enchères des femmes du pays était courante dans les postes de traite, il en était dégoûté. L'alcool faisait perdre aux Sauvages tout sentiment humain.

Nerveux, Van der Meer désigna un siège à Alexander. Une table couverte de papiers et deux chaises ayant besoin d'être réparées constituaient le mobilier de l'appentis qui servait de bureau au marchand. Une belle peau d'ours était accrochée au mur du fond. Au-dessus, une superbe ramure d'orignal était encadrée de deux plus petites de chevreuils.

– Il faut se méfier de Wemikwanit, commença le Hollandais. Il est sournois. Et puis, il faut être prudent avec les Sauvagesses, car elles corrompent nos hommes. Je veux dire... elles les détournent de leurs tâches. C'est que les femmes indiennes sont maîtresses de leurs désirs et ne considèrent pas la pudeur et la vertu comme nous. Cela donne trop souvent lieu à des débordements... Il faut donc bien les choisir. Cependant, Mikwanikwe me semble être sage. Elle n'hésite pas à vous regarder dans les yeux, franchement. Une femme indienne fière ne fera pas ce qu'elle ne désire pas. Je doute que Kaishpa veuille la vendre parce qu'elle a été «souillée» par un Anglais. C'est simplement une stratégie qu'il utilise, comme d'autres le font, pour se débarrasser de leurs épouses. Peut-être que Mikwanikwe est tombée amoureuse d'un soldat de la garnison de Michillimackinac et que son mari désapprouve cette relation. Elle est jolie, et trouvera rapidement parmi nos hommes quelqu'un qui voudra bien s'occuper d'elle. Les hivers sont longs, et une femme apporte un certain... bien-être pour le corps et l'esprit. Les Sauvagesses apprennent aux Blancs les méthodes de survie dans ce rude pays. Elles leur montrent comment piéger le gibier; elles travaillent le cuir et fabriquent des vêtements chauds. Enfin, les alliances qu'elles apportent nous garantissent une forme d'allégeance de la part de la famille et facilite le commerce. La vie en est donc plus agréable. Cependant, une certaine discipline est nécessaire. Sinon, le vice, sous la forme du négoce illicite, de la prostitution forcée et de la violence, l'emporte et plus personne n'est en sécurité. La marge est déjà si mince entre civilité et sauvagerie... Vous savez, j'ai été témoin de tellement de débordements. L'ivrognerie et l'ignorance ne paient pas. Mais vous devez savoir cela, Alexander. Vous possédez une certaine éducation... Hum... Si vous le désirez, vous pourrez accéder à des fonctions plus importantes dans les postes de traite. Vous savez compter et écrire. Apprenti commis vous conviendrait bien. Il faudra en parler à Solomon... Cela dit, nous repartons dans deux jours, annonça-t-il de but en blanc en remplissant deux verres d'un whisky écossais qu'Alexander avait eu l'occasion de goûter une fois seulement auparavant. Les préparatifs sont en cours.

Tout en parlant, le marchand fouillait dans les papiers. Enfin, il s'empara d'une feuille un peu chiffonnée.

– Voici les noms des engagés qui reviendront avec nous à Montréal. J'ai bien observé ces hommes pendant tout l'été. Je crois pouvoir leur faire confiance. Cependant, si vous savez quelque chose sur l'un d'eux...

Alexander prit la liste que le Hollandais lui tendait et la parcourut des yeux: le Revenant, Chabot, Dumais, la Grenouille... Aucun des noms ne fit sonner l'alarme dans son esprit.

– Aucun d'eux ne me paraît suspect, monsieur.

– J'ai finalement décidé de repartir pour Montréal avec deux canots. C'est plus prudent. Je ramène le petit jeune. Il est bien brave, mais... je crains qu'il ne survive pas à un hiver boréal.

Alexander acquiesça de la tête et rendit la feuille au marchand. Plongeant son nez dans son verre, le Hollandais devint songeur. Le silence dura plusieurs minutes.

– Mais tout cela n'est que détails... La vraie raison pour laquelle je désirais m'entretenir avec vous, vous devez bien le deviner, a trait à quelque chose de plus important.

– Votre mission, murmura prudemment Alexander en levant le menton.

– Ma mission, oui... Vous avez toujours les coordonnées de l'emplacement de?...

– Oui.

– C'est bon, c'est bon.

Van der Meer déposa son verre, sur une pile de feuilles jaunies et gondolées par l'humidité de l'endroit. Fouillant dans sa barbe, il en extirpa un minuscule insecte qu'il écrasa sur un coin du bureau.

– Sacrée vermine! On n'est pas ici depuis deux jours que déjà on est envahi par une armée de poux! La pauvre Sally en aura pour deux semaines à me passer au peigne fin. Enfin... je disais?

– Votre mission, dit Alexander, qui avait soudain l'impression de sentir des dizaines de bestioles lui parcourir le corps.

– Oui, ma mission.

Le Hollandais mit la main sur la poignée d'un tiroir, puis hésita. Jetant un dernier coup d'œil vers Alexander, il tira brusquement pour arriver à ouvrir le compartiment. Il sortit alors un rouleau de cuir qui protégeait un parchemin.

– Vous avez gagné mon entière confiance, Alexander. Or je dois vous avouer qu'elle n'est pas acquise à tous. La nuit où je vous ai confié mon secret, vous m'avez donné votre parole... Cependant, le trésor était si près... Vous ne me ferez pas croire que l'idée d'aller le chercher ne vous a pas effleuré l'esprit.

Troublé par le regard clair qui le fixait et le transperçait, Alexander changea de position sur sa chaise, qui grinça.

– Je vous mentirais, en effet, concéda-t-il d'une voix basse en baissant la tête.

– N'en soyez pas honteux, mon ami. C'est humain. Je vous mentirais moi-même si je vous disais que je n'ai jamais songé à garder cet or pour moi seul. Mais la conscience est bonne conseillère pour l'homme qui se respecte. Votre cœur a résisté; je devais m'en assurer. Ceci dit, je vous ai fait venir ici, aujourd'hui, pour vous informer de l'endroit réel où est caché le coffre.

L'air frais du soir s'engouffrait par la fenêtre et soulevait la toile jaunie qui faisait office de rideau. Des éclats de voix leur parvenaient de l'extérieur : les hommes se préparaient pour la fête qu'on allait donner en l'honneur de ceux qui regagneraient bientôt la civilisation. Le chant des grillons et celui des huards se mêlaient au joyeux vacarme. Alexander frissonna malgré les gouttes de sueur qui dégoulinaient dans son dos. Son cœur battait vite et fort. Le Hollandais l'avait donc mis à l'épreuve...

– Vous devez convenir que je n'avais pas le choix, mon ami. C'est une affaire tellement importante. Je suis désolé d'avoir dû faire ça, Alexander... Mais, c'était nécessaire, et j'espère que vous me pardonnerez.

Le vieux marchand sortit un mouchoir de sa veste et s'essuya le front. Il paraissait sincèrement peiné. Alexander ne pouvait lui en vouloir. Il hocha lentement la tête et plongea son nez dans le verre que Van der Meer venait de lui remplir à nouveau.

– C'est bon, c'est bon, marmonna le Hollandais.

Dégageant une partie de la table, il déroula le parchemin et le maintint en place à l'aide d'un pistolet et d'une tabatière d'étain. Il reprit :

– En fait, les indications que vous possédez sont les bonnes. Seul le lieu diffère. Approchez-vous. Vous voyez, ici, à un peu moins d'une lieue de l'embouchure de la rivière du Nord, se trouve la Petite Rivière Rouge, qui prend sa source au nord-est. Après avoir navigué environ une demi-lieue sur cette rivière, on aperçoit sur la rive sud un sentier qui grimpe une colline. Il faut parcourir encore une autre lieue sur ce sentier pour déboucher sur une clairière, où j'ai construit une cabane de bois. L'endroit est agréable, facilement accessible et encore inhabité, à ma connaissance. Personne n'en connaît l'emplacement. Je pense m'y retirer l'été prochain, avec Sally. Mon épouse n'a jamais vraiment aimé la vie en ville, les mondanités. Quant à moi, je dois bien admettre que toutes ces années passées dans les bois ont eu raison de mes manières... Bref, j'ai planté cinq pommiers sur ce bout de terre.

– Cinq pommiers, répéta Alexander en repérant l'endroit sur le plan.

– Le point de départ, c'est le cinquième pommier, celui qui se trouve le plus à l'est par rapport à la cabane. Il faut se positionner face au chemin qui descend vers l'est, où, quelques toises plus bas, coule un ruisseau.

– C'est simple, fit remarquer Alexander en mémorisant le plan soigneusement dessiné sur le parchemin.

– Pensez-vous arriver à vous souvenir de cette information? demanda le Hollandais en enroulant prestement le morceau de cuir.

– Je connais déjà par cœur les indications que vous m'avez données l'autre soir...

– C'est parfait.

Le marchand rangea le rouleau de cuir à l'endroit où il l'avait pris, puis, refermant le tiroir, essuya de nouveau son front luisant de sueur et leva la tête vers Alexander.

– Je souhaite me faire du souci pour rien, mon ami. Je le souhaite sincèrement.

– Moi aussi, monsieur.

La salle, enfumée et pleine des odeurs corporelles, débordait d'une masse humaine grouillante et bruyante. On tapait du talon avec entrain sur les planches, pour marquer la mesure d'une gigue qui s'envolait des cordes d'un violon malmené. Des voix atténuées jaillissaient çà et là, comme d'une autre dimension. Parfois, un cri, un rire ou encore des pleurs d'enfants perçaient le vacarme. Les petits se tapissaient dans les coins et observaient de leurs grands yeux apeurés ces grands qui s'abandonnaient à la folie de la fête. Les chiens aussi participaient à l'événement, s'emparant de tout morceau de nourriture qui tombait au sol, reniflant sous les jupes et se frottant aux mollets des danseurs. Alexander, un pot de bière entre les mains, se fraya un chemin au milieu de la foule, évitant les obstacles: corps effondrés, abrutis par l'ivresse, que personne n'emmenait à l'écart.

Il repéra Munro, assis avec trois de leurs compagnons de voyage, dont le Revenant et Mathieu Picard, que tous appelaient « Piquette ». L'attitude de son cousin indiquait assez bien son état: ni meilleur ni pire que les autres. S'étant lié d'amitié avec Piquette, qui faisait office d'artisan brasseur dans le poste de traite, Munro avait appris les secrets de la fabrication de la bière d'épinette, qu'on faisait fermenter d'un coup de poudre à fusil dans la bonde. La dernière cuvée semblait plutôt réussie.

Alexander s'assit à côté du groupe pour observer les danseurs exaltés. Son cousin s'empara du pot de bière et remplit les gobelets vides, sur la table.

– Ma réserve, Alas, claironna-t-il fièrement en cognant son gobelet à celui d'Alexander. Pour libérer son esprit des soucis, il n'y a pas mieux, crois-moi!

– Oui, c'est ce que je constate, répondit Alexander en laissant son regard errer dans la salle. Il ne libère pas que des soucis, si tu veux mon avis!

D'un geste maladroit, Munro s'essuya la bouche avec le revers de sa manche et éclata d'un rire tonitruant.

– Ha! ha! ha! Ça, non! Mais le diable nous habite toujours, Alas! Ha! ha! ha!

Ici, liberté rimait avec folie et débauche. L'alcool remplaçait rapidement le sang dans les veines des hommes et des femmes, qui, telles des bêtes, n'obéissaient plus qu'à leurs instincts. Des créatures à la peau cuivrée, à demi vêtues, dansaient de manière sensuelle et provocante, allant jusqu'à se frotter aux spectateurs excités.

Devant cet appétissant étalage de chair fraîche, Alexander ne put empêcher le désir de monter en lui. Il se mit à penser à la femme ojibwa qu'il avait croisée dans la journée, au comptoir de traite. Comment s'appelait-elle déjà? Mikwa... Il ne se souvenait pas exactement, mais son nom commençait comme ça. Se trouvait-elle encore dans le coin? Une danseuse s'approcha d'eux en sautillant d'un pied sur l'autre, faisant trembloter son ventre. Elle était habillée d'une jupe de peau ornée de broderies et de perles de verre, ainsi que d'une frange au niveau des genoux. En haut, elle ne portait que des bijoux, une douzaine de colliers de perles et de coquillages.

Souriant à Alexander au passage et le frôlant de ses seins luisants de sueur, elle se pencha par-dessus Munro pour lui voler son gobelet de bière. Lui l'attrapa par les hanches en riant et l'assit sur ses cuisses. Elle gloussa et vida presque le gobelet en en renversant une partie sur elle. Le liquide coula sur sa gorge et sa poitrine, jusqu'à son ventre. Alexander n'en pouvait plus; il plongea son nez dans sa bière. Munro, bien heureux de cette créature ruisselante qui se trémoussait sur lui, ne résista pas à en attraper les seins à pleines mains en grognant de plaisir.

Le sourire de la femme ojibwa hantait maintenant Alexander. Lors de la transaction à laquelle il avait assisté, il avait eu le temps de contempler son corps parfaitement proportionné. Il scruta la foule en délire, mais ne la vit pas. Bien sûr, une autre qu'elle pourrait le satisfaire. Mais, bizarrement, c'était elle qu'il désirait vraiment. Elle l'avait regardé d'une façon si particulière! Il en avait eu la bouche toute sèche.

Un tumulte au fond de la salle attira son attention. Il vida son verre et étira le cou. Au-dessus d'un groupe d'hommes émergeait une tête qu'il reconnut: Kaishpa. Que faisait-il ici? La femme ojibwa se trouvait-elle avec lui? Intrigué, Alexander se leva pour s'approcher.

Une bombarde se joignit à ce moment-là au violon pour jouer un nouvel air. Une fillette d'à peine douze ans, aux oreilles de laquelle pendaient des colifichets métalliques scintillants, lui agrippa le bras pour l'entraîner sur la piste de danse.

– *Ambe! Ambe*[39]*!*

– Non.

– *Daga! Daga*[40]*!*

Elle empestait l'eau-de-vie et la vomissure. Alexander cherchait à s'en libérer lorsqu'un coup de feu retentit. Elle lâcha immédiatement prise et courut se réfugier sous une table auprès d'un ivrogne. Des vivats et des rires fusèrent du groupe qui grossissait autour de Kaishpa. De plus en plus curieux, Alexander se fraya un chemin jusqu'au centre. Un homme était assis sur une chaise, au milieu de fragments de verre. Les cheveux trempés et collés sur son crâne, il avait la bouche bêtement fendue jusqu'aux oreilles.

– À qui le tour? Qui veut se mesurer au grand Kaishpa? cria Wemikwanit en levant vers la foule un verre d'eau-de-vie. Toi, Dubé? Toi, peut-être, Sinclair?

– Moi!

– C'est Louis Baril, chuchotèrent des voix.

Toutes les têtes se tournèrent vers un petit homme au teint rougeaud qui arrivait au centre du groupe.

– Que m'offres-tu? demanda-t-il avec un air de défi.

– La vie sauve, mon frère, ricana Wemikwanit en lui tendant le verre dont le contenu lui dégoulinait sur les doigts.

---

39. Venez! Venez!

40. S'il vous plaît! S'il vous plaît!

– Espèce de loup-garou! Tu te moques de moi! rétorqua avec vivacité le petit homme en faisant un geste disgracieux. Je n'affronte pas ton grand singe pour des broutilles. Que m'offres-tu?

– La moitié de nos gains... si tu ne te laisses pas tomber de la chaise avant que Kaishpa tire. Sinon, nous gardons le tout.

– On le sait bien! Je tiendrai le coup, affirma présomptueusement l'homme en prenant le verre.

Pendant que les montants des paris s'accumulaient sur une table, Kaishpa rechargeait son pistolet et Baril s'installait sur la chaise, posant le verre en équilibre sur son crâne. Le silence se fit. Puis, quelques notes s'élevèrent du violon. Après avoir exécuté une petite chorégraphie destinée à subjuguer les spectateurs, le grand Kaishpa tendit devant lui son poing tenant l'arme. Il ferma un œil.

– T'as pas la trouille?

– Il va se chier dessus, oui!

– Hé! Louis! Il va te faire éclater le crâne comme un œuf!

Alexander suivait avec un intérêt grandissant ce jeu morbide. Voilà où menaient l'ennui et l'oisiveté lorsque aucune loi n'arrêtait les pulsions violentes de l'homme. Le coup partit, le verre éclata et Baril, blanc comme un drap, lécha ses babines ruisselantes d'eau-de-vie avant de les étirer en un sourire béat.

– À qui le tour? reprit Wemikwanit en remplissant un autre verre, qu'il vida d'un trait avant de le remplir à nouveau.

Les hommes se bousculaient, s'encourageaient les uns les autres à se prêter au jeu, se traitaient de tous les noms pour se faire réagir.

– Toi, là-bas!

Alexander tourna la tête dans la direction indiquée du doigt par le métis. Il vit un jeune garçon âgé de dix-huit ans, pas plus.

– Allez, Jean-Baptiste, fais-le!

– Vas-y, Lebœuf! Montre-nous avant de partir que t'es pas un trouillard!

– Montre-nous ce que t'as dans le ventre! Mais ne remplis pas trop tes culottes! Ha! ha! ha!

Des mains poussaient. Le jeune, pour ne pas perdre la face - ce qui, dans ce pays, était certainement pire que de perdre la vie –, s'avança et prit le verre, renversant sur ses doigts quelques larmes du liquide. Comme l'autre, il s'installa sur la chaise. Alexander observait le visage exsangue. Le pauvre garçon devait faire ses prières. Les paupières plissées, les doigts blancs crispés sur ses genoux, il se mit à trembler. Le verre oscilla, et du liquide dégoulina sur son front, où se formaient déjà des gouttes de transpiration.

– J'peux pas, j'peux pas, p'tit Jésus! J'veux pas mourir!

Comme il reprenait le verre qui allait glisser de sa tête, le coup partit. Un affreux cri fit taire l'orchestre. Quelques rires résonnèrent encore. Puis, il n'y eut plus que les longs gémissements du garçon, qui roulait au sol et se tortillait, tandis qu'une flaque de sang s'agrandissait sous lui.

– Faut un médecin, faut aller chercher le médecin! s'écria un homme.

– Le curé! dit le Revenant qui avait rejoint Alexander. Va quérir Aunay, Macdonald! Moi, je m'occupe de trouver Kilpretin. Il se vante d'avoir été chirurgien.

– Mais... il s'occupait des moutons.

– Bah! Il saura bien y faire. Les méthodes du curé ne sont pas plus catholiques, je t'assure, pis personne est encore mort. À eux deux, ils arriveront bien à soigner cet idiot qui a eu la stupide idée de mettre la main sur son verre!

Alexander pivota sur lui-même. Le maître du jeu avait disparu, son grand singe aussi. Plus loin, Munro était bien occupé à peloter sa Sauvagesse... Il se précipita hors du pavillon. Ses yeux mirent quelques secondes à s'adapter à l'obscurité. Il fit le tour du bâtiment, butant sur des corps ronflants affalés contre le mur.

Après avoir dépassé un appentis, il surprit une masse remuante et râlante illuminée par la lune. Un fringant cavalier matait sa monture de coups de cravache. Saisi, il s'immobilisa un instant, jusqu'à ce que les appels à l'aide qui lui parvenaient lui rappellent le but de sa sortie. Laissant la scène lubrique, il se dirigea vers la cabane où logeait le curé, Rémi Aunay. Joly gisait devant, ivre mort, sur un banc.

De la lumière filtrait par la fenêtre et par la porte légèrement entrebâillée. Des voix lui parvenaient de l'intérieur. Alexander jeta un coup d'œil pour s'assurer que le curé se trouvait bien là. Deux jeunes filles étaient agenouillées, dans une attitude de recueillement, devant un homme affublé d'une soutane qui lui tournait le dos. Alexander hésita. Ainsi, Aunay était vraiment un prêtre? Devait-il attendre qu'il ait fini de donner la confession à ces jeunes filles?

– ... et pour votre pénitence, mes petites poules, je vous demande d'être plus généreuses.

« Poules »? Alexander jeta un autre coup d'œil dans la cabane: le curé soulevait sa soutane et l'une de ses « poules » disparaissait dessous. Éberlué, bouche bée, il se réfugia dans l'ombre. Un fou rire irrépressible lui chatouillait la gorge. Il comprenait maintenant les allusions de ses compagnons quand on parlait d'Aunay.

Il retourna au bâtiment où avait lieu le bal. Le Revenant arrivait au même moment avec un Kilpretin maugréant d'avoir été arraché à son sommeil.

– T'as pas trouvé le curé?

– Il donnait la confession...

– Oh! fit le Revenant avec un petit sourire. Eh bien, le petit devra se contenter de notre charcutier.

– Je le crains.

Lorsqu'ils pénétrèrent dans la salle, ils constatèrent que la fête avait repris de plus belle. Jean-Baptiste Lebœuf était assis sur une chaise, sa main blessée pansée et l'autre portant un verre d'eau-de-vie qu'il vida d'un trait. Une femme se pencha sur lui pour lui parler. Toujours aussi blême, il hocha la tête et tendit son verre. Elle le resservit. Sa robe en peau fendue sur un côté laissait voir une longue cuisse fuselée.

– Apparemment, le malheur du garçon a suscité la pitié d'une princesse ojibwa, fit remarquer le Revenant en riant. Il s'en remettra. Mais je prédis qu'il ne pourra pas reprendre sa pagaie avant le printemps.

Kilpretin, voyant qu'on l'avait réveillé pour rien, s'éloigna en jurant haut et fort avec son accent irlandais accentué par la colère. La Sauvagesse leva alors la tête dans leur direction. Ses yeux d'obsidienne accrochèrent, possédèrent ceux d'Alexander, stimulant ses pulsions mâles qui libérèrent des milliers de petites bêtes voraces dans tout son corps. Elle se rendit compte de l'effet qu'elle avait sur lui. Lui souriant d'un air narquois, elle s'avança vers lui en ondulant langoureusement. Complètement magnétisé, soudé au sol, il la fixait tandis qu'elle s'approchait. Dans un gracieux mouvement, elle fit voler sa longue tresse dans son dos. Elle était comme une sirène d'ambre flottant dans la brume de la pièce nauséabonde.

– *Boozhoo*[41], murmura-t-elle lorsqu'elle arriva à sa hauteur, lui effleurant la main, puis le bras.

– Bonsoir, bafouilla-t-il tandis qu'elle continuait son chemin.

La gorge sèche, il avala sa salive. Elle avait disparu. Paralysé par le trouble, il resta planté là, à regarder le vide.

– T'as un problème ou quoi? lui demanda le Revenant.

– Un problème?

Oui, il avait un problème. Assurément. Et cela lui bouffait littéralement le ventre.

– Ne sais-tu pas que les Sauvagesses considèrent comme un affront qu'on repousse leurs avances?

---

41. Bonjour.

– Des avances? répéta Alexander, qui sentait encore la brûlure de la caresse.

– Mais t'as vraiment un problème, ma foi! s'esclaffa le Revenant en lui assenant une bourrade dans le dos. Tu ne sais pas lire dans les yeux d'une femme?

Comprenant d'un coup, Alexander sortit sur-le-champ et se mit à la recherche de la sirène, tel un marin naufragé. Elle était celle qui le sauverait... cette nuit, au moins.

La sirène l'attendait sagement sous les pins. Tandis qu'il avançait vers elle, elle disparut dans l'encre de la nuit. Se mêlant à l'alcool qui se trouvait dans son sang et exacerbant le feu qui lui dévorait le ventre, l'entêtant parfum de résine lui fit tourner la tête.

– Mikwa... bon sang! grogna-t-il, n'arrivant pas à se souvenir du nom de la femme.

Repoussant une branche, il arriva à l'endroit où il l'avait vue. Un rire de gorge, des pas précipités. Un rameau fouetta l'air. Elle s'enfuyait. Il sourit et la pourchassa à travers bois.

– Tu veux t'amuser à mes dépens, petite sirène!

Le jeu l'excitait davantage. Ses pieds s'enfonçaient dans l'épais tapis d'aiguilles et d'humus. Il aperçut un éclat cuivré entre les feuilles d'un arbuste. Sourire provocateur, regard incendiaire. Elle lui faisait signe de la suivre. Un rayon de lune coulait, faisant briller sa tresse de jais. Il s'arrêta à quelques pas d'elle, de peur qu'elle ne s'enfuie à nouveau. La fixant intensément, respirant de manière saccadée, il allongea le bras. Elle lui échappa dans un rire roucoulant, l'entraînant dans son sillage. Des wigwams d'écorce se profilaient dans le clair de lune. Les rabats ouverts laissaient s'échapper une faible lueur. Il la vit s'engouffrer dans l'une des tentes et l'y suivit.

Une forte odeur de poisson fumé l'accueillit. Haletant, transpirant, il fouilla la pénombre. Un petit feu éclairait le centre de l'habitation; un filet de fumée s'échappait par une ouverture, au sommet du cône d'écorce. Des corps étaient allongés çà et là sur des nattes, parfois sous une couverture, d'autres fois non. C'étaient des femmes pour la plupart, et des enfants. Enfin, il la vit, assise au fond, ses longues jambes nues repliées sous elle. Ses yeux noirs le fixaient, l'invitaient dans un langage silencieux. Il s'approcha doucement.

– *Ambe omaa*, fit-elle en tapotant la place à côté d'elle. *Abin.*

Ne comprenant que son geste, Alexander obéit et s'assit sur le bout de natte qu'elle lui avait réservé.

– *Aaniin ezhinikaazoyan?* chuchota-t-elle.

– Je ne comprends pas.

Elle posa une main sur son cœur.

– *Mikwanikwe nidijinikàz. Aaniin ezhinikaazoyan?*

– Mikwanikwe... C'est ton nom, c'est ça? Et tu veux savoir le mien?

Elle hocha la tête en lui faisant un magnifique sourire.

– Alexander.

– Alexander, répéta-t-elle lentement en le fixant intensément de ses yeux pleins de mystère.

Puis, elle lui désigna un panier d'écorce garni de viande séchée et de bannique[42].

– *Ginoondezgade na?*

Alexander déclina l'offre d'un hochement de tête. Il avait faim d'autre chose, et elle le savait très bien.

– *Ginoodeyaabaagwe na?* lui demanda-t-elle encore en lui offrant une gourde remplie d'un liquide à l'odeur âcre. *Ishgodewaaboo*.

Là, il comprit. Si ses maigres connaissances de l'algonquin ne lui permettaient pas de suivre une conversation, il arrivait cependant à saisir un mot à l'occasion.

– *Miigwech*[43], répondit-il en prenant la gourde.

L'eau-de-vie lui brûla la gorge. « Mauvais alcool frelaté », pensa-t-il, espérant ne pas s'empoisonner. Redressant fièrement la tête, la jeune femme secoua sa longue tresse et posa ses mains sur ses genoux, attendant sans rien dire qu'il ait terminé de boire. Tandis qu'elle le regardait, il but par petites gorgées, prenant le temps de la détailler. Malgré ses caractéristiques propres à sa race, elle possédait des traits fins qui trahissaient son métissage : un nez long et droit, un front étroit et bombé, une ossature délicate, comme celle d'Isabelle...

Il déposa la gourde en lui souriant. Voilà ce qui l'avait attiré chez elle : sa grâce altière qui lui rappelait celle d'Isabelle. Pris d'une brusque envie de la posséder, il aventura une main sur son bras, laissa ses doigts glisser jusqu'à son épaule puis sur la nuque. Il l'attira alors vers lui avec fermeté, pour l'embrasser. Le feu au ventre, il parcourut fébrilement les belles courbes de son corps. Point farouche, elle le laissait apaiser son envie de la toucher, de la goûter, ondulant et se collant contre lui. Au bout d'un moment, ils se détachèrent l'un de l'autre. Alexander ne voulait pas que cela aille trop vite.

– Tu habites ici?

---

42. Pain indien, plat et sans levure.

43. Merci.

– *Miinange.*

– Tu comprends ce que je te dis?

– *Miinange*, répondit-elle encore en acquiesçant de la tête.

Un bruissement se fit entendre, tout près. Il tourna la tête vers une natte où dormait un enfant. De longs cheveux recouvraient le visage et un vêtement magnifiquement décoré de broderies en poil d'orignal dépassait de la couverture. C'était certainement une fillette qui ne devait pas avoir plus de quatre ans.

– *Otemin, nindaanis.*

– *Otemin.* C'est son nom? C'est ta fille?

– *Miinange*, répondit la jeune femme en posant sa main sur son cœur.

Puis, tendrement, elle repoussa une mèche de cheveux et découvrit le visage de l'enfant. Dérangée dans ses songes, la petite remua et roula sur le dos. Alexander la trouva jolie.

– Elle te ressemble, fit-il remarquer pensivement.

Si Kaishpa était bien l'époux de Mikwanikwe, il était vraiment idiot de les avoir abandonnées, toutes les deux. Non, pire! de les avoir vendues pour un barillet d'eau-de-vie!

– *Amba omaa...*

Tout en parlant doucement, Mikwanikwe s'insinuait entre ses cuisses. Tandis qu'elle lui caressait les épaules, il eut une pensée étrange: il prit soudain conscience qu'il n'avait pas d'enfants. Bien sûr, il n'était pas disposé à en avoir pour le moment, mais...

La bouche de la jeune femme traçait de chauds sentiers dans son cou. Les petites flammes qui oscillaient jetaient leurs ombres se mouvant avec langueur sur la paroi du wigwam. Les ronflements rappelaient à Alexander qu'ils n'étaient pas seuls. Bien que l'Écossais connût les mœurs des Sauvages, pour lesquels la sexualité n'était pas un tabou mais se vivait librement, sans pudeur, il se sentait intimidé de faire l'amour à proximité de dizaines de corps endormis.

Les mains de Mikwanikwe massaient ses biceps, glissaient sur ses pectoraux, qu'il contracta. Il retira sa chemise, elle, sa robe de peau ornée des mêmes broderies aux couleurs vives que celles de la fillette. Elle avait des doigts de fée, oh oui! La jeune femme se fit plus audacieuse, caressant ses abdominaux et glissant la main dans son brayet. Lorsqu'elle trouva l'objet désiré, elle retroussa les coins de sa bouche et roucoula. Lui soupira d'aise. Le regard de velours qui brillait dans les minces fentes obliques eut raison de son hésitation pudique. Fermant les paupières, il se laissa aller, rêvant que peut-être, avec Mikwanikwe, il pourrait...

Bien des engagés prenaient pour épouse une Sauvagesse avec

laquelle ils fondaient une famille. Ces unions de deux cultures bien différentes duraient parfois aussi longtemps que les mariages entre Blancs. Ici, avec cette inconnue, Alexander sentait le poids de sa solitude et son besoin de compagnie. Isabelle n'étant plus qu'un souvenir, il devait continuer à vivre, penser à lui et à son avenir. Soudain, il reprenait espoir, avait envie d'avoir des enfants. Peut-être que si Mikwanikwe pouvait l'attendre jusqu'à l'été prochain...

La jeune femme se pencha sur lui et le poussa doucement pour qu'il s'allonge sur la natte.

– *Omaa zhingishinin...*

Il ne comprenait pas un traître mot de ce qu'elle disait. Il n'arrivait pas encore à saisir la langue algonquine qui, comme les autres langues amérindiennes, s'appuyait sur des images et ne situait pas les mots précisément dans le temps, par rapport à l'anglais ou au français. Il s'y perdait, mais n'en avait cure. La bouche inventive, chaude et humide semblait décidée à lui faire connaître tous les plaisirs. Elle glissa sur son ventre, échauffant ses sens, puis enveloppa son sexe comme un fourreau parfaitement ajusté. Il contint un gémissement et, les doigts enchevêtrés dans la soyeuse chevelure de jais, il invoqua le *Kije-Manito*[44]. Mikwanikwe lui parlait un langage universel qu'il déchiffrait divinement.

***

Tandis qu'il émergeait de la brume, ses rêves se dissipaient dans un tintamarre lui rappelant celui d'une basse-cour. Les caquètements résonnaient dans son crâne, qui l'élançait douloureusement. Il roula sur lui-même en se tenant la tête entre les mains. Peu à peu lui revenaient les événements de la veille : l'alcool frelaté, Mikwanikwe... ses yeux, ses mains... sa bouche... et son sexe. Ils avaient fait l'amour pendant toute la nuit. Il se souvenait vaguement que la petite Otemin s'était réveillée et que sa mère lui avait chantonné une berceuse. Puis, ils étaient silencieusement sortis du wigwam pour boire le reste de la gourde, sous les pins, et avaient repris leurs ébats fiévreux.

– Bon Dieu... *An donas ort, Alasdair!*

Ses mains retombèrent lourdement sur la natte. Il ne pouvait s'empêcher d'éprouver un singulier sentiment de culpabilité. Comme chaque fois qu'il se réveillait après une nuit de torrides ébats, il pensait à Isabelle. La croix de baptême qu'il portait en

44. Grand Manitou.

permanence s'enfonçait dans la peau de son cou, lui rappelant celle à qui il avait juré de l'aimer toute sa vie. Isabelle était à jamais sa femme. Les autres ne seraient que des maîtresses, des passades. Il avait beau essayer de se convaincre que c'était totalement stupide, qu'Isabelle ne lui reviendrait jamais, qu'il devait l'effacer de son esprit, définitivement. Mais...

Dans sa quête d'amour auprès des femmes, Alexander avait l'impression de recevoir plus qu'il ne donnait. Il avait toujours ressenti un intarissable besoin d'amour et prenait avidement et égoïstement tendresse et caresses. Quand il n'avait pas de femme dans sa vie, il se lançait des défis pour avoir le sentiment d'exister vraiment, pour quelque chose si ce n'était pour quelqu'un. Avec Isabelle, les choses étaient différentes. Un besoin nouveau avait pris naissance en lui, mais il n'avait pas eu le temps de le définir...

Il ouvrit péniblement un œil et fut accueilli par une lumière blafarde, triste: une aurore pluvieuse. Il détestait ce moment de la journée, où il se sentait si seul. Par contre, malgré l'humidité qui le transperçait, il aimait assez les jours de pluie. Un rideau semblait alors le séparer du monde qui l'entourait et la vie se déroulait avec la lenteur de l'escargot. Tout compte fait, il se sentait comme l'un de ces mollusques ce matin: aussi mou et repoussant. Il referma les yeux et essaya de ne plus penser à rien.

Au bout d'un moment, il sentit une mouche autour de lui, qui essayait sans doute de se poser. Exaspéré, Alexander se leva d'un coup en grognant et en faisant de grands gestes. Il était maintenant tout à fait réveillé, d'autant plus que son crâne l'élançait drôlement. Tandis qu'il se prenait la tête entre les mains, il vit deux jolis yeux noirs brillants d'espièglerie qui le dévisageaient au-dessus d'un grand sourire.

– *Boozhoo.*

– Euh... *boozhoo*... Tu es... Otemin?

La fillette tendit sa plume d'oie pour le chatouiller encore.

– Otemin, confirma-t-elle en riant.

Les caquètements reprirent et le rabat du wigwam s'ouvrit, laissant entrer un groupe de femmes portant des paniers. Mikwanikwe vint poser le sien près d'Alexander avant de s'agenouiller devant lui. Sa longue chevelure soigneusement nattée reposait sur sa poitrine qu'elle avait couverte de plusieurs colliers. Elle dégageait une douce odeur de fougère qui lui rappelait leur folle nuit. Après avoir donné un morceau de bannique à sa fille, elle lui en tendit un avec un bol de riz sauvage parsemé de bleuets.

– *Pakwejigan?*

– Non, merci… fit Alexander avec une grimace qui exprimait assez bien l'état de son estomac.

Mikwanikwe rit doucement et déposa un léger baiser sur sa joue avant de prendre une grosse gourde suspendue à l'un des troncs d'arbre qui supportaient la structure et de la lui offrir.

– *Nibiiwe*[45].

– *Nibi*, de l'eau?

– Eau, oui.

Elle lui sourit et cela lui réchauffa le cœur. La simplicité de Mikwanikwe lui faisait beaucoup de bien. Il pensa que la vie avec elle pourrait être agréable et pourrait lui faire oublier le passé. Prenant la gourde et la déposant par terre, il se dressa sur ses genoux pour s'approcher de la jeune femme et enveloppa son visage de ses grandes mains.

– Mikwanikwe, je pars demain et… je reviendrai avec les oies.

Elle posa ses mains par-dessus les siennes et les pressa tendrement en fermant les yeux et en affichant un air radieux.

– Je ne peux rien te promettre. Mais, si tu le désires… à mon retour, je t'apprendrai ma langue… Nous pourrons regarder ensemble les lunes et les soleils naître de *Waban Aki*[46] pour régner sur la terre des *Anishnabek*[47]…

– *Miinange… Miinange…* Oui…

***

La pluie ne dura pas et le soleil perça les nuages en fin d'avant-midi. Pour consolider ses liens avec Mikwanikwe, Alexander déposa un jeune daguet à ses pieds au coucher du soleil. Elle avait partagé son repas du soir avec lui, puis sa natte pour leur dernière nuit.

À la barre du jour, le Hollandais avait rassemblé ses hommes pour le retour vers la civilisation. Les canots étaient chargés et les engagés, pagaie en main, se préparaient à embarquer. Les hommes s'embrassaient et se souhaitaient bonne chance, bon voyage. Munro et Alexander s'étreignirent avec émotion, n'échangeant que quelques mots. Ils se retrouveraient dans quelques mois.

Des colonnes de fumée s'élevaient vers un ciel bleu piqueté de moutons blancs. Le village érigé aux abords du poste de traite était tranquille. Alexander pouvait voir les wigwams dépasser des

45. Ceci est de l'eau.
46. Terre de l'aurore, l'Est.
47. Terme utilisé par les Algonquins pour se désigner. Signifie « vrais hommes ».

cabanes en rondins. Il chercha Mikwanikwe parmi les Sauvagesses attroupées sur la rive, devant la palissade. Elle était là, avec Otemin collée à elle. Il se dirigea vers elles en souriant. Les beaux yeux sombres étaient rouges, mais elle lui rendit son sourire. Il lui prit les mains et les embrassa.

– Prends soin de toi et de ta fille, Mikwanikwe... et du bébé ajouta-t-il en se souvenant qu'elle était enceinte.

Elle hocha lentement la tête, puis, dégageant ses mains des siennes, fouilla dans le panier posé à ses pieds. Elle en sortit une paire de mocassins qu'elle lui offrit, regard baissé.

– *Makizin.*

Ils étaient magnifiques : ornés de piquants de porc-épic et très souples. Alexander était ravi.

– *Miigwech.*

– Alexander... *gizaagi'in... Badwadjigan.*

La voix douce et vibrante trahissait une grande émotion. La jeune femme l'embrassa, puis s'enfuit en courant vers les bois. Otemin tira sur la manche de l'Écossais pour attirer son attention. Le cœur tout chaviré, il baissa la tête vers le petit visage qui se levait gravement vers lui. La fillette lui offrait sa plume d'oie. S'accroupissant devant elle, il prit le présent et lui caressa la joue.

– *Miigwech,* Otemin. *Gizaagi'in?* Ça veut dire quoi?

– *Gizaagi'in,* dit l'enfant en entourant son cou de ses bras et en l'étreignant très fort.

– Je crois comprendre, murmura-t-il. Et *Badwadjigan*?

Elle appuya son minuscule index sur sa poitrine pour le désigner.

– Moi? *Badwadjigan,* c'est moi?

Otemin secoua vivement la tête en faisant voler ses tresses et en souriant. Alexander posa sa main sur le dessus de son crâne.

– D'accord. Maintenant, va retrouver ta maman et sois sage, Otemin.

La fillette s'éloigna au pas de course. De retour à son canot, où ses compagnons s'installaient, Alexander croisa le regard intéressé de Wemikwanit, qui calait le dernier ballot.

– Alors, elle te restera fidèle, l'ami? demanda le métis avec un sourire sous-entendu. Je vois que la sœur de Kaishpa aime toujours les Blancs.

– Sa sœur?

Wemikwanit ne répondit pas. Empoignant sa pagaie, il embarqua dans l'autre canot. Le Revenant, qui avait observé la scène, vint vers Alexander.

– Il remplace Lebœuf, qui ne peut évidemment pas faire le voyage. Le pauvre est désespéré de devoir passer l'hiver ici... Alors? La princesse était-elle accueillante?

– Tu peux me dire ce que signifie *Badwadjigan*?

– *Badwadjigan?* Eh bien... je n'en suis pas certain, mais je pense qu'on peut traduire ça par quelque chose comme « celui qui est un rêve ».

– Celui qui est un rêve... Celui qui est un rêve... répéta Alexander, le regard perdu dans le vert profond des conifères qui bordaient le poste de traite : c'était là qu'avait disparu Mikwanikwe.

***

L'or et le sang paraient somptueusement les forêts, tandis que le bleu pur de la rivière ondulait et se jetait dans les eaux furieuses et écumantes du Sault de la Chaudière. Il ne restait qu'une semaine de nage avant d'accoster au quai de Lachine. Le trajet du retour, bien que plus rapide que l'aller, ne fut cependant pas moins fatigant.

Comme le courant poussait les canots, les voyageurs choisissaient plus souvent d'affronter les rapides. Cela leur valut quelques bains d'eau glacée. Plusieurs d'entre eux avaient les poumons congestionnés et souffraient de fièvre. Mais l'orgueil les empêchait de se plaindre, encore plus de se reposer pour récupérer. Cependant, le destin décida pour eux, les força à s'arrêter. Lors du transbordement pour passer de l'autre côté du Sault de la Chaudière, il y eut une mauvaise manœuvre, et un canot s'éventra sur un récif. Les dommages étaient importants : l'écorce était déchirée sur le tiers de la longueur de l'esquif. Si les hommes n'avaient pas réagi si rapidement et si l'eau n'avait pas été si peu profonde à cet endroit, une partie du matériel aurait été perdue. Étant donné la situation, il fallut monter le campement et rester à terre pour le reste de la journée.

Impatients, les voyageurs s'occupèrent qui à réparer les canots, qui à abattre et à dépecer une belle biche, qui à couper du bois et à préparer le repas. Ayant un peu plus de temps que d'habitude, Noël Paul, le cuistot, fit cuire, enroulées sur des branches, des galettes de maïs. Les hommes eurent également droit à une ration supplémentaire de rhum.

Alexander savourait tranquillement son tabac en regardant l'eau courir dans son lit, sous le soleil couchant. Il écoutait distraitement Wemikwanit qui parlait avec les autres. Le métis le laissait perplexe. De plus, Van der Meer l'observait souvent. Pour cette seule raison, il savait qu'il devait s'en méfier, bien que l'homme n'ait causé aucun problème jusqu'à présent.

– Tu serais déjà scalpé si j'avais été un Iroquois, fit la voix de Wemikwanit dans ses oreilles.

Les cheveux prisonniers dans un poing solidement fermé, un couteau sur le front, Alexander laissa tomber sa pipe et se raidit. Le métis lâcha prise en riant, ramassa la pipe pour la lui rendre et s'assit à côté de lui.

– Rien ne doit t'échapper. Tes yeux et tes oreilles doivent toujours être aux aguets, toujours, où que tu sois. Ta vie en dépend, ne l'oublie pas!

– Surtout lorsqu'on ne connaît pas ceux qui nous accompagnent...

Wemikwanit sourit, lorgnant Alexander de côté.

– Surtout...

Le silence se fit. Les hommes assis autour du feu se racontaient leurs sempiternelles histoires d'ours enragés combattus avec héroïsme, de pêches fructueuses où les poissons étaient plus grands que les humains et de conquêtes de femmes tellement délicieuses que Vénus elle-même devait en pâlir de jalousie. Ils ne semblaient pas s'en lasser.

– Pourquoi retournes-tu à Montréal? demanda Wemikwanit après avoir allumé une pipe de faïence ébréchée. Mikwanikwe ne te plaisait pas?

– Si, elle me plaît. Mais je dois respecter les termes de mon contrat. Il était prévu que je n'hivernais pas la première année.

Le métis fronça les sourcils.

– Vraiment? Pourtant, un homme tel que toi aurait été bien utile au poste. Tu es un bon chasseur; tu sais lire et écrire, je crois.

– En quoi cela te concerne-t-il? demanda Alexander, sur ses gardes.

– En rien. Je me posais seulement la question. Mikwanikwe était très peinée de ton départ.

– Et les sentiments de cette femme te préoccupent?

– Elle est la demi-sœur de Kaishpa...

– Ah, oui! Bien sûr! Celui qui l'a vendue contre un barillet d'eau-de-vie!

– C'était pour son bien. Tu ne peux pas comprendre, Macdonald.

– Non, je ne comprendrai jamais un homme qui est capable de vendre sa sœur.

– Elle se prostituait pour ces Chiens rouges... Elle ne te l'a pas dit? Bien sûr... Une femme ne raconte pas ce genre de choses à un homme... pendant qu'il la baise.

Il avait murmuré ses derniers mots en plantant la lame de son couteau dans la terre, entre ses pieds. Alexander regarda le manche de bois de cerf osciller.

– Elle était peut-être tout simplement amoureuse d'un Blanc. Cela ne s'appelle pas se prostituer.

– Pour obtenir de la farine, des couvertures, à l'occasion de la poudre et des munitions si elle accordait une faveur spéciale? Si cela n'est pas de la prostitution, l'ami, dis-moi ce que c'est! D'accord, elle n'allait qu'avec un homme, le commis du magasin du fort. Mais, si elle lui était fidèle, lui, en revanche, ne se gênait pas pour forniquer avec qui bon lui semblait. De la pourriture! Les Chiens rouges puent! Lorsque l'Anglais rit, il dévoile ses dents de loup. Lorsqu'il parle, il montre sa langue de vipère. Lorsqu'il nous regarde, ses yeux sont ceux d'un faucon.

Frappant du talon, le métis fit une pause. Puis, il reprit plus calmement:

– Avant qu'ils viennent poser leurs sales pattes sur nos terres, nous vivions en paix. Les Français étaient nos frères. Ils mêlaient leur sang au nôtre en épousant nos femmes. Ils chassaient à nos côtés, nous fournissaient armes et munitions. Mais les Anglais, ces Chiens rouges, refusent de faire la même chose. Et nos braves ne savent plus chasser à l'arc... Alors les enfants ont faim. Avec les Français, nous partagions notre pays. Avec les Anglais, nous sommes chassés de la terre que *Kije-Manito* nous a donnée. Nous sommes traités en esclaves et nos femmes sont violées.

Les mots tombaient dru, et Alexander essayait de comprendre. Ne voulant pas donner son opinion, il cherchait plutôt à découvrir ce que le métis attendait de lui.

– De quel côté es-tu, l'Écossais? reprit Wemikwanit en rallumant sa pipe qui s'était éteinte. Je sais bien que tu as choisi de travailler pour un Canadien. Mais tu étais un soldat britannique...

– Pourquoi cela t'importe-t-il? Je fais ce qu'on me demande, sans me mêler de vos conflits.

– Ce qu'on te demande? Et qu'est-ce que t'a demandé le Hollandais au juste? Tu es dans ses bonnes grâces... Aucun négociant ne confie un poste de valet à un inconnu!

Alexander se tourna vivement vers son interlocuteur. Le visage aux traits sculptés à la serpe reflétait les teintes chaudes du soleil couchant, accentuant son aspect inquiétant.

— Je sais lire et écrire.

Wemikwanit eut un petit sourire et ferma à demi ses yeux légèrement bridés. Alexander comprit qu'il soupçonnait quelque chose à propos de son entente avec le marchand. Van der Meer avait bien raison de s'inquiéter. Mais que savait au juste le métis?

— Toi, Wemikwanit, que fais-tu pour ton peuple que tu dis maltraité par les Chiens rouges? Tu es ici avec des engagés qui se servent de vos richesses pour leurs propres fins, tout comme les Anglais. Pourquoi n'es-tu pas avec les tiens à chasser pour l'hiver, à t'assurer que vos enfants auront assez à manger?

Wemikwanit leva ses deux mains, paumes tournées vers le ciel, et défia Alexander du regard.

— Wemikwanit est celui qui porte les plumes. Il est guerrier, pas chasseur. D'autres s'occupent d'approvisionner la tribu. Moi, j'aide mon peuple d'une autre manière.

— En faisant la guerre? Tu as vu les résultats que cela a donnés à l'été de 1763... Ne sont-ils pas assez concluants pour toi? Te faut-il plus de sang, plus de morts?

— Je vois que tu as reçu l'enseignement de Wemitigoozhi. Cependant, le sang anglais de cet homme l'empêche de bien réfléchir. Il dit reconnaître les revendications du grand chef Pontiac qui a parlé aux esprits. Mais il a l'esprit aussi fourbe que les Chiens rouges et il remplit nos oreilles de mensonges. Tu parles français. Pourtant tu n'es pas français, tout comme le Hollandais. Ton sang est-il anglais? Je sais que les tribus des montagnes brumeuses de votre pays ont goûté à la mauvaise médecine des Chiens rouges. Ne souhaites-tu pas vengeance?

— La vengeance appelle la mort.

— La mort appelle la vengeance! Et pour Mikwanikwe, que désires-tu? Es-tu comme ce Thompson qui l'a utilisée pour son seul plaisir? Il a souillé notre sang en mélangeant le sien au nôtre. L'enfant de ce bâtard pousse dans le ventre de Mikwanikwe, et il s'en moque! Il empoisonne le sang de nombreuses femmes, qui vont se déformer elles aussi sous l'effet du mal!

— Tu parles de l'Anglais comme s'il était le diable. Pourtant, le premier homme blanc qui vous a vendu du rhum, qui vous a fourni la poudre à fusil n'était-il pas un Français? N'est-ce pas aussi le Français qui a d'abord apporté le mal et la mort aux *Anishnabek*?

Le métis, silencieux, tordit sa bouche en une grimace amère et renifla, les yeux plissés. La nuit tombait lentement, engloutissant le paysage devant les deux hommes.

— Oui... concéda Wemikwanit après un moment. Mais les

racines du mal sont maintenant trop profondes pour qu'on réussisse à les arracher de nos terres... Il est irréversible; nous ne pouvons qu'en arrêter la progression... C'est vrai, il fut un temps où nos pères étaient libres sur cette terre qui est notre mère: *Aki*. Le *Kije-Manito* a créé *Aki* pour nous. Il a aussi donné vie au bison, au chevreuil et au caribou pour nous... pour nous nourrir. Il a fait naître le castor et l'ours pour nous vêtir et nous garder chaud. *Aki* nous donne le maïs pour notre pain. Un jour, des hommes ont traversé le grand lac salé et sont venus marcher sur cette terre qui ne leur appartenait pas. Ils ont dit être nos amis. Nos pères les ont crus, leur ont fait une place et les ont nourris. Pour nous remercier, ils nous ont donné l'eau qui rend l'esprit malade. Ils nous ont appelés leurs frères, puis ont voulu nous faire connaître leur Dieu. Nos pères ont commencé à boire leur eau de feu, à utiliser leur poudre qui fait le tonnerre et à les écouter parler de leur dieu. Ils n'ont plus entendu la voix de *Kije-Manito*, qui continuait pourtant à leur parler. Les yeux fermés, aveugles, ils n'ont pas vu que ces hommes déchiraient le sein de notre mère, *Aki*, avec leurs outils d'acier. Les oreilles bouchées, sourds, ils n'ont pas entendu sa plainte lorsqu'ils la creusaient, la retournaient pour en arracher ses os, les arbres. La bouche bien fermée, ils sont restés muets lorsqu'ils massacraient les animaux pour leur arracher leurs manteaux, laissant la viande pourrir. *Aki* a tremblé de colère, mais nos pères, branlants, empoisonnés, ne l'ont pas senti sous leurs pieds... La vérité est que le poison nous aveugle toujours... Mais Pontiac a entendu la voix de *Kije-Manito* et écouté celle du prophète delaware Neolin. Il a ouvert les yeux avant qu'il ne soit trop tard. Les Anglais veulent notre perte; ils ne sont pas comme nos frères français. Ils refusent de parler notre langue, de se mêler à nos jeux et à nos célébrations. Ils sont hautains et froids. Ils nous chassent de nos terres en se moquant bien de nous. Au lieu de nous donner des remèdes pour nous aider à nous soigner, ils nous donnent leurs maladies pour nous achever. Même les Sénécas ne veulent plus reconnaître l'alliance qui les a unis à eux pendant cent ans. De toute façon, les Anglais n'ont plus besoin d'eux pour faire la guerre aux Français, et ils veulent s'en défaire. Il faut chasser les Chiens rouges de «notre» pays, le pays des *Anishnabek*. Cette terre n'appartenait pas aux Français, même s'ils pouvaient penser le contraire. Nous la partagions pourtant avec eux, car *Onontio*[48] était bon avec nous.

48. Nom iroquois signifiant «belle montagne» qui fut donné au premier gouverneur de la Nouvelle-France, Charles Huault de Montmagny, à cause de son nom.

Mais ils nous ont abandonnés. Il nous faut nous débarrasser des Anglais avant qu'ils se débarrassent de nous. Ensuite, nous verrons ce que nous devons faire avec les Français.

– Et tu crois que vous y arriverez en leur faisant la guerre?

Les traits de Wemikwanit se durcirent et une lueur inquiétante traversa son regard pendant que son index caressait le manche de son poignard.

– Au moment où je quittais Saginaw, où vit ma famille, j'apprenais que Wasson, notre grand chef, les Wyandots de Sandusky, les Mississaugas et plusieurs nations odawas allaient signer un traité de paix avec les Anglais. Des Delawares et des Shawnis ont déjà signé un traité de paix avec le colonel Bouquet. En dépit de cela, le général Gage a organisé des expéditions punitives dans l'Ohio, jusqu'au fort Detroit. Les Anglais ne veulent pas la paix! Pontiac le sait. Il se prépare à riposter: les *wampums*[49] de guerre circulent.

– Je ne suis pas français et je parle anglais. Alors, pourquoi me racontes-tu cela?

Lentement, Wemikwanit retira son couteau de la terre et l'essuya sur ses mitasses. En voyant la lame briller dans les derniers rayons du soleil, Alexander se rappela qu'ils allaient avoir une nuit sans lune.

– Parce que tu peux nous aider, Macdonald.

– Je ne prendrai pas les armes pour...

– Qui parle de prendre les armes? Par contre, en acheter...

– Je ne comprends pas.

Wemikwanit émit un rire à la fois léger et inquiétant en plongeant son regard dans celui d'Alexander.

– Réfléchis bien, Macdonald. Je trouve étrange qu'un homme qui a tant de fois vu la main du Chien rouge s'abattre sur lui et sur les siens reste indifférent lorsque l'occasion de trancher cette main se présente. Les prisons de ton pays n'étaient-elles pas assez froides et terrifiantes?

Alexander sentit son sang se retirer de son visage.

– Qui?...

– Le pays est grand... mais ceux qui militent pour la même cause se retrouvent tous un jour ou l'autre.

John! Il avait vu John! Son frère qui travaillait pour un négociant

49. Ceintures de perles de verre ou de coquillages qui avaient un usage diplomatique. Les tribus indiennes les échangeaient lors de cérémonies officielles scellant des accords ou se les offraient en guise d'invitations. Leurs couleurs et leurs motifs indiquaient leur signification.

cherchant à s'approprier de l'or... Il se demanda soudain si John savait que lui-même faisait partie de l'expédition du Hollandais.

Wemikwanit se leva en secouant ses jambières. Promenant son regard autour de lui, il repéra le Hollandais assis sous son abri éclairé par une lampe, le nez dans ses papiers. Il se pencha vers Alexander.

– La nuit porte conseil, l'ami. Je te la souhaite bien bonne.

Puis, il s'éloigna, laissant là Alexander complètement sidéré par sa dernière révélation.

***

La nuit ne porta pas conseil à Alexander, mais fut hantée de vieux cauchemars. Au dire de Van der Meer, John travaillait pour un homme qui avait épousé la cause désespérée des Sauvages. Isabelle avait affirmé qu'elle l'avait vu au bal du gouverneur, au printemps. Si son frère avait surveillé le Hollandais pour le compte de son patron, il savait certainement que lui s'était engagé dans l'expédition du commerçant canadien. Cela compliquait les choses. Dans ces conditions, il lui faudrait l'éviter jusqu'à son retour à Montréal... à moins de changer de camp. Quelques jours seulement le séparaient de la fin de son engagement.

Quel dilemme! Les paroles de Wemikwanit faisaient leur chemin dans son esprit... La vision des choses du Sauvage, opposée à celle de Van der Meer, semait le doute dans son esprit...

Alexander sentit un objet dur lui pousser rudement l'épaule. Dans un sursaut, il roula sur sa couverture et se heurta la tête sur une pierre. Il jura et, ouvrant l'œil, se figea d'effroi devant la gueule noire d'un canon de fusil. Le Hollandais le fixait avec froideur. Mais de l'amertume et de la tristesse se lisaient aussi au fond de ses yeux.

– Que lui avez-vous raconté, Alexander? demanda le vieux marchand après un long moment de silence. Qu'avez-vous dit à Wemikwanit? Je vous faisais confiance...

– Mais rien! Pourquoi?

– Il est parti, durant la nuit. Je vous ai vus discuter tous les deux, hier soir. Je pensais bien qu'il chercherait à me tirer les vers du nez concernant l'emplacement de l'or, mais je ne prévoyais certainement pas qu'il s'adresserait à vous.

L'homme appuya le canon du fusil contre sa poitrine. L'Écossais le repoussa au sol.

– Je vous jure que je n'ai rien dit! Je vous ai donné ma parole!

– Je pourrais vous tuer tout de suite; personne ne poserait de questions, Alexander. Malheureusement ou heureusement, j'ai déjà perdu un canotier et ne peux me permettre d'en perdre un deuxième.

– Wemikwanit est membre de la ligue. Il sait que je suis au courant pour le trésor, c'est vrai. Il me l'a bien fait comprendre. Mais je ne pense pas qu'il soupçonne que j'en connaisse l'emplacement exact... Il veut le récupérer, certes...

– Ils le veulent tous, voyons! Ils me traquent depuis maintenant un an! Ce damné coffre pèse le poids de ma mort, Alexander, et je le supporte en m'appuyant sur mes convictions. Wemikwanit est un fanatique qui n'hésiterait pas à égorger sa mère si cela lui garantissait la victoire sur les Anglais. Je le connais depuis sa plus tendre enfance. Son père, qui faisait de la traite au poste de Michillimackinac, était l'un de mes amis. Il s'est joint aux Chippewas[50] lors de la bataille du ruisseau Parent[51], et a été tué par un sergent anglais sous les yeux de son fils. Depuis, la vengeance aveugle Wemikwanit. Il a commis des atrocités sur des soldats anglais. Je vous en épargne les détails. Il défend sa propre cause, pas celle de sa nation. Il ne sait plus ce qui est juste et ce qui ne l'est pas. Avec quelle corde vous a-t-il joué son air?

La pression du canon s'accentua.

– La... vengeance. Il m'a parlé de la possibilité de venger les miens... murmura Alexander, qui choisit de jouer la carte de l'honnêteté.

Van der Meer s'écarta légèrement.

– C'est bon, c'est bon. Et il a réussi... à la faire vibrer?

Alexander, dont le cœur battait fort, se souleva sur les coudes. Le Hollandais le sondait, cherchait d'avance à se faire une idée de la véracité de la réponse qu'il allait donner.

– J'y ai songé, monsieur. Mais j'ai décidé de respecter ma promesse.

– J'espère que ce que vous me dites est vrai. Sinon, cela pèsera sur votre conscience toute votre vie, Alexander. Souvenez-vous de Mikwanikwe et de sa petite fille. Ils sont des milliers comme elles, femmes et enfants pris entre l'arbre et l'écorce, innocentes victimes de cette guerre. Pensez à elles!

---

50. Tribus ojibwas situées au sud des Grands Lacs.

51. Le ruisseau au bord duquel eut lieu la bataille, le 30 juillet 1763, est aujourd'hui connu sous le nom de Bloody Run, ce qui signifie «Ruisseau sanglant», à cause de la teinte qu'avait prise l'eau dans laquelle baignaient les nombreux soldats britanniques tombés au combat.

Bouleversé, le Hollandais se détourna. Il vérifia que tous les voyageurs s'affairaient pour le départ. Les muscles de sa mâchoire, qui bougeaient, attestaient de sa grande nervosité.

– Ne traînez pas! lança-t-il enfin en s'éloignant.

Alexander, qui retenait son souffle, poussa un profond soupir en regardant l'homme se diriger vers son abri qu'on démontait. À quelques pas de lui, le Revenant le dévisageait en fronçant ses sourcils broussailleux.

Le temps était maussade et le tonnerre grondait au loin. Si l'orage éclatait, ils devraient trouver refuge sur la berge une autre fois et prendraient encore du retard. Les canotiers chantaient pour se donner du rythme. Ramant fermement, Alexander, lui, restait muet et fixait les feuilles qui flottaient à la surface de l'eau et disparaissaient dans les remous des pagaies.

Il luttait avec sa conscience. Se présentait en effet à lui la possibilité de faire ce que son père, son clan et son peuple avaient toujours rêvé de faire: porter un coup terrible aux *Sassannachs*. Il avait le pouvoir de trancher la main qui s'était abattue sur lui et les siens. Van der Meer lui-même n'avait-il pas évoqué cet aspect des choses lorsqu'il lui avait confié son lourd secret? Le marchand avait misé sur son empathie, avait brandi l'étendard de l'honneur et de la sagesse pour le rallier à sa cause. Il avait raison sur un point, il devait l'admettre: la solution des conflits était vouée à l'échec. Après la signature du traité de Paris, la plupart des Français vivant sur la rive gauche du Mississippi s'étaient réfugiés en Louisiane espagnole, s'ils n'étaient pas tout simplement rentrés en France. Malgré tous les efforts guerriers que pourraient déployer Pontiac et ses hommes, ils avaient bien peu de chances de réussir sans eux. La France était ruinée et ne fournirait pas un seul fusil... Wemikwanit le contacterait de nouveau, Alexander en était certain. Il devait prendre une décision...

– Pardi! Un cochon! Il y a un cochon, là-bas! Hé! Le Hollandais, on peut y aller?

Tournant la tête vers la rive, dans la direction indiquée par l'homme, Alexander vit effectivement un énorme cochon sauvage fureter dans les fougères. Comme les autres, il saliva devant ce spectacle en pensant au délicieux rôti qu'ils pourraient en faire. Van der Meer, n'étant pas moins humain que ses engagés, fit accoster les deux canots. Il accorda quelques minutes à six de ses hommes pour attraper la bête; ensuite, ils repartiraient avec ou sans elle. Ils n'avaient plus le temps de s'attarder. Montréal n'était plus qu'à cinq ou six jours de nage et les nuits se faisaient de plus en plus froides.

Les chasseurs riaient et juraient. Assis sur un rocher surplombant l'eau noire, Alexander attendait en soufflant des ronds de fumée devant lui. Mathurin Joly, comme à son habitude, vérifiait l'état des embarcations. Pas-de-poil Chabot et la Grenouille, assis sur des ballots, jouaient à un jeu amérindien. Il s'agissait de retourner sur le sol un bol contenant des fèves noires peintes en blanc sur une face. Quand on obtenait plus de cinq fèves de la même couleur, on marquait un point.

Plus loin, le Revenant se tenait seul au bord de l'eau. Il arrachait des feuilles de tabac de sa carotte et les lançait dans l'écume en prononçant quelques paroles. Alexander connaissait ce rite païen emprunté, comme beaucoup d'autres, par les voyageurs aux Sauvages. À force de vivre avec les autochtones, les Blancs finissaient par adopter leurs croyances. Ainsi, avec le temps, ils avaient troqué la pincée de sel contre une poignée de feuilles de tabac pour conjurer le malheur.

Tout en jetant les feuilles en sacrifice, le Revenant invoquait le Grand Esprit pour obtenir sa protection. Se sentant observé, l'homme se tourna vers Alexander, qu'il dévisagea d'un regard curieux, comme il l'avait fait à plusieurs reprises depuis leur départ du Sault de la Chaudière, à l'aube. Qu'avait déduit le Revenant de sa discussion avec le marchand? Tenait-il son compagnon pour responsable du départ de Wemikwanit?

Alexander devinait les questions qui devaient brûler les lèvres de son ami. Le Revenant arrivait justement vers lui en traînant les pieds et en faisant crisser les galets sous ses mocassins. Le bruit était clair... étrangement clair. Alexander leva la tête. Quelque chose clochait; il n'entendait plus les chasseurs. Il chercha Van der Meer des yeux et entendit un cri étouffé derrière lui. En se tournant légèrement, il put voir un homme à la chevelure noire et lustrée penché à l'endroit où Chabot se tenait bien assis quelques secondes plus tôt. « C'est curieux, le jeune n'a pas les cheveux aussi sombres... » Puis, il vit l'homme affalé sur le ballot. En face de lui, la Grenouille gisait sur le sol, les yeux exorbités, grands ouverts sur le ciel laiteux. Un flot de sang s'écoulait de sa gorge ouverte et imbibait sa chemise.

À l'instant même où le Sauvage tourna son visage peint en rouge vers lui, Alexander comprit ce qui se passait. Le Revenant le prit par le bras et le tira vers les remous glacés de la rivière.

– Reste pas là à attendre ton tour, imbécile! Des Iroquois, pardi! Ils vont nous peler comme des lapins!

Le Sauvage, brandissant son poignard, se mit à leur poursuite en hurlant. La terreur déformait les traits du Revenant. Il avait connu les traitements des Iroquois et ne désirait pas les subir de nouveau. Ressentant lui-même une grande peur, Alexander le suivit sans discuter, et ils abandonnèrent les autres à leur sort.

Ils foncèrent vers un taillis d'aulnes et se cachèrent dans la végétation. L'Iroquois passa à quelques pas d'eux sans les voir et s'enfonça dans les bois, d'où leur parvenaient des cris à glacer le sang. Enfin, le silence retomba. Ils surent alors que leurs compagnons avaient tous été massacrés. Leurs fusils étant restés avec les bagages sur la berge, ils avaient pour seules armes leurs poignards, sur lesquels ils gardaient la main. Ils s'étaient cachés dans une épinaie et avaient la peau lacérée. Le silence persistait. Alexander essaya de voir quelque chose à travers l'épaisse végétation. Il ne put s'empêcher de penser à Van der Meer et prit soudain conscience que, si le marchand avait été tué, il restait le seul à connaître l'emplacement du trésor tant convoité. Sa respiration s'accéléra. Dix mille livres... On allait le pourchasser impitoyablement.

– Là! fit le Revenant dans un chuchotement, en pointant son couteau devant eux.

Trois silhouettes traversaient leur champ de vision. Deux hommes en poussaient un troisième avec la pointe de leurs fusils. Alexander reconnut le prisonnier.

– C'est Dumais!

Germain Dumais était de ceux qui étaient partis chasser le cochon.

– Il faut le tirer de là, marmonna nerveusement le Revenant en se frayant un chemin à travers les ronces.

Alexander ne put faire autrement que de le suivre. Les deux longèrent la rive en se cachant derrière les arbustes. De retour sur les lieux du massacre, toujours dissimulés, ils ne purent que constater les faits: les corps de leurs compagnons avaient été allongés sur l'herbe. Alexander fit un rapide calcul; il manquait encore deux personnes. Mais qui? Puis, il se rendit compte que la tignasse blanche du Hollandais n'était pas là. Le marchand gisait-il quelque part dans les bois ou s'en était-il sorti? La réponse ne fut pas longue à venir: poussés par un homme portant un large chapeau de feutre rond, Van der Meer et Jérôme Barisson apparurent. Le premier avait une entaille au front, d'où coulait un filet de sang.

– Pardi! On ne peut pas les laisser là! chuchota le Revenant. Mais je ne vois pas comment les sortir de ce pétrin. Quelle sacrée bande de Sauvages!

L'homme qui tenait leurs deux compagnons en respect se

retourna, et Alexander eut un étrange sentiment de déjà-vu qui le fit frissonner. Il scruta les traits attentivement. C'était sans doute un trappeur. Il était habillé à l'indienne. Où l'aurait-il vu? Au Grand Portage? Non, il n'avait pas l'impression...

– Tu connais l'homme au chapeau? demanda-t-il au Revenant.

– Non, jamais vu. C'est certainement un mercenaire à la solde de la Compagnie de la baie d'Hudson. Ces damnés Anglais nous harcèlent depuis quelque temps. Ils disent que nous empiétons sur leur territoire. Cependant, je dirais plutôt que c'est le contraire!

Tout en regardant l'homme au chapeau discuter avec le Hollandais en gesticulant, Alexander cherchait dans sa mémoire où et quand il avait pu le rencontrer, et qui il était. Au bout d'un moment, un groupe de Sauvages sortit de la forêt. Il reconnut Wemikwanit parmi eux.

– Oh! Le chien sale! grogna le Revenant en le voyant à son tour.

Puis, il se tourna vers Alexander en faisant une drôle de grimace avec son nez d'acier. Alexander ne broncha pas, mais soutint le regard gris qui le sondait.

– Dis-moi que t'es pas de mèche avec ce type, le Sauvage!

– Non, je t'assure! Je t'expliquerai plus tard, Chamard. Pour l'instant, tu vois toi-même de quel côté du buisson je me trouve.

Le Revenant hésitait encore, la pointe de son poignard inconsciemment dirigée vers son compagnon.

– Le Hollandais te faisait pas la cour ce matin, hein? Et qu'est-ce que tu faisais avec Wemikwanit, hier soir?

L'inconnu au chapeau, qu'Alexander ne cessait d'observer, se promenait parmi les cadavres, les faisant rouler sur le dos en les poussant du bout de sa botte, puis se penchant sur eux pour les examiner de près. Il semblait chercher quelque chose... ou quelqu'un.

– Écoute, le Revenant, si tu n'as pas confiance en moi, tu peux toujours filer jusqu'à Montréal. Je ne t'en voudrai pas. Mais, si tu veux sortir le Hollandais de là, il va falloir le faire avec moi...

– Macdonald! rugit alors une voix qui fit frémir l'Écossais.

L'inconnu s'était redressé et s'adressait vraisemblablement à lui. Cette voix... Le cœur en émoi, Alexander plissa les yeux. Soudain, un souvenir émergea de son esprit: une nuit froide, un vent violent dans les arbres nus; un garçon dansant dans le noir, annonçant la venue du diable; une silhouette dans l'ombre d'une laiterie; l'éclat de sa chemise blanche qu'il avait tenté de dissimuler... le cri de frayeur d'Isabelle.

Il sentit son sang se figer dans ses veines. Isabelle... Il se rappelait maintenant.

– *God damn!* Lacroix!

– Quoi?

– Étienne Lacroix! Le type qui porte le chapeau, c'est Étienne Lacroix!

– Connais pas.

– Moi, si!

– Macdonald! appela encore de sa voix rauque Étienne, qui avait empoigné Barisson par la chevelure. J'sais que vous m'entendez, espèce de sale bâtard! Vous avez intérêt à vous montrer si vous voulez pas que vos amis crèvent comme des chiens!

– Le salaud!

Le Revenant esquissa un geste pour se porter au secours de son compagnon qui haletait sous la lame du long couteau de chasse d'Étienne. Mais Alexander le retint avec fermeté.

– Non! C'est moi qu'il veut! Si tu tiens à ta peau, reste ici!

– Mais qu'est-ce qu'il te veut? Qu'est-ce que c'est que toute cette histoire?

– Pas le temps de t'expliquer, l'ami. Tout ce que je peux te dire, c'est qu'il est question d'une vengeance mûrie depuis longtemps.

Sur ce, Alexander contourna le buisson sous le regard éberlué du Revenant. Van der Meer le vit. Ses lèvres bougèrent. Mais Alexander n'arrivait pas à déchiffrer le message. Le marchand secoua alors la tête pour lui signifier qu'il ne devait pas s'approcher davantage.

– Allez, sale Anglais! Sortez de là, sinon j'égorge vot' copain! Ensuite, ce sera au tour du Hollandais!

Étienne, impatient, maintenait toujours Barisson par la chevelure et au bout de sa lame. Alexander s'interrogeait. Est-ce que cela ferait avancer les choses s'il sortait de sa cachette? De toute évidence, il ne pourrait neutraliser la douzaine de Sauvages qui étaient rassemblés là et qui avaient déjà tué tous ses compagnons, ou presque. Étienne Lacroix voulait assouvir une vengeance personnelle, il en était certain. Mais, si Wemikwanit était là, c'est qu'il voulait aussi autre chose: l'or du Hollandais.

Sa bouche devint soudain sèche et pâteuse. Bon Dieu! Son frère John était-il de mèche avec ces hommes? Il n'arrivait pas à l'admettre. Si John avait voulu le tuer, il l'aurait fait lors de leur dernière rencontre, au cours de l'hiver 1761. Il n'avait alors pour cela qu'à l'abandonner dans la neige, où il serait mort gelé. Au lieu de ça, il l'avait sauvé. Pourtant, John était dans le camp adverse...

– Macdonald, c'est le dernier avertissement! Vous sortez de vot' cachette ou bien j'ouvre la gorge de vot' ami!

Devant l'expression insistante de Van der Meer, Alexander hésitait toujours à se montrer.

– Que vas-tu faire? lui chuchota la voix du Revenant, qui l'avait suivi. Tu peux pas le laisser tuer Barisson, Macdonald! Si t'y vas pas, c'est moi qui irai, pardi!

– Non! Il te tuera également! Il n'a que faire d'un prisonnier de plus. C'est moi qu'il veut!

– Alors, vas-y!

– Ça va, ça va! Mais, quoi qu'il arrive, reste planqué!

Alexander commença alors à ramper hors de son abri. Le Hollandais était désespéré. Alerté par les craquements des brindilles, Étienne Lacroix pivota sur lui-même, son otage toujours coincé sous le bras. Il resta un moment interdit devant Alexander qui s'avançait, les mains ouvertes levées devant lui. Les Sauvages s'éparpillèrent sur le terrain et formèrent une ceinture de sécurité autour d'eux. Deux d'entre eux le fouillèrent pour vérifier qu'il n'était pas armé. Il était pris au piège.

Alexander laissa son regard se promener sur les corps de ses compagnons: le jeune Chabot, la Grenouille... Il n'arrivait pas à croire qu'Étienne les avait massacrés dans le seul but de l'avoir, lui. Il croisa les yeux noirs, froids et calculateurs de Wemikwanit, puis ceux, clairs et indéchiffrables, du Hollandais que deux Sauvages maintenaient. Un rire hargneux rompit le lourd silence.

– Enfin, nous nous retrouvons.

– Relâchez-les.

– J'suis pas pressé, Macdonald. J'ai un compte à régler avec vous, mais aussi avec le Hollandais.

– Que me voulez-vous?

– C'que j'vous veux? Ben des choses... l'Écossais! C'est comme ça que vous vous faites appeler maintenant, hein? Marcelline... est-ce que ça ne vous dit rien?

Marcelline? Oui, c'était la jeune métisse qu'il avait parfois croisée chez les ursulines et qui était une amie d'Isabelle. Elle avait été violée par des soldats de l'un des régiments anglais qui occupaient la ville de Québec et s'était pendue par la suite. Mais... il n'avait rien à voir avec ce terrible événement.

– Je... suis vraiment désolé pour la fille. Mais, je...

– La fille? La fille? C'était MA FILLE! Espèce de fumier!

Une lueur de folie passa dans le regard sombre. Relâchant brusquement Barisson qui, haletant de terreur, tomba lourdement au sol, Étienne s'approcha d'Alexander, qui se tint immobile sous la menace de la lame maintenant pointée sur sa poitrine.

– Vous avez violé et tué ma fille!

Alexander comprit que cela ne servirait à rien d'essayer de se défendre et préféra se taire. Étienne était aveuglé par son besoin de vengeance et n'entendrait rien de ce qu'il pourrait lui dire. Il fallait être très prudent.

La pointe d'acier écorcha la peau d'Alexander. Étienne plissa les yeux et fit un sourire doucereux. Il s'empara de la croix d'argent qui pendait au cou de l'Écossais et l'examina avec minutie.

– Eh ben, torrieu! C'est-y pas la croix de baptême de ma sœur, ça? Hein, dis-moi, c'est la croix à Isabelle?!

Alexander ne lui offrit pour toute réponse qu'un silence haletant. Étienne le fixait, les coins de sa bouche retroussés, cherchant visiblement à contenir son envie de lui planter son poignard dans le ventre sur-le-champ.

– Elle était bonne à baiser, ma sœurette, l'Écossais? Vous aimiez bien vous la faire, hein? Astheure, c'est un autre qui couche avec elle! Quel effet ça vous fait?

Alexander ne put s'empêcher de faire une grimace. Il lisait de la satisfaction dans les traits d'Étienne. Mais l'homme était nerveux. Il jouait avec la croix qu'il tenait entre ses doigts et finit par l'arracher d'un coup sec.

– J'suis certain qu'elle sera ben contente de la récupérer.

Il fourra brusquement le bijou dans sa poche et se dirigea vers le marchand, qu'il empoigna.

– À vous, maintenant! Vous savez c'que j'veux de vous, le Hollandais! Vous avez volé ce qui nous revient!

– J'ai conclu une entente avec les autres...

– Eh ben, il semble que ça ne tient plus! Ils veulent l'or que vous avez caché, alors il faut le rendre!

– Vous ne l'aurez pas, Lacroix! Ça, je peux vous le jurer!

– Tsakuki!

Le Sauvage interpellé se dirigea vers le pauvre Barisson, qui était toujours au sol, paralysé par la terreur. Il lui saisit brutalement la chevelure pour lui tirer la tête vers l'arrière, lui arrachant un cri de frayeur, puis lui trancha la gorge d'un mouvement rapide. Le sang gicla dans un horrible gargouillis. Dumais, furieux, tenta de se libérer pour se jeter sur Tsakuki. Mais il se retrouva vite aplati sous un autre Indien. Le Hollandais poussa un cri étouffé et tomba à genoux, se cachant le visage dans les mains.

– Je l'aurai, votre or! Si c'est pas vous qui me dites l'endroit où il est caché, ce sera Macdonald!

– Il ne sait rien! Personne ne sait!

– C'est pas c'que pense Wemikwanit. Il dit que vous avez confié vot' secret à l'Écossais.

Alexander, les paumes moites, adressa un regard mauvais à Wemikwanit qui le fixait, impassible.

– Je... je lui ai effectivement tout raconté pour l'or, avoua Van der Meer en se tournant vers Alexander avec une expression sévère, non seulement pour l'accuser aux yeux des autres, mais aussi pour lui faire comprendre à lui qu'il devait se taire. C'est vrai, je lui ai même donné un plan de l'endroit où il se trouvait! Et l'idiot s'est précipité sitôt la nuit tombée! Évidemment, il n'a rien trouvé. Vous ne croyez tout de même pas que je lui aurais naïvement dit où j'avais réellement caché l'or?! Il m'aurait planté son poignard entre les omoplates et se serait enfui avec! Je ne suis pas imbécile à ce point, Lacroix!

Indécis, Étienne se tourna vers Alexander. Ce qu'affirmait le marchand avait du sens, mais il avait le sentiment qu'il lui mentait. Quelque chose de plus important qu'un simple contrat d'engagé liait les deux hommes, il en était certain. Van der Meer n'avait jamais pris de valet à son service. Alors, pourquoi en avait-il pris un pour ce voyage-ci? D'après Wemikwanit, qui les avait observés au Grand Portage, Alexander et son patron entretenaient des relations privilégiées. L'Écossais savait quelque chose, mais quoi? Il n'y avait qu'un moyen de connaître la vérité.

– D'accord. Je m'adresserai donc à Macdonald.

Ce disant, Étienne se plaça derrière le marchand, le força à se relever et le menaça de sa lame sous sa gorge. Van der Meer ne broncha pas; il respirait profondément pour se maîtriser.

– Il dit que tu sais rien. C'est vrai, l'Écossais?

Suffoquant presque de peur, ne voulant pas d'un seul mot signer l'arrêt de mort du vieux marchand, Alexander ferma à demi les paupières. Il n'osait répondre, luttait pour dominer ses émotions et ne pas se trahir. Il chercha dans le regard clair du vieil homme la réponse qu'il devait donner et y lut une détermination implacable. Le Hollandais donnerait sa vie pour empêcher ces malfrats de mettre la main sur l'or. Lui-même avait donné sa parole, avait promis de respecter sa volonté... Attristé par l'issue qui lui semblait inéluctable, il s'efforça de paraître indifférent.

– Il dit vrai. Il m'a tendu un sale piège.

La lame entailla la peau parcheminée, et un filet écarlate apparut. Le sang s'écoula dans les replis du cou du Hollandais, qui serrait les mâchoires. « Mauvaise réponse! » Le cœur d'Alexander battait la chamade. Il avait juré, oui! Mais comment pourrait-il se regarder de nouveau dans un miroir sans revoir la mise à mort de Van der Meer?

Étienne lança un ordre. Des mains l'empoignèrent alors, lui, par les bras et les cheveux, et une lame se retrouva subitement sur sa gorge; il se raidit. Étienne, qui libérait le marchand et venait vers lui, avait choisi une autre tactique.

– D'accord, le Hollandais! Voyons voir si cela va te laisser froid que j'fasse la peau de c't'avorton-là!

Silence tendu. Alexander avait la chair de poule. Allait-il, à l'instar de tous les autres, être sacrifié pour ce satané trésor dont il n'avait cure en fin de compte? Arrivant par les branchages nus, une lumière dorée éclairait le visage du marchand qui, les lèvres scellées, restait toujours aussi impassible. Cependant, le contour de sa bouche pâlissait. Le temps semblait s'être arrêté.

– J'ai compris! Je sais ce qu'il me reste à faire! lança alors Étienne.

Comme le poignard plongeait dans sa chair, Alexander envoya son coude dans les côtes de son cerbère en rugissant.

Libéré de l'étreinte, le souffle coupé par une terrible douleur, il s'effondra au sol en gémissant. Puis, il porta la main à son cou pour vérifier la gravité de sa blessure. Il l'avait échappé belle: il avait une belle entaille de l'oreille jusqu'au menton, mais ce n'était pas assez profond pour avoir touché une artère. Un cri de rage s'éleva alors des buissons. Il vit une paire de mocassins usés et mouillés lui passer sous le nez. Son poignard tomba devant lui dans un bruit mat.

– Tu croyais peut-être t'en tirer tout seul? lui lança le Revenant.

Avant même qu'il ait pu prononcer une syllabe, son compagnon se retrouvait dans un corps à corps avec l'un des Sauvages et lui-même était assailli par un autre. Son poignard bien en main, il l'enfonça dans le ventre de l'homme, qui râla. Un flot de sang chaud coula sur son bras. Repoussant le corps sur le côté, il roula sur le tapis de feuilles mortes et fit un bilan de la situation. Le Revenant se trouvait au milieu d'une mêlée hurlante, tel un agneau livré à une meute de loups. Que pouvait-il faire, lui? Les Sauvages, en nombre supérieur, les auraient bientôt de nouveau neutralisés!

Percevant un mouvement sur sa droite, Alexander pivota et évita de justesse le tranchant d'un tomahawk qui alla s'enfoncer dans un tronc d'arbre derrière lui. Le Sauvage grogna. « Pas de l'algonquin », pensa bêtement Alexander avant d'être à moitié assommé par un coup fulgurant qui sembla lui éclater le crâne.

Un vertige s'emparait de lui; un bourdonnement emplissait ses oreilles. Il entrevit Étienne, qui plaquait le Hollandais au sol et lui cognait dessus. Le Revenant, immobilisé sous les genoux et le couteau d'un Iroquois, crachait de la terre et du sang. Derrière, Dumais, attaqué par trois autres Sauvages au visage peint, se débattait tant qu'il pouvait en hurlant. La situation était désespérée.

La douleur s'intensifiait et l'odeur du sang piquait les narines. Les cris s'estompaient. Alexander passa ses doigts dans sa chevelure poisseuse de sang. Il pensa à Mikwanikwe, qui l'attendrait en vain, l'été prochain, et à la petite Otemin, qui devrait la consoler. Étrangement, penser qu'on le regretterait peut-être le fit sourire. Il imagina Étienne annonçant à Isabelle qu'il avait enfin vengé Marcelline. Isabelle... aurait-il résisté à l'envie de la revoir s'il avait pu aller jusqu'à Montréal?

Des bribes de mots, des éclats de voix lui parvenaient encore. À un moment, il crut entendre le Revenant hurler des injures. Étienne avait abandonné le corps inanimé de Van der Meer et venait vers lui. Sa vue se dédoublait. Parmi les colifichets métalliques qui étaient accrochés dans les longs cheveux, une croix dorée sertie de pierreries attira son attention. Il plissa les yeux, fixa le bijou qui étincelait. Puis un voile assombrit tout. Il se sentait envahi d'une douce langueur. Finalement, la mort était douce.

5

Mouvements du cœur

Gabriel courait derrière une sauterelle en riant et ses cheveux volaient telles des flammèches autour de sa petite tête toujours pleine d'idées.

Isabelle sourit et retourna à sa lecture:

... aussi, je ne sais pas si tu le sais, mais Québec a sa gazette depuis le mois de juin dernier. Le journal est hebdomadaire et bilingue... enfin, pour le moment. Monsieur Audet a la gentillesse de me le prêter quand il a terminé de le lire.

En parlant de monsieur Audet, comme tu l'as prédit lors de ta visite de l'été dernier, il s'est enfin décidé et est venu me faire la grande demande. Je ne sais pas, Isa... Il est bien gentil, mais je ne l'aime pas. Je t'entends déjà me dire que tu as bien épousé un homme que tu n'aimais pas, toi non plus, et que la vie te sourit aujourd'hui en sa compagnie! Monsieur Audet est gentil et prévenant, c'est vrai. Ses enfants m'adorent et je les aime aussi. Mais je suis bien dans ma maison, seule, à faire mes petites affaires sans personne pour me dire comment faire. Tu comprends? Je dois être devenue une vieille fille! Je n'ai pas encore répondu, j'ai dit que j'allais réfléchir.

—Je crois que c'est déjà tout réfléchi, hein, Mado? dit tout haut Isabelle en riant et en changeant de feuillet:

La semaine dernière, j'ai été invitée à un bal. Un vrai de vrai, avec de belles robes et des gentilshommes qui s'inclinent devant vous! J'hésite à te raconter cette histoire. Mais tu auras tout le temps de l'oublier avant ta prochaine visite et tu ne penseras plus à me gronder!

Tu sais que je vais vendre mes confitures chaque semaine au marché de la Basse-Ville? En passant, les affaires vont bien. Par ailleurs, tu te souviens de cet officier anglais qui venait régulièrement m'acheter deux ou trois pots, monsieur Henry? Il était bien gentil, me faisait la conversation et me traitait en vraie dame. De plus, il était bel homme. Surtout ne dis rien, tu sais ce que je pense des soldats anglais! Il m'a fait la cour pendant tout l'été et me faisait même le baisemain avant de me quitter, les dernières fois. Un jour, il m'a invitée à faire une promenade sur le bord du fleuve. Ses intentions étaient vertueuses et il est resté courtois, je t'assure. C'est lui qui m'a invitée au bal donné par le gouverneur Murray. Isabelle, j'étais tellement éberluée qu'il a dû me faire asseoir. J'ai accepté sans réfléchir, chère cousine. Je n'ai pas de toilette convenable ni de bijoux assez luxueux pour la grande société. Mais, sur le coup, je n'ai pas pu résister. Cependant, si monsieur Audet apprenait que je suis allée à un bal avec un officier anglais pendant que lui attend ma réponse à sa demande, je suis sûre qu'il me mettrait à la porte et que l'histoire ferait le tour de l'île comme une bourrasque de vent. J'ai donc ensuite trouvé un prétexte quelconque pour décliner l'invitation. Monsieur Henry ne m'a certainement pas crue.

Peu après mon refus, un cavalier a remonté au grand galop la route qui mène chez moi. Il a déposé un grand carton sur la table après m'avoir tendu un pli cacheté. Cela venait de monsieur Henry. La boîte contenait une magnifique robe de soie bleu merle, Isa. La plus belle que j'aie jamais possédée! Voilà! Je sais que je suis folle de le faire, mais je vais aller au bal dans deux jours. Je ne pouvais attendre pour te raconter ça. Maintenant, tu comprends mieux pourquoi je tarde à répondre à monsieur Audet. Je ne connais pas les intentions de ce monsieur Henry, mais je l'aime bien et je crois qu'il m'a un peu réconciliée avec les Habits rouges.

Ne juge pas mon comportement peu vertueux, Isabelle, s'il te plaît. J'ai vingt-sept ans, tu sais. Julien me manque toujours, mais un fantôme ne réchauffe pas le corps. Je profite des occasions en essayant d'user de discernement. Souhaite-moi bonne chance!

– Adieu, monsieur Audet!

Avant de terminer, voici des nouvelles de ta famille. Ton frère Louis se remet de sa mauvaise chute. Sa jambe est rétablie et, pour le moment, il marche avec une canne. Sa dévouée Françoise lui est d'un grand secours au magasin, avec Pierre. Je te parie que, dans cinq ans, notre jeune apprenti obtiendra sa licence de maître boulanger et achètera sa boulangerie à son père. Anne, qui a quatorze ans, commence une nouvelle année au pensionnat des ursulines. Je suis certaine que Louis est soulagé de savoir sa fille bien encadrée. Elle est si jolie. Le petit Luc, lui, est chez les récollets. Il est doué avec les chiffres. Tout va pour le mieux.

Il y a deux jours, je suis allée avec sœur Clotilde porter des chrysanthèmes sur la tombe de Guillaume. J'ai apporté un bouquet de ta part et ai dit une prière. Cela fait maintenant un an qu'il a trouvé le repos éternel. Que Dieu prenne soin de lui. Il le mérite.

– Un an, déjà! murmura Isabelle.

Un tragique accident avait emporté son frère Guillaume. Il s'était noyé dans la rivière Saint-Charles. Lors d'une sortie, il avait un moment échappé à la vigilance des religieuses. Personne n'avait été témoin de l'accident. Certains avaient laissé entendre qu'il s'était sans doute jeté volontairement dans l'eau pour fuir les tourments qui ne le quittaient plus. Personne, cependant, n'avait osé le dire publiquement. On n'avait aucune preuve. Guillaume avait eu droit à des obsèques religieuses et était maintenant délivré du mal qui le rongeait depuis la guerre...

Bon, assez parlé. Le soleil se lève et je dois me préparer pour aller faire déjeuner les enfants Audet. Je t'écrirai de nouveau dès que je le pourrai. N'oublie pas de faire de même, chère cousine.

Avec tout mon amour,

Madeleine

Isabelle leva les yeux et regarda Gabriel fureter sous le cornouiller avec Marie. Elle pensait à Madeleine. Elle s'inquiétait pour sa cousine, qui avait déjà refusé deux demandes en mariage et qu'elle ne comprenait pas bien. Madeleine semblait s'obstiner à vivre un célibat qui lui pesait de plus en plus. Enfin... si ce monsieur Henry, qu'elle-même avait rencontré à deux reprises lors de son séjour à Québec, pouvait être celui qui lui passerait la bague au doigt, elle en serait enchantée, qu'il fût officier anglais ou non. Elle attendait déjà avec impatience d'autres nouvelles de sa cousine.

Repliant soigneusement la lettre et la glissant dans la poche de sa jupe, elle se remit à observer son fils. Alors que les autres garçons s'amusaient avec des jouets en bois, Gabriel passait son temps à explorer la cour, à s'extasier devant les petites bêtes. Elle retrouvait ainsi des limaces noyées dans des verres d'eau, sur la table de la cuisine, des araignées mortes auxquelles il manquait quelques pattes, soigneusement alignées sur la commode de sa chambre, et des papillons effilochés épinglés au mur. Elle devait admettre que cela animait son quotidien ennuyeux.

La veille, elle avait dû faire la chasse aux cinq grillons qui s'étaient échappés de leur pot, dans le salon. Arlequine avait participé au jeu et en avait mangé trois, ce qui avait fait pleurer Gabriel. Pour le consoler, Marie lui avait promis de l'aider à en trouver d'autres. Voilà qu'elle-même participait à la chasse en tenant le pot bien fermé sur ses genoux et en regardant son fils attraper ces répugnantes bestioles qui allaient les tenir éveillés toute la nuit avec leurs incessantes stridulations. Enfin... voir Gabriel heureux la rendait heureuse.

– J'en ai un autre! cria Marie d'un air victorieux, les mains bien fermées.

– Mont'-moi! Mont'-moi! Il est g'os, dis? J'en veux un g'os, Ma'ie.

– Marrrrie, fit la servante en souriant, avant de montrer rapidement l'insecte au petit garçon. Voilà, il fait ton bonheur, celui-là?

– Oh oui! Il est g'os! Donne-le à maman, elle va le met' dans le pot.

Isabelle souleva le couvercle en grimaçant, et la bête noire et luisante rejoignit les autres sous la touffe d'herbe destinée à les nourrir. Puis, elle leva le récipient à bout de bras.

– Je crois que tu en as assez ramassé, Gaby. C'est l'heure de ta sieste maintenant.

– Je veux pas aller au dodo, maman, rechigna l'enfant en faisant la moue.

– Allez, on ne discute pas. Le jeu est terminé, il faut se reposer.

– Je veux une collation avant! Je veux pas do'mi' tout de suite!

– Dorrrmirrr, Gaby, reprit Isabelle avec impatience.

Le problème de prononciation de son fils persistait, et elle se demandait si elle ne devrait pas lui faire suivre des cours pendant l'hiver. Gabriel, qui allait bientôt avoir quatre ans, n'arrivait toujours pas à prononcer convenablement les r. Pierre s'inquiétait lui aussi et avait même trouvé un professeur, monsieur Labonté.

– Allez, mon ange, encouragea-t-elle son fils en lui tapotant gentiment le sommet de la tête, file te laver les mains et le visage. Ensuite, change ta jaquette, elle est pleine de terre. Marie te donnera un biscuit si tu te dépêches.

– Oui, oui, fit le garçonnet avec une lippe boudeuse.

Cette façon que Gabriel avait d'exprimer son mécontentement lui donnait des pincements de cœur. Non parce qu'il manquait de manières, mais parce que cela lui rappelait le père. Avec un soupir, elle confia le pot rempli de grillons à Marie, qui accompagna Gabriel à la cuisine. Puis, elle rentra à son tour pour se préparer du thé.

Louisette, la nouvelle femme de chambre, était occupée à fabriquer de la pâte à épiler, dans un grand bol de faïence, avec des amandes amères moulues, du miel et des jaunes d'œufs frais. Isabelle préférait ce mélange aux recettes qui comportaient des cloportes en poudre ou des œufs de fourmi écrasés qui soulevaient le cœur. À côté, sur la table, reposait une décoction de centaurée et de camomille destinée à éclaircir les cheveux.

La vue de ces produits de beauté rappela à la jeune femme qu'elle devait passer chez l'apothicaire Meloche qui lui avait préparé son eau de bergamote et de jasmin. Elle fit donc atteler la jument noire par Basile, puis frappa à la porte du bureau de Pierre. Après quelques secondes, des bruits de pas se firent entendre et la porte s'ouvrit.

– Oh, mais entrez, madame Larue! fit Jacques Guillot, le nouvel employé de Pierre, en s'effaçant pour la laisser passer.

– Euh... je ne voulais pas vous déranger, monsieur Guillot, s'excusa-t-elle en rougissant légèrement. Je venais simplement prévenir mon époux que je sortais faire quelques courses... Il n'est pas là?

– Non, il est sorti il y a quelques minutes à peine. Une urgence, m'a-t-il dit.

– Rien de grave?

– Je ne crois pas, madame.

Le jeune homme avait l'air gêné et regardait autour de lui.

– Vous cherchez quelque chose?

– Le contrat d'un marchand-voyageur qui est parti au printemps de cette année. Je voulais le sortir avant de m'en aller, pour permettre à monsieur Larue de terminer plus tôt.

– C'est gentil de votre part, monsieur Guillot. Avez-vous vérifié dans le greffe? Il me semble que c'est l'endroit tout indiqué pour...

– C'est la première chose que j'ai faite! Seulement, celui dont on a besoin n'y est pas.

– Et de quel marchand s'agit-il?

– Kiliaen Van der Meer.

– Van der Meer? fit Isabelle, un peu troublée. Le document n'est pas avec les autres?

– Non, madame.

Intriguée, Isabelle pénétra dans le réduit où s'entassaient des caisses contenant des centaines de dossiers. Ouvrant quelques-unes des chemises conservées sous la lettre V, elle constata qu'effectivement le contrat de monsieur Van der Meer ne se trouvait pas là. C'était curieux: Pierre était quelqu'un de tellement ordonné.

– Je ne vois pas... Enfin... marmonna-t-elle en examinant les chemises rangées sous la lettre M.

Peut-être le contrat du Hollandais se trouvait-il avec celui d'Alexander. Mais, aucune trace de ce contrat-là non plus.

– C'est très étrange...

Songeuse, Isabelle se redressa en faisant un pas en arrière. Elle sentit alors un objet sous son talon et entendit une faible plainte. Au même moment, deux mains la prirent par la taille pour l'écarter.

– Oh! Je suis désolée! s'écria-t-elle, rouge de confusion. Je suis... vraiment...

– Ce n'est rien, la rassura monsieur Guillot. Il n'y a pas de mal. Vous êtes aussi légère qu'un oiseau!

Jacques Guillot était entré au service de Pierre au début du mois de juin, une semaine après qu'elle eut quitté Montréal pour Québec. Elle n'avait donc fait sa connaissance qu'en juillet, à son retour. Il travaillait en tant qu'apprenti et soulageait Pierre de sa surcharge d'ouvrage. Souriant, propre de sa personne et bien élevé malgré ses origines modestes, il avait plu d'emblée à Isabelle.

Elle avait bien remarqué les regards que lui lançait parfois le jeune homme et qui frisaient l'inconvenance. Elle n'en avait cependant rien dit à Pierre, jugeant cela anodin et plutôt flatteur. À quelques reprises, alors qu'ils se croisaient dans le corridor ou dans l'embrasure d'une porte, il l'avait même frôlée du bout des doigts. Évidemment, elle n'encourageait aucunement ces comportements. Mais elle ne les empêchait pas non plus, se surprenant même à en sourire lorsque cela arrivait.

Cependant, c'était vrai qu'il était beau, Jacques Guillot, avec ses cheveux bruns ondulés et brillants qui encadraient soigneusement un visage aux traits énergiques que l'âge n'avait pas encore commencé à empâter. Depuis Alexander, il était le premier à attirer son attention. Certes, Pierre était bel homme. Mais leur relation ne s'était pas améliorée...

– Je suis désolée de ne pas pouvoir vous aider, monsieur Guillot, bafouilla-t-elle, mal à l'aise.

– Je laisserai donc un mot à monsieur Larue. Je n'attendrai pas son retour. Je m'en vais dans quelques minutes.

– Vous rentrez chez vous?

– Non, je dois passer chez le tailleur Souart pour prendre un habit que j'ai commandé le mois dernier. Ensuite, je vais souper chez ma mère.

– Souart est sur mon chemin. Je peux vous y déposer si vous voulez?

– Je ne pourrais demander mieux que de vous accompagner, madame. J'accepte. J'ai simplement besoin de quelques minutes pour tout ranger.

Devant le large sourire, Isabelle douta soudain d'avoir bien fait.

Elle n'avait pas réfléchi; elle avait fait sa proposition spontanément. Avant d'aller elle-même se préparer, elle indiqua au jeune homme qu'elle l'attendrait dans la voiture.

La berline cahotait sur la chaussée pleine de trous. Les voyageurs étaient inévitablement secoués et se heurtaient parfois les genoux. Jacques Guillot, silencieux depuis le départ, ne cessait de regarder Isabelle. Il dégageait une douce odeur d'anis et de menthe que la jeune femme trouvait agréable. Bien qu'elle considérât son comportement comme inconvenant, elle n'arrivait pas à le lui faire remarquer.

Par la fenêtre ouverte pénétrait la tiédeur des derniers jours de l'été des Indiens. Une boucle brune du jeune homme volait dans la brise, et Isabelle se retenait avec difficulté de la lui replacer derrière l'oreille. Elle se détourna.

Les maisons de la rue Saint-Paul défilaient sous ses yeux. Sur la place du Marché, des enfants couraient, jouaient à la balle et à la marelle dans la poussière noire qui collait à leurs hardes. Des femmes aux visages prématurément vieillis offraient aux passants tantôt un panier, tantôt un chapeau de paille qu'elles avaient fabriqués. Des voisins se querellaient: apparemment, la chèvre de l'un avait mangé les choux du potager de l'autre. L'affaire avait attiré un essaim de curieux qui bloquaient la rue et les retardèrent un moment. Les commères devaient être ravies.

La voiture tourna dans la rue Saint-François, remonta la pente jusqu'à la rue Saint-Sacrement puis s'arrêta devant une maison de bois fraîchement repeinte en blanc. Une enseigne se balançait en grinçant au-dessus de la porte laquée de rouge.

– Je vous remercie, dit Jacques Guillot. Nous nous revoyons donc ce soir?

– Ce soir? Vous revenez travailler ce soir? s'étonna Isabelle en serrant bien ses genoux pour éviter de toucher le jeune homme.

– Vous n'accompagnez pas votre mari chez les Sarrazin?

– Les Sarrazin? Ah, oui... bien sûr. Mais je ne savais pas que vous... enfin...

Il lui sourit, ravi, puis saisit sa main qu'elle avait tenté de dissimuler dans ses jupes. Après avoir embrassé avec douceur le bout de ses doigts, il sauta avec légèreté en bas de la berline. Enfin, il retira son chapeau et s'inclina.

– À ce soir, madame.

– À ce soir, monsieur Guillot.

Troublée, Isabelle regarda l'homme s'engouffrer dans l'atelier du tailleur. Puis la voiture s'ébranla de nouveau. Mais que lui arrivait-il?

Elle aimait Alexander, était mariée à Pierre et soupirait pour Jacques! Bien que sa vie sentimentale fût d'une tristesse désolante, elle refusait de prendre un amant. Cependant, plus ça allait, plus elle se sentait seule et frustrée. Elle avait besoin qu'un homme la désire. Pierre avait bien pris une maîtresse, lui. Cela, elle le savait. Parfois, il rentrait d'un rendez-vous «d'affaires» qui se terminait tard et n'osait pas la regarder dans les yeux. Mais cela la laissait froide. L'essentiel pour elle était qu'il ne s'affichât pas publiquement avec la femme. Elle ne supporterait pas cette humiliation.

La berline fit une embardée qui la projeta contre la porte. Basile hurla, des gens crièrent. Encore tout étourdie par ses réflexions, Isabelle se réinstalla sur son siège, attendant qu'on se remette en route. Mais la voiture restait immobile et les gens criaient toujours.

– Qu'est-ce que tout ce brouhaha? marmonna-t-elle en se penchant par la fenêtre.

Des curieux s'agglutinaient autour de l'équipage.

– Ce n'est qu'une mendiante! lança une voix.

– Bah! Une pauvre gueuse de moins! soupira une autre.

Basile, blanc comme de la craie, gesticulait, s'expliquait vivement avec un homme. Une femme appela à l'aide; une autre se mit à pleurer. Intriguée et inquiète, Isabelle descendit dans la rue pour voir ce qui se passait.

– Oh, mon Dieu! souffla-t-elle, horrifiée devant le corps désarticulé qui gisait sur la chaussée.

– Madame! Madame! J'ai pas pu l'éviter, je vous le jure! geignit le pauvre Basile, au bord des larmes. Elle a surgi d'un coup, et j'ai pas pu l'éviter!

La jeune fille émit un faible gémissement. Sa tête roula et un filet de sang s'écoula de ses lèvres sur sa joue fardée. Isabelle se pencha sur elle et souleva son mantelet de grosse laine.

– Le cheval... Le cheval l'a piétinée, expliqua une femme en pleurs. La pauvre petite!

– Vous la connaissez, madame?

– Ou-oui, c'est la petite Charlotte. Charlotte Sylvain, madame.

– Charlotte... Tu m'entends, Charlotte?

La jeune fille geignit, fronça ses sourcils noirs de charbon et entrouvrit les paupières.

– L'hôpital, Basile! Il faut la conduire à l'hôpital!

– L'Hôpital général est le plus proche, madame. Nous y allons!

– Madame! appela la femme qui avait donné le nom de l'enfant. Ceci... est à Charlotte.

Elle tendit un chaton tout noir qui miaulait de frayeur.

– Elle courait pour le récupérer, afin qu'il ne se fasse pas passer dessus par la voiture, expliqua la femme en reniflant.

Se mordant la lèvre, Isabelle la remercia en lui promettant d'en prendre soin jusqu'à ce que la jeune fille aille mieux.

– Vous connaissez sa mère? Vous pouvez l'avertir que...

– Elle a pas de mère, madame. Charlotte est orpheline et vit de ce qu'on lui offre. Elle a ben un frère plus âgé, Paul. Mais on ne l'a pas vu depuis maintenant six mois. Personne ne sait ce qu'il est devenu.

– Je vois... Merci.

Aidé de deux hommes, Basile installa la blessée sur le banc libre de la berline. Puis, on prit sur-le-champ le chemin de l'hôpital des sœurs grises, reconnu pour recueillir les mendiants. Après avoir emprunté la rue Saint-Pierre, la voiture descendit vers la porte de Lachine, traversa le ponceau qui enjambait la rivière et atteignit enfin l'ancienne maison de la Charité de la communauté des frères Charron. Marguerite d'Youville avait repris le bâtiment pour y établir sa congrégation des sœurs de la Charité, qu'on appelait communément « sœurs grises ». Isabelle n'y avait jamais mis les pieds, mais elle avait entendu parler de cette femme et de ses bonnes œuvres.

On transporta Charlotte dans une salle commune où s'alignaient des dizaines de lits occupés par des malades.

– C'était un accident... bredouillait Isabelle en retenant ses sanglots. Elle voulait sauver son chaton.

– Venez, madame Larue, chuchota la religieuse à ses côtés. Venez... vous ne pouvez plus rien pour elle. Mes sœurs vont s'en occuper.

Jetant un dernier regard à la jeune fille prise en charge par deux religieuses, Isabelle suivit la femme dans le sombre couloir qui menait à la sortie. La robe grise paraissait flotter au-dessus du parquet ciré. Seuls les grincements des lames indiquaient que la religieuse était bien humaine.

– Je vous remercie pour votre bonté, madame, lui dit la sœur en se retournant vers elle et en lui prenant la main. Les âmes charitables ne seront jamais de trop ici-bas.

Isabelle serrait le chaton contre sa poitrine crispée de chagrin. La femme soupira et secoua sa coiffe de gaze noire qui couvrait une guimpe de batiste blanche. Elle ne portait pas de voile ni cette cornette trop encombrante pour les tâches quotidiennes. Un crucifix d'argent décoré d'un cœur ardent et de fleurs de lys pendait à son cou.

– Je crains que l'enfant ne passe pas la nuit, madame. Sa

blessure me paraît très grave. Le sabot du cheval a sûrement causé beaucoup de dommages internes.

– Elle... ne survivra pas?

– Il ne faut pas trop espérer, madame. Je suis désolée. Mais Dieu s'occupera de son âme s'Il décide de la rappeler à Lui.

– Si elle s'en sort, pouvez-vous me prévenir? Sinon, si jamais... je prendrai en charge les frais des obsèques.

Esquissant un mince sourire, la religieuse acquiesça de la tête et quitta la pièce. Le chaton miaulait et griffait Isabelle, cherchant refuge dans la tiédeur de son cou. Prenant place dans la berline, la jeune femme laissa l'animal se blottir dans son châle de laine.

– Te voilà orphelin, mon minet, murmura-t-elle, l'œil humide, en caressant la toison d'ébène. Charlotte... Tu aimerais venir habiter chez nous? Tu t'entendras bien avec Arlequine.

Comme pour lui répondre, la petite bête se mit à lui lécher les doigts.

Le terrible accident avait bouleversé Isabelle. En sortant de l'Hôpital général, elle somma Basile, tout aussi chaviré, de retourner immédiatement rue Saint-Gabriel. Son eau de bergamote et de jasmin, qui ne pourrait pas effacer les odeurs de la salle des malades, pouvait attendre.

À son retour, la maison était silencieuse. Elle déposa le chaton sur les tomettes brillantes de la cuisine. Les bonnes odeurs de soupe qui emplissaient la pièce la transportèrent dans son enfance, comme souvent. C'est qu'elle en avait passé, du temps, à regarder Sidonie préparer de bons petits plats, confectionner de belles pâtisseries. Son plus jeune frère, Ti'Paul, aimait se joindre à elles. Il chipait même des miettes lorsque la domestique avait le dos tourné. Mais les deux enfants n'étaient pas dupes : ils savaient que leur Mamie Donie oubliait toujours de vider complètement un bol de caramel ou de glaçage au miel, exprès.

Ti'Paul écrivait à Isabelle à l'occasion. Il lui racontait sa vie à Paris, qu'il avait appris à aimer. La jeune femme sourit en pensant que, si elle venait à le croiser dans la rue, elle ne le reconnaîtrait probablement pas. À dix-huit ans, Ti'Paul était un homme. Il lui manquait beaucoup. Le chaton miaula, se frotta contre sa cheville. Puis, il se risqua à faire quelques pas dans la cuisine. Mais un feulement le figea, et il se hérissa d'emblée.

– Arlequine! gronda Isabelle en ramassant le chaton apeuré. En voilà des manières pour accueillir un nouveau compagnon! Il y aura bien assez de souris pour vous deux cet hiver!

Mécontente, Arlequine sauta de son rebord de fenêtre et fila dans le couloir. Isabelle hésita encore un instant, puis déposa à nouveau le chaton par terre.

– Bienvenue, Charlotte! Voici ton nouveau domaine. Tu as faim?

Elle remplit une soucoupe de lait et la lui offrit avec une caresse.

– Oh! Qu'il est mignon! s'exclama Louisette en entrant dans la pièce avec une pile de serviettes. Où l'avez-vous trouvé?

– Dans la rue... Ah! s'interrompit Isabelle en entendant des éclats de voix venant de l'étude de Pierre. Mon mari est de retour?

– Il discute avec monsieur Étienne, madame, précisa la femme de chambre avec une étincelle dans les yeux. Votre pâte est prête à appliquer. Voulez-vous monter immédiatement? Voulez-vous que je mette l'eau à chauffer pour votre bain?

– Euh... oui. C'est bon, je monte.

Isabelle aurait bien aimé raconter sa triste aventure à Pierre. Mais, dans l'état où elle se trouvait, elle n'avait pas vraiment envie de voir Étienne. Comme elle passait dans le couloir, la porte du bureau s'ouvrit. Étienne, qui semblait surpris de la voir là, la dévisagea et bredouilla un bonjour. Puis, il se retourna avec un certain embarras vers Pierre, apparemment mal à l'aise, lui aussi.

– Vous êtes là depuis longtemps? s'informa prudemment le notaire en étudiant sa femme comme s'il cherchait à lire sur ses traits un secret quelconque.

– Je montais me préparer pour ce soir, Pierre. Ça va bien?

– Oui...

Silencieux, Étienne les observait de son œil sombre.

– Je vous souhaite une bonne soirée.

– Tu ne restes pas souper avec nous, Étienne? demanda Isabelle, plus pour la forme que par désir.

– Non, on m'attend. Une autre fois peut-être. Merci, Isa.

Enfonçant son chapeau sur sa tignasse poussiéreuse, il sortit. Un petit soupir de déconvenue se fit entendre. Louisette, l'air déçu, grimpa les marches avec les serviettes.

Isabelle, voyant Pierre se frotter les paupières avec lassitude en retournant dans son étude, l'interpella:

– Si vous êtes trop fatigué pour aller à ce bal, nous pouvons rester ici, vous savez?

Le notaire n'avait effectivement pas vraiment envie de sortir et de s'amuser. Il venait d'obtenir d'Étienne l'horrible compte rendu de sa mission.

– Non, ma mie, fit-il avec douceur. J'ai juste besoin d'un bon souper pour me remettre d'aplomb. Je n'ai rien mangé depuis ce matin.

– Le repas sera servi à cinq heures.

– D'accord. Je range et je vous rejoins avec un verre de vin?

Rougissant, Isabelle évita le regard de Pierre, qui ne cachait pas son désir.

– Je vais me préparer. Je descendrai lorsque je serai présentable.

Pierre hocha la tête en contemplant la gracieuse silhouette qui grimpait l'escalier. Il se demandait comment il allait annoncer à sa femme la nouvelle qu'il venait d'apprendre.

***

Depuis l'accident de l'après-midi, Isabelle était obsédée par la petite Charlotte. La fille de treize ans était orpheline et n'aurait personne pour la pleurer, hormis un chaton tout maigrelet. Combien de filles comme elle, qui n'avaient jamais connu que la misère, vivaient dans les rues de Montréal? dans celles de Québec? Certes, Isabelle était déjà entrée en contact avec ce monde lorsqu'elle avait porté secours aux indigents durant ces temps particulièrement difficiles engendrés par le long siège de 1759. Mais ces enfants en haillons qu'elle croisait dans la rue, elle s'imaginait toujours qu'une mère ou une tante prenait soin d'eux. Quelle naïveté! Alexander avait raison: elle ne connaissait rien de la faim ni du froid. Elle ne savait pas vraiment ce qu'était la peur, l'horreur de la mort et l'indifférence qu'on en vient à ressentir à force de les côtoyer. Que savait-elle donc de la vraie vie, celle qui accable le commun des hommes?

« Ce n'est qu'une pauvre mendiante! » « Une gueuse de moins! » avait-elle entendu sur les lieux de l'accident. Cela lui avait écorché les oreilles. L'ignorance engendrait la bêtise, qui elle-même engendrait la méchanceté. Il semblait que les gens avaient besoin de cette vision de la pauvreté pour se situer en tant que riches. Isabelle était persuadée que son existence n'était pas le fruit du hasard: Dieu l'avait voulu ainsi. Il fallait donc bien l'accepter et donner un sens à tout ça pour le justifier.

Quel sens pouvait-elle donner à la mort de Charlotte pour alléger sa conscience? Charlotte volait-elle pour vivre? Quelles étaient ses chances de s'en sortir, de vivre une vie normale? Elle n'osait répondre à ces questions. Elle imaginait Charlotte parmi ces filles outrageusement grimées qui se pavanaient devant certains débits de boissons ou le long des remparts, offrant leur unique richesse, leur corps, pour obtenir de quoi se nourrir. Elle, Isabelle, passait devant elles sans oser les regarder, sinon avec un air hautain, avec dédain, les réduisant à l'état de déchet humain, ajoutant à l'humiliation qu'elles devaient déjà subir pour continuer leur vie de peines, en dépit de tout.

Isabelle observait une jeune femme au visage recouvert d'une bonne couche de céruse qui craquait lorsqu'elle souriait d'un air affecté. Ses joues rouge vif luisaient et une mouche de velours ornait la commissure de ses lèvres, tout aussi peinturlurées. Elle ressemblait vaguement à Charlotte. Cependant, elle était la fille d'un seigneur de Trois-Rivières dont Isabelle ne se rappelait plus le nom. Du sang noble coulait dans ses fines veines courant sous sa peau qu'elle protégeait religieusement du soleil pour conserver son précieux teint de lait qui marquait son rang.

Son corsage, qu'elle avait choisi très plongeant, faisait loucher tous les hommes autour d'elle. Ses jolis seins pigeonnants rebondissaient gaiement chaque fois qu'elle bougeait. Portant des épingles garnies de brillants dans ses cheveux poudrés, deux rangs de perles autour du cou et un autre au poignet, des pendants de grenat aux oreilles... cette femme n'avait visiblement pas à mendier pour se nourrir. Elle était la maîtresse d'un riche marchand de Montréal. Pourtant, que faisait une femme entretenue de la sorte, sinon vendre ses charmes?

Et d'abord, pourquoi diable la femme usait-elle ainsi de sa beauté? Si Dieu l'avait créée dans le seul but qu'elle se prosterne devant l'homme et lui obéisse, pourquoi l'avait-Il dotée d'un esprit en plus de sa grâce? Non, la femme avait hérité de la faculté de réfléchir, comme tous les hommes et même au contraire de certains hommes. Si l'Église la réduisait à sa fonction de procréatrice, l'accusait de servir le Mal, ce n'était en fait que pour justifier le comportement de l'homme qui obéissait à ses pulsions sexuelles et oubliait l'amour au profit du plaisir. La femme devait bien en tirer son parti.

Riches ou pauvres, les femmes ne pouvaient améliorer leur sort qu'en usant de leurs charmes, semblait-il à Isabelle. Elle pensa à la marquise de Pompadour, maîtresse du bien-aimé roi Louis, et qu'on disait mourante. Elle se souvint de la belle Angélique Péan, couverte de faveurs par l'intendant Bigot. Quelle différence y avait-il, en fin de compte, entre ces femmes et les pauvres filles comme Charlotte? Toutes usaient de leur pouvoir de séduction pour obtenir des hommes ce dont elles avaient besoin. Seules leurs appétences différaient.

Elle songea à Pierre, à qui elle refusait ses droits conjugaux depuis maintenant sept mois. Un simple clin d'œil, un certain sourire suffiraient... « Tu peux obtenir ce que tu veux de n'importe quel homme, si tu le désires. Tu comprends cela? Un battement de cils, un sourire, et il se prosterne devant toi, Isabelle. Quelles armes efficaces avez-vous, vous, les femmes, pour conquérir et dominer le cœur des hommes! » Aujourd'hui, les paroles d'Alexander prenaient tout leur sens dans son esprit.

Tournant la tête, Isabelle replongea dans la discussion qui se déroulait entre Cécile Sarrazin et quelques connaissances. Coincée, sur le canapé tendu de brocart bleu pervenche rayé de vert, entre Françoise Rouvray et la jeune Perrine-Charles Cherrier, fille du notaire Cherrier de Saint-Denis, elle se faisait discrète. Cécile Sarrazin exprimait son mécontentement concernant les services de sa couturière qui lui demandait toujours plus pour lui confectionner une robe. Cependant, elle devait bien reconnaître que la roublarde avait bon goût pour les tissus et savait couper ses vêtements de manière à bien mettre en valeur sa silhouette...

– Quelle horreur! s'exclama soudain la voix haut perchée et agaçante de Perrine-Charles. Vous avez vu Muriel Johnston, là-bas?

– Vraiment, ces Anglaises n'ont aucun goût en matière de mode!

Françoise pencha la tête, d'où tomba une fine neige qui saupoudra ses grasses épaules, et fit mine de jauger la jeune femme d'un œil expert.

– Elle est d'une simplicité... si vulgaire!

– Et sa coiffure... On dirait une queue d'écureuil!

– Un porc-épic, plutôt! ricana Perrine-Charles dans sa paume.

Des éclats de rire s'étouffèrent derrière les éventails.

– Moi, je la trouve jolie, affirma Cécile en lorgnant la demoiselle en question. Dommage qu'elle paraisse si malheureuse.

– Jolie? Bah! Enfin... peut-être lorsqu'elle sourit, concéda Arielle en plissant les yeux par-dessus son verre. Mais cela arrive tellement rarement. Ses dents sont peut-être trop vilaines? Qu'en pensez-vous?

– Non, je crois que c'est son mari qui ne l'autorise pas à faire la coquette. Rigueur protestante oblige! Pourtant, lui ne se gêne nullement pour lorgner les fesses de...

– Cécile! s'offusqua Françoise sans pouvoir s'empêcher de sourire.

Cécile tourna sur elle-même et secoua ses paniers avec éloquence. Les autres rigolèrent.

– Voulez-vous une petite démonstration?

– Avec une épouse aussi effacée et aussi terne que Muriel, ma chère Cécile, monsieur Johnston ne peut faire autrement que de lorgner ce... vous savez quoi... si vous le lui balancez aussi agréablement sous le nez!

« Et voilà! » se dit Isabelle en tournant la tête vers la pâle créature qui faisait les frais du régiment d'amazones armées de propos acérés et de fausses prétentions chrétiennes. Ces femmes se réunissaient régulièrement chez l'une ou chez l'autre pour broder, se montrer leurs toilettes, attiser l'envie et la jalousie. Isabelle les écoutait sans rien dire se raconter des confidences d'un air compassé et s'en servir comme d'une arme au moment opportun. Elle les regardait avec écœurement faire des sourires mielleux, derrière lesquels se dissimulaient des dents carnassières, prêtes à mordre et à déchiqueter.

Isabelle s'ennuyait mortellement avec ces femmes. Elle participait à ces conversations pour Pierre uniquement, ses bonnes relations avec les épouses des hommes les mieux nantis ne pouvant être que bénéfiques pour les affaires du notaire. Mais elle détestait tout cela, elle détestait cette « belle société » aux manières prétentieuses. Aujourd'hui plus que d'habitude, elle se sentait une étrangère dans ce monde qui lui apparaissait brusquement si superficiel, si dénué de sens. Était-ce le reflet de sa propre vie, de ce qu'elle était?

– Moi, je dis tant mieux si lady Johnston préfère paraître sous son plus mauvais jour! Cela nous fait un souci de moins. Nous ne pouvons pas en dire autant de cette délurée de Caroline de Rouville! grogna Françoise. Une « croque-maris », celle-là!

« Oh oui! Et elle a déjà croqué le vôtre, ma chère Françoise! Le saviez-vous? » se moqua *in petto* Isabelle en se composant un air choqué. Les femmes soupirèrent, certaines d'envie, les autres de dépit. Mais, pour ce qui était de la beauté de la demoiselle, elles étaient toutes d'accord.

– On la dit intime avec le seigneur de La Corne.

– Entre autres, ma chère Arielle! Je l'ai vue la semaine dernière dans le carrosse de monsieur Cramahé... puis une autre fois au bras de monsieur Caldwell. Quel marchand véreux, celui-là! Saviez-vous qu'avec William Grant, il se servait dans les fonds publics à des fins personnelles? C'est scandaleux! Ces Anglais ne se contentent pas d'épouser nos filles pour accroître leur pouvoir sur nous grâce aux dots. Ils font tout pour nous pousser à la ruine et s'emparer de ce qui nous reste de dignité!

– Pas seulement les Anglais, ma chère. Ces rustres d'Écossais cherchent à se faire les maîtres du commerce maritime.

– Ne sont-ils pas anglais, les Écossais?

– Non. Ils sont britanniques, pas anglais, déclara Isabelle avec agacement.

– Vraiment? fit Arielle en tournant vers elle ses grands yeux de fausse ingénue. Vous me semblez bien renseignée, chère amie!

Isabelle n'écouta pas la suite. Les propos désobligeants et les ricanements se perdirent pour elle dans le bourdonnement de la salle. Elle venait d'apercevoir Pierre et Jacques, qui se joignaient au groupe dont faisait partie la belle demoiselle de Rouville. Elle ne put s'empêcher de faire la moue, déçue. Les deux hommes étaient-ils aussi les «intimes» de cette «croque-maris»? Elle eut un pincement au cœur en voyant Pierre se pencher sur la jeune beauté et lui toucher le bras. Le silence se fit soudain autour d'elle.

– Je constate que notre cher ami Pierre recherche de nouvelles relations d'affaires! fit remarquer sur un ton sarcastique le bec de pie de Françoise.

Piquée au vif, Isabelle se tourna vers la femme avec un petit sourire en prenant le temps d'affûter sa réplique.

– Moi, au moins, je sais avec qui se trouve mon mari. Françoise, je vous conseille fortement de faire un tour du côté du verger. L'air y est doux et sucré. La lune éclaire assez pour y voir... Enfin, vous aussi, ainsi, saurez avec qui votre mari fait «ses affaires».

Esquissant un sourire poli mais suffisant, Isabelle se leva et salua ses compagnes. Puis, s'excusant auprès de Cécile qui riait sous cape, elle s'éloigna pour rejoindre Pierre avant qu'il ne donne encore à cette bande de mégères matière à médire.

Le groupe était en plein débat sur la guerre à laquelle se livraient les marchands anglophones et francophones au moyen de libelles. On la salua. Pierre retira prestement la main qu'il avait posée sur l'avant-bras de Caroline. Lui lançant un regard froid, elle se rapprocha de Jacques Guillot et de Marie-Charlotte Trottier Desrivières. Cette dernière, défiant les convenances, exhibait sa première grossesse avec fierté malgré l'opinion réprobatrice de certaines.

De toutes les femmes qu'Isabelle fréquentait, Marie-Charlotte était la plus agréable. Intelligente et perspicace, la jeune femme, qui tenait un salon bien fréquenté depuis maintenant un an, ne limitait pas ses intérêts aux éternels potins féminins. Les sujets politiques et militaires des hommes, qui animaient les conversations lors des soirées qu'elle donnait, l'intéressaient davantage. Partageant ses goûts et admirant sa gentillesse avec tout un chacun, sans considération du rang social, Isabelle l'aimait sincèrement. Elle ne refusait jamais une invitation de sa part à prendre le thé.

– Ce Walker n'est qu'un intrigant! s'exclama justement avec mépris son amie. Ce marchand anglais de Boston, protestant anticatholique, dit à qui veut l'entendre que son roi n'a pas combattu et triomphé ici pour que des idolâtres se hissent sur les sièges parlementaires. Il prétend que le pays sera bientôt gouverné par Satan!

L'évocation de cet exécrable personnage qu'était Thomas Walker fit grimacer Isabelle, qui savait que Pierre le rencontrait à l'occasion. Si cet homme, qui venait d'être nommé premier magistrat civil, détestait autant les Canadiens qu'on le racontait, elle ne comprenait pas pourquoi son mari l'acceptait dans son entourage. Si le notaire lui parlait de temps à autre de ses relations et des contrats en cours, elle ne posait jamais de questions sur ses affaires. Elle n'était en fait aucunement intéressée par tout ça. Toutefois, concernant Walker, elle jugeait que quelques explications s'imposaient.

– Murray le remettra à sa place! claironna Pierre en prenant deux verres de tokay sur le plateau que lui présentait un laquais dans sa livrée rouge sombre.

Isabelle accepta avec un sourire pincé le verre qu'il lui tendit.

– Murray? fit Jacques Guillot en fronçant les sourcils. Je crains qu'il ne soit en bien mauvaise position. Les commerçants anglais ne cessent de lui demander d'expulser les marchands canadiens du pays. Même l'ancien gouverneur Burton ne reconnaît pas son autorité. Il s'en remet uniquement à Gage, qui se trouve dans les colonies américaines. Cela ne plaît vraisemblablement pas à tous les Anglais qu'il reconnaisse le Québec comme colonie française et les Canadiens comme peuple distinct, qu'il ait compris que nous imposer un régime totalitaire anglais ne profitera à personne, et qu'il tente, dans ce but, d'assouplir le système juridique pour nous permettre de conserver la Coutume de Paris.

– Il le fait bien en vain! répliqua Marie-Charlotte. Nos maris doivent prêter le serment du Test[52] pour accéder aux postes de magistrature d'importance.

– Oubliez la Cour du banc du roi[53], messieurs, ajouta monsieur Denis Viger. À moins d'être huguenot, et encore... quand on est

---

52. La loi du Test, votée en 1673 par le Parlement anglais, interdisait aux catholiques d'occuper un poste dans l'administration ou dans l'armée. Pour accéder aux postes de pouvoir, les catholiques devaient prêter le serment du Test, par lequel ils abjuraient leur foi. Au Canada, l'obligation de prêter ce serment fut abolie par l'Acte de Québec, en 1774. La loi du Test fut définitivement abolie en 1829.

53. Le plus haut tribunal de la province de Québec à l'époque.

francophone, on est relégué à la Cour des plaids communs[54]. Des laquais, des garçons d'écurie! Voilà ce que les Anglais veulent faire de nous! Cela ne peut pas continuer comme ça!

– Mais de quoi vous plaignez-vous, mon cher ami? ricana Marie-Charlotte. On vous octroie quand même gracieusement le droit d'être juré! Quel beau morceau de sucre!

– Je trouve la friandise un peu acidulée, si vous voulez mon avis. Non, mais vous vous rendez compte?! Une poignée de protestants se font les juges de plus de quatre-vingt mille Canadiens! Ces gens ne parlent ni ne comprennent le français. Ils ne connaissent pas non plus nos coutumes. C'est inadmissible! À Trois-Rivières, ils n'établissent pas de cour parce qu'il n'y a pas assez de protestants. Ils doivent partager leurs causes entre celles de Montréal et Québec. C'est un scandale!

– Malgré cela, Walker n'est toujours pas satisfait, reprit Jacques Guillot. Sa clique et lui refusent systématiquement de siéger avec le conquis, surtout lorsqu'il s'agit de régler un litige mettant en cause deux protestants. Ils prétendent qu'on est une menace pour leur religion et le pouvoir en place.

Un éclat de rire retentit. Caroline de Rouville regarda Jacques Guillot d'un œil espiègle.

– Vous me semblez être un homme terriblement menaçant, monsieur Guillot! Vous faites certainement frémir... enfin, du moins, les femmes.

Fronçant les sourcils avec perplexité, Jacques Guillot sourit.

– Je suppose que venant de votre jolie bouche, mademoiselle de Rouville, cette déclaration doit être considérée comme un compliment.

– N'osez pas croire le contraire. Vous êtes un homme très charmant. Malheureusement, vous connaissant, je dois me ranger à l'avis des juges anglais en ce qui vous concerne. Vous parlez trop fort! Et cela fait peur. Les serpents silencieux font les ennemis les plus redoutables.

Cette fois, la taquinerie vexa l'homme. Avec un sourire pincé, il se détourna de la demoiselle, qui lança un regard en coin à Pierre - Isabelle ne manqua pas de le remarquer.

– Walker veut démettre Murray de ses fonctions. De toute évidence, il veut se venger des problèmes qu'il a connus avec le système juridique militaire. Il distribue à cet effet des pétitions dans le but de les soumettre au roi. Les relations entre les civils anglais et les

54. Cour des plaidoyers communs.

militaires s'enveniment. Le plus petit conflit prend des proportions inquiétantes. Ça chauffe, mes amis!

– Il serait bien dommage qu'on nous enlève le général Murray. Il est le seul qui tolère, pour ne pas dire protège, notre religion et notre langue, fit Caroline en soupirant.

– Pour combien de temps? Il a les mains liées et on tente encore de lui attacher une pierre aux pieds pour le faire couler plus rapidement! Je vous assure, nous devons affronter ces despotes, résister à ces marchands anglais qui veulent nous anéantir! Ils poussent le gouvernement anglais à faire disparaître nos communautés religieuses.

– Ironiquement, en France, l'athéisme gagnant du terrain, on parle d'interdire les jésuites, fit remarquer Viger. Que nous restera-t-il si cela devait se produire?

Jacques Guillot acquiesça.

– C'est vrai. Et ces philosophes qui cherchent à ébranler l'absolutisme monarchique en prônant les mêmes droits et libertés pour le peuple que pour les nobles ne nous aident en rien. Puis, il y a les sulpiciens... Les Anglais, après leur avoir refusé toute correspondance avec leur maison mère située là-bas parce qu'ils craignaient qu'ils espionnent pour le compte de la France, les empêchent maintenant de faire venir de nouveaux prêtres. De plus, ils ont confisqué tous leurs biens. La congrégation va finir par disparaître ici. Le collège étant fermé, qui enseignera à nos fils? Ils resteront dans l'ignorance, et les conquérants seuls exerceront les professions libérales!

– Nous pourrions ouvrir des écoles modernes, riposta Pierre. Il n'est pas absolument nécessaire de s'en remettre aux communautés religieuses pour l'éducation de nos fils. Je veux bien accepter que l'Église s'occupe de notre morale chrétienne. Mais je ne vois pas ce que peut nous apporter, en affaires, de tendre gentiment la joue lorsqu'on nous frappe et de garder une chemise quand nous prenons un bain...

Caroline l'interrompit d'un rire de gorge et lui lança une œillade. Apparemment, elle en savait long sur ses rituels d'ablution.

– Vous avez du persil entre les dents, mademoiselle Rouville, laissa tomber Isabelle.

La jeune femme arrêta net de rire et se cacha derrière sa main. Des témoins sourirent, tandis que Pierre s'éclaircit la gorge.

– Les ursulines sont toujours là pour l'éducation des jeunes filles. Et puis, ne sommes-nous pas libres de pratiquer notre religion à notre guise?

– Pour que les Anglais puissent mieux nous empêcher de voter? s'exclama Jacques Guillot. Les catholiques n'ont pas le droit de vote. Ah! Voilà qui est très libéral, en effet! Monsieur, ouvrez grands les yeux avant qu'il ne soit trop tard! Walker vous manipule, il vous contrôle!

Pierre Larue étrécit ses prunelles en les posant sur son associé. Il parut être sur le point de répliquer du tac au tac, mais prit quelques secondes avant de répondre.

– Un gouvernement pour le peuple, par le peuple... Voilà ce que nous offrent les Anglais.

– Mais de quel peuple parlez-vous? Des Canadiens ou des Anglais?

– Nous ne faisons plus qu'un, désormais. Vous ne comprenez pas! Il n'est pas question de s'angliciser, Jacques. Nous avons la chance d'instaurer un gouvernement, un vrai...

– À nos dépens! le coupa Isabelle, qui ne pouvait plus se retenir. Pour prendre part au gouvernement, il nous faudra devenir comme eux. Et c'est certain qu'ils veulent que nous devenions comme eux! Attendez-vous que vos petits-enfants vous saluent en disant *Hello grandpa!* pour vous en rendre compte? Vous êtes contaminé, Pierre.

Blême de rage, Pierre foudroya Isabelle du regard. Certes, il lui demandait souvent son avis sur certaines questions politiques et sociales et tolérait même qu'elle eût des opinions différentes des siennes. Mais, de là à ce qu'elle les étale sur la place publique et l'affronte devant leurs amis! Elle allait trop loin!

Un silence embarrassé retomba sur le groupe. Devinant les pensées qui altéraient les traits de son mari, Isabelle comprit qu'elle aurait mieux fait de se taire. Elle se détourna et croisa le regard ambré de Jacques Guillot. Il y eut quelques raclements de gorges, puis la conversation reprit sur un autre ton. Néanmoins, au bout d'un moment, Isabelle s'éclipsa discrètement pour se diriger vers les portes qui s'ouvraient sur les beaux jardins des Sarrazin. Elle descendait les six marches de pierre menant à l'allée de gravier lorsqu'une poigne ferme la saisit et la fit pivoter.

– Comment osez-vous? Comment osez-vous m'humilier ainsi?

– Je suis désolée, Pierre. Ce n'était pas mon intention, je vous assure...

– Vraiment?

Peut-être était-ce cependant une petite vengeance non préméditée... Il avait manqué de discrétion avec Caroline, il le savait, même s'il n'avait commis aucun impair qui l'eût mise dans l'embarras. Mais qu'avait-elle à y redire? N'était-ce pas elle qui lui avait imposé cette pénible situation?

– Cela m'a échappé. Pardonnez-moi.

Il libéra son bras, qu'elle frictionna en se détournant. La voûte céleste s'était parée de teintes sublimes. Les violets vespéraux se reflétaient sur le taffetas couleur crème de sa robe. Devant la beauté de sa femme, Pierre sentit sa colère fondre et laisser place à de l'amertume. Ce qu'il la désirait! Comparée à elle, Caroline n'était qu'une ombre.

– Les femmes ne devraient pas se mêler de politique. C'est un sujet qui...

– Ne trouve pas d'échos dans la tête vide d'une potiche? Est-ce tout ce que je suis, Pierre, une jolie bergère de Meissen sur une commode? Belle mais inutile?

Était-ce ce qu'elle était devenue? Était-ce là toute sa vie? Regarder, observer et écouter en silence? Elle voyait bien Pierre faire des courbettes devant les Anglais qui faisaient tinter leur or sous ses yeux. Mais elle ne croyait pas qu'il était cupide au point de ne pas réagir à la menace d'un gouvernement anglais totalitaire. Un rire venant du bout de l'allée mit un terme à ses pensées: un couple venait. Le chuchotement de la soierie des toilettes se mêlait aux murmures de la conversation. Pierre attendit que les amoureux fussent hors de portée de voix.

– Ce n'est pas ce que je voulais dire...

Pierre ne voulait pour rien au monde envenimer ses relations avec Isabelle, lesquelles étaient déjà assez difficiles. Il leva sa main pour caresser le visage convulsé, mais sa femme se déroba.

– Je vous en prie, Isabelle.

– Pierre! Vous, un Canadien, vous vous acoquinez avec des marchands anglais qui ne connaissent que la cupidité, qui ne sont que des sangsues? Pourquoi? Ces gens veulent instaurer une assemblée législative élue et empêcher les catholiques de voter. Est-ce ce gouvernement que vous encensez? Que ferez-vous lorsque cela se produira, hein? De quel peuple ferez-vous partie? Vous convertirez-vous? Vous savez que monsieur Guillot a raison.

– Nous n'avons pas le choix, Isabelle. Nous devons nous associer avec eux et inversement, vous devez le comprendre.

– Vous m'en demandez trop, je le crains.

– Isabelle!

Pierre soupira. Que pouvait-il dire? Il ne pouvait réfuter les propos de sa femme, mais pensait en même temps qu'à nager contre le courant, on risquait de se noyer. Pendant un instant, ils restèrent immobiles à se dévisager. Puis, il fit courir sa main sur l'épaule nue d'Isabelle, la glissa dans la dentelle qui couvrait sa nuque, et l'attira à lui. Elle ferma les yeux.

– Ma mie, pour mieux apprivoiser le loup, il faut apprendre à le connaître.

– Que voulez-vous dire?

– Bien sûr que Jacques a raison. Mais je mène la bataille à ma manière. Afficher ouvertement son mépris, crier haut et fort sa haine ne nous aideront en rien. Les fondations de notre pays sont solides, Isabelle. Il faut le leur faire sentir. Ils doivent comprendre qu'ils ne peuvent pas les raser comme ça. Nous devons faire en sorte qu'ils s'en servent pour ériger une nouvelle nation, qu'ils bâtissent dessus. Pour cela, il nous faut mettre le pied dans le mortier pendant qu'il est encore frais. Ils ne pourront jamais diriger ce pays sans nous.

– Oh! fit Isabelle, confuse et émue. Pierre... pardonnez-moi mon manque de jugement. Vous faites donc des alliances, nouez des amitiés dans le but de vous insinuer dans les allées du pouvoir?

– Vous êtes bien loin de raisonner comme une potiche, ma mie.

Il susurrait maintenant d'une voix feutrée dans le creux de l'oreille de la jeune femme. Bien que son esprit fût quelque peu embrumé par l'alcool, Isabelle ne jeta pas les armes et se raidit.

– Isabelle, mon ange, ma douce...

Pierre la suppliait en la pressant contre lui et en cherchant sa bouche. Elle le repoussa avec fermeté. Il n'insista pas, se souvenant de ce qu'il devrait lui annoncer dès leur retour à la maison. Elle aurait alors besoin de lui. Leurs regards se croisèrent, et ce qu'il put lire dans celui d'Isabelle lui donna confiance. Le feu brûlait en elle; il saurait l'en délivrer bientôt. Sans un mot de plus, il lui offrit son bras pour la raccompagner. Mais elle déclina l'invitation, prétextant qu'elle désirait rester pour admirer le ciel.

– Vous allez prendre froid!

– Quelques minutes seulement.

Un léger mouvement sous une tonnelle chargée de vignes rougissantes attira l'attention de Pierre. Une parure de diamants étincela. Il avait oublié Caroline, et fut choqué qu'elle les épiât. Néanmoins, frustré, il décida d'aller la rejoindre.

– Quelques minutes? Bon... je dois rencontrer quelqu'un pour une affaire urgente. Cela ne devrait pas durer longtemps. Attendez-moi à l'intérieur.

Il allait l'embrasser sur la joue, mais se ravisa, honteux. Le baisemain, plus formel, était préférable. Il s'inclina et fit volte-face. Isabelle le regarda partir et se tourna vers le ciel avant de le voir rentrer.

Pour un peu, elle aurait permis à Pierre de laisser sa bouche vagabonder sur son cou, sa main folâtrer dans les nœuds de soie, sur son corsage. Elle avait eu envie de le laisser la caresser, l'embrasser...

Après quelques pas, l'émotion passée, la jeune femme se rendit compte qu'il faisait effectivement frisquet et se frotta vigoureusement les bras. Cependant, elle ne tenait pas à retourner à l'intérieur. Elle étouffait dans ces bals où l'atmosphère était saturée des parfums des corps. De plus, elle savait qu'après son coup d'éclat, les mauvaises langues devaient aller bon train.

La nuit était chargée d'humidité. Un plan d'eau miroitait au centre des jardins, à la croisée des allées qui formaient ironiquement les croix du Union Jack britannique. Tout en se dirigeant lentement vers lui, Isabelle repensa à ce que lui avait confié Pierre. Ainsi, il ne reniait pas ses origines, loin de là. Elle eut une bouffée de fierté. Son mari usait d'une hypocrisie maligne pour arriver à ses fins. C'était un trait de caractère qu'elle ne lui connaissait pas. « Les serpents silencieux font les ennemis les plus redoutables », avait affirmé Caroline de Rouville. Elle grimaça: cette jolie dame semblait en savoir beaucoup plus sur Pierre qu'elle-même, sa propre épouse. Se penchant au-dessus du bassin, elle admira son reflet flou auréolé d'un ciel indigo. Le croissant de lune lui souriait entre deux nénuphars.

– Madame, m'accorderiez-vous quelques minutes de votre agréable compagnie?

Sursautant et pivotant sur ses escarpins, Isabelle se retrouva face à Jacques Guillot, qui lui souriait. Avisant son air éberlué, il se reprit:

– À moins que je ne vous dérange?

– Non, monsieur Guillot. J'admirais la lune... dans l'eau.

– Ah! la lune, à laquelle on accroche nos rêves, sous laquelle on soupire d'amour! Elle connaît mieux que quiconque le côté obscur des hommes. Elle est témoin de tant de sinistres complots ourdis à la lumière jaune des chandelles, de tant de fleuves de larmes, de tant d'étreintes fiévreuses... Mais je vous ennuie peut-être?

– Du tout, du tout, monsieur Guillot. Continuez. C'est charmant!

– Dame lune, égérie à la cuirasse d'argent chevauchant la folle nuit des hommes. Sublime souveraine dans son scintillant royaume. Elle inspire la pire crainte ou la plus douce pensée. Elle éclaire de sa lumière la perfection de ce monde ou jette de l'ombre sur ses pires infamies. Saviez-vous, madame, qu'en ce moment la poussière de lune vous entoure?

– Vous parlez bien, monsieur Guillot! s'exclama Isabelle en

riant pour cacher son trouble. Je me souviendrai donc de cette robe que je porte comme de la robe «poussière de lune». C'est charmant! C'est vrai que, cette nuit, le ciel est remarquable et le temps, particulièrement doux pour un mois d'octobre.

– Mais l'air se rafraîchit. Vous devriez rentrer.

– Non, je préfère profiter au maximum de ces derniers jours de beau temps. L'hiver approche si rapidement.

Il tiqua. Il aurait préféré la ramener à l'intérieur, de peur de croiser Pierre... Mais bon, les jardins étaient vastes et ils éviteraient les endroits intimes aménagés çà et là.

– Dans ce cas, promenons-nous dans le jardin... en souhaitant que le loup n'y soit pas!

Il lui offrit son bras, qu'elle accepta de bonne grâce en riant. Ils marchèrent en silence pendant un moment, passant entre les grosses touffes de lavande et de ciboulette, et les rangs de buis soigneusement taillés, écoutant les galets s'entrechoquer sous leurs pas et le murmure joyeux du bal derrière eux. Les tilleuls ondulaient avec grâce dans un doux bruissement. Le jeune homme se pencha pour arracher une feuille de menthe; son léger parfum embauma.

– Vous écrivez, monsieur Guillot?

– Écrire?

– Je veux dire, des vers, des sonnets?

– Oh, non! Que Dieu m'en garde! Jamais je n'oserais immortaliser dans un carnet les mots que me souffle parfois l'inspiration du moment. Si j'ai parfois l'âme d'un poète, je n'en ai malheureusement pas la plume, je le crains.

– Dommage! Moi qui ai toujours cru que de la plume d'un poète coule son âme...

Ralentissant le pas, Jacques Guillot sourit à Isabelle, la considérant d'un œil amusé.

– Seulement si une muse délivre cette âme des conventions d'une société bigote et cauteleuse qui lui interdisent tout épanchement public.

– Une muse?

Isabelle s'immobilisa.

– Bien sûr! Tout poète a besoin d'une muse, vous ne saviez pas cela? C'est elle qui colore l'encre et parfume les mots.

– Oui, enfin... Vous n'avez donc pas encore trouvé la vôtre, monsieur Guillot?

Le jeune homme laissa durer le silence pendant un moment.

– Si, je l'ai trouvée, murmura-t-il. Mais j'attends qu'elle vienne à moi.

La main d'Isabelle glissa, mais Jacques Guillot la retint juste au moment où elle allait quitter son bras.

– Vous grelottez, madame! Êtes-vous certaine de vouloir poursuivre cette promenade?

– Oui, répondit Isabelle après une brève hésitation.

Il y eut un lourd silence. Elle changea de sujet.

– L'automne est ma saison préférée. Les couleurs sont si belles, si pures. La lumière a une luminosité dorée, chaude, propre à cette période de l'année. Et la terre, les arbres et les plantes dégagent un tel parfum... hum... comme si toute la végétation nous offrait ses dernières faveurs.

– Oui, acquiesça Jacques Guillot en faisant mine de humer l'air et en observant les buissons. Mais chaque saison a ses charmes. L'étiolement de l'une nous fait espérer, attendre la suivante.

– C'est juste, murmura Isabelle, qui rêvait déjà de l'hiver.

Bientôt, un épais manteau de neige recouvrirait les toitures de Montréal et confinerait les habitants entre les quatre murs de leurs maisons, jusqu'au printemps prochain. Finis les pique-niques dans les vergers et sur les rives de la rivière Saint-Pierre. Cependant, la vie mondaine ne s'arrêterait pas pour autant. Les soupers et les bals se poursuivraient jusqu'au carême, l'étourdiraient dans un tourbillon qui ne la laisserait guère souffler.

La jeune femme se rappela le dernier sermon du curé à ce sujet: «Ces infâmes parties de plaisir où le dévergondage et la débauche avilissent les âmes pures de ces pauvres jeunes filles qui y sont conduites par leurs mères immorales.» L'homme de Dieu ne s'était pas gêné pour pointer du doigt madame Dutellier, qui n'avait cependant pas baissé les yeux devant l'affront public. Ensuite, il avait poursuivi en faisant quelques pas de danse, assez gracieusement, pour dénoncer ces gestes et ces mouvements du diable qui entraînaient vers des plaisirs honteux, n'étaient qu'abomination et n'apportaient que déshonneur et maladies. Elle se demandait où il avait appris à si bien danser.

Si Isabelle attendait la saison froide avec une hâte toute fébrile, c'était en fait surtout parce qu'elle savait que les voyageurs revenaient des Pays du Nord, notamment Van der Meer et ses hommes. Alexander serait de retour. Bien qu'il lui eût clairement exprimé son intention de ne plus jamais la revoir, elle avait décidé qu'il en serait autrement. Elle le reverrait.

La voix basse de Jacques Guillot la ramena à lui.

– J'ai appris pour... l'accident, madame. Cela a dû être une expérience terrible pour vous.

– L'accident? Ah... oui. J'en suis encore tout ébranlée.
– L'enfant?
– Elle est au plus mal. On m'a avertie de ne pas trop espérer.
– C'est triste.
– Oui, bien triste.
– Oh! Attention!

Le jeune homme attrapa Isabelle par la taille et la souleva dans une virevolte pour l'empêcher de mettre le pied dans les immondices que venaient de laisser derrière eux les bichons de madame de Varennes. Les épaisses silhouettes de la dame et de sa bru se distinguaient dans la nuit, à quelques pieds. Isabelle frémit. La galanterie et le charme de Jacques Guillot la troublaient tout autant que ses paroles. Elle n'ignorait pas qu'il cherchait à l'impressionner pour la conquérir. Elle enleva prestement ses mains du justaucorps de velours tout neuf et se racla la gorge pour montrer son embarras.

Le jeune homme lui sourit et l'invita à continuer la balade. Depuis ce jour où il l'avait vue au bras de Pierre Larue, dans ces mêmes jardins, il en était tombé amoureux. Tout, dans les gestes d'Isabelle, exprimait une sensualité naturelle, candide, une grâce qui n'avait pas besoin de fard. À cette époque, il travaillait pour le notaire Mézières. La flèche ensorcelée de Cupidon avait transpercé son cœur. Il avait revu la jeune femme à quelques reprises, au cours des semaines qui avaient suivi, mais rapidement. Puis, la chance lui avait souri: Pierre Larue cherchait un employé pour l'aider.

Destiné à la maçonnerie comme son père, Jacques Guillot ne se voyait pas passer sa vie à empiler des briques et des pierres. Bien que le métier de maçon fût honorable, il aspirait à autre chose. Pourvu d'une intelligence supérieure à la moyenne, il avait appris à lire et à écrire très tôt, avec l'aide d'un oncle. Puis, tout en construisant des murs, il avait commencé à se tracer une voie dans la grande société, en offrant ses services de comptable ou d'écrivain. Ce n'est que plus tard, après le décès de son père et avant la capitulation de Montréal, qu'il avait voulu devenir notaire.

Monsieur Mézières s'était occupé de la succession de son père. Le jeune homme avait passé de longues heures à discuter avec lui de la situation des Canadiens sous le nouveau gouvernement britannique qui remplaçait celui de Vaudreuil, et de celle des magistrats catholiques qu'on mettait de côté. Il avait alors senti monter en lui une ferveur patriotique qui lui avait donné le goût de se battre avec acharnement pour ne pas laisser les Anglais lui voler ses droits.

Il avait compris que cette même ferveur, quoique assoupie par l'ennui, habitait le cœur d'Isabelle, et il désirait la réveiller. Cet imbécile de Larue se prosternait devant l'élite britannique qui n'attendait que le bon moment pour lui marcher sur la tête. Isabelle devait le secouer avant qu'il ne soit trop tard, avant que les Canadiens n'en fussent définitivement réduits à occuper des postes de second plan et ne puissent plus prendre part aux vraies décisions concernant leur pays.

– Mon mari a-t-il retrouvé le contrat du marchand Van der Meer? demanda Isabelle en appuyant sur le mot « mari ».

– Le contrat de Van der Meer? Euh... oui. Il l'avait emporté avec lui.

Ils reprirent leur marche, laissant entre eux une distance.

– Ah bon? Monsieur Van der Meer serait donc rentré à Montréal et aurait voulu modifier?... demanda-t-elle d'une voix chargée d'espoir.

Jacques Guillot s'immobilisa et la dévisagea d'un air incertain.

– Votre mari ne vous a pas annoncé la triste nouvelle?

– La triste nouvelle? Monsieur Van der Meer ne rentrera pas à Montréal pour l'hiver?

Isabelle avait le cœur qui s'emballait. Elle ne pouvait croire qu'Alexander fût resté dans les Pays du Nord pour hiverner. Devant son trouble évident, le jeune homme hésitait à poursuivre.

– Mais expliquez-vous, Jacques! s'impatienta-t-elle en lui prenant le bras.

Elle l'avait appelé par son prénom! Il en était tout ragaillardi.

– Monsieur Van der Meer ne reviendra pas. C'est une terrible histoire, madame. Le négociant et les quelques hommes qui revenaient avec lui ont tous été massacrés. Par des Sauvages, raconte-t-on.

Isabelle demeura un moment sans réagir. Puis sa poitrine se crispa à un point tel que l'air n'y pénétra plus. Elle allait défaillir. Heureusement, le jeune homme, inquiet, la retint d'une poigne solide et la fit asseoir sur un banc de pierre.

– Massacrés... par des Sauvages? Tous massacrés?

– Je... ne vous savais pas aussi attachée au marchand, madame, bredouilla Jacques Guillot, mal à l'aise. Je n'aurais pas dû vous apprendre la nouvelle ici, je m'en excuse... J'aurais dû laisser votre mari...

Isabelle fixait l'épingle brillante qui ornait la cravate du jeune homme. Alexander, mort? Tué, assassiné, massacré par des Sauvages? Tandis que Jacques Guillot cherchait, de sa voix douce, à la consoler d'un chagrin dont il ignorait la source, elle pensa à Gabriel. Le petit garçon était orphelin et ne le saurait pas. Il continuerait à vivre heureux sans jamais connaître son véritable père. Alexander... elle ne le reverrait plus jamais...

– Madame, madame, puis-je... courir vous... un verre d'alcool? Voulez-vous que... vous conduise... maison? ... quérir... mari?

Égarée, elle regardait le jeune homme sans le voir, n'entendait que des bribes de ses paroles affolées. Elle sentit ses doigts se desserrer sur ses épaules et eut l'impression que, s'il la lâchait complètement, elle s'envolerait dans la nuit et s'y perdrait à jamais.

– Non!

Elle s'accrocha au col de sa veste. Désorienté, il ne put que refermer ses bras sur elle et la bercer contre lui. Il ne comprenait rien à la réaction d'Isabelle, refusait de croire qu'elle pouvait avoir des sentiments amoureux pour le vieux marchand. Il imaginait mal sa fraîcheur dans les bras tout rabougris du vieil homme. Quelque chose lui échappait. Malgré cela, son chagrin l'attendrissait. Quels que fussent ses états d'âme, Isabelle l'enchantait.

Il serra contre lui le corps si désirable de cette femme. Les sanglots s'estompaient peu à peu. Elle restait lovée contre lui comme une petite chatte perdue. Il avait envie de la caresser, mais ne s'y risqua pas. La situation était déjà assez compromettante.

– Vous avez froid, madame. Venez!

– Combien étaient-ils? Connaissez-vous les noms des hommes qui étaient du voyage? demanda-t-elle en reniflant, espérant avec ferveur qu'Alexander ne fût finalement pas reparti vers Montréal.

– Non, c'est votre mari qui connaît tous les détails de l'affaire. Votre frère, si je ne m'abuse, serait arrivé sur les lieux peu après l'attaque. Il n'y avait aucun survivant. Monsieur Larue doit s'occuper des testaments.

Isabelle se souvint du regard embarrassé d'Étienne et des yeux fuyants de Pierre. Pierre savait qu'Alexander était le père de Gabriel, et il ne l'avait pas informée de la tragique nouvelle! Était-ce pour la ménager ou pour la laisser dans l'ignorance? En tout cas, dès leur retour à la maison, elle l'interrogerait jusqu'à ce qu'il lui dise toute la vérité.

Elle n'arrivait pas à y croire. Alexander, mort? Elle essayait de se rappeler des moments vécus avec l'Écossais, à Québec. Mais seules quelques images, quelques sensations et émotions lui revenaient. Que lui restait-il donc de ces mois magiques et merveilleux? Gabriel, mais encore? Elle chercha à retrouver dans sa mémoire les traits d'Alexander. Mais son souvenir le plus vivace restait celui de leur dernière rencontre, où le visage du jeune homme était déformé par la haine et l'amertume. Comment avait-elle pu oublier de si précieux moments et n'en garder que des fragments que le temps effacerait peu à peu? Alexander avait raison: il ne lui restait que des souvenirs, des morceaux de souvenirs même.

– Finalement, je veux rentrer, monsieur Guillot. Il fait froid et je suis fatiguée.

– Vous m'avez appelé par mon prénom il y a quelques minutes à peine, madame. Continuez, je vous prie.

– Ce ne serait pas convenable...

– Au diable les convenances! Elles étouffent!

« Oui, mais elles empêchent de s'abandonner au péché », pensa Isabelle en plongeant dans l'or brillant des yeux de Jacques Guillot. Or ce jeune homme était bien beau et séduisant, une trop grande tentation. Et si le péché ne tuait pas, il se payait très cher, elle ne le savait que trop. Sa respiration s'accéléra, elle paniqua et essaya de se dégager, en vain.

– Madame, madame, chuchota Jacques Guillot en lui prenant le menton pour la forcer à le regarder, je ne vous veux aucun mal, croyez-moi. Je... je vous... estime trop pour cela.

Isabelle était confuse, tant dans son esprit que dans son corps. La chaleur des bras masculins lui procurait du réconfort, mais aussi autre chose. Cela l'effrayait, car elle n'aimait pas le jeune homme. Cependant, elle était dévorée par cette vilaine chose. Une femme ne pouvait pas éprouver de désir pour un homme qu'elle n'aimait pas. C'était inconcevable, immoral!

– Si mon mari nous surprend ici, vous vous retrouverez sans travail, monsieur, et cela me désolerait affreusement.

Le jeune homme ouvrit la bouche pour répliquer, mais hésita. « Madame, en ce moment même, votre époux se moque bien de savoir qui vous tient compagnie », pensa-t-il. Mais devait-il raconter ce qu'il avait vu? L'un des convives désirant s'entretenir avec le notaire d'un problème de vente d'un lot sur la rue Notre-Dame, Jacques Guillot, voyant son employeur revenir des jardins, était sorti le chercher. Cependant, Pierre Larue avait alors brusquement changé de direction et s'était engagé dans l'allée ouest, qui menait à la roseraie. N'osant l'appeler à voix haute, il l'avait suivi. Le notaire avait ensuite disparu dans l'ombre d'une tonnelle. Croyant qu'il y avait rejoint son épouse, Jacques avait rebroussé chemin. Ce fut alors qu'il avait vu marcher Isabelle, seule, vers le bassin.

Sur le coup, il avait cru à une dispute entre les deux époux et s'était dit que Pierre avait choisi de ronger son frein à l'abri des regards. Ce dernier avait paru tellement furieux après la déclaration d'Isabelle. Cependant, ne voyant plus Caroline de Rouville nulle part, il avait commencé à se poser des questions. Pierre était très discret sur sa vie privée et ne cachait pas qu'il adorait son épouse. Mais la curiosité gagnant le jeune Guillot, il était retourné vers la tonnelle... Pierre s'offrait une petite partie de jambes en l'air derrière les haies des Sarrazin.

– Monsieur Guillot, pouvez-vous me trouver Pierre et lui dire de ne pas tarder, s'il vous plaît?

Le jeune homme se figea.

– Je peux vous reconduire moi-même, madame.

– Non! Vous ne pouvez pas! Que penseront les gens? Il ne faut pas! Où est Pierre? Je dois le trouver...

Elle se dégagea. Elle devait parler à Pierre; elle devait savoir pour Alexander. Elle ne supportait pas de rester dans l'ignorance.

– Non, Isabelle!

Il ne fallut que quelques enjambées à Jacques Guillot pour la rejoindre et la retenir.

– Passons par le jardin. Il y a là une porte qui donne sur la rue Saint-Vincent. Personne ne vous verra.

– C'est insensé! Je ne peux pas m'en aller comme ça sans remercier Cécile! C'est incorrect!

– Je vous en conjure! Écoutez-moi! Il serait plus sage de me laisser y aller. Monsieur Larue...

Il avait repris la main de la jeune femme et la serrait fortement entre les siennes. Isabelle le dévisagea. Il y avait quelque chose de suspect dans son silence subit. Conscient de sa maladresse, il ferma les paupières en soupirant.

– Pourquoi ne voulez-vous pas me laisser aller chercher Pierre? Que fait mon mari de si important qui m'interdise de le rejoindre? Il m'a dit devoir rencontrer quelqu'un pour une affaire urgente. Son client... ne m'en tiendra pas rigueur... j'en suis sûre...

Voyant le jeune homme se mordre la lèvre, elle commençait à comprendre de quel genre d'affaire urgente il s'agissait en fait.

– Caroline de Rouville?

– Je... je ne peux pas. Ne me demandez pas cela.

– Répondez!

– Il m'a semblé, bredouilla-t-il enfin en baissant les yeux.

Comme pour confirmer ses dires, leur parvinrent d'un bosquet un bruit de verres qui se cassent puis des rires gras qui résonnèrent dans l'allée déserte et silencieuse. Le sang d'Isabelle se figea. La jeune femme se sentait devenir un bloc de glace. Elle ne ressentait plus rien. Affectant l'équanimité, elle se détacha de Jacques Guillot, qui ne chercha plus à la retenir.

– Ramenez-moi ma cape, je vous prie. Je vous attends près du bassin.

***

Recroquevillée dans l'obscurité, Isabelle entendit la porte s'ouvrir et se refermer. Charlotte, qui somnolait sur ses genoux, leva la tête lorsqu'elle arrêta de la caresser. Pierre fit quelques pas hésitants. La faible lueur de la lampe posée sur la console de l'entrée projetait son ombre sur le bois roux de la porte qu'elle avait laissée entrouverte. Plusieurs secondes s'égrenèrent avant qu'il se décide à entrer dans le salon. Sa silhouette élancée s'appuya contre le montant. Ne pouvant déchiffrer ses traits, elle ne savait pas s'il affichait une expression repentante ou contrariée.

– Jacques m'a dit que vous vous étiez sentie mal...

Sa voix était froide.

– Oui.

– Vous a-t-il reconduite ici?

– Oui.

– A-t-il été correct?

La voix de Pierre trahissait maintenant son inquiétude. Elle garda le silence. La colère la gagnait. Comment osait-il?

– Isabelle! S'est-il montré correct?

Là, ulcérée, la jeune femme se leva, le chaton sous le bras. Elle se planta devant son mari et le toisa avec fureur et mépris.

– Certainement plus que vous!

Il respirait par saccades, mais restait immobile et silencieux.

– Nous avons conclu une entente, je le sais. Cependant, si je me souviens bien, je vous ai demandé de rester discret.

Pierre se détourna, et la source lumineuse dévoila son visage honteux qu'il s'empressa de cacher dans ses mains. Le temps qu'il vienne la rejoindre, une bonne heure, elle avait pu réfléchir. Toutefois, elle en arrivait toujours au même point. Elle pouvait lui demander la séparation de corps, l'empêcher de revoir Gabriel, comme elle l'avait menacé de le faire. Mais elle savait que celui qui souffrirait le plus de cette situation serait son fils. Or c'était la dernière chose qu'elle désirait. Pierre et elle faisaient déjà chambre à part, et elle ne voyait pas l'utilité de faire encore souffrir son mari. Elle ne pouvait ignorer qu'elle était en partie responsable de ce qui arrivait.

– Je ne vous demanderai pas de me pardonner ce que je n'arrive pas à me pardonner à moi-même, Isabelle. Je vous aime.

En dépit de votre froideur, du châtiment que vous m'infligerez, je vous aime et vous aimerai toujours. Ceci dit, vous ne pouvez pas me demander de satisfaire mon désir de vous comme un moinillon dans sa cellule. Ma seule faute est mon manque de discrétion. Cependant, seuls Jacques et vous savez...

Isabelle posa à terre le chaton qui ne cessait de gigoter dans ses bras. Elle était silencieuse. En se retournant vers Pierre, elle vit la porte de l'étude luire de l'autre côté du corridor.

– Aujourd'hui, monsieur Guillot cherchait le contrat du marchand Van der Meer, laissa-t-elle tomber de but en blanc.

Le notaire hocha la tête.

– Oui... je sais. Il m'a dit que vous l'aviez aidé à le retrouver.

Silence. Au bout d'un moment, Pierre redressa ses épaules et se dirigea vers son bureau. Isabelle le suivit. La pièce sentait bon le tabac, le cuir, l'encre et le papier. Ce mélange d'odeurs rappelait chaque fois à Isabelle le bureau de son père, dont l'atmosphère avait toujours été rassurante pour elle. Cependant, cette nuit, elle était habitée d'une angoisse incommensurable.

Pierre alluma une chandelle et prit une grosse enveloppe qui avait été déposée sur la table de travail soigneusement rangée. La faisant craquer entre ses doigts, il la contempla d'un air incertain. Isabelle sentit un frisson lui parcourir l'échine, tandis que le désarroi ramollissait ses jambes.

– Asseyez-vous, Isabelle.

Elle obtempéra et prit place dans le petit fauteuil de style anglais qui était habituellement réservé à la clientèle. Soupesant l'enveloppe, il tourna enfin son regard vers elle, l'affrontant avec stoïcisme.

– Jacques vous a dit pour... le malheureux accident?

Elle avait la gorge tellement serrée qu'elle n'arriva pas à répondre.

– Oui, il vous en a parlé, il me l'a avoué. Il était tellement désolé. Il croyait que vous étiez au courant... enfin. Je suis peiné de ne pas vous avoir annoncé la nouvelle avant. Mais je ne pouvais me résoudre à le faire avant le bal. Je trouvais que cela aurait été faire preuve d'un manque de délicatesse.

Isabelle pensa avec sarcasme qu'aujourd'hui, il débordait « d'un manque de délicatesse ». Mais elle se retint de le lui faire remarquer.

– Tenez.

Il lui tendit l'enveloppe. Mais elle n'osait la prendre, la toucher, comme si cela signifiait enterrer Alexander, le reléguer définitivement à l'état de souvenir. La voyant aussi immobile qu'une statue,

Pierre ouvrit l'enveloppe à sa place et en fit glisser le contenu sur le sous-main en buvard. Isabelle eut le souffle coupé; elle était sous le choc: là, devant elle, étincelaient sa croix de baptême et le poignard d'Alexander au manche orné de motifs si particuliers.

– Nooon... Ô, mon Dieu!

Ses doigts tremblaient tellement qu'elle eut beaucoup de mal à ramasser sa croix, encore attachée au lacet de cuir. Ils se refermèrent dessus et le portèrent sur son cœur. Pierre baissa les yeux, envahi d'un indicible sentiment de tristesse: il comprenait que l'amour d'Isabelle pour cet Écossais survivrait à sa mort, quoi que lui-même fît.

Elle haletait, cherchant son air, tandis que les larmes affluaient et inondaient son visage défait. Une longue plainte monta en elle, emplit ses poumons à les faire éclater et s'échappa de sa bouche asséchée. Dévastée, elle tomba à genoux sur le plancher, secouée de grands sanglots.

– Isabelle... venez. Allons, venez.

Pierre l'entourait de ses bras, l'aidait à se relever.

L'odeur du cognac lui souleva le cœur. Elle prit cependant une gorgée d'alcool. Ensuite, Pierre la soutint dans l'escalier et jusqu'à sa chambre. Il hésita devant les lacets de la robe. Mais Louisette et Marie dormaient. Il l'aida donc à se déshabiller avec douceur, l'effleurant avec délicatesse, comme si elle était une figurine de porcelaine toute fissurée. Il la revêtit de sa chemise de nuit, l'allongea sur le lit et la couvrit des draps, caressant son visage avec tendresse avant de sortir.

Restée seule, Isabelle pleura longtemps, la croix contre sa bouche. Puis, épuisée, elle sombra dans un lourd sommeil.

Sa tête roulait d'un côté et de l'autre. Les Sauvages la harcelaient, la pourchassaient. Voyant un tomahawk s'abattre sur elle, elle poussa un cri et, en sueur, ouvrit les yeux. Haletant de terreur, elle s'agrippa aux draps, reprenant son souffle tout en fouillant la pénombre des yeux. Pas de Sauvages ni de tomahawk. La réalité s'imposa, les événements lui revinrent, lui assenant un coup terrible qui lui fit regretter le tomahawk volatilisé. Affolée, elle chercha dans les draps la croix qui lui avait échappé des mains. Ne la trouvant pas, elle sauta du lit, se heurta au tabouret et geignit.

La porte s'ouvrit toute grande. Pierre, la voyant dans un état d'agitation extrême, se précipita vers elle.

– Je ne la trouve plus, je ne la trouve plus!

Sur le coup, il ne comprit pas et crut qu'elle rêvait éveillée.

Puis, la voyant tirer les draps et fouiller partout, il devina l'objet de son affolement.

– Attendez, calmez-vous, je vais la chercher pour vous. Asseyez-vous, voilà... Tenez, elle était tombée entre le lit et la table de chevet.

Le cœur battant encore à tout rompre, Isabelle s'empara du bijou et l'embrassa.

– Voulez-vous que je la mette à votre cou?

Telle une enfant, elle répondit par un lent hochement de tête. Il dut déplier ses doigts crispés pour s'exécuter. Le métal glissa sur la peau brûlante, se logea dans le creux des seins, sur le cœur.

– Merci, souffla-t-elle, reconnaissante.

Les yeux encore rivés sur la nuque de sa femme, Pierre songea que cet Alexander resterait toujours entre eux comme une ombre, et qu'il devrait s'y faire. Son silence, plein de regrets, durait. Au bout d'un moment, Isabelle bougea en ramenant ses genoux sous son menton. Elle semblait plus calme. Le mouvement du matelas tira Pierre de ses mornes rêveries. Il regarda avec tristesse les beaux yeux qui se levaient vers lui.

– Il... il a souffert?

Nul besoin de prononcer le nom de celui dont il était question. Pierre ne savait quoi répondre. Étienne lui avait raconté les détails les plus horribles de l'attaque. Il avait écouté en silence, dégoûté par les méthodes de son beau-frère, écœuré par sa propre perfidie. Il était tombé bien bas... Tout ça pour quoi? Qu'avait-il gagné au juste? En tout cas, pas l'amour de sa femme. Il n'avait maintenant que du mépris pour lui-même.

– Je ne sais pas, Isabelle, probablement pas. Il a reçu un coup de casse-tête sur le crâne. Étienne dit que c'était une embuscade... Vous savez que le vieux marchand avait beaucoup d'ennemis.

Les yeux brillants de larmes, elle acquiesça silencieusement.

– Où est-il? L'ont-ils enterré sur place?

« Là où il se trouve, le diable en personne ne voudrait pas s'y trouver », lui avait affirmé Étienne, un sourire aux lèvres. Pierre n'avait pas osé poser de questions, déjà trop horrifié. Il voulait en savoir le moins possible sur ce crime doublement odieux, puisque tous ces hommes avaient été tués pour rien: Étienne n'avait pas réussi à obtenir ce qu'il voulait du Hollandais. Van der Meer, dont le cœur avait lâché, avait rendu l'âme sous la torture, sans rien révéler.

– Oui, ils les ont tous ensevelis sur place.

Elle pleura encore, silencieusement.

– Je l'aimais, Pierre. Je l'aimais, et on me l'a enlevé. Il me reste

Gabriel. Je suis désolée de vous gâcher ainsi la vie. Mais c'est comme ça. On ne m'a pas laissé choisir.

– Je sais, mon ange, je sais.

Isabelle essuya ses joues ruisselantes de sa main tremblante et renifla. Pierre ne lui en voulait pas. Le regard qu'il posait maintenant sur elle, qui pleurait un autre homme, la chavira. Elle revit brusquement son père regarder sa mère de la même façon et comprit les tourments qu'elle faisait subir à son mari. Pierre méritait plus que cela, plus que ce qu'avait jamais obtenu Charles-Hubert. Elle ne voulait pas être comme Justine. Non, jamais!

– Je crois que ça va mieux, maintenant...

Un sanglot la secoua et son visage se tordit de douleur, la contredisant. Pierre ouvrit les bras et elle se blottit contre lui, mouillant sa chemise de son incommensurable chagrin.

– Vous voulez bien rester avec moi, cette nuit? hoqueta-t-elle.

Pierre sentit son cœur se gonfler de joie. Ils s'allongèrent sur le lit, enlacés. Cette petite victoire avait cependant pour lui un goût amer. Isabelle s'abandonna à lui, laissa sa main caresser ses cheveux soyeux, son dos tremblant. Il la serra contre lui, embrassa ses paupières, espérant simplement trouver grâce à ses yeux un jour.

Les sanglots d'Isabelle s'espacèrent peu à peu et, comme pointait l'aube grise, sa respiration devint plus régulière. Pierre toucha le front tiède et moite, puis la joue plus fraîche. Il se rendait compte qu'il était l'artisan de la profonde détresse de sa femme.

– Pardonnez-moi, mon amour, murmura-t-il dans les cheveux parfumés.

Il s'en voulait tellement. Pourrait-il seulement se pardonner à lui-même?

6

La route de l'enfer

Un cri horrible pénétra son cerveau comme la lame d'un couteau; l'intolérable douleur lui fit monter les larmes aux yeux et le fit gémir. Puis le mal s'apaisa pendant un court instant. Mais un autre cri retentit, et cela recommença. Alexander roula sur le côté. Une forte odeur de terre humide lui piqua les narines, puis une autre, écœurante, de chair brûlée. Son estomac se contracta dans un spasme, et un filet de bile s'écoula le long de sa joue, laissant dans sa bouche un goût amer. Il cracha.

Il se concentra sur sa respiration pour faire disparaître le malaise. Des murmures l'intriguèrent. Ouvrant avec difficulté un œil, qui restait collé, il en rechercha la source. L'obscurité l'enveloppait. Il distingua cependant, à travers les branchages, les lueurs des flammes d'un feu de camp. Le cri revint, terrifiant, à glacer le sang. Alexander se figea, croyant à la présence d'une bête sauvage.

– Qu'Il vienne donc le chercher, ce torrieu de bon Dieu! gronda une voix.

– Chez les Sauvages, le bon Dieu ne vient jamais, soupira une autre.

– Mais qu'est-ce qu'ils lui veulent, au Hollandais?

– Je sais pas, Dumais. Mais je prie pour qu'ils pensent pas qu'on est dans sa combine.

Puis le silence, troublant, retomba. Alexander essayait de comprendre le sens des phrases entendues. Dumais? Un Hollandais?

– Tu penses que lui sait quelque chose sur ce qu'ils veulent savoir?

– Je ne sais pas... Mais je l'ai vu discuter longtemps avec le métis, hier, et ce matin, le Hollandais n'avait pas l'air très content...

Un nouveau hurlement déchira les tympans d'Alexander, qui

gémit. Des brindilles craquèrent près de lui, puis une main le palpa délicatement.

– Hé! Macdonald! T'es réveillé? Tu m'entends?

Macdonald...

– Hé! mon vieux, tu me lâcheras pas comme ça, hein! Réveille-toi!

Macdonald... Alexander Colin Macdonald... C'était son nom, oui, ça lui revenait. La main le fit rouler doucement sur le ventre, et il se retrouva le visage dans l'herbe.

– Ouais... continua la voix tandis que la main fouillait maintenant dans sa tignasse, on peut dire que t'as la tête dure, l'ami!

Une autre douleur dans le crâne lui arracha un grognement. Il chercha à échapper à la main exploratrice.

– Un coup comme celui que t'as reçu aurait dû te faire éclater le crâne, pardi! T'as une bosse aussi grosse qu'un melon! T'as eu de la chance, la plaie est pas trop longue. Faudrait juste pas qu'elle s'infecte trop.

« Faire éclater... Bosse comme un melon... Plaie... » Les mots parvenaient lentement au cerveau d'Alexander, qui essayait de comprendre la situation. Pour l'instant, le jeune homme avait l'impression que sa tête était un volcan sur le point d'entrer en éruption. Une autre voix, différente des deux autres, parla dans une langue qu'il ne connaissait pas.

– Je fais que vérifier dans quel état vous l'avez mis, face de singe! grogna celui qui venait de l'examiner.

La « face de singe » gronda encore. Puis, il y eut un bruit mat, suivi d'un râle. La face de singe venait certainement de frapper l'autre homme.

– Bande de salauds! J'aurai son scalp à celui-là!

Scalp? Ce mot fit surgir les mots « Sauvage » et « guerre » dans l'esprit d'Alexander, puis des images violentes. Des flashs aux couleurs rouges et bleues se détachant sur un écran de fumée. Un champ de bataille couvert de cadavres. Des kilts éparpillés, des visages défigurés, des corps désarticulés. Sa tête l'élançait et il geignit en se retournant pour respirer plus librement.

D'autres images. Des fortifications en partie effondrées. Un régiment en marche. Des femmes en pleurs. Des visages se succédèrent, sur lesquels il pouvait mettre un nom: Marion, maman, Marcy, Mary, Margaret... Il se laissa porter par ce flot de souvenirs. Des traits d'hommes maintenant, les gens de son clan: Glencoe.

Au fur et à mesure, Alexander resituait les événements, les endroits: Louisbourg, Québec, les Hauteurs. Il avait l'impression que sa vie entière se déroulait dans sa tête. Isabelle, ses yeux verts. Le moulin... puis la trahison. Le voyage jusqu'au Grand Portage. Le Hollandais. Oui, il savait maintenant. L'attaque sournoise d'Étienne Lacroix et de ses compagnons... Le coup sur la tête.

L'odeur de chair grillée s'intensifia, tandis qu'un nouveau cri lugubre résonna. Alexander eut des frissons et sentit ses cheveux se dresser sur sa tête. Des hommes parlaient fort. Une dispute venait d'éclater entre les Sauvages et Étienne. Cela dura un bon moment. Alexander voulut se redresser, mais sa douleur au crâne le crucifia au sol. Le Revenant marmonnait une prière. Il y eut des bruits de pas : on venait.

– V'là vot' chef, les gars!

C'était la voix d'Étienne. Un objet mou tomba lourdement au sol.

– Ooooh! Les salauds! Les...

Le Revenant vomit. Sentant une odeur fade, celle du sang, Alexander rouvrit les yeux, dont l'un restait toujours à moitié collé. Deux pieux étaient plantés juste à côté de lui. En regardant mieux, il vit que c'était une paire de jambes se découpant sur le fond éclairé par le feu. Un gros objet dans l'herbe attira son attention.

– Regarde ben, chien de Macdonald! cracha Étienne en donnant un coup de pied dans l'objet, qui roula jusque sous son nez. Regarde ben, pis réfléchis à c'qui va t'arriver si tu t'obstines à fermer ta gueule! J't'assure que tu vas cracher jusqu'à la dernière pièce d'or du Hollandais!

Tandis que l'odeur de sang et de chair fraîche se faisait plus présente, supplantant celle de la vomissure, Alexander ajusta sa vue sur la forme allongée près de lui. Il tourna légèrement la tête de côté pour mieux voir de quoi il s'agissait.

– Oh, mon Dieu! murmura-t-il, comme Étienne lui lançait quelque chose.

L'objet rond roula comme une pelote de fil d'argent dans les rais de lumière sélène et s'immobilisa contre la forme allongée. Un regard glauque fixa brusquement Alexander. Près de l'organe visqueux, une bouche tordue dans un affreux rictus exprimait les souffrances endurées. Saisissant toute l'horreur de la situation, le jeune homme ne put réprimer une violente nausée et un second reflux de bile. Quelle figuration grotesque de la vertu du Hollandais il avait sous les yeux : un homme avec le cœur sur les lèvres!

***

Les journées s'écoulaient lentement dans le fond du canot. Au début, Alexander, pieds et poings liés et attachés à la barre de nage, avait beaucoup dormi. Il n'arrivait pas bien à garder les yeux ouverts et sentait encore les effets du terrible coup reçu sur la tête. Quand il arrivait à rester éveillé, il regardait d'un œil vide le paysage qui défilait, en serrant les dents pour supporter sa douleur au crâne. Dumais et le Revenant, ligotés eux aussi, se trouvaient dans deux autres canots pilotés par les Iroquois. Les embarcations qui ne transportaient pas de cargaison humaine, morte ou vive – les Sauvages ramenaient le cadavre du guerrier qu'Alexander avait tué –, débordaient des ballots de pelleterie et des vivres du Hollandais. Étienne n'était plus des leurs : il était parti pour Montréal.

Ils avaient lentement remonté la rivière Rideau. Puis, après quelques jours de navigation et de pénibles portages – Alexander n'arrivait plus à les compter –, ils s'étaient engagés sur un affluent, puis un autre...

Alexander ne cherchait pas à savoir où ils se dirigeaient dans cet inextricable réseau de cours d'eau. De toute façon, on ne lui adressait pas la parole, ou si peu, et il ne comprenait que les gestes. Il allait où on lui disait d'aller. Il ne pouvait pas compter sur une rencontre pour se sortir de cette fâcheuse situation : un canot les précédait dans le but de les avertir d'une rencontre éventuelle. Lorsque des embarcations étaient en vue, on les bâillonnait solidement, lui et ses compagnons, et on accostait rapidement pour se cacher. Quand c'était impossible, on le poussait tout simplement au fond et on le recouvrait d'une toile en pointant un fusil sur lui. Le message était clair.

Les trois prisonniers étaient étroitement surveillés et ne pouvaient se parler que lorsqu'ils mangeaient. La nuit, on les séparait et on les étendait sur le sol humide en leur écartant les membres et en les liant à des pieux pour qu'ils ne puissent pas s'évader.

– Tu vois, là? lui chuchota un jour Dumais en lui désignant la végétation qui bordait la rive. Si seulement je pouvais mettre la main sur cette plante, ses racines...

Plissant ses yeux fatigués, Alexander l'avait regardé d'un air interrogateur.

– C'est de la ciguë, expliqua le Revenant en avalant un morceau de viande quasiment crue dont le jus lui dégoulinait des lèvres.

Avec les profonds cernes violets qui encadraient son nez d'acier rouillé, l'homme avait un aspect assez inquiétant. Alexander examina plus attentivement la plante vénéneuse et considéra son compagnon.

– Cela leur ferait une belle jambe de revenir chez eux avec pour seul butin des cadavres, hein?

Le Revenant rit doucement, approuvant de la tête.

– Encore faudrait-il que le poison arrive à te tuer, Dumais!

Dumais avait été gravement blessé lors de la rixe; sa plaie suintait. Il supportait cependant la douleur avec un stoïcisme hors du commun. Mais les trois hommes savaient que leurs souffrances n'étaient que douceurs en comparaison de ce qu'on leur réservait.

– Tu veux peut-être que je t'étrangle avec mes liens? Ces damnés diables auront probablement tellement peur que ton esprit tourmenté les hante à jamais, les frappant de malheur pour l'éternité, qu'ils prendront leurs jambes à leur cou, nous abandonnant sur place. Je pourrais même feindre d'être possédé, tiens!

– Quoi? Mais tu l'es pas déjà! Si tu retirais ton fichu bec de fer et ton satané bonnet...

– Ah! ferme-la!

– Ben oui, c'est vrai! Avec la gueule que t'as, tu pourrais leur faire accroire que t'es un vrai revenant!

– C'est ça! Ils ne se donneront même pas la peine de m'achever et me boufferont tout cru!

– Et ils crèveront tous d'empoisonnement alimentaire, ha! ha! ha!

– Je vais te faire pisser le sang, Dumais!

– Ne te gêne surtout pas, mon ami. Pour ce qu'il m'en reste...

Dumais s'était rembruni. Il perdait en effet beaucoup de sang. Faute de soins appropriés, sa plaie à la cuisse, d'une longueur de plusieurs pouces, se rouvrait chaque fois qu'il devait se mettre en marche.

À l'inverse, Alexander sentait son état s'améliorer progressivement. Ses maux de tête s'espaçaient et sa vue s'éclaircissait. Restait une grosse bosse à l'arrière de son crâne, que lui avait faite Wemikwanit avec son casse-tête. Le métis, qui voyageait dans le même canot que lui et qui était à la barre, parlait très peu et donnait surtout des ordres. Mais, dans les yeux noirs qui se posaient gravement sur lui avant de se porter sur le sac de toile nauséabond placé entre ses pieds, Alexander lisait ce qu'il lui réservait: le même sort qu'à son ami. Le Hollandais l'avait mis en garde contre les méthodes sanguinaires du Chippewa.

Le jour où ils atteignirent enfin le fleuve Saint-Laurent, un drame se produisit qui confirma en partie les intentions des geôliers. Ils s'apprêtaient à rembarquer après un long portage lorsque Dumais, épuisé, s'écroula sur la rive. Celui qu'Alexander avait entendu se faire appeler Tsakuki se pencha sur lui et, dans son idiome, lui ordonna de se relever. Mais Dumais ne bougeait pas. Tsakuki était impatient de reprendre la route; Dumais retardait le groupe. Les Iroquois se consultèrent. Puis, deux d'entre eux soulevèrent Dumais qui gémissait faiblement et l'emmenèrent dans les boisés qui bordaient le fleuve. Quelques minutes plus tard, ils revinrent seuls, une chevelure à la main.

Le Revenant se mit à hurler et à débiter toutes les injures qu'il connaissait.

– Ta gueule! lui ordonna Wemikwanit en le menaçant de la pointe de son poignard. Il allait mourir de toute façon. Il était trop faible pour terminer le voyage. Tu devrais prier ton Dieu pour lui au lieu de t'époumoner comme une femme. Garde ton chant de la mort pour plus tard!

Blanc comme neige, le Revenant se tut immédiatement et devint muet comme une tombe.

Étant donné qu'il n'y avait pratiquement plus de portage à faire, la navigation sur le fleuve était plus aisée. Après avoir traversé un archipel d'îlots, ils débouchèrent sur un lac que le Revenant identifia comme le lac Ontario. Ils en longèrent la rive sud, passant par des baies et devant des pointes pendant encore quelques jours. Le temps se gâta; il y eut des vents violents. Les esquifs étaient difficiles à contrôler. Ils durent rester à terre une journée entière. Puis, pour rattraper le retard, les Sauvages décidèrent de voyager de nuit.

La lune, immense et parfaitement ronde, brillait d'une lumière orangée et frôlait la cime des arbres. Les embarcations s'étaient rapprochées de la rive pour un nouveau portage. Alexander fut réveillé brutalement. Les deux hommes qui pilotaient son canot l'aidèrent à descendre dans l'eau glacée qui lui arrivait aux genoux. Après avoir vérifié ses liens, on le tira, comme une bête qu'on mène à l'abattoir, par des cordelettes de cuir tressé nouées autour de son cou, de sa taille et de chacun de ses bras.

Alexander claquait des dents. Suivant d'un regard vide le balancement hypnotique des scalps accrochés sur une perche que tenait un Iroquois, il ne put s'empêcher de penser, avec ironie, qu'il allait probablement mourir d'une trop forte fièvre avant son supplice. Quelle chance!

Le cortège suivait un sentier sombre au-dessus duquel des branchages formaient comme des arcades. Le Revenant se plaignait constamment du serrement de ses liens.

– Ils empêchent ma force de circuler!

Un Iroquois nommé Tkotahe allait les desserrer, mais Wemikwanit l'arrêta pour aller vérifier lui-même.

– Ne joue pas la comédie avec moi, l'ami! Bien que ton âme ne vaille pas grand-chose, elle peut m'être utile et je tiens à la conserver encore quelque temps.

Le cortège reprit sa route. Mais, juste au moment où on allait atteindre le bras de rivière navigable, on s'arrêta de nouveau. Ce fut le silence complet. Alexander, harassé, tomba à genoux. Un coup de crosse dans les côtes lui arracha un gémissement qui se perdit dans une toux creuse, et il roula dans les feuilles mortes et humides, jusqu'à un tronc d'arbre. Pendant un instant, il pensa à ne plus obéir, souhaita qu'on lui ouvre la gorge comme au pauvre Dumais pour voir la fin de ce cauchemar. Puis, un son étrange venant d'une petite éclaircie qui les séparait de la rive piqua sa curiosité. Il se redressa à moitié, entendit le cliquetis de fusils qu'on arme. Allaient-ils être attaqués?

Niyakwai, qui était chargé de sa surveillance, tira sur sa bride pour qu'il se lève et le suive. Ils coupaient à travers bois. Des grondements lui parvinrent après quelques minutes, et il comprit qu'il y avait là une meute de loups. Lorsqu'ils atteignirent la limite du couvert des arbres, il ne vit d'abord qu'une sombre masse mouvante au bord de l'eau. Ensuite, il distingua, sous le clair de lune, des bêtes argentées qui pataugeaient dans l'eau étincelante. Il avait déjà vu des loups, en Écosse, lorsqu'il était enfant. Mais, l'homme leur faisant une chasse impitoyable et leur enlevant progressivement leur habitat naturel en coupant les arbres des forêts, ils disparaissaient rapidement.

Les bêtes se repaissaient d'une carcasse de chevreuil et grognaient parfois en montrant leurs crocs luisants pour faire respecter leur rang. L'une d'elles dut flairer leur odeur: elle tourna la tête vers eux et s'immobilisa, émettant un long grognement d'avertissement. Personne ne bougeait. Fasciné, Alexander ne quittait pas le spectacle des yeux. Les loups n'avaient pas l'habitude d'attaquer les hommes. Ils les fuyaient même. Cependant, celui qui les regardait, audacieux, vint vers eux pour les affronter. Les fusils, chargés, se levèrent, prêts à tirer en cas d'attaque.

Il sembla à Alexander que la bête se dirigeait vers lui. Le loup, à quelques pieds seulement maintenant, s'immobilisa de nouveau. Il pouvait lui sauter à la gorge en un bond, d'une seconde à l'autre. Cependant, il le fixait de ses yeux brillants, son long poil ondulant doucement sous la brise. Alexander était magnétisé. Alors qu'il croyait l'inévitable attaque sur le point d'arriver, l'inattendu se produisit : l'animal courba l'échine et, la queue entre les pattes, retourna vers la meute. Trois minutes plus tard, il n'y avait plus dans l'eau qu'une carcasse abandonnée. Les loups étaient partis.

Les hommes restèrent silencieux pendant un moment encore. Puis, ils murmurèrent. Alexander sentit une main lui toucher l'épaule : on lui donnait l'ordre d'avancer. Lorsqu'il se retourna, il croisa le regard, étrange, de Niyakwai. Le Sauvage lui indiqua de la tête le chemin à prendre, sans tirer sur les liens de servitude. Il eut cette attitude pendant le reste du voyage.

***

Une pluie glacée tombait depuis deux jours, les trempant jusqu'aux os et emplissant les canots. Il fallait écoper régulièrement. Depuis une semaine, novembre peignait les Appalaches d'un camaïeu de gris qui allaient du gris perle au gris anthracite. Les forêts dénudées qui les recouvraient les faisaient ressembler à d'étranges crânes garnis de chevelures drues. Ces montagnes constituaient la frontière entre les territoires coloniaux britanniques et les territoires laissés aux peuples autochtones d'Amérique.

Alexander avait la gorge enflammée et les poumons congestionnés. Il frissonnait de froid, de fièvre, mais aussi de peur. Bien que, depuis la rencontre avec les loups, il fût un peu mieux traité par les Iroquois, il n'aimait pas le silence et l'attitude de Wemikwanit. Il avait une vague idée du sort qu'on lui réservait et ne pouvait s'empêcher d'imaginer les pires tortures qu'on allait lui faire subir. Sa résistance mollissait, tout comme la raison du Revenant. Son ami ne dormait presque plus. Lorsqu'il arrivait à prendre un peu de repos, il s'éveillait en hurlant, tourmenté par ses pires souvenirs.

Alexander commençait à envisager de négocier le trésor contre leur liberté à tous les deux. Le Hollandais mort, quelle importance cela avait-il que l'or fût dans les mains des uns ou des autres? Malheureusement, tout révéler ne leur garantirait pas la vie sauve. Ils en savaient trop, beaucoup trop...

Pour apaiser son esprit, l'Écossais pensait à Mikwanikwe et à la petite Otemin. Il trouvait étrange de penser à la belle Ojibwa alors qu'il ne l'avait connue que le temps de deux nuits torrides. Mais le souvenir lui était bien doux, et c'était le plus important.

On avait abandonné les embarcations sur le bord d'une rivière se jetant dans un lac dont la forme allongée faisait vaguement penser aux lochs d'Écosse : c'était le lac Sénéca. Deux guerriers les précédaient sur le sentier, hurlant des « ohi! » et tirant des coups de fusil pour annoncer le retour du groupe. Le village apparut enfin, ceint d'une haute palissade de pieux pointus, au sommet d'une colline défrichée. Un réseau de sentiers traversaient le terrain à découvert, qui servait à la culture, puis allaient se perdre dans la profondeur des bois de pins.

– Ganundasaga, annonça Wemikwanit à Alexander, le village du grand chef tsonnontouan[55] du clan de la tortue, Gayengwatha. Gayengwatha s'est joint aux nôtres et a conduit ses guerriers au portage de Niagara, où nous avons massacré un convoi anglais. Alors, ne compte pas sur sa sympathie! Il est un ennemi à craindre pour un Chien rouge errant.

Les villageois venaient à leur rencontre dans un vacarme indescriptible et assourdissant. Des chiens les accompagnaient, hurlant et grognant. On pressait les guerriers de questions, on leur offrait des rafraîchissements, réservant un accueil particulièrement hostile aux deux prisonniers.

Une femme armée d'un couteau empoigna la barbe du Revenant, tira dessus et la trancha d'un coup, emportant par la même occasion un morceau de peau. Puis, on poussa les deux hommes. Des femmes et des enfants les frappaient en criant, en se moquant d'eux et en tirant sur leurs vêtements et leurs cheveux. Rompu de fatigue et de fièvre, Alexander usa d'un effort incroyable pour ne pas s'effondrer sous les coups qui pleuvaient. Niyakwai repoussa la foule avec quelques paroles rudes et conduisit les deux prisonniers à l'intérieur de l'enceinte.

Le village iroquois offrit à Alexander un tableau bien différent de ce qu'il avait pu voir jusque-là. Il n'était pas constitué de wigwams, mais de constructions à deux étages pouvant mesurer jusqu'à cent cinquante pieds de long sur vingt-cinq de large. Ces « maisons longues » étaient recouvertes de plaques d'écorce d'orme séchées se chevauchant de façon à rendre les murs étanches. Entre elles se dressaient çà et là des claies de bois. Certaines servaient au séchage du poisson ou de la viande. D'autres supportaient du maïs ou des peaux. Partout, des détritus et des carcasses abandonnées aux chiens jonchaient le sol.

Un homme coiffé d'une sorte de toque de peau ornée d'une multitude de plumes venait vers eux. Il était entouré d'une cour de guerriers vêtus, comme lui, d'un pagne et couverts de tatouages.

---

55. Nom donné par les Français à la nation des Sénécas qui est l'une des cinq nations iroquoises. Les autres sont les Cayugas, les Onondagas, les Oneidas et les Mohawks.

Alexander devina que cet homme aussi grand que son frère Coll était le chef Gayengwatha. Wemikwanit s'avança et lui offrit la tête du Hollandais, qu'il empala sur un pieu. Puis, il y eut une discussion animée.

– Je te parie qu'ils parlent de la date du festin, l'ami.

Le Revenant avait un ton étrangement détaché. Il arborait un sourire cynique et le regardait vaguement sans sembler vraiment le voir.

– Ensuite, ils vont nous nourrir convenablement pour que nous reprenions nos forces et survivions le plus longtemps possible à leurs tortures, ha! ha! ha! Plus tu résistes à la mort, plus ton âme dont ils se régaleront avec ta chair est forte.

– Arrête, Chamard...

– Vois-tu, aussi difficile que cela puisse nous paraître, ces païens croient aussi en la vie éternelle. Ils ont peur que l'âme de leurs prisonniers les harcèle après la mort. C'est pourquoi ils infligent tant de tortures. Ils cherchent à montrer leur supériorité, à vaincre la résistance de l'âme pour la contrôler, empêcher qu'elle devienne un esprit retors.

Le ton était sinistre. Alexander ne voulait pas en entendre davantage.

– Chamard... tais-toi! gronda-t-il avant de s'étouffer dans une quinte de toux.

– Si tu as de la chance, l'ami, la veuve du brave que tu as tué choisira de t'adopter pour remplacer son mari. C'est pour la survie du clan, tu comprends? Ils ne peuvent se permettre de perdre trop de guerriers. C'est leur force. Alors, si la veuve choisit de te garder, personne, pas même Wemikwanit, ne pourra s'y opposer. Dans le cas contraire...

Un cri déchirant interrompit les lugubres explications du Revenant. Une femme se tordant convulsivement les mains se précipitait à la rencontre de deux Iroquois qui portaient justement le brancard sur lequel reposait le corps enduit de résine de sapin du brave en question. Elle se mit à réciter des litanies, auxquelles répondirent par leurs pleurs d'autres femmes dont les enfants s'accrochaient à leurs jupes de peaux.

Alexander suivait des yeux le cortège funèbre, qui s'engouffrait dans l'une des maisons longues. Un coup de crosse dans le flanc l'extirpa de son observation. Niyakwai le poussa, ainsi que le Revenant, dans la direction opposée. Les prisonniers durent traverser et affronter une deuxième fois les villageois furieux. On les frappa de plus belle; on leur lança des excréments et des pierres; on les cribla d'injures. Quelques enfants s'aventurèrent jusqu'à eux pour les mordre aux bras et aux jambes.

Enfin, on les enferma dans un minuscule abri, avec un bol d'eau et une écuelle de purée grumeleuse de maïs. Mais Alexander n'avait qu'une envie : s'allonger sur le sol et laisser ses yeux gonflés se fermer. La fatigue et la douleur eurent raison de ses angoisses; il sombra vite dans un profond sommeil.

***

Trois journées passèrent, lentement, avant qu'on daigne s'intéresser à eux. Pour tromper la peur qui leur rongeait les entrailles, les deux hommes se racontaient leur vie ou dormaient. La chevelure naguère rousse du Revenant était maintenant presque toute blanche : « Ma cote baisse, Macdonald. Quelle valeur peut bien avoir l'âme d'un pauvre vieillard? Sans compter que j'ai déjà donné mon scalp au plus offrant... » Le Revenant riait, puis s'étranglait dans une toux rauque. Dehors, des femmes et des hommes criaient, se lamentaient, réclamaient vengeance.

La seule visite qu'ils avaient était celle d'une jeune Sauvagesse qui venait leur porter à boire et à manger deux fois par jour. La jeune femme pansa leurs plaies et les enduisit d'une pâte d'herbe odorante. Alexander la trouvait jolie avec ses yeux noirs légèrement bridés. Elle accomplissait ses tâches avec des gestes précis et rapides, dans le silence le plus total. Elle le força à boire des décoctions au goût âcre pour calmer sa toux et faire baisser sa fièvre. Il en sentit rapidement les effets : en deux jours, la fièvre diminua considérablement et la toux fut réduite.

– Ne te laisse pas attendrir par ces créatures de l'enfer, l'avertit le Revenant. Elles sont charmantes et douces. Mais je t'assure que leur esprit est plus tordu que celui du diable lui-même lorsqu'il s'agit de tourmenter quelqu'un. Leur imagination n'a pas de limites...

Ce fut Wemikwanit qui pénétra le premier dans l'abri. Deux Iroquois, dont Niyakwai, l'accompagnaient. Le Chippewa renâclait comme un ours enragé. Il observa les deux prisonniers un long moment avant de prendre la parole, en français :

– J'ai beaucoup discuté avec Gayengwatha. Nous nous sommes mis d'accord sur un point : la vie de son guerrier tué doit être vengée par le sacrifice d'une autre. Je lui ai offert la tienne, Chamard, annonça-t-il en se tournant vers le Revenant, mais il a refusé. Comme la veuve n'a pas demandé à adopter notre ami l'Écossais... le chef veut sa vie. Il affirme que seule l'âme de Macdonald apaisera la colère du Grand Esprit.

Il se tut pour observer l'effet qu'avait sa nouvelle sur les deux hommes. Puis il s'adressa à Alexander, qui n'avait pas bougé, en posant sur lui son regard noir.

– Je ne peux plus compter sur les Tsonnontouans pour te faire cracher le morceau à propos de l'or. Je viens d'apprendre qu'ils ont capitulé comme des mauviettes devant les Anglais et ne veulent plus rien faire contre eux. Toutefois, j'ai réussi à leur arracher le droit d'assister à ton supplice, Macdonald. Il te suffira de me dire ce que je veux savoir pour abréger tes souffrances. Ta mort sera alors rapide. Aucune âme blanche n'a la force de résister, l'Écossais. Réfléchis bien.

– Tu n'obtiendras rien de moi, puisque je n'ai rien à te dire, Wemikwanit, murmura froidement Alexander. Ma langue ne peut dire ce qu'elle ne sait pas.

Le Chippewa le sonda avec circonspection.

– Nous verrons bien, nous verrons bien.

Il se leva.

– Pour le moment, le sort de Macdonald étant réglé, il reste encore au conseil à décider de celui de Chamard. Mais cela ne saurait tarder. Considérez-vous comme des morts en sursis.

Les trois Sauvages quittèrent la prison.

– Sais-tu ce qu'ils te feront lorsqu'ils t'auront porté le coup de grâce, juste avant que tu ne rendes l'âme, Macdonald? murmura le Revenant après un long moment.

Alexander se tourna vers son compagnon, allongé sur sa natte. L'homme regardait le plafond, un sourire sibyllin sur les lèvres. Il avait terriblement maigri et, avec son crâne nu ceint d'une mince frange, il avait l'allure d'un cadavre.

– Je n'y tiens pas vraiment.

– Ces mangeurs d'âmes videront ta tête de ta cervelle pour s'approprier ta force. Ensuite, ils débiteront ton corps ou ce qu'il en restera pour le dévorer. Je te parie que la belle petite Sauvagesse qui vient tous les jours se réservera le meilleur morceau et le dégustera lentement.

– Tu es cynique, Chamard. Tais-toi!

– Je veux bien... si tu me racontes ce que tu sais à propos de cette histoire d'or.

– D'accord. Je pense que tu as le droit de savoir.

***

Le Revenant n'apprit que quatre jours plus tard le sort qui lui serait réservé. Pour satisfaire l'âme perturbée du guerrier tué, on le supplicierait en même temps qu'Alexander. Il supplia Wemikwanit de parler en sa faveur, de demander qu'on l'adopte comme esclave. Le Chippewa refusa net, prétextant avec un sourire qu'une décision du conseil était irrévocable.

Le moral des prisonniers était au plus bas. La jeune Sauvagesse continuait à venir régulièrement leur porter de la nourriture, à laquelle ils touchaient cependant de moins en moins. À quelques reprises, une femme habillée de vieilles hardes l'accompagna. Alexander comprit qu'il s'agissait de la veuve. Elle avait les cheveux très courts; elle se les était coupés pour montrer sa grande souffrance. Plantée devant lui, elle le toisait avec morgue en débitant un chapelet d'injures qu'il était bien soulagé de ne pas comprendre.

– Souris-lui donc, Macdonald! s'exclama un jour le Revenant. Elle s'intéresse à toi, ne laisse pas passer cette chance, pardi!

***

Décembre s'annonça avec une faible neige qui recouvrit le village d'un mince suaire immaculé. Le froid engourdissait Alexander, qui se réchauffait tant bien que mal avec la couverture que lui avait apportée la jolie Sauvagesse. Il essaya de parler à la jeune femme, mais elle resta muette, se contentant de l'observer d'une façon étrange avec ses yeux noirs. Parfois, il avait l'impression qu'elle le comprenait. Pourtant, elle ne répondait à aucune de ses questions. Elle s'acquittait de ses tâches et repartait aussitôt. Leurs blessures étant maintenant guéries, on permettait aux prisonniers de sortir deux fois par jour pour prendre l'air et se dégourdir les jambes. Le reste du temps, ils étaient confinés dans leur prison à attendre la mort.

Le jour tant redouté arriva finalement. Ce soir-là, ce fut la veuve qui vint les chercher avec une jeune fille inconnue. La jolie Sauvagesse restait invisible. Alexander en était bien désolé, car il puisait dans ses sourires la force nécessaire pour continuer. Enfin... lorsque le soleil franchirait l'horizon, son âme serait libérée.

La veuve déposa des vêtements propres devant les deux hommes, auxquels elle fit comprendre par des gestes saccadés qu'ils devaient se dévêtir. Lorsque cela fut fait, elle s'approcha d'Alexander pour le détailler pendant un long moment. Dans l'espoir d'attirer la sympathie de la femme, l'Écossais esquissa un sourire.

– Prie Dieu pour qu'ils te gracient, Macdonald.

Le Revenant avançait derrière Alexander, qui se risqua à jeter un regard par-dessus son épaule. Un de leurs cerbères le bouscula.

– S'ils te laissent la vie sauve, mon ami, ils te considéreront… soit comme un chien, soit comme un des leurs. Mais, quoi qu'il en soit, tu seras mort socialement, tu ne seras plus Alexander Macdonald. Tu auras un nouveau nom et tu devras vivre à leur manière.

Le Revenant poursuivait ses explications d'une voix morne. Il poussa un long et profond soupir.

– Ils t'arracheront ton identité, feront de toi ce qu'ils veulent. Tu pourras n'être que marchandise de troc ou simple servant, mais aussi devenir un guerrier respecté. Tout dépendra de ton attitude…

Un ordre sec suivi d'un claquement de dents menaçant mit fin aux sordides précisions.

La neige avait pris une teinte rouge sous le soleil couchant et crissait sous leurs pas. Un peu partout, au-dessus des feux, fumaient des marmites de fer ou de cuivre dans lesquelles on lançait du maïs et de la viande. L'escorte conduisit les deux prisonniers jusqu'à la porte du village, gardée par plusieurs guerriers recouverts de peinture noire, et les poussa hors de l'enceinte. Des «héééé!», «hiiiii!» et «hen! hen!» s'élevèrent dans l'air froid. Le festin d'adieu était pour ces gens une nuit de réjouissances.

Deux plateformes reposant sur des poteaux plantés dans le sol se trouvaient au centre du lieu de rassemblement. On y accédait par des troncs dans lesquels on avait creusé des marches. Entre les deux estrades, devant lesquelles on leur ordonna de s'arrêter, un grand feu léchait le ciel qui s'embrasait, baignant les lieux d'une lumière rougeoyante qui donnait aux visages des participants un air diabolique.

Les figures importantes de la tribu défilèrent, avec Wemikwanit, devant les prisonniers en une longue procession. On portait de longues perches auxquelles étaient suspendus des scalps. Le Revenant était silencieux. Mais ses yeux ne cessaient de bouger, de rouler dans leurs orbites, réagissant au moindre mouvement ou son.

La poitrine comprimée par une peur indicible, Alexander s'adressa à son ami:

– Ton sort est entre tes mains.

Le Revenant hocha la tête, puis ricana.

– C'est à qui aura des couilles le plus longtemps, Macdonald!

On sépara alors les deux prisonniers pour les emmener chacun sur une plateforme.

– Le Soleil est l'astre qui guide les guerriers. Comme le veut la coutume, il sera témoin de votre mort, Macdonald, murmura une voix. Le sacrifice est en son nom, en son honneur.

Wemikwanit contourna Alexander et se planta devant lui, le fixant d'un air grave.

– Il te reste une chance de sauver ta peau, l'Écossais! Tu me donnes ce que je veux, et je te laisse la vie. C'est un marché plus qu'honorable, je crois... si je considère la valeur que peut avoir la vie d'un Anglais! Seulement... te connaissant, je sais que tu refuseras de parler, même sous la menace des tourments.

Les coins de la bouche de Wemikwanit se retroussèrent légèrement. Le Sauvage se tourna dans la direction du Revenant qu'on dépouillait de ses habits.

– Je suis parvenu à une sorte d'arrangement avec Gayengwatha et ses conseillers...

Wemikwanit avait-il réussi à faire changer d'avis le conseil de la tribu? Plissant les yeux, Alexander, qui ne comprenait pas où voulait en venir le Chippewa, observait d'un air inquiet son ami maintenant nu qu'on poussait fermement contre le poteau.

– Il me reste une carte, Macdonald: celle de la compassion. Ton ami Chamard... subira son supplice avant toi. Tu auras ainsi une meilleure idée de ce qui t'attend. Et puis, tu pourras souffrir de le voir hurler de douleur alors que tu pourrais si facilement abréger ses souffrances.

Le contact du poteau des suppliciés sembla extirper brutalement le Revenant de l'état second dans lequel il vivait depuis maintenant des jours, car il se mit à s'agiter et à crier. Alexander, horrifié, explosa d'une colère terrible.

– Putain de salaud! hurla-t-il en se jetant sur Wemikwanit.

Mais le lien de servitude se resserra autour de son cou, et on le maîtrisa sans peine. On le souleva et on lui ôta ses vêtements à son tour. L'écorce du poteau lui écorcha la peau, tandis qu'on l'attachait solidement par les poignets, dans le dos, à l'aide de lanières de cuir, lui laissant quand même la possibilité de bouger et de tourner autour du piquet.

– Chamard!

Son ami ne l'entendit pas l'appeler. Une lame chauffée à blanc s'enfonçait déjà dans sa cuisse.

Sous les yeux d'Alexander se déroulait un spectacle horrible, indescriptible, un cauchemar. Le corps blanc gesticulant du Revenant se détachait dans la pénombre telle une marionnette que faisait danser un dieu fou au rythme des *chichigouanes*[56] et des tambours. Des chiens et des enfants sautillaient et criaient de joie, tandis que le prisonnier hurlait, poussait des lamentations. On broya les doigts du supplicié, avec les dents. Des femmes lui arrachèrent les ongles, les cheveux par poignées. Un homme lui trancha deux doigts, qu'il jeta dans les flammes...

Avec une méticulosité et une ingéniosité terrifiantes, les tortionnaires s'acharnaient sur leur victime, la brûlant avec des tisons pour ensuite la «rafraîchir» avec une giclée d'eau bouillante lorsqu'elle tournait de l'œil. Une écœurante odeur de chair brûlée emplissait l'air et soulevait l'estomac d'Alexander qui assistait, impuissant, à l'agonie de son ami.

Après qu'Alexander eut tout raconté au Revenant sur le fameux trésor que recherchait Wemikwanit, les deux amis avaient longuement discuté de ce qu'ils devaient faire. Il ne faisait aucun doute pour eux que, peut importe ce qu'ils feraient ou diraient, ils termineraient leur vie contre un poteau. Ce n'était qu'une question de temps. Les Tsonnontouans ne les laisseraient certainement pas partir vivants.

—Hurle et pleure comme un enfant. De cette façon, ils se désintéresseront de toi et t'achèveront plus rapidement. Il n'y a rien à tirer de l'âme d'une femmelette.

— Tu es une femmelette, toi? s'étonna Alexander en levant les yeux vers son ami.

Le Revenant, songeur, caressa son crâne lisse d'un doigt, jusqu'à l'endroit où commençait sa chevelure. Puis, il eut un petit sourire.

—Et toi?

Alexander fit mine d'empoigner ses testicules.

—Eh bien... elles sont toujours là.

—Elles tiendront?

—Et les tiennes?

—Elles ont tenu une fois. Elles ont de l'expérience... hum... dans bien des domaines!

—Je n'en doute pas.

Alexander sourit, le ventre crispé de terreur. Puis, il dévisagea son ami d'un air grave.

— C'est à toi de décider, Chamard. Tu connais maintenant la vérité. Fais-en ce que tu veux.

—Les couilles du Hollandais ont tenu bon.

—Hum... à chacun ses couilles, mon vieux.

56. Instrument de musique consistant en une carapace de tortue remplie de pierres.

– Ouais. C'est à qui les gardera le plus longtemps...

Chacun était désormais maître de son propre sort. Mais c'était sans compter l'ignoble fourberie du Chippewa. Bien qu'il fermât les yeux, Alexander avait le crâne transpercé par les cris de son compagnon. Pendant plus d'une heure, on s'acharna sur le Revenant, le brûlant avec des objets de métal chauffés à blanc, lui entaillant profondément les membres avant d'enfoncer dans la plaie des tisons ardents pour arrêter l'hémorragie. Les hurlements du supplicié faisaient vibrer l'air fétide et exacerbaient la joie des tortionnaires qui coupèrent les lèvres et une partie de la langue. Alexander crut qu'il allait devenir fou.

Wemikwanit, rapace sanguinaire, revint lui tourner autour. Des relents d'eau-de-vie l'accompagnaient. Le corps toujours intact mais le cœur en lambeaux, Alexander soutint le regard noir et brillant sans ciller, relevant même le menton dans une attitude de défi.

– Chamard a sûrement plus de couilles que toi, Wemikwanit!

Le Chippewa pinça les lèvres. Puis, fixant Alexander, il attrapa une lance à la pointe rougie et l'enfonça dans sa cuisse. Alexander ne put retenir un long râle.

– Pour le moment... grogna Wemikwanit en retirant la lance.

Le souffle coupé, Alexander, presque soulagé d'avoir lui aussi son lot de souffrances, arriva à sourire pour défier le Sauvage de continuer. Ce fut un enfant qui s'en chargea en appliquant des tisons sur ses pieds. L'intense douleur eut pour effet de le distraire de celle du Revenant. Il hurla.

Il ne lui restait que quatre ongles aux doigts; ses jambes n'étaient plus que des plaies vives et fumantes. Ses forces le quittaient; il n'arrivait plus à tenir debout. Cependant, dès qu'il se laissait glisser contre le poteau, un nouveau tourment le forçait à se redresser. Les plaintes de son compagnon ne lui parvenaient plus que faiblement, se confondant avec les rires des Sauvages et ses cris à lui.

Le temps n'existait plus. Tout s'était figé. La réalité et le rêve, la souffrance et le soulagement, la vie et la mort, entremêlés, l'enlaçaient et le berçaient. Parfois, son esprit se détachait de son corps et flottait au-dessus. Mais une vague d'eau glacée le ramenait brutalement et rapidement sur terre et le faisait libérer les notes de son *adonwé*[57] cristallisées dans les profondeurs des replis de son cerveau. L'horreur alors reprenait toute sa place devant ses yeux.

57. Chant de la mort.

Il ne reconnaissait pas la masse de chair sanguinolente qui ne bougeait plus beaucoup contre l'autre poteau. Le Revenant semblait sur le point de rendre l'âme. Seul le mouvement de sa poitrine indiquait qu'un filet de vie l'habitait encore. Il avait cessé depuis longtemps de chanter sa sinistre mélopée, n'émettant plus que des sons inhumains. Comment un homme pouvait-il supporter tant de tortures, tant de douleur? Alexander, qui croyait avoir vécu l'enfer dans la prison du Tolbooth d'Inverness, comprit qu'il n'en avait connu que l'antichambre, et le royaume du prince des ténèbres n'avait pas de limites.

—Je te donne une dernière chance, Macdonald.

C'était la voix du Chippewa. Alexander, qui n'avait plus la force de tenir sa tête, grogna faiblement. Une main agrippa sa chevelure et tira dessus.

– Va te... faire voir... fumier...

Oscillant entre la lucidité et la folie, Alexander vit une femme s'emparer des organes génitaux en partie brûlés de son compagnon. Elle les palpait en riant et en lançant des paroles qui firent rire les autres Sauvagesses. Puis elle les trancha d'un coup de couteau. Les yeux révulsés, le Revenant fut secoué d'un violent spasme avant de retomber dans son état d'asthénie profonde.

Alexander, les paupières baissées, priait pour que la mort vienne chercher son ami lorsqu'une main se referma brusquement sur ses propres testicules, les massant sans douceur. Il gémit de douleur, gesticula pour se dégager. Enfin, contre toute attente, la main s'enleva. Ses liens tranchés, il tomba lourdement sur les planches de la plateforme.

Des voix grondaient au-dessus de lui: une violente altercation. Des mains le firent rouler sans ménagement sur le dos; il poussa un cri. Entrouvrant son œil tuméfié, il vit, juste sous son nez, un mocassin orné d'un motif ressemblant vaguement à un oiseau aux ailes déployées. Un coup dans les côtes le plia en deux. Puis on le laissa tranquille. Il sombra alors rapidement dans un sommeil agité.

La douleur était devenue intolérable. Devant ses yeux incrédules se succédaient des scènes horribles d'orgies dont il était le plat principal avec le Revenant. On dépeçait, on sortait les tripes des deux abdomens pour les remplacer par des pierres chaudes qui grésillaient. Les enfants dansaient, des intestins dégoulinant de sang autour du cou. Des femmes plongeaient leurs mains dans les deux ventres pour en arracher les viscères à demi cuits dans lesquels elles mordaient avec appétit. Alexander poussa un terrible hurlement.

Il se réveilla en sueur, se palpa le ventre, les cuisses et les parties intimes. Son corps n'était que douleur, mais il était entier. Bon Dieu, il était entier! Un étrange silence avait remplacé les cris lugubres et les sinistres ricanements. Mais des odeurs de vomissure et de chair brûlée flottaient encore dans l'air. Il essaya de rouler sur le côté, mais la souffrance le força à rester sur le dos.

Il n'avait pas rêvé le supplice d'Hébert Chamard. Les images de son cauchemar n'en étaient que les échos revenus le hanter. Le Revenant, tellement faible, n'attendait que la mort. Peu avant l'aube, avisant son état, les Iroquois lui avaient tranché la tête d'un coup de hache. On s'était partagé ses restes, qu'on avait fait rôtir ou bouillir pour les manger. Puis, on avait fait de grands bruits pour chasser son esprit loin du village.

Alexander se souvenait aussi d'avoir senti le froid de la neige apaiser ses brûlures et d'avoir été transporté sur un brancard de sapinage[58]. Où était-il et que s'était-il passé? Pourquoi était-il toujours vivant? Le réservait-on pour le chaudron de guerre lorsqu'il serait en mesure de tenir sur ses jambes?

Il entendit une voix chuchotante empreinte de bienveillance. On le palpait doucement; on appliquait des compresses sur ses jambes. Bien que l'obscurité l'empêchât de voir qui était là, il reconnut l'odeur épicée et légèrement résineuse de la Sauvagesse qui venait quotidiennement les nourrir, le Revenant et lui. Il se rendait soudain compte qu'il n'avait pas aperçu la jeune femme lors du supplice.

– Reposez-vous.

Frôlant son oreille de ses lèvres, elle avait murmuré ces mots dans un français hésitant. Alexander fixa la silhouette, estomaqué. Elle parlait français!

– Dites-moi... articula-t-il avec peine.

– Chut! *Satejahtha*[59].

Elle étouffa ses inquiétudes de sa paume tiède qui glissa ensuite sur sa joue.

– La veuve a enfin décidé de vous adopter. *Saatawatsi*[60].

Adopté? La veuve l'avait adopté? Mais pourquoi? Il s'agita. Il voulait savoir. La femme le maintint fermement mais doucement contre la natte, lui imposant le silence, et le recouvrit d'une peau d'ours. Des ronflements montaient des profondeurs de l'obscurité

58. Branches de sapins.
59. Prends courage (en huron-wyandot).
60. Tu es bel homme (en huron-wyandot).

opaque. Il ne saurait rien pour le moment. Une douce langueur l'envahit. Sans doute lui avait-on administré une drogue quelconque pour le faire dormir.

***

Les mêmes images de supplice et d'orgie hantaient le sommeil d'Alexander, qui se réveillait en poussant d'affreux cris. Une main douce et réconfortante se posait alors sur l'homme pour le faire taire. Il divagua ainsi des jours durant, tandis que son corps, pansé, guérissait lentement.

Dans ses périodes de réveil, il remarqua que la Sauvagesse ne s'adressait à lui en français que lorsqu'ils se trouvaient seuls tous les deux. Elle lui apprit qu'elle s'appelait Tsorihia, qu'elle était wyandotte[61] de naissance et que la veuve Godasiyo l'avait adoptée.

– Godasiyo a craint que l'esprit de son défunt mari ne trouve jamais de repos ni l'*astikein andahatey*[62] pour accéder à sa renaissance. Elle a vu en vous le *uttha'yoni*[63]. Elle a vu autour de vous l'âme de son brave, qui avait le loup pour totem. Vos yeux lui ont parlé comme ils ont parlé au loup.

Tout en donnant des explications à Alexander, tout en lui apprenant les traditions iroquoises, Tsorihia délayait, dans un bol d'argile, de la farine de maïs avec du miel. Elle étendait la pommade obtenue sur des bandelettes qu'elle appliquait sur les jambes du blessé. Tous les jours, c'était le même rituel. Une routine s'installa, et Alexander se mit à attendre avec impatience les visites de la jeune femme.

– Où est le Chippewa? demanda-t-il un jour comme elle léchait ses doigts enduits de miel.

– Les chefs du conseil l'ont chassé. Il voulait vous reprendre. Il a même menacé Godasiyo. Mais Godasiyo est la doyenne de sa maison longue, donc une mère du clan. Elle a une forte influence sur le conseil. Niyakwai lui a raconté que vous avez parlé avec le loup lors de votre voyage. Le loup vous a choisi... et Godasiyo souhaite vous garder.

Se souvenant de cette nuit où les Sauvages et leurs deux prisonniers avaient surpris une meute de loups en train de dévorer

---

61. Huronne.
62. Chemin des âmes qui va vers le Pays des morts.
63. Loup (en sénéca).

une carcasse sur le bord de la rivière, Alexander hocha la tête. Il avait trouvé étrange la réaction de l'animal et avait remarqué que l'attitude de Niyakwai envers lui avait changé ensuite. Ainsi, on le croyait protégé par l'esprit du loup.

Il fit une petite grimace lorsque Tsorihia retira ses vieux pansements. La peau ne partait plus avec les bandelettes, mais le contact des nombreuses plaies rose vif avec l'air le faisait encore souffrir. Après avoir posé de nouveaux pansements, Tsorihia lui offrit un gâteau de maïs mouillé avec du sirop d'érable.

Il faisait sombre dans la maison longue et des petits feux enfumaient le couloir central. La fumée s'échappait par des ouvertures qu'on pouvait fermer plus ou moins à l'aide de panneaux coulissant dans la toiture. Alexander était installé sur une plateforme couverte de peaux d'ours, la jeune Sauvagesse à ses côtés.

– Après la cérémonie d'adoption, vous serez l'époux de Godasiyo, laissa tomber Tsorihia d'un ton morne.

– Son époux? Je croyais que je serais... son esclave...

La jeune femme plissa le front.

– Les chiens mangent avant les esclaves. Croyez-moi, être l'époux de Godasiyo est mieux.

Alexander tourna son regard vers la veuve, assise avec d'autres femmes près du feu et pilant le maïs avec une pierre dans un tronc d'arbre creusé. À côté, des enfants s'amusaient avec des poupées faites de pelures de maïs qu'ils attachaient sur le dos d'un chiot docile. Tsorihia se rembrunit en voyant Alexander détailler celle dont il devrait honorer la couche dès qu'il serait en état de le faire. Elle devinait, d'après la constitution solide de l'homme à la peau d'écorce de bouleau, que cela ne saurait tarder, et elle en éprouvait de l'amertume.

Chassant ses pensées, la jeune femme étala la couverture de peau sur le blessé et se déplaça à quatre pattes jusqu'à sa tête, qu'elle prit entre ses mains. Sans mot dire, elle lissa sa chevelure et l'examina soigneusement. Alexander, intrigué, la laissa enlever méticuleusement de son cuir chevelu les petites bêtes qui y avaient élu domicile depuis les derniers mois. Troublé, il baissa les paupières. Autre temps, autres mains... Isabelle avait eu les mêmes gestes.

– N'oubliez jamais que Godasiyo a toujours le pouvoir de vie et de mort sur vous.

Alexander étudia le visage qui se penchait sur lui, à moitié dans l'ombre. Les yeux d'obsidienne le regardaient tristement.

– Vous êtes un bon guerrier, elle le sait. Les nombreuses marques de votre corps racontent aussi que vous possédez une très grande force d'esprit. Si vous êtes un bon chasseur et un bon amoureux, alors Godasiyo sera comblée et vous gardera longtemps.

– Vous, Tsorihia, comment êtes-vous devenue sa fille adoptive?

Alexander avait levé sa main droite vers la joue ronde, qu'il caressait maintenant doucement de son pouce dont l'ongle avait recommencé à pousser. La jeune femme baissa la tête.

– Les Sénécas et les Wyandots n'ont jamais été en très bons termes. Quand j'avais cinq ans, les Sénécas ont attaqué mon village et m'ont emmenée. Godasiyo, qui venait de perdre une fille, a bien voulu de moi.

– Et vous êtes contente? Vous n'avez jamais envie de retourner chez vous? demanda Alexander après un moment de silence.

Les traits de la jeune femme se durcirent.

– Godasiyo et sa petite-fille Wennita sont ma famille aujourd'hui.

– Mais ces gens vous ont enlevée à votre vraie famille! Vous aviez un père, une mère, je suppose!

Alexander ne comprenait pas le raisonnement de la Wyandotte. Tsorihia resta songeuse un moment, fixant la chevelure dans laquelle elle fouillait avec ses doigts.

– Peut-être que j'aimerais bien un jour retrouver les miens, souffla-t-elle en lorgnant nerveusement vers le groupe de femmes, sachant pertinemment que la veuve les surveillait étroitement. Mais je dois accepter ce que je ne peux changer.

Elle abaissa à nouveau ses yeux sombres sur Alexander, les doigts immobilisés sur la plaie maintenant refermée à l'arrière du crâne. L'homme blanc sut ce jour-là qu'il avait trouvé en Tsorihia une alliée.

***

Le sommeil toujours agité, Alexander se remettait lentement de ses blessures. Tsorihia le soulageait et le calmait. Un jour, elle lui offrit un bel objet qu'elle lui présenta comme étant un capteur de rêves. Elle lui expliqua qu'il devait le suspendre au-dessus de sa couche: «Les rêves sont des messages envoyés par les esprits, bons ou mauvais, pour nourrir ou tourmenter notre âme. Parfois il faut les trier. Ce capteur vous y aidera. Il captera vos mauvais rêves, la nuit, et au matin, les premiers rayons du soleil les saisiront et les brûleront.»

La jeune Wyandotte était indispensable à Alexander. Elle lui apprenait la vie «à l'iroquoise», tâche qu'avait entreprise puis peu à peu délaissée Godasiyo et qu'elle-même prenait grand plaisir à accomplir. La veuve était irritée contre son nouveau compagnon qui ne pouvait aller chasser avec les autres hommes parce qu'il n'était pas encore tout à fait rétabli. Elle devait se contenter des morceaux qu'on lui donnait. « Le mari de Godasiyo était un bon chasseur. Cette femme avait l'habitude d'être celle qui donne et non celle qui reçoit. » Cependant, Alexander ne s'en souciait guère et profitait de son repos forcé pour renouer avec son ancienne passion, la sculpture.

Tranquillement installé dans son coin, il s'occupait tout en observant la communauté iroquoise autour de lui. Ce fut avec étonnement qu'il constata que les femmes y avaient une grande place en comparaison des femmes blanches dans leur société. Elles étaient les fondations mêmes de leur communauté. À l'instar des ethnies d'origine celte dont il était issu, curieusement, les Iroquois se divisaient en tribus, en phratries puis en clans.

Tsorihia lui expliqua les grandes lignes du fonctionnement du gouvernement iroquois. Si seuls les hommes siégeaient au Grand Conseil, c'étaient en revanche les femmes, celles qu'on appelait les mères du clan, qui nommaient ou démettaient les sachems et les jeunes chefs qui en faisaient partie. Elles avaient donc, d'une certaine façon, une voix silencieuse qui n'était pas dénuée de pouvoir.

Les jours passaient; la vie était douce et tranquille. Alexander, cependant, sentait comme une menace cette toile que le temps tissait autour de lui : il se refusait à rester et à être assimilé. Il échafaudait donc des plans d'évasion qui s'écroulaient lamentablement les uns après les autres. Mais, un jour, il en était persuadé, l'occasion se présenterait...

Ayant remarqué que la jeune femme avait pour lui des sentiments qui dépassaient la simple amitié, il pensa lui demander son concours pour arriver à ses fins. De plus, il ne pouvait le nier, Tsorihia ne le laissait pas indifférent. L'épouse qui s'était imposée n'était pas particulièrement attrayante. En fait, quand il était avec elle, il se représentait les courbes gracieuses de la jeune Sauvagesse allongée sur sa couche, de l'autre côté de la courtine de peau. La fougue et l'ardeur que cela lui donnait semblaient grandement satisfaire la veuve, qui lançait même des regards de louve aux femmes qui s'attardaient un peu trop longuement autour de Loup Blanc, son nouveau mari. Cette situation rendait difficile tout rapprochement avec la belle Wyandotte et retardait du même coup les projets d'évasion.

L'après-midi touchait à sa fin. La lumière grise pénétrait dans la maison longue par à-coups lorsque les peaux qui obstruaient l'entrée se soulevèrent. Un grand vent, sifflant d'ouest en est avec violence, s'était levé et envoyait des bourrasques de neige aveuglantes. Les habitations tremblaient. Godasiyo discutait comme à son habitude avec les autres femmes de la maison qui préparaient la sagamité[64].

Bien qu'assez rétabli pour suivre les hommes à la chasse, Alexander était réduit au désœuvrement par le mauvais temps. Étendu sur sa couche, il contemplait Tsorihia qui, agenouillée, grattait une peau d'orignal à la lueur d'une lampe de graisse d'ours. Il s'amusait à évaluer l'âge de la jeune femme. Vingt ans? Pas moins de seize en tout cas. Le visage rond et lisse était orné de trois perles tatouées sous la saillie de chaque pommette et de trois traits verticaux sur le menton. Contrairement aux hommes, très peu de femmes portaient des tatouages.

Consciente que l'homme blanc l'observait, la Wyandotte souriait sans lever les yeux, concentrée sur le couteau qu'elle manipulait avec soin pour ne pas percer la peau. Au bout d'un moment, elle déposa son outil et prit un récipient d'écorce qu'elle cala sur ses genoux. Puis, elle plongea ses doigts dedans et en ressortit une pâte qu'elle étala soigneusement sur les poils qui adhéraient toujours au cuir. Ses mains travaillaient avec célérité.

Fasciné, Alexander n'avait pas remarqué qu'elle le fixait maintenant avec insistance. Lorsque enfin il leva les yeux vers son visage, il croisa son regard. Lorgnant vers Godasiyo, qui ne faisait guère attention à eux, il se leva et vint s'asseoir en tailleur sur le sol, à ses côtés.

– Je peux essayer? demanda-t-il en montrant l'ouvrage momentanément délaissé.

– Travail de femme, répondit-elle en hochant la tête. Pas pour vous. Loup Blanc est un chasseur. Il ira chercher de belles peaux et moi, je les gratterai soigneusement.

Elle ramassa son racloir et se remit à la tâche, lui offrant un profil altier.

– Qu'as-tu mis sur les poils?

– De la cendre mélangée à de la cervelle de cerf.

Il avait remarqué que les méthodes des Amérindiennes étaient différentes de celles des Blancs. Les peaux grattées à la main,

64. Bouillie amérindienne à base de farine de maïs à laquelle étaient ajoutés des morceaux de viande.

assouplies par une longue mastication et fumées pour devenir imperméables, étaient d'une très grande qualité. D'une souplesse incomparable, elles restaient perméables à la transpiration tout en étant hydrofuges en plus d'être lavables. Au contraire, celles que les Européens tannaient restaient raides et se détérioraient rapidement lorsqu'elles étaient mouillées.

De plus, contrairement aux trappeurs blancs qui chassaient uniquement pour récupérer les fourrures, les Iroquois utilisaient dans leur entier les animaux qu'ils tuaient. Ils fabriquaient notamment des vêtements avec le cuir. Mais ils séchaient et huilaient également la peau verte[65] pour fabriquer des objets résistants: ceintures, fourreaux, semelles de mocassins et divers récipients.

On faisait sécher la viande qui n'était pas consommée immédiatement pour en faire du pemmican. On transformait les sabots en outils et en bijoux. En les faisant bouillir, on en extrayait aussi une substance qui servait à faire de la colle et un assouplisseur de peau verte. On se servait des tripes, qu'on nettoyait, étirait, tortillait, séchait et huilait, comme de «fil à coudre». Rien n'était perdu. Les excréments eux-mêmes aidaient à allumer les feux. Et les poils que Tsorihia s'appliquait à détacher de la peau seraient, une fois teints, brodés sur les vêtements, tout comme les piquants du porc-épic assouplis.

Le système d'autarcie des Sauvages était impressionnant. Le Hollandais avait dit vrai. Ces gens n'avaient rien gagné à adopter les habitudes des Blancs. Ils vivaient très bien sans elles. Certes, ils se comportaient en barbares avec leurs prisonniers. Cependant, ils faisaient preuve d'une grande générosité, étaient tendres avec leurs enfants et très respectueux de tout ce que le Grand Esprit leur offrait.

Les Sauvages accordaient aussi une très grande importance aux relations sociales: la dignité de chacun revêtait pour eux un sens sacré. Les querelles ouvertes entre membres d'un clan étaient rares, car ils réprouvaient les manifestations violentes des émotions. Cela ne voulait pas pour autant dire qu'ils s'entendaient tous comme larrons en foire. Mais l'hostilité s'exprimait de façon subtile et les malentendus se réglaient souvent à l'amiable. Plus d'un Blanc aurait pu tirer une leçon de cette culture où la possession des biens matériels ne se plaçait pas au sommet de l'échelle des valeurs.

Tsorihia grattait énergiquement la peau pour en détacher tous les poils et la rendre bien lisse.

65. Peau crue, non traitée.

– Loup Blanc aime vivre avec Godasiyo? demanda-t-elle soudain sur un ton badin qui ne trompa pas Alexander.

– J'aime bien vivre avec Godasiyo... et sa charmante fille Tsorihia, répondit-il en lui caressant un genou du bout des doigts.

Elle s'arrêta de travailler. Au bout de quelques secondes, reprenant son ouvrage, elle murmura:

– Tsorihia aime bien Loup Blanc. Mais Loup Blanc est l'époux de Godasiyo.

De nouveau, la main qui tenait le racloir s'immobilisa. Tsorihia tourna son doux visage vers l'homme blanc. Dans le fond des yeux noirs qui le regardaient, Alexander put voir brûler une flamme qui lui rappela étrangement la lueur qui allumait ceux de Mikwanikwe. Les sifflements du vent et les craquements de la structure de bois qui les abritait assourdissaient les conversations des femmes affairées à cuisiner dans le couloir central. L'odeur fade de la bouillie leur parvenait dans des volutes qui s'enroulaient autour des piliers d'orme. Se déplaçant sur les genoux, Alexander allait refermer le rideau de grosse toile qui séparait les habitacles.

– Non, l'arrêta la jeune femme. Godasiyo voit tout... Elle est mauvaise quand elle est jalouse.

– La fidélité est-elle quelque chose d'important chez les Iroquois? J'ai entendu dire que si un homme avait envie d'une autre femme que son épouse et que cette femme était consentante...

– Godasiyo n'aime pas partager son homme.

– Elle me battra? demanda Alexander avec un petit sourire incrédule. Elle me répudiera? Ou bien elle me renverra au poteau?

Déposant son outil, Tsorihia se tourna vers lui. Elle effleura de ses doigts les cicatrices qu'il avait sur les jambes, remontant jusqu'au genou, puis sur la cuisse. Frissonnant de désir, il approcha son visage du sien. Elle exhalait un douceâtre arôme de cèdre blanc, dont on faisait une décoction très efficace pour compenser le manque de viande fraîche.

La jeune femme ferma les yeux et posa délicatement ses lèvres sur celles d'Alexander avant de s'écarter. Il sentit son cœur s'emballer. Passant une main sur la nuque de Tsorihia, il l'attira à lui pour prendre à nouveau ces lèvres qu'il découvrait très douces et légèrement sucrées. La fièvre les gagna, et leurs mains se mirent à explorer le corps de l'autre. Le souffle court, Alexander fit basculer la jeune femme sur le sol; elle l'entraîna sur elle dans son mouvement.

– Oh, bon Dieu! Tsorihia! murmura-t-il doucement dans les cheveux de la Sauvagesse.

Elle poussa un faible gémissement lorsqu'il trouva son sexe

humide de désir. Mais ses cuisses se refermèrent prestement sur ses doigts encore sensibles. Un peu surpris, il se souleva sur un coude. Les yeux ronds de saisissement, Tsorihia fixait un point derrière lui. Il se figea sur-le-champ, appréhendant la vision qui l'avait pétrifiée.

Abandonnant à contrecœur la douce chaleur des cuisses de la jeune femme, Alexander se retourna d'un coup. Godasiyo les toisait d'un air impassible qui n'annonçait rien de bon. Ses yeux brillaient d'un éclat inquiétant. Précautionneusement, l'homme blanc se détacha de Tsorihia pour faire face à son épouse. Les quelques mots qu'il connaissait en iroquois ne lui suffiraient pas pour expliquer la situation. Il allait tout de même tenter de le faire en anglais, langue que comprenaient un certain nombre d'Iroquois à cause de l'alliance de jadis avec les Anglais de la Nouvelle-Angleterre. Le coup, brutal, partit avec une rapidité surprenante. Tsorihia gémit de douleur, une main sur son visage, l'autre se préparant à parer un autre coup qui ne vint pas.

Pris au dépourvu, Alexander ne savait comment réagir. Avant même qu'il pût placer un mot, Godasiyo avait tourné les talons pour retourner auprès du feu avec les autres femmes qui discutaient toujours, indifférentes à ce qui venait de se produire. Par la suite, pour ne pas provoquer d'esclandre et ne pas nuire à sa sécurité et à celle de la Wyandotte, Alexander garda ses distances avec Tsorihia.

***

Le froid était si intense qu'il cristallisait leurs haleines dans l'air. Les chasseurs étaient rentrés d'une expédition et n'avaient malheureusement pas rapporté la quantité de viande fraîche nécessaire pour redonner un peu de forces aux nombreux malades. Une épidémie de grippe sévissait dans le village. Deux jeunes enfants et quatre vieillards avaient déjà été emportés.

À l'instar de bien d'autres occupants de la maison longue, Tsorihia se retrouva malade et alitée. Au plus fort de sa fièvre, elle délira et demanda à voir les Faux Visages[66], qu'elle disait avoir aperçus en rêve. Bien marrie de voir sa fille clouée sur sa couche, les tâches de cette dernière s'ajoutant aux siennes, Godasiyo se plia à sa demande.

Un cortège de personnages portant des masques fantastiques et

66. La société des Faux Visages était une organisation religieuse iroquoise dont le but principal était la guérison des maladies.

grotesques fit irruption dans la maison longue. À la fois inquiet et intrigué, Alexander demeura tapi dans un coin pour assister à la cérémonie qui, à sa grande surprise, fut relativement brève. Agitant leurs *chichigouanes* peints de décorations symboliques en psalmodiant des incantations mystérieuses et en dansant autour de Tsorihia, les initiés soufflaient, vers la malade dont ils touchaient le front, de la cendre prélevée sur des braises rougeoyantes. Le rituel terminé, Godasiyo offrit du tabac et de la sagamité aux Faux Visages, qui acceptèrent en silence avant de s'en aller.

Comme hypnotisé, Alexander fixait la Wyandotte, s'attendant à ce qu'elle se lève, tel le grabataire des récits bibliques. Mais rien de cela ne se produisit. Tsorihia se remit à tousser et resta couchée sous ses fourrures, se retournant en geignant. Il s'inquiétait pour elle. Un adolescent avait succombé pendant la nuit. Si la jeune femme mourait, il perdait toutes ses chances de s'évader. Toutefois, il n'y avait pas que ça. Il se rendait compte avec agacement qu'autre chose l'angoissait... Il craignait sincèrement de la perdre.

Le lendemain, la Wyandotte trouva la force de se redresser dans sa couche et de boire un peu de bouillon dans lequel avaient macéré des herbes. Les yeux soulignés de larges cernes bleus sourirent à Alexander qui en ressentit un immense soulagement.

***

On devait être en février. Les Iroquois préparaient avec fébrilité la fête du Milieu de l'hiver. Tsorihia expliqua à Alexander qu'on allait célébrer la lutte opposant Teharonhiawako, le gardien du Paradis, et Sawiskera, le Mauvais.

Les festivités débutèrent par la parade des Grosses Têtes, le premier jour. En fait, des hommes vêtus de façon grotesque allaient de maison en maison pour annoncer officiellement les célébrations qui marquaient le début de l'année, d'après le calendrier iroquois. Ils remuaient les cendres dans tous les âtres pour symboliser le dispersement du feu de l'Année passée et l'embrasement de celui de l'Année nouvelle. Ensuite, ils étranglaient un chien blanc, incarnant la pureté, peint de carmin et habillé de *wampums* blancs, et le suspendaient à la vue de tous, au milieu du village.

Ensuite, on consacra le deuxième jour au renouvellement des rêves et aux visions, qui avaient une signification particulière par rapport à la guérison de l'âme des malades. Les gens se rassemblèrent dans la grande maison du conseil, où on dansa et chanta des chants d'action de grâce avant de se livrer au jeu de la Grande Énigme.

Le songe réglait la vie. Les Iroquois pensaient qu'il était toujours porteur de message et qu'il fallait le satisfaire pour éloigner les esprits du mal. Les participants du jeu de la Grande Énigme évoquaient, sous forme de devinette, un rêve qu'ils avaient fait au cours de l'année passée. Les habitants devaient le décoder. Celui qui résolvait l'énigme devait répondre au message du songe, à la demande qu'il comportait, pour guérir l'âme inassouvie. Ainsi, un jeune homme devina qu'une femme avait rêvé d'un orignal et offrit la plus belle peau d'orignal qu'il possédait. Ne pas satisfaire une demande entraînait le malheur.

Alexander assista, silencieux et respectueux, à cette cérémonie d'évocation. Il ne comprenait pas grand-chose à ce qui se disait. Cependant, il découvrit que cette fête était une sorte de thérapie de groupe qui permettait à chacun d'exprimer subtilement certaines frustrations ou désirs habituellement considérés comme inacceptables.

Lorsque Tsorihia se leva et s'adressa à l'auditoire, Alexander sentit monter sa curiosité et son intérêt. La jeune femme raconta son rêve avec force gestes, imitant une bête qui lui léchait les mains. Un chien, pensa-t-il en souriant. Désirait-elle un chien? Pourtant, des chiens, il y en avait des dizaines qui vivaient librement dans le village, se mêlant aux dormeurs et dévorant les détritus qui jonchaient le sol. La requête était un peu bizarre... Pour avoir un chien, Tsorihia n'avait qu'à ramasser un de ces pauvres chiots que repoussaient avec indifférence les mocassins pressés.

Ce soir-là, Godasiyo fut d'humeur exécrable. Elle lançait des regards noirs à son mari qui n'en comprenait pas la signification. Avait-il fait quelque chose qui avait déplu? Puis, au moment de se coucher, l'épouse s'allongea sur leur couche en marmonnant à Alexander quelque chose et en lui désignant l'endroit où dormait Tsorihia. N'ayant pas saisi le sens de ses paroles, Alexander fit mine de la rejoindre sur la fourrure. Mais elle se leva brusquement et le tira derrière elle jusqu'à la couche de la Wyandotte. Désignant la jeune femme du doigt, elle fit volte-face et s'éloigna en laissant derrière elle l'écho de son insatisfaction. Abasourdi, Alexander interrogea Tsorihia d'un air grave.

– Qu'est-ce que ça veut dire?

– J'ai fait un songe...

Elle lui fit signe de se pencher et poursuivit dans un murmure:

– L'esprit du Grand Loup blanc m'a visitée et m'a parlé avec ses yeux. Il a léché mes plaies et m'a guérie de mon mal.

La jeune femme, pour confirmer ses dires, souleva la fourrure pour dévoiler, à la lueur vacillante de la lampe de suif d'ours malodorante, son corps nu élancé à la peau mate. Nouant ses bras autour de son cou, elle attira Alexander sur elle en gloussant, apparemment satisfaite de sa ruse qui lui permettait d'assouvir un désir autrement impossible.

– Et pour ce seul songe, Godasiyo accepte maintenant de me partager?

– Cela porte malchance de ne pas offrir la médecine qui guérit l'âme. Godasiyo sait, et elle a peur du mauvais *oki*[67].

– *Oki*?

– *Oki*, l'esprit qui influence l'âme de chaque homme...

Elle faisait courir ses mains sur la chemise de l'homme blanc, tirant dessus avec ferveur pour l'enlever. Lorsque Alexander sentit la chaleur et la douceur de sa poitrine contre la sienne, il soupira d'aise.

– L'esprit qui influence l'âme de chaque homme, murmura-t-il en recherchant le parfum sucré de l'haleine de Tsorihia.

– ... comme l'esprit de votre Dieu, le Saint-Esprit qui pénètre tous les hommes.

Soupirant de contentement, il parcourait de ses lèvres la peau du cou, qui avait un goût légèrement épicé. Tsorihia se tortillait sous lui pour le libérer de son brayet.

– Quand j'étais toute petite, j'entendais souvent le prêtre à la robe noire en parler. Il faut écouter Oki, comme le Saint-Esprit, pour sauver son âme.

– Ainsi, Godasiyo a peur du mauvais *oki*, résuma Alexander en se débattant avec le vêtement coincé dans sa ceinture. Est-il si mauvais? Et toi, Tsorihia, n'en as-tu point peur?

Il plongea son regard dans la profondeur des yeux de nuit qui se rétrécirent tandis qu'elle lui souriait, narquoise.

– Non, c'est le bon *oki* qui est venu à mon aide et qui a guidé Loup Blanc vers moi pour conjurer le mauvais sort que m'a jeté Godasiyo.

– Mauvais sort?

Alexander, qui se penchait de nouveau pour croquer délicatement dans la chair tendre, releva la tête vers la coquine qui justifiait habilement ses intentions.

– C'est elle qui m'a rendue malade, pour se venger. Elle est

---

67. Les Iroquois croyaient en l'existence d'une âme ou d'un esprit immortel en toute chose. Un *oki* est un esprit ayant le pouvoir d'influencer les êtres humains.

mauvaise quand elle est jalouse. La sorcellerie aussi est mauvaise et doit être sévèrement punie. Si Godasiyo ne veut pas que je la dénonce, elle doit m'offrir Loup Blanc pour me guérir... Maintenant, c'est moi la *tsiwei*[68] de Loup Blanc.

Satisfaite d'elle-même, la jeune femme affichait un large sourire.

– Tu es redoutable, Tsorihia, terriblement futée! l'accusa Alexander en riant et en lui dévoilant ses crocs prêts à la dévorer, enfin.

---

68. Compagne (en huron-wyandot).

7

Celui qui parle avec les yeux

Dolent, Alexander se laissait porter sur le courant tranquille du temps sans chercher à savoir où cela le mènerait. Il était maintenant, totalement et uniquement, le compagnon de Tsorihia. Progressivement, en effet, Godasiyo s'était désintéressée de lui. Il doutait que la peur du mauvais *oki* fût la seule responsable de cette situation. Curieusement, chaque fois que Godasiyo avait manifesté son envie de garder son mari pour elle seule, de ne plus le partager, Tsorihia était prise d'une toux soudaine et se plaignait de douleurs à la poitrine. Évidemment, personne n'était dupe de son petit manège et riait sous cape. Godasiyo, elle, s'en était lassée et avait jeté son dévolu sur un autre homme, devenu veuf pendant ce rude hiver.

Puis le printemps arriva, soufflant son vent tiède sur les Appalaches et faisant fondre la neige. Les rivières se gonflèrent, cascadant des falaises escarpées. Les oies revinrent par centaines, voire par milliers, constellant l'immensité azurée et pailletant le miroir du long lac Sénéca, le temps de reprendre des forces avant de continuer leur route.

Les longues palabres du conseil s'écourtaient de jour en jour. Les hommes ne tenaient pas en place. La pêche et la chasse étaient bonnes. Alexander, qui pouvait désormais parcourir de longues distances sans trop ressentir les tiraillements de ses blessures, participait aux expéditions. Il s'était lié d'amitié avec Niyakwai et quelques autres guerriers, dont Tekanoet. Il aimait ces sorties qui lui permettaient de retrouver une certaine liberté et d'apprendre les techniques de survie des Sauvages, dont il aurait un jour besoin. Bien qu'il fût à l'aise parmi les Iroquois, il sentait qu'il n'était pas vraiment l'un des leurs et ne le serait jamais. L'appel de la civilisation des Blancs, la sienne, résonnait en lui. Mais, pour le moment, il désirait vivre son bonheur avec Tsorihia.

Aujourd'hui, il rapportait fièrement à sa compagne une belle biche. Déposant la bête sur le sol, devant la maison longue, il chercha la jeune Wyandotte des yeux. Les peaux tendues qu'elle venait de terminer de racler séchaient à l'ombre du bâtiment. Il entendit des rires d'enfants venant de l'autre côté de la cloison d'écorce et s'approcha: Tsorihia, assise sur le sol avec deux petites filles, confectionnait un collier de coquillages en racontant une histoire.

– ... la vieille femme se déplaçait d'un plant de maïs à l'autre, arrachant les épis et les déposant dans son panier. Puis, ayant terminé sa besogne, elle se préparait à partir lorsqu'elle entendit une petite voix...

– Ne me laisse pas! Ne me laisse pas! s'écria l'une des fillettes.

– C'est bien, Awaogoh, tu te souviens de l'histoire.

– Continue! cria l'autre fillette avec impatience.

– La vieille femme, surprise, dit alors: « Quel enfant pourrait bien s'être aventuré ici? Quel enfant peut bien s'être perdu dans ce champ de maïs? » Elle déposa son panier et partit à la recherche de l'enfant perdu. Ne le trouvant pas, elle reprit son panier pour s'en aller. La petite voix reprit alors: « Oh! Ne me laisse pas! Ne pars pas sans m'emmener! » La femme fouilla longtemps le champ. Il y avait bien des mulots, des lièvres et des couleuvres, mais point d'enfant. À la fin, elle trouva sous une feuille de maïs un tout petit épi qui pleurait. C'était donc lui qui se lamentait!

– C'est pourquoi, lorsque nous quittons le champ, nous devons regarder avec attention sous chaque feuille de maïs pour nous assurer de ne pas oublier un seul épi qui s'en attristerait...

Les fillettes éclatèrent d'un rire rafraîchissant. Le tableau était attendrissant. Brusquement, Alexander pensa à Mikwanikwe et à Otemin: la belle Ojibwa avait certainement accouché de son deuxième enfant. Observant les deux fillettes qui examinaient maintenant le travail soigné de Tsorihia, il eut un pincement au cœur à l'idée que Mikwanikwe l'attendait peut-être. Si les choses s'étaient déroulées différemment, il aurait pourvu aux besoins des deux enfants et recréé avec l'Ojibwa et eux une cellule familiale dans laquelle il aurait aimé vieillir. Avec le temps, il aurait certainement fini par considérer les enfants comme les siens. Il avait dépassé la trentaine et n'avait pas de descendants! N'était-il pas temps pour lui d'ancrer ses pieds dans le sol, de laisser sa marque? Il y avait pensé quand il était avec Mikwanikwe. Tsorihia ferait une bonne mère aussi. Il sourit à l'idée que celui qui perpétuerait son nom pourrait s'appeler Ushatu ou Tkatyanuwatha Macdonald. Mais peut-être aimerait-il aussi avoir une jolie petite Keteowitha à câliner.

Quand elle l'aperçut, Tsorihia passa l'aiguille à enfiler à l'une des fillettes et, enjambant les bols de coquillages, vint le rejoindre d'un pas allègre.

– C'est pour toi, fit-il en désignant la carcasse qu'il avait déjà vidée.

Tout sourire, elle l'embrassa, l'attrapa par le bras et l'entraîna hors de l'enceinte, dans les champs de maïs qui devenaient un luxuriant tapis émeraude.

– Où allons-nous? demanda Alexander en la suivant dans le sentier qui menait à la rivière.

– Il fait beau, j'ai envie de me baigner! lui cria-t-elle en riant.

Puis, ralentissant le pas pour lui permettre de la rattraper, elle ajouta:

– J'ai aussi envie de toi...

– Mais tu sais bien qu'on me surveille encore... Ils vont me chercher.

– Quelques minutes, pas plus!

– Et la biche? Qui va...

– Personne ne touche à ce qui ne lui appartient pas, le coupa-t-elle avant de plaquer sa bouche sur la sienne.

Son rire enjôleur le fit sourire, son regard mystérieux engendra une émotion qui lui donna chaud et ses mains firent naître en lui le désir. Sans se faire prier plus longuement, il la suivit.

L'eau était glacée; ils grelottaient. Impatient de se réchauffer avec Tsorihia dans les fougères, Alexander la suivit dans les sous-bois et s'allongea sur elle. Ils n'avaient que quelques minutes. Au village, l'homme blanc était relativement libre d'aller et venir, mais il devait rester visible. Les jambes de Tsorihia ceignant sa taille, ses mains massant son postérieur contracté, il prit la jeune femme avec fougue et jouit rapidement.

– Finalement, ils sont plutôt pratiques, ces brayets, remarqua-t-il dans un soupir en rajustant le pan de peau entre ses cuisses. Pas de danger de se faire prendre avec les culottes entre les genoux!

Il roula sur le dos pour reprendre son souffle et sa compagne étouffa son ricanement en s'installant sur sa poitrine. Puis, ils demeurèrent silencieux, écoutant le gazouillis des oiseaux et le clapotis des vaguelettes sur la berge.

Tsorihia suivait avec son ongle le contour du tatouage qu'elle avait terminé d'imprimer dans la chair de son épaule le matin même: une tête de loup. Pour lui faire plaisir et pour se plier aux coutumes iroquoises, il avait accepté de livrer son corps aux mains habiles. La jeune femme avait percé la surface de sa peau à l'aide d'une alène d'aubépine en suivant les dessins géométriques qu'elle avait d'abord dessinés avec la pointe d'un bâton carbonisé. Puis, elle avait appliqué une pâte à base de graisse d'ours, tantôt avec des pigments, tantôt avec de la poudre de charbon. En frottant les endroits où la peau avait été scarifiée, elle avait fait pénétrer le pigment sous le derme pour obtenir les motifs géométriques et les animaux qui ornaient maintenant ses mollets et ses avant-bras.

– J'en ai oublié un! ricana-t-elle en tirant sur un poil qui se dressait fièrement au milieu de la poitrine maintenant glabre de l'homme, comme celles des Sauvages.

– Ah, non! s'écria Alexander en la repoussant pour se soustraire à ce nouveau supplice. Assez! Une fois m'a suffi! Il faudra que tu m'acceptes poilu, sinon...

Il se tut brusquement. Des voix: on venait, sur la rivière. Il eut juste le temps de pousser Tsorihia dans les broussailles. Déjà, un canot faisait irruption dans leur champ de vision. Sur le coup, il crut les guerriers du village lancés à sa poursuite. Cependant, l'embarcation se dirigeait vers le village; elle n'en venait pas. Des visiteurs... Il examina le canot plus attentivement et se rendit compte qu'il n'était pas tout à fait comme ceux des Sénécas. De plus, il n'arborait pas l'emblème du clan de la tortue à la proue. Le guide portait un chapeau de feutre à la française et avait des plumes pendues à ses tresses. Un Sauvage. Mais les trois autres étaient des Blancs.

En proie à des sentiments contradictoires, Alexander sentait son cœur battre la chamade. Profitant de la douceur de vivre qu'on lui accordait, il avait momentanément mis de côté ses plans d'évasion. Mais voilà qu'une chance s'offrait à lui. Aucun guerrier iroquois n'était dans les parages. Il pourrait tout simplement se montrer, expliquer sa situation et repartir avec ces visiteurs.

Tandis qu'il se débattait avec ses pensées, Tsorihia l'observait. Elle posa à nouveau son regard sur le canot qui passait doucement devant eux. L'homme placé à l'avant lui était vaguement familier. Elle plissa les yeux pour mieux scruter les traits de l'Indien: la cicatrice sur sa joue droite... Des images surgirent de sa mémoire, montrant ce même visage balafré.

– Tsorihia?

La voix de Loup Blanc la fit cligner des yeux. Le canot était passé et la rivière était de nouveau silencieuse. Alexander la dévisageait avec un drôle d'air.

– Tu vas bien, Tsorihia?

Silencieuse, elle hocha la tête. Cependant, elle avait les mains qui tremblaient. Alexander le remarqua et la fixa avec inquiétude.

– Tu connais ces hommes?

– Je ne... sais pas. Je ne suis... pas sûre, murmura-t-elle.

– Ils sont déjà venus ici? Ils ont déjà attaqué le village?

« Attaqué. » D'autres images se succédèrent rapidement dans l'esprit de la jeune femme : un massacre, le feu dévorant des maisons, des corps. Puis encore : des femmes criant et courant, leurs enfants en pleurs dans les bras. Tsorihia se souvint brusquement d'un bras qui l'attrapait. Elle croyait que c'était Nonyacha qui l'éloignait du carnage...

– Tsorihia, réponds! Est-ce que ces hommes peuvent attaquer le village? Est-ce que ce sont des ennemis des Sénécas?

– Ennemis? murmura-t-elle, apathique, fouillant dans ses souvenirs d'enfance. Je ne sais pas... Je ne sais pas! s'affola-t-elle soudain en levant les yeux vers lui.

– Viens! Il faut rentrer et avertir Niyakwai et Gayengwatha!

Les Blancs étaient effectivement des gens faisant de la traite de fourrures. Deux d'entre eux étaient des Français de Cahokia; le troisième était un Américain. Le grand sachem iroquois avait accepté de réunir ses conseillers pour parlementer. Alexander et Tsorihia ne savaient pas de quoi il retournait et guettaient depuis plus d'une heure la porte de la maison longue où se tenait la réunion. La jeune Wyandotte avait reconnu le guide qui accompagnait les trois hommes blancs, et Alexander voulait qu'elle le voie de nouveau. Peut-être le Sauvage pourrait-il l'aider à fuir...

Au bout d'un moment, des guerriers quittèrent le bâtiment. Les hommes blancs ne furent pas longs à suivre. Lorsque le Sauvage qui était avec eux sortit à son tour, Tsorihia se figea. Il avait retiré son chapeau et, le soleil déclinant rapidement, son visage était à moitié dans l'ombre. Mais elle pouvait maintenant mieux examiner ses traits. Lorsqu'il se retourna vers l'un des Français pour lui adresser la parole, leurs regards se croisèrent. Le Sauvage la dévisagea pendant un bon moment, puis se détourna.

– Nonyacha... souffla-t-elle.

– Nonyacha?

– Mon frère... C'est mon frère!

– Bon Dieu! Tu en es certaine? Je veux dire... Cela fait combien d'années?

– Seize ans. Mais je me souviens... Je n'oublierai jamais! Un groupe de Wyandots alliés des Iroquois avaient descendu la rivière

Detroit avec des Anglais. Nous habitions la mission de Bois-Blanc, dirigée par le père Potier. Ils nous ont attaqués... Ils ont tout brûlé... Je me rappelle: Nonyacha tentait de m'arracher à mon ravisseur, gémit-elle, une main sur la bouche et les larmes aux yeux. Je ne pourrai jamais oublier son visage... Sa joue, il a reçu un coup de couteau à la joue.

Alexander réfléchissait à une vitesse vertigineuse. Le frère de Tsorihia... Il devait tenter quelque chose; cette chance ne se représenterait certainement pas. Les visiteurs se préparaient à partir, apparemment déçus.

– Attends-moi ici, je reviens!

Alexander fit rapidement le tour de la maison longue et se posta à un endroit où devait passer le groupe. Il ne pouvait suivre les hommes hors du village sans risquer de se faire repérer. Il devait donc essayer d'attirer le frère de Tsorihia vers lui, à l'ombre. Il ramassa quelques cailloux et attendit.

Les visiteurs apparurent à quelques pieds de lui. Chance inouïe, Nonyacha se tenait en retrait et passa juste sous son nez. Le cœur battant, Alexander lança un caillou à ses pieds. Le Wyandot se raidit et s'immobilisa.

– Ne vous retournez pas, Nonyacha, souffla Alexander.

– Qui êtes-vous? chuchota l'autre, alarmé.

– Un ami de Tsorihia.

– Tso...

L'homme, soudain très nerveux, se reprit, baissant le ton.

– Tsorihia? Où est-elle? Où est ma sœur?

– Ici.

– Ici? Comment va-t-elle?

Tsakuki regardait dans leur direction. Alexander savait qu'il ne pouvait le voir depuis l'endroit où il était. Mais le guerrier lui paraissait soucieux.

– Bon... Nous ne pouvons discuter plus longtemps, chuchota-t-il en gardant un œil sur l'Iroquois. Si vous pouviez revenir demain... sur le bord de la rivière... Il y a un grand saule à environ une demi-lieue de l'embouchure.

– Qui êtes-vous?

– Faites-moi confiance, Nonyacha. Je ne désire que le bien de votre sœur.

L'homme, troublé, piochait du talon dans la terre pour s'empêcher de se retourner vers son mystérieux interlocuteur. Il savait que des regards d'aigle étaient posés sur lui et les trois marchands qui discutaient encore.

– Demain? Impossible. Un convoi venant du fort de Schenectady et se dirigeant vers Niagara doit passer dans la région. C'est trop dangereux.

Un rebelle, pensa aussitôt Alexander.

– Bon, dans deux jours, alors... au soleil couchant.

– Deux jours? D'accord, j'y serai.

Alexander jouait distraitement avec ses doigts dans la chevelure de Tsorihia. Il n'arrivait pas à dormir. Il avait un mauvais pressentiment, mais n'avait pas voulu embêter la jeune Wyandotte, qui se faisait une joie de retrouver bientôt les siens, en lui en parlant. Nonyacha était-il un complice de Wemikwanit? L'avait-on envoyé ici pour le retrouver, lui, et l'échanger? Si c'était le cas, alors il s'était tout simplement jeté dans la gueule du loup! Il ne pouvait empêcher Tsorihia de rejoindre son frère. Il la laisserait donc partir et prendrait une autre direction... Pourtant, il n'en avait pas envie. Serrant plus fort sa compagne, il ferma les paupières, appelant le sommeil à la rescousse.

– Tu serais parti sans Tsorihia?

– Quoi?

La jeune femme remua, se retourna pour mieux voir son visage dans la faible lueur des feux.

– Tu as pensé partir, aujourd'hui, je l'ai lu dans tes yeux. Tu es « Celui qui parle avec les yeux ».

Alexander laissa échapper un long soupir de sa poitrine. Il ne pouvait lui mentir; elle devinait tout.

– J'y ai pensé, en effet.

– Tu serais parti sans moi? Ne me laisse pas!

Son cœur se crispa douloureusement. Il repensa à l'histoire de l'épi de maïs oublié qu'elle avait racontée aux fillettes dans l'après-midi. Un présage?

– Je n'aurais pas pu partir sans toi, lui chuchota-t-il doucement en l'embrassant sur le front.

***

Le lendemain, un détachement du convoi de ravitaillement venant du fort de Schenectady fit effectivement halte au village. Un agent du ministre des Affaires indiennes, George Croghan, était parmi eux. Tout en faisant route vers le sud, il distribuait des *wampums* de paix. Gayengwatha le reçut avec respect, mais froideur: les belles paroles des Anglais contenaient toujours du venin. Pontiac remuait le pays des Illinois, ce qui rendait les Anglais très nerveux. Voilà ce qu'étaient venus raconter les Français de Cahokia la veille.

Pontiac haranguait les Illinois: si les Anglais mettaient le pied chez eux, ils se feraient leurs maîtres et monteraient les nations du Sud contre eux. En poussant les nations indiennes les unes contre les autres, ils voulaient les affaiblir, les anéantir en provoquant des dissensions dont ils ne se relèveraient pas. Ensuite, ils pourraient s'approprier leurs terres.

Bien que le gouverneur du fort de Chartres, en Louisiane, eût enjoint les nations de son territoire à faire la paix, les ceintures de guerre avaient commencé à circuler chez les Choctaws. Charlot Kasté, chef shawni influent qui était un ardent partisan de Pontiac, avait aussi cherché à obtenir l'aide des Français, mais sans résultat: un ambassadeur anglais, le lieutenant Alexander Fraser, se trouvait au fort pour négocier la paix. C'était là qu'allait ce Croghan.

Alexander, qui comprenait maintenant assez la langue iroquoise pour suivre une conversation, assista à la cérémonie d'échange de cadeaux durant laquelle on alluma et partagea le calumet de la paix. L'Anglais offrit de l'eau-de-vie. Gayengwatha ne fut pas dupe: on achetait la paix du pays avec l'eau-de-vie qui apportait la guerre dans les villages. Il refusa d'abord l'offrande. Mais certains conseillers, irrités de voir le précieux baril disparaître, réussirent à ranger assez de capitaines de leur côté pour faire changer la décision. Le détachement enfin parti, on ouvrit le baril et on continua à discuter longuement. Il était encore question de la demande de l'Anglais de se joindre aux soldats pour mater les Illinois. Les avis étaient partagés; le ton montait. À un moment, l'un des conseillers brandit sa hache, prêt à l'enfoncer dans le bois du poteau de guerre.

– Pontiac a une langue de serpent! Il faut la lui couper! Il a mis son poison dans le cœur des chefs de la confédération des Illinois. Ce poison a dévoré leur âme, et l'esprit du mal s'est emparé d'eux!

– De ta bouche sort celui que l'homme blanc a mis dans tes veines, gronda Gayengwatha. Avec leurs guerres, les Blancs contaminent nos terres et dressent nos peuples les uns contre les autres. Il faut que cela cesse!

– Nous avons toujours été fidèles aux Anglais. Les Mohawks le restent. Respectons la loi de Kainerekowa, qui est de ne pas nous dresser contre nos frères iroquois. La voix de Gayengwatha est-elle aujourd'hui pour les Français, nos ennemis de toujours?

– Elle est pour celui qui la respecte, Sononchiez. Les Anglais la respectaient autrefois, mais plus maintenant!

– Alors où devront tomber nos armes? Sur quelles têtes?

– Les Tsonnontouans ont des armes efficaces et dangereuses, qui ne doivent pas tomber sur leurs propres têtes. Les Anglais sont des renards. Ils sèment la discorde et attendent le bon moment pour sortir de leur tanière. Nous avons signé la paix, qu'il en reste ainsi! Les Anglais sont cupides et veulent nous diriger. Ils mentent et manigancent pour nous perdre. Pontiac devrait se faire plus rusé qu'eux et attendre. Alors, ils oublieront l'ours qui sommeille... mais qui tremblera lorsqu'il se réveillera!

Avec sa fougue et ses grands gestes, Gayengwatha avait envoûté l'assemblée assise en cercle autour de lui. Les yeux brillaient de cette lueur d'espoir que seuls les rêves de liberté pouvaient allumer.

– Et si nous cherchions cet or dont ont parlé les Français et le Chippewa? proposa soudain Kanokareh. Il rendrait les Tsonnontouans invincibles. Ensuite, les Tsonnontouans pourraient anéantir jusqu'au dernier Anglais et reprendre possession de leurs terres.

Une vague de murmures d'approbation parcourut les conseillers assemblés dans la lumière diffuse du feu central qui réchauffait les nuits encore fraîches. Kanokareh gonflait sa poitrine, fier de la réaction qu'il avait provoquée. Les visages des anciens se plissaient d'ombres inquiétantes, tandis que ceux des fougueux guerriers prenaient des allures menaçantes. Ainsi, comme l'avait appréhendé Alexander, les marchands français étaient à la recherche de l'or du Hollandais. L'homme blanc étouffait maintenant au milieu des Sauvages.

– Mais Wemikwanit n'a pas réussi à savoir où il était et ne l'a pas trouvé... hasarda Niyakwai qui avait remarqué la réaction d'Alexander.

Il s'était levé, imposant le silence.

– Il a arraché la langue du Hollandais, et elle est restée muette dans ses mains.

– Loup Blanc sait, lui, affirma Tsakuki avec force. Dans ses yeux sont les mots. Il sait.

– Alors, tu feras comme Wemikwanit? Tu arracheras ses yeux, qui resteront muets dans tes mains? Si Loup Blanc savait, il aurait parlé. Loup Blanc est notre frère. L'*oki* qui le guide est aussi celui qui a guidé le grand guerrier Tsourengouenon. Il mérite notre respect.

– Mais quelle confiance pouvons-nous avoir en lui, Niyakwai? Loup Blanc possède la langue sournoise des Anglais et profite de la protection des Français. Je pense qu'il faut le faire parler.

Abasourdi, Alexander s'était discrètement poussé vers le fond de la salle, écoutant les conseillers discuter de son sort comme s'il n'était pas là. Il pensa qu'il valait mieux filer. Rester ici semblait trop risqué. Les Sauvages, trop occupés à parler, ne faisaient pas attention à lui. Il saisit donc l'occasion pour se glisser jusqu'à la sortie. Mais, au moment où il la franchissait, le visage de Niyakwai se tourna vers lui. Son cœur s'arrêta net : le guerrier allait l'appeler, c'était sûr! L'homme, cependant, ne dit rien.

Tsorihia se blottissait contre Alexander sur leur couche. Ils avaient l'esprit trop troublé pour participer au festin qui animait le village. Après la dissolution du conseil, il y avait en effet ce qu'Alexander appellerait une « orgie » et qualifierait même de tous les adjectifs imaginables. On faisait cuire dans des dizaines de chaudières du maïs, du poisson et de la viande et on installait le baril d'eau-de-vie au centre du village. Les effets de l'alcool n'étaient pas longs à se faire sentir. Alexander n'aurait jamais imaginé qu'ils pussent causer de tels ravages. Les Sauvages se battaient, se mordaient jusqu'au sang, se menaçaient du couteau. Une femme mit même le pied de son bébé dans une marmite en ébullition. Tous mangeaient à se faire éclater la panse. Ils vomissaient ensuite et recommençaient. Alexander vit six hommes entrer et sortir du compartiment d'une femme et se battre en attendant leur tour.

Les derniers échos de l'orgie se dissipaient. Un chien jappa et une femme lui répondit par un cri qui s'acheva dans un rire guttural. Ailleurs, un enfant geignit. Plus près, Alexander entendait le ronflement sourd de Godasiyo et le craquement de la natte de Wennita qui semblait ne pas dormir. Une symphonie particulièrement grossière de pets et de rots emplissait la nuit. Au milieu de cette cacophonie, Alexander s'agitait sur sa couche en repensant aux paroles de Kanokareh et de Tsakuki. Il se rendait compte que sa peau ne valait en fait pas plus qu'à son arrivée dans le village. Cependant, il était aussi parfaitement conscient qu'elle ne vaudrait sans doute pas plus dans les mains de Nonyacha si ce dernier était envoyé par Wemikwanit. Il ne savait que penser, que faire.

Le corps douillet et tiède de Tsorihia remua contre le sien, lui rappelant la promesse qu'il avait faite, ou plutôt, que la jeune femme lui avait arrachée à son retour du conseil : il ne l'abandonnerait pas. Il souhaitait sincèrement pouvoir tenir parole et comptait sur son bon *oki* pour lui montrer la voie à suivre et le protéger... Las de réfléchir à l'avenir, il enroula une jambe autour de la cuisse de sa compagne et enfouit son nez dans sa chevelure. Puis, il ferma les paupières. Demain serait un autre jour... même s'il pouvait être le dernier.

***

Le canot glissait vers eux, silencieux sur l'eau calme, dans la lumière rosée du crépuscule. Derrière lui, sur l'onde brisée, le reflet des arbres formant des arcades au-dessus de la rivière était brouillé. Tsorihia, nerveuse, piétinait l'herbe. Alexander, d'une placidité absolue, attendait, assis sur un rocher. Leurs bagages, des effets personnels et quelques provisions, étaient à ses pieds.

Deux hommes se trouvaient dans l'esquif: Nonyacha et un autre Sauvage qui n'était pas Wemikwanit, au grand soulagement de l'Écossais. L'embarcation ralentit, obliqua vers la berge et s'immobilisa à quelques pieds de la rive. Se levant, Alexander ramassa les baluchons. La jeune femme ne bougeait pas, fixant son frère qui faisait de même. Le visage horriblement balafré de Nonyacha rappela à Alexander celui de son père, blessé par une lame anglaise lors de la bataille de Sheriffmuir en 1715. Il arrivait de plus en plus souvent à l'Écossais de repenser aux siens. Ses souvenirs étaient comme une ancre l'empêchant de dériver dans ce pays qui lui faisait parfois oublier jusqu'à son nom. S'il plaisait à Dieu qu'il arrive à regagner la province de Québec, il écrirait à son père, il se le promettait...

– Dépêchez-vous! chuchota Nonyacha. *Onkwahkwari*[69]*!*

Tsorihia s'enfonça dans l'eau jusqu'aux genoux, marchant vers son frère qui lui tendait la main. Lorsqu'elle se retourna vers lui, Alexander ne put s'empêcher de constater la ressemblance frappante qu'il y avait entre les deux. Percevant le mouvement d'une branche derrière son compagnon, la jeune femme allait pousser un cri. Mais, déjà, une lame se posait sur la gorge de l'homme blanc.

– Niyakwai! cria-t-elle. *Te-neh! Te-neh!* Ne lui fais pas de mal!

– Où va Loup Blanc? demanda Niyakwai à l'oreille d'Alexander. Il fuit avec Tsorihia?

– Ma place n'est pas ici, Niyakwai, expliqua l'Écossais d'une voix éraillée. La sienne non plus.

– Tsorihia est la fille de la mère du clan. Elle ne peut pas partir si Godasiyo ne le veut pas.

– Tsorihia désire retourner là où son âme est restée. Nonyacha est son frère. Il la conduira auprès des siens, là où est sa place. Veux-tu l'en empêcher, Niyakwai?

La lame s'éloigna.

– Et toi, Loup Blanc?

---

69. Embarquez! (En huron-wyandot.)

S'écartant du guerrier, Alexander pivota sur ses talons pour lui faire face.

– Je pars avec elle.

L'Iroquois secoua la tête.

– Nous sommes tes frères, maintenant... et tu emportes avec toi ton secret.

L'homme blanc se raidit. Son compagnon avait pris sa défense devant le conseil, affirmant qu'il ne savait rien puisque le Chippewa n'avait pu en tirer la moindre information, même sous la torture. Et maintenant, il racontait tout autre chose.

– Tu m'as suivi, Niyakwai? Pourquoi? Que voulais-tu de moi ce soir? Crois-tu que j'ai cet or dont tout le monde parle?

Le guerrier se tendit à son tour, plissant les yeux.

– L'esprit du Grand Loup blanc ne guiderait pas les pas d'un traître. Si l'esprit du Grand Loup blanc te guide, alors je dois faire confiance à sa sagesse.

Ils restèrent un moment, les yeux dans les yeux, à se jauger mutuellement, jusqu'à ce que Tsorihia, les deux jambes raides dans l'eau glacée, grimpe dans l'embarcation. Le clapotis de l'eau sur la coque rappela à Alexander qu'il fallait quitter les lieux le plus rapidement possible. Si toutefois Niyakwai les laissait partir...

– Crois-tu que l'or du Hollandais suffirait pour sauver ton peuple des desseins d'un empire aussi puissant que la Grande-Bretagne, mon frère? Vous pouvez massacrer une armée entière, une autre traversera le grand lac salé pour la venger. Massacrez-la à son tour, une autre encore suivra. Ce que les Anglais veulent, ils l'obtiendront à l'usure, sois-en assuré. Crois-moi, je sais ce dont ils sont capables. Ils ne reculeront devant aucune exaction, aucune atrocité pour arriver à leurs fins. Il ne s'agit pas là de petites guerres de clans, mais bien de l'anéantissement d'un peuple. Écoutez la voix de la sagesse. Pour l'instant, négociez une paix où chacun y trouvera son compte.

Niyakwai resta silencieux un long moment. Puis, après avoir jeté un regard vers le canot qui se balançait doucement dans le clair-obscur, il fixa Alexander d'un air dur et froid.

– Les Anglais ne tiendront pas parole.

– Je ne peux pas vous assurer qu'ils tiendront promesse, c'est vrai. Mais ce que je peux vous dire, malheureusement, c'est qu'ils sont ici pour rester et que tout l'or du monde n'y changera rien. Tout comme les nations de votre peuple, les clans des montagnes brumeuses de mon pays ne s'entendaient pas et se battaient souvent entre eux. Cela irritait les Anglais, qui refusaient de nous laisser vivre à notre façon. Ils ne nous aiment pas, parce que nous ne parlons pas leur langue, que nous vivons différemment et que nous sommes de fiers guerriers, comme vous. Cela leur fait peur. Mon peuple a longtemps résisté à leurs pressions. Il a refusé de se soumettre et s'est longuement battu...

Il fit une pause, assailli par les souvenirs. « Vaincre ou mourir! » entendit-il crier dans sa tête en revoyant un enfant hurler sur un champ de bataille, avec à la main une misérable épée rouillée.

– Les Anglais croient qu'ils ont vaincu mon peuple, Niyakwai, continua-t-il d'une voix altérée par l'émotion. Ils prennent nos terres et nous poussent à fuir vers d'autres pays. Leur souffle disperse nos clans tels les fruits des pissenlits dans le vent. Mais les fruits des pissenlits retombent toujours quelque part, non? Et, là où ils tombent, ils germent. Voilà ce que les Anglais ne pourront jamais nous voler: la semence de notre race. Préservez cela, et vous aurez votre plus grande victoire.

Les yeux baissés sur son couteau qu'il faisait briller dans la clarté du soir, Niyakwai restait songeur. Au bout d'un moment, il rengaina son arme. Tout son visage exprimait un profond respect pour l'homme blanc qui était devant lui.

– Ton dos porte les marques du poteau des Anglais et tu parles avec la voix du Grand Esprit. L'or du Hollandais fera couler le sang des Anglais et le nôtre. Rien de plus. Il faut préserver celui de nos enfants, qui perpétuera notre race.

D'un ample mouvement de la main, il fit signe à ses deux compagnons de partir.

– Je n'avertirai le guet que lorsque vous aurez disparu à l'horizon et que la lune sera au-dessus de ma tête. Ne tardez pas!

– Merci, dit Alexander dans un soupir.

L'aube commençait à poindre au-dessus de la cime des arbres, ourlant de gris la ligne d'horizon où aucun Iroquois n'était en vue. Étendue dans le fond du canot, Tsorihia, la tête confortablement calée sur ses cuisses, dormait profondément. Alexander, une main sur son poignard, dodelinait de la tête, luttant contre le sommeil. Ne sachant pas encore exactement qui étaient les hommes avec lesquels ils avaient embarqué et quelles étaient leurs intentions à son égard, il devait rester sur ses gardes.

Ils avaient navigué toute la nuit, sans relâche. Detroit était à plusieurs jours de canotage. Nonyacha et Tsorihia avaient parlé pendant des heures, renouant les liens. La jeune femme avait pleuré beaucoup de larmes sur ceux qu'elle avait perdus, ceux qu'elle ne reverrait plus jamais et ceux qu'elle allait bientôt retrouver. On ne rattrapait pas seize années d'absence en une seule nuit.

Alexander était troublé par les paroles qu'il avait adressées à Niyakwai: «Et, là où ils tombent, ils germent.» D'autres paroles, venues des profondeurs de sa mémoire, y firent écho:

—Alasdair, promets-moi de faire tout ce qui est en ton pouvoir pour sauvegarder ce que tes ancêtres t'ont légué. Et s'il vient un jour où tu sens cet héritage menacé, pars. Ne les laisse pas te le prendre. Ne les laisse pas te voler ton âme. Va là-bas, en Amérique. On m'a dit que ce pays est immense et qu'on y est libre.

—Je ne veux pas quitter l'Écosse, grand-mère! Je suis écossais et...

—L'Écosse n'est pas que la terre qui t'a vu naître. C'est aussi et surtout l'âme de son peuple, tu comprends? Sa langue, ses traditions sont ancrées en nous. L'esprit, Alasdair, est ce qui importe et ce qui te sauvera. Un jour, un ami médecin m'a dit ceci: «L'esprit de l'homme est sa seule liberté. Aucune loi, aucune menace pesant sur lui, aucune chaîne l'entravant ne pourra le contraindre.» Il avait raison: tu es seul maître de ta liberté. Les Anglais n'éteindront pas comme ça, de leur souffle hargneux, la flamme de notre peuple. L'Écosse vacille, mais elle ne disparaîtra pas. Elle survivra, ailleurs s'il le faut. Notre sang gaël ne se diluera pas aussi facilement. Certes, il se mélangera. C'est inévitable et indispensable à notre survie. Mais il est fort et il doit le rester. C'est par l'esprit, la conscience de ce que nous sommes que nous sauverons notre peuple. Tu connais les devises des clans qui t'ont transmis ce précieux héritage? Per mare, per terras, no obliviscaris; par-delà la mer, par-delà la terre, n'oublie pas qui tu es... Tu comprends? N'oublie jamais qui tu es! Je sais bien que tu es encore très jeune pour saisir tout cela. Mais tu portes en toi l'héritage de ta race. À toi de le préserver, de le transmettre pour perpétuer nos traditions. C'est en quelque sorte une mission que je te confie, Alas. Tes frères aînés sont déjà installés avec épouse et enfants. Il y a bien Coll et John. Tu leur feras le message, je te fais confiance. Mais c'est à toi que je donne la tâche de réaliser mon rêve. Si cette rébellion devait échouer, ici en Écosse, dans nos montagnes, ce serait la fin des clans. Or il ne faut pas...

—Mais que dites-vous là, grand-mère? Nous les battrons! Nous les bouterons hors de notre pays!

—Je ne sais pas... Laisse-moi te confier un secret. Ta mère a eu une autre de ses visions. Nos vallées étaient vides. Plus personne n'y vivait. Il ne restait que des ruines. La terre est vaste, Alasdair. Il faut mettre notre héritage à l'abri. Il ne doit pas se perdre. C'est seulement quand nous aurons réussi cela que nous aurons notre vraie victoire sur les

Sassannachs. *Ton esprit, ton âme... ils ne peuvent te prendre ça... Promets-moi, Alasdair...*

—Je... je promets...

Une larme roula sur sa joue, mouilla ses lèvres. Elle avait un léger goût d'amertume. Il était un enfant de treize ans à l'époque. Que pouvait-il alors comprendre des dernières paroles d'une vieille femme mourante? Sa mère, Marion, avait eu une vision de l'exode des Highlanders après l'ultime bataille de Culloden visant à reconquérir leur indépendance. Grand-mère Caitlin avait ainsi deviné ce qui allait se passer; elle avait cherché à l'avertir. Il n'avait rien compris. Il n'était pas question de repousser l'ennemi pour sauver leur race. Il s'agissait d'une lutte beaucoup plus subtile: celle des esprits, de la préservation de l'essence de l'être. « L'esprit de l'homme est sa seule liberté. Aucune loi, aucune menace pesant sur lui, aucune chaîne l'entravant ne pourra le contraindre. » « Mais tu portes en toi l'héritage de ta race. À toi de le transmettre pour perpétuer nos traditions. » Pourquoi le sens de ces paroles, de la promesse qu'il avait faite lui venait-il seulement maintenant, alors qu'il portait un nom indien et qu'il était en fuite dans un canot, avec trois Sauvages, au milieu d'un pays qui n'était pas le sien? Peut-être justement parce qu'il lui avait fallu vivre tout ce qu'il avait vécu pour comprendre.

Cependant, pour arriver à tenir parole, il devait cesser de fuir, renouer avec ses origines, découvrir qui il était vraiment. « Sais-tu seulement qui tu es? » lui avait un jour demandé Coll. Alexander Colin Macdonald... Oui, mais encore? Qui était cet Alexander Macdonald? « Je suis! » pouvait-il répondre. Cette certitude du « je suis » affermissait celle du « j'étais » et celle du « je serai ». Mais cela ne suffisait pas.

L'existence pouvait être une notion intemporelle terrifiante. « J'étais, je suis, je serai. » La triade de l'être. Trois formes s'entrelaçant inextricablement pour composer un tout évoluant dans le temps. Les Celtes avaient compris depuis la nuit des temps que chaque personne représentait l'un des maillons d'une race que le temps modelait, secouait sans indulgence. Lui, Alexander Macdonald, était un maillon fragile du peuple des Highlanders qui pouvait rompre la continuité de sa race s'il n'y prenait pas garde. Il avait l'impression de venir de nulle part et d'aller n'importe où, de ne porter l'histoire de personne. Mais c'était faux, il s'en rendait maintenant compte.

Il avait fui, et il se perdait maintenant dans une liberté si vaste que les limites de son être lui échappaient totalement. Cela le dérangeait soudain. En cette nuit où il fuyait avec des Sauvages, avec un nom indien, il avait l'envie subite de renouer avec ses origines et d'être père. L'enfant était une sorte de prolongement de l'être à qui il assurait une forme d'existence au-delà de la mort. La peur de mourir le rattrapait-il finalement?

Il désirait un enfant. Brusquement et ardemment. Mais que savait-il de ce que pouvait être une relation entre un homme et son enfant? Recherchait-il maintenant ce qu'il avait fui il y avait si longtemps? Qu'avait-il à offrir à un petit être que le monde s'acharnerait à façonner à sa guise? Qu'attendait-il de ce petit bout de soi... de cette partie de lui qu'il voulait engendrer? Lui passer le flambeau, transmettre son nom, comme son père avait fait avec lui? Oui, sans doute, mais beaucoup plus aussi: lui transmettre la continuité de sa race et de l'âme qui faisait d'elle ce qu'elle était...

Alexander, comme sous le choc de ce qui lui était révélé, avait les yeux dans le vague et laissait les larmes affluer et baigner ses joues. «*Is mise Alasdair Cailean MacDhòmhnuill*[70].» Il se conjuguait à trois temps: je suis, j'étais, je serai. «Je suis» le désignait lui, un Macdonald du clan Iain Abrach. «J'étais» le désignait comme le fils de Duncan Coll, fils de Liam Duncan, fils de Duncan Og, fils de Cailean Mor, fils de Dunnchad Mor, et ainsi de suite en remontant jusqu'à la nuit des temps. «Je serai» le désignait comme le père de son fils. Il représentait donc le temps présent de sa continuité, le porteur du sang de sa race. Il n'en tenait qu'à lui de tenir la promesse qu'il avait faite un jour à Caitlin Macdonald.

Il leva les yeux au ciel, admira la Voie lactée et repensa à son grand-père Liam. Lui avait-il pardonné son geste, celui qui avait été la cause de sa mort? Une bêtise, une terrible bêtise! songea-t-il en serrant les mâchoires. Mais il n'avait que onze ans à l'époque! Traîner sa culpabilité toute sa vie ne changerait rien à ce qui s'était passé. Il lui fallait enfin faire la paix avec lui-même et les siens...

Depuis que Tsorihia s'était endormie, Nonyacha était resté silencieux. Il observait l'homme qui accompagnait sa sœur. Lorsqu'il avait croisé pour la première fois le regard trop bleu, il avait su d'emblée qu'il n'était pas celui d'un Tsonnontouan. L'homme, qui avait le teint pâle, s'était adressé à lui en français, mais avec un curieux accent, et ne maîtrisait pas la langue iroquoise. Était-il un Anglais? Le Sauvage avait plusieurs questions à poser à celui que Tsorihia appelait Loup Blanc. Mais cela pouvait attendre un peu...

---

70. Je suis Alexander Colin Macdonald.

Nonyacha pensait aussi à cet or que les Français de Cahokia, à qui il servait de guide, avaient évoqué: un négociant canadien aurait volé l'or destiné à Pontiac et à sa cause. Or, depuis l'échange entre Loup Blanc et le Tsonnontouan qu'il avait entendu depuis le canot où il attendait, il était certain que l'homme qu'il avait embarqué connaissait le négociant canadien et était aussi informé de l'existence de l'or. Devait-il en parler aux Français? Sans doute valait-il mieux taire pour le moment ses soupçons, garder Loup Blanc sous sa protection, à cause du lien qui l'unissait à sa sœur, et discuter ensuite de tout cela avec Mathias Makons.

***

Les longues heures de navigation se transformèrent en jours. Ils avaient franchi le lac Ontario, passé le portage de Niagara au plus noir de la nuit et atteint le lac Érié. Ils approchaient maintenant de la rivière Detroit. Les marchands français avaient deux jours d'avance sur eux. Mais ils avaient des canots lourdement chargés, tandis qu'eux voyageaient léger.

Ils avaient convenu avec Nonyacha que, si ce dernier ne rattrapait pas les Français, tous se retrouveraient au fort Detroit. Là-bas, Nonyacha laisserait Tsorihia au village de Pointe-à-Montréal, où s'était rétablie la mission jésuite après la destruction de celle de Bois-Blanc. Ensuite, il poursuivrait sa route vers Michillimackinac avec les Français.

Il restait environ un jour de nage. L'obscurité les avait forcés à s'arrêter pour camper sur un bras de terre: la «pointe aux Pins». Tsorihia venait de jeter son dernier fagot de branches mortes sur la pile qui se trouvait près du feu et s'éloignait vers le lac, masse lumineuse derrière les arbres. Alexander contempla la silhouette élancée jusqu'à ce qu'elle disparût dans l'ombre, puis il s'occupa du feu. L'odeur de la *gomme de pin* fondue lui piquait les narines. Mathias Makons et Nonyacha réparaient le canot d'écorce.

Alexander n'avait toujours pas pris de décision quant à ce qu'il ferait après leur arrivée au fort. D'après ce qu'avait dit son frère, Tsorihia retrouverait son père malade à la mission catholique. Elle voulait son compagnon avec elle et n'avait pas fait de mystère sur ses intentions de devenir son épouse. Certes, lui aussi avait envie de s'installer avec elle, de fonder une famille éventuellement. Mais la menace planait toujours sur lui, et il ne voulait pas mettre la jeune femme en danger.

Les flammes s'élevaient vers le ciel, longs bras graciles enlaçant la nuit en une ardente étreinte. Alexander repensa à Tsorihia, partie vers le lac. Envoyant une dernière branche dans le feu, il lorgna de biais les deux Wyandots. Il avait remarqué les regards convoiteurs que posait Mathias Makons sur Tsorihia. Ses mâchoires se crispèrent.

Le lac était calme. Une mince faucille suspendue dans la voûte céleste jetait sa lumière cendrée sur l'eau étale. Tsorihia pataugeait doucement. Silencieusement, il s'approcha du bord, admira la peau nue qui se parait de milliers de diamants.

Se sentant observée, Tsorihia se retourna gracieusement et l'invita d'un geste. Il retira sa tunique et ses jambières, ne conservant que son brayet, puis la rejoignit. Le sable était doux sous ses pieds et l'eau, bien qu'un peu froide, caressait agréablement ses jambes.

– Regarde! fit la jeune femme en tendant le bras vers le nord.

L'attrapant par la taille, il la fit tourner de façon à ce qu'elle blottisse ses fesses contre son bassin. Puis, l'enveloppant de ses bras, il posa son menton sur son épaule. Ses yeux s'émerveillèrent alors du spectacle qui s'offrait à eux: juste au-dessus de la cime des arbres, le ciel était animé d'une langoureuse et lente ondulation.

– Une aurore boréale... murmura-t-il, hypnotisé.

Il avait rarement eu la chance d'assister à un tel phénomène de la nature. Trois fois dans sa vie, en fait. La première fois, il n'avait que huit ou neuf ans. C'était le soir de la fête de Samhain. Il était avec ses frères John et Coll, quelque part sur le flanc nord du Pap de Glencoe.

– C'est lui! C'est lui! s'écria Alexander, affolé et prêt à déguerpir. Il vient nous chercher!

Nerveux, cachant aussitôt sous un buisson la bouteille de whisky qu'il avait réussi à chaparder la semaine précédente, Coll se retourna d'un coup, croyant que quelqu'un venait.

– Mais y a personne, Alas!

– Mais si! Les âmes! Le Voile de l'Autre Monde! Il est là!

John éclata de rire, le doigt pointé vers le ciel.

– Là-haut, Coll!

Coll, ayant repris sa bouteille, leva son regard vers la voûte céleste. Voyant de quoi il s'agissait, il se détendit et soupira.

– Aaaaah! Tu crois vraiment que c'est le Voile?

– On est la nuit de la Samhain, non? fit remarquer Alexander en se laissant tomber dans l'herbe gorgée de rosée. Que veux-tu que ce soit d'autre?

– C'est beau, murmura John, qui avait cessé de rire.

Les trois frères se collèrent les uns aux autres et se partagèrent le liquide prohibé qui leur brûlait la gorge et l'estomac et les faisait larmoyer. Ils étaient subjugués par le spectacle.

La crainte s'évapora. Depuis qu'ils étaient tout petits, on leur parlait de ce Voile qui séparait le monde des morts de celui des vivants et que les âmes traversaient pendant la nuit de la Samhain. Alexander l'avait imaginé d'aspect sombre, infranchissable pour le commun des mortels. Il pensait que c'était un peu comme une grille de fer derrière laquelle grouilleraient des milliers de démons grotesques aux bras squelettiques, aux doigts griffus lacérant ceux qui s'approchaient trop. Mais ce qu'il voyait n'avait rien à voir avec ça. Le Voile n'avait pas cette froideur rigide associée à la mort. Il semblait plutôt être de la soie ondulant sous le souffle des âmes des disparus.

Le garçon pensa à sa petite sœur Sarah et l'imagina s'agrippant au Voile de ses menottes blanches et délicates, se balançant au gré des douces oscillations et riant aux éclats. Alexander baissa les paupières pour emprisonner la vision du Voile et tendit les mains, paumes vers le ciel, dans l'espoir qu'y atterrisse le talisman imaginaire qui guiderait sa vie...

Il sentit soudain un objet solide et froid. Ouvrant les yeux avec incrédulité, il fixa la bouteille de whisky posée sur ses mains. Son rêve, son espoir s'envola d'un coup. Soudain amer, il se demanda si ce ne serait vraiment que cela, sa vie.

– À quoi songes-tu? murmura doucement Tsorihia.

– À un souvenir d'enfance, chuchota-t-il en frottant sa joue contre la sienne. Et toi?

– À un souvenir d'enfance! s'exclama-t-elle sur un ton moqueur.

Puis, reprenant son sérieux, elle raconta:

– J'ai très peu de souvenirs de ma vie avant mon enlèvement. Il ne me reste en fait que des images floues de ma tendre enfance, comme celles qu'on voit à la surface de l'eau et qui disparaissent lorsqu'on tente de s'en emparer. Mais, en voyant le ciel, ce soir, je me suis rappelé ma grand-mère, que j'avais longtemps oubliée. Au village, tout le monde appelait ma grand-mère la vieille Ouaron. Elle contait des histoires aux enfants... J'aimais beaucoup celle de la création: Aataentsic, la mère de l'humanité, vivait autrefois dans le ciel, avec les esprits. Je me demandais ce soir si le monde des esprits ressemblait à cela.

– Hum... peut-être, répondit Alexander en resserrant son étreinte et en embrassant la tempe de la jeune femme, où il sentit battre le cœur. Elle s'y trouve toujours?

– Aataentsic? Non... Un jour, alors qu'elle chassait l'ours, elle fit une chute à travers un trou du ciel qui était en fait un piège que lui avaient tendu les esprits. Aataentsic étant de nature plutôt revêche, on avait décidé de se débarrasser d'elle. Mais, sur la terre des hommes, il n'y avait alors que la mer des premiers âges, que parcourait la Grande Tortue. Lorsque la Grande Tortue vit Aataentsic tomber du ciel, elle ordonna au Castor de plonger au fond de l'eau et de ramasser toute la terre qu'il pouvait pour la mettre sur son dos. C'est là que tomba Aataentsic. Elle attendait un enfant à ce moment-là. Elle en eut deux, en fait. Des jumeaux: Iouskeha, le Grand Esprit, et Tawiscaron, le Mauvais Esprit. Tandis que la Grande Tortue et la terre grandissaient, le premier des fils créait les lacs et les rivières et cultivait le maïs sous le soleil. Il créa enfin l'homme, pour lequel il libéra les animaux d'une caverne et auquel il donna le secret du feu pour se réchauffer. Le second fils, lui, qui avait hérité du caractère belliqueux de sa mère, sema la discorde, la colère, la guerre et tout ce qui est nuisible à l'homme. Un jour, il provoqua en duel son frère, avec lequel il n'arrivait pas à s'entendre. Il fut blessé et s'enfuit. Le sang qu'il perdit en tombant à quelques reprises se changea en silex dont se servit l'homme pour fabriquer ses pointes de flèches. Exilé dans l'autre monde, il ne revint jamais. Mais son œuvre de destruction demeura dans le monde des hommes.

Alexander trouva étrange la similitude entre cette perception de la création du monde et celle qu'enseignaient les écrits bibliques. Ève était comme Aataentsic. Elle avait deux fils, Caïn et Abel, qui se battaient et dont l'un foudroya l'autre... Curieusement, ces deux frères jumeaux qui s'affrontaient lui firent penser à John et lui: John le sage et Alexander le rebelle...

Percevant un changement dans l'attitude de son compagnon, la jeune Wyandotte se retourna dans ses bras et leva vers lui ses yeux noirs.

– Tu t'inquiètes du sort de mon peuple, je le sais, déclara-t-elle en posant ses lèvres sur son épaule, où était tatouée la tête de loup. Seuls, nous ne pouvons rien. Mais, unis, nous pourrions tant. Malheureusement, l'œuvre du Mauvais Esprit divise les hommes et les pousse à s'entretuer...

Son silence soudain troubla Alexander. La jeune femme s'écarta, et la lumière du ciel fit briller sa peau humide, tandis que l'eau qui lui arrivait aux hanches formait comme une corolle limpide autour d'elle. Elle était une fleur qu'il avait terriblement envie de cueillir. Il esquissa un geste pour la toucher, mais elle l'en empêcha, désignant du doigt le reflet de la lune dans l'eau frémissante.

– Là! C'est Aataentsic! Elle est l'astre des femmes, prisonnier de la nuit. Iouskeha, comme le soleil, est celui des hommes guerriers, qui éclaire nos jours. Tous deux sont sources de vie et guident nos âmes.

D'un geste évocateur, elle encercla d'un mouvement de la main le fin croissant qui se déformait au gré des mouvements de l'onde noire.

– Quel est ton nom chrétien? demanda-t-elle soudain.

– Alexander.

Il se rendait compte qu'il ne lui avait jamais dit son vrai nom. Elle avait accepté d'emblée celui de Loup Blanc.

– Alexander, répéta-t-elle doucement. C'est le nom que t'a donné ta mère à ta naissance. Pour Godasiyo, tu es Loup Blanc. Pour moi, tu seras «Celui qui parle avec les yeux».

Elle plongea ses mains en coupe dans l'eau, emprisonna la lune et la souleva pour la faire couler sur le front d'Alexander, qui frissonna. Puis, encadrant son visage, elle l'embrassa et le regarda droit dans les yeux.

– N'est-ce pas de cette manière que baptisent vos hommes religieux?

– À quelques paroles près...

– Paroles... chuchota-t-elle de manière suave. Parfois, les paroles ne sont pas nécessaires pour exprimer les élans du cœur. Les yeux, les tiens en particulier, disent beaucoup de choses...

– Et que te disent mes yeux en ce moment, Tsorihia?

Alexander promena son index le long de la colonne vertébrale de la jeune femme, la faisant frémir. Elle étira sa bouche en un petit sourire amusé.

– Hum... *Yonnonweh*...

– Ce n'est pas de l'iroquois, il me semble? Qu'est-ce que ça veut dire?

– «Je t'aime» en wyandot. Je ne suis plus tsonnontouan.

– D'accord, il faudra m'apprendre. J'en perds mon latin avec tous ces dialectes!

– Le latin? Tu parles la langue des prêtres?

– Je connais quelques prières, c'est tout. Et toi?

Se rapprochant de lui, elle secoua la tête de droite à gauche.

– Je n'ai pas été baptisée par un prêtre. Mon père tenait à nous enseigner la religion traditionnelle.

– Mathias Makons est chrétien.

– Beaucoup le sont aujourd'hui, par choix. Moi, je trouve que ton Dieu voit le mal partout. Pour lui, aimer un homme est un péché. Pour moi, aimer est bien. Ton Dieu dit que c'est mal de faire ceci... susurra-t-elle en lui mordillant le cou.

– Péché véniel, rectifia Alexander, dont les mains parcouraient les hanches de la jeune Wyandotte et remontaient le long de ses flancs pour s'immobiliser sur ses seins. Ceci est bien pire, je dirais...

Le petit roucoulement de gorge qu'elle émit excita un peu plus son partenaire. Abandonnant la chaleur de la poitrine, il alla trouver celle des fesses.

– Et ceci... encore pire! Mais ce n'est pas tout, continua-t-il en traçant de ses lèvres un sentier sur la peau mouillée et tiède. Ce n'est pas tout. Si je fais cela...

Elle poussa un petit cri de surprise lorsqu'il glissa sa main entre ses cuisses.

– Oh! Tsorihia! Je crois que nous sommes voués à l'enfer!

La jeune femme se cambra fortement, se retenant à son cou, labourant de ses ongles sa peau humide, tandis qu'il procédait à une exploration sous-marine de ses lieux secrets. Secouée de spasmes, elle s'abandonnait aux doigts profanateurs en poussant des gémissements.

Au bout d'un moment, saisie d'un long tressaillement, la Wyandotte lâcha prise et bascula sur le dos dans un cri qui s'étouffa dans l'eau. Alexander, qui ne réussit qu'à attraper le vide, la vit disparaître.

Le silence se fit soudain. Alexander scrutait la surface de l'eau au milieu du concerto des amphibiens. Un léger clapotis, un petit gloussement. Il pivota, pour ne voir qu'une série de cercles concentriques s'agrandir. Un frôlement, une caresse. Il fut saisi d'un frisson. Telle une pieuvre, elle s'enroulait autour de ses jambes, l'entraînait au fond. Il résista. Elle brisa la surface de l'eau en expirant bruyamment. Il tenta de l'attraper, mais elle lui échappa encore, replongeant aussitôt dans le lac.

– Je constate qu'il y a, comme dans les lochs d'Écosse, des êtres maléfiques dans les lacs du Canada! ricana Alexander en balayant la surface de l'eau du regard. Oh oui! Il s'y trouve des fées bien... Ah!

La jeune femme savait ce qu'elle voulait et l'avait trouvé! Les genoux ramollis, son compagnon faillit se retrouver sous l'eau à son tour. Haletant, il cherchait fébrilement un appui pendant que la fée des eaux aspirait son énergie. Brusquement, elle le libéra, le laissant tomber, pantelant, sa faim d'elle inassouvie.

– Diablesse! Reviens ici! gronda-t-il lorsqu'elle refit surface un peu plus loin en riant.

Grisée par le jeu, Tsorihia l'éclaboussa et se leva pour se sauver. Les sens échauffés, Alexander se mit à sa poursuite. Aérienne, elle filait vers la plage, tel un canard prenant son vol. Son rire résonnait. Elle lui échappait encore. Mais, aussi agile qu'un jeune cerf, il bondit et la saisit à bras-le-corps. Ils se retrouvèrent tous deux dans l'eau, à se débattre.

Ayant bien immobilisé sa fée sous sa poigne, l'homme blanc la poussa sur le dos et la maintint en place, reprenant son souffle.

– Je... te tiens...

Ils baignaient dans quelques pouces d'eau seulement. Les seins et le visage souriant de Tsorihia formaient de charmants îlots que léchaient voluptueusement les vaguelettes. Alexander s'allongea sur sa compagne, dont la chaleur du corps offrait un délicieux contraste avec la fraîcheur revigorante du lac. La jeune femme se faisait douce et docile.

– Je crois que j'ai dompté mon cheval des eaux, murmura-t-il en se penchant sur la bouche haletante, qu'il mordilla.

Un bourdonnement l'assaillit alors. Un de ces damnés moustiques le narguait. Il s'ébroua pour le chasser. Peine perdue, l'insecte était bien décidé à se servir au buffet. Il se mit donc à table, arrachant un grognement à l'humain, qui ne voulait absolument pas perdre le contrôle sur sa fée.

Alexander, aiguillonné à l'excès, passa enfin à l'attaque, dardant sa flèche sur sa propre proie qui se plaignit dans un doux soupir. Comblée, Tsorihia s'abandonna et laissa son compagnon assouvir sa passion. Serrant les mâchoires dans un spasme de plaisir, Alexander leva la tête vers le ciel, vers les dernières particules lumineuses de l'aurore boréale qui dansaient avec les lucioles. Se pouvait-il qu'il fût enfin heureux?

8

Les coups du hasard

Après la rivière aux Canards, les voyageurs arrivèrent sur la rivière Detroit. De jolies maisons jalonnaient le paysage, sur la rive sud. C'était la colonie française de la Petite Côte. Tsorihia était muette d'émoi et ouvrait grands ses yeux. Après seize années d'éloignement, elle rentrait chez elle. Alexander savait ce qu'elle ressentait.

Quelques habitants guidant des charrues de bois tirées par des bœufs labouraient les champs. Plusieurs d'entre eux cultivaient aussi des vergers. Des pommes, des poires et des cerises, avait précisé Nonyacha. Le Wyandot avait aussi raconté à sa sœur que la colonie s'était agrandie et étendue depuis quelques années. Elle occupait maintenant la rive sud jusqu'aux abords du village odawa, au bord du lac Saint-Clair.

Juste en face du fort Detroit, dont les palissades étaient érigées sur la rive nord, un groupe de cabanes de bois constituait la mission de l'Assomption-de-la-Pointe-de-Montréal, dirigée par le père jésuite Pierre Philippe Potier. Les minuscules habitations de bois n'avaient rien à voir avec les longues maisons iroquoises de Ganundasaga. À la vue des femmes et des enfants qui accouraient vers le canot qui avait accosté, Tsorihia, un sourire crispé sur les lèvres, chercha fébrilement la main d'Alexander. On leur lançait des regards curieux, on tirait sur leurs vêtements et leurs cheveux pour les examiner. Des prisonniers? Non, répondait Nonyacha avec agacement.

Ainsi escortés, les voyageurs se dirigèrent vers l'une des cabanes. Le vacarme des enfants réveilla le chien qui dormait sur les marches. L'animal se mit à japper joyeusement en reconnaissant Nonyacha, qui lui gratta le crâne. Le Wyandot allait ouvrir la porte lorsqu'il s'immobilisa sur le seuil.

– Je crois qu'il serait préférable que je le prépare avant que tu n'entres, Tsorihia.

La jeune femme acquiesça de la tête et s'assit sur le banc, presque soulagée. Après quelques minutes, son frère ressortit et l'invita à entrer en souriant. Son père l'attendait.

– Viens avec moi, dit ensuite Nonyacha à Alexander, nous avons à parler.

À l'air qu'affichait le Wyandot, Alexander devinait de quoi il s'agissait. Les marchands français avaient assurément parlé à leur guide de l'or du Hollandais. Peut-être Nonyacha était-il lui-même l'un de ceux qui le recherchaient. C'était la fin du sursis.

Le Sauvage, voyant sa réticence, tenta de le rassurer :

– Il faut te trouver un endroit pour dormir. Le prêtre ne verrait pas d'un bon œil que tu partages la couche de ma sœur alors que vous n'êtes pas mariés, tous les deux. Tu pourrais te faire engager dans une ferme. Les veuves ne manquent pas par ici, et elles cherchent des hommes solides pour s'occuper de leurs terres.

***

Cela faisait maintenant plus d'une semaine qu'ils étaient à la mission catholique. Chaque matin, Alexander se disait que sa vie allait tourner au cauchemar. Si les deux Wyandots ne lui avaient pas posé de questions, ils lui lançaient parfois des regards qui le portaient à croire qu'ils savaient tout de lui. Sans doute attendaient-ils le moment propice, peut-être même la venue de Wemikwanit? Il avait pensé à en parler avec Tsorihia, puis avait changé d'idée. Moins elle en savait, mieux c'était pour sa sécurité. Puis, il eut l'idée de s'enfuir avec elle. Pourquoi ne pas retourner à Québec? Finlay Gordon y habitait toujours.

Cependant, il ne pouvait demander à Tsorihia de quitter son père mourant qu'elle venait juste de retrouver. Depuis leur arrivée, d'ailleurs, il n'avait pu la voir qu'à trois reprises. Il lui fallait donc attendre en espérant qu'il se trompait sur les intentions des deux Wyandots. Mais il y avait ce Mathias Makons... Il tournait autour de la jeune femme comme un aigle autour d'un agneau.

Ronchonnant de frustration, Alexander donna un coup de pied dans une pierre sur laquelle venait de se casser le soc. Le métier d'agriculteur n'était vraiment pas pour lui! Il était plus sensible à l'appel des bois qui bordaient les champs. Aujourd'hui, la dame Pinceneau lui avait demandé de creuser une douzaine de sillons de plus dans le champ déjà labouré. La terre venait d'être défrichée mais était encore pleine de restes de racines et de pierres qui rendaient la tâche ardue. Sans parler de l'équipement qui manquait de solidité et résistait à grand-peine aux obstacles. Non, vraiment... il ne tenait pas à s'établir ici, où la terre était relativement pauvre. Les colons de la région vivaient tellement misérablement qu'on avait rebaptisé la Petite Côte la Côte de la Misère!

– Bon Dieu de bon Dieu! gronda-t-il entre ses dents en fouillant dans la boue pour retrouver le morceau d'acier brisé.

Il sentit alors une main se poser sur son épaule et la serrer amicalement. D'un coup, il se redressa en poussant un cri étouffé. Son cœur battait la chamade. Il vit alors Mathias Makons qui le dévisageait d'un air grave.

– Suis-moi.

Un peu confus, Alexander observa le Sauvage qui s'éloignait vers la route où l'attendait une charrette tirée par un bœuf. L'homme grimpa dessus. Jetant un œil du côté de la maison de la veuve, Alexander hésita. La femme lui refuserait certainement son repas du soir si elle s'apercevait de sa désertion. Cependant, il était peut-être arrivé quelque chose à Tsorihia. L'estomac crispé par l'appréhension, il décida donc de suivre Mathias.

La jeune femme était assise sur le banc placé devant la maison, le chien à ses pieds, et fixait le vide devant elle. Ses yeux étaient secs, mais on y lisait un immense chagrin: son père avait rendu l'âme durant la nuit, avait raconté Mathias à l'Écossais, sur la route.

S'asseyant à ses côtés, Alexander respecta son silence et attendit. Des gens entraient et sortaient. Le père Potier venait de partir. Ayant accepté d'être baptisé quelques heures avant son dernier souffle, le vieillard serait enseveli selon les rites de l'Église catholique, à la chapelle Sainte-Anne, de l'autre côté de la rivière Detroit. C'était la seule chapelle de la mission. La communauté ne cessant de s'accroître, il faudrait bientôt en ériger une autre.

– Il est mort heureux, je crois, murmura Tsorihia.

Alexander prit la main de la jeune femme, dont il caressa la paume avec le pouce.

– Je suis désolé. Je comprends ta tristesse. Si tu préfères rester seule...

La main se referma fermement sur la sienne.

– Non, reste.

Tsorihia leva vers lui ses yeux d'obsidienne qui s'emplirent de larmes. Alexander l'attira sur son épaule pour la laisser épancher sa tristesse.

– Je... je pleure mon père. Il est mon père, et je ne le connais pas... Cet homme est un inconnu pour moi. Les seuls souvenirs qui me restent de lui sont ceux, assez flous, d'un brave guerrier. Et, ces derniers jours, j'ai vécu aux côtés d'un vieillard à demi aveugle et à moitié conscient. Je pleure tout ce que je n'ai pas connu... D'ailleurs, je ne reconnais plus rien ici. Ceci n'est pas mon village, déclara-t-elle en faisant un geste ample devant elle, ni les habitants mes amis. Je ne reconnais plus rien ni personne... Je... je n'aurais pas dû revenir...

– Ne dis pas cela, Tsorihia. Ces gens sont ton sang. Et il te reste ton frère.

Reniflant bruyamment, elle hocha la tête de haut en bas et tourna vers lui ses yeux bouffis.

– Je sais, hoqueta-t-elle. Mais je ne me sens pas mieux ici qu'à Ganundasaga.

– Alors viens avec moi, Tsorihia! Partons ensemble! Je n'ai rien d'autre à t'offrir que ma protection et mon affection, mais... c'est de tout mon cœur...

La Wyandotte le fixait intensément, fouillant son âme et la bouleversant. Puis elle hocha lentement la tête.

– Je dois ma vie à Celui qui parle avec les yeux. Je le suivrai... Je ne demande rien de plus que lui et serai heureuse avec lui, car il est ma joie. La sagesse, c'est de savoir que le bonheur tient dans le creux de notre main. Si elle n'est pas plus grande que cela, c'est que nous n'avons pas besoin de plus. Il ne faut pas chercher à prendre plus que ce que peut contenir notre main, car de toute façon le surplus nous échappera et ira dans celle d'un autre.

– Tu es très sage, ne put s'empêcher de dire Alexander en lui embrassant tendrement le bout des doigts. J'essaierai de me montrer digne de la grâce de cette main qui me tient.

Il réussit à lui arracher un petit sourire.

Adossé contre le mur, non loin d'eux, Mathias Makons les épiait, comme chaque fois qu'il les apercevait ensemble. Il était là aussi, sur les rives du lac Érié, la nuit où la lumière dansait dans le ciel. Il désirait Tsorihia, d'une ardeur que la vue de l'Anglais sur elle avait décuplée.

– Ma sœur choisit l'homme avec qui elle va, avait déclaré Nonyacha qui avait deviné ses désirs sans qu'il eût à les formuler.

Il ne pouvait forcer Tsorihia à l'aimer. Cependant, il savait que l'Anglais se lasserait d'elle un jour. Les voyageurs blancs étaient tous comme ça. L'envie de retourner dans leurs grandes villes les reprenait toujours et les faisait abandonner leur épouse sauvage pour retrouver celle à la peau pâle qu'ils avaient laissée chez eux. Il attendrait ce jour, avec patience.

***

Ce matin-là, le ciel était bas et lourd de cette pluie qu'on attendait tant: il ne fallait pas que les semailles meurent dans la terre gercée. Trois semaines étaient passées, et on n'avait toujours aucune nouvelle des deux négociants français que Nonyacha devait conduire à Michillimackinac. Alexander se dit que c'était mieux ainsi. Il partirait aussitôt son travail chez la veuve Pinceneau terminé: il restait encore trois souches à arracher dans le lopin de terre récemment défriché.

Un cavalier passa sur la route au grand galop. Probablement un messager venant d'un fort voisin. Alexander l'observa un instant, puis retourna à son bœuf. La bête attendait, en mâchouillant une touffe d'herbe, qu'il ait fini de dénouer les cordes de l'attelage. Une goutte d'eau s'écrasa sur son front. Levant son visage vers le ciel, il en reçut une autre sur la joue, puis une autre sur le menton. Il poussa un soupir de soulagement.

– Allons, mon vieux! marmonna-t-il.

Lui donnant un coup de bâton sur la croupe, il poussa l'animal vers l'étable. L'eau s'accumulait dans les trous asséchés du chemin et formait rapidement de larges flaques dans lesquelles ils pataugeaient. Trempé jusqu'aux os, Alexander mit le bœuf à l'abri et lui envoya du foin en guise de récompense. Il rangea l'équipement, vérifia que l'étable était bien fermée et se prépara à partir. Le rideau d'eau masquait le paysage, et il distinguait à peine la maison de la veuve Pinceneau. Il choisit donc d'attendre que la pluie diminuât en intensité. S'asseyant sur la bûche à fendre placée sous l'abri du bois à brûler, il s'empara d'un bout de bois et sortit son canif de sa poche.

– John? lança une voix dans le vacarme assourdissant de la pluie.

Trop absorbé dans son travail, Alexander n'avait pas vu l'homme descendre de sa monture.

– John Macdonald?

Il se figea. Là, il avait très bien compris. Il déposa son morceau de bois à côté de lui et se retourna. Un homme le dévisageait, haletant, ruisselant et couvert de boue de la tête aux pieds.

– Bonyeu! C'est bien toi! s'écria-t-il en s'avançant, bras ouverts. Je viens trouver asile chez la Pinceneau, et qui je vois? Je te croyais à Trois-Rivières, avec ta charmante épouse... Marie-Anne? Oui, c'est bien ça. Trop jolie pour qu'on l'oublie, hum? Alors, le bébé?

– Le... bébé? bafouilla Alexander, un peu dérouté mais conscient de la méprise.

– Ta femme attendait pas un enfant pour le printemps?

– Euh... oui. Je... C'est que...

– C'est que notre ami John a dû quitter son épouse avant qu'elle n'enfante, Didier, expliqua Nonyacha en sortant de l'ombre et en fixant Alexander de son regard noir.

Tout ébaubi de cette apparition, Alexander demeura bouche bée, les yeux rivés sur le Wyandot.

– Euh... bredouilla, confus, l'inconnu. Oui, parfois, les affaires nous portent ailleurs. Je ne savais pas que tu avais repris les rênes du commerce... ici? On m'avait dit que tu avais délaissé les expéditions...

– Il est venu régler une affaire au fort, avança Nonyacha.

– Ouais... fit l'autre en frottant sa mâchoire pour essuyer une traînée de boue qui lui dégoulinait dans le cou. Je savais pas que tes affaires te menaient aussi loin, enfin...

– Eh bien, c'est que les affaires évoluent, Didier! conclut le Wyandot, qui commençait à s'impatienter.

Alexander fronça les sourcils et dévisagea Nonyacha. Ce dernier plissa les yeux en s'adressant à lui.

– Il faut nous préparer pour la chasse. Viens, tu as besoin d'un nouveau fusil.

– Oui, oui, moi aussi, j'ai du gibier à chasser, continua l'autre. Justement, je me rendais au comptoir. Ma chambre est maintenant louée.

Il essayait toujours d'enlever la boue de son visage, mais n'arrivait qu'à l'étendre. Constatant l'inefficacité de ses efforts, il soupira de dépit et essuya ses doigts sur sa culotte avant de présenter sa main à Alexander qui ne put faire autrement que de la prendre.

– Tu te souviens de moi, Macdonald? Didier Chartrand. J'accompagnais Touranjau lorsque nous nous sommes croisés à Mackinac, l'été précédent.

– Euh... Mackinac? Oui, je crois me rappeler, en effet. C'est qu'on rencontre tant de gens... et moi, les visages, vous savez...

– Hum... C'est vrai que, quand on ingurgite autant de whisky, on ne garde souvent que des souvenirs flous. Tu te souviens de Julien Touranjau et de Nicolas Beauvais?

– Il est arrivé quelque chose aux Français? s'informa Nonyacha, visiblement surpris.

– Oh! C'est horrible! Je dois trouver Langlade et tout lui raconter. Vous saurez de quoi il retourne.

Ils venaient de pénétrer dans le comptoir de traite et attendaient l'arrivée du fameux Langlade quand un vieil homme courbé comme un saule et traînant bruyamment sa jambe de bois sur les planches vermoulues fit irruption. Il hochait sans arrêt la tête de gauche à droite en grognant. Passant près des étagères, il frappa une marmite du bout de sa canne, faisant sursauter et déguerpir deux garçons qui réclamaient du sucre candi.

– Ben le bonjour, l'ami! claironna-t-il en incurvant sa large bouche édentée en un sourire avenant adressé à Chartrand. Quel bon vent t'amène icitte?

– La pluie, je le crains, répondit Chartrand en essuyant les dernières traces noirâtres sur son visage avec un mouchoir à l'aspect douteux qu'il fourra ensuite dans la poche de sa veste. Et une partie de chasse imprévue, continua-t-il en s'emparant d'un fusil pour l'examiner. Combien pour celui-ci?

– Hum... Tu me dois déjà six pelus, dit Janisse en contournant le comptoir. J'ai plus envie de te faire crédit...

– De toute façon, un vieux Tulle comme celui-ci ne tuerait pas un orignal à deux pieds, maugréa Chartrand. Rien d'autre?

– Non, pas si tu n'as pas de quoi payer rubis sur l'ongle, l'ami.

Nonyacha demanda qu'on lui décroche un modèle militaire réglementaire de 1754 dont le canon était plus court que les autres d'un demi-pied. Se saisissant d'une perche spécialement conçue pour attraper les armes qu'il tenait hors de la portée des clients un peu trop imbibés d'eau-de-vie, Janisse descendit le modèle demandé.

Nonyacha soupesa l'arme, en vérifia le mécanisme et la déposa sur le comptoir avec une moue réprobatrice. Il y avait là, devant lui : quatre fusils militaires de modèle semi-réglementaire de Tulle; huit Brown Bess, soit deux vieux Long Land et deux plus récents Short Land; six fusils Saint-Étienne de chasse; et deux fusils de boucaniers à canon court, très appréciés parce que plus rapides à charger que les fusils militaires.

– Pour ton Tulle de quatre pieds, combien veux-tu?

– Quinze livres ferme.

– Et pour le Brown Bess de quarante-deux pouces? demanda Alexander.

– Pas de fusil anglais, grinça Nonyacha. Après dix coups, il vous pète dans la figure.

– Pas si on sait s'en servir, répliqua Alexander en s'emparant de l'arme en question que lui tendait Janisse. Je connais très bien ce modèle-ci. Il est très robuste et fiable.

– Pour tirer une balle dans la tête d'un Français? laissa tomber avec cynisme une voix rauque derrière eux.

Se retournant, l'arme pointée en avant, Alexander se retrouva face à un homme brun de taille moyenne, entre deux âges, qui le dévisageait d'un air indéchiffrable. Il portait un capot de laine bleue, sur laquelle brillaient des boutons et un hausse-col de laiton, et des jambières frangées de peau teinte en rouge. À ses mollets étaient attachés deux couteaux.

– J'ai eu le plaisir de vérifier la qualité des armes anglaises à quelques reprises, souligna-t-il en dégageant sa tempe droite pour montrer une cicatrice. Elles sont très fiables, en effet... entre les mains d'un bon tireur. Cependant, l'homme qui m'a laissé ce souvenir avait besoin d'un peu de pratique.

Il étudiait ostensiblement Alexander de son regard acéré, qu'accompagnait un sourire ironique. Puis, il reporta son attention sur Chartrand, qui attendait dans son coin, les bras croisés.

– Alors, mon cher Chartrand! claironna-t-il en élargissant son sourire. Comment ça se passe au fort de Chartres? Les Illinois l'assiègent-ils toujours ou le grand Pontiac a-t-il réussi à calmer leurs ardeurs?

– Que Dieu veille sur Pontiac, Langlade, grogna Chartrand en s'avançant vers le nouveau venu. Le vent tourne et ne sait plus où souffler. Je crains pour sa sécurité.

– Et où va le vent vont les gens?

– Hum... C'est ça, ils s'éparpillent.

Chartrand cligna des yeux, tandis qu'un coin de sa bouche se retroussait dans un spasme. Il dirigea son regard vers Nonyacha, puis vers Alexander qui avait reposé le Brown Bess sur le comptoir.

– Oui, inévitablement, murmura-t-il dans une grimace qui était loin d'exprimer son approbation. Comme on dit, il suffit d'un seul coup de vent apportant l'odeur de l'argent pour qu'un homme change son fusil d'épaule.

– Explique-toi, demanda Langlade en posant une fesse sur le bord d'un baril de plomb.

– Touranjau et Beauvais... On les a retrouvés assassinés.

Langlade grimaça et lorgna de côté Nonyacha, qui pâlissait sous son teint mat.

– Quand as-tu vu les Français pour la dernière fois, Nonyacha?

Le Sauvage se renfrogna. Il hésita un instant.

– Le lendemain de leur visite aux Tsonnontouans. Je les ai quittés à deux lieues de la rivière Genesee.

Chartrand, tourné vers lui, le fixa un moment d'un air surpris. Puis, se passant lentement la main sur le visage, il eut une expression franchement mauvaise.

– C'est exactement là où on les a trouvés égorgés et pendus aux arbres! L'Américain, Casey, a réussi à s'échapper. Il était dans un bien piètre état et tentait de rejoindre le fort Niagara lorsqu'on l'a retrouvé.

Un lourd silence tomba. Le sang avait complètement quitté le visage du Wyandot.

– Mais qui?...

– J'aimerais bien que tu me le dises, Nonyacha! C'est toi qui les guidais, non? D'après Zadoc Casey, ils ont été attaqués de nuit par trois hommes, dont l'un s'exprimait en anglais bien qu'il fût habillé à la façon d'un Sauvage.

Chartrand dirigea alors son regard sombre vers Alexander, laissant deviner à tous la suite de ses pensées.

– Tu ne crois tout de même pas que?... Je n'aurais jamais fait une chose pareille! Ils étaient des nôtres! se défendit brusquement Nonyacha.

– Je sais que tu étais le seul à savoir où se trouvaient les Français cette nuit-là... Et je crois ce que je sais. De plus, je ne comprends pas ce que tu fais en compagnie de Macdonald, qui n'est justement plus des nôtres.

Tournant alors son visage blanc de fureur vers Alexander, Chartrand poursuivit sur un ton suspicieux:

– Et toi, Macdonald? Je me demande bien quel vent t'a réellement porté jusqu'ici. Je croyais que tu avais quitté Philippe Durand et son équipe, après votre brouille de l'hiver dernier, et que tu ne travaillais plus pour lui. Alors, pourquoi revenir ici? Qu'est-ce que tu cherches vraiment, hein?

Philippe Durand? Alexander ne savait que dire pour s'expliquer. Il risquait de s'enliser dans les mensonges... Pendant un instant, il avait oublié que Didier Chartrand le confondait avec John, son frère. Son petit doigt lui disait qu'il devait continuer de jouer le jeu, avec prudence. Il entendait l'or du Hollandais tinter sinistrement dans sa tête.

– Dorénavant, je suis ma propre voie et je cherche à établir mon propre réseau, rien de plus.

Chartrand sondait l'Écossais. Il regarda longuement la main au doigt manquant en fronçant les sourcils. Alexander se tint coi, subissant l'examen avec impassibilité.

– Est-ce que tu insinues que nous sommes responsables de la mort des Français? s'exclama soudain Nonyacha en portant sa main à son poignard.

– Mon ami, mon ami! intervint Langlade en levant son arme pour arrêter le Wyandot et l'inviter au calme. Chartrand n'a nullement dit que tu étais responsable du massacre de ces deux hommes. N'est-ce pas, Didier? J'ai malheureusement appris ce qui s'était passé...

Chartrand eut un sursaut d'épaules et tourna des yeux éberlués vers Langlade qui s'expliqua:

– J'arrive du lac Ontario, où j'ai justement rencontré Casey. Il m'a affirmé que les deux Sauvages étaient des Algonquins et non des Wyandots. L'Anglais était sans doute un négociant qui voulait s'approprier une part du marché... Cependant, Nonyacha, continua-t-il en se tournant derechef vers le Sauvage, tu devais leur servir de guide, c'est vrai. Pourquoi n'étais-tu pas avec eux cette nuit-là?

– J'ai retrouvé ma sœur, Tsorihia, expliqua Nonyacha avec fébrilité. Elle avait été adoptée par les Tsonnontouans que nous sommes allés voir...

Le Wyandot tourna la tête vers Alexander et se tut. Il avait été sur le point de révéler que l'homme blanc l'avait aidé à sortir sa sœur du village. Ce détail n'aurait fait que renforcer les soupçons de Chartrand.

– Mais je m'étais entendu avec Touranjau pour qu'il m'attende avec les autres à l'embouchure de la Genesee. Je devais l'y rejoindre avec ma sœur.

– Et tu ne les y as pas trouvés?

Encore sous le choc, le Sauvage secoua la tête de droite à gauche, tandis que Langlade affichait un air sincèrement soucieux.

– J'ai entendu dire, en effet, que tu avais retrouvé ta sœur, Nonyacha. Elle va bien?

– Oui, si on veut... Notre père est mort il y a quelques jours. Elle venait tout juste de le retrouver...

– Hum... toutes mes condoléances. Enfin, je me demandais simplement si tu n'avais pas croisé, sur ton trajet de retour, les trois hommes répondant au signalement des attaquants.

– Non.

– Et lorsque vous étiez avec Gayengwatha, vous n'avez pas remarqué, dans le village ou autour, la présence de Sauvages appartenant à d'autres nations?

– Nous n'avons pas vu d'Algonquins, non, si c'est ce que vous voulez dire. Mais, au fait, pourquoi des Algonquins s'en seraient pris aux Français?

– C'est que Touranjau désirait se retirer du plan de riposte contre les Anglais, expliqua Chartrand d'une voix amère.

– Mais il avait signé, non?

– Il a carrément déchiré le document qui le liait à la ligue des marchands rebelles. Il retournait sa veste, si tu vois ce que je veux dire... Beaucoup le considéraient comme un traître. Tout comme Van der Meer - que Dieu ait son âme - il a choisi son triste sort.

– Les choses vont beaucoup trop loin, murmura Langlade en se levant. Les Anglais chassent les Français de la Louisiane : leur seule présence sur ce territoire les rend suspects aux yeux de Gage. On se doute que quelque chose se trame. Qu'est-ce que la ligue peut espérer faire dans ce cas? Et puis, de toute façon, l'or est irrémédiablement perdu... Il faut se faire une raison.

Alexander transpirait à grosses gouttes. Si un seul de ces hommes avait le moindre soupçon sur ce qu'il savait concernant cet or maudit... Mais quelque chose lui disait qu'Étienne Lacroix et Wemikwanit agissaient indépendamment de la « ligue » et que personne d'autre qu'eux deux n'était au courant de son implication dans cette histoire. Alors, dans quel dessein ces deux mécréants cherchaient-ils maintenant à récupérer le trésor? Était-ce la cupidité qui les poussait? Dans le cas d'Étienne, c'était fort possible. Mais, dans le cas de Wemikwanit, il en doutait.

Langlade se frottait les paupières, visiblement embêté par la tournure des événements. Alexander observait ce personnage dont il avait entendu raconter les exploits. Fils d'un négociant en fourrures français et d'une Ojibwa, Charles-Michel Mouet de Langlade avait, dans l'armée coloniale française, participé à plus d'une bataille contre diverses nations. Il fut de ceux qui crièrent victoire contre les troupes du général Braddock, lors de la défense du fort Duquesne. À la tête d'un contingent d'Odawas et d'Ojibwas et sous les ordres d'un certain Beaujeu, il avait tendu une embuscade aux soldats anglais, à la rivière Monongahela. Par la suite, sous le commandement du général Montcalm, il avait participé à plusieurs batailles victorieuses contre les Anglais, notamment celle du Sault de Montmorency, à laquelle avait participé Alexander et qui avait coûté si cher à Wolfe.

– Macdonald, reprit Langlade après un long moment, on m'a dit que vous aviez rencontré Solomon après le... massacre de Van der Meer et de ses hommes. Que vous a-t-il appris sur le trésor que tout le monde recherche?

Alexander analysait les faits et réfléchissait à une vitesse inouïe. Ainsi, John avait pris contact avec Jacob Solomon après l'odieux carnage... Savait-il avant ou avait-il appris ce qui s'était passé après? Son frère savait-il qu'il était de ce voyage voué à l'enfer? Avait-il quelque chose à voir avec le massacre? Alexander ne se rappelait pas si Solomon connaissait l'existence du coffre. Mieux valait donc être prudent et feindre l'ignorance.

– Le trésor? Solomon ne m'en a pas parlé... Je suppose qu'il n'est pas au courant de son existence.

– C'est peut-être ce qu'il voulait faire croire... Mais Van der Meer était tellement harcelé au sujet de l'or, depuis son retour de la Louisiane, qu'il a dû sentir le besoin de partager son secret, juste au cas...

Assez juste, pensa Alexander, mais confier son secret à son associé n'aurait pas été judicieux.

– Cela aura été une erreur fatale, poursuivit Langlade qui semblait suivre le raisonnement de l'Écossais. Et cela expliquerait le massacre. Les hommes qui s'en sont pris à Touranjau, Beauvais et Casey sont sans doute les mêmes que ceux qui ont attaqué le Hollandais et son équipe. Des Algonquins... Des Ojibwas du Grand Portage peut-être. Solomon a pu faire suivre Van der Meer et... enfin, la suite, on la connaît.

– Moi, je continue de croire que le Hollandais voulait garder l'or pour lui et qu'il n'a pas mis son associé dans le secret, appuya Chartrand avec hargne.

– Je connaissais très bien Van der Meer, et je doute qu'il ait voulu garder cet or dans le seul but de s'enrichir. Si cela avait été le cas, il en aurait conservé une partie et aurait rendu le reste à ceux qui le réclamaient. Comme personne ne sait exactement ce que contient ce coffre, personne ne se serait rendu compte de rien, et il se serait ainsi débarrassé de la bande de tueurs qui le suivaient. Il s'obstinait à le garder pour une raison qui m'échappe, pardieu! Mais ce n'était pas par cupidité!

Alexander, qui réfléchissait à toute la situation, n'écoutait plus que d'une oreille. Langlade et Chartrand ne connaissaient pas l'identité des tueurs de Van der Meer et des Français. Cela corroborait son hypothèse selon laquelle Wemikwanit et Étienne agissaient pour leur propre compte.

Levant la tête, il croisa le regard perdu de Nonyacha, qui semblait ne pas comprendre de quoi les hommes blancs parlaient. Puis, il se lança prudemment :

– Je crois que le Hollandais avait compris que cet or ne ferait que causer la perte des nations des Grands Lacs. Il a vu les résultats des méthodes qu'emploient les Anglais pour assujettir les récalcitrants. Il me semble qu'il voulait la paix...

– La paix?! s'écria Chartrand. Laisse-moi rire! C'est une utopie! Nous ne connaîtrons la paix qu'au lendemain du Jugement dernier.

– Macdonald a peut-être raison. Touranjau et Beauvais pensaient la même chose, fit observer Langlade en se grattant la tête d'un air songeur. Et, selon moi... enfin, ces hommes n'avaient pas tort. Certes, les Anglais chercheront à repousser les nations vers l'ouest. Mais je pense que les combattre avec quelques armes sera très coûteux en vies humaines et ne réglera pas le problème.

– Oui... c'est ce que pensait Van der Meer, murmura distraitement Alexander en se rappelant ce fameux soir où le vieux marchand lui avait confié ses craintes.

Fermant les yeux, il se dit qu'il n'avait pas trahi le Hollandais et que ce dernier, s'il le voyait d'où il se trouvait, devait en être soulagé.

– Il me semble que tu l'as bien connu, ce négociant montréalais, John! Pourtant, lors de notre dernière rencontre, j'ai cru comprendre que tu ne l'avais jamais rencontré.

La voix de Chartrand, grave et accusatrice, lui porta un coup. Il ouvrit les paupières et se tourna vers l'homme, qui le fixait étrangement. Sur le coup, il eut peur. Chartrand doutait-il de la fidélité de John envers la ligue? Croyait-il qu'il était ici dans le but de retrouver le trésor? Ou qu'il pût être cet Anglais qui avait participé au meurtre des Français? Et pourquoi pas à celui de Van der Meer? Puis, une idée lui donna froid dans le dos: John était peut-être de mèche avec Wemikwanit et Étienne. Cela pourrait expliquer pourquoi il ne travaillait plus pour Philippe Durand.

– En fait, commença-t-il en s'éclaircissant la gorge, je l'ai brièvement rencontré à Montréal. Puis, Solomon m'en a parlé et me l'a fait connaître indirectement... Je ne peux que m'incliner avec respect devant son courage et sa droiture. Van der Meer était un marchand prospère qui savait comment faire fructifier sa fortune, parfois même au mépris de celle des autres. Mais je devine que ce n'était pas un assassin et qu'il n'était pas cupide au point de sacrifier la vie de femmes et d'enfants innocents.

« Trop de nations ont déjà fait les frais de cette rébellion, et pour obtenir quoi? Si peu... certainement beaucoup moins que vous, messieurs les négociants », compléta-t-il intérieurement.

– Je vois, dit simplement Chartrand en arquant ses épais sourcils au-dessus de ses yeux gris orageux.

L'homme examina Alexander de la tête aux pieds. Ensuite, il jeta un regard agacé à Langlade, à Nonyacha puis à Janisse.

– Bon, je dois encore rencontrer le commandant du fort. Il fera certainement moins d'histoires pour me vendre une arme, lui.

Il ouvrit la porte avec brusquerie et sortit en coup de vent, emportant avec lui toute l'assurance d'Alexander. Langlade, songeur, s'approcha de l'Écossais.

– Le Brown Bess fait peut-être très bien l'affaire lorsqu'il s'agit de trouer le crâne d'un Français, monsieur Macdonald. Mais un Tulle reste ce qu'il y a de plus efficace pour faire éclater celui d'un Anglais, si vous voyez ce que je veux dire.

On ne lisait pourtant aucune hostilité dans les yeux de Langlade. L'homme cherchait-il simplement à le mettre en garde contre Didier Chartrand? Maîtrisant à grand-peine son malaise, Alexander soutint le regard du métis, qui lui sourit avant de suivre les traces de son compagnon dans l'atmosphère orageuse.

Le repas se déroula dans un silence embarrassant. On levait les yeux au tintement d'une cuillère sur la faïence; on les baissait quand un verre était rudement déposé sur la table. On demandait quelque chose par un geste et on répondait par un grognement. Seul le vent qui sifflait et faisait battre les volets osait dire ce qu'il pensait. Chacun se taisait pour l'écouter.

Nonyacha avait tout raconté à Tsorihia et à Mathias Makons. Alexander entendait presque les rouages de leurs cerveaux fonctionner et y aller de leurs propres conclusions. De toute évidence, on ne pouvait le tenir pour responsable de la mort des Français. Cependant, on pouvait se demander s'il n'avait pas quelque chose à voir avec l'affaire...

Tsorihia ne semblait pas en vouloir à son compagnon. Qu'il s'appelât John ou Alexander ne changeait rien à ses sentiments pour lui. Mathias ruminait, sans doute plus à cause de la constatation que l'amour de la jeune femme était indemne que parce qu'il croyait Alexander coupable de quelque odieux crime. Nonyacha, quant à lui, n'exprimait pas ouvertement de ressentiment, mais évitait d'adresser la parole à l'homme blanc.

Repoussant son assiette vide, le frère de Tsorihia se leva. Mathias allait l'imiter, mais il lui intima d'un geste de ne pas le suivre. Puis, il sortit de la maison. Le vent referma la porte dans un violent claquement qui fit sursauter les trois autres. Quelques minutes plus tard, Mathias partit à son tour.

– Je crois que le moment est venu pour moi de partir, Tsorihia, commença Alexander. Je ne veux pas te forcer...

– Je pars avec toi, déclara-t-elle d'un air décidé en enveloppant sa main de la chaleur de la sienne. Nonyacha ne pourra me retenir contre mon gré.

Ils étaient assis sur une peau d'ours étendue à même le sol. La jeune femme cala son front dans le creux de son épaule, et il caressa sa chevelure de jais. Le feu brûlait avec rage dans l'âtre trop petit pour contenir sa colère; ses langues brûlantes léchaient les pierres noircies. L'odeur de la viande grillée persistait, mais n'arrivait pas à masquer la puanteur entêtante des déchets que personne ne jugeait bon de ramasser dans les rues. Les restes nourrissaient les chiens, mais attiraient aussi les rats, les bêtes puantes[71] et les *racounes*[72], la nuit.

– Je te dois la vérité, Tsorihia... Si tu choisis de me suivre, tu dois savoir.

La jeune femme posa sur sa poitrine sa main chaude et apaisante.

– Je sais que tu ne m'as pas menti. C'est tout ce qui m'importe.

– Oh! Tsorihia! fit Alexander dans un soupir en basculant la tête vers l'arrière. Il faut que tu comprennes. Ils me traqueront jusqu'à ce qu'ils aient soit l'or, soit ma peau. Tu cours un certain danger en demeurant avec moi...

Il marqua une pause, écoutant le crépitement du feu.

– ... car je sais où est caché l'or qu'ils recherchent.

– Je sais.

Alexander redressa brusquement la tête. Tsorihia le regardait d'un air grave.

– Comment... le sais-tu?

– La nuit qui a suivi ton supplice, tu as parlé dans ton sommeil.

– J'ai parlé? Mais qu'ai-je dit?

– Plusieurs choses... Tu as juré de ne jamais trahir celui à qui tu avais donné ta parole.

Abasourdi, Alexander agrandit les yeux et resta bouche bée. Tout ce temps, elle savait et n'avait jamais rien dit! Peut-être en avait-elle tout de même glissé un mot à son frère... qui pourrait très bien aller lui-même tout raconter à Chartrand. Peut-être était-ce justement avec Chartrand que Nonyacha se trouvait!

– Un homme qui tient parole sur le poteau des Tsonnontouans tient son courage des dieux. Son cœur est noble et doit être honoré. Le Grand Esprit a guidé les Tsonnontouans pour qu'ils t'épargnent.

– Et Nonyacha sait? Tu lui as dit?

– Tes paroles n'ont pas à sortir de ma bouche. Je ne parlerai

71. Mouffettes.

72. Ratons laveurs.

jamais à ta place. Tu décideras toi-même quand ce sera le moment de laisser la voix du Grand Mystère s'envoler.

– Le Grand Mystère?

– Le silence. Celui qui donne la patience, rehausse le courage et affermit la dignité.

Elle affichait un air serein avec un sourire qui le décontenança.

– Tu crois qu'il est venu, ce moment, Tsorihia? Tu crois que je devrais laisser le Grand Mystère s'envoler?

– Le meurtre des Français a bouleversé Nonyacha. Il doit maintenant choisir son camp. Notre peuple a toujours combattu les Anglais avec fierté. Baisser les armes est pour lui de la couardise. Mon frère ne sait pas que faire ce que dicte la sagesse demande parfois plus de courage que de suivre son instinct.

– Bon Dieu! souffla Alexander en attirant à lui la jeune femme pour l'embrasser. Sais-tu que la voix de la sagesse, c'est toi?

Elle rit doucement, puis s'écarta pour s'étendre sur la fourrure.

– Je vais aller le trouver... ce soir.

– Il t'attend déjà.

Songeur, Alexander examina les traits du visage de Tsorihia et ne put s'empêcher de voir ceux d'Isabelle s'y superposer. Cela le troublait de penser encore à Isabelle. Il désirait ardemment que son cœur ne batte que pour la jeune Wyandotte... Il esquissa un geste pour se lever.

– Où est-il?

– Attends. Rien ne presse.

Tsorihia enlaça son compagnon, noua ses bras autour de son cou pour l'attirer à elle en évitant cependant de le regarder dans les yeux pour ne pas voir les choses blessantes qui s'y trouvaient. En dépit de ce qu'elle savait d'Alexander, elle choisissait de le suivre. La nuit qui avait suivi le supplice, l'homme blanc avait parlé de l'or d'un Hollandais. Mais il avait aussi parlé d'un autre trésor qu'il chérissait. Il avait murmuré un autre nom, celui d'une femme. Il avait appelé une femme, l'avait cherchée dans son sommeil agité. Puis il s'était calmé : il l'avait rejointe dans ses songes, ses traits le montraient. Or les rêves étaient la vision du temps à venir.

Tsorihia savait qu'un jour la sagesse lui commanderait d'user de tout son courage, car Celui qui parle avec les yeux irait inévitablement retrouver cette femme qu'il avait appelée dans son sommeil. Elle le savait depuis le début, et cela la faisait souffrir. Mais de la souffrance naissait la force. Alors elle serait forte, car elle devait accepter ce qui ne pouvait être changé. Secouant la tête pour chasser ses tristes pensées, elle resserra son étreinte.

– Nonyacha peut attendre encore un peu...

Puis, elle força doucement Alexander à s'étendre près d'elle et retira sa robe. Pour le moment, elle avait envie de profiter de ce que le Grand Esprit lui avait envoyé. Se penchant sur son compagnon, elle souffla son haleine tiède sur la peau de son cou, qui se hérissa.

– Hum...

– Aime-moi à la manière du vent, Alexander, susurra-t-elle.

Hésitant, un petit sourire en coin, il l'attira sur lui pour l'embrasser.

– Et comment aime le vent, Tsorihia?

– Ferme les yeux et sens le vent sur ta peau. Écoute ce qu'il murmure...

Baissant les paupières, Alexander s'appliqua à découvrir ce qu'évoquait pour lui le vent qu'elle soufflait doucement sur lui. Il entendit son doux sifflement se confondre avec le bruissement des feuilles, et sentit sa caresse sur sa peau. Combien de fois, allongé dans l'herbe, avait-il entendu le souffle du ciel? Il pensa à l'Écosse et à ses montagnes, au parfum de la bruyère... Soudain, l'odeur d'une femme vint lui effleurer les narines. À ses oreilles résonnèrent le grincement de la roue d'un moulin, le tintement de la porcelaine, le gazouillis des oiseaux et le lointain clapotis des vagues. Puis, sur sa langue, lui vint le goût sucré et salé d'un baiser. Il eut la chair de poule en sentant les doigts tièdes d'Isabelle en même temps que ceux de Tsorihia qui lui caressaient le visage.

– Que je sois comme le vent...

Profondément bouleversé par cette image issue d'un passé révolu, il entrouvrit les yeux et contempla le corps offert de Tsorihia. La jeune Wyandotte était dès lors son unique présent. Elle était son désir, mais ne serait jamais son amour. Il aurait tant aimé lui faire cadeau de son cœur comme elle le faisait pour lui. Il aurait tant aimé arriver à lui offrir plus...

Du bout des doigts, il effleura la peau mate qui frémit. Elle arqua les reins telle une chatte sous la main de son maître, prenant l'affection qu'il lui donnait sans demander plus que le plaisir que cela lui procurait. La lueur des flammes jouait avec lui sur ce jardin de délices. Tandis que la lumière épousait la rondeur des seins, lui glissait sa main entre eux. Tandis qu'elle modelait le ventre, lui parcourait les hanches. Tandis qu'elle dorait les cuisses, lui pénétrait dans l'ombre de leur vallée. Et le vent, ce magnifique amant, souleva lentement le bourgeon du plaisir, le caressa, le porta jusqu'au plaisir extrême où s'épanouit dans une explosion la fleur de la volupté.

« Tsorihia! Tsorihia! » se répétait-il en lui-même en marchant d'un pas rapide vers le débit de boissons du village. Ne penser qu'à elle, rien qu'à elle. Il jura, donna un coup de pied dans une flaque d'eau. Il étouffait de culpabilité. Encore une fois, il avait fait l'amour à Tsorihia; encore une fois, il avait étreint Isabelle. Il gronda et serra les mâchoires. « Seul le temps fait oublier. » Mais le temps était une notion si relative! Cela faisait plusieurs années pourtant. Il était libre, sans attaches, mais toujours prisonnier d'Isabelle. Pourquoi devait-il toujours débattre avec sa conscience pour se permettre d'aimer une autre femme? Pourquoi? Voilà! Il était condamné à vivre, jusque dans sa couche, avec le fantôme d'un amour!

– Qu'elle aille au diable, la petite bourgeoise!

Tandis qu'il prenait le chemin du Devant qui longeait la rivière Detroit, les lumières du cabaret qui se reflétaient et dansaient sur la surface de l'eau attirèrent son attention. Il contempla, sur l'autre rive, le profil des hautes palissades du fort qui avait résisté au long et pénible siège de Pontiac deux ans plus tôt. Puis, il tourna son regard vers l'endroit où se trouvait le lac Saint-Clair. Il ne pouvait voir le plan d'eau lui-même, mais apercevait au-dessus une lumière plus vive, celle de la lune pleine qui, après avoir ricoché sur le miroir, se dispersait dans le ciel. Cette vision lui rappela l'aurore boréale et Tsorihia nue, dans l'eau. Puis, peu à peu, le corps de la Wyandotte laissa place à celui d'Isabelle dans sa tête.

– Putain de merde!

« Nonyacha! Nonyacha! » Il accéléra le pas. Il devait trouver Nonyacha et lui dire ce qu'il savait concernant l'or convoité. Tsorihia avait raison. Peut-être en profiterait-il pour boire un verre avec lui, histoire d'oublier tout le reste...

L'odeur de la pourriture et des excréments lui sautait aux narines, et il grimaça de dégoût. Tandis qu'il croisait un promeneur, un détail attira son attention, dans le clair de lune, et lui fit tourner la tête. Les mocassins... Il avait déjà vu ces motifs... Il ralentit jusqu'à s'arrêter complètement. Des oiseaux aux ailes déployées... Où avait-il vu cela? Il sentit un grand frisson lui parcourir l'échine, comme des images horribles forçaient la porte soigneusement fermée d'une pièce sombre de son esprit. Le souffle court, il pivota sur son axe et leva la tête. L'homme continuait son chemin avec insouciance.

Comme s'il sentait le regard d'Alexander posé sur lui, le promeneur ralentit le pas à son tour et s'immobilisa. Le cœur d'Alexander s'emballa d'un coup. L'instinct de survie secoua son esprit anesthésié par le choc. Sa main palpa sa cuisse : son poignard se trouvait dans son fourreau. C'était sa seule arme. Ses doigts fébriles se refermèrent fermement sur le manche. L'homme se retourna lentement et lui fit face.

Le temps sembla s'arrêter. Le vacarme joyeux venant du cabaret, à quelques pieds, s'estompait, tandis que les hurlements lugubres du Revenant résonnaient dans la tête d'Alexander.

– Wemikwanit...

Les deux hommes, les pieds soudés au sol boueux, étaient aussi immobiles que des statues d'airain. Le vent faisait claquer les franges de leurs habits et s'envoler leurs cheveux qui leur fouettaient le visage. Plusieurs secondes passèrent, qui parurent des minutes, des heures à Alexander. Une éternité.

Ce fut Wemikwanit qui, le premier, risqua un geste, faisant lentement glisser sa main vers sa ceinture. Un éclat métallique alarma Alexander, qui plissa les yeux pour se rendre compte que le Sauvage était armé d'un pistolet. Son poignard lui parut alors ridicule.

Wemikwanit le visait. Des images de mort défilèrent encore rapidement dans son esprit. Il n'avait pas survécu à son supplice pour se retrouver bêtement abattu par une balle. Se ressaisissant tout d'un coup, il prit littéralement ses jambes à son cou, tel un cerf traqué. Il bondit par-dessus une rigole, contourna une clôture, escalada un tas de bois. Il allait où il pouvait, sans réfléchir, courant à perdre haleine. Des fragments de souvenirs, encore, et une indicible horreur lui lacéraient les entrailles. La folie d'une nuit d'enfer habitée par tous les démons des ténèbres le propulsait.

Un claquement retentit; la terre explosa entre ses pieds. Il pensa à Tsorihia, qui l'attendait dans la cabane, se demanda si Wemikwanit s'en prendrait à elle s'il savait. Il se dirigea vers les champs qui bordaient le village. Il fallait éloigner le Chippewa. Hors d'haleine, Alexander tourna à l'angle d'une remise et se figea sur place. Une clôture de bois de la hauteur d'un homme se dressait devant lui. Il la longea, espérant trouver une ouverture.

Un deuxième claquement; le bois éclata tout près. Alexander jeta un coup d'œil derrière lui. Ce fut là son erreur. Il trébucha et tomba à terre. Alors qu'il cherchait à se relever, un coup sur la nuque lui coupa le souffle. Il se retrouva le visage dans une flaque de boue, les reins écrasés par un pied. Il s'avoua vaincu lorsqu'il sentit la bouche brûlante du canon sur sa nuque. Haletant, il ferma les paupières, dans l'attente. Le cliquetis du mécanisme d'armement résonna entre deux battements de cœur.

– Tiens, tiens! grinça sinistrement Wemikwanit. Je ne pensais pas chasser le loup cette nuit! Finalement, nous nous retrouvons. Ainsi, ce que j'avais déduit des aveux que m'ont faits Touranjau et Beauvais avant que je ne les achève serait juste! C'est bien toi qui as fui avec la petite Wyandotte et son frère. J'ai bien remarqué les regards qu'elle te lançait et me doutais que tu serais dans sa couche avant bien des lunes. C'est pourquoi je me suis aventuré jusqu'ici... Il est vrai qu'elle est bien plus appétissante que la veuve, cette Tsorihia! C'est son nom, si je me souviens bien, n'est-ce pas? Quoique... je me souvienne bien mieux de ses rondeurs...

– Tiens-toi éloigné d'elle, fumier! gronda Alexander, le nez dans la boue.

– Ma bonne volonté dépendra de la tienne, l'ami.

Dans un mouvement de colère, Alexander roula subitement sur le dos et empoigna le pistolet par le canon pour l'arracher de la main du Chippewa. Le coup partit; il se brûla les doigts et sentit la balle lui effleurer l'épaule. Il hurla, s'arc-boutant dans la douleur. Puis, rassemblant toutes ses forces, il envoya un coup de pied dans le genou de son assaillant.

– Sale pourriture! beugla-t-il en attrapant Wemikwanit par le col de sa tunique.

Mais le Chippewa, qui possédait l'agilité du félin, ne fut pas long à sortir sa lame et à en appliquer le fil sur la gorge de l'Écossais. Ses yeux noirs brillaient d'une lueur démoniaque.

– Si on se calmait, Macdonald? Dans ton intérêt... et celui de ta squaw.

– Que fais-tu là? intervint une voix familière.

Alexander fouilla l'obscurité et aperçut une silhouette sur sa droite, à quelques pas. Wemikwanit ne bougea pas, mais accentua la pression de la lame.

– Un faux mouvement, et je te tranche la gorge, l'Écossais!

Puis, relevant la tête, il poursuivit:

– Tu aurais dû me prévenir que Macdonald était ici, Chartrand. Cela m'aurait évité de perdre mon temps.

– John est de notre côté, bon sang! Il est notre contact avec Durand...

– John? Imbécile! Cet homme n'est pas John, mais Alexander Macdonald, son jumeau identique! Enfin, plus si identique que ça si on y regarde de près, appuya-t-il en montrant la main où manquait un doigt. Je n'ai pas eu trop de difficulté à le découvrir.

– Son jumeau? John ne m'a jamais parlé d'un frère jumeau! Oh, le traître! Il nous a royalement bernés, le salaud! Et lui? Que fait-il ici?

– Si John savait que son frère était le gardien du secret de l'or, nous aurions déjà le coffre entre les mains.

– Ben, ça alors! siffla Chartrand, estomaqué. Tu veux dire que cet homme est celui qui accompagnait le Hollandais et que tu... Oh, par tous les diables! Mais comment tu as su, toi?

– Simple déduction. Je suis resté assez longtemps au Grand Portage pour remarquer le lien suspect qui unissait Macdonald et le vieux marchand. Je connaissais assez Van der Meer pour me douter qu'il chercherait à mettre son trésor en de bonnes mains, juste au cas où. J'ai ensuite posé quelques questions et fait mon analyse. Ton cousin Munro n'est pas très malin, Macdonald!

Didier Chartrand restait muet de surprise. Pendant ce temps, Alexander faisait marcher son cerveau. Ainsi, il avait vu juste : John avait été mandaté par Durand pour retrouver l'or du Hollandais, et ces deux hommes étaient, avec Étienne, ses complices. Un frisson lui glaça le dos. Chartrand, lui, avait joué à la perfection le rôle du compagnon horrifié devant les meurtres des marchands français. Qu'il ait participé ou non à cette tuerie n'était pas si important. C'était la profondeur du fossé qui divisait dorénavant les rebelles qui était le plus inquiétant.

Alors que les uns se rendaient à l'évidence de l'inutilité d'une croisade vouée à l'échec, les autres s'enfonçaient dans une obstination telle qu'ils n'avaient plus aucun scrupule à détruire tout obstacle qui se dressait sur leur route. Or, pour l'heure, c'était lui, Alexander Macdonald, leur principal obstacle. L'or seul du Hollandais pourrait acheter sa vie et peut-être celle de Tsorihia. Mais, pour l'instant, il fallait gagner du temps.

– Que crois-tu arriver à accomplir, Wemikwanit, que Pontiac n'ait pu faire?

Un ricanement étrange confirma la folie du Chippewa. L'homme se tut enfin. Il hésitait à dévoiler ses plans machiavéliques. Au bout d'un moment, prenant un air suffisant et arrogant, il se lança :

– Il faut détruire la source du mal. Il faut semer la terreur et la discorde chez l'ennemi. Je ne suis pas assez fou pour croire que nous arriverons à nos fins en nous en prenant à leur seule armée, non... Qu'ont-ils fait, eux? Se sont-ils contentés de se battre contre nos guerriers? Non, ils s'en sont pris à nos femmes et à nos enfants, qui n'étaient pas armés! Ces couards de Chiens rouges s'attaquent aux plus faibles! Ils déciment notre peuple avec leurs maladies, l'affament dans le but de mieux l'exterminer. Alors, nous devons tout simplement faire comme eux. Les colons ne cessent de s'approprier illégalement les terres qui bordent le territoire qui nous a été «accordé» par le traité de Paris. Ce qui est à l'ouest des Appalaches nous revient. Mais les colons anglais débordent largement sur notre territoire. Ils volent notre terre ancestrale, nous poussent toujours plus vers les Grandes Plaines. Il faut arrêter cela, c'est impératif. Et pour y arriver, il ne reste qu'un moyen... Nous sommes plusieurs centaines; bientôt, nous serons des milliers. Des Onondagas, des Tsonnontouans, des Mohawks, des Illinois, des Shawnis, des Odawas... Dans toutes les nations concernées, de vaillants guerriers attendent le signal pour se regrouper et dévaster les colonies situées le long de la frontière indiquée par le traité. Il faut semer la terreur, dissuader l'ennemi, le contenir avec la peur.

– Tu es complètement malade, Wemikwanit, murmura Alexander, qui comprenait maintenant toute l'ampleur de la folie qui faisait briller le regard de jais. Si tu crois que je vais te donner ce que tu veux...

– L'or n'est plus une nécessité absolue, coupa froidement le Chippewa. La vengeance qui anime les guerriers suffit largement. Bien sûr, l'or nous permettrait de nous procurer des armes modernes. Mais il n'y a pas plus fiables qu'un bon tomahawk ou une flèche tirée avec précision, ne penses-tu pas? Toutefois... l'argent est toujours utile. Il permet d'acheter l'âme de certains hommes prêts à la vendre au diable...

– Quel diable tu fais, Wemikwanit! siffla Alexander.

Le Sauvage émit un ricanement.

– Le vrai diable, ce sont les Chiens rouges qui l'incarnent, puisque ce sont leurs méthodes que j'emploierai. Comment dites-vous... Œil pour œil, dent pour dent? J'aime beaucoup cette devise.

– Tu n'arriveras qu'à précipiter ton peuple dans une guerre sanglante dont il ne se relèvera pas, Wemikwanit.

– C'est ce que nous verrons, murmura le Chippewa en tirant l'Écossais par la chemise pour le forcer à se relever. Maintenant, si on allait voir la belle Wyandotte, l'ami!

Alexander se débattit, résista. Mais Chartrand vint prêter main-forte au Chippewa.

– Et toi, Chartrand, es-tu de ceux qui vendent leur âme au diable?

Le Français, troublé, garda le silence, que rompit brusquement un cri à glacer le sang. En quelques secondes, l'homme se retrouva allongé, face contre terre, à l'endroit où se trouvait Alexander un peu plus tôt. Ce dernier eut à peine le temps de voir une silhouette se pencher sur le corps pour retirer un poignard que déjà une deuxième silhouette saisissait Wemikwanit, figé un bref instant par la surprise. L'acier d'une lame renvoya l'éclat d'un rayon de lune sur la gorge du Chippewa. Un sifflement aigu s'échappa de la plaie béante. Le regard de jais s'agrandit, se perdit dans l'obscurité. Le corps tomba avec un bruit mat. L'arme ensanglantée au poing, Nonyacha respirait bruyamment, les yeux pleins de haine rivés au Chippewa que Mathias Makons faisait rouler sur le dos.

– Les corbeaux vont se régaler à l'aube.

Avisant ensuite l'air ahuri d'Alexander, le Wyandot expliqua:

– Je te suivais, Macdonald. J'attendais dans la nuit que tu viennes me trouver. J'allais à ta rencontre quand tu as croisé le Chippewa. La curiosité m'a retenu de me montrer. J'ai écouté votre conversation. Je ne pouvais pas permettre à ce fou de conduire notre peuple aux portes de la mort...

L'œil sombre, il haletait, et la lame tremblait dans sa main.

– Et pour la sécurité de Tsorihia, je devais savoir de quel côté tu étais réellement.

Comme il allait s'éloigner, Alexander le retint par le bras.

– Donc... tu sais tout?

– Pour l'or? Maintenant, oui.

Nonyacha marqua un moment de silence, dévisageant l'homme blanc avec circonspection.

– Cet or ne nous appartient pas. Il rend les hommes fous. Je n'en veux pas. Mais toi...

– Non plus, confirma Alexander sans hésiter.

– Alors, laissons-le dormir là où il est. Il faut partir maintenant. Je ne sais pas de quel côté se range réellement Langlade et je ne tiens pas particulièrement à le savoir. De plus, comme nous ne savons pas non plus qui connaît la vérité sur toi, ici, l'Écossais, nous ne pouvons rester plus longtemps. Il faut jeter les corps à la rivière. Ensuite, je vais mettre les canots à l'eau pendant que, vous deux, vous allez chercher Tsorihia et préparer des provisions.

Tendant un Brown Bess à Alexander, le Wyandot sourit, narquois.

– C'est celui que tu préférais, tu en auras besoin. J'ai rappelé à Janisse une vieille dette qu'il avait envers mon père et qu'il n'avait pas remboursée. Nous irons vers le nord: la chasse est bonne là-bas.

***

L'été passa, l'automne vint. L'hiver approchait. Ayant beaucoup chassé, ils se rendirent au poste de traite du fort Michillimackinac.

Grâce aux peaux de qualité que Tsorihia avait préparées, ils purent se procurer cinq chiens et un traîneau, en plus d'une grande quantité de denrées qui leur permettraient de passer la saison froide. Ne voulant pas s'attarder trop longtemps près du fort, Nonyacha fit part de ses intentions d'aller s'installer à l'est, sur les rives du lac Supérieur. Ils partirent donc et s'installèrent à la tête du lac, dans des huttes d'écorce que la neige recouvrit bientôt.

Dans le brouillard du temps comme dans les bois, Alexander s'enfonça, s'éparpilla, se perdit. Alternant la chasse et les activités liées à leur survie et à leur confort, il ne voyait pas les jours passer. La nuit venue, c'est complètement harassé qu'il se laissait tomber sur sa couche de sapinage. S'il ne sombrait pas immédiatement dans un profond sommeil, il observait Tsorihia en train de s'abîmer la vue à confectionner des raquettes et des mocassins d'hiver. La jeune femme insérait du duvet d'oie qu'elle recouvrait d'une doublure taillée dans de vieilles couvertures de laine pour conserver la chaleur des pieds. Avec les mitasses joliment décorées de piquants de porc-épic, les chemises récemment acquises, les tuniques de cuir doublées et les tapabords[73] en castor retourné, ils apprivoisaient l'hiver.

Si leur alimentation avait été assez variée durant l'été et l'automne – tortues, mollusques, grenouilles et œufs d'oiseaux, en plus de la viande fraîche abondante –, elle se composait, durant l'hiver, du poisson qu'ils arrivaient à pêcher sous la glace, des animaux qu'ils arrivaient à tuer, des denrées qu'ils avaient achetées et des aliments qu'ils avaient pris soin de faire sécher ou fumer avant de les entreposer dans un garde-manger creusé dans le sol. Les jours où la chasse était moins bonne, ils se contentaient des autres choses que leur offrait la nature. Ainsi, Alexander découvrit que les sauterelles pouvaient être délicieuses, une fois dépouillées de leurs ailes et de leurs pattes, que les couleuvres avaient le goût du poulet et que les belles larves dodues qu'on trouvait dans les arbres pourris et dont se régalaient les ours n'étaient pas si mauvaises une fois grillées.

Souvent, le soir, l'Écossais laissait son regard se promener vers l'horizon. Il souhaitait retrouver son cousin Munro. Plus d'un an s'était écoulé depuis l'attaque d'Étienne Lacroix. Il n'aimait pas l'idée de laisser son cousin dans l'ignorance de sa survie et envisageait de se rendre au Grand Portage pour le retrouver. Mais, depuis qu'il avait entendu reparler de John et de ses activités, il avait de nouveau peur de le croiser sur sa route.

---

73. Chapeau muni d'une visière et d'un rabat couvrant la nuque et les oreilles.

Tsorihia observait son compagnon en silence, subodorant les tourments qui le rongeaient. Il lui avait parlé de son cousin et de ce frère avec qui on l'avait confondu. Elle savait que ce John hantait le sommeil de son homme, de même que cette autre femme, parfois.

À l'aube, encore confus, il se soulageait du poids du désir qui courait en lui en la prenant. Ces matins-là, elle ne disait rien et attendait que les vagues de tourments qui l'éloignaient provisoirement d'elle se calment pour lui permettre de revenir à la réalité dont elle faisait partie. Celui qui parle avec les yeux ne lui appartenait pas et ne lui appartiendrait jamais. Elle le savait, en souffrait d'autant plus qu'elle prenait chaque jour ses herbes qui l'empêchaient de concevoir. Il voulait un enfant d'elle, il le lui avait dit. Malheureusement, si elle pouvait supporter la douleur que lui causerait son départ, elle ne voulait pas l'imposer à un petit être.

***

Un matin gris de mars, une mauvaise surprise les attendait : le garde-manger avait été dévasté par un ours qu'un réchauffement de température hâtif avait sorti de son long sommeil. Leurs réserves de nourriture s'en trouvant considérablement réduites, ils décidèrent de se rendre à un village ojibwa qu'ils avaient repéré au cours de leurs sorties de chasse. Le groupe d'habitations, situé plus au nord, sur les rives du grand lac, n'était qu'à quelques lieues. Ils pourraient partir avec les chiens et emporter quelques belles peaux, et peut-être le vieux fusil de réserve, pour les troquer contre de la farine de maïs.

Après avoir arrimé le chargement sur le traîneau, Alexander attelait les chiens. Mathias, de son côté, remplissait les cornes de poudre et faisait provision de munitions. On avait tiré au sort le nom de ceux qui feraient le voyage. Dans quelques minutes, les deux hommes partiraient. Tsorihia avait réparé les raquettes la veille et fabriqué des lunettes qui les protégeraient contre le grand mal des neiges[74]. Même dans les pires conditions, le voyage ne devait pas durer plus de quelques jours.

S'enlaçant, Alexander et Tsorihia se dirent adieu, se promettant dans un long baiser, et sous l'œil navré de Mathias, de se retrouver bientôt. Nonyacha souhaita bonne chance à ses compagnons. Puis, dans un « *Mush!* » retentissant, les chiens surexcités se mirent en route.

---

74. Provoqué par la réflexion du soleil sur la neige, brûlure de la rétine accompagnée d'une inflammation des yeux et de vives douleurs.

Les deux hommes mirent une journée entière pour atteindre l'emplacement du village. La neige ramollie par la douce température s'enfonçait sous le poids du traîneau, et ils s'enlisèrent à maints endroits. Tandis qu'ils s'approchaient progressivement des huttes, Alexander sentait monter en lui le sentiment que quelque chose n'allait pas. Au bout d'un moment, l'évidence lui sauta aux yeux: les habitations d'écorce, au-dessus desquelles ne flottait pas de fumée, avaient été abandonnées.

Le découragement les envahit. Ils bivouaquèrent dans l'une des huttes abandonnées et coupèrent leurs rations de moitié. Puis, ils discutèrent longuement de ce qu'ils devaient faire en fumant la pipe. Une trentaine de lieues les séparaient encore du Grand Portage. Avec un peu de chance, si le temps restait le même, ils pouvaient espérer atteindre l'endroit en deux jours, les chiens pouvant franchir environ vingt-cinq lieues en une journée, dans de bonnes conditions.

Le lendemain, une aube infusée de pastels les accueillit. Il faisait beau, et c'est le cœur gai qu'ils attelèrent les chiens de front au traîneau, puisqu'ils n'auraient pas de bois à traverser. Comme durant les voyages en canot, ils faisaient une pause toutes les trois lieues environ le temps de fumer une pipe et de permettre aux animaux de se reposer.

À la quatrième halte, le ciel se plombait. À la sixième, une fine neige saupoudrait le paysage, absorbant la lumière. À la septième, le vent du nord se mettait de la partie, emportant avec lui les flocons qui les aveuglaient. Dans un «*Wo*!» furibond, Mathias arrêta l'équipage. Ils allaient se perdre dans l'immensité du lac s'ils continuaient.

N'ayant aucun abri à leur disposition, ils s'installèrent près d'un arbre. Ils creusèrent un trou profond dans la neige et se servirent de branches de sapins pour couvrir le fond et bloquer l'entrée au-dessus de leurs têtes. Puis, ils attachèrent trois des chiens à un sapin qui les protégerait des rafales et gardèrent les deux autres avec eux pour qu'ils leur tiennent chaud. La nuit s'annonçait longue.

Le vent ne cessait de siffler au-dessus de leurs têtes, faisant trembler leur fragile toiture. Les heures s'écoulèrent; le bruit de la tempête diminua. Roulé en boule, les mains dans ses mitaines coincées sous ses aisselles, Alexander songeait à Tsorihia dont il regrettait la douce chaleur. Le chien allongé contre son flanc remua. Lui colla son visage à la belle fourrure. La respiration de Mathias Makons lui parvenait de manière feutrée et saccadée, comme celle des bêtes. Pour tromper leur angoisse, les deux hommes parlèrent de choses et d'autres pendant quelques heures. Enfin, épuisés, ils se turent.

Un lourd silence les enveloppait maintenant. Ils étaient sans aucun doute complètement ensevelis sous la neige. Bizarrement, les visages de Mikwanikwe et d'Otemin surgirent. Alexander se demanda si la mère et sa fille se trouvaient toujours au poste de traite. La belle Ojibwa avait sûrement trouvé un homme pour s'occuper d'elle et de ses enfants. Jusqu'à cet instant, il n'avait jamais pensé qu'il les reverrait un jour, et il ressentait un malaise à l'idée des prochaines retrouvailles. Tsorihia était désormais la femme qui partageait sa vie. Comment expliquerait-il la situation à Mikwanikwe? Et s'ils n'arrivaient jamais au Grand Portage? S'ils mouraient gelés? Bon sang! Ils n'avaient plus que trois ou quatre lieues à parcourir! Ce serait vraiment trop bête!

L'humidité le fit frissonner. Il ferma les yeux et serra les mâchoires pour contrôler ses tremblements. Penser à autre chose... Tsorihia. Il s'imagina dans les bras de la Wyandotte, lui faisant l'amour. La respiration régulière de Mathias indiquait que le sommeil l'avait gagné. Alexander savait son ami toujours amoureux de Tsorihia. Si Mathias n'avait jamais tenté de s'introduire dans la couche de la Wyandotte, la jeune femme ne semblait pas totalement indifférente à son attention... Il entendit de nouveau le gémissement du vent et se laissa aller dans les bras de Morphée en soupirant.

Une langue râpeuse réveilla Alexander. L'obscurité était toujours aussi opaque. Les membres ankylosés, grelottant, il roula sur le dos. Un craquement de brindille lui parvint.

– Mathias?

Un faible grognement lui répondit. Son ami se réveillait. Les chiens piétinaient d'impatience sur le sapinage. S'asseyant, Alexander leva la tête. Où qu'il posât les yeux, ce n'étaient que ténèbres. Le vent ne rugissait plus; un lourd silence régnait. Soit le vent s'était tu, soit la neige qui les recouvrait était si épaisse qu'elle absorbait tous les bruits. Combien d'heures avaient-ils dormi? Faisait-il jour ou nuit? Il tira sur une branche, au-dessus de lui, et commença à creuser. Ils devaient sortir de ce trou avant de mourir asphyxiés. L'espace, tout juste assez grand pour eux deux et les chiens, ne contenait pas assez d'air pour les maintenir en vie bien longtemps. Un léger étourdissement lui indiquait que l'oxygène commençait déjà à manquer.

– Mathias, aide-moi, tu veux?

Son compagnon s'assit, lui palpa le genou pour le situer.

– Tu crois que les chiens sont toujours là?

– Je n'en sais rien, Mathias, mais je le souhaite. Sinon, nous devrons abandonner une partie de notre chargement. Allons, il faut sortir d'ici! Je creuse et tu entasses la neige sous toi. Ainsi, nous nous ouvrirons un chemin jusqu'à la surface.

La neige était compacte. Alexander, les doigts gelés, devait s'arrêter souvent. Les deux hommes étaient maintenant à genoux avec les chiens entre les cuisses. Creusaient-ils depuis une heure, deux, trois? Ils n'auraient su le dire.

– Bon Dieu! grogna Alexander en s'adossant contre le mur glacé pour reprendre son souffle. Se pourrait-il que plus d'une toise de neige nous recouvre?

Sans cesser de s'activer, Mathias ricana.

– J'ai déjà vu deux toises de neige au-dessus d'une cabane, l'ami! Je te suggère de continuer à creuser!

– *God damn!* Putain d'hiver!

– Rien de tel dans ton pays?

– Bien que le temps soit souvent morose, il n'est pas trop dur avec nous! Nous ne connaissons que la démesure de nos actes! ironisa l'Écossais en se remettant à l'ouvrage.

– Pourquoi es-tu venu en Amérique alors?

– L'armée!

– Hum... Tu penses retourner chez toi un jour?

Une grosse plaque de neige se détacha. Alexander l'écrasa avec son genou. L'obscurité masquait le visage du Wyandot, qui avait cessé de bouger.

– Non... Il n'y a plus rien pour moi là-bas.

– Ton secret pourrait te permettre de t'offrir un domaine, peut-être plus...

Alexander crispa les doigts sur un morceau de glace et se blessa le bout de l'index.

– Peut-être... Cependant, l'or ne pourra jamais acheter la paix dans mon pays, pas plus qu'il ne le pourra dans le tien. L'homme porte en lui une soif de pouvoir qui le pousse parfois aux pires ignominies et inévitablement à la guerre pour assujettir l'autre.

Le bloc de glace se détacha d'un coup et tomba sur le chien qui lui tournait autour, lui arrachant un geignement aigu.

– Pardon, marmonna Alexander en caressant le dessus du crâne de la bête.

– Ton pays a donc connu beaucoup de guerres...

L'Écossais n'aimait pas évoquer les combats auxquels il avait assisté lors de la campagne du prince Charlie. Les images qui ressurgissaient alors dans son esprit ne le quittaient plus pendant des jours, surtout celle de son frère John le mettant en joue.

– Si on veut, maronna-t-il en reprenant son souffle. Mais la guerre n'est-elle pas le lot de tout peuple? Certains hommes ne se soucient que de leur gloire et de leur bonheur. C'est pourquoi tant des miens se sont engagés dans l'armée. Les Anglais nous ont rendu la vie impossible en Écosse... Je suppose qu'ils s'en réjouissent à l'heure qu'il est.

– Tu n'aimes pas la guerre, Macdonald? Tu es pourtant guerrier et...

Alexander interrompit brusquement son travail et tourna son visage vers l'endroit où il savait que se trouvait son compagnon.

– Et toi?

N'attendant pas la réponse, il poursuivit aussitôt:

– Je suis un Highlander, Mathias. Comme toi, j'ai dans mes veines un sang guerrier. Chez moi, dès qu'un enfant arrive à tenir une arme, son père lui apprend les rudiments du combat. C'est une question de survie. J'ai tué tant d'hommes dans ma vie que j'ai arrêté de les compter. De toute façon, Dieu doit certainement bien tenir ses registres à jour... En dépit de cela, je te dirai que non, je n'aime pas la guerre, pas plus que je n'aime tout ce qui est lié au pouvoir et tout ce qui fait de notre monde l'enfer qu'il est.

Le silence, étouffant, retomba sur la cellule gelée. Toutefois, bizarrement, Alexander sentait un poids s'envoler. Il avait soudain envie de tout raconter au Wyandot, en qui il avait suffisamment confiance maintenant. Ainsi, pendant une heure, il lui rapporta ses conversations avec Van der Meer et la promesse qu'il lui avait faite. Il lui raconta la terrible attaque de Wemikwanit et d'Étienne Lacroix, sa séquestration chez les Tsonnontouans et le supplice du Revenant. Mathias l'écouta religieusement, tantôt adossé au mur, tantôt le remplaçant lorsqu'il se fatiguait. Dans le même élan, l'Écossais parla de son enfance, de ce qu'avait été sa vie après Culloden. Il se livrait comme jamais il ne l'avait fait.

Enfin, après un long moment de silence, Alexander appuya son front contre le tronc rugueux. L'odeur de l'écorce lui emplit les narines, estompant momentanément celle de leur urine et des excréments des chiens qui prenait à la gorge et viciait le peu d'air qui leur restait. Enfoui sous la neige, prisonnier, il se dit que s'il devait mourir ici, au moins ce serait le cœur léger. L'air se raréfiait; le sommeil le gagnait.

– Qu'attends-tu de la vie, aujourd'hui? demanda Mathias.

– Je ne sais pas... Je veux vivre paisiblement, je crois. Mais je crains que cela ne soit impossible. On me traquera de la même manière qu'on a traqué le Hollandais.

– Tu as des enfants? Une épouse?

– Non... Mais j'aimerais bien avoir des enfants.

– De Tsorihia?

Le ton était un peu sec. Alexander se frotta le front. La tête lui tournait; il avait besoin de s'allonger. Mais il y avait trop de neige dans la fosse exiguë.

– Si elle le désire, murmura-t-il.

– Tu l'aimes?

Il y eut un moment de silence, pendant lequel les deux hommes se dévisagèrent dans le noir.

– Oui, Mathias. Je l'aime.

Dans un cri de rage, le Wyandot envoya son poing dans le plafond. De la neige leur tomba dessus, glissa dans le col de leur tunique et fondit entre leurs omoplates en une longue coulure glacée qui les fit frissonner. Quelle heure pouvait-il bien être? Quel jour? Les chiens s'agitaient, sautaient contre les parois glissantes de leur prison en aboyant. Qu'était-il advenu des chiens laissés à l'extérieur? Tsorihia se faisait-elle du souci pour eux à cause de leur retard?

– Je sais que tu aimes Tsorihia, Mathias. Et... enfin... je sais que tu aurais pu... essayer de la séduire...

– Je suis chrétien et je respecte les préceptes qu'on m'a enseignés.

Alexander ricana.

– Tu n'en es pas moins un homme!

– Ne me le rappelle pas, Macdonald. Tu pourrais me tenter.

Mathias respirait de manière saccadée; il était furieux. Il donna un nouveau coup de poing dans la neige, faisant tomber encore une grosse plaque sur leurs épaules. Alexander pensa qu'il serait si facile à son compagnon, en ce moment précis, de profiter de la situation, de sa faiblesse grandissante pour l'étrangler. Il pourrait ensuite raconter que l'Écossais avait tout simplement succombé au froid et s'attacherait assurément Tsorihia. Avec de la persévérance et beaucoup de chance, il arriverait même peut-être à trouver l'or caché.

Le Wyandot passait sa colère en grattant la neige et en l'envoyant sous lui. Alexander, affalé contre le tronc, l'écoutait s'essouffler.

– Pourquoi baisses-tu les bras, Macdonald? lui lança Mathias avec mépris. Attends-tu que ce trou devienne ta tombe? N'as-tu pas de raison de vouloir te battre? Tsorihia n'en vaut-elle pas la peine? À moins que tu ne préfères qu'elle soit ta dernière pensée?

Sa dernière pensée? Alexander se sentit soudain affreusement mal. Ses forces le quittaient, la faim le tenaillait et le froid prenait possession de lui. Il laissa ses paupières se fermer. Combien de temps leur restait-il? Il n'arrivait même plus à réfléchir.

– Mathias... si je ne m'en sors pas... je voudrais que tu me promettes... de t'occuper de Tsorihia.

– Si tu ne t'en sors pas, Macdonald, j'ai bien peur que moi non plus! Et je ne te cacherai pas que ma dernière pensée sera pour elle.

Les chiens se mirent à aboyer de plus belle. Alexander avait l'impression d'entendre d'autres aboiements, faibles. Levant les yeux vers la voûte de neige, il vit une pâle lueur en son centre. Son cœur battit plus fort.

– La lumière! Là, regarde!

Ayant retrouvé espoir, il se redressa et creusa avec fébrilité. Des cris leur parvenaient maintenant. Le trou au-dessus d'eux s'agrandit progressivement, laissant entrer une lumière diffuse dans leur cellule glaciale. Puis, ils furent complètement éblouis. Des bras les tirèrent au milieu des cris. Allongé sur le sol, Alexander emplit ses poumons d'air frais, inspirant et expirant profondément. Près de lui, Mathias faisait de même. Le soleil éclaboussait les arbres habillés de blanc et rebondissait sur le paysage immaculé.

Peu à peu, leurs yeux s'habituaient à la forte lumière. Alexander voyait maintenant des silhouettes s'affairer autour d'eux. Sans doute des hommes venant d'un poste de traite voisin. L'un deux pencha vers lui son visage poilu coiffé d'un tapabord de castor et masqué d'une paire de lunettes d'écorce. Une large main se mit à lui tâter le front, le cou, les flancs. Il grogna. L'inconnu se redressa d'un coup et retira ses lunettes, dévoilant des traits grossiers qui lui semblèrent vaguement familiers. Il reconnut Munro.

– *Mac an diabhail...* murmura la voix rauque de son cousin. John Macdonald?

Il allait répondre lorsqu'une solide poigne le tira pour le mettre debout. L'homme toucha la longue cicatrice qui soulignait sa mâchoire. Puis, fronçant les sourcils, il lui arracha sa mitaine gauche. Chancelant sur ses jambes, Alexander fixait le visage soudain très pâle.

– Par tous les saints! Alas? Alas Macdonald? C'est bien toi, mon vieux?

Le visage s'était d'un coup éclairé d'une grande joie.

– Munro MacPhail... espèce de tête de lard!

Alexander sentit son cousin l'écraser contre son large poitrail, l'obligeant à expulser son air dans un sifflement aigu, puis le soulever du sol comme s'il n'était qu'une plume. Poussant un cri de joie, Munro le reposa ensuite sur ses pieds. Son visage rouge de plaisir et ses yeux humides d'émotion ne pouvaient mieux exprimer son bonheur de retrouver un être cher qu'il croyait certainement mort.

La journée avait été longue. La panse pleine de trois grosses tranches de rôti de cerf, de quelques pots de bière et d'un dernier verre de whisky, Alexander se laissa aller contre le dossier de sa chaise et étendit les jambes. Le mince croissant de lune était à peine visible à travers la fenêtre encrassée que personne ne semblait penser à nettoyer.

La conversation avait tari. Les hommes, fatigués d'avoir couru la dérouine pendant toute la journée, partaient se coucher. Munro restait là, buvant sa dernière bière et fixant son cousin dans un silence heureux. Un formidable concours de circonstances les avait fait passer, ses compagnons et lui, près de l'endroit où s'étaient abrités Alexander et Mathias. Un tronc d'arbre qui s'était effondré durant la tempête bloquait tout bonnement le sentier habituel et les avait forcés à faire un détour. Des aboiements avaient attiré leur attention. Croyant avoir affaire à des chiens sauvages, ils avaient observé de loin, pendant un moment, les trois bêtes qui, s'étant libérées, tournaient autour d'un monticule de neige, près d'un taillis de jeunes pins. À côté, un traîneau émergeait d'un deuxième tas de neige balayé par le vent. Il n'en avait pas fallu plus à Munro et à ses compagnons pour comprendre que des hommes étaient ensevelis là. Une heure de plus, et ils les auraient retrouvés asphyxiés.

Dès que le groupe était arrivé au Grand Portage, Alexander avait voulu se rendre au bureau de Jacob Solomon. L'Américain l'avait accueilli chaleureusement, apparemment heureux de le retrouver vivant. Soit il n'avait rien su du complot visant à assassiner son associé, soit il jouait la comédie à la perfection. Il raconta qu'à partir du moment où il avait appris la terrible nouvelle, il avait engagé des hommes pour assurer sa sécurité. Savait-il pour l'or? Alexander, qui n'aurait su le dire, n'en souffla mot. Il en avait assez de cet or qui lui collait à la peau et mettait sa vie en danger. Il souhaitait en fait qu'il n'eût jamais existé. Au fond, il regrettait le jour où il avait donné sa parole au Hollandais. Solomon parla aussi de la visite de John, une semaine après son départ.

Son frère voulait rencontrer Van der Meer d'urgence. Constatant qu'il arrivait trop tard, il avait blêmi, bafouillé quelque chose en gaélique que Solomon traduisit par : « Putain de merde! » Il avait aussitôt prévenu ses hommes qu'ils repartaient aux aurores.

C'est alors que Solomon lui avait annoncé qu'Alexander était avec le négociant montréalais. Visiblement bouleversé, John avait demandé de qui exactement il parlait. Solomon avait précisé. Blanc et muet comme la mort, John avait précipité son départ. Dans l'heure qui avait suivi, il avait quitté Le Grand Portage pour retourner vers Montréal. Il n'avait même pas rencontré Munro qui était de corvée de bois ce jour-là.

Un mois plus tard, un messager arrivait avec la nouvelle du massacre. Que fallait-il déduire de tout cela? Une chose était certaine: John savait qu'on cherchait à nuire à Van der Meer et que son frère était avec le négociant. Sa réaction traduisait-elle sa volonté d'avertir le marchand?

– Et maintenant?

Alexander abandonna le sourire de la lune pour se tourner vers celui de son cousin.

– Et maintenant... quoi?

– Eh bien... tu ne vas pas repartir comme ça? Nous venons tout juste de nous retrouver, alors...

– Ouais... Solomon m'a rappelé le contrat que j'ai signé. Je sais... je me suis engagé. Cependant... compte tenu de tout ce que j'ai vécu, il était d'avis que j'avais fait ma part. Il m'a proposé de résilier le contrat si je le désirais.

– Et?

– J'ai empoché mes gages.

Munro afficha d'un coup une mine désolée.

– Je vois... Que vas-tu faire?

– Après avoir acheté des provisions, je repartirai pour le camp avec Mathias.

Alexander pensa soudain à la belle Ojibwa. Trop occupé jusque-là, il l'avait oubliée. L'attendait-elle toujours? Repliant les jambes, il observa Munro qui tambourinait nerveusement sur la table en le dévisageant curieusement.

– Au fait... comment va Mikwanikwe?

– Bien.

– Et ses enfants?

– Otemin va bien, confirma le cousin en baissant les yeux. Elle a grandi depuis...

– Et le bébé? Mikwanikwe était enceinte lorsque je suis parti...

– Il... est mort.

– Oh! Je suis... enfin...

– Ne t'en fais pas, Alas. Elle a fait une fausse couche, tu comprends? Ce sont des choses qui arrivent.

Munro, qui semblait nerveux, se leva et fit quelques pas dans la pièce. Il regarda en direction de Mathias, qui dormait sur un banc, puis revint vers Alexander. Quelque chose semblait le tracasser. Il voulait parler, mais hésitait. Enfin, il demanda :

– Tu revenais pour elle ou bien?...

– Euh... à vrai dire...

Alexander, pris de court par la question, était maintenant aussi mal à l'aise que son cousin. Rassemblant son courage, il choisit d'aller droit au but :

– En fait, non.

– Non? Tu n'es pas revenu pour elle?

– Tu as bien compris.

Échappant un soupir, Munro se laissa lourdement tomber sur le banc qui s'en plaignit. Puis, il s'essuya le front en souriant faiblement.

– Bon. C'est mieux ainsi.

– Ah oui? Elle a trouvé un homme pour s'occuper d'elle? Je m'en doutais...

– C'est un peu ça, oui...

Alexander fronça les sourcils.

– Qu'est-ce qu'il y a, Munro? Tu croyais que cela me choquerait? Mais, bon sang! Je ne crois pas lui avoir promis quoi que ce soit. Je n'ai passé que deux nuits avec elle! Deux sacrées nuits, d'accord, ajouta-t-il en riant, mais...

– Je sais.

Munro tortillait une mèche de cheveux autour de son index. Quand il était enfant, Frances, sa mère, lui avait coupé sa belle chevelure court pour lui faire perdre cette habitude. Il avait gardé la même coiffure depuis, enfin, jusqu'à ce qu'il s'engage comme voyageur pour Van der Meer et Solomon. Les cheveux longs étaient une bonne protection contre les hordes de moustiques.

– Munro, j'ai la drôle d'impression que tu cherches à me dire quelque chose depuis tout à l'heure. Est-ce que je me trompe ou bien est-ce que tu es constipé parce que tu ne manges plus de porridge tous les matins?

– T'en fais pas pour moi, Alas, c'est pas ça.

– Tu m'en vois ravi. C'est quoi alors?

– Euh... Eh bien...

Munro prit une profonde inspiration, vida son gobelet et lâcha un rot sonore. Enfin, il étira sa bouche en un sourire contrit.

– Je me suis marié.

Alexander resta un instant bouche bée, puis éclata de rire.

– Marié? Toi, Munro? Non... Ha! ha! ha!

Un peu vexé et trop énervé, Munro se leva pour se remettre à faire les cent pas. Lorsque son cousin se fut calmé, il lui fit face, l'air déterminé.

– C'est vrai, Alas, je suis marié.

– Bien sûr, ricana encore Alexander, avec une Sauvagesse... On sait de quel genre de mariage il s'agit. Ça va, mon vieux, je comprends!

– Non, cousin, ce n'est pas ça. Je suis vraiment marié, devant Dieu et les hommes, jusqu'à la mort. Tu connais la formule?

Alexander, assailli par des souvenirs douloureux, redevint brusquement sérieux et s'éclaircit la gorge.

– Ouais... bon. Je suis désolé... Pardonne-moi. Je ne voulais pas te froisser. C'est seulement que... je ne m'attendais pas du tout à ça. Bon sang! Toi, marié?

Se mettant debout, il se dirigea vers son cousin en secouant la tête d'incrédulité et en ouvrant les bras. Étreignant Munro puis lui tapotant l'épaule, il poursuivit:

– Ce doit être une sacrée femme pour supporter un phénomène comme toi.

– Ça l'est, en effet.

– C'est une Sauvagesse? C'est qu'il n'y a pas beaucoup de femmes blanches dans le coin...

– Oui.

– Dans ce cas, c'est pas un mariage catholique. Je veux dire... pas selon nos rites à nous.

– Si. Elle a reçu le baptême peu avant.

– Rien que pour toi? fit Alexander, à la fois étonné et admiratif.

– Rien que pour moi.

– Je suis heureux pour toi, cher cousin, sincèrement! Quand pourrai-je rencontrer cette charmante créature pour lui adresser mes vœux de bonheur?

Munro se rembrunit de nouveau.

– Ouais... je suppose qu'il faudra bien que tu la voies un jour... Tu es bien certain que tu ne revenais pas ici pour Mikwanikwe?

– Non, je venais pour acheter des denrées. Et puis, il y a Tsorihia...

– Tsorihia? Qui c'est? s'informa le cousin, soudain ragaillardi.

– Une Wyandotte que j'ai rencontrée chez les Tsonnon... touans...

Alexander s'interrompit. Une idée faisait son chemin dans son esprit, se transformant rapidement en révélation: Mikwanikwe... avec Munro? La mâchoire pendante, il se laissa tomber sur son siège. Mikwanikwe et Munro, mariés? Il hocha la tête, sentit le feu lui monter aux joues en repensant aux deux folles nuits passées avec la belle Ojibwa.

– Putain de merde! Toi et... Mikwanikwe?

– Je sais, cela peut te sembler saugrenu, expliqua son cousin en s'asseyant devant lui. Je ne pensais pas la séduire, mais... enfin, on nous avait annoncé que tu étais mort. Sachant qu'elle t'attendait, j'ai voulu la réconforter... Puis les choses se sont enchaînées. Que dire d'autre?

– Tu as voulu la réconforter?

Alexander avait presque crié en se penchant vers son cousin, qui recula par réflexe. Puis, il se reprit.

– Pardon... Je n'ai pas le droit de m'en prendre à toi. Tu as raison, j'étais mort. Du moins...

– C'est ce qu'on nous a dit, Alas.

– Oui, bien sûr.

Alexander massa ses paupières fatiguées et s'efforça de se calmer en se concentrant sur sa respiration. « Ils me croyaient mort! » se répétait-il sans relâche. Mais il ne pouvait se débarrasser totalement du sentiment d'avoir été trahi. Il avait passé deux nuits avec Mikwanikwe, puis était parti pour ne revenir que dix-huit mois après. Il se demanda si la belle Ojibwa se serait aussi convertie au catholicisme pour lui... Peut-être était-ce mieux comme ça? Si Munro l'aimait vraiment et si elle...

– Je ne savais pas comment te l'annoncer, tu comprends?

– Ne t'en fais pas, répondit Alexander en levant la tête. C'est le choc. Ça passera.

– Je me disais que tu ne pouvais pas l'aimer vraiment après deux nuits. C'est pas comme si j'avais épousé Isabelle.

– Oui, Munro. Ça va, je t'assure!

– Son nom de baptême est Angélique. C'est joli, hein?

– Angélique Mikwanikwe... Angélique la femme plume... Depuis combien de temps êtes-vous mariés?

– Trois mois.

Alexander trouva la période de deuil raisonnable. Il approuva de la tête en souriant.

– Elle sait que je suis ici, vivant?

– Euh... oui. La nouvelle l'a ébranlée.

Alexander ne put contenir un rire cynique. Il s'excusa derechef.

– Viens à la maison, cousin, un lit vous attend, toi et ton ami.

C'était une vieille cabane rafistolée. Mais, au moins, Munro et

Mikwanikwe y vivaient seuls. Il répugnait soudain à Alexander de partager pour la nuit l'intimité du couple. La situation était des plus embarrassantes. Ce fut Otemin qui l'accueillit la première. Puis, il y eut l'odeur réconfortante de la sagamité qui mijoterait sur les braises jusqu'au lendemain.

Lorsqu'il la vit enfin, son cœur se serra. Elle le dévisagea un moment, les lèvres entrouvertes, tremblantes, puis fit un petit sourire. Comment la regarder sans se souvenir? De toute évidence, il n'y avait rien à dire. Elle s'avança vers lui, effleura sa pommette, puis sa longue cicatrice rose sous sa mâchoire. L'étreignant, elle l'embrassa furtivement sur la joue. Comment ne pas éprouver de nouveau les sensations que lui avait procurées cette bouche?

– *Boozhoo.*

– Bonjour, Mikwanikwe.

Il voulut sourire, n'y arriva pas. Elle retrouva sa place aux côtés de Munro, qui referma son bras sur sa taille en un geste éloquent: elle est *ma* femme. Alors, soit! « Sois heureux, Munro », dit le sourire qu'il parvint enfin à former avec sa bouche.

***

– Tout sera chargé dans moins d'une heure.

Pivotant sur ses talons, Alexander quitta des yeux Mikwanikwe pour regarder son cousin qui, d'humeur gaie, venait vers lui.

– Mathias est en train d'atteler les chiens. Je voudrais te parler, Alexander.

Jetant un coup d'œil vers sa femme, Munro entraîna son cousin vers la maison. Le soleil resplendissait, réveillait doucement la nature. Un groupe de mésanges et le porcelet que pourchassait Otemin faisaient un vacarme plaisant. Prenant place sur le banc, Alexander regarda attentivement son cousin.

– Oui?

– Je suis heureux, Alas. Avec Mikwanikwe et Otemin. Je suis très content aussi de te savoir vivant... C'est plus que ce que je pouvais espérer.

Très ému, Munro porta la main à son cœur, comme pour mieux se maîtriser.

– Moi aussi. Pour rien au monde, je ne briserai ton bonheur.

Munro hocha la tête. Il avait compris ce que voulait dire Alexander.

– Je souhaite que cette situation étrange ne nous éloigne pas, arriva-t-il à articuler après quelques secondes d'hésitation.

— Je m'y habituerai, ne t'en fais pas.

— Alas, je suis sérieux. Tu sais... mon contrat prend fin dans quelques mois et je n'ai pas l'intention de le renouveler. En fait, je... me demandais s'il serait possible que nous... enfin, tu vois! Tu cours les bois en quête de fourrures. Je suis habile dans la fabrication des pièges et j'arrive à distiller un assez bon alcool. Tu pourrais peut-être avoir besoin de mes services? Ensemble, nous pourrions...

— Tu voudrais que nous fassions équipe?

— Eh bien... oui, c'est ça!

Le porcelet passa entre les jambes de Munro, qu'Otemin bouscula ensuite en riant.

— Holà! C'est pas des façons de traiter son père! gronda-t-il en affectant une mine réprobatrice.

— Elle t'appelle « papa »? demanda Alexander en essayant de cacher son trouble derrière sa main.

— Oui. Je ne le lui ai pas demandé. Cela lui est venu tout naturellement. Tu peux pas savoir l'effet que ça fait d'entendre un enfant t'appeler « papa ». Je sais bien qu'elle n'est pas vraiment ma fille, mais je la considère comme telle. Elle est mignonne, non? Il faudra bien qu'on lui donne un frère ou une sœur...

— Oui, murmura Alexander, le cœur lourd.

D'un regard attendri, il suivit la fillette qui s'en prenait maintenant aux poules. Mikwanikwe arrêta net la folle galopade d'une voix autoritaire et emmena sa fille à l'église pour l'office du matin.

Alexander se dit qu'elles auraient pu être *sa* famille. Il y avait songé après les deux nuits où il avait fait l'amour avec la belle Ojibwa. Cela lui fit terriblement mal de repenser à ça. Le destin, encore, lui avait tourné le dos. Soudain conforté dans son désir de faire un enfant à Tsorihia, il se retourna vers son cousin.

— Alors, que penses-tu de mon offre, Alas?

— Je reviens te faire signer ton contrat dans un mois, avant que tu ne changes d'idée! annonça Alexander en se levant comme il voyait Mathias venir vers eux.

Les deux cousins se dévisagèrent un instant, puis s'étreignirent avec force.

— C'est bon de te retrouver, Alas, tu peux pas savoir.

— Oh! Je pense que si, Munro, je le sais.

9

Le destin bascule

— Gaaaby! Viens, il faut partir! appela Isabelle en donnant son dernier panier à Basile, qui le hissa sur le siège de la voiture. Gabriel, allons! Dépêche-toi! Je vais être en retard! Mais où peut-il bien être cette fois-ci? Marie?

La jeune fille arriva vers sa maîtresse avec une pile de vêtements dans les bras.

– Tu as vu Gabriel? Cela fait plus de dix minutes que je l'appelle, et il ne me répond pas!

– Je l'ai vu jouer avec Arlequine dans le salon, tout à l'heure.

– Tu veux dire qu'il est encore à l'intérieur? Que peut-il bien fabriquer encore, marmonna Isabelle en se dirigeant d'un pas pressé vers la maison.

– Gabriel! Sors tout de suite, tu me retardes! Je n'ai pas toute la journée!

Un bruit mat à l'étage attira son attention. Retroussant ses jupes, elle grimpa l'escalier quatre à quatre. Elle passa d'abord la tête par la porte de la chambre de son fils. Personne.

– Mais où est-il? Gaby?

Comme elle se dirigeait vers la chambre dont Pierre se servait à l'occasion, elle sentit quelque chose passer entre ses jambes en miaulant. Puis, elle vit une traînée de poudre.

– Qu'est-ce que c'est que ça? Gabriel, que fais-tu, bonté divi... Oh, juste ciel!

Figée sur le seuil de sa chambre, Isabelle ouvrit grands les yeux, sidérée devant le spectacle qui s'offrait à elle: planté au milieu de la pièce dans un nuage blanc, son fils se balançait de gauche à droite, les mains dans le dos, la mine contrite.

– C'est pas de ma faute, maman...

Le petit garçon était blanc comme un bonhomme de neige, et ses yeux de saphir ressortaient étrangement. Sur le coup, Isabelle ne sut quelle attitude adopter. Elle était d'humeur très gaie depuis le matin. Pierre lui avait annoncé qu'il acceptait finalement d'acheter la fermette des Demers, sur la côte Saint-Laurent. Elle pourrait enfin avoir son verger et un potager si grand qu'elle pourrait y faire pousser de quoi nourrir tout le faubourg Saint-Joseph. «Et on pou'a avoir des chèv' pis un poney», avait fait remarquer Gabriel qui était présent lors de l'annonce de la nouvelle.

Étant donné son état d'esprit, Isabelle n'avait pas vraiment envie de punir. Cependant, Gabriel avait désobéi: on lui avait interdit d'entrer dans la chambre lorsque ses parents ne s'y trouvaient pas. Elle ne pouvait faire comme si de rien n'était. Ainsi, contenant un fou rire, elle se composa un air courroucé.

— Pas de ta faute? Et qui donc aurait pu te saupoudrer de la sorte avec ma poudre de riz? Arlequine?

— Ben...

— Alors, je dois la priver de dîner et la faire dormir dehors cette nuit?

Gabriel grimaça et se contorsionna. Il se ferait certainement gronder s'il disait la vérité. D'un autre côté, sa maman le croirait-elle s'il accusait sa chatte? Devait-il laisser Arlequine se faire punir à sa place?

— Si je te dis que c'est pas A'lequine, tu donne'as la punition quand même?

Un doigt sur les lèvres, Isabelle fronça les sourcils pour faire mine de réfléchir.

— Hum... Je ne sais pas; ça dépend. Quelqu'un qui désobéit mérite une punition, tu es d'accord? Mais si le vrai coupable est assez honnête pour avouer sa faute, alors je serai moins sévère.

Le compromis était tentant. Gabriel hésitait toujours, cependant, regardait sa mère d'un air circonspect.

— Ce n'est pas Arlequine, hein? insista Isabelle en s'appliquant à ne pas se départir de son air sévère.

— Euh...

Il était coincé. Sa mère avait deviné.

— C'est... c'est moi, maman. Je voulais voi' ce que ça faisait d'avoi' les cheveux tout blancs comme les monsieurs.

— On dit les «messieurs», Gabriel. Je me doutais bien que c'était toi!

— Dis, maman, est-ce que je vais do'mi' dehors? demanda le petit garçon, inquiet.

Les poings sur les hanches, la tête penchée sur le côté, Isabelle réfléchit tout haut.

– Eh bien, si je considère que tu as tout sali le plancher de ma chambre, que tu as presque vidé ma boîte de poudre, que tu me retardes beaucoup, et, le pire, que tu m'as désobéi... je devrais te priver de dessert pendant une semaine!

– Une semaine? répéta Gabriel, sur le point d'éclater en sanglots. Mais c'est t'op long! Tu as dit que si j'étais honnête...

– En effet. Si l'obéissance est une qualité importante, l'honnêteté est une vertu, mon Gaby. Un petit garçon honnête gagne rapidement son ciel. Dans ce cas, pour ta punition, tu devras nettoyer tout ceci dès notre retour et tu seras privé de dessert aujourd'hui.

– Aujou'd'hui seulement? s'exclama joyeusement Gabriel en sautillant, faisant par la même occasion voler un nuage de poudre autour de lui. Chouette! Ma'ie a fait une ta'te aux œufs, pis moi, j'aime pas ça!

Isabelle soupira: elle avait oublié ce détail.

– Bon, mon petit fantôme d'amour, maintenant, va trouver Marie pour qu'elle t'aide à te rendre présentable. Basile attend avec Pauline pour te conduire chez monsieur Senneville, qui doit s'impatienter, et m'emmener ensuite à l'hôpital.

– Pas le violon, maman! geignit Gabriel au moment où il franchissait la porte.

– Il ne te reste que deux cours avant les vacances!

– J'aime pas ça, le violon!

– Allez, ouste! Dépêche-toi!

Gabriel, l'étui de son violon coincé entre les genoux, s'amusait à émettre un « aaaaah! » continu que les mouvements saccadés du véhicule modulaient dans un vibrato agaçant. Ses petites jambes gainées de fin lainage gris se balançaient en cognant contre les bancs les nouvelles boucles d'argent qui ornaient ses chaussures de cuir. Le petit garçon ne tenait jamais en place.

Voyant que sa mère l'observait, l'enfant fit son plus beau sourire. Isabelle effleura délicatement sa joue du bout du doigt et replaça derrière son oreille une mèche rousse qui s'était échappée du nœud de soie bleue.

– Tu feras de ton mieux, Gaby, je ne t'en demande pas plus! D'accord?

Le sourire du garçon se mua en moue incertaine; les yeux se baissèrent vers l'étui noir, source de soucis.

– J'a'ive'ai jamais à app'end'e le mo'ceau pour l'annive'sai'e de papa!

– Je suis persuadée que si! Pour cela, il faut que tu y mettes un peu du tien... que tu cesses de rêvasser, que tu écoutes ce que te dit monsieur Senneville et que tu t'appliques.

La berline s'arrêta. Gabriel s'apprêtait à se lever lorsque sa mère le retint par le bras pour essuyer une trace de poudre de riz oubliée sous son menton.

– Montre-moi comment tu fais devant ton maître en entrant chez lui.

– Je sais comment le saluer, maman.

– Laisse-moi en juger. Vivre va de soi, alors que savoir vivre est un art. N'oublie pas cela.

Le petit garçon grommela, puis inclina la tête en faisant mine de présenter ses hommages.

– C'est bien, fit Isabelle en lui ôtant son tricorne. Tu as cependant oublié de retirer ton... Gabriel!

Deux biscuits aux raisins de Corinthe tombèrent sur ses cuisses. La tête toujours baissée, Gabriel esquissa une moue dépitée.

– Tu as encore volé des biscuits à la cuisine!

– Pas volé!

– Non? Tu avais peut-être l'intention de les rendre?

– Ben... non.

– Dans ce cas, tu les as volés!

Sans répondre, il ramassa les pâtisseries et les tendit à sa mère.

– Je les veux plus...

Isabelle, ayant considéré les biscuits un court instant, les repoussa avec douceur.

– Bon, ça va, tu peux les garder. De toute manière, ils sont restés sous ton chapeau pendant près d'une demi-heure! Mais tâche de ne pas faire de miettes sur le tapis de monsieur Senneville.

Ce disant, elle lui épousseta le dessus du crâne et la culotte.

– Oui, maman.

Basile ouvrit la porte. Un flot lumineux pénétra dans la berline, faisant briller la chevelure de Gabriel. Le petit garçon descendit de son siège, l'air piteux. « Ce que tu lui ressembles », ne put s'empêcher de penser Isabelle avec tristesse. Puis, elle lui embrassa le bout du nez.

– Maman... je suis t'op g'and maintenant pou' ça.

Basile, voyant l'air embarrassé de l'enfant, tourna le dos, le sourire aux lèvres. Gabriel hésita, puis déposa un petit baiser sur la joue de sa mère. Enfin, il se précipita hors du véhicule, son violon sous le bras.

– Nous repassons te chercher à quatre heures, Gaby. N'oublie pas ce que je t'ai dit.

– Non, maman.

Ils attendirent que le petit garçon fût entré chez le maître de musique pour reprendre leur route. Isabelle offrait son aide à l'Hôpital général depuis 1764. La mort de la jeune Charlotte lui avait ouvert les yeux sur un monde qu'elle avait feint d'ignorer jusque-là. De plus, elle s'était lassée des après-midi chez ces dames qui se croyaient dévotes mais jugeaient le petit peuple sans compassion: « Dieu punit les pécheurs de leurs errements. Si ces gens vivaient en bons chrétiens, Dieu soulagerait leur fardeau! »

Mais Isabelle ne voyait pas du tout les choses de la même manière. Elle savait que les indigents faisaient ce qu'ils pouvaient pour survivre, qu'ils n'avaient ni éducation, ni titre, ni aucun moyen pour leur permettre d'avoir une existence plus digne. Ils priaient Dieu tous les jours, mais ne recevaient jamais de récompense! Ne revenait-il pas aux nantis de leur venir en aide chrétiennement pour soulager leur faix?

C'était pourquoi elle allait, une fois par semaine, aider les religieuses à soigner les enfants abandonnés. Parfois, lorsque les sœurs grises étaient trop occupées à fabriquer des chandelles, des souliers, des hosties et bien d'autres choses utiles, elle prenait une aiguille et se chargeait des commandes d'uniformes militaires et de voiles de bateaux de pêche. L'argent ainsi gagné permettait en fait tout juste de payer la reconstruction de l'hôpital, rasé deux ans plus tôt par un terrible incendie qui avait détruit une bonne partie de l'ouest de la ville.

Aujourd'hui, sœur Catherine avait besoin d'aide aux cuisines. Deux religieuses étaient en effet indisposées. Isabelle aimait travailler dans cet endroit qui lui rappelait des épisodes heureux de son enfance. Les mains pleines de jus de fraise, l'odorat saturé par les vapeurs sirupeuses des confitures et l'esprit occupé par les discussions des sœurs, elle ne vit pas les deux heures passer. En se nettoyant, elle pensa qu'elle devrait augmenter le temps qu'elle offrait à l'hôpital: non seulement elle trouvait gratifiant d'aider les religieuses, mais en plus elle s'amusait.

En se dirigeant vers la sortie, elle passa devant la procure. La semaine précédente, alors qu'elle y était venue chercher un chapelet, elle y avait surpris une femme en train de voler la cassette contenant la recette de la journée. Marie-Louison Gadbois, qui n'avait guère que trente-six ou trente-sept ans mais en paraissait beaucoup plus, l'avait suppliée de ne pas la dénoncer. Cette mère de six enfants venait régulièrement à l'hôpital demander de l'aide. Son mari, voyageur, n'était pas revenu depuis cinq ans et n'avait jamais vu son petit dernier. On disait qu'il était vivant et qu'il habitait quelque part dans les Pays d'en Haut avec une Sauvagesse. Elle en était réduite à se prostituer et à voler à l'occasion. Sur la promesse de la pauvre femme de ne plus voler celles qui la nourrissaient, Isabelle avait accepté de ne rien dire.

Fourbue, elle sortit de l'imposant bâtiment de pierre qu'on avait agrandi à plusieurs reprises depuis 1693 et qu'on terminait de restaurer selon les derniers plans d'agrandissement tracés en 1758 par le supérieur sulpicien, monsieur de Montgolfier. L'hôpital se dressait sur un terrain de dix arpents, sur la « pointe à Callière », à l'extérieur des murs de Montréal. Derrière le bâtiment, un immense carré de terre servait à faire pousser des légumes et des fruits pour nourrir les sœurs grises. Isabelle se plaisait dans cet endroit. La fatigue éprouvée en fin d'après-midi était en effet largement compensée par le sentiment du devoir accompli qui lui procurait une sorte de bien-être, et c'était toujours le sourire aux lèvres qu'elle retournait chez elle.

La chaleur humide l'assaillit. Basile, fidèle au rendez-vous, l'attendait devant la berline fraîchement astiquée qui étincelait sous le magnifique soleil de cette fin de mai 1767. Marie, qui devait aider sa maîtresse à faire les courses, l'accueillit avec un large sourire. L'air embaumait le lilas et les fleurs de pommiers. Cela rappela à Isabelle qu'une fête champêtre réunissant plusieurs notables canadiens et leurs familles était prévue le lendemain chez le sieur d'Ailleboust. Cette sortie l'enchantait, et elle s'y était préparée avec fébrilité. Elle porterait une robe de mousseline verte piquée de boutons de fleurs roses et de jolis papillons jaunes qu'elle s'était fait confectionner pour l'occasion. Il ne lui restait plus qu'à aller chercher le chapeau de paille commandé à madame Cadieux. Le sien, sur lequel Gabriel s'était assis, était irréparable.

La voiture passa devant les vestiges noircis du dernier incendie, abandonnés et ouverts aux quatre vents. Elle repensa au chapeau défoncé et à la colère noire qui l'avait envahie ce jour-là. Gabriel la mettait parfois hors d'elle avec ses multiples frasques. Mais, autant il faisait naître en elle les emportements les plus violents, autant il suscitait les émotions les plus tendres. Il était d'une candeur désarmante! C'était en fait sa grande curiosité qui le poussait à se mettre dans les situations les plus extravagantes.

Isabelle appréhendait le jour où son fils unique lui ferait ses adieux devant la porte, pendant que Basile hisserait son coffre d'étudiant sur la voiture. Elle se souvint de son frère Guillaume qui s'était composé un air souriant le jour de son départ et de sa mère qui avait pleuré silencieusement. Elle regrettait de ne pouvoir avoir d'autres enfants... La maison serait bien silencieuse lorsque Gabriel commencerait ses cours au Séminaire de Québec.

Chassant ses sombres pensées d'une main légère, elle se concentra sur la crise judiciaire qui perdurait. Durant les trois dernières années, les Canadiens avaient tout de même remporté une victoire sur Thomas Walker et sa clique en faisant rétablir l'éducation catholique pour les garçons. Le marchand de Boston, dans son désir d'écarter définitivement les Canadiens catholiques du pouvoir, était parvenu à ébranler la position du gouverneur Murray et à mettre l'homme en disgrâce. Il estimait que la mansuétude du gouverneur pour le peuple vaincu était un danger pour le gouvernement britannique protestant de la province. Démis de ses fonctions, Murray s'était embarqué pour l'Angleterre sur le *Petit Guillaume*. C'était en juin 1766, juste après qu'il eut nommé évêque de Québec monseigneur Briand qui, ironiquement, lui, revenait de Londres.

Cette guerre entre Walker et Murray avait débuté par une histoire somme toute banale. Vers la fin de l'automne 1764, un Montréalais anglais refusa de se conformer au billet de logement que lui présentait le capitaine Payne. Bien que la guerre fût terminée, le manque de place dans les casernes obligeait les habitants à honorer les billets de logement de la garnison demeurée en poste à Montréal. Le militaire britannique prit malgré tout possession des lieux. Sommé par son hôte de s'en aller, il refusa. En sa qualité de juge, Thomas Walker fut alors chargé de trancher le litige. Il condamna tout bonnement le capitaine à la prison. Quelques jours plus tard, Payne était libéré sous caution.

Peu après, une bande d'hommes masqués entrèrent par effraction chez Walker et le battirent sauvagement. Il y eut des accusations, un procès. Bien que manifestement coupables, les accusés - des soldats du 28e régiment du Gloucestershire - furent acquittés lors des procédures martiales. Walker, démis de ses fonctions de juge de paix par Murray pour avoir été à l'encontre d'un règlement militaire, s'agita, multiplia les pétitions pour faire retirer le général de son poste de gouverneur et pour instaurer un gouvernement civil. Le règne militaire avait assez duré, disait-il. Il était plus que temps pour Murray, trop conciliant avec le conquis, de rentrer à Londres. Walker partit ainsi déposer personnellement sa demande devant le Conseil du roi.

Ce francophobe consommé ne se contentait pas de la destitution de Murray. Il voulait une assemblée anglophone élue. Ainsi, il semblait s'être donné pour mission de reléguer les Canadiens au simple rôle de spectateurs dans le gouvernement de la province. Convaincu que les habitants du pays avaient tout de même leur mot à dire, Murray avait permis aux nobles canadiens de se réunir en conseil. Mais, même si les assemblées se déroulaient sous l'œil vigilant du juge Mabane, un Écossais, Walker n'était pas rassuré.

Le Bostonnais ne se réjouit pas bien longtemps de sa victoire. En effet, bien que Murray fût rapatrié en Angleterre, il demeurait le gouverneur en fonction. De plus, Guy Carleton, le nouvel administrateur de la colonie, était du même avis que son prédécesseur. Il croyait qu'il fallait concéder certains droits aux Canadiens et souhaitait qu'une certaine harmonie règne entre conquérants et conquis.

Mais les choses traînaient et les Canadiens s'impatientaient. Le chevalier d'Ailleboust faisait maintenant circuler parmi la noblesse canadienne une pétition demandant que les catholiques pussent occuper des postes de la fonction publique. Trente-neuf seigneurs avaient déjà apposé leur signature. Pendant ce temps, Walker faisait de même pour demander la création d'une assemblée législative ouverte aux seuls protestants. Le nouveau lieutenant-gouverneur avait fort à faire. Enfin, toute cette agitation dans les coulisses du pouvoir nourrissait les conversations de salon.

La voiture s'arrêta. Le petit Gabriel grimpa et laissa tomber son violon sur le siège situé en face des deux femmes qui lui souriaient. Isabelle observa son fils et crut soudain voir Alexander: même bouche lippue, un brin boudeuse, mais qui pouvait s'étirer en un sourire si envoûtant; même ligne de sourcils droite et sévère; même regard franc. Certes, les traits de Gabriel étaient ceux d'un enfant. Mais on pouvait déjà aisément deviner ce qu'ils deviendraient avec l'âge.

– Alors, comment s'est passée ta leçon aujourd'hui?

– Pas mal... commença Gabriel en se trémoussant sur le siège, le visage tout plissé. Monsieur Senneville dit que je fais pleu'er mon violon.

– Tu feras aussi pleurer ton père lorsqu'il t'écoutera jouer! s'exclama Isabelle en riant et lui pinçant une joue.

– Mais les monsieurs... euh... les messieurs ne pleu'ent pas.

– Il n'y a pas de mal à laisser couler une larme de joie, Gaby.

Remuant toujours, le petit garçon soupira. En même temps, un bruit fit vibrer le cuir sous ses fesses.

– Et voilà le c'i du clai'on qui annonce l'a'ivée du géné'al Leb'un! clama-t-il d'un air victorieux.

– Gabriel! s'offusqua Isabelle, horrifiée. Ce n'est pas poli!

Faisant mine de n'avoir rien entendu, Marie cacha son sourire derrière sa main.

– Mais, maman, je pouvais pas le fai'e chez le maît'!

– Euh... non, bien sûr. Mais tu aurais pu le faire plus discrètement et te passer de réciter cette grossièreté!

Se retenant de respirer, Isabelle fouilla dans son panier d'une main, agitant son éventail de l'autre, et sortit une pomme qu'elle lui tendit. Il lui faudrait avertir Louisette d'espacer les jours de soupe aux choux.

– Bon. Demain, c'est samedi et tu n'as pas de leçon. Nous allons à la fête champêtre du sieur d'Ailleboust. Tu retrouveras tes amis.

Croquant dans son fruit, Gabriel se renfrogna. Le « Allez, hue, Pauline! » de Basile leur parvint et la berline se remit en route dans un grincement. Avisant l'air peu enjoué de son fils, Isabelle s'interrogea : généralement, son garçon s'emballait à l'idée de faire un pique-nique...

– Sophie sera là, avec son nouveau petit chien. Louis et Julien aussi seront là. Tu aimes bien jouer avec eux d'habitude!

– Hum...

S'absorbant dans la contemplation des maisons qui défilaient, Gabriel croqua et mâcha sa pomme en silence pendant quelques minutes.

– Qu'est-ce que ça veut dire, « bâta' », maman?

Isabelle resta bouche bée quand elle comprit vraiment de quel mot il s'agissait et de quelle manière on avait dû l'utiliser. Bâtard. Elle sentit son cœur se déchirer. Marie fit mine d'examiner un accroc à sa jupe.

– Où as-tu entendu ça, Gabriel?

– C'est Julien. Il a dit que j'étais un bâta'.

– Julien ne sait certainement pas ce que signifie ce mot et l'a répété uniquement pour faire rire ses amis.

Elle essayait de rassurer son fils comme elle le pouvait, mais n'était elle-même pas convaincue de ce qu'elle disait.

– Est-ce qu'un bâta' est un Écossais? Julien m'a dit que j'avais une tête d'Écossais et que j'étais une ca'otte anglaise...

– Une carotte anglaise?

– ... et que les mouches chiaient sur les Anglais pa'ce qu'ils sont de la cha'ogne... termina le petit garçon en baissant les yeux et en pointant du doigt ses joues qui, chaque printemps, se criblaient de taches de rousseur.

– Mon ange, tu sais bien que ce ne sont pas des... Oh! tu verras, cela disparaîtra avec l'âge! Moi, je trouve ça mignon.

C'était tout ce qu'elle avait trouvé pour consoler Gabriel. Elle se sentait tellement démunie devant tant de méchanceté. Comment protéger son petit garçon de telles paroles que son ami et lui savaient blessantes même s'ils n'en comprenaient pas tout le sens? Elle se souvint soudain d'un jour où il jouait avec Julien dans le jardin. À un moment, son copain était arrivé dans le salon en larmes, la lèvre ensanglantée et enflée. Gabriel lui avait donné un coup de poing dans la figure. Comme son fils ne voulait pas s'excuser auprès de Julien qu'il accusait de l'avoir traité de stupide macaque, Isabelle l'avait puni en lui ordonnant de rester dans sa chambre tout l'après-midi. Elle devinait mieux maintenant ce qui avait dû le pousser à agir de la sorte; « stupide macaque » n'était sans doute pas la seule injure que son ami lui avait lancée. Depuis combien de temps son garçon se faisait-il ainsi traiter de tous les noms?

Isabelle se rendait brusquement compte que Gabriel n'avait pas vraiment de petits copains. Il préférait jouer avec les animaux et les insectes, qu'il maltraitait. Elle comprenait maintenant que c'était le seul moyen qu'il avait trouvé pour répliquer à la violence des mots. Et dire qu'elle le punissait de sa cruauté! Que d'ignorance! Il lui faudrait réfléchir à la question pour faire changer les choses. Pour le moment, profondément chagrinée, elle se détourna pour lui cacher les larmes qui perlaient au coin de ses yeux. Puis, elle changea de sujet.

– Il faut que je passe chez la chapelière avant de retourner à la maison. Marie ira faire les emplettes au marché. Toi, mon garçon, tu resteras avec moi.

La bouche pleine, Gabriel fit mine d'admirer les boucles d'argent de ses chaussures pour ne pas croiser le regard de sa mère : il ne voulait pas de nouveau subir ses foudres à cause du chapeau défoncé. Elle n'avait pas répondu à sa question; il la lui reposerait plus tard.

Chez la chapelière, Gabriel triturait avec ennui l'ourlet de sa veste. Il n'aimait pas accompagner sa mère dans les boutiques. Il n'y avait là que des dames... et des filles comme celle qui était justement assise devant lui et qui s'empiffrait de gâteaux. Il l'observait depuis un bon moment déjà, comptant les pâtisseries qui disparaissaient dans sa bouche cernée de glaçage dégoulinant. La fillette finit par lui faire un sourire auquel il répondit par une grimace.

Fatigué, le garçonnet décida d'occuper ses doigts à autre chose. Madame Dumas l'observait d'un œil sévère.

– Il vous va à ravir, s'extasia madame Cadieux en poussant Isabelle devant le miroir. Avez-vous remarqué la finesse du travail? C'est pas de la paille de paysan, ça! Une vraie perle que cette dame Turcotte! Je l'ai découverte l'année dernière. Elle a des doigts de fée. Ses chapeaux sont aussi beaux que ceux qui nous venaient de Paris et coûtent moitié moins cher!

– Oh! Il est superbe! appuya Françoise Rouvray.

Nouant le large ruban sous son menton, Isabelle s'admira dans la glace en tournant la tête d'un côté et de l'autre. Puis elle acquiesça.

– Et il n'empeste pas le foin! ajouta la chapelière. La dame Turcotte trempe sa paille dans de l'eau parfumée, comme vous pouvez le constater.

– Hum... fit Isabelle, satisfaite.

– Maman...

– Attends, Gabriel. Tu ne vois pas que je suis occupée?

– C'est pour le pique-nique de demain?

Madame Cadieux préparait maintenant la boîte destinée au chapeau.

– Oui, chez le sieur d'Ailleboust.

– Maman...

Soupirant d'agacement, Isabelle se tourna vers la source du dérangement: Gabriel lui souriait drôlement, le doigt en l'air surmonté du fruit d'une pêche nasale fructueuse.

– Maman, chuchota la petite voix, je ne sais pas où mett'e ça.

Voyant de quoi il s'agissait, Isabelle se sentit devenir rouge jusqu'à la racine des cheveux. Elle se pencha sur son fils en profitant de l'abri du large bord de son chapeau.

– Gaby! Dans ton mouchoir, voyons! Je croyais t'avoir appris...

– Je sais, mais je l'ai pas, mon mouchoi'...

– Où est-il? Je t'en ai donné un tout propre ce matin.

– Je m'en suis se'vi pour essuyer la confitu'e su' mes doigts. Il était tout sale, alors je l'ai laissé su' la table, dans la cuisine.

Excédée, Isabelle fouilla dans son réticule et en sortit un petit mouchoir brodé pour vite faire disparaître l'immonde chose qui couronnait l'index toujours pointé vers le haut. Elle sentait les regards réprobateurs peser sur elle.

– Gabriel, va m'attendre dehors, le temps que je termine avec madame Cadieux, veux-tu? Marie va bientôt venir nous rejoindre.

Ravi de pouvoir enfin bouger, le petit garçon se rua vers la porte.

– Et tâche de ne pas t'éloigner! Je n'en ai que pour quelques minutes.

Comme chaque vendredi, la place du Marché grouillait et bourdonnait. Accompagné de Jean Nanatish et de Paul Anaraoui, deux amis algonquins, Alexander se fraya un chemin dans la foule bigarrée. L'air embaumait la viande faisandée et le fumier. Il n'avait plus l'habitude des odeurs de la ville, mais elles ne lui avaient pas manqué durant les trois ans qu'il avait passés dans la fraîcheur parfumée des bois. D'autant plus que la chaleur était suffocante! Il avait très soif et était impatient de retrouver Munro à la taverne.

Un marchand de volailles tordait le cou de l'une de ses protégées sous les yeux de trois enfants curieux accrochés aux jupes de leur mère. Une fillette consolait un gros porc qu'un impatient venait de pousser d'un coup de pied. Distrait par l'activité qui régnait autour de lui, Alexander mit le pied dans un tas d'ordures et grogna. Il évita ensuite de justesse le bras qu'un lieutenant de police levait avec autorité pour tenter de réconcilier un vendeur et son client qui menaçaient d'en venir aux mains pour une histoire de pesée trafiquée. Les oreilles pleines des invectives des deux hommes qui se querellaient, il ralentit pour laisser passer deux esclaves noirs aux livrées colorées. Suivis d'une dame bichonnée comme si elle se rendait à un bal, les deux hommes portaient de nombreux paquets.

Alexander pressa le pas, la tête baissée, fixant les reliefs de la chaussée. Il enjamba une rigole nauséabonde qu'arrosait un chien à l'allure famélique et contourna l'étal d'un boucher qui agitait son balai pour éloigner une armée de mouches. Puis, après avoir adressé un magnifique sourire à une jeune Sauvagesse qui vendait ses jolis paniers décorés de piquants de porc-épic, il se dirigea vers la rue Capitale où se trouvait la taverne.

Chemin faisant, il repensait à l'or de Van der Meer. Il venait de quitter le domicile de son ancien patron. La maison en pierres de taille, à l'aspect cossu, avait trois étages et formait l'angle des rues Saint-Nicolas et Saint-Sacrement. Debout sur la banquette[75], devant

75. Trottoir de bois que chaque propriétaire était tenu d'installer devant sa demeure et d'entretenir.

la porte, il avait hésité quelques instants avant de frapper: que pourrait-il bien raconter à la veuve du Hollandais? Puis, il s'était dit que les mots viendraient d'eux-mêmes, qu'il devait à cette femme la vérité sur ce qui s'était réellement passé le jour du massacre, au bord de la Grande Rivière.

Cependant, Alexander voulait avant tout se libérer du fardeau du secret qu'il avait réussi à conserver jusque-là. Il estimait qu'il était temps que les volontés du marchand fussent réalisées et espérait pouvoir compter sur l'aide de la veuve. C'était pourquoi, appuyé par Tsorihia, il était venu à Montréal, par la Grande Rivière, avec Munro et deux amis. Malheureusement, il n'avait pu voir Sally Van der Meer. La domestique qui lui avait ouvert la porte était manifestement irritée qu'on la dérange. Elle lui avait demandé d'attendre, puis avait donné des ordres à deux hommes gigantesques qui déplaçaient une immense armoire de noyer magnifiquement ouvragée. Des caisses de bois et des coffres s'entassaient le long des murs: un déménagement se préparait. La veuve trouvait probablement la maison trop grande depuis la mort de son époux.

Au bout d'un moment, la domestique, une femme d'un certain âge aux joues creuses et au nez crochu, s'était souvenue de lui. Elle était revenue à la porte, essoufflée, repoussant une mèche de cheveux blancs qui pendouillait sur son front.

– Vous venez pour le piano, monsieur? demanda-t-elle en lorgnant avec curiosité ses habits de peaux frangés.

– Le piano? Euh... non. Je suis venu voir madame Van der Meer. Mais je peux revenir si...

– Madame Van der Meer? Elle est décédée, monsieur.

Estomaqué, il dévisagea la femme qui, les sourcils froncés, semblait attendre qu'il s'en aille pour retourner à des choses plus urgentes.

– Mais... quand?

– La semaine dernière, jeudi, pour être exact.

– La semaine dernière...

Voyant son trouble, la femme lui demanda si elle pouvait lui être utile. Il lui répondit que non, la remercia et partit.

– Aïe! cria une petite voix aiguë.

Perdu dans ses pensées, Alexander n'avait pas remarqué le garçonnet qui passait devant lui et l'avait bousculé. L'enfant était tombé sur les fesses.

– Oh! Pardon, mon garçon!

L'enfant se releva et ramassa sa pomme en étudiant avec un

drôle d'air cet homme qui le prenait par le bras: il avait une allure terrifiante avec ses habits à l'indienne, ses cheveux longs très foncés auxquels pendaient deux plumes, et sa barbe qui lui dévorait les joues et le menton. Il ressemblait aux deux Sauvages qui l'accompagnaient et le dévisageaient en souriant. Mais lui avait les yeux bleus. Or, les Sauvages avaient tous des yeux aussi noirs que ceux de Marie et n'étaient jamais barbus. Il n'en était donc pas un.

– Je t'ai blessé? demanda Alexander en se retenant de rire devant l'air impressionné du garçon.

– Non...

Gabriel, se souvenant soudain qu'un marchand furieux le pourchassait, regarda dans la direction d'où il venait et s'empressa de cacher la pomme dans sa veste. Un gros homme, haletant et tout rouge, fonçait sur lui en le pointant de son doigt accusateur.

– Toi, là-bas! Toi, le p'tit chenapan! Rends-moi ma pomme, p'tit voleur à deux sous! C'est-y pas honteux?! Un gamin si ben atourné, voler un pauvre marchand travaillant à la sueur de son front pour nourrir les siens qui ont même pas de galoches à se mettre aux pieds?!

Comme le marchand de fruits allait mettre la main sur le garçon, Alexander s'interposa, le surplombant de toute sa taille.

– Hé! Les Sauvages, mêlez-vous pas de ça! J'ai vu de mes yeux ce p'tit garnement voler ma pomme!

L'homme essayait de contourner l'Écossais.

– Combien?

– Quoi?

– J'ai dit combien pour la pomme, monsieur?

– Vous pensez pas que j'vas me laisser faire? Il faut punir ce voleur, sinon il va recommencer, j'vous jure!

– Combien pour la pomme? insista Alexander sur un ton comminatoire.

Le marchand s'immobilisa et dévisagea les trois hommes en plissant les yeux: un trappeur et ses acolytes venus vendre les fruits de leurs chasses d'hiver, n'ayant pas encore dépensé leurs profits dans les tavernes.

– Ben... dix sols.

– Dix sols pour une pomme?

– Bon, si on disait six?

– Vous vous fichez de moi, monsieur? Qui vole qui, ici? Je vous en donne deux, pas plus.

Fouillant dans le sac de cuir qui pendait à côté de son long poignard, Alexander sortit le montant annoncé. L'homme empocha l'argent en maugréant et repartit vers son étal. L'enfant le fixait, bouche bée.

– Ferme la bouche, *a bhalaich*[76], sinon les mouches te serviront de dîner.

Alexander s'accroupit devant le garçon.

– Quel est ton nom?

– Euh... Gab'iel...

– Gabrrriel, corrigea l'Écossais. Il faut que tu sentes ta langue vibrer sur ton palais. Tu es tout seul ou bien tes parents sont avec toi?

– Ma'ie et maman sont avec moi. Maman achète un chapeau, et moi, je déteste les boutiques.

– Et tu t'es sauvé?

– Euh... non, pas tout à fait. Je devais attend'e dehors, le temps qu'elle te'mine son achat.

Alexander sourit et tapota le dessus du crâne à la chevelure flamboyante.

– Hum, je comprends. Moi non plus, je n'aime pas beaucoup les boutiques. Pourtant, je dois tout de même en visiter quelques-unes pour trouver un présent pour une amie... Alors, comme ça, en attendant ta maman, tu voles des pommes?

Gabriel rougit violemment et baissa la tête.

– Ben... c'est que... Je ne le 'efe'ai plus, monsieur.

– Ta mère serait certainement très peinée de savoir que tu joues au petit brigand en son absence.

Le garçon regarda les trois hommes avec de grands yeux inquiets. Il avait entendu d'horribles histoires de Sauvages qui mangeaient des Blancs. Le ferait-on cuire dans un chaudron pour le punir? Est-ce que la colère de sa mère ne serait pas mieux? Pas forcément...

– Oh! Vous ne lui di'ez pas, hein? Elle se'a t'ès fâchée cont'e moi et elle m'oblige'a à 'épéter mon violon pendant deux heures d'affilée!

Alexander rit.

– *By God!* C'est qu'elle semble sévère, ta mère! Deux heures de violon! *Och!*

– Vous êtes un Anglais d'Écosse, monsieur?

– Je suis un Écossais tout court, mon garçon.

– Un Écossais tout cou'?

Gabriel évalua l'homme, qu'il jugeait plutôt grand que court. Enfin, il n'avait pas envie de le lui faire remarquer: il pourrait se

---

76. Mon garçon.

fâcher. Peut-être lui confisquerait-il alors la pomme qu'il avait payée au marchand... Comme s'il devinait ses pensées, l'inconnu aux allures de coureur des bois lui dit qu'il pouvait maintenant sortir le fruit de sa cachette. Gabriel s'exécuta, croquant vite dans la pomme avant qu'on ne la lui réclame. Alexander ne fut pas dupe et sourit en pensant que ce petit bout d'homme saurait bien se débrouiller dans la vie.

– Merrrrci pour la pomme.

– Il n'y a pas de quoi, monsieur Gabriel. La prochaine fois, pense à payer la marchandise avant de partir avec.

– Je pense que je fe'ais mieux de m'en aller, grogna le garçon en lorgnant la main à laquelle manquait un doigt.

– Sans doute... si tu ne veux pas que ta mère t'oblige à jouer du violon pendant deux heures!

Puis, voyant sur quoi portait la curiosité de Gabriel, Alexander agita sa main devant son petit visage.

– Il faisait très froid. Ma mère m'avait demandé de mettre mes mitaines. Je lui ai désobéi, et voilà ce qui est arrivé. C'est pourquoi il ne faut jamais désobéir à ses parents.

Le garçonnet, la bouche pleine, hocha la tête. Il se préparait à repartir vers la boutique quand une main l'empoigna par le bras et qu'une voix perçante le gronda.

– Tu m'as fait une peur bleue, mon petit ratoureux!

Marie évita soigneusement les regards d'Alexander et des Algonquins posés sur elle. Tournant le dos aux trois hommes, elle tira Gabriel pour qu'il la suive. Alexander, un peu surpris par sa rudesse, observa la Sauvagesse et le petit garçon qui se faufilaient dans la cohue. Un étrange sentiment le faisait froncer les sourcils. Cette fille... il lui semblait qu'il l'avait déjà vue quelque part. Mais où? Bah! Sans doute ressemblait-elle simplement à une Sauvagesse qu'il connaissait.

Il suivit le duo des yeux pendant un moment encore. Il allait reprendre son chemin lorsqu'il vit une silhouette qui rejoignait la servante et le petit garçon. La dame tendit un grand carton à la première et se pencha vers le second. Élégante dans sa robe jaune soleil, elle était assurément la mère de Gabriel. Son visage était caché dans l'ombre d'un bonnet. Mais une masse soyeuse de belles boucles couleur de blé mûr s'échappait de la coiffure et rebondissait sur les frêles épaules. Alexander admira la peau blanche, lumineuse sous le soleil, le port de tête, la taille fine, les bras gracieux qui s'agitaient. Pendant un court instant, il se demanda si la mère avait les yeux aussi bleus que son fils.

La femme, visiblement très mécontente, se redressa et prit le garçon par la main. Gabriel gesticulait. Il allait probablement écoper de deux heures de violon, en fin de compte, songea Alexander en souriant. La femme se retourna enfin. Il vit son visage, croisa son regard. Ce fut le choc. Elle se figea. Lui, le souffle coupé, demeura paralysé sur place. C'était comme si le temps le rattrapait, le frappait de plein fouet.

– Isabelle? *God damn*, Isabelle!

Prise de panique, elle se détourna, s'éloigna, laissant un étrange vide dans la foule. Pendant ce temps, son esprit à lui se remettait à fonctionner. Une voix intérieure lui disait de la poursuivre. Il se mit à courir. Son cœur battait la chamade; ses jambes, molles, trébuchaient; ses bras repoussaient les obstacles qu'il ne voyait qu'après les avoir heurtés. Tandis qu'il se frayait un passage dans la cohue, il se rendait pleinement compte qu'Isabelle... avait un fils!

– *Mo chreach!* grogna-t-il lorsqu'une femme lui barra la route avec sa cage à poule.

Il baissa les yeux et bredouilla quelques excuses. Puis, il reprit sa poursuite. Mais Isabelle avait maintenant complètement disparu avec l'enfant et la servante. Il se rappelait maintenant où il avait vu la Sauvagesse. C'était à l'auberge Dulong, la veille de son départ pour Le Grand Portage. Elle était venue lui porter un message de sa maîtresse.

– Isabelle!

Autour de lui, les gens se demandaient bien qui était cet homme qui criait ainsi, s'affolait. Ses compagnons, restés en arrière, ne comprenaient pas plus ce qui se passait.

Enfin, Alexander s'immobilisa au milieu de la chaussée poussiéreuse, ignorant les passants intrigués qui se tournaient vers lui. L'enfant... Ses yeux d'un bleu si intense, ses cheveux orange... Il avait du mal à réfléchir, à évaluer l'âge que le garçon pouvait avoir. Cinq ans? Six ans? En quelle année était-il né? Se pouvait-il que?... Sidéré par l'évidence qui s'imposait peu à peu à son esprit, il n'arrivait plus à penser normalement. Isabelle lui avait caché la vérité. Elle ne lui avait pas seulement pris son âme, elle lui avait aussi volé son fils. Il ne pouvait en être autrement: Gabriel était son fils. SON FILS!

– Qu'on me pende comme un chien si je me trompe, marmonna-t-il tout haut en décochant un regard meurtrier à une dame qui l'observait comme s'il était un fou évadé de l'hospice.

Il avait envie de hurler, d'étrangler le jeune homme qui le dévisageait avec curiosité, de donner des coups de pied dans l'étal du poissonnier... Il voulait tout détruire, laisser sa rage se déverser sur les autres. Il voulait son fils, il voulait Isabelle... Sa vie qu'on lui avait arrachée!

– *God damn!*

– Hé! Le Sauvage! Va faire tes affaires ailleurs, tu fais peur aux clients!

– *Pòg mo thòn*[77]*!* rétorqua-t-il en faisant claquer sa main sur sa fesse.

Puis il pivota sur ses talons et s'éloigna.

***

Seule dans l'étude de Pierre qui baignait dans la pénombre, Isabelle buvait du cognac par petites gorgées, grimaçant et s'étouffant presque. Les vapeurs de l'eau-de-vie faisaient larmoyer ses yeux déjà rouges et bouffis. Sa tête lui tournait affreusement. Elle n'arrivait pas à y croire: il était vivant! Il n'avait pas été tué par les Sauvages un sombre jour d'octobre. Il n'avait pas été enseveli par Étienne. Il ne pourrissait pas dans une fosse au fond des bois. Il était vivant! On lui avait menti!

Une autre gorgée lui brûla la langue et la gorge. Elle toussota, se retint au dossier du fauteuil de cuir. Étienne - son frère! - avait dit à Pierre qu'il l'avait vu mort et avait même rapporté des objets personnels. La croix et le poignard étaient bien à Alexander, elle le savait. Elle ne comprenait plus rien. Étienne s'était-il trompé? N'avait-il pas bien vérifié? Ou alors... Les plus sombres soupçons s'insinuaient en elle tel un serpent sournois, l'étouffaient.

Déposant son verre vide sur la surface impeccable du bureau, elle parcourut la pièce du regard. Le greffe... Peut-être pourrait-elle y trouver une réponse à ses questions... Si Pierre la trouvait ici à fureter dans ses documents, il lui ferait certainement une violente scène. Mais elle n'en avait cure. Elle avait besoin de savoir, elle avait le droit de savoir.

La poussière la fit éternuer. Elle ouvrit un casier. Il contenait tellement de papiers! Des minutes, des contrats, des testaments... Où devait-elle chercher? Quel était le nom de ce Hollandais, déjà? Van... Van quelque chose... Bon sang! Elle n'arrivait pas à se souvenir. Elle parcourut les documents classés sous la lettre «V». Aucun nom ne ressemblait à celui qu'elle cherchait. Refermant le casier, elle ouvrit celui qui était intitulé «M». Ni le contrat ni le testament d'Alexander

---

77. Expression gaélique grossière qui pourrait se traduire par «embrasse mon cul!»

ne s'y trouvaient. Pourtant, Pierre n'avait pas l'habitude de détruire des documents juridiques. Elle frissonna, pressentant une conspiration. Pierre lui avait-il joué la comédie? L'avait-il trompée? Non... il avait dû se faire manipuler, tout comme elle. C'était certainement Étienne le responsable! Il les avait odieusement roulés!

Un peu rassurée pour ce qui était du rôle de Pierre dans l'histoire, elle voulut sortir du réduit et retourner vers le bureau. Mais la voix de son époux résonna de l'autre côté de la porte. Se figeant, elle attendit. Les marches de l'escalier craquèrent. Le cœur battant, elle sortit à pas feutrés de l'étude et se dirigea vers la cuisine. Gabriel s'amusait à taquiner Arlequine avec un bout de laine. Marie lui jeta un regard inquiet : ayant reconnu Alexander en allant chercher Gabriel, elle avait tenté d'éloigner sa maîtresse de la place du Marché, en vain.

– Monsieur est rentré. Dois-je servir le souper, madame? demanda joyeusement Louisette qui trempait une louche dans une marmite fumante.

L'odeur du ragoût de porc souleva le cœur d'Isabelle. Le souper... Il fallait faire manger Gabriel. Elle devait s'occuper de son fils. Ne penser qu'à lui pour ne laisser la place à rien d'autre dans son esprit. Ce n'était qu'un cauchemar; les fantômes n'existaient pas... L'homme qu'elle avait vu ressemblait à Alexander, mais n'était pas lui. Il était trop large d'épaules, trop bronzé, trop musclé, trop barbu, trop... vivant.

– Madame?

– Sers Gabriel, je mangerai plus tard. Je n'ai pas très faim.

– Et monsieur?

– Eh bien, demande-le-lui!

Son ton brusque fit lever la tête de son fils.

– Pardon, Louisette, je suis fatiguée. Il fait trop chaud. J'ai eu une dure journée à l'hôpital.

Louisette ne dit rien, se contenant de la regarder d'un drôle d'air avant de préparer un couvert pour Gabriel. Suffoquant dans la chaleur excessive de la pièce, Isabelle sortit dans le jardin pour s'éclaircir les idées avant de faire face à Pierre. Elle voulait réfléchir à la meilleure façon d'aborder le sujet.

Elle arpenta la pelouse. « Ce n'est qu'une coïncidence. Ce ne peut être Alexander. Je me suis trompée. Marie s'est trompée. » Dès leur retour à la maison, la servante lui avait déclaré qu'elle avait reconnu monsieur Alexander Macdonald et qu'elle avait grondé Gabriel parce qu'elle pressentait que sa maîtresse ne verrait pas d'un bon œil que l'enfant se trouvât en la compagnie de cet homme. Ses pas la menèrent jusqu'au potager, qui était prêt pour les semailles. Elle fixa la terre noire soigneusement retournée et recouverte de cendre et de fumier dont l'odeur fétide était accentuée par la chaleur.

Faisant soudain volte-face dans un tourbillon coloré de jupes, elle se dirigea d'un pas rapide vers l'écurie. Étriller Pauline lui ferait du bien, la calmerait. Ensuite, elle pourrait se présenter devant Pierre. Son mari lui dirait certainement qu'elle avait été victime d'une hallucination, qu'Étienne avait bel et bien vu et enterré le corps sans vie d'Alexander.

Colombine, la chèvre blanche tachetée de gris, l'accueillit d'un bêlement. Pauline remua dans son box, piaffa. Isabelle s'empara de l'étrille et se dirigea vers la jument. Sans se soucier de sa tenue, elle se mit au travail. La robe lustrée de la bête lui rappelait cruellement la chevelure d'Alexander.

– Mais alors... comment se fait-il que cet homme connaissait mon nom? remarqua-t-elle tout haut.

Elle l'avait entendu l'appeler.

Se mordant la lèvre, elle retint ses larmes. L'étrille lui glissa des mains. Pourquoi le nier, refuser la vérité? C'était bien lui qu'elle avait aperçu cet après-midi. Il était vivant! D'os et de chair!

La douleur qui la tourmentait finit par avoir raison de ses efforts pour se contenir. Épuisée par tant d'émotions, elle enfouit son visage dans la chaude encolure de Pauline et éclata en sanglots. Elle pleura longtemps, puis lentement se calma. La jument s'ébroua. Tirée de sa torpeur, Isabelle s'essuya les yeux et se moucha le nez. Puis elle ramassa l'étrille, pivota sur ses talons et gratifia la jument d'une caresse avant de la quitter.

– Tu ne diras rien à personne, hein?

La bête renâcla.

– Merci...

Voyant alors une silhouette familière sortir de l'ombre, Isabelle se figea et laissa de nouveau tomber l'étrille : Alexander se tenait devant elle, aussi droit qu'une statue, pâle et froid comme le marbre. Effrayée, elle voulait prendre ses jambes à son cou, courir jusqu'à la maison avertir Pierre.

– Dinna run, Iseabail. I winna hurt ye.

Sentant ses jambes fléchir, elle s'appuya à la cloison du box. Elle avait la bouche terriblement sèche, le regard fixe. Elle n'arrivait pas à parler. L'homme s'avançait prudemment vers elle. Ses traits n'exprimant aucune émotion, il demeurait silencieux, la toisait avec morgue, ce qui la blessa autant que des mots et la fit réagir. Elle redressa les épaules et la tête, puis se détourna.

Alexander faisait beaucoup d'efforts pour se contenir, maîtriser sa respiration. Les mots se mélangeaient dans sa tête; aucune phrase n'arrivait à franchir le seuil de ses lèvres qu'il tenait serrées. Il avait envie de frapper, de battre jusqu'à ce qu'elle lui demande grâce cette femme qui lui avait menti. Il voulait qu'elle souffre comme il souffrait, jusqu'à le supplier d'arrêter. Cette violence lui fit peur. Il s'immobilisa.

La poussière volait dans un rai de lumière, tout près. Le silence était lourd. Près de sept années les séparaient dorénavant.

– Quel âge a-t-il? s'enquit soudain Alexander d'une voix rauque.

Isabelle tressaillit. Gabriel? Il parlait de Gabriel? Elle n'avait pas pensé qu'il pût deviner. Mais il ne pouvait en être autrement: l'héritage des Macdonald modelait les traits de l'enfant.

– Réponds!

Elle enfonça ses ongles dans le bois, appuya son front sur la cloison. Ce fut une petite voix qui s'éleva.

– Il a eu... six ans en février.

Février... Alexander fit un rapide calcul mental. Février 1761, conclut-il. Neuf mois en arrière, cela le ramenait en... avril 1760.

– C'est mon fils?

La question transperça le cœur d'Isabelle.

– *Answer, damn it!*

– Oui.

Un long silence suivit. N'ayant toujours pas relevé la tête, elle crut pendant un moment qu'il avait quitté l'écurie. Un bruissement lui indiqua qu'il était toujours là. Puis elle sentit son odeur: mélange de cuir et de tabac, de sueur et d'un parfum musqué. Assaillie par les souvenirs, elle n'arrivait plus à penser clairement.

Alexander, lui, cherchait à contenir la fureur qui gonflait ses poumons. Lorsqu'il s'était décidé à venir affronter Isabelle, il ne voulait rien d'autre que la vérité. Mais, de la voir là, à sa portée, le rendait fou de haine et de désir!

Caressant du regard la silhouette qui lui tournait le dos, il constatait que la jeune femme coquine et mince qu'il avait aimée à Québec s'était métamorphosée. Il avait devant lui des hanches rondes, une poitrine plantureuse, des bras potelés... une femme comme il en rêvait. Et elle couchait dans le lit d'un autre qui élevait son fils... La colère monta en lui. La rancœur se libéra dans un flot de paroles fielleuses qu'il n'avait pas préparées.

– Qui es-tu donc, Isabelle Lacroix? Une lorette? La pauvre fille d'un riche marchand qui s'est bêtement fait engrosser par un amant de passage? Je comprends mieux, maintenant, le mariage précipité. De toute évidence, tu ne voulais pas être obligée d'épouser un soldat de l'armée britannique. Comment aurais-tu pu affronter ta «belle société»? C'est pourquoi tu as manigancé un mariage avec ce Larue. Et tu as poussé l'audace jusqu'à me demander d'être ton amant...

Une violente gifle l'interrompit. Il recula d'un pas. Son cœur martelait sa poitrine qui se soulevait de manière précipitée.

– Comment oses-tu? Une lorette?! Comment oses-tu? C'est... c'est toi qui m'as prise... de force, dans le moulin!

Alexander agrandit les yeux de stupeur.

– De force? Tu m'accuses de t'avoir violée?

– Tu as profité de moi, de la douleur que me causait le deuil de mon père pour obtenir...

– Tu sais très bien que ce n'est pas vrai, Isabelle! N'est-ce pas toi qui as pris l'initiative la deuxième fois? Alors, pour toi, la première fois tient du viol à cause du fait que tu étais terrifiée?

Elle baissa les yeux, ne répondit pas. Il l'empoigna par les bras et la secoua rudement.

– Je t'aimais, Isabelle. Tu t'es moquée de moi.

– Non!

Elle avait presque hurlé. Alexander jeta un coup d'œil inquiet vers la porte. Il savait que son mari était dans la maison. Cela faisait assez longtemps qu'il était dans le coin pour avoir vu qui était sorti et qui était entré depuis la fin de l'après-midi. Il savait qu'il prenait un énorme risque en venant ici, mais il n'avait pu s'en empêcher. Il commençait toutefois à regretter. Son regard se reporta sur Isabelle, qui cherchait à se libérer. Elle le fixait d'un air affolé.

– Pourquoi? demanda-t-il doucement.

Elle tressaillit. Il la relâcha.

– Dis-moi... pourquoi lui? Tu portais mon enfant, et tu en as marié un autre. Explique-moi, j'ai besoin de comprendre.

– Alexander...

– Je te promets de ne pas m'en prendre à toi. Je veux simplement connaître la vérité. Ensuite, je repartirai, je te le promets. Je n'étais pas assez convenable pour toi? Tu l'aimais?

– Pierre?

– Qui d'autre? confirma-t-il un peu sèchement.

Elle tourna lentement la tête, lui offrant son profil. Sa poitrine se soulevait de manière saccadée. La lumière du soleil couchant qui pénétrait par la fenêtre dorait sa peau, qu'il avait soudain envie de goûter.

– Alex, je... n'ai pas eu le choix! Je te l'ai déjà dit! C'est ma mère...

– C'est l'argent de Larue qui t'intéressait? C'est vrai, ton père était ruiné...

Le claquement d'une deuxième gifle retentit.

– Arrête ça! Tu es ridicule!

Ses yeux d'un vert si lumineux étaient pleins de fureur et de larmes. Soudain, ils entendirent la voix de Gabriel qui appelait sa mère et se turent immédiatement. Alexander eut juste le temps de se cacher dans l'ombre d'une stalle vide. Déjà, le petit garçon arrivait en courant dans l'écurie.

– Maman, papa te che'che pa'tout. Il t'attend pou' souper... Mais... tu pleu'es?

Isabelle renifla et s'essuya les yeux. Tapi dans son coin, Alexander se déplaça légèrement de façon à pouvoir contempler son fils. Il avait l'impression que son cœur allait éclater. Son fils... Il avait un fils!

– Ce n'est rien, mon amour. Juste une poussière. Dis à ton papa que j'arrive dans une minute. As-tu terminé de manger?

– Oui.

– C'est bien. File à la maison te débarbouiller.

L'enfant disparut. Isabelle se retourna et attendit. Alexander sortit de l'ombre, le visage décomposé. Le « Dis à ton papa » résonnait encore dans sa tête, le blessant cruellement.

– Il sait... je veux dire... que ton mari n'est pas son véritable père?

– Pour Gabriel, Pierre est son seul père, Alexander. C'est mieux ainsi.

Il hocha la tête de haut en bas. Curieusement, il n'avait plus de fureur en lui; un étrange vide simplement. Un vide qu'il désirait combler par des images de son fils qu'il ne pourrait jamais aimer librement. S'appuyant contre la cloison, il s'adressa à Isabelle avec de la tendresse dans la voix.

– Parle-moi de lui. Raconte-moi... sa petite enfance, ses jeux, ses goûts... Aime-t-il dessiner?

Prenant note du changement d'attitude d'Alexander, elle se calma à son tour.

– Oui, et il y arrive très bien. Par contre, il n'est pas très doué pour la musique. Il aime le poulet, déteste le boudin et les rognons de veau. Bébé, il ne faisait pas la différence entre un insecte et un aliment. Ses petites bêtes préférées étaient les fourmis. Heureusement, il s'est tourné vers des friandises plus digestes, comme le massepain et le nougat. Il a pris la mauvaise habitude de voler du sucre candi et de le cacher sous son oreiller.

Alexander sourit. Il se souvenait d'un jour où il avait subtilisé un pot de miel. Son frère James l'avait surpris le doigt tout englué, et il avait été sévèrement puni. La disette sévissait. Gabriel, lui, ne connaîtrait jamais ni la faim ni le froid.

De sa voix chuchotante, Isabelle continuait de lui raconter les moments marquants de la vie de son fils: ses premiers pas; une chute dans l'escalier qui avait cependant causé plus de peur que de mal; sa passion pour les animaux et son insatiable curiosité pour les insectes. Alexander enregistrait tout cela dans sa mémoire, y apposant toujours la seule image qu'il avait de Gabriel, celle qu'il gardait de leur rencontre au marché. Il tenta de le voir blotti dans les bras de sa mère, chercher la sécurité que lui n'avait pas pu lui offrir. Images volées... envolées.

– Il fait des cauchemars?

– Parfois, comme tous les enfants de son âge, je suppose.

– Hum... il... il est heureux?

Isabelle sentit son cœur se serrer. Elle devinait le terrible vide qui devait habiter Alexander: une partie de lui lui échappait. Brusquement, elle regretta de ne pas lui avoir annoncé qu'il était père ce triste jour où ils s'étaient retrouvés sur le bord du fleuve. Les choses auraient sans doute été différentes aujourd'hui. Peut-être ne serait-il pas parti avec le Hollandais? Peut-être qu'elle et lui... Mais trois années s'étaient écoulées depuis. Gabriel avait grandi et sa vie avec Pierre, sans être un conte de fées, était agréable. Alors, pourquoi venir tout bousculer maintenant? Pourquoi débarquait-il ainsi dans sa vie tranquille pour tout retourner sens dessus dessous encore une fois? Elle s'était habituée à l'idée qu'il était mort!

– Gabriel est heureux, Alex. Cela le bouleverserait trop de connaître la vérité.

Alexander baissa la tête, ferma les paupières pour retrouver l'image du petit garçon, imaginer qu'il le prenait dans ses bras. Isabelle profita de ce moment pour l'observer. Il avait changé, vieilli. Les traits qu'elle devinait sous son épaisse barbe accusaient une vie rude. La rigidité les ayant momentanément quittés, ils perdaient de leur ironie et du désabusement. Sa bouche, cependant, avait gardé sa courbure naturelle qui lui donnait un petit air belliqueux. Malgré l'impression de force qui émanait de lui, il lui parut vulnérable. Elle eut envie de le toucher, de laisser ses doigts suivre les nouvelles lignes de sa silhouette... Elle soupira. De peur de s'abandonner au désir qui l'envahissait, elle mit de la distance entre elle et lui.

Le bruissement des jupons réveilla Alexander. Il releva la tête en se passant les doigts dans sa chevelure en bataille.

– Je dois réfléchir, Isabelle. Peut-être... pourrai-je le voir en tant qu'ami? Il a une dette envers moi après tout!

– Une dette?

– C'est entre lui et moi. Une histoire de pomme.

Ils se dévisagèrent. Tant de choses, tant de paroles traversaient leurs esprits. Hormis leurs griefs, il leur apparaissait qu'ils n'avaient plus rien à se dire. Jadis deux êtres qui s'aimaient d'une folle passion, ils étaient maintenant des étrangers que seul un petit garçon liait à jamais, quoi qu'il advienne.

– Je ne sais pas, Alexander. Cela ne ferait que te faire souffrir inutilement. Et si jamais Pierre venait à le découvrir...

Elle allait lui dire que, tout comme elle, son mari le croyait mort, mais elle se ravisa. Que s'était-il passé? Qu'était-il réellement arrivé au Hollandais et à son équipe? Se pouvait-il que Van der Meer fût vivant lui aussi? Pourtant, son épouse était morte la semaine précédente et il n'était pas aux funérailles.

Pendant qu'Isabelle s'abîmait dans la réflexion, Alexander la détaillait à son tour. L'aimait-il encore? Ce désir qu'il sentait monter en lui n'était-il qu'un vestige, un souvenir d'une passion naguère si violente? La main blanche de la femme jouait avec la dentelle qui ornait l'encolure de la robe. Il haussa les sourcils, puis les fronça lorsqu'il reconnut le bijou qu'elle dégageait de son corsage.

Ses sens brusquement refroidis, il s'approcha et leva la main pour saisir la croix d'argent. Soudain consciente de sa proximité, Isabelle s'arrêta de respirer. Il fixait la croix qu'il avait portée sur son cœur pendant plus de quatre ans. Puis, levant les yeux, il la scruta intensément: que savait-elle au juste de ce qu'avait fait Étienne?

– Qui t'a donné ceci? demanda-t-il avec une froideur qui alarma Isabelle.

– Étienne... murmura-t-elle.

Il fronça davantage ses sombres sourcils.

– Il a dit que tu avais été... tué.

Son ricanement teinté de sarcasme ne la rassura pas.

– Que t'a-t-on raconté d'autre, Isabelle?

– Que les Sauvages vous avaient attaqués, que vous aviez tous été massacrés.

– En ce qui me concerne, comme tu peux le constater, je suis toujours vivant! Pour ce qui est des autres, on t'a dit la vérité. Mais je suppose qu'elle a été un peu adaptée...

– Que veux-tu dire? Étienne... il a affirmé qu'il était arrivé sur les lieux après l'attaque, qu'il... Alex, que s'est-il passé? Étienne a-t-il menti?

Elle le regardait d'un air si épouvanté qu'il en déduisit qu'elle ne savait rien. Devait-il tout lui narrer? Devait-il lui donner les détails de l'attaque vicieuse, des meurtres gratuits, des tortures qu'avait subies le Hollandais et auxquelles son cœur n'avait pas résisté?

– Alex?

– J'ai été grièvement blessé... Je ne me souviens plus très bien... Il m'a sans doute cru mort.

Cette affaire ne concernait qu'Étienne et lui. Isabelle n'avait pas à y être mêlée. Qu'elle connût la vérité n'effacerait pas ce qu'il avait enduré et ne lui rendrait ce qu'il avait perdu. Il n'avait pas à lui raconter sa vie; leurs chemins étaient différents.

Un grincement les fit sursauter et un flot de lumière empourprée les inonda.

– Pourquoi tardez-vous, Isabelle? Je...

Pierre s'immobilisa, fixa d'un air surpris l'inconnu qui se trouvait en compagnie de sa femme. Isabelle échappa un long gémissement. Alexander laissa la croix retomber lourdement dans les profondeurs du décolleté et s'écarta avec prudence. Le temps sembla s'arrêter.

Il y eut d'abord un lourd silence, comme avant l'arrivée d'un violent orage. Puis, Pierre, dont les yeux s'habituaient à la pénombre, devint livide comme la mort et poussa un faible cri.

– Seigneur Dieu! Vous? Vivant?

Le notaire pensa que l'esprit d'Alexander s'était matérialisé pour venir le tourmenter, le punir de ce qu'il avait fait. Puis, il vit la main du spectre glisser vers le poignard qui pendait contre sa cuisse, et la crainte passer dans son regard. Alors, il comprit qu'il avait réellement affaire à un homme de chair et de sang.

– Isabelle, rentrez à la maison.

– Pierre, qu'avez-vous l'intention de faire?

Affolée, elle se précipita vers lui. Il la poussa avec rudesse vers la porte.

– Rentrez! gronda-t-il tandis que ses yeux fouillaient l'endroit afin d'y trouver de quoi faire une arme.

Isabelle se cramponna à son bras et le tira.

– Non, Pierre! Il part, ne faites pas ça! Je vous jure qu'il part!

Elle pleurait, désespérée, certaine que les deux hommes allaient s'entretuer si elle s'en allait.

– Je veux lui parler seul à seul, Isabelle. Faites-moi le plaisir de rentrer.

Son ton s'était radouci. Un nouveau silence s'installa, chargé d'incertitude et de jalousie naissante.

– Que faites-vous ici avec *ma femme*? demanda Pierre à Alexander.

– J'avais une affaire à éclaircir, monsieur, rien de plus.

– Une affaire à éclaircir? Vous vous moquez de moi!

Puis, se tournant vers Isabelle, Pierre la foudroya du regard.

– Il vient ici régulièrement? Depuis combien de temps est-ce que cela dure?

– Vous vous trompez, Pierre. C'est la première fois qu'il...

Saisi d'une indicible fureur, Pierre avait levé la main. Mais il parvint à se maîtriser et immobilisa son bras en serrant le poing.

– Vous me fournirez les explications plus tard, madame.

Il se tourna ensuite vers Alexander, qui n'avait pas bougé. Ayant vu dans son mouvement la fourche à foin, il s'en empara.

– Pierre, non! Alex, pars! Pour l'amour de ton fils, Alex, pars, je t'en conjure!

– Son fils? Vous êtes venu pour embêter Gabriel?

– Non, il voulait simplement savoir... Il ne savait pas que Gabriel était... Pierre, je vous expliquerai tout, mais laissez-le partir, je vous en supplie! Il ne reviendra pas!

Isabelle était maintenant en pleurs.

– Il ne suffit pas d'être géniteur pour pouvoir se proclamer père. Je vais m'assurer qu'il comprend bien cela, Isabelle.

Le notaire pivota sur ses talons pour pousser sa femme vers la porte. Alexander assistait, immobile, à la scène. Tout se déroula si rapidement qu'il crut rêver. Il y eut un cliquetis métallique. Pierre trébucha sur une chaîne enfouie dans la paille et tomba dans la litière de Colombine, qui protesta avec vigueur. Puis plus rien. Isabelle et Alexander attendaient qu'il remuât, se relevât. Au bout d'un moment, Isabelle, inquiète, appela.

– Pierre? Pierre?

Puis, elle se précipita sur lui, le secoua avec douceur, l'appela encore. Rien. Aucune réaction. Alexander, plein d'appréhension, n'osait s'approcher.

– Pierre, parlez-moi! Je n'aime pas votre jeu... Oh, juste ciel!

Tournant vers Alexander de grands yeux épouvantés, elle porta une main à sa bouche ouverte. Il sortit de sa torpeur et se précipita à son tour vers le corps, qu'elle avait fait rouler sur le dos. On voyait maintenant une profonde blessure à la tempe d'où émergeait un tesson de verre, telle une lame bien affûtée. Sans doute Basile avait-il brisé une bouteille et oublié ce morceau dans le foin. Le regard fixe de Pierre indiquait qu'il n'y avait plus rien à espérer. Isabelle, sous le choc, n'arrivait plus à respirer et tremblait.

– Il... il est mort? Est-ce qu'il est mort, Alex? Réponds! Dis-moi que je rêve! Dis-moi que ce n'est pas vrai!

Elle hurlait, désespérée, complètement paniquée.

– Oui, il est mort sur le coup.

Elle plissa les yeux et secoua lentement la tête.

– Il ne peut pas... Non!

– Isabelle!

La voyant perdre connaissance, Alexander s'accroupit et la retint contre lui.

– Isabelle, *mo chreach*! Isabelle!

Un spasme la secoua, elle respira d'un coup et les larmes affluèrent. Il lui chuchotait des paroles apaisantes, mais se sentait lui-même en grand désarroi devant la tournure des événements. Il n'avait pas voulu ça. Il ne cherchait pas vengeance. Plus maintenant.

Une porte claqua. Ils entendirent la voix de Gabriel appeler le chat. Peu après, celle de Marie demanda au petit garçon de rentrer à la maison: il devait se préparer pour aller au lit. Ils se figèrent: Gabriel pouvait faire irruption dans l'écurie d'un instant à l'autre! Le petit garçon rechignait d'ailleurs, refusait d'obéir. La domestique se fit plus autoritaire, lui promit que sa mère viendrait lui faire un baiser. Isabelle s'agrippait à Alexander, enfonçant ses ongles dans ses bras.

– Och! I'm sae sorry, Iseabail...

Il remua pour se placer de façon à lui cacher son mari mort et envoya une poignée de paille sur le visage ensanglanté. Elle avait arrêté de pleurer, n'était secouée que par des hoquets sporadiques. Et maintenant, que faire? Il ne pouvait pas l'abandonner dans cet état, avec le cadavre de Pierre sur les bras!

– Rentre chez toi, Isabelle, je m'occupe de tout, murmura-t-il dans sa chevelure. Allez, viens!

Joignant le geste à la parole, il l'aida à se relever, secoua ses jupes pour en faire tomber les brindilles et dégagea son visage des mèches collées sur ses joues. Bien que troublée par ses attentions, Isabelle en était apaisée et se permit de plonger dans les yeux de saphir qui la contemplaient avec une tristesse infinie.

– C'est un accident, Alex.

– Que puis-je faire? Tu veux que j'aille chercher...

– Non, l'interrompit-elle abruptement en lui plaquant la main sur la bouche. Il ne faut pas! Personne ne doit savoir que tu étais ici, Alex. On t'accuserait de meurtre. Tu imagines? Un riche notaire respecté, et toi...

– L'amant éconduit, sans le sou, acheva-t-il, amer. Oh! Isabelle, je suis désolé! Je n'aurais jamais dû venir, je... *O damn it!*

– Chut! Tu ne pouvais pas prévoir. Pars, Alex! Je n'aurai même pas à mentir pour expliquer ce qui s'est passé.

– Isabelle... je ne peux pas te laisser dans cette situation!

– Pars, va-t'en, je t'en supplie!

Elle s'écarta brusquement et lui tourna le dos, regardant d'un œil vide le corps de Pierre qui gisait à ses pieds.

– Va-t'en!

Quelques secondes s'écoulèrent encore. Elle entendit le frottement des mocassins sur le sol, puis le grincement de la porte. Colombine bêla et enfouit ses naseaux dans son fourrage, indifférente au drame qui venait de se dérouler. Un courant d'air frisquet pénétra dans l'écurie que l'obscurité envahissait. Isabelle frissonna, se frictionna les bras puis s'accroupit auprès de Pierre pour lui dégager le visage et lui baisser les paupières. Versant une larme, elle embrassa doucement celui qu'elle n'était jamais parvenue à aimer autant qu'il le méritait.

Pendant six ans, Pierre avait partagé sa vie. Il lui avait offert son amour sans retour. Il l'avait couverte de soieries, de velours et de bijoux, lui avait permis de vivre une vie agréable et respectable. Il avait aimé Gabriel comme s'il était son propre fils, lui préparait un bel avenir. Maintenant qu'il n'était plus, elle se rendait compte qu'elle l'aimait probablement, à sa façon. Elle ne le lui avait cependant jamais dit, et c'était là son plus grand regret. Il était trop tard. En dépit de tout, elle n'avait jamais vraiment pu détester Pierre. Si on ne pouvait forcer un cœur à aimer, on ne pouvait non plus le forcer à haïr.

Elle tremblait de tous ses membres. Un peu remise du choc des événements, elle sentait un froid glacial prendre possession de son corps. « Pierre est mort! Pierre est mort! » scandait son esprit. La panique la gagna. Qu'allait-il advenir de Gabriel et elle? Pierre avait-il prévu de lui laisser de quoi vivre encore confortablement? Elle se laissa tomber sur les fesses et enfouit son visage dans ses mains.

– C'est de ma faute, geignit-elle, j'aurais dû rentrer à la maison comme vous me l'avez demandé tout à l'heure. Mais j'avais si peur... pour Alex. Oh, batinse! Ce damné Écossais! Pourquoi s'acharne-t-il ainsi à me gâcher la vie? Je commençais à me relever... Je te hais, Alexander! Oh, Dieu! Je regrette, Pierre, je regrette tant!

Rugissant de désarroi, elle s'effondra sur Pierre et l'étreignit en pleurant amèrement, le corps secoué de puissants spasmes. C'est ainsi que la découvrit Marie quelques minutes plus tard.

10

Va où ton cœur te porte

Silencieux dans le vacarme de la taverne, Alexander et Munro sirotaient leur énième bière. Non loin d'eux, deux marchands essayaient de recruter des voyageurs, faisant miroiter à leurs interlocuteurs une vie des plus trépidantes et une jolie fortune en récompense. Munro, qui avait abandonné ses efforts pour dérider son cousin, les observait. Alexander se mouilla le gosier puis posa bruyamment sa chope sur la table en éructant.

– J'ai tué un homme ce soir.

Munro, s'étouffant, recracha la gorgée de bière qu'il venait de prendre.

– Hein?! fit-il en s'essuyant la bouche du revers de la manche.

Tenant fermement sa chope entre ses mains pour ne pas trembler, Alexander leva les yeux vers lui.

– Tu as bien entendu.

Le visage de Munro se figea en un drôle de rictus; ses yeux roulaient d'un côté et de l'autre.

– Je ne comprends pas... Qui? demanda-t-il après un moment.

– Pierre Larue.

– Larue? Mais c'est qui, ça? Et pourquoi l'as-tu tué?

– Larue, le notaire. Il a rédigé le deuxième contrat que j'ai conclu avec Van der Meer, précisa Alexander avec une grande nervosité.

Les traits de Munro se plissèrent dans la réflexion. Puis, ils exprimèrent la surprise.

– Pierre Larue? Le notaire? Le... le... enfin, celui qui a épousé...

– Isabelle, compléta Alexander dans un souffle en replongeant le nez dans sa boisson.

Poussant un long sifflement, Munro hochait la tête d'incrédulité et jouait avec son verre en provoquant un frottement agaçant sur la table.

– Que s'est-il passé, Alas? Tu l'as croisé par hasard et il t'a reconnu? Il t'a provoqué en duel?

– Je suis allé chez lui.

– Tu es retourné là-bas? Mais, pourquoi? Nom de Dieu! Tu sais que cette femme ne t'a jamais apporté que le malheur!

– J'ai un fils, Munro... avec Isabelle.

Si l'aveu du crime avait assommé Munro, l'annonce de la paternité le fit carrément tomber des nues. Bouche bée, il fixait son cousin avec l'air d'un simple d'esprit un soir de pleine lune.

– Un fils? Putain de merde! Comment tu as su... je veux dire... pourquoi est-ce qu'elle ne te l'a pas dit avant? Et puis, tu es certain que c'est bien le tien? Tu sais, tu n'étais peut-être pas le seul...

Le regard menaçant d'Alexander l'arrêta.

Debout sur une table, une femme interprétait une chanson grivoise en exécutant une danse langoureuse. Autour d'elle, des hommes à moitié ivres l'accompagnaient en frappant des mains... lorsqu'ils ne les posaient pas tout simplement sur ses cuisses qu'elle découvrait à l'occasion. Alexander regardait le spectacle d'un œil vague, l'esprit ailleurs. Il était de nouveau dans l'écurie, revoyait le visage défait d'Isabelle qui le suppliait de partir. Les beaux yeux verts mordorés luisaient de chagrin... d'un réel chagrin. Elle pleurait la mort de Pierre. Elle aimait son mari. Ce constat le torturait bien plus que le fait d'avoir causé la mort du notaire.

– Que s'est-il passé exactement? Comment Larue est-il mort?

Alexander reporta son attention sur son cousin en soupirant. Puis, il commença à expliquer. Consterné, Munro écoutait en silence en tapotant la surface de la table de son index. À la fin, il grogna et posa sa main à plat.

– Que vas-tu faire? Tu l'as pas vraiment tué, en fait. C'était un accident! Tu n'as plus rien à voir avec ça.

– Tu ne comprends pas, Munro! Si je ne m'étais pas trouvé là, rien de tout cela ne serait arrivé. Par ma faute, Isabelle est maintenant veuve et Gabriel... orphelin.

Alexander grimaça: en fait, le petit garçon n'était pas orphelin, mais c'était ce qu'on allait lui faire croire. Pourtant, Gabriel avait un père. Un vrai père qu'on avait écarté à cause de sa petite condition sociale.

La femme venait de terminer sa chansonnette et s'inclinait au milieu des acclamations de sa cour. L'un des ivrognes l'attrapa par la taille et la fit tournoyer avant de la reposer sur le sol. Puis, il l'entraîna dans une gigue en suivant le rythme endiablé que marquait le violon. D'autres se joignirent à eux. La joie qui l'entourait agaçait Alexander, qui ronchonna avant de se détourner. Prenant note de l'abattement de son cousin, Munro lui serra le bras dans un geste de réconfort.

– Elle s'en sortira, Alas. Larue était assez riche, il me semble. Elle arrivera à se débrouiller... le temps de se trouver un autre mari.

Un autre mari? Alexander n'avait pas envisagé cette éventualité; elle ne lui avait même pas effleuré l'esprit. Son cœur s'emballa. Isabelle, se remarier? Isabelle, dans le lit d'un autre homme? Encore! Non, ce n'était pas possible! Elle était à lui! On la lui avait déjà volée une fois, avec son fils. Il ne permettrait pas qu'on les lui reprenne encore. Ça, jamais! Il était bouleversé, voulait repartir immédiatement.

– Je dois retourner la voir! Je ne peux pas l'abandonner, Munro. Je ne peux pas.

– Oublie-la, Alas! Elle n'est pas pour toi. Vous appartenez à deux mondes trop différents. Je t'assure: tu dois l'oublier.

– Je ne peux pas. Je sais que tu as raison, mais je n'y arrive pas. Bon Dieu! Je l'aime toujours!

– *A Thighearna mhór*[78]*!* Alas! Elle a déjà causé ta perte; elle le fera encore.

– Ainsi soit-il!

– *Fuich!* grogna Munro avec impatience en frappant la table du plat de la main. Je ne te comprends pas! J'essaie, mais... Cette femme a détruit ta vie et tu es prêt à la reprendre? C'est absurde! Tu oublies qu'une autre femme t'attend. N'as-tu point de sentiments pour Tsorihia?

– Ce n'est pas la même chose! Tsorihia est... D'accord, je l'aime bien, mais... N'as-tu jamais aimé une femme au point de souhaiter mourir tant cela te fait souffrir? As-tu déjà senti ton cœur se gonfler de bonheur pour une femme au point d'être près d'éclater lorsque tu la tiens dans tes bras? Elle est là... et ici, souligna-t-il en posant un doigt tremblotant d'émoi sur son cœur puis sur son crâne. Quoi que je fasse, elle est en moi, comme une partie de moi...

Il s'interrompit brusquement, prenant conscience qu'il lui faudrait quitter Tsorihia pour retrouver Isabelle. Il se troubla, s'empara de sa chope, qu'il vida d'un trait.

– T'as besoin de te changer les idées ce soir, décréta Munro en

78. Oh, grand Dieu!

se levant. Demain, tu y verras plus clair. Allez, viens! On va s'amuser un peu!

– Je n'en ai pas du tout envie.

– Allons ailleurs, Alas! Viens! Imagine-toi qu'aujourd'hui j'ai croisé par hasard le bon vieux Cormack. Tu te souviens de lui?

– Ouais... C'était le distillateur du campement de Monckton.

– Exactement! Eh bien, il m'a dit connaître un endroit où on sert le meilleur whisky écossais de toute la ville. Pas très loin d'ici. Son whisky! C'est te dire!

Tel un automate, Alexander se leva et suivit son cousin jusque dans la rue. Un vent froid lui cingla la figure. Un léger tournis lui indiqua qu'il avait déjà bien assez bu. Il pensa qu'il devrait plutôt aller dormir. Cependant, l'idée de goûter à du bon whisky lui plaisait assez.

Respirant profondément pour se remettre les idées en place, il remonta sur son cou le col de sa veste en peau d'orignal. La souplesse du cuir lui rappela la peau de Tsorihia. La jeune Sauvagesse lui avait offert le vêtement juste avant son départ pour Montréal. Il sentait son cœur se déchirer. Certes, il avait pour Tsorihia une affection profonde. Mais cela n'avait rien à voir avec cette passion que suscitait en lui Isabelle. Il avait une décision à prendre, il le savait. Qu'il optât pour l'une ou pour l'autre femme, il en souffrirait. C'était inévitable.

La rue Capitale, où s'alignaient hangars et établissements de boissons et de plaisirs, baignait dans des effluves de vinasse et était encore bruyante malgré l'heure tardive. Des ivrognes se tenaient par le cou, se balançant de gauche à droite en chantant. Deux Sauvages qui sortaient d'un cabaret hurlaient comme deux loups sous la lune et éclataient de rire devant la mine effrayée des passants. Munro leur souhaita le bonsoir en algonquin. L'un des deux hommes s'inclina si bas devant lui qu'il roula au sol. Son compagnon, hurlant de rire, voulut l'aider à se relever, mais se retrouva tout simplement couché sur lui.

– Ici, annonça Munro en poussant brusquement Alexander dans l'entrée d'un bâtiment qui semblait désert, quelques pas plus loin.

Il frappa deux coups secs à la porte et attendit. Un nain au crâne aussi lisse qu'un boulet leur ouvrit.

– Quel oiseau chante la nuit?

– L'alouette... Nous venons de la part de Cormack.

Le gardien les examina de la tête aux pieds. Puis, après avoir jeté un coup d'œil dans la rue, il leur fit signe d'entrer.

– Depuis quand les alouettes chantent la nuit? chuchota Alexander en suivant son cousin. Et puis, c'est quoi cet endroit?

– L'atelier d'un maître voilier très conciliant.

– Amateur de whisky?

– Entre autres choses...

Munro lui dévoila une rangée de dents luisantes dans la lueur de la lanterne que faisait balancer le nain. Intrigué, Alexander inspecta les lieux du regard. Des caisses débordantes de toiles et de poulies s'alignaient le long d'un mur. Un échafaudage de casiers de bois remplis de rouleaux de papier se dressait contre un autre. Sur des montants étaient épinglées des esquisses de voiles. L'endroit était tranquille et sombre. Cependant, quand on tendait l'oreille, on pouvait entendre un léger bourdonnement derrière l'un des murs.

Le nain leur demanda d'une voix aiguë de le suivre vers le fond de la pièce. Il poussa une voile suspendue qui attendait d'être réparée, dégagea une porte qu'il ouvrit. Puis, il les guida dans l'obscurité d'un étroit couloir jusqu'à une deuxième porte. Il donna deux coups secs, puis trois autres.

– L'alouette chante la nuit...

Les paroles magiques firent s'ouvrir la porte.

De prime abord, Alexander crut qu'ils étaient dans un hôtel particulier et qu'on les avait fait passer par l'entrée de service. Un lustre supportant une trentaine de chandelles était suspendu au centre d'un grand salon et éclairait l'endroit d'une lumière dorée et vacillante. L'endroit n'avait rien à voir avec la taverne qu'ils venaient de quitter : pas de hâbleurs faisant la cour à des grisettes, pas de pauvres soldats jouant leurs dernières piécettes en espérant faire fortune, pas de vacarme assourdissant... Au lieu de cela, un mélange hétéroclite d'hommes élégamment vêtus et de femmes en déshabillés évoluaient autour de guéridons sur lesquels s'accumulaient des verres, sur fond de musique légère et dans une rumeur de conversations. Un immense nègre en livrée jaune portant un fez rouge passait d'un groupe à l'autre avec une bouteille. Il s'inclina devant Alexander et Munro, les jaugeant d'un œil suspicieux. Puis, après leur avoir demandé d'attendre, il se dirigea vers une porte et disparut.

Les deux cousins étaient au pied d'un escalier de bois lustré qui menait à l'étage et sur lequel se tenaient des individus en conversation. Dans les zones d'ombre de la pièce où ils arrivèrent, Alexander distinguait des formes mouvantes allongées sur des banquettes : Munro l'avait emmené dans un bordel clandestin.

Au-dessus des fauteuils tendus d'une soie bleu nuit élimée par endroits étaient suspendues des toiles représentant des scènes de libertinage. Une peinture particulièrement obscène occupait la place d'honneur, au centre du mur du fond. Elle montrait une demoiselle dévoilant, sous une capeline écarlate, un corps éclatant de pureté et des seins bien ronds aux mamelons rouges, cerises exquises. Un loup aux crocs bien luisants la reluquait avec convoitise. Détail amusant: la queue de l'animal était voluptueusement enroulée autour de l'une des cuisses de sa charmante proie et finissait par se fondre avec le sombre triangle pubien. Version lubrique du *Petit Chaperon rouge*, en somme.

– Mère-grand! Mère-grand! Que vous avez de grandes dents! C'est pour mieux vous manger, ma belle... Intéressant, n'est-ce pas, monsieur?

Se retournant dans les effluves d'un lourd parfum féminin, Alexander se retrouva le nez dans le corsage le plus échancré qu'il lui eût jamais été donné de contempler. Ouverte jusqu'au nombril orné d'un gros brillant, la robe - si on pouvait appeler ainsi le drap de velours rouge sombre qui couvrait le corps pulpeux de la femme - n'était retenue sur le devant que par des rubans dorés et laissait entrevoir la naissance d'une poitrine généreuse. Le visage, alourdi par un épais maquillage, accusait un certain âge. La dame se pencha légèrement en étirant un large sourire aux dents bien alignées et parfaitement entretenues. Alexander pensa qu'elle devait être très belle dans sa jeunesse. Munro glissa quelques mots à l'oreille de la créature, qui hocha la tête.

– Bonsoir, messieurs, dit-elle d'une voix mielleuse. Je suis madame Lorraine et je vous souhaite la bienvenue chez moi. Ainsi, c'est un ami commun, ce cher monsieur Cormack, qui vous envoie? J'essaierai de ne point vous décevoir. Mais vous connaissez déjà, de toute façon, le whisky de Cormack. Un pur bonheur pour les sens! N'est-ce pas pour cet élixir des dieux que les messieurs viennent nous rendre visite? souligna-t-elle malicieusement avec un clin d'œil. Mes filles ne sont là que pour rendre la dégustation plus... agréable.

Dans un mouvement sensuel rappelant celui d'une algue caressée par le courant, madame Lorraine invita les deux hommes à la suivre.

– Je te promets qu'ici tu goûteras le meilleur whisky que tu aies bu depuis des années! Et bien d'autres choses! lui chuchota joyeusement son cousin.

– Tu veux me faire avaler que tu es venu ici rien que pour le whisky?

Munro émit un petit rire narquois et lui lança un regard de côté.

– Fais-moi confiance, Alas. Tu as besoin de te changer les idées.

Tout en parlant, le cousin fixait la croupe bien ronde d'une grande rousse qui, habillée d'une robe de mousseline ne cachant pas grand-chose, se trémoussait au bras d'un jeune officier.

– Et que fais-tu de Mikwanikwe?

Délaissant la beauté florentine, Munro dévisagea Alexander en retroussant les coins de sa bouche.

– Mikwanikwe m'attend, je le sais. Mais... enfin... je peux bien m'amuser un peu, non? Quel mal y a-t-il à cela? Qui ira le lui raconter?

– Mikwanikwe, elle, t'est fidèle, tu le sais!

Alexander, cependant, n'aurait pu le jurer. Il savait que lui-même n'avait qu'à faire signe à la Sauvagesse pour qu'elle lui ouvrît les bras. Munro avait grand cœur et voulait sincèrement le distraire pour lui faire oublier Isabelle. Mais, n'étant jamais tombé éperdument amoureux d'une femme au point d'en perdre la tête, il ne pouvait comprendre le sentiment de culpabilité qui le taraudait.

Madame Lorraine les fit passer dans un deuxième salon, où semblaient les attendre quelques créatures sorties tout droit des fantasmes les plus farfelus des hommes. Sur un lit de jour, une grosse femme vêtue d'une sorte de toge rappelant la Rome antique était allongée sur le ventre. Un vieillard coiffé de lauriers dorés lui posait sur la langue des morceaux de massepain qu'elle mastiquait ensuite en poussant des soupirs, tandis qu'il lui donnait la fessée.

Sur un autre lit, deux femmes habillées à la mode des mille et une nuits s'enlaçaient amoureusement. Elles leur lancèrent des œillades entre deux caresses. L'une d'elles ne devait pas avoir plus de quatorze ou quinze ans; l'autre, quoique encore assez jolie, en avait certainement le double. Un peu plus loin, une négresse était sagement assise dans un petit fauteuil. À leur arrivée, elle redressa fièrement les épaules pour mettre en valeur ses seins d'ébène pointus. Elle ne portait pour tout habit qu'un pagne coloré lâchement enroulé autour de ses hanches. Mais ses chevilles, ses poignets et son cou étaient ornés de plusieurs anneaux de métal.

– Munro... fit Alexander d'une voix basse. Je n'ai pas envie de ça. Je préfère retourner à la taverne.

– Un verre, Alas. Un seul verre de whisky, et nous repartons... si tu ne changes pas d'avis.

Alexander avait déjà la tête qui lui tournait et sentait l'alcool qui coulait dans ses veines lui échauffer les sens. Il jeta un autre regard vers le lit où le couple de femmes remuait avec la plus troublante sensualité. La plus jeune, une jolie brunette, tourna ses immenses yeux noirs vers lui et lui sourit sensuellement. Sa compagne, une plantureuse blonde, se mit à caresser sa poitrine menue à travers la fine gaze rouge qui la couvrait. Elle soupira profondément, s'étira avec une volupté calculée. Puis, sans le quitter des yeux, elle saisit la tête dorée et l'attira sur son sein. Alexander sentit des dizaines de petites décharges électriques se propager dans tout son corps. Il essuya ses paumes toutes moites sur ses cuisses.

– Un seul verre, acquiesça-t-il en s'asseyant dans un fauteuil libre.

***

Alexander fit claquer sa langue dans sa bouche sèche et pâteuse. Il avait très soif. Roulant sur lui-même, il se retrouva le nez dans un amas de soie qui lui chatouilla le visage. Il ouvrit un œil. L'endroit était sombre et étouffant. Il flottait une forte odeur de transpiration, mêlée à autre chose. Par les interstices des volets filtrait une pâle lumière grise. L'amas de soie se mit à bouger, laissa échapper un faible soupir. La tête vide, l'œil vague, Alexander fixa les points lumineux qui dansaient dessus.

Ce qu'il faisait chaud! Il dégagea sa jambe engourdie, emprisonnée sous un poids, provoquant un grognement. Une douce fraîcheur caressa sa peau moite. Tout étourdi, il allongea le bras, rencontra une surface douce et chaude. Un gloussement s'éleva; la masse de soie remua et un visage apparut. Il ne se souvenait pas bien... Enfin, peut-être que si... un peu. Oh oui! Ça lui revenait!

Il baissa les paupières, terriblement honteux. Il avait bu du whisky, beaucoup... trop! Se trouvait-il toujours dans la chambre du bordel? La femme blonde, Josette, d'après ses souvenirs, se pressa contre lui langoureusement. Elle caressa sa poitrine, folâtra dans sa toison. Il sentit la tiédeur humide de ses lèvres frôler son épaule puis tracer un sentier jusque dans son cou.

Il se rappela que deux créatures l'avaient aidé à grimper un escalier. Josette avait la dent avide... Elle était d'ailleurs en train de le mordiller. L'autre... la brunette, s'appelait Gisèle. Elle était sourde et muette. Mais, comme le lui avait fait remarquer sa compagne, elle communiquait à sa façon avec les hommes, utilisant sa langue et ses mains avec adresse! La petite était dans le métier depuis qu'elle avait dix ans.

Une autre main vint rejoindre la première sur son torse, plus menue et plus mate, celle-là. Un soupir lui fit tourner la tête. Deux grands yeux noirs le fixaient avec amusement. Gisèle lui sourit. Elle n'avait que quinze ans, vingt ans de moins que lui! Il avait couché avec une enfant! Une putain, certes, mais une fillette!

Josette se mit à rire et changea de position. Le matelas remua. Alexander sentit un mal de tête poindre sournoisement comme pour le punir de sa faute, de sa nuit de débauche dont il ne se rappelait pas grand-chose. Il jura tout haut.

– T'en fais pas, joli cœur, t'as été à la hauteur! Même que la pauvre Gisèle a dû te demander grâce! lui susurra Josette, croyant deviner ses inquiétudes. C'est que t'es aussi vorace qu'une bête!

Les longues mèches blondes qu'elle penchait sur son abdomen lui en rappelèrent brusquement d'autres. C'est alors que tout le reste le frappa comme une masse: Isabelle; Pierre, le crâne défoncé, baignant dans son sang. Il gémit et se couvrit le visage de ses mains. Que faisait-il ici, avec deux putains, alors qu'Isabelle pleurait son mari, consolait Gabriel? Il avait une subite envie d'aller la retrouver, la serrer dans ses bras et lui dire qu'il s'occuperait d'eux...

Gisèle sortit du lit en faisant tressauter ses petits seins et ses fesses. Elle enfila une robe de chambre, qu'elle attacha négligemment autour de sa taille de guêpe, puis fit quelques grimaces et gestes à l'intention de Josette. Enfin, après avoir salué l'homme d'un baiser soufflé, elle quitta la chambre à pas feutrés.

Resté seul avec la blonde, Alexander fit mine de se lever à son tour. Mais la femme le repoussa doucement sur le matelas et s'insinua entre ses jambes.

– Non... mademoiselle Josette, protesta-t-il en l'écartant gentiment, je crois que tu en as assez fait. Va te reposer.

– Je n'ai pas souvent l'occasion d'avoir entre les mains un morceau de choix, monsieur Alexander, susurra-t-elle en massant son sexe inerte. Considère ça comme... une prime.

– Non, arrête, je... je dois partir.

– La chambre est à toi jusqu'à midi. Tout a été réglé avant que tu montes.

– Réglé? Je ne me rappelle pas...

– Ton ami s'est occupé de tout.

– Mon ami... Oh! Munro! Mais où est-il?

– Parti. Il s'est assuré que tu étais en de bonnes mains avant de s'en aller.

– Avec la négresse?

– Non, pas avec Thérèse. Il a quitté la maison seul. Les filles ne partent pas avec les clients.

Il grogna. Son cousin l'avait roulé! Il l'avait emmené ici dans le seul but de le débaucher. Puis il avait filé!

– Elle me ressemble?

Josette le dévisageait en souriant. Elle était assez jolie avec ses yeux gris pâle en amande et ses taches de rousseur.

– De qui parles-tu?

– D'Isabelle. T'as pas cessé de prononcer son nom cette nuit. J'ai pensé que c'était parce que je lui ressemblais.

– Isabelle... murmura Alexander. Tes cheveux... Ils sont de la même couleur que les siens.

– C'est une grosse peine d'amour, hein?

Il hésita.

– Si on veut.

– J'me demande ben comment une femme peut laisser partir un amant qui a des yeux comme les tiens et qui... sait si bien... faire au lit.

La main se remit à l'ouvrage, tandis que la bouche descendait la rejoindre.

– T'as qu'à m'appeler encore Isabelle, monsieur Alexander. J't'en tiendrai pas rigueur.

N'ayant pas la force de la repousser encore, il laissa ses paupières se fermer et pensa à Isabelle.

***

Fumant tranquillement sa pipe, Munro attendait son cousin dans la rue, près de la porte du Marché. Alexander l'ignora en arrivant à sa hauteur et continua son chemin. Il lui en voulait. Munro fit mine de ne pas remarquer son air revêche et lui parla avec entrain, comme à son habitude.

– Alors, mon vieux, est-ce qu'elles t'ont laissé dormir une heure ou deux au moins?

Alexander tourna la tête vers lui et le foudroya du regard.

– Hum... je crois que non! Tu as une mine de déterré!

S'arrêtant net, Alexander fit face à son cousin.

– Et toi, Munro? Tu as dormi, cette nuit? Tu m'as l'air bien frais et dispos pour un homme qui a passé la soirée dans un... bordel!

– C'est que je suis fidèle, Alas, expliqua Munro, qui avait perdu son sourire. Je pensais que tu me connaissais mieux que ça.

– Salaud! Tu m'as roulé comme un crétin! Pourquoi? Croyais-tu vraiment que deux prostituées, aussi habiles fussent-elles, pourraient me faire oublier Isabelle? Tu n'as toujours pas compris, bon Dieu! Sept ans n'ont pas réussi à l'effacer de mon esprit! Alors une nuit de débauche!

Munro le dévisagea en silence pendant un moment.

– Et le whisky? Il ne t'a pas fait oublier un peu?

– Je ne me souviens de rien pour cette nuit, dit Alexander en se remettant à marcher avec raideur. Ah! Pour faire oublier, ton whisky est fameux! Mais il a ses limites. Figure-toi que je me rappelle par contre très bien ce qui s'est passé hier avant que je mette les pieds dans le salon de madame Lorraine.

– Je n'en doute pas. Mais j'avais envie de te voir t'amuser un peu. Tu ne peux pas m'en vouloir pour ça, Alas! Ne te sens-tu pas un peu mieux?

S'arrêtant de nouveau, Alexander se tourna vers son cousin en serrant les lèvres et les poings pour se contenir.

– Non! Ce matin, je me sens une telle ordure que je ne sais plus si je pourrai me présenter devant elle...

– C'est une bonne raison pour ne pas le faire, alors.

Munro détourna les yeux. Alexander le dévisagea avec circonspection, réfléchissant à ses dernières paroles. Enfin, il se para d'indignation et siffla entre ses dents, avec rage:

– C'était là ton intention, Munro? C'était ça ton but en fait? Que je me sente tellement bon à rien, tellement honteux que je ne trouverais pas le courage d'affronter Isabelle? Mais tu es vraiment tordu!

D'un coup de pied, il envoya voler une boulette de crottin séché. Puis, il reprit sa route d'un bon pas.

– Si tu n'étais pas mon cousin, je te tuerais, Munro MacPhail! Je te jure que je te tuerais!

– Je me rends compte que je me suis trompé, Alas. Tu as raison. Je le reconnais. Je sais ce que c'est que d'aimer une femme et de sentir son cœur se gonfler de joie jusqu'à menacer d'éclater. J'aime Mikwanikwe comme jamais je n'ai aimé aucune femme. Mais je déteste te voir souffrir. Et cette Isabelle te fait souffrir chaque fois que tu la revois.

Sous le choc de l'aveu de son cousin, Alexander s'immobilisa au milieu de la chaussée, barrant le chemin à un tombereau tiré par un âne et conduit par un jeune garçon.

– Je choisis mon calvaire, Munro. C'est la seule liberté que je possède réellement. Tu n'as pas à te mêler de ça.

– Qu'attends-tu d'elle à la fin? Qu'espères-tu obtenir en retournant là-bas? Elle a sa vie; tu as la tienne avec Tsorihia. Cela devrait s'arrêter là.

Alexander revit soudain le joli visage de la Wyandotte qui l'attendait dans un village algonquin, sur le bord de la rivière du Lièvre. Mais, rapidement, un autre visage s'y substitua.

– Elle a mon fils, merde! J'ai un fils, Munro! Tu l'as oublié peut-être?

– Non. Mais ne t'imagine pas qu'elle acceptera de remplacer comme ça le père qu'il vient de perdre par un autre! Et cela, même si tu es son véritable père!

– Bon Dieu, je l'aime toujours et je veux revoir mon fils! Tu peux comprendre ça?

– Et elle? Crois-tu qu'elle t'aime encore? T'a-t-elle vraiment déjà aimé?

– Hé! Poussez-vous! cria le conducteur du tombereau, qui s'impatientait, en les menaçant de sa cravache.

– Repose-toi quelques heures et prends le temps de bien réfléchir, Alas.

– Non, mais vous pouvez pas aller discuter ailleurs, sainte misère! J'ai pas toute la journée, moi!

Alexander jeta un regard mauvais au jouvenceau avant de lui céder le passage en se collant au mur. Munro, l'air abattu, reprit:

– D'accord! Aujourd'hui, je m'occupe des pelleteries qui restent à négocier et je cherche un présent pour Tsorihia. Ensuite, je te fais monter un nécessaire à raser, un bain chaud et une chemise propre.

– Pourquoi?

– Tu ne penses tout de même pas te présenter devant elle avec cette allure?

***

Un bruit de verre qui se casse vint tirer Isabelle de ses rêves agités et la fit sursauter. Elle se redressa d'un bond dans son lit, le cœur battant, la pupille dilatée. À côté d'elle, la place était vide, froide. Dans la pénombre de la chambre, elle distingua la robe que Louisette avait préparée la veille et accrochée à la porte de la grande armoire. Elle était noire. La fixant, elle mit un petit moment à recouvrer ses esprits et à comprendre pourquoi elle devait s'habiller ainsi.

Fouettée par la terrible réalité, elle se laissa mollement tomber sur les oreillers. Elle entendit les pleurs d'un enfant. Gabriel la réclamait. Refermant ses yeux brûlants, elle se mordit la lèvre. Il lui fallait être forte. Elle devait consoler son fils qui ne connaissait pas, ne comprenait pas la mort: cette chose qui vous arrachait à jamais ceux que vous aimiez, qui détruisait votre vie et vous plongeait dans un abîme terrifiant. Comment expliquer à un petit garçon que celui qu'il considérait comme son père ne reviendrait pas? que le merveilleux livre sur les insectes qu'il lui avait offert deux jours auparavant serait son dernier présent? qu'il ne pourrait pas l'emmener se promener sur son poney dans la jolie fermette de la côte Saint-Laurent qu'ils n'habiteraient pas? Au moins, pendant qu'elle réconforterait Gabriel, elle oublierait son propre chagrin. Il le fallait, car personne ne pourrait la réconforter, elle.

On frappa discrètement. Elle ne répondit pas. La porte s'ouvrit tout de même et un bonnet blanc apparut dans l'entrebâillement.

– Madame? appela doucement Louisette.

Isabelle se demanda pourquoi la domestique chuchotait si elle avait l'intention de la réveiller. Elle roula sur le côté, lui tournant le dos, et ferma les yeux. La servante alla cependant ouvrir les rideaux, et la lumière du jour inonda la pièce.

– Madame... il faut vous lever. Il est midi passé.

Louisette marchait avec douceur. Le taffetas noir de la robe bruissa. Aujourd'hui, elle allait tenir officiellement le rôle de la veuve du notaire Pierre Larue.

– Madame... Monsieur le curé est ici, monsieur Guillot aussi. Gabriel ne cesse de vous réclamer. S'il vous plaît!

Guillot... Jacques Guillot? Bien sûr. Comme tous les matins, il venait travailler à l'étude. Mais ne savait-il pas qu'il n'avait plus d'associé? Isabelle ouvrit les yeux. Il lui semblait que Louisette avait pleuré, elle aussi. La servante lui adressa un mince sourire pour l'encourager. Puis elle lui prit le coude pour l'aider à se lever.

– Où est Gabriel?

– Dans la cuisine. Marie le fait manger.

Isabelle hocha la tête.

– Il demande où est son papa. Nous ne savons quoi lui répondre, madame. Nous n'osons lui dire qu'il est mort... c'est un peu dur. Et il n'est pas question de le laisser entrer au salon, où monsieur repose.

– Mais il *est* mort, Louisette. Que voulez-vous lui raconter? Qu'il est parti rencontrer un client et qu'il rentrera pour le souper?

La servante, mal à l'aise, s'écarta.

– Non... Je suis désolée, madame.

– C'est moi qui suis désolée, Louisette, s'excusa Isabelle en soupirant. C'est à moi de lui expliquer, je suppose. Aide-moi à m'habiller et à me coiffer. Je ne veux pas faire attendre monsieur Guillot trop longtemps.

Lorsque Isabelle entra dans l'étude, Jacques Guillot, le front appuyé sur sa paume, était penché sur une feuille. Il ne l'entendit pas entrer et continua de lire, assis dans le fauteuil de Pierre comme il le faisait parfois en son absence. Elle eut soudain besoin de poser les yeux sur ce qui avait fait partie de la vie de son mari, d'emplir sa tête et ses poumons de lui avant que la poussière ne recouvre tout. Elle promena son regard sur les livres. Il y en avait des dizaines. Pierre les aimait tellement. Elle se concentra ensuite sur les meubles. Le notaire avait fait venir de France le petit bureau à dos d'âne dans lequel il rangeait le cognac et les verres. Mais il chérissait particulièrement ce meuble de maître aux longues pattes incurvées ornées de palmettes en coquilles et au battant arborant un cartouche encadré de beaux rinceaux. Cette élégance toute française tranchait avec les lignes plus rigoureuses du fauteuil anglais et avec l'allure rustique du grand bureau qu'il avait hérité de son père. Mélange de styles, mais de bon goût.

Pierre aimait l'harmonie des objets, l'ordre des choses. Chaque livre, chaque plume ou bibelot avait sa place. Sa nature rigoureuse transparaissait dans les moindres recoins de son étude, comme dans ses habitudes. Il refusait un thé qui n'était pas à la température idéale, s'emportait quand un client n'était pas à l'heure, recommençait son travail quand sa plume faisait des taches. Cependant, il n'était pas trop exigeant avec elle. Il l'attendait patiemment lorsqu'elle mettait du temps à se préparer pour sortir, souriait simplement quand elle renversait un peu de vin sur le tapis.

Bouleversée par ses souvenirs, elle baissa les paupières pour contenir les larmes qui affluaient. Le cuir du fauteuil craqua. Elle rouvrit les yeux et tourna la tête vers le bureau. Jacques Guillot s'était levé; son air désolé l'émut. Elle le savait très attaché à Pierre, même s'il le jalousait secrètement de l'avoir, elle, pour femme.

Il contourna le meuble et vint la rejoindre. Prenant ses mains dans les siennes, il les porta à ses lèvres.

– Madame... je suis si... attristé. Quelle catastrophe! J'ai appris la nouvelle très tard, cette nuit, par votre dévoué Basile. Comment vous sentez-vous aujourd'hui?

– Votre présence me réconforte, monsieur Guillot.

Le regard d'ambre qui la scrutait la gêna. Prenant conscience de son manque de bienséance, il s'écarta, bredouilla quelques excuses et l'invita à s'asseoir. Lui-même retourna dans le grand fauteuil.

– Euh... Des femmes de la paroisse s'occupaient de préparer le corps à mon arrivée. Vous dormiez encore. Je n'ai pas osé vous faire réveiller... Alors, j'ai pris l'initiative de parcourir le testament de Pierre. Vous savez qu'il faudra dissoudre la communauté de biens et rédiger un inventaire dès que les obsèques auront eu lieu?

La moitié des possessions de votre couple vous reviendra, l'autre ira à votre fils unique. Enfin... selon la Coutume de Paris. Je suis en train de calculer le montant des dettes. Ne vous en faites pas: je pense qu'il est nettement inférieur au total des actifs. Ensuite, je dois établir la liste des propriétés: celle de la rivière Batiscan, celle de Montréal... et une terre que Pierre possédait dans la région de Beaumont, je crois.

– Beaumont? Il ne m'a jamais parlé d'une terre à Beaumont?

– Oh! Il l'a sans doute vendue...

Embarrassé, Jacques Guillot fit mine de fouiller dans ses papiers.

– Je vais dès demain envoyer un collègue à la Batiscan pour établir l'inventaire des biens meubles et des bâtiments qui se trouvent là-bas.

– C'est bien.

– Cela devrait prendre une bonne semaine. Pendant ce temps, je me demandais si je pouvais faire de même ici... Qu'en pensez-vous?

Attendant une réponse, il leva les yeux. Elle avait l'air tellement las qu'il s'excusa.

– Pardonnez-moi, madame... Je ne devrais pas vous parler de cela...

Discuter si tôt de succession agaçait Isabelle. Jacques Guillot n'avait pas besoin d'elle; il n'avait qu'à faire son travail, c'est tout. Cependant, elle se doutait qu'il meublait la conversation avec son jargon juridique. Elle lui sourit.

– Il n'y a pas de mal. La maison vous est ouverte, monsieur Guillot. Votre présence me réchauffe le cœur.

– Merci, madame... Je ne veux pas vous embêter avec tout ceci. Cela peut attendre quelques jours. Toutefois, je me suis permis de commencer en pensant justement que je pourrais vous apporter un peu de réconfort. Si vous avez besoin de parler, je suis là pour vous écouter.

S'il avait restreint ses ardeurs, l'homme n'en avait pas pour autant cessé de lui témoigner son amour. Isabelle ne comprenait pas pourquoi il n'épousait pas une jolie fille qui lui donnerait de beaux enfants et le comblerait. Parfois, elle se demandait si son attachement ne devenait pas carrément une obsession.

Ne voyant pas de raison de rester et de continuer à discuter, et désirant retrouver Gabriel, Isabelle se leva. Jacques Guillot l'imita, mais avec brusquerie, et renversa une tasse de thé sur quelques feuilles éparpillées. L'ordre n'était pas le fort de l'associé de son mari, constata-t-elle. Jacques Guillot s'empressa de retirer les documents et de les empiler sur un coin du meuble. Ce ne fut qu'à ce moment-là qu'Isabelle remarqua le pastel que Gabriel avait exécuté pour son père : il représentait sa chatte Arlequine couchée en boule sur le bord de la fenêtre, son coin préféré dans la cuisine.

Elle se souvenait de ce jour de pluie où elle avait permis à son fils de se servir de ses pastels, et de la fierté qu'il avait ressentie lorsque Pierre avait placé son œuvre sur son bureau en disant que Léonard de Vinci n'aurait pas fait mieux. Cela lui rappela que Gabriel ne pourrait pas jouer son air de violon qu'il avait si longtemps travaillé en secret... Sa gorge se noua. Elle s'excusa auprès de Jacques Guillot, qui s'affairait à éponger le liquide, et sortit.

La journée avait été une longue suite de visites de condoléances. Le dernier visiteur était parti depuis seulement une heure. Isabelle refermait la porte derrière Jacques Guillot, qui avait tenu à rester un peu pour lui tenir compagnie. Elle pouvait enfin souffler un moment. Gabriel attendait dans son lit qu'elle vienne le border. Elle monta l'escalier avec difficulté, sentant un lourd fardeau lui peser sur les épaules.

Recroquevillé sous les couvertures, son fils lui paraissait si fragile. Elle revit son visage lorsqu'il était entré au salon et avait vu Pierre allongé dans son plus bel habit.

– Pourquoi papa fait dodo dans le salon, maman?

Isabelle aspergea le corps d'eau bénite à l'aide d'une branche de sapin, comme le voulait la tradition.

Près d'eux, Marie et deux visiteuses récitaient le chapelet, produisant un bourdonnement monocorde.

– Papa ne fait pas dodo, Gaby. Il attend les anges.

– Les anges? Mais ils sont dans le ciel!

– Oui, ils sont dans le ciel et ton papa va y aller avec eux.

Examinant le corps de son père inconfortablement installé sur des planches recouvertes d'un drap noir, Gabriel plissa les yeux et le front dans la réflexion. Puis, il serra la main de sa maman, inquiet.

– Combien de temps 'este'a-t-il avec les anges?

Isabelle se mordit la lèvre, maudissant le destin de lui imposer une si cruelle épreuve. Elle respira profondément pour s'armer de courage.

– Pour l'éternité, mon petit homme.

– L'éte'nité... c'est combien de temps?

– L'éternité, c'est toujours. Gabriel, ton papa ne reviendra pas. Lorsqu'on monte au ciel avec les anges, on y reste. Tu comprends?

– Comme Cha'lotte?

– Comme Charlotte.

Les yeux de saphir la fixaient gravement pendant que les lèvres accentuaient leur courbure singulière et que le menton se mettait à trembloter. Gabriel hocha la tête, puis la baissa pour cacher l'émotion qui le secouait. Charlotte, sa chatte, avait été écrasée l'été dernier par un chariot qui passait devant la maison. Ce jour-là, Isabelle s'était demandé si toutes les Charlotte du monde devaient subir le même sort. Le petit garçon, qui suivait son chat de près, avait assisté, impuissant, au drame. Il savait, depuis, ce que signifiait « rester avec les anges » : Charlotte n'était plus jamais retournée dormir avec lui.

Croyant son fils endormi, Isabelle entra et s'approcha du lit à pas feutrés. Gabriel l'entendit et se retourna. Il ne pleurait pas. Cependant, ses yeux rouges exprimaient son immense peine. Elle s'assit sur le lit et lui caressa le front, replaçant l'une de ses belles boucles rousses.

– Maman, est-ce que papa s'en va au ciel pa'ce que j'ai été méchant?

Isabelle resta un moment interloquée.

– Mais, non, mon chéri! Où es-tu allé chercher cette idée?

– C'est que... j'ai fait beaucoup de bêtises hie'. Dieu punit les enfants méchants. Si les anges viennent che'cher papa, c'est pa'ce que Dieu leu' a demandé... pou' me puni'.

Les yeux de Gabriel se remplirent de larmes. Isabelle, émue au plus haut point par tant de douleur et d'innocence, serra son fils tout contre elle.

– Non, mon amour, non. Ce n'est pas de ta faute, je t'assure. C'était un accident, un stupide accident. Dieu ne punit pas les enfants en leur arrachant leur papa. Dieu ne punit pas les enfants, car ils sont ses apprentis et ne connaissent pas encore très bien la différence entre le bien et le mal. Dieu ne punit que les grands, car eux savent.

Isabelle resta auprès de Gabriel jusqu'à ce qu'il se calme et s'endorme. Ensuite, elle descendit se réfugier dans l'étude de Pierre. Elle se versa un verre de cognac; elle en avait besoin avant d'aller au lit.

Alexander attendit plusieurs longues minutes avant de sortir de l'ombre. Le dernier visiteur était parti. Isabelle était restée un bon moment avec lui sur le seuil. L'homme tenait ses mains dans les siennes. Puis, il les avait embrassées. Il s'en était fallu de peu pour qu'Alexander rebrousse chemin. Ce visiteur n'était pas une simple connaissance, cela sautait aux yeux. Isabelle avait-elle un amant? Cela changerait tout.

Résolu, il voulut aller jusqu'au bout de sa démarche malgré les avertissements de Munro. Il ne se pardonnerait jamais de ne pas avoir essayé. Au moins, il tenterait d'obtenir la permission de revoir son fils. Cela, elle ne pouvait le lui refuser. Il avait longuement réfléchi à ce qu'il ferait, à ce qu'il proposerait. De toute évidence, il ne pouvait s'imposer: Isabelle avait un deuil à respecter. De plus, vivre dans une ville comme Montréal ne le tentait guère. Il avait pensé revenir plus souvent dans la région. Mais cela le laissait perplexe. Il y avait Tsorihia. Puis, il avait eu une idée qu'il avait d'abord refoulée... Il pouvait proposer à Isabelle de l'emmener avec lui. Mais où? Alors, la cabane évoquée par le Hollandais lui était revenue à l'esprit. Madame Van der Meer étant décédée, personne ne la réclamerait plus.

Il frappa trois coups à la porte, espérant qu'Isabelle fût encore éveillée. Il était un peu tard, mais il n'avait pu faire autrement. Il avait dû attendre qu'elle fût seule et que Gabriel fût couché. Il ne voulait pas se montrer au petit garçon pour le moment. La porte s'ouvrit et une jeune femme passa la tête.

– Oui, vous désirez, monsieur?

– J'aimerais voir madame Larue, s'il vous plaît, mademoiselle.

– Madame ne reçoit plus personne à cette heure, je suis désolée. Vous pouvez revenir demain...

La servante allait refermer la porte. Le cœur battant, Alexander mit son pied dans l'entrebâillement. Il devait absolument voir Isabelle!

– Mademoiselle, je vous en prie. Annoncez-moi! Si elle refuse de me voir, je partirai, je vous le jure. Je suis Alexander Macdonald...

Des craquements de bois lui parvinrent du couloir. La domestique se retourna, relâchant la pression sur la porte, qu'il ouvrit un peu plus. Isabelle se tenait dans le rai de lumière et le fixait.

– Madame, j'essayais d'expliquer à ce monsieur Macdonald que vous ne receviez plus personne à cette heure.

– Euh... ça va aller, Louisette. Je vais recevoir ce monsieur. C'est un ami de longue date. Vous avez terminé avec la cuisine?

– Oui, madame.

– Allez vous coucher, alors. Demain sera une autre longue journée.

– Merci, madame.

La servante s'inclina, puis pivota dans une virevolte de jupons et disparut.

Alexander n'avait pas bougé. Il observait Isabelle. Elle était si pâle dans sa robe noire qu'il pensa qu'elle n'avait pas revu le soleil depuis leur dernier rendez-vous au bord du fleuve.

– Viens, lui dit-elle sèchement en l'entraînant dans le bureau de Pierre.

La pièce baignait dans la pénombre où les meubles n'étaient que de vagues formes. Évitant les obstacles, Isabelle se dirigea vers la fenêtre et pénétra dans la lumière sélène. Sa silhouette flottait au milieu de cette mer. Elle se tourna de côté, leva son menton, s'apprêtant à parler. Muet d'émoi, il attendit. Elle était visiblement aussi troublée que lui. Elle tira d'un coup sec sur les rideaux pour les fermer.

– Bonsoir, Alex.

Sa robe bruissait; il sentit son parfum passer près de lui. Il y eut un claquement, puis une flamme jaillit d'un briquet. Elle alluma la bougie qui se trouvait sur le bureau et, le dos tourné, déposa le briquet à côté.

La lueur les enveloppait, glissait sur la robe noire. Isabelle se retourna enfin, affronta Alexander du regard un bref instant. Puis, elle baissa la tête, fuyant comme elle le faisait toujours lorsqu'elle était embarrassée.

Il avait la gorge terriblement sèche et commençait à remettre en question la pertinence de sa démarche. Munro avait peut-être raison: Isabelle et lui appartenaient à des mondes trop éloignés l'un de l'autre. Comment pourrait-il la rejoindre? Pensait-il vraiment qu'elle allait accepter ce qu'il avait à lui offrir? Qu'elle allait troquer cette belle demeure pour... quoi? Il ne le savait même pas. Une vieille cabane de bois? Elle avait vécu dans la soie, une cuillère d'argent dans la bouche. Non, il ne pouvait lui demander de quitter cette vie. Il ne pouvait exposer son fils aux dangers des bois. Mais, surtout, il savait maintenant qu'elle aimait Pierre. Trop d'années les séparaient, trop de souvenirs perdus, trop d'amertume.

– Pardonne-moi, Isabelle. Je... je me suis trompé. Je n'aurais pas dû venir ici, ce soir. Je... je ferais mieux de m'en aller.

Le cœur brisé, il recula d'un pas, sachant que, lorsqu'il franchirait la limite du cercle lumineux, l'obscurité l'avalerait à jamais.

– Non, reste! murmura-t-elle en relevant brusquement vers lui ses yeux verts piquetés d'or.

Elle bougea, fit quelques pas vers lui. Alexander, mal à l'aise, ne savait que dire pour rester avec elle dans la lumière.

– Co... comment va Gabriel?

– Il est très triste, mais il s'en remettra. Avec le temps, tout s'arrange, n'est-ce pas?

Elle le regardait avec intensité. Il contracta sa mâchoire.

– C'est vraiment ce que tu crois?

Le temps n'arrangeait rien, non, il en savait quelque chose. Au mieux, la souffrance s'atténuait. Mais il restait toujours une cicatrice. C'était pourquoi il était là, devant elle. N'y tenant plus, il choisit de se lancer, d'aborder la raison de sa visite.

– Isabelle... je repars demain, commença-t-il en guettant sur son visage une réaction qui pourrait lui donner espoir.

Elle cligna des yeux, mais ne dit rien.

– Je reviendrai au début du mois de juillet. D'ici là, tu devrais avoir le temps de t'occuper de la succession.

Elle fronça les sourcils. Il brûlait d'envie de la toucher et ne put s'empêcher de s'approcher d'elle.

– Peut-être, mais... en quoi est-ce que cela te concerne, Alex?

– La succession ne me concerne en rien. En fait, c'est de toi que je veux parler.

– De moi? Et pourquoi? Tu surgis du pays des morts, tu débarques ici sans crier gare pour démolir ma vie... Que veux-tu maintenant? Décider de ce que je vais faire des morceaux?

– Nous avons prêté serment. Est-ce que tu te souviens?

– Alex, cela fait plus de six ans! Six années! Il n'est plus valable! Il s'est passé tellement de choses!

– Je ne suis pas d'accord. Gabriel est mon fils. Maintenant que son... enfin... ton mari est mort, qui va s'occuper de lui? Qui va pourvoir à ses besoins?

– Mais moi! s'offusqua-t-elle en redressant les épaules. Crois-tu que je sois une mijaurée incapable de prendre soin de mon fils et de gérer un héritage?

– Non, excuse-moi, ce n'est pas ce que je voulais dire, Isabelle!

– Alors, explique-moi ce que tu veux à la fin! J'imagine que tu n'es pas venu ici, ce soir, pour rendre hommage à Pierre et que tu n'avais pas besoin d'entendre de ma bouche que Gabriel est anéanti et que moi...

Elle s'interrompit. La colère grondait en elle: lui était là, bien vivant devant elle, alors que Pierre, dans l'autre pièce, gisait, rigide, sur son lit de mort! Elle le maudit d'avoir eu le culot de venir s'enquérir de ses états d'âme. Mais elle ne désirait pas alerter Louisette avec des éclats de voix.

– Et toi?...

Il s'approcha un peu plus. Elle recula, se heurta au bureau. Il était plus séduisant encore que dans ses souvenirs, et elle lui en voulait aussi pour ça. Rasé de près, les cheveux soigneusement coiffés et attachés sur la nuque. Une chemise propre sur ses jambières de peaux frangées. Il n'avait plus rien à voir avec le soldat en jupe des régiments highlanders qu'elle avait jadis connu. Il n'était plus non plus ce nouvel engagé mal habillé qui était venu signer son contrat trois ans plus tôt. Sa vie de trappeur l'avait métamorphosé. Du jeune homme qu'elle avait rencontré ne subsistaient que ces yeux merveilleux, cette bouche singulière... et cette odeur familière.

– Et toi, Isabelle? répéta-t-il en risquant une caresse sur sa joue.

Elle baissa les paupières, se retenant de mordre cette main pour l'empêcher de la toucher davantage. Puis elle se détourna vivement. Elle ne savait plus où elle en était. Le corps de Pierre refroidissait à peine que déjà elle se troublait pour un autre homme.

Alexander la sentit frémir sous ses doigts, comme jadis, comme toujours lorsqu'il la caressait. Pendant un moment, il eut l'impression que toutes les années qu'ils avaient vécues loin l'un de l'autre s'envolaient. Il laissa sa main. Elle ne bougea pas. Il glissa ses doigts dans sa chevelure, remontée sur le dessus de sa tête et maintenue avec des peignes. Puis, sans réfléchir à ce qu'il faisait, il retira un à un les peignes. Il la sentit se raidir un peu plus à chaque fois que des boucles lui tombaient sur les épaules.

Les deux mains pleines de cheveux lumineux et soyeux, Alexander attira Isabelle contre lui, fermement mais avec douceur, et posa ses lèvres sur son front.

– Je ne veux pas de réponse immédiate, murmura-t-il. Je ne t'oblige à rien. Je veux seulement que tu réfléchisses. La vie prend parfois des détours inattendus. Je crois que rien n'arrive sans raison. Peut-être faut-il considérer les événements présents comme une seconde chance qui nous est offerte, Isabelle. Je... je reviendrai en juillet pour Gabriel et toi.

Pour Gabriel et elle? Mais de quoi parlait-il? C'était totalement absurde! Croyait-il qu'elle irait avec lui, comme ça? Et sa maison? Et sa vie ici? Non! Elle n'était plus la jouvencelle naïve et téméraire qu'il avait jadis connue. Non! Elle avait mûri, elle allait se prendre en main, seule! Cherchant à écarter Alexander, elle le sentit se presser avec plus d'ardeur contre elle et s'affola de ce que cela provoquait en elle. Elle ne pouvait accepter... Pierre était de l'autre côté, dans le salon!

– Arrête! Ne me touche plus! Plus jamais!

Le ton, le regard glacial, la raideur de l'échine firent mal à Alexander. Mais il refusa d'abdiquer. Il irait jusqu'au bout. Approchant sa bouche près de son oreille à elle, il chuchota:

– Isabelle, *mo chridh' àghmhor... Still love ye...*

Il la sentait toujours réticente. Toutefois, l'énergie qu'elle déployait pour le repousser faiblissait. Remontant vers sa tempe qui palpitait, il effleura de ses lèvres les paupières mouillées et y goûta le sel des larmes qui avaient coulé. Il descendit le long de l'arête du nez, dont il embrassa le bout avec tendresse. Entrouvrant les yeux, il chercha sur ses traits l'expression d'une émotion qui l'encouragerait à continuer. Elle était tendue. Il devinait le combat qui opposait sa raison à son cœur. Il savait qu'elle le désirait autant qu'avant, que, si elle écoutait son cœur, elle le suivrait. Toute jeune et innocente, à Québec, elle considérait les convenances avec légèreté et suivait aveuglément les élans de son cœur. Qu'en serait-il aujourd'hui? Une femme endeuillée devait respecter certaines règles. Si, dans le fond de son âme, Isabelle était restée fidèle à celle qu'elle avait été... il devait tenter sa chance.

– Devant Dieu... moi, Alexander Colin Campbell Macdonald, par la vie qui coule en mon sang et l'amour qui réside en mon cœur, je te prends, Isabelle Lacroix, pour épouse...

– Non, Alex, s'écria Isabelle en le repoussant, paniquée, ne fais pas ça! C'est terminé, tout ça! Il y a trop longtemps!

Mais il avait décidé qu'elle devait l'écouter jusqu'au bout. C'est pourquoi il la retint fermement contre lui, tandis qu'elle s'agitait et cherchait à le griffer.

– Je promets de t'aimer sans contraintes...

– Non! non! Ne... ne dis pas ces mots!

Elle se débattait avec une violence qu'elle ne se connaissait pas elle-même. Il continuait, ignorant les poings qui pleuvaient sur son torse.

– ... dans la santé et la maladie, l'abondance et la pauvreté, dans cette vie et l'Autre...

Elle l'atteignit à la joue, le griffant profondément. Saisissant son poignet, il l'arrêta net. Tout essoufflée par la lutte, elle fixait les marques rouges. Le sang coulait en de minces filets, telles des larmes s'échappant directement du cœur.

Des bruits de pas précipités leur parvinrent du corridor. Puis, la voix inquiète de Louisette s'éleva, suivie d'un grattement sur la porte. Sur le coup, Isabelle ne sut comment réagir. Elle respirait de manière saccadée. Alexander, qui la tenait toujours fermement, attendait, les mâchoires serrées. Ses yeux étaient emplis d'une telle détresse...

– Ce n'est rien, Louisette. J'ai... heurté une chaise et j'ai laissé échapper un cri.

– Vous vous êtes blessée, madame?

– Non, il n'y a pas de mal, je t'assure. Va te recoucher.

Il y eut un court silence. Puis les pas de la servante s'éloignèrent. Isabelle s'effondra dans les bras d'Alexander en gémissant.

– Alex, arrête! Oh! Pourquoi? Pourquoi?

– Parce que je t'aime et que je sais que tu m'aimes encore. Parce qu'il y a Gabriel et que je suis son père. Parce que je vous veux avec moi. Je veux voir mon fils grandir, Isabelle.

Elle éclata en sanglots contre sa poitrine, mouillant sa chemise qui sentait bon le savon et l'eau de lavande.

– Tu ne peux pas me faire ça... me... me demander ça. Je ne t'appartiens plus, Alex... Tu dois comprendre... Le temps...

– Regarde-moi, Isabelle, lui ordonna-t-il en lui prenant le menton. Regarde-moi bien. Tu te souviens, dans le moulin? le cycle éternel? Nous nous appartenons à jamais.

– Tais-toi, ne dis plus rien, je t'en supplie, sanglota-t-elle en baissant les paupières.

– Non, je n'ai pas terminé. Ouvre les yeux. OUVRE LES YEUX!

Elle refusa, résista tout en libérant des torrents de larmes. Alexander les recueillit sur ses lèvres, lui dévorant le visage et la bouche. La réponse au baiser fut douce, inespérée. Isabelle glissa ses doigts dans sa chevelure pour le retenir contre elle. Le diable au corps, ils s'accrochèrent l'un à l'autre. Alexander prit Isabelle par la taille et la hissa sur le bureau, où il l'étendit. Les longues mèches blondes s'éparpillèrent sur le fouillis de papiers.

– Je te l'ai dit, ce jour-là... Tu n'imagines pas le pouvoir que tu as sur moi. Isabelle, je t'aime tant, murmura-t-il en se penchant sur elle. Tu m'as tué... Dix fois, cent fois... chaque fois que je repense à toi.

Il écrasa sa bouche sur la sienne; le goût du sang et celui des larmes se mélangèrent. De ce fougueux baiser, de leurs souffles mêlés, quelque chose renaissait. Isabelle prit peur. Elle ne voulait pas; elle ne *le* voulait plus. Gémissant, elle se raidit. Tout allait trop vite. Elle ne devait pas perdre le contrôle de la situation... pour Gabriel, pour sa propre sauvegarde. Cependant, maintenant que sa colère était retombée, elle n'arrivait pas à reprendre les armes et elle s'en voulait de sa faiblesse.

Alexander retrouvait sur la peau d'Isabelle ce goût de miel et ce parfum de fleurs blanches qu'il n'avait jamais pu oublier. Il s'en repaissait, faisant voyager sa bouche tout en murmurant ces mots qu'il n'avait jamais prononcés que pour elle. Il sentit ses doigts fins s'enfoncer dans sa chevelure, la relâcher puis l'emprisonner de nouveau, indécis. Là, sous ses baisers, il entendait, dans ses battements de cœur à elle, l'écho de leur amour passé. Alors, il se dit qu'il avait le droit d'espérer.

– ... *love ye...*

De sa joue, il frôla un sein qui jaillissait à moitié de la robe noire. Il savait qu'il devait s'arrêter là. Mais tout son corps demandait à être rassasié.

– Alex...

Le feu brûlait en lui, attisé par le contact du corps souple d'Isabelle. Il appuya plus fortement son bassin contre ses cuisses. Elle résista en geignant. Il insista. Alors, elle sortit de sa torpeur et le repoussa avec rudesse.

– Non, Pierre est là! Tu ne peux pas... On ne peut pas... Non, Alex! Laisse-moi! Va-t'en! Assez! Tu... en as assez fait!

Haletant, il s'écarta. Pantelante, elle se releva, replaça son vêtement et renifla. Elle se sentait perdue. Elle avait envie de lui. Il le savait et avait cherché à en profiter. De nouveau, la colère grondait en elle.

– Tu es ignoble, Alexander Macdonald! Tu as détruit ma vie, et tu oses revenir ici pour m'offrir de devenir ta maîtresse alors que mon mari est sur le point d'être mis en bière! Tu essaies de me faire tourner la tête, de profiter de moi! Je te hais!

– Oui... comme tu m'aimes. Et sais-tu pourquoi tu me hais, Isabelle? lui souffla-t-il en lui prenant le menton pour plonger dans ses beaux yeux verts.

– Va-t'en, gémit-elle, épuisée.

– Tu me hais parce que tu n'arrives pas à m'oublier, *a ghràidh mo chridhe...* de même que moi, je n'arrive pas à t'oublier. Je ne t'ai pas détruite et ce n'est pas vraiment toi qui m'as tué. C'est le souvenir de ce que nous avons vécu qui nous ronge. Tu vois, le temps n'arrange rien. RIEN!

– Mais... tu m'as dit que le temps effaçait les souvenirs, Alex! Tu te souviens?

Il lâcha brusquement son menton et mit un espace entre eux, comme pour s'éloigner de la tentation du mal. Il ne savait plus quoi espérer. Il était allé trop loin, il le savait. Mais il n'avait pu s'en empêcher. Les cheveux en bataille, les lèvres gonflées entrouvertes et la respiration saccadée tendant son corsage, Isabelle le regardait fixement. Il se concentra pour recouvrer ses esprits.

– Eh bien, je me suis trompé. Je reviendrai en juillet. Cela te donne amplement le temps de décider si oui ou non tu veux me suivre. Si c'est non, nos routes se sépareront et ne se recroiseront plus jamais.

Sur ce, il s'inclina et sortit sans attendre qu'elle lui montre le chemin. Dehors, tremblant de tous ses membres, il s'appuya contre le mur. Un mois et demi... Il avait besoin de ce court laps de temps pour vraiment se rendre compte des conséquences de ce qu'il venait de faire et dire. Il pensa à Tsorihia et se maudit pour le mal qu'il lui ferait inévitablement. Mais que lui arrivait-il? Pourquoi, après avoir enfin réussi à toucher le bonheur du bout des doigts, voulait-il tout foutre en l'air pour une femme qui lui avait menti, qui l'avait trahi? Parce qu'il aimait toujours autant Isabelle. Mais aussi peut-être pour entendre son fils l'appeler un jour «papa». Il ne lui restait plus qu'à espérer qu'il ne faisait pas tout ça en vain...

Restée seule, dans un état de profonde hébétude, Isabelle se laissa tomber à terre. Sa tête résonnait des paroles d'Alexander; sa peau brûlait de ses baisers. *«Still love you...»* Sa mère disait que l'amour était un sentiment évanescent, un papillon volage qui se posait sur les lèvres, butinait le temps d'une floraison, puis s'envolait dans la douceur de la brise, emportant avec lui l'essence du cœur et ne laissant qu'un goût amer. Isabelle croyait qu'elle avait raison... jusqu'à ce soir. Les papillons étaient revenus. Ils avaient voleté dans son ventre, lui avaient chatouillé le cœur de leurs ailes fragiles. Serait-il possible que?...

Elle sentit les larmes monter, brûler ses yeux, rouler sur ses joues. Pourquoi devait-elle aimer si fortement cet homme qui bousculait toujours tout dans sa vie? Pourquoi acceptait-elle qu'il remue ainsi son âme? Mais il ne s'agissait plus seulement d'elle. Il y avait aussi Gabriel. Avait-elle le droit de lui imposer un autre père, un inconnu pour lui? Sa vie était déjà toute chamboulée; il aurait besoin de temps pour se remettre. Pouvait-elle l'arracher à la stabilité qui lui restait en suivant Alexander et en l'emmenant avec elle? Dorénavant, ses besoins passaient au second plan; son fils primait.

«Still love you...» Il l'aimait encore, en dépit de tout. Mais, parfois, l'amour ne permettait pas tout. Elle ne se sentait pas prête à assumer les conséquences d'un nouveau départ. Elle ne voulait pas imposer une nouvelle vie à Gabriel.

Elle repensa à Pierre, gisant tout près tandis qu'elle s'embrasait dans les bras d'Alexander. La honte lui broya le cœur, et elle pleura de plus belle. Elle laissa son chagrin s'exprimer longtemps, jusqu'à ce que l'épuisement l'emporte dans un sommeil où grinçait la roue d'un moulin à laquelle, sous un soleil qui faisait briller un regard de saphir, étaient accrochées des dizaines de rubans bleus.

Deuxième partie

1767-1768

Sous un ciel incertain

On dit toujours que la joie ne fait pas mal,
et voilà pourquoi je suis entré ici sans préparation.
Voyons, souris-moi, au lieu de me regarder comme tu le fais
avec des yeux égarés. Je reviens et nous allons être heureux.

Alexandre Dumas

11

Réflexions sur un même thème

La forêt était inondée de torrents de lumière courant entre les feuillages et se déversant sur le lit de fougères vert émeraude. La beauté de la nature et le silence étaient apaisants. Les lunes avaient succédé aux soleils, et vice versa. Deux semaines s'étaient écoulées depuis qu'il avait revu Isabelle. Alexander n'arrivait toujours pas à annoncer son départ à Tsorihia. Il le fallait pourtant. Il ne lui restait qu'un mois pour prendre possession de la cabane du Hollandais, si elle existait bien, et la remettre en état. Munro lui avait assuré qu'il l'aiderait. Il l'accompagnerait avec Mikwanikwe et Otemin, malgré le bébé qui s'annonçait.

La rivière dansait en chantonnant. Des enfants jouaient dans le courant. Alexander les observa un moment. Les jeunes chiots fous qu'ils étaient se bousculaient en riant sous l'œil de leurs mères aux hanches et aux cuisses rondes. Certaines de ces femmes, qui portaient parfois un nourrisson, avaient la peau du visage ravagée par la petite vérole. La maladie répandue par l'envahisseur s'était abattue sur les Sauvages comme une averse de grêle.

Les peuples natifs si généreux, si accueillants, connaissaient un bien triste sort. Pris entre les Anglais et les Français depuis plus de cent ans, ils étaient utilisés, récompensés par les uns pour leur loyauté au moyen d'un baril d'eau-de-vie, punis par les autres pour leur résistance. Toujours, cela leur coûtait leur terre, qu'on grignotait peu à peu. Bien qu'il se trouvât ici du côté de l'envahisseur, Alexander s'identifiait avec ces gens qu'on volait, dont on épuisait les forces dans de vils desseins. Les séditieux montagnards écossais aux manières barbares, les imprévisibles Sauvages d'Amérique aux coutumes cruelles... deux peuples dont le sang était si utile pour construire les fondations de l'empire.

L'Écossais revoyait souvent des images d'enfants et de vieillards se traînant d'une vallée à l'autre sous des tartans qu'on leur avait demandé de teindre uniformément pour taire leur appartenance à leur clan, gravée cependant dans leur cœur. Déchéance de son peuple. Les Highlanders étaient à la Grande-Bretagne ce que les autochtones d'Amérique étaient aux envahisseurs français et anglais. Les deux étaient des peuples asservis. Cependant, une chose les distinguait : les Highlanders avaient pour eux l'avantage de leur teint... ils seraient toujours des Blancs. Ils se mêlaient sans difficulté à la masse dirigeante. Celui qui possédait un esprit fin pouvait se tailler une place confortable dans ce monde dit civilisé.

Les bruits du petit hameau algonquin qui les avait accueillis lui parvenaient de manière assourdie et l'odeur de la fumée[79] qui tannait le cuir embaumait. Quitter cet endroit et ses habitants, cette vie, lui serrait le cœur plus qu'il ne l'avait imaginé. À la fin de l'automne précédent, Alexander avait quitté la région des Grands Lacs et s'était mis en route avec Tsorihia, Munro et sa petite famille, Nonyacha et Mathias pour s'établir sur la rive de la Grande Rivière. Inconsciemment sans doute, il cherchait à se rapprocher de l'or du Hollandais qui ne cessait de le hanter en dépit de tout.

La neige les avait surpris avant qu'ils eussent pu se construire des abris. Ils avaient alors rejoint une petite bande de Weskarinis qui s'était installée au confluent de la rivière du Lièvre et de la Grande Rivière pour les grandes chasses de l'automne. Nomade comme tous les Algonquins, lorsque le territoire ne lui offrirait plus de gibier, la petite tribu en trouverait un autre. Devant leur dénuement et l'état de santé de la petite Otemin, qui souffrait d'une mauvaise grippe, on leur avait offert le gîte sans rien demander d'autre en retour que la participation des hommes à la chasse.

Ils étaient restés et avaient passé l'hiver avec ces gens qui les avaient adoptés et avec qui ils avaient noué de solides liens d'amitié. Puis, le printemps était arrivé. C'était le moment de descendre la Grande Rivière jusqu'au poste de traite pour y échanger les fourrures des animaux chassés pendant tout l'hiver. On aurait dû pour cela se rendre à la mission des sulpiciens de Deux-Montagnes, où se trouvait le poste de traite le plus proche. Mais Alexander avait voulu aller jusqu'à Montréal pour y rencontrer la veuve Van der Meer. Il

79. Les Amérindiens fumaient le cuir pour le tanner. Cette méthode date de la préhistoire. Les Européens, eux, procédaient au tannage végétal des peaux : ils les laissaient macérer dans de l'eau avec des copeaux de bois et d'écorces et des feuilles.

était parti avec Munro et quelques Sauvages. Là, dans la grande ville, sa vie paisible avait été bousculée, remise en question.

Alexander contemplait sa compagne à demi nue qui se dorait sous le soleil. Sur fond de bruissements de feuilles, le chant flûté d'une grive solitaire résonnait dans un arbre au-dessus. Il ne pouvait plus reculer. Faisant un pas, il respira profondément, cherchant des forces dans l'odeur de l'humus et dans celle, plus entêtante, des grands pins. Il foula un cornouiller en fleurs, piétina de la mousse, buta contre des racines... Il ne voyait rien... rien qu'elle qui l'observait et qui suscitait en lui des émotions contradictoires.

Il aimait Tsorihia. Il aimait Isabelle. Il était tiraillé entre les deux femmes. Pourquoi abandonner celle qui partageait sa vie depuis maintenant trois ans? Il avait du mal à répondre. Si sa raison lui disait de rester avec Tsorihia, son cœur choisissait Isabelle. Mais il pensait alors que c'était insensé : Isabelle avait probablement déjà oublié son offre, reconstruit une vie dans laquelle il n'avait pas de place. Puis, il repensait à Gabriel et perdait toute raison. Toutes ces questions lui volaient son énergie. Depuis son retour de Montréal, il avait peu à peu perdu son désir de Tsorihia. Quand il faisait l'amour avec la Wyandotte, il pensait à la petite bourgeoise. Ainsi, il avait sans cesse l'impression de trahir et l'une et l'autre, et était de plus en plus mal à l'aise.

Tsorihia déposa le panier qu'elle tressait. Alexander, qui s'approchait d'elle, s'immobilisa à la lisière du bois. La lumière dorait sa peau et faisait briller sa chevelure. À ses mollets, les tatouages disparaissaient sous le sombre duvet qu'il refusait d'épiler. Sa nature d'homme blanc reprenait le dessus sur les manières des Sauvages. Quand cela avait-il débuté? Depuis son retour de la ville. Bien sûr, il était normal que le contact avec la civilisation réveille certaines habitudes et le rende nostalgique, peut-être, pendant un certain temps. Elle avait cependant l'impression que le dernier voyage avait changé le regard qu'il posait sur elle.

Pourtant, à cet instant précis, elle crut retrouver dans les yeux bleus une lueur qui la gonfla de désir et la poussa à vouloir reconquérir son homme. Elle savait bien comment le séduire. Feignant de l'ignorer tout en le surveillant du coin de l'œil, elle s'étira avec langueur. Il plissa les yeux et leva le menton. Puis il fit deux pas dans sa direction. Elle se mit alors à quatre pattes comme pour fouiller l'herbe et lui offrit sa croupe en spectacle pour le mettre en appétit.

D'ordinaire insatiable, Celui qui parle avec les yeux paraissait cependant repu depuis quelques jours. Au début, elle avait cru que la magie de ses charmes s'était envolée. Voulant vérifier son hypothèse, elle avait profité d'une absence d'Alexander, parti chasser avec Munro, pour aller trouver Mathias. Jamais auparavant elle n'était allée vers un autre homme, et cela lui fendait le cœur. Mais elle devait savoir. Or Mathias l'avait honorée avec ardeur. Ce n'était donc pas cela qui était en cause. Le shaman qu'elle avait consulté dans le but d'y voir plus clair lui avait suggéré de chercher la réponse dans ses rêves.

Prétextant une période menstruelle[80], elle s'était retirée dans les bois et avait jeûné pendant trois jours. Ainsi affaiblie, elle avait eu une vision: une femme blanche caressait doucement entre les oreilles l'esprit du Grand Loup blanc. Sur le coup, elle n'avait pas compris. Puis, peu à peu, elle avait senti le doute ronger son cœur...

Alexander sortit enfin de l'ombre et fit quelques pas vers la Wyandotte. L'œil alerte et les narines frémissantes tel un animal à l'affût, elle ne bougeait pas. Un lambeau de fumée poussé par la brise vint faire écran entre elle et lui. Quand il se fut dissipé, Tsorihia avait disparu: seul le panier inachevé était à sa place. Tournant la tête à gauche et à droite, Alexander la chercha du regard. Il scruta la rivière, où les enfants s'amusaient à attraper des grenouilles sous la surveillance de trois femmes. Tsorihia adorait nager et avait pu plonger dans l'eau. Mais sa tête ne surgissait nulle part. Puis, Alexander vit que l'herbe était piétinée près du rocher et décida de suivre le sentier ainsi tracé.

Un rire l'invita à s'enfoncer dans les bois. Il fouilla les fougères dentelées, sachant que les yeux de jais l'épiaient. Les oiseaux, au-dessus de lui, piaillaient sur son passage. Soudain, un croassement de corneille le fit sourire. Il se dirigea vers la droite, où se dressait une butte. Le cri se répéta. Enfin, il la vit: elle était assise en tailleur sur un lit d'aiguilles de pin, bien droite et auréolée de lumière.

S'agenouillant devant elle, il la dévisagea d'un air grave. Ses yeux à elle brillaient, le défiaient de lui avouer ce qui le taraudait.

– Tsorihia...

– Non, fit-elle en posant le bout de ses doigts sur ses lèvres. Ne parle pas... Tes yeux le feront assez bien.

Se redressant sur ses genoux, elle se rapprocha de lui jusqu'à le frôler et plongea son regard triste dans le sien.

– J'ai fait un songe... Les sages disent que les songes sont la vérité, que ce sont des messages que nous envoient les esprits.

---

80. Lors de leurs périodes menstruelles, les Amérindiennes se retiraient dans des abris, à l'écart des hommes. On les considérait alors comme impures et on pensait qu'elles pouvaient porter malheur.

– Et qu'as-tu vu, Tsorihia? demanda-t-il en suivant la courbe de son épaule du bout de l'index et se doutant soudain qu'elle avait deviné son secret.

Elle lui prit la main, la serra fort avant de l'appliquer contre son cœur. Puis, elle attendit qu'il la regarde de nouveau pour continuer:

– Une femme caressait Loup Blanc...

Soulagé, il pensa qu'elle voulait ainsi lui faire remarquer qu'il la délaissait un peu depuis quelques jours. Il fit un petit sourire et se pencha pour l'embrasser.

– Tsorihia est rusée...

Il soupira, laissa ses paupières se fermer. Le corps tiède de sa compagne se colla au sien, tandis qu'une bouche impatiente se posait sur son cou. Puis, ce fut au tour des mains habiles et ensorceleuses de prendre possession de lui.

Tsorihia savait comment faire naître le désir d'un homme. Ému, Alexander la laissa faire. Fixant les bouts de ciel entre les branches, il s'abandonna aux caresses dans un silence coupable. Pourquoi quitter cette vie paisible, retourner dans la tourmente? Il croyait sincèrement être arrivé à une certaine stabilité avec Tsorihia. La jeune femme distillait sa sagesse, l'éclairait. Elle était une petite luciole qui le guidait dans les sombres forêts de ce vaste pays. Sans elle, il s'y serait perdu. Pourtant, il se sentait mal à l'aise en ce moment: l'émotion qu'il ressentait était trouble; les baisers qu'il donnait avaient un goût amer.

Il s'était longuement questionné sur les véritables raisons qui le poussaient vers Isabelle. Était-ce l'amour? Était-ce sa volonté de connaître son fils, d'avoir une descendance? Il avait tellement envie d'un enfant ces derniers temps. Les choses seraient-elles différentes si Tsorihia le lui avait donné?

Il pencha son regard voilé de tristesse sur Tsorihia, qui s'y accrocha. Il y avait tant d'amour, tant de force dans ces yeux de jais qu'il ne put le supporter. Il se détourna pour cacher les doutes qui habitaient son âme. Enfouissant ses doigts dans les longs cheveux aussi brillants et noirs que les prunelles, il gémit. L'odeur de la Wyandotte lui rappelait celle des sous-bois et la texture de sa peau était aussi souple et douce que la plus belle fourrure de castor. Il promena sa bouche sur le corps svelte, qui avait un goût de résine, tout à la fois acidulé et épicé... si différent de celui du corps d'Isabelle. Contre toute attente, le désir l'envahit et l'embrasa d'un coup. Il poussa Tsorihia sur le sol et s'allongea sur elle. Il avait faim, soudain, et soif.

La jeune femme eut l'impression qu'un tomahawk s'enfonçait

dans sa chair. Elle gémit de douleur. Les baisers lui emplirent la bouche d'un goût amer. Elle sut alors avec certitude qu'elle avait irrémédiablement perdu Alexander. Elle l'avait pressenti ces derniers jours, à travers ses silences et ses refus d'elle. Elle le lisait maintenant dans son regard. Tandis qu'elle s'accrochait à son homme en enroulant ses jambes autour de ses hanches, elle éprouva un sentiment de solitude la submerger en même temps que le plaisir.

Pantelant, Alexander demeura un moment soudé au corps brûlant de Tsorihia. Là, seulement, il comprit: au moment de la jouissance, c'était le visage d'Isabelle qu'il avait vu. La petite bourgeoise de Québec habitait son esprit, l'habiterait toujours; seule la mort l'en délivrerait. Il se laissa rouler sur le dos, écouta les bruits de la forêt.

– Je t'aime, Tsorihia...

– Mais tu dois partir, le coupa-t-elle dans un murmure.

Il y eut un silence.

– Tu aimes une autre femme... la femme blanche... celle que j'ai vue dans mon songe.

Alexander sentit son cœur faire un bond; il se souleva sur un coude. Tsorihia lui souriait doucement, les yeux humides.

– La femme blanche?

– Oui. Sa peau, aussi pâle que la lune, est la lumière de tes nuits. Elle sera, comme Aataentsic, la mère de ta race.

Que savait-elle exactement au sujet d'Isabelle et de Gabriel?

– Je m'attends depuis longtemps à ce que tu m'annonces ton départ, Alexander. Je pressentais que tu partirais pour rejoindre cette femme. Mais, avec le temps, j'avais oublié... ou bien je ne voulais plus y penser, tout simplement. Je n'ai pas le droit de t'en vouloir. C'est ton destin, celui qu'ont choisi pour toi les esprits. Je dois accepter ce que je ne peux changer et toi, tu dois suivre le chemin qui t'est tracé.

– Mais... tu ne m'en as jamais parlé, Tsorihia... pourquoi?

– J'espérais... que les esprits t'oublient. Je souhaitais...

– Je croyais moi aussi avoir oublié cette femme, expliqua Alexander avec tristesse. Mais... elle revient régulièrement me hanter. Ce n'est pas de ta faute, crois-moi. Je pense qu'un amour ne peut tout simplement pas en effacer un autre. Le hasard a voulu que nos routes se croisent de nouveau à Montréal. Mon amour pour elle s'est réveillé encore et j'ai découvert que...

Une grosse larme roula sur la joue de Tsorihia. Alexander l'essuya d'une caresse et embrassa la joue avec tendresse.

– J'ai... j'ai un fils, Tsorihia. Cette femme a porté mon fils et...

La Wyandotte serra les mâchoires pour empêcher le cri de douleur qui montait en elle de s'échapper. Elle ne savait pas pour l'enfant, elle ne l'avait pas vu!

– Tu voulais tant... un enfant. C'est pour lui que tu vas la retrouver?

– Je... j'aime toujours cette femme, Tsorihia. Je... je suis désolé.

Ne pouvant supporter plus longuement ce qu'elle entendait et ce qu'elle lisait dans les yeux de son compagnon, elle se détourna en poussant un gémissement. Alexander était déchiré de la faire souffrir ainsi.

– Je suis sincère quand je te dis que je t'aime, Tsorihia.

– Je sais... hoqueta-t-elle, mais tes yeux me parlent aussi...

Profondément bouleversé, il s'allongea de nouveau près d'elle et l'enlaça.

– Oh, Tsorihia! Pardonne-moi!

Et s'il faisait erreur en la quittant? Si Isabelle refusait de le revoir et lui interdisait même de s'approcher de son fils? Que ferait-il alors? Il ne pourrait plus revenir auprès de la Wyandotte. Était-il en train de gâcher toutes ses chances de vivre le bonheur tant espéré? De toute façon, il ne pouvait revenir en arrière maintenant. Il était trop tard.

Tsorihia avait envie de hurler. Fermant les paupières, elle se laissa aller dans la chaleur de celui qu'elle aimait, gravant dans son esprit son odeur, le grain de sa peau, le bruissement de sa respiration, la douceur de sa chevelure. Son homme la quittait. Elle n'aurait pas dû prendre ses herbes. C'était la punition que lui imposaient les esprits pour avoir refusé à son homme de réaliser son vœu le plus cher.

***

La lumière diffuse du matin flottait dans la pièce qui sentait bon le café. La pluie avait cessé, mais le vent gémissait toujours et rudoyait le chèvrefeuille qui tapait contre la fenêtre comme pour demander asile. Isabelle leva la tête, regarda pendant un moment le mouvement des branches, puis reporta son attention sur le document qu'elle tenait dans les mains:

« Une jument de six ans; une chèvre de deux ans; huit poules et un couple de canards; une oie; trois lapins... une calèche couverte et ses harnais; une berline avec trois roues de rechange et un essieu... trois tinettes de bois; une baratte; deux pichets de fer; deux seaux en bois, trois en cuir; un poêle avec son tuyau; un tisonnier... »

Baissant les paupières, elle s'interrompit encore, lasse. Jacques Guillot venait de terminer de rédiger l'inventaire de ce qui se trouvait sur la concession de Beaumont et souhaitait qu'elle y jette un œil. Délaissant la liste des biens qui se trouvaient dans le hangar et l'écurie, elle prit une autre feuille. Elle ne cessait de se demander pourquoi Pierre avait acquis la propriété dans le plus grand secret. Avait-il l'intention de lui faire une surprise, de quitter Montréal? Non, elle ne pouvait le croire! Ses affaires le retenaient ici. Pour rien au monde, après avoir tant travaillé, il n'aurait abandonné son étude uniquement pour faire plaisir à son épouse. Le mystère restait complet. Elle parcourut le document qu'elle avait maintenant sous les yeux:

«Une terre située en la première concession de ladite paroisse Saint-Étienne, mesurant trois arpents de front et quarante de profondeur, tenant devant au fleuve Saint-Laurent, derrière, à la propriété de Joseph Forgues d'un côté et à celle de Charles Turgeon de l'autre, avec une maison en bois, une grange, une étable, une écurie, un hangar, des remises et d'autres bâtisses construites...»

– Désirez-vous voir l'inventaire de la concession de la Batiscan, madame? demanda Jacques Guillot en lui tendant une feuille.

– Non...

Voyant l'air songeur d'Isabelle, Jacques Guillot déposa sa plume et leva la tête. Il ne pouvait nier que le secret entourant la concession de Beaumont l'intriguait beaucoup. Pierre lui avait vaguement parlé de la propriété au moment de l'achat, mais jamais plus ensuite. Il croyait ainsi qu'elle avait été revendue. Cependant, que l'épouse du notaire elle-même ne sût rien à son propos lui était très étrange. L'achat datait tout de même de trois ans!

– Puis-je vous demander ce que vous avez l'intention de faire avec la terre de Beaumont, madame?

– Je ne sais pas... Peut-être devrais-je la garder et m'y retirer avec Gabriel... Il veut tellement avoir un poney à lui. Là-bas, l'espace ne manquerait pas. Je me rapprocherais aussi de ma cousine Madeleine...

Le notaire ne put s'empêcher de faire une petite grimace. L'idée qu'Isabelle Larue pût quitter Montréal ne lui plaisait guère. Il aimait cette femme depuis trop longtemps pour y renoncer maintenant qu'elle était libre. Seulement, il devait respecter la période de deuil avant de lui proposer quoi que ce soit, et cela l'agaçait.

– Avez-vous offert la propriété de la Batiscan au cousin de Pierre avant la mise en vente officielle?

– Euh... la Batiscan? Oui. Monsieur René Larue a accepté les conditions fixées. Je suis en train de préparer les documents pour la transaction de vente. Cela devrait se conclure bientôt.

– C'est bon. La terre de la Batiscan étant un héritage de Pierre, j'ai jugé bon de la rendre à sa famille. De toute façon, je ne me sens pas assez forte pour gérer seule tous ces domaines.

Jacques Guillot s'éclaircit la gorge.

– Mais... je peux le faire pour vous, madame... je veux dire... si vous le désirez.

– Vous en avez bien assez à faire avec l'étude! Il y a déjà des plaintes. Je pense qu'il vous faudra prendre un associé ou vendre une partie de la clientèle.

– Je vous assure que cela ne représenterait pas un gros surcroît de travail, ma chère amie. Cela me ferait même plaisir de le faire.

Isabelle posa sa main sur celle du notaire, qu'elle serra doucement.

– Je sais, monsieur Guillot. Je ne voulais pas vous vexer. Je connais vos compétences. Toutefois, je souhaite me départir de ce qui ne m'est pas nécessaire.

– Je comprends. Par conséquent, je mettrai Beaumont en vente dès la semaine prochaine...

– Non, attendez pour Beaumont!

Elle retira prestement sa main et se mit à tripoter nerveusement la dentelle de son engageante. Jacques Guillot, qui avait suivi le mouvement, fixait la saignée du coude à la peau fine et blanche. Il prit une profonde inspiration pour se maîtriser. Ces damnées convenances à respecter! Il fit un effort pour sourire et se cala dans le fauteuil.

– Comme vous le désirez, madame.

Elle lui rendit son sourire, et, brusquement, il se rendit compte qu'il serait prêt à abandonner l'étude de Montréal pour suivre cette femme. Pour le moment, il souhaitait profiter le plus longtemps possible de l'arrangement qu'il avait pris avec la veuve de son associé: conserver l'étude de Pierre le temps de trouver un autre local.

Les commérages commençaient à circuler sur la veuve Larue et l'associé du défunt notaire. Jacques Guillot n'aimait pas ce qu'il entendait. Isabelle Larue ne méritait pas d'être salie par des propos médisants, injustifiés, colportés par des mégères jalouses. Cependant, il hésitait encore à signer le bail d'un charmant petit bureau situé rue Saint-Vincent. Retrouver chaque jour Isabelle Larue le rendait tellement heureux. De plus, il savait que sa présence dans la maison était appréciée.

La porte de l'étude s'ouvrit et Gabriel entra avec une assiette pleine de biscuits chauds dont l'arôme épicé embaumait.

– Oh! Merci, mon amour! Que c'est gentil!

Isabelle se leva brusquement pour faire un peu de place sur le bureau. Dans son empressement, elle heurta une pile de dossiers qui allèrent s'éparpiller sur le plancher.

– Oh, juste ciel! Ce que je suis maladroite! Je suis navrée, monsieur Guillot. Je... Attendez, je vais vous aider. Gabriel, tu peux poser l'assiette ici.

L'enfant regarda sa mère disparaître avec le notaire de l'autre côté de l'immense bureau en fronçant les sourcils. Il avait bien remarqué l'attitude attentionnée du monsieur envers sa maman. Il avait constaté qu'en sa présence, sa mère était moins triste, et rien que pour cela il était prêt à partager un peu, mais... le monsieur commençait à lui prendre un peu trop sa maman.

La tête d'Isabelle surgit.

– Gabriel, tu peux retourner à la cuisine, maintenant. Laisse-nous travailler.

– Je peux pas 'ester un peu? demanda Gabriel d'une voix triste.

– Non, tu ne peux pas. Nous avons encore beaucoup de choses à faire. Si je te permets de te servir de ma boîte à couleurs, est-ce que cela te ferait plaisir?

– Ta boîte à couleurs? s'exclama Gabriel, soudain tout joyeux. C'est vrai, tu veux bien me la p' êter? Oh, oui!

Tournant sur lui-même comme une toupie, le petit garçon sortit de la pièce en courant.

– Elle est dans la...

– Je sais où elle est, maman!

Gabriel avait déjà disparu dans le couloir. Fixant la porte pendant un moment, Isabelle se demanda sérieusement si elle ne devrait pas quitter Montréal pour Beaumont. Son fils s'ennuyait. La vie à la campagne lui ferait certainement du bien. Peut-être se ferait-il des amis là-bas...

Un bruit mat et un juron l'arrachèrent à ses réflexions. Elle tourna la tête.

– Oh! Vous vous êtes blessé? Ça va?

Faisant face à l'homme qui grimaçait, elle lui tâta le crâne du bout des doigts. Une petite bosse se formait sur l'occiput; elle la frictionna avec vigueur.

– Ça va mieux?

Jacques Guillot s'abandonnait avec plaisir aux mains douces. Il leva les yeux et regarda Isabelle intensément.

– Oui, la douleur s'estompe...

Elle ne pouvait se méprendre sur la nature des pensées qui l'animaient. Elle retira donc vivement ses mains, dont il embrassait maintenant le bout des doigts.

– Je... Que pensez-vous d'un atelier à dessin?

– Un atelier à dessin?

– Pour Gabriel. Je me demandais quoi faire de cette pièce lorsqu'elle serait vide.

– Un... un atelier? Ou-oui, c'est une bonne idée.

Il avait répondu un peu froidement, comprenant parfaitement qu'elle lui signifiait ainsi son désir qu'il libère l'endroit le plus rapidement possible.

– Il a un réel talent artistique. Je crois qu'un atelier lui permettrait de le développer.

– Bien sûr... Je pense que je vous ai assez imposé ma présence... J'ai justement déniché un local rue Saint-Vincent, hier.

– Ce n'est pas que vous m'importunez, mais... Enfin, je suis certaine que vous comprenez la situation. Vous pourrez nous rendre visite à l'occasion. La rue Saint-Vincent est tout près...

Elle s'interrompit, soudain mal à l'aise. Jacques Guillot lui ceignit la taille avec précaution.

– Vous le souhaitez vraiment, madame? Que je vous rende visite?

Elle rougit violemment, se sentant prise au piège.

– Bien sûr, vous êtes un ami très cher.

– Un ami? Rien qu'un ami ou?...

Isabelle chercha à se dégager.

– Monsieur Guillot! Je porte le deuil depuis un mois seulement!

– Un mois, je le sais. Vous n'avez pas besoin de me le rappeler. Oh! Madame! Vous connaissez mes sentiments pour vous! Dois-je vraiment faire comme si de rien n'était lorsque nous sommes seuls?

– J'aimais Pierre. J'ai besoin de temps pour me remettre de sa disparition et je ne trouve pas convenable de vous laisser me faire la cour si tôt.

Il la relâcha à contrecœur, sans pour autant s'écarter. Pendant un moment, ils se regardèrent en silence. Puis Isabelle se détourna.

– Pardonnez-moi, madame.

Comme l'homme se redressait, un éclat métallique attira son attention: une serrure de laiton brillait.

– Qu'est-ce que c'est que ça?

Il s'approcha et vit une sorte de boîte fixée sous le plan de travail du meuble. Isabelle tourna la tête.

— Je ne sais pas... Un tiroir secret peut-être?

— On dirait bien. C'est étrange! Pierre ne m'a jamais parlé de ça.

— Ah bon?

— Non... Il a dû l'installer tout récemment. Le bois n'est pas de la même essence que celui du meuble et la serrure brille comme un sou neuf.

— Pouvez-vous l'ouvrir?

— Je ne sais pas si je devrais...

— Pierre est décédé, monsieur Guillot. Je crois que nous devons savoir ce que renferme ce tiroir.

Le visage de la femme ne se trouvait qu'à quelques pouces du sien, et son parfum l'enveloppait délicieusement. Leur situation plutôt inconvenante le troubla quelque peu. Que dirait la domestique si elle entrait et les trouvait tous les deux sous le bureau?

— Comme vous voudrez...

Il tenta de l'ouvrir, sans succès.

— C'est verrouillé...

— Je me demande bien ce que peut contenir cette boîte... pensa tout haut Isabelle.

— Des documents juridiques importants peut-être?

— Possible... Ou un bijou, un cadeau qui m'était destiné? Ou encore des lettres? continua-t-elle plus bas, songeant aux nombreuses maîtresses qu'avait eues son mari.

Jacques Guillot devinait ce à quoi elle pensait.

— Vous êtes certaine de vouloir connaître le contenu de ce coffret?

— Oui!

— La clef doit bien se trouver quelque part... Où votre mari avait-il l'habitude de mettre son trousseau?

— Eh bien... Il le gardait sur lui ou le rangeait dans sa chambre. Il n'était pas dans les vêtements qu'il portait le jour de sa mort...

Jacques Guillot inséra la clef dans le trou de la serrure et la tourna avec facilité. Il y eut un déclic, puis le tiroir glissa et se libéra du meuble dans un cliquetis métallique. Le notaire le posa sur le sol et s'écarta pour laisser la place à Isabelle.

— À vous l'honneur, madame, annonça-t-il gravement.

Isabelle prit le coffret et le posa sur le bureau. Il mesurait environ douze pouces sur huit et avait une hauteur de trois pouces. Après un petit moment, elle caressa le couvercle et l'ouvrit lentement. Jacques Guillot approcha la chandelle pour éclairer le contenu de la boîte: un poignard; une vieille montre; une miniature représentant une femme à la chevelure rousse et au regard clair; quelques documents soigneusement pliés et scellés à la cire; une petite bourse de cuir remplie sans doute de pièces sonnantes. Portant la main à sa bouche pour contenir un cri, Isabelle écarquillait les yeux devant l'arme au manche finement sculpté.

– Oh, mon Dieu!

– Avez-vous déjà vu ces objets, madame? Savez-vous à qui ils appartiennent?

Isabelle effleura de sa main tremblante le manche du poignard. Puis, elle prit la montre, l'ouvrit et lut l'inscription: «Iain Buidhe Campbell».

– Madame?

– Ou-oui... Ils appartenaient à un homme que j'ai connu il y a quelques années.

Jacques Guillot prit l'arme et la contempla. Puis, la reposant dans son écrin, il se pencha sur l'un des documents.

– Me permettez-vous de l'ouvrir?

Muette d'émoi, Isabelle acquiesça de la tête. Jacques Guillot fit sauter le sceau avec la pointe d'acier du poignard. Il parcourut le pli des yeux.

– C'est un testament... déclara-t-il en levant la tête vers elle. Celui d'Alexander Colin Macdonald. Vous connaissiez bien cet homme, je crois...

– C'était un ami à moi.

Il scrutait le regard vert mordoré, souhaitant ne pas y voir ce qu'il redoutait et attendant d'autres explications, qui ne vinrent pas.

– Votre nom figure dessus, madame, annonça-t-il un peu froidement.

Fébrile, Isabelle prit le document qu'il lui tendait et tenta de le lire. Cependant, le texte était en anglais. Tout ce qu'elle put voir, c'était que son nom apparaissait effectivement à deux endroits. Levant un visage interrogateur, elle demanda à l'associé de son mari de lui traduire le testament. Jacques Guillot, contrarié, reprit le document et s'exécuta d'une voix sèche.

– En résumé, ce Macdonald indique la façon dont on doit distribuer ses avoirs. Soixante-huit livres sont à envoyer à son père, en Écosse. La montre et le portrait sont à remettre à son frère John Macdonald, qui vivrait au Canada, quelque part sur la Batiscan. S'il est introuvable, les objets sont à expédier en Écosse. Pour vous, il laisse une lettre... On ne précise nulle part ce qui doit être fait du poignard.

Isabelle sentait son cœur se gonfler de chagrin en repensant à Alexander. Elle était persuadée que Pierre s'était débarrassé du poignard. Dans quel dessein l'avait-il donc conservé? Pourquoi l'avait-il gardé dans ce coffret secret? Revoir ces objets faisait ressurgir des souvenirs et venait tout bousculer encore une fois. Elle revit le regard couleur de saphir qui l'implorait. Alexander lui avait dit qu'il reviendrait en juillet... On était le vingt-neuf juin.

– Madame, puis-je vous demander qui est cet homme?

Elle leva les yeux vers le visage tourmenté de Jacques Guillot. Elle devinait pourquoi il était anxieux et estima qu'elle devait lui dire la vérité.

– C'est le père de mon fils.

Le notaire ne réagit pas, ne montra aucune émotion tout d'abord. Mais, peu à peu, comme la déclaration prenait tout son sens dans sa tête, il laissa transparaître son incrédulité, puis fit une grimace horrifiée. De sa bouche restée ouverte ne s'échappa qu'un souffle rauque, tandis qu'il se laissait choir avec lourdeur dans le fauteuil.

– Le père de Gabriel?!

Jacques Guillot avait toujours eu un doute quant à la paternité de Pierre à l'égard de Gabriel. Mais cela ne l'empêchait pas d'être très ébranlé. Ainsi, Isabelle Larue avait eu un amant... ou avait été abusée... Cet Écossais avait certainement été soldat. Or tout le monde connaissait les mœurs des militaires en temps de guerre... Lui-même, n'avait-il pas été témoin d'un viol tandis qu'il traversait une ruelle sombre, peu après la capitulation de Montréal? Isabelle, violée? Il sentit une rage sourde monter en lui et la contint en serrant les mâchoires.

– Mais... cet homme... vous a-t-il... je veux dire?...

– J'aimais cet homme. Gabriel est le fruit de cet amour qui m'a été refusé...

De quand cette histoire pouvait-elle dater? Se frottant les paupières, le notaire réfléchit, essaya de se souvenir de la date du mariage. Mais, après tout, en quoi cela l'intéressait-il? Pierre avait sans doute eu ses raisons pour accepter d'être le père de l'enfant d'un autre homme.

– D'accord. Ainsi, Pierre...

Il se tut, ne sachant que dire, ne voulant pas la blesser et la faire fuir. Il la fixa intensément, sans bouger.

– Pierre savait, avant de m'épouser, que j'attendais un enfant, expliqua Isabelle, réticente à tout raconter. Il... était stérile, vous comprenez? Mais... vous le saviez, n'est-ce pas? Je veux dire... que Pierre n'était pas le véritable père de mon fils?

– Eh bien... j'avais un doute, je dois l'avouer.

– Je sais bien ce qu'on raconte dans mon dos. Pour bien des gens, Gabriel est un... bâtard. Mais je me fiche bien, au fond, de ce que les autres pensent. Le plus important pour moi, c'était que Pierre était profondément attaché à mon petit garçon. Mon fils ne sait rien de la vérité. Cela me révulse quand Gabriel, tout triste, me répète les paroles blessantes d'autres enfants. Qu'y puis-je? Ils ne font que répéter les méchancetés des adultes. C'est pourquoi je songe sérieusement à quitter Montréal pour Beaumont. Là-bas, personne ne sait. Il aura plus de chances de se faire des amis...

Jacques Guillot étendit le bras et posa la main sur l'épaule d'Isabelle. Il avait envie de prendre cette femme et de la serrer contre lui. Il rêvait de l'embrasser pour la consoler.

– Mais... si vous aimiez autant cet homme, pourquoi avez-vous épousé Pierre?

Isabelle, émue, ferma les yeux pour contenir ses larmes. Prenant appui sur le bureau, elle respira profondément puis leva son visage vers le notaire. Elle ne voulait pas qu'il la juge sans connaître la vérité. Elle commença donc son histoire en racontant les premiers jours de l'occupation de Québec par l'armée de Murray, après la capitulation. Puis, elle rapporta les événements marquants qui s'étaient succédé, abrégeant par-ci, coupant par-là. Ses silences en disaient plus que ses paroles. D'une voix contenue, elle expliqua l'intervention autoritaire de Justine, sa mère, les concessions de Pierre, ses sacrifices à elle. Elle s'arrêta là, passant sous silence ses rencontres ultérieures avec Alexander à Montréal... Elle ne souhaitait pas causer de problèmes à l'Écossais. Or évoquer sa présence le jour de l'accident qui avait coûté la vie à Pierre aurait fait peser de lourds soupçons sur lui.

Jacques Guillot écoutait, hochait la tête, fronçait les sourcils. Parfois, un détail lui arrachait un grognement ou un grincement de dents. Il sentait bien qu'Isabelle Larue aimait toujours cet homme: ses espoirs de posséder un jour son cœur partaient en fumée. Pierre ressentait-il ce désarroi? Il comprenait maintenant mieux pourquoi son associé, qui aimait sincèrement son épouse, avait tant de maîtresses: il cherchait à combler un vide. Comment un homme pouvait-il supporter de partager le cœur de la femme qu'il adorait avec un autre? Il sourit. Lui qui aimait Isabelle depuis le premier jour pouvait facilement répondre à cette question: le cœur ne se raisonnait pas; il faisait au contraire taire la raison...

– Vous ne l'avez jamais revu depuis?

– Alexander? Oui... murmura Isabelle en baissant les yeux sur le testament. Par hasard, ici même, un jour qu'il était venu signer un contrat avec Van der Meer.

– Il faisait partie de l'expédition du marchand canadien?

– Oui.

– Il accompagnait Van der Meer!

Jacques Guillot se souvenait brusquement de l'effet qu'avait produit sur Isabelle l'annonce du massacre d'une partie de l'expédition. À ce moment-là, il croyait que la jeune femme pleurait le négociant. En fait, c'était cet Alexander Macdonald qu'elle regrettait. Aucun survivant... La regardant droit dans les yeux, il osa espérer.

Il ne restait qu'un document dans le coffret. Isabelle se décida à le prendre et en brisa le scellé, lissant le vélin sur la surface du bureau. Ce n'était pas la lettre d'Alexander; elle était déçue. Cependant, sa curiosité prit bien vite le pas lorsqu'elle reconnut l'écriture de Pierre, penchée et franche, et celle de son frère Étienne, plus petite et hésitante. Que venait faire Étienne dans cette histoire? La pluie avait repris et battait violemment la vitre de la fenêtre. Il n'y avait pas beaucoup de lumière dans la pièce. Plissant les yeux, Isabelle approcha la feuille de la bougie.

– C'est un contrat, annonça le notaire par-dessus son épaule.

Fébrile, elle parcourut les premiers articles après avoir sauté les formules d'usage.

– Je ne comprends pas, marmonna Jacques Guillot. Deux mille livres! Votre frère n'a jamais investi autant d'argent dans un voyage pour les Pays d'en Haut... Et votre mari ne m'a jamais dit qu'il avait fait une avance de fonds à son beau-frère... Voyez ici, continua-t-il en pointant un chiffre du bout de son index, il est stipulé que Pierre devait recevoir dix pour cent des bénéfices au retour du lot. Bien qu'on n'indique pas ce qu'est ce lot, j'imagine qu'il s'agit de fourrures. Tenez... dix pour cent pour chacun des associés. C'est curieux, aucun nom n'apparaît. Il n'y a que des initiales. De plus, seuls Pierre et Étienne ont signé. Je trouve ça bizarre. L'expédition n'a peut-être pas eu lieu... Le contrat n'a sans doute jamais été valide. Attendez... La date de départ inscrite est juin 1764. Pourtant, votre frère est bien parti cet été-là. Je m'en souviens très clairement; je commençais tout juste à travailler avec Pierre. Vraiment curieux... Et puis, pourquoi ce contrat est-il caché avec les effets de monsieur Macdonald? Quel est le rapport entre les deux voyages?

Songeuse, Isabelle allait d'un mot à l'autre. Soudain, le terme « Beaumont » accrocha son œil. Elle laissa échapper une exclamation de surprise : il était noté que la propriété de Beaumont, acquise en juin 1764, devait être donnée à Étienne Lacroix pour service rendu. Service rendu?

– Là, fit-elle en désignant l'article à Jacques Guillot. Il est question de la concession de Beaumont. Je me demande bien pourquoi Pierre voulait offrir un si somptueux présent à Étienne.

– Beaumont, donnée? En quel honneur?

– Service rendu. On ne dit rien de plus.

Laissant le contrat au notaire, qui s'attarda dessus encore quelques instants, Isabelle s'assit dans le fauteuil encore tiède de la présence de Jacques Guillot. Pourquoi ce contrat se trouvait-il avec les effets d'Alexander, dans ce coffret secret? Pierre ne lui avait jamais parlé de son association avec Étienne. De plus, si elle se souvenait bien, Étienne n'avait rapporté de son voyage que quelques ballots de peaux. Son « butin » n'avait rien à voir avec ce qu'on attendrait d'une expédition dans le nord nécessitant un investissement de deux mille livres! Et ce don pour service rendu? Tout ceci était bien mystérieux... Peut-être devrait-elle en parler avec Étienne. Il saurait lui fournir des explications, puisqu'il avait apposé sa signature au bas du document.

– Pensez-vous que votre frère réclamera Beaumont? demanda Jacques Guillot en repliant le contrat et en le remettant dans la boîte.

– Pour le moment, Beaumont m'appartient. Il en restera ainsi jusqu'à preuve du contraire. Cette entente date de trois ans déjà! Si Étienne avait vraiment voulu en prendre possession, il aurait depuis longtemps fait valoir les droits que lui octroie ce mystérieux contrat. Et puis, comment savoir si le service a bien été rendu, puisque sa nature n'est pas précisée? Il me faut éclaircir tout cela avant de décider quoi que ce soit.

Le notaire ne put retenir un sourire.

– Alors, puis-je me permettre de penser que votre projet de partir pour Beaumont sera retardé, madame?

Isabelle leva vers lui un regard surpris. Comme elle hésitait à répondre, il s'agenouilla devant elle et emprisonna ses mains dans les siennes, l'air grave.

– Je n'ai jamais caché mes sentiments pour vous...

– Monsieur Guillot... je ne crois pas que c'est...

– Laissez-moi terminer, madame. Je... je vous aime. Je ne connais pas le fond de votre cœur. Cependant, je devine que vous me portez une amitié particulière. Madame... j'attendrai le temps qu'il faudra. J'aimerais simplement savoir si je peux espérer.

Interloquée par tant d'audace, Isabelle ne sut comment réagir.

L'homme était on ne peut plus clair : il attendrait la fin de la période de deuil pour la demander en mariage. Mais l'aimait-elle ? Le connaissait-elle suffisamment ? Elle se rappela une autre déclaration, tout aussi hardie mais beaucoup moins raffinée, celle d'Alexander. Cela la perturbait ; elle avait décidé d'oublier l'Écossais, pensant que sa place était ici. Devant la lame brillante du poignard, elle se sentit transpercée par les mots qu'il lui avait soufflés cette nuit-là : « Tu me hais parce que tu n'arrives pas à m'oublier, *a ghràidh mo chridhe*... de même que moi, je n'arrive pas à t'oublier... » Elle baissa les paupières.

– J'ai besoin de réfléchir, monsieur Guillot. C'est trop rapide pour moi, vous comprenez ? Je suis encore trop dans le présent de la disparition de Pierre pour pouvoir envisager l'avenir avec un autre homme.

– Je comprends. J'attendrai, madame, chuchota-t-il.

Elle sentit alors son souffle sur sa joue, qu'il effleura de ses lèvres, puis l'entendit lui murmurer à l'oreille :

– Je vous aime, mon rayon d'or.

Il repoussa une mèche de cheveux qui lui tombait devant les yeux, puis chercha sa bouche. Le contact de ses lèvres fut tendre, réconfortant même. Confuse, assaillie par des pensées contradictoires, Isabelle se laissa cependant aller. Enfin, l'homme s'écarta et, la laissant vacillante dans le fauteuil, se redressa. Refusant de rouvrir les yeux, elle l'entendit quitter la pièce, puis fermer la porte. Alors seulement, elle se permit de jeter un regard autour d'elle.

– Rayon d'or...

L'expression résonnait dans sa tête. Au bout d'un moment, le mot « or » sonna différemment. Son cœur se mit à battre la chamade. Elle reprit le contrat qui liait Pierre et Étienne, et le relut avec appréhension, souhaitant ne pas trouver entre les lignes l'indice qui confirmerait ses soupçons. Ce document était tellement bizarre : trop d'argent en jeu, trop de mystère...

Isabelle avait l'impression que la pièce tournait de plus en plus rapidement autour d'elle. Elle devait mal interpréter ! Son si tendre époux n'avait pu s'acoquiner avec un être aussi perfide qu'Étienne ! Non, il avait dû être manipulé ! Jamais, au grand jamais, Pierre ne se serait lancé de son propre chef dans une histoire comme ça !

Van der Meer et ses hommes avaient été « victimes d'une embuscade », avait certifié Étienne à son retour. Il avait rapporté le poignard et la croix de baptême d'Alexander. Mais le voyage qu'il faisait au moment où il avait croisé la route d'Alexander n'était-il pas justement celui dont parlait ce contrat ? Van der Meer avait beaucoup d'ennemis, lui avait affirmé Pierre. Ces ennemis étaient-ils ces marchands canadiens réfractaires au nouveau régime qui se réunissaient régulièrement dans l'étude de son mari pendant les semaines qui avaient précédé l'attaque? Bizarrement, ces individus n'étaient jamais revenus après le massacre... Étienne lui-même ne s'était montré qu'à deux reprises depuis.

Maintenant qu'elle y repensait, elle se rendait compte que, depuis le décès de Pierre, son frère avait un comportement particulier. Il était tendu. Elle l'avait même surpris un jour à fouiller dans le bureau. Il lui avait alors fourni une vague explication qu'elle avait naïvement crue : une carte géographique oubliée lors de sa dernière rencontre avec son beau-frère.

Quand Jacques Guillot l'avait appelée son « rayon d'or », le mot « or » lui avait rappelé une conversation entre Pierre et Étienne dont elle avait entendu quelques bribes. Pierre s'était emporté - ce qui l'avait étonnée, car cela lui arrivait rarement - et avait demandé à Étienne de ne plus lui reparler de l'or perdu... L'or perdu? S'agirait-il de l'or du Hollandais dont on parlait? Jusque-là, elle n'avait pas cru à la rumeur. Les gens racontaient tellement de choses! Mais, maintenant, tout cela prenait un sens différent, effrayant.

Hagarde, elle relut le contrat en se concentrant. Bénéfices... Jacques Guillot avait lu quelque chose sur des bénéfices quelconques. Voilà : « Dix pour cent des bénéfices au retour du lot »; « dix pour cent pour chacun des associés ». Le lot... Et s'il n'était pas question ici de fourrures, mais d'or! S'il s'agissait dans ce contrat d'une expédition coûtant deux mille livres mais devant rapporter... combien? Le double ou même le triple en métal précieux? Les pièces du casse-tête se remettaient en place avec une dureté telle qu'elle en gémit : l'embuscade... l'or perdu... le service rendu... Les dates... fin juin 1764. Il était trop tard pour remonter la Grande Rivière jusqu'au Grand Portage, mais pas pour intercepter des hommes qui étaient sur le chemin du retour... pas pour intercepter Van der Meer, le Hollandais. Mais qu'est-ce que c'était que ce service rendu?

— Pour service rendu... pour service rendu... Mais quel service, bon sang! Qu'as-tu fait ou que devais-tu faire, Étienne Lacroix, qui méritât une si grosse récompense? Que voulais-tu acheter, toi, Pierre, avec deux mille livres?

Elle froissa le contrat avec rage et le lança à travers la pièce, comme l'évidence la saisissait : Pierre et Étienne... complices d'un meurtre... Non, Pierre n'était pas un assassin! Il n'avait pas pu participer à une telle abomination! Jamais! Elle revit l'expression qu'avait eue Alexander en apercevant la croix de baptême. Elle repensa à sa façon d'éluder sa question sur ce qui s'était passé le jour du massacre: «Il m'a sans doute cru mort...» Il n'avait pas voulu lui révéler la terrible vérité.

– C'est toi, Étienne? C'est toi qui as tué le Hollandais et ses hommes? C'est toi qui as cherché à assassiner Alex? Oh, bon Dieu! Je t'en sais bien capable. Tu n'es qu'un monstre! Le père de mon fils... tu as tenté de tuer le père de mon fils! Tu as dit à Pierre qu'Alexander était mort! Tu lui as même raconté que tu l'avais enterré! Tu es un menteur! Que le ciel te foudroie! Que le diable t'emporte! cria-t-elle en s'effondrant sur le plancher. Et toi, Pierre, hoqueta-t-elle, savais-tu qu'Alex faisait partie de ce groupe ou bien n'était-ce qu'un regrettable concours de circonstances?

***

– Maman, c'est aujou'd'hui qu'on va à la fe'me? demanda Gabriel en tirant sur la jupe de sa maman qui vérifiait l'inventaire du buffet à deux corps pendant que Louisette attendait pour emballer.

– Non, mon cœur.

– Mais, quand est-ce qu'on va y aller? Papa a dit qu'il l'achète'ait!

Fermant les yeux et serrant les dents, Isabelle poussa un long soupir. Puis, elle se tourna vers son fils et s'accroupit devant lui.

– D'où il est, ton papa ne peut pas acheter la ferme.

– Il l'avait p'omis! Il m'avait p'omis un poney! Je veux mon poney!

– Un jour tu l'auras, Gabriel, je te le promets. Mais, pour le moment, je te demande de me laisser terminer de tout emballer.

– Pou'quoi on s'en va, d'abord? Je veux pas aller ailleurs si j'ai pas mon poney.

Isabelle, qui perdait patience, haussa le ton.

– Si tu es sage, tu auras ton poney... lorsque nous serons installés à Beaumont.

– C'est où, Beaumont? demanda alors l'enfant avec plus de calme.

– Tu te souviens de la maison de Madeleine?

– Tante Mado?

– Oui. Eh bien, Beaumont est juste de l'autre côté du fleuve. Aimerais-tu voir Madeleine plus souvent?

– Oh oui!

– Bon. Maintenant, laisse-moi travailler un peu.

Isabelle prit son fils par les épaules et le força à pivoter sur ses talons. Tandis qu'elle le poussait vers l'escalier, elle remarqua quelque chose de bizarre dans sa tenue.

– Gaby, tu as mis ta culotte à l'envers!

– Je sais, maman!

– Dans ce cas, pourquoi ne la remets-tu pas à l'endroit?

– Je veux fai'e comme le 'oi Dagobe't!

– Oh, juste ciel! As-tu ramassé tes soldats comme je te l'avais demandé?

– Non...

– Alors, va les ranger maintenant si tu ne veux pas être privé de goûter! Et n'oublie pas de retourner ta culotte, c'est compris?

– Oui, maman.

– Allez, hop!

– Hop! Hop! Hop!

Gabriel s'éloignait en sautant d'une marche à l'autre.

– Si vous voulez mon avis, madame, le petit s'en sort plutôt bien, remarqua Louisette qui déchirait des torchons pour protéger les délicates soucoupes de porcelaine anglaise, dernier cadeau de Pierre.

Isabelle examina une tasse et la déposa sur la table.

– Hum... Les enfants ont une formidable faculté pour oublier qui nous fait défaut à nous, les adultes.

– Je crois plutôt qu'ils acceptent avec plus de facilité ce qu'ils ne peuvent changer, madame.

– Comme si la mort d'un père était acceptable!

– Ce n'est pas ce que j'ai voulu dire...

– Non, bien sûr. Excuse-moi, Louisette. Je suis d'humeur irascible ces derniers jours.

– Vous devriez faire comme Gabriel: vous amuser un peu.

– Oui, sans doute. Cela me changerait les idées de sortir mes petits soldats de plomb, moi aussi!

La servante, qui se demandait un peu quel sens donner à ce trait d'humour, leva de grands yeux vers sa maîtresse.

– Allons, je voulais rire, Louisette! Quand nous aurons emballé ceci, nous en aurons terminé avec la salle à manger. Il ne restera plus que les affaires de la cuisine, dont nous ne pourrons nous occuper qu'à la dernière minute.

– Avez-vous arrêté une date pour le départ, madame?

– Non... Rien ne presse.

– C'est que nous devrons nous contenter du strict nécessaire...

– Pour quelques jours, cela suffira. Au fait, quand monsieur Moisan viendra-t-il chercher les plus gros meubles?

– Le vingt, madame.

– Dans cinq jours?! Il faut que je me dépêche de vider ma grande armoire!

– Je le ferai ce soir...

– Non, Louisette, laisse. Je peux très bien m'en occuper moi-même. Basile a-t-il monté la malle?

– Ce matin même.

– Parfait! Finis d'emballer la vaisselle, puis va aider Marie à préparer le dîner.

Isabelle tourna sur elle-même et se faufila entre les caisses qui s'accumulaient dans le couloir. Tout en montant l'escalier, elle entendit une série d'onomatopées visant à reproduire un combat sanglant. En haut, elle s'immobilisa sur le seuil de la chambre d'enfant: Gabriel, étendu sur le ventre, manipulait ses soldats en émettant des «boum!», des «pouf!» et des «ouille!» Le touchant tableau lui ôta toute envie de réprimander son fils. Sentant sa présence, le petit garçon s'arrêta de jouer et tourna sa belle tête rousse vers elle en rougissant.

– Oh! Je vais 'amasser, maman, je te p'omets!

– Ça va, Gabriel. Puisque tu t'amuses si bien, je te permets de jouer jusqu'au dîner.

– Je pourrai quand même avoir une collation?

– Oui, ne t'inquiète pas!

Le garçonnet lui fit un large sourire, dévoilant un trou où une nouvelle dent perçait la gencive. Cela lui donnait un air espiègle. Puis, il retourna à son jeu. Le cœur battant, la main sur la bouche, Isabelle courut se réfugier dans sa chambre. Fermant les yeux, elle revit les traits d'Alexander se superposer à ceux de Gabriel, comme cela lui arrivait régulièrement depuis deux semaines, et éclata en sanglots.

– Petite sotte, arrête de pleurer sans arrêt! Une vraie fontaine! Gabriel est plus mature que toi, tiens!

C'était vrai qu'elle avait une sensibilité à fleur de peau ces derniers jours. Elle s'emportait pour une goutte de lait renversée et s'effondrait devant une souris prise dans un piège. Qu'avait-elle donc? Bien sûr, la fatigue y était pour quelque chose. Se retrouver seule du jour au lendemain pour s'occuper de tout l'éreintait autant physiquement que psychologiquement. Elle avait hérité de tant de responsabilités! Mais surtout, elle trouvait effrayant d'être soudain maîtresse de son destin, d'être dorénavant complètement libre de choisir sa vie.

– Que veux-tu, Isabelle? Que désire ton cœur? Il est temps de te décider!

S'allongeant sur le lit, fixant le plafond, elle s'essuya les yeux. Puis elle fit glisser ses mains de chaque côté de son visage en une caresse. Pierre avait l'habitude de sécher ses larmes de cette façon. Il l'avait consolée ainsi la nuit où elle avait pleuré la mort d'Alexander. Encore une fois, avait-il joué un rôle dans cet odieux crime? Serrant les dents, elle chassa l'idée: elle ne pouvait croire son mari coupable d'une telle horreur. Roulant sur le côté, elle se recroquevilla sur elle-même et se concentra sur les heureux souvenirs des moments passés sur les rives de l'île d'Orléans en compagnie de Madeleine. Après une belle cueillette, les deux jeunes femmes s'étaient assises côte à côte sur un vieux banc pour déguster les fraises. Faisant face au fleuve, elles avaient aperçu les longs rubans gris qui s'échappaient des maisons de la seigneurie de Beaumont.

Dans la dernière lettre qu'elle avait envoyée à sa cousine, Isabelle n'avait pas parlé de son intention de quitter Montréal... Jacques Guillot s'occupait de la vente de la maison. Le notaire, qui n'avait pas caché sa déception, s'était bien gardé de tout commentaire. Isabelle lui en était reconnaissante. Il ne lui avait pas non plus demandé où elle comptait aller, présumant certainement qu'elle prenait possession de la propriété de Beaumont. Mais était-ce vraiment ce qu'elle allait faire? Pourquoi avait-elle tant de mal à se décider?

– Parce que tu l'attends! Tu ne veux pas te l'avouer, mais tu l'attends!

Naviguant sur une mer de solitude, elle guettait cette apparition qui la sauverait de la perdition. Mais elle ne voyait rien. Juillet était déjà bien entamé, et Alexander ne s'était pas montré. S'asseyant, elle se frotta les tempes avec vigueur pour faire passer son mal de tête tout en promenant son regard dans la pièce. Excédée par ses sautes d'humeur et son indécision, elle donna un coup de poing dans le matelas.

– Des soldats de plomb, voilà ce qu'il me faut!

Elle laissa échapper un petit ricanement en se levant pour se diriger vers la grande armoire.

– Ce sera très bien, Beaumont! Mado sera heureuse de me voir. Nous pourrons reprendre nos habitudes d'antan. Gabriel adorera! L'air y est plus sain qu'en ville aussi...

Elle avait ouvert le meuble et s'emparait d'une pile de bas qu'elle déposa sur le lit. Elle caressa la soie et le lainage. Gabriel et Marie riaient. Louisette avait raison: son fils s'en sortait mieux qu'elle. À quand remontait son dernier éclat de rire? Regagnant l'armoire, elle prit cette fois-ci des chemisettes, pensant qu'elle devrait les trier et porter les plus usées chez les sœurs de la Charité.

Peut-être devrait-elle aussi se débarrasser d'une ou deux robes : les sorties mondaines seraient certainement rares à Beaumont...

Tandis qu'elle glissait la main sous une deuxième pile de chemisettes pour continuer de vider le meuble sur le lit, elle sentit un objet dur. Quand elle extirpa ce qui s'avéra être un coffret, elle le regarda fixement pendant plusieurs secondes. Puis, les larmes lui montèrent aux yeux. Elle ouvrit la boîte.

Tout en en redécouvrant le contenu, elle tomba à genoux : elle connaissait bien cette vieille carte à jouer toute jaunie, ce médaillon monté sur du bronze terni et cet anneau de corne... Elle ramassa l'anneau et le passa à son doigt; il la serrait un peu plus qu'auparavant. Doucement, elle se mit à réciter :

– Devant Dieu... moi, Marie Isabelle Élisabeth Lacroix, par la vie qui coule en mon sang et l'amour qui réside en mon cœur, je te prends, Alexander Colin Campbell Macdonald, pour époux...

Elle éclata en sanglots en refermant sa main et en serrant fort le poing. Puis elle prit le médaillon, auquel était accroché un ruban de soie, et le colla sur sa joue brûlante. Il était froid. Elle baissa les paupières pour se souvenir.

– Les bijoux et le reste m'indiffèrent, Alex, tu le sais.

– Oui, bien sûr, les bijoux en corne ou en bronze!

Elle sentit presque avec la même vivacité qu'alors la blessure que lui avait infligée Alexander en lui crachant ces paroles méchantes lors de leur rencontre au bord du fleuve, la veille de son départ pour les Pays d'en Haut.

– Ce bijou a plus de valeur à mes yeux que tous les autres, Alex!

Elle noua le ruban de soie autour de son cou et caressa encore le médaillon du bout des doigts. Enfin, elle prit la carte à jouer : l'as de cœur. Elle passa son ongle cassé sur les mots « *Love you* » qui y étaient inscrits.

– La vie se tisse de brins de bonheur, Alex... et les regrets en usent la trame. Il faut du courage... et du cœur... pour reprendre le métier. Je ne sais pas si je le pourrai... Je me dois à Gabriel. Tu dois comprendre.

Elle tourna la tête vers la fenêtre entrouverte, écouta le grincement d'une carriole qui passait devant la maison et le livreur de bois qui se plaignait au voisin du mauvais état des chemins. Une mésange se posa sur le rebord, quelques secondes seulement. D'un bond, elle reprit son vol et disparut dans l'infini azuré, dans ce bleu tellement lumineux... Glissant la carte dans sa poche, Isabelle se remit à l'ouvrage.

***

Assise dans l'atelier de dessin qu'on avait récemment aménagé mais qu'on s'apprêtait déjà à vider, Isabelle, le menton barbouillé de fusain, fixait l'esquisse qu'elle venait de terminer. Les traits rendaient justice au modèle, mais manquaient un peu de vie. Elle accentua la lippe boudeuse, étira le coin d'un œil, allongea la ligne d'un sourcil. Oui, c'était plus ressemblant maintenant... Elle sourit, satisfaite d'elle-même.

– Maman, maman!

Le modèle présenta sa frimousse dans l'entrebâillement de la porte. «Non, j'ai fait le menton trop rond...» pensa-t-elle. Reprenant son fusain, elle se remit au travail.

– Le souper va êt'e se'vi, maman!

– Je n'ai pas terminé... Demande à Marie de garder mon plat au four.

– Tu en as pou' longtemps?

– Non, j'arrive bientôt, Gaby.

Poussant un grognement, le petit garçon disparut dans le couloir. Isabelle soupira. Elle n'avait pas envie d'affronter les regards interrogateurs de la domesticité qui attendait toujours sa décision quant à la date du départ. L'occupant actuel de la maison de Beaumont était lui aussi impatient de savoir quand elle comptait prendre possession de la propriété. Il lui semblait que la planète entière avait besoin d'elle pour continuer de tourner.

Elle pencha la tête sur son dessin et plissa les yeux. Ce sourire... Du bout de l'index, elle estompa une ombre sous le nez. Puis, reprenant son fusain, elle étira la courbure de la bouche.

– Hum...

Elle continua en élargissant puis ombrant la mâchoire, en estompant le bombement du front, en modifiant la ligne de la chevelure, en brisant celle du nez, en faisant saillir les pommettes... Au bout d'un moment, elle reposa le morceau de carbone et étudia l'ensemble des modifications. L'effet était saisissant...

– Bon, maintenant, les couleurs! Où Gabriel a-t-il mis... Ah! Voilà!

Elle ouvrit sa boîte de pastels colorés sur ses genoux et choisit le bleu le plus pur et le plus profond. Les yeux de son portrait s'animèrent.

– Qu'est-ce que tu dessines, maman?

– Aaaah!

Surprise, Isabelle sursauta. La boîte alla s'écraser à ses pieds, et les pastels se brisèrent et s'éparpillèrent sur le sol. Gabriel avait l'air sincèrement désolé.

– Pa'don, maman. J'ai pas fait exp'ès.

La mère baissa les paupières et respira à fond pour rester calme.

– Je sais, Gaby. Mais tu aurais pu frapper!

– J'ai f'appé! Je suis ent'é pa'ce que tu 'épondais pas.

– As-tu prévenu Marie que je souperais plus tard?

– Oui...

Le garçon s'approcha et vit le dessin.

– C'est le monsieur?

– Le monsieur?

– Oui, le monsieur de la pomme!

– Quelle pomme?

– Eh bien, celle que j'avais p'ise et qu'il a payée pou' pas que j'aille en p'ison.

– Prrrison. Mais qu'est-ce que c'est que cette histoire de pomme et de prison?

Gabriel fronça les sourcils. Isabelle pensa qu'il devait confondre le visage posé sur le chevalet avec celui d'un marchand.

– Bon, laisse tomber. Je vais ramasser. Retourne à la cuisine terminer ton repas. J'arrive dans deux minutes.

– Mais il attend, maman!

– Qui ça?

– Lui.

L'enfant pointait l'index sur l'esquisse.

– Le dessin est terminé. Il peut bien attendre un peu que je le range! Allons, aide-moi à ramasser... Gaby! Où vas-tu?

Le garçonnet venait de disparaître dans la pénombre du couloir. Sentant sa bonne humeur s'effriter, Isabelle rangea un à un dans leur boîte les morceaux de pastels. Puis, elle saisit la boîte à couleurs et le cahier à dessin accroché sur le chevalet et s'attarda sur le portrait qu'elle venait d'exécuter.

– Il est ici, maman.

Isabelle se retourna et, en émettant un hoquet de surprise, laissa le cahier choir sur le plancher dans un claquement sec. Gabriel vit le visage de sa mère se vider de ses couleurs comme les pastels s'éparpillaient de nouveau sur le sol.

– Maman, tes pastels!

Voyant qu'elle ne répondait pas, il s'approcha.

– Maman? C'est le monsieur de la pomme. Il veut te pa'ler.

La voix du petit garçon semblait si proche et si lointaine à la fois. Détachant son regard de la silhouette qui emplissait l'embrasure de la porte, Isabelle, le cœur serré, se pencha sur son fils, qui la fixait avec un mélange de crainte et de tristesse.

– Maman, chuchota Gabriel en jetant un coup d'œil par-dessus son épaule. Tu vas pas le laisser m'emmener, hein? Je veux pas aller en p'ison. Dis-lui que je vais lui 'end'e sa pomme.

– Rrrendrrre...

– Mais c'est ce que j'ai dit!

– Le monsieur ne t'emmènera nulle part, Gaby... Tu veux bien nous laisser, maintenant? Avertis Louisette et Marie que je ne veux être dérangée sous aucun prétexte.

– Et ton souper?

– Mon souper... Je n'ai plus très faim. Marie peut... enfin... Qu'elle le donne à Arlequine.

Prenant la tête du garçon dans ses mains, elle posa ses lèvres sur son front.

– Maman! gronda le garçonnet, cramoisi.

Alexander, le cœur battant, contemplait le tableau qu'offraient la mère et le fils avec envie et tristesse. Lorsque Isabelle le relâcha, Gabriel s'élança vers la porte. Avec un air un rien furieux, le petit garçon fit comprendre qu'on lui bloquait la sortie. Alexander s'excusa et s'écarta. Son fils disparut en maugréant.

Isabelle ramassait et replaçait minutieusement dans leur boîte les morceaux de pastels. Ses mains tremblaient. Lorsqu'elle se releva, elle se trouva face à Alexander, qui se tenait aussi droit qu'un piquet. Seuls sa respiration saccadée et son teint pâle trahissaient sa grande anxiété.

– Je t'avais dit que... je reviendrais.

– Oui, je sais.

Isabelle posa la boîte sur une étagère. Le cahier à dessin gisait toujours sur le sol, le portrait caché, heureusement. Elle se pencha, mais Alexander la devança.

– Non!

Affolée, ne voulant pas qu'il vît l'esquisse, elle lui arracha le cahier des mains et le referma prestement.

– Désolé... je ne voulais pas...

Déconcerté, Alexander cherchait ses mots. Son avenir allait se jouer ici, maintenant. Serrant son chapeau entre ses doigts couverts de cloques et d'échardes, il récita mentalement une prière. Si Isabelle refusait son offre... Il avait tellement préparé sa venue. Chaque clou planté dans les planches, chaque bardeau accroché sur le toit avait semblé renforcer la probabilité qu'elle le suivrait.

Cependant, maintenant qu'il se tenait devant elle, malgré les caisses de bois qu'il avait aperçues dans l'entrée, il n'était plus sûr de rien. Mais il fallait se lancer.

– Je t'ai laissé deux mois pour réfléchir. Je crois que c'est un délai raisonnable...

– Raisonnable? Tu crois vraiment que deux mois suffisent pour se remettre de la mort de son mari?

«Non, mauvaise entrée en matière!» Alexander, levant les mains, paumes vers le haut, demanda une trêve.

– Non, tu as raison, ce n'est pas assez long. Toutefois, c'est le délai que j'avais fixé, et... je l'ai respecté.

– Tu avais dit un mois et demi!

Ce reproche donna un soupçon d'espoir à Alexander. Désirant détourner la colère qui animait le regard vert pailleté d'or, il changea de sujet.

– Comment se porte Gabriel?

– Gabriel? Euh... il va mieux.

– Et toi, Isabelle?

Elle hocha la tête de haut en bas tout en serrant fort le cahier contre sa poitrine. Ses yeux cernés, son teint pâle, son attitude affirmaient pourtant le contraire. Lui-même, après le dur travail des dernières semaines, ne devait pas offrir meilleure mine.

Comme le silence se prolongeait, Alexander laissa son regard errer dans la pièce, si différente de ce qu'elle était lors de sa dernière visite. Aujourd'hui, la lumière entrait à flots et éclatait dans une palette de couleurs sur les murs couverts de fusains et de pastels. Il s'approcha des dessins représentant des chats, des papillons, des oiseaux et des coccinelles.

– C'est Gabriel qui a fait ça? demanda-t-il avec émotion.

– Oui.

Isabelle, à qui il tournait le dos, l'observa tandis qu'il survolait les œuvres de leur fils. Comme il bougeait, elle remarqua des fils grisonnants dans sa chevelure. Déjà? Quel âge avait-il? Voyons, si ses calculs étaient justes, il devait avoir autour de trente-cinq ans. Elle-même approchait de la trentaine. Le temps passait. Elle lui semblait soudain si loin, cette époque d'insouciance durant laquelle elle gambadait dans les ruelles de Québec.

Elle se rendait brusquement compte qu'ils vieillissaient, que les années passaient. Un sentiment indéfinissable pétrit son cœur à la vue de cet homme dont le dos se courberait un jour et qui ne connaîtrait peut-être pas alors son fils. Avait-elle le droit de le priver de la fierté d'un père pour son garçon?

Alexander se retourna. Il ne chercha même pas à cacher ses larmes qui coulèrent sur ses joues sillonnées de rides. Isabelle sentit la honte l'envahir. N'était-elle pas responsable de la situation, tout comme Justine et Étienne? N'en avait-elle pas assez, elle-même, que les autres choisissent pour elle, que les convenances, qui ne la gênaient guère autrefois, dictassent sa vie?

– Un seul mot... articula Alexander avec la plus grande difficulté. Un seul mot, et je pars.

Il fixait intensément Isabelle, dont les joues étaient baignées de larmes. D'où venaient ces rivières? Quelle émotion faisait battre son cœur? Un seul mot de sa bouche, et il saurait. Il ne poserait pas de questions, n'insisterait pas. Il partirait, simplement. Savait-elle seulement qu'elle tenait sa vie entre ses mains?

– Je...

Elle déposa le cahier sur le chevalet et s'avança vers lui en le regardant droit dans les yeux.

– Alex... Gabriel a besoin de stabilité, tout comme moi. Il ne sait rien de toi... Je dois t'avouer que moi non plus. Nous sommes devenus des étrangers l'un pour l'autre. Comment peut-on rattraper sept ans d'éloignement?

À chaque pas qu'elle faisait dans sa direction, à chaque mot qu'elle prononçait, Alexander avait un peu plus l'impression que le sol se dérobait sous lui. Ne pouvant bouger, il porta la main à son cœur qui menaçait de cesser de battre.

– Le fait que tu sois le père de mon fils... ne m'oblige en rien vis-à-vis de toi. À cause de toi, une partie de ma vie a été un véritable enfer.

Alexander dut s'armer d'une bonne dose de stoïcisme pour supporter la douleur provoquée par ces paroles. Isabelle, les sourcils froncés, semblait confuse et désarmée.

– Tu avais raison, Alex... Je t'ai haï parce que je ne pouvais pas t'oublier et que cela me faisait mal. Mais ô combien... peux-tu le savoir?

– Je le sais.

– Oui, tu le sais...

Elle étouffa ses mots dans ses mains. Le silence pesait lourd. Reprenant contenance, elle s'essuya les joues d'un geste nerveux et renifla.

– Je me rends compte aujourd'hui que cette haine était due à l'éloignement et au fait que je te considérais comme responsable de mes malheurs... Je me sentais abandonnée, seule avec ce bébé... qui est pourtant le plus beau présent que tu aies pu me faire, Alex.

Il te ressemble tant... Chaque fois que je le regarde, c'est toi que je vois. Peux-tu imaginer ce que je ressens alors? C'est à la fois destructeur et enivrant. Gabriel me fait...

Elle s'étrangla et serra les lèvres pour les empêcher de trembler.

Alexander, désespéré, ne savait que penser. Isabelle se trouvait tout près de lui maintenant; l'ourlet de ses jupes l'effleurait. Prenant sa main posée sur son cœur dans les siennes, elle soupira, retenant un sanglot. À cet instant seulement, il remarqua l'anneau de corne à son doigt.

– Gabriel me fait chaque jour penser à toi...

Ayant soufflé ces mots, elle enfouit son visage dans sa tunique de cuir et éclata en sanglots.

Alexander était complètement dérouté. Il n'avait demandé qu'un seul mot, et voilà qu'elle s'était lancée dans un discours troublant qui propulsait son âme sur un nuage. Il se méfiait pourtant de ce que la suite lui réservait. Muet d'incertitude, il entoura Isabelle de ses bras, l'étreignit et lui caressa les cheveux. Puis, elle leva vers lui ces magnifiques yeux dans lesquels il se perdait, cette bouche qu'il rêvait d'embrasser, ces joues creusées de deux fossettes qu'il avait envie de goûter... Il se pencha, encore hésitant. Enfin, magnétisé, il plongea dans ce bonheur qu'elle lui rendait et l'embrassa. Il n'osait baisser les paupières de peur de laisser échapper sa félicité nouvelle.

Isabelle se sentait transportée par ses émotions. Elle s'accrochait à Alexander... à cette île où elle pourrait enfin déposer son cœur trop secoué par les événements de la vie. Il s'en était fallu de peu pour qu'elle rate cette chance de retrouver le bonheur, perdue comme elle était dans des brumes grises et opaques.

Au bout d'un long moment, ils s'écartèrent légèrement. Si petit était l'espace qu'ils mirent entre eux en cet instant de bonheur intense. Si profond était le gouffre. Ils ne pouvaient se leurrer en effet : sept années d'éloignement à rattraper, de rancunes à effacer, de déchirements à raccommoder, de haine à oublier les séparaient. Ils laissèrent un silence empreint de réserve les envelopper.

– Je t'aime, murmura Alexander en permettant enfin à ses paupières de se fermer.

– Seulement... l'amour sera-t-il suffisant? demanda Isabelle en posant sa joue sur sa poitrine.

– Dieu nous aidera...

12

Tout n'est pas gagné

Les joues rouges, le front moite, Isabelle s'assit devant la tasse de café que venait de lui servir Louisette. Elle ne savait plus où donner de la tête. Il lui semblait qu'une tornade s'était abattue sur la maison, qui était sens dessus dessous. On vidait des caisses, on en remplissait d'autres. On cherchait tantôt les draps de lin, tantôt les chandelles. Gabriel courait partout en demandant « Où on va? Où on va? » et en pleurnichant parce qu'on avait emballé ses jouets trop vite.

Isabelle avait demandé aux domestiques de protéger tous les meubles qu'elle laissait là. Combien de temps durerait son absence? Elle ne le savait pas. Louisette bougonnait, Basile en faisait autant, Marie pinçait les lèvres. On avait annulé le déménagement prévu avec monsieur Moisan. Isabelle se demandait d'ailleurs si elle avait bien fait. C'est que, dans l'émotion des retrouvailles avec Alexander, elle avait oublié de s'informer de l'endroit où ils allaient et de ce dont elle aurait besoin. Ses bagages devaient être prêts pour le lendemain, à l'aube. Il lui restait encore une tâche délicate: annoncer son départ à Jacques Guillot.

La porte s'ouvrit et une vague de chaleur humide pénétra dans la cuisine où elle prenait une pause. Accompagné d'un timide rayon de soleil, Basile entra en respirant bruyamment et en s'épongeant le front avec un mouchoir fripé. Louisette l'accueillit avec un sourire et un clin d'œil et lui versa un grand verre de sirop de mélisse. « Ces deux-là trament quelque chose », pensa Isabelle en fronçant les sourcils.

– Monsieur Guillot n'est pas à son bureau, madame. La propriétaire du bâtiment m'a dit qu'il était parti pour la Batiscan ce matin.

– Oh! Zut!

Isabelle se rappelait maintenant que le notaire devait effectivement retourner à la concession pour s'occuper des dernières démarches concernant la vente.

Le cocher vida son verre et s'essuya encore le cou en attendant d'autres ordres. Isabelle le congédia en le remerciant. Puis, elle frotta ses paupières fatiguées et réfléchit: elle ne verrait pas Jacques Guillot avant de partir. Peut-être était-ce mieux ainsi. Elle écrirait une lettre pour lui expliquer les raisons de son départ précipité. Il devait comprendre qu'elle avait besoin de se changer les idées. Elle le prierait de ne pas s'inquiéter pour elle et l'assurerait de la constance de son amitié. Elle lui demanderait aussi de suspendre momentanément la mise en vente de la maison de la rue Saint-Gabriel et d'informer le locataire de la propriété de Beaumont qu'il pouvait rester là quelque temps encore. Elle aviserait plus tard et le tiendrait au courant.

Tout allait si vite. C'était comme dans un rêve. Les domestiques ne comprenaient rien au brusque revirement d'attitude de leur maîtresse et obéissaient en ravalant leur mécontentement. Justement, que devait-elle en faire? Qu'est-ce qu'Alexander avait prévu à ce sujet? Agacée de ne rien savoir, la femme posa sa tasse sur la table avec brusquerie.

– Vous croyez que vous aurez suffisamment de provisions, madame?

La servante terminait d'emballer les pots de confitures et les conserves de pommes au sirop.

– Je ne sais pas...

– Et pour la vaisselle? Ce monsieur anglais doit bien en posséder, mais... il serait quand même dommage de laisser ici votre beau service de Worester.

– Worcester, Louisette.

– Ben, c'est ce que j'ai dit!

– Hum...

Isabelle, songeuse, ferma ses yeux brûlants de transpiration. Elle avait raconté aux domestiques qu'elle allait se reposer pendant quelque temps chez un ami de la famille. Pour le moment, tout le monde était tellement occupé par les préparatifs du départ qu'on ne lui avait pas demandé plus de détails, et c'était bien ainsi. Elle avait déjà assez de soucis avec Gabriel qui refusait d'aller ailleurs qu'à la ferme de la côte Saint-Laurent et réclamait encore et toujours le poney qu'on lui avait promis.

Rouvrant les yeux, la femme crut voir une pile de serviettes bouger dans une caisse. Sans doute était-ce la fatigue. Une heure de sommeil lui ferait beaucoup de bien.

– Voilà, c'est fait! Toutes les conserves sont dans les caisses. Il ne reste, dans le cellier et la glacière, que ce dont Basile et moi auront besoin pendant quelques mois. Au fait, madame...

Louisette lança un regard de biais vers Isabelle qui fixait la caisse pleine de linge de maison.

– Combien de temps resterez-vous là-bas? Il nous faudra peut-être renouveler...

– Je ne sais pas, Louisette.

Combien de fois avait-elle donné cette réponse? La pile semblait remuer encore. Peut-être était-ce un rat! Dans l'agitation, personne ne l'aura vu se faufiler dans la cuisine par la porte qui était constamment ouverte.

Isabelle se tourna vers la servante qui attendait des explications.

– Dès que j'en aurai une idée, j'enverrai un courrier. De toute façon, je donnerai des instructions à monsieur Guillot afin qu'il veille à ce que vous ne manquiez de rien. Cela te va?

– Oh oui! Ne vous inquiétez pas, madame. Basile et moi nous occuperons bien de la maison en votre absence. Elle restera aussi brillante qu'un sou neuf.

– J'en suis convaincue.

Isabelle sourit: elle avait deviné que ses deux domestiques vivaient une amourette. Comme elle emmenait Marie avec elle pour qu'elle l'aide à s'installer, les deux tourtereaux resteraient un moment seuls pour garder la maison de Montréal. Marie était la seule à savoir la vérité concernant Alexander.

Reportant son attention sur la caisse et son mystérieux occupant, Isabelle poussa un cri et bondit sur ses pieds en voyant la pile de serviettes se soulever et tomber.

– Un rat!

– Un rat? Où ça? Où est-il?

La servante, affolée, alla trouver refuge sur une chaise.

– Là! Dans la caisse!

Alerté par les cris, Basile surgit dans la pièce. Louisette, toute blanche, lui indiqua du doigt la masse de linge remuante. Saisissant une longue fourchette à cuisson, le cocher s'avança prudemment. Il commença par donner un coup de pied dans la caisse de bois. Les mouvements cessèrent sur-le-champ. Puis, il enfonça doucement la fourchette dans le linge pour le soulever. La pile trembla alors frénétiquement.

– Mais qu'est-ce que c'est que ça?

Fronçant le nez, Basile piqua derechef la fourchette dans les serviettes d'où sortit un miaulement sourd. Isabelle et Louisette se dévisagèrent un moment. Puis elles éclatèrent de rire, tandis que le cocher libérait la pauvre Arlequine qui s'enfuit en grognant.

***

– Madame! Madame! Le monsieur anglais est arrivé!

La voix semblait venir de loin, comme dans un rêve. Isabelle bougea, souleva sa tête. Elle s'était endormie sur la table.

– Le monsieur anglais? Mais de qui parles-tu, Marie?

Mais la jeune servante était déjà repartie. Encore tout ensommeillée, Isabelle bâilla et s'étira sur sa chaise. Pendant qu'elle se frottait vigoureusement le visage pour se réveiller complètement, elle revint à la réalité de son départ et eut une crampe douloureuse à l'estomac.

– Oh, batinse! Je dois être vraiment folle pour m'embarquer dans une aventure pareille!

Sur la table étaient empilées les lettres qu'elle avait terminé d'écrire et de cacheter peu avant minuit. Elle relut les destinataires: Jacques Guillot, Madeleine Gosselin, Louis Lacroix, Cécile Sarrazin, le banquier, le collège de Québec, quelques connaissances à qui elle voulait notifier son absence. Elle espérait n'avoir oublié personne... Basile, sur sa demande, porterait les plis au comptoir de poste.

Debout sur le seuil, Alexander s'était arrêté pour regarder la femme. Il n'osait croire à sa chance. Il serait bien resté ainsi pendant une éternité, à écouter sa respiration, à suivre ses mouvements. Seulement, Munro attendait avec les autres et la journée s'annonçait longue. Il s'avança donc et toussota pour annoncer sa présence. Isabelle leva la tête et laissa tomber les lettres en le voyant.

– Oh! Alex... Est-il si tard? Je me suis assoupie en t'attendant.

– Il doit être près de six heures.

– Six heures? Déjà? Oh! Les charrettes sont là?

– *La* charrette, oui.

Sur ce, Gabriel arriva en courant dans la cuisine, bousculant presque Alexander au passage.

– Je veux pas pa'tir! Je veux pas!

Isabelle se leva, et il s'élança dans ses bras en sanglotant.

– Mon amour, qu'est-ce qui se passe? On est prêts et monsieur Alexander est arrivé avec ses amis pour...

– Je veux pas m'en aller! Je t'ouve pas A'lequine! On peut pas la laisser ici toute seule!

– Les chats n'aiment pas déménager, Gaby. Mais elle ne sera pas toute seule, tu sais. Louisette et Basile resteront avec elle; ils s'en occuperont. Et puis, nous pourrons peut-être revenir la chercher.

Reniflant, Gabriel releva la tête et tourna ses yeux rougis par les larmes vers l'homme.

– Pou'quoi le monsieur vient nous che'cher, maman? C'est pa'ce que j'ai volé la pomme?

– Non, Gaby. Monsieur Alexander est un ami. Il nous emmène chez lui pour que nous prenions des vacances. C'est bien, non?

– Où c'est, chez lui?

Isabelle sortit un mouchoir de sa manche et essuya le nez du petit garçon pour se donner le temps de trouver une réponse. Alexander lui avait parlé d'une propriété située dans la seigneurie d'Argenteuil, sans en préciser l'endroit exact.

– Tu verras. C'est une surprise.

Les yeux de son fils rivés sur lui, Alexander se sentait mal à l'aise. En comparaison de cette demeure, l'endroit où il avait prévu de s'installer avec Isabelle et Gabriel ne ressemblait pas à grand-chose. C'était cependant tout ce qu'il pouvait se permettre pour le moment. Après une ou deux années de bonne chasse, il pourrait envisager autre chose.

– Bon. Il faut partir, maintenant, annonça-t-il en se tournant vers le couloir.

Gabriel le rejoignit en courant.

– Vous avez des poneys, monsieur?

– Des poneys? Non.

– Oh!

L'exclamation de déception peina Alexander. Il ralentit pour permettre à l'enfant de le devancer et s'accroupit devant lui. Il avait tellement envie de le toucher, de le prendre dans ses bras. Mais il devait se retenir. Son fils devait apprendre à le connaître.

– Tu aimes les animaux?

– Oui. J'ai une chatte. Je voulais aussi un poney. Papa m'en avait p'omis un, mais il est pa'ti avec les anges et maman dit que, là-bas, il ne peut pas en acheter un.

Osant une furtive caresse sur la chevelure du petit garçon, Alexander sourit.

– Hum... Moi, j'ai des chiens... et dans les bois, il y a beaucoup d'animaux.

– Il y a des bois chez vous?

– Oui.

– Oh! Chouette! Ça veut di'e qu'il y au'a des bibittes et des sou'is!

– Des bibittes?

– Ben oui, des a'aignées et des chenilles à poils!

– Ah! Oui, bien sûr, il y a plein de bibittes dans les bois.

Contemplant le visage rond de l'enfant, Alexander repensa à celui de son frère John, petit. Gabriel eut un merveilleux sourire. Il s'approcha de l'homme et prit un ton de conspirateur.

– Faut pas le di'e à maman. Elle aime pas ça, les bibittes.

– D'accord. Ce sera notre secret.

– Qu'est-ce que vous mijotez, tous les deux?

Isabelle se planta devant eux, les bras croisés.

– 'ien, maman.

Sur ce, le garçonnet se sauva par la porte d'entrée. En se relevant, Alexander croisa l'air étonné de Louisette dont le regard allait et venait entre lui et la porte où avait disparu Gabriel. La servante baissa les yeux et marmonna quelques mots à Isabelle au sujet des provisions avant de retourner à la cuisine.

Un silence gêné s'installa entre Isabelle et Alexander. Lui fixait une toile accrochée au mur qui représentait un enfant avec un violon.

– Il semble déjà bien t'aimer. Que lui as-tu dit pour changer aussi subitement son humeur?

– Que j'avais des chiens.

– Des chiens? Merveilleux! Combien?

– Cinq.

– Cinq chiens... Bon... Je n'ai pas l'habitude d'un si grand nombre d'animaux, mais je m'en accommoderai si cela peut lui faire oublier son poney. Du moment qu'ils ne vivent pas dans la maison. Au fait, j'ai oublié de te demander si tu habitais près du manoir des seigneurs d'Argenteuil. Cela serait agréable et me donnerait l'occasion de recevoir...

– Près du manoir?

Gabriel arriva juste à ce moment-là en courant et en agitant les bras.

– Maman! Maman! Il y a des Sauvages dehors!

– Des Sauvages?

Isabelle se précipita sur le seuil de la porte: Munro et trois Algonquins attendaient devant une petite charrette branlante recouverte de fientes d'oiseaux.

– Tu as l'intention de faire plusieurs voyages? demanda-t-elle à Alexander qui venait de la rejoindre. Nous en aurons pour des jours!

– Non, Isabelle... Je n'ai prévu qu'un voyage, lui répondit-il avec un petit sourire tandis qu'elle se tournait vers lui. Tu ne pourras emporter que ce que contiendra cette charrette...

Devant l'expression interdite de la femme, il hésita à continuer.

– Je... te suggère donc de bien choisir les affaires que tu désires garder avec toi. Le strict nécessaire.

Elle agita la main et lui signifia d'un air explicite qu'elle avait bien compris et qu'elle préférait ne pas en entendre plus.

Deux heures plus tard, la petite charrette croulant sous les bagages s'ébranlait. Isabelle, devant la berline attelée par Basile, faisait ses adieux à Louisette. La servante avait les larmes aux yeux. Elle était sincèrement désolée de voir sa maîtresse partir avec ce grand rustre au fort accent qui ressemblait plus à un Sauvage qu'au gentleman qu'elle s'était imaginé. Elle croyait pourtant que tous les messieurs anglais de Montréal étaient des gentlemen. Isabelle, qui avait soudain besoin de réconfort, tenta de la rassurer du mieux qu'elle put.

– J'écrirai dès que nous serons installés, Louisette. J'enverrai notre adresse où monsieur Guillot devra faire suivre mon courrier.

La servante au visage maculé de poussière esquissa un sourire.

– Oui, madame...

Puis, lançant un regard incertain vers l'un des Sauvages qui la lorgnait, elle se pencha vers sa maîtresse pour lui chuchoter :

– Vous êtes certaine que tout ira bien? Il m'apparaît que... enfin... je ne suis pas sûre que... C'est si subit. Pardonnez-moi mon impudence, mais... cet homme avec qui vous partez ne m'inspire pas totale confiance.

Non loin, Gabriel cherchait à grimper sur le dos de l'un des bœufs sous l'œil attentif de son père.

– Ne t'inquiète pas, Louisette. Je crois que ces... vacances feront le plus grand bien à Gabriel. Il a besoin de se changer les idées.

Le voyage ne débutait pas sous les meilleurs auspices. D'abord, il y avait eu ce choix difficile à faire entre les caisses à emporter et à laisser. Ensuite, le ciel était gris, et l'atmosphère, lourde et humide. Il faisait très chaud, et les vêtements collaient à la peau. Isabelle était épuisée. C'est le cœur broyé d'appréhension qu'elle se laissa tomber sur le siège de la voiture, que Basile mit aussitôt en marche. Son seul soulagement fut qu'elle avait réussi à obtenir que Gabriel ne fît pas le trajet juché sur un bœuf.

Chemin faisant, secouée dans la berline, Isabelle ne fut pas plus rassurée en apercevant le clocher de l'église de Lachine, tandis qu'ils longeaient le fleuve en direction de l'ouest : c'était un indice peu encourageant quant au trajet choisi pour se rendre à leur destination finale. Mais elle reçut un véritable coup au détour de la route : au bord de l'eau, deux énormes canots étaient accostés et entourés d'une poignée d'autres Algonquins affublés de brayets et à demi nus. Sitôt le convoi arrêté, une femme à la peau mate et aux longues tresses de jais vint à leur rencontre avec une fillette. Elle portait un casaquin de drap bistre à rayures brunes, qu'elle avait dû agrandir pour qu'il couvre son ventre rond, avec une chemise et une jupe de cuir brodée de motifs très colorés.

– Bonjour, Mikwanikwe.

Tandis qu'Alexander se dirigeait vers les Sauvagesses, Isabelle sentit le poids des yeux noirs posés sur elle. Qui était cette femme? L'épouse de l'un des Sauvages venus prêter main-forte pour le déménagement? Les prunelles sombres qui brillaient d'une lueur froide en la regardant s'emplissaient cependant d'une tendresse agaçante quand elles se tournaient vers Alexander. Isabelle sentit une impression désagréable naître dans sa poitrine. Elle avait le sentiment qu'on l'évaluait comme elle examinait une domestique pour savoir si elle séduirait son mari. Cela lui fit l'effet d'une gifle. Elle ne put s'empêcher d'observer la fillette pour rechercher des ressemblances...

La porte de la voiture s'ouvrit brusquement, extirpant la femme de sa contemplation. Alexander apparut, l'air grave. Il ne lui laissa même pas le temps de protester.

– Que fais-tu, Isabelle? Ne reste pas là à attendre que la pluie nous tombe dessus! Nous ne devons pas perdre une minute!

Gabriel, nullement effrayé par tous ces Sauvages rassemblés, sauta en bas de la berline en poussant des exclamations de joie. Voyant l'expression inquiète d'Isabelle, Alexander sentit le besoin de la conforter dans sa décision :

– L'aventure semble lui plaire.

La femme restait bouche bée. Avec ses yeux ronds, elle ressemblait à une carpe suffoquant hors de son environnement. Alexander prit sa main qui froissait le drap noir de sa jupe sur ses genoux.

– C'est... encore loin?

– Non, quelques heures de nage.

– Quelques heures de nage! Oh, juste ciel! Je m'attendais à bien des choses, mais... pas à ça!

Fixant les autochtones qui avaient déjà commencé à décharger la charrette, Isabelle ne bougeait toujours pas. Une mèche de cheveux dorés barrait son visage poussiéreux. Alexander la repoussa doucement derrière son oreille et caressa sa pommette de son doigt. Elle tourna ses yeux vers lui, mais à son grand soulagement n'exprima aucun ressentiment, juste de l'angoisse.

– Tu es prête?

– À quoi, Alex?

– Eh bien… à tout, au bonheur! Notre fils est heureux et je ferai en sorte qu'il le reste. Vous ne manquerez de rien, ça, je peux te le promettre! C'est tout ce que je peux te garantir pour le moment. Après, on verra… Donne-nous une chance.

– Une chance…

Elle observa Gabriel qui, ivre d'excitation, suivait Munro en sautillant des canots à la charrette et de la charrette aux canots.

– Je t'ai dit que je te suivrais, Alex. Contrairement à ce que tu penses, je n'ai jamais trahi une promesse. Pour le bonheur de notre fils, je suis prête à supporter beaucoup de choses. Cependant, il ne faut pas m'en demander trop. Tu m'as annoncé que nous allions dans la seigneurie d'Argenteuil! Ne crois pas que je vais vivre dans une tente de Sauvages…

– Elles sont pourtant très confortables! Mais ne t'inquiète pas, je ne t'ai pas menti! Et j'avais deviné que tu voudrais un vrai toit avec des murs de bois et des fenêtres à carreaux de verre.

Isabelle se détendit quelque peu, mais conserva malgré tout une crispation au ventre en descendant de la voiture.

Les yeux rivés sur l'eau qui les entourait et qui menaçait d'envahir le canot, Isabelle se balançait au rythme des coups de pagaie en se tenant à la toile cirée qui recouvrait une partie de ses bagages. Le ciel s'obscurcissait et se confondait avec l'étendue du lac. Les bruits de la civilisation s'étaient éloignés puis éteints. Le calme qui régnait n'arrivait cependant pas à apaiser les angoisses de la femme. La seule chose positive était que la chaleur suffocante de la ville s'était évaporée: on respirait plus librement.

Sentant ses jambes engourdies, Isabelle les allongea du mieux qu'elle put, étant donné l'espace restreint. Elle ne voulait pas réveiller Marie, qui avait réussi à s'endormir. Elle regarda avec circonspection ses nouvelles chaussures: des *makizins.* C'était la femme qui les avait accueillis plus tôt qui les lui avait offertes. Munro la lui avait présentée comme son épouse: Angélique Mikwanikwe. Isabelle avait accepté le présent avec un sourire poli. « Ces *makizins* ne risqueront pas de déchirer l'écorce, contrairement à tes chaussures à talons de bois », lui avait dit Alexander en l'invitant à les enfiler immédiatement.

Gabriel n'avait pas assez de ses deux yeux pour tout admirer et ne cessait de parler. Équipé d'une lorgnette, le petit « capitaine » scrutait la rive qu'ils longeaient, sous l'œil attentif de son père. Il posait toutes sortes de questions: « C'est quoi, ça? Un cana'd ou une poule d'eau? » « Il y a des vaches dans les bois? J'en vois une là-bas! » « Quand est-ce qu'on a'ive? C'est encore loin, not'e village? » « Il y au'a beaucoup d'enfants? » « J'espè'e qu'il n'y au'a pas de maît'e de musique... » « Les chiens, ils ont des bébés? » Alexander, ravi, tâchait de lui répondre entre deux éclats de rire.

– Là! Là! cria soudain le garçonnet en cherchant à se mettre debout.

L'esquif tangua; de l'eau déborda dans le canot. Cette fois, Alexander fronça les sourcils et gronda.

– Assis!

– Mais j'ai vu une aut'uche!

– Il n'y a pas d'autruches ici, Gaby, marmonna Isabelle.

– Je te dis que j'en ai vu une, maman! Là! Tu vois son long cou et ses g'andes pattes? Elle est comme dans mon liv' su' les animaux. Chouette! Il y a peut-êt'e aussi des lions et des éléphants!

Une explosion de rires fit vibrer l'embarcation. Alexander réussit enfin à parler.

– Je ne sais pas pour ce que tu appelles « autruche », mon garçon, mais je peux te certifier qu'on ne trouve pas la moindre trace d'éléphants ou de lions dans ce pays.

– Les aut'uches sont de g'os oiseaux qui ne peuvent pas voler.

– Et tu l'as vue où, ton autruche? demanda en riant Jean Nanatish, l'un des Sauvages.

– Eh bien, là!

Gabriel pointa la lorgnette vers une baie sablonneuse.

– Ah! Ça! C'est un héron, mon ami.

– Un hé'on?

Isabelle, exaspérée par le problème de prononciation de son fils, intervint.

– Hérrron.

Vexé, Gabriel lui lança un regard noir.

– Hé-rrrrrr-on!

Puis le silence retomba... pendant quelques minutes.

– Quand est-ce qu'on a-rrr-ive?

– Sois patient, mon garçon.

– Maman, j'ai faim. Tu as une collation pou' moi?

– Gabriel... Veux-tu bien rester tranquille et te taire à la fin?!

Alexander augmenta la cadence. L'odeur de la pluie était omniprésente et l'orage grondait au-dessus d'eux. Isabelle, marmonnant d'impatience, fouilla dans un sac de toile et en sortit un morceau de fromage qu'elle tendit à son fils. Il fut malheureusement trop vite englouti. Le clapotis de l'eau sur les pagaies les accompagna quelques secondes. Puis le garçonnet se mit à se tortiller.

– Maman...

– Oui, Gabriel. Quoi encore?

Il y eut un court silence.

– J'ai envie.

– Oh, nom de Dieu! Tu ne peux pas attendre un peu?

– Je vais essayer.

Mais, au bout de cinq minutes, les petites jambes se mirent à sautiller.

– Maman, je vais faire pipi dans ma culotte.

Alexander, qui observait la scène et hésitait jusque-là à intervenir, se décida.

– Enlève ta culotte.

Gabriel écarquilla les yeux.

– Mais tout le monde va voir mon p'tit b'as!

– Oh, seigneur! souffla Isabelle.

– Et après? répliqua Alexander avec un sourire rassurant. Tout le monde a un «p'tit bras» ici.

Dubitatif, l'enfant dévisagea chacun des passagers du canot.

– Pas maman et Ma'ie.

Des ricanements s'élevèrent, ainsi qu'une nouvelle exclamation maternelle. Gabriel baissa les yeux.

– Effectivement, acquiesça Alexander en lançant un regard taquin aux intéressées. Mais elles l'ont certainement déjà vu des milliers de fois, ton p'tit bras.

Gabriel plissa sa bouille tout en examinant son entrecuisse. Finalement, hochant la tête, il déboutonna sa braguette. Alexander déposa sa pagaie en travers du canot et fit un clin d'œil à Jean Nanatish, qui lança un ordre en algonquin. Tous les hommes s'arrêtèrent de pagayer. Sans crier gare, Alexander souleva alors Gabriel par les aisselles. L'enfant, surpris, se mit à hurler et à se débattre. Isabelle voulut se lever pour intervenir, mais fut maintenue au fond de l'embarcation par une main.

– Alex! Que fais-tu?

– Quand un roi a envie de pisser, faut pas attendre que sa vessie éclate.

Sur ce, il plongea son fils dans l'eau jusqu'à la taille. Saisi, Gabriel avait cessé de crier et de gesticuler. Mais ses yeux écarquillés exprimaient son incrédulité quant à ce qu'on lui demandait de faire.

– J'y a'ive pas, rechigna-t-il au bout de quelques secondes.

– Ferme les yeux et imagine le bruit d'une fontaine, lui suggéra Alexander qui surveillait de près le niveau de l'eau.

Gabriel obtempéra. Après un petit moment, il sourit, soulagé: l'opération avait réussi. Alexander, satisfait, le reposa au fond du canot et lui offrit une couverture. Puis il reprit sa pagaie.

– On peut reprendre la route, monsieur?

– Oui...

– Merveilleux! À la nage!

Toutes les rames fendirent l'eau d'un seul mouvement, et l'embarcation reprit rapidement une bonne vitesse. À la vue du clocher de la mission établie par les sulpiciens sur les rives du lac des Deux-Montagnes, Isabelle soupira de soulagement. Quelques minutes plus tard, le manoir de pierre construit en 1721 par Marie-Louise Denys de la Ronde, l'épouse du sieur Pierre d'Ailleboust d'Argenteuil, apparut, se dressant fièrement au bord de l'eau, non loin des quais. La traversée s'achevait enfin. Mais... pourquoi les deux canots poursuivaient-ils leur route sans s'approcher?

– Alex, je croyais que... N'est-ce pas là le manoir d'Argenteuil?

– En effet.

– Mais alors? Tu m'avais dit que...

– Que nous allions dans la seigneurie d'Argenteuil. Je ne t'ai jamais dit que les seigneurs d'Argenteuil seraient nos voisins.

Tandis qu'une expression de dépit sortait de la bouche de la femme, le ciel gronda. Isabelle leva des yeux inquiets vers Alexander. Une première goutte de pluie tomba, puis une autre et encore une autre.

– *God damn!* cria Alexander en lorgnant sa compagne qui, l'air doublement fâché, se réfugiait sous la toile avec son fils et sa servante.

Lorsqu'ils atteignirent enfin les deux îles qui marquaient l'embouchure de la rivière du Nord, la pluie avait cessé, mais les avait trempés jusqu'à l'os. Ils prirent quelques minutes pour écoper, puis s'engagèrent sur l'affluent.

– Quand est-ce qu'on a'ive?

– Bientôt!

Isabelle se sentait de plus en plus oppressée par l'angoisse au fur et à mesure qu'ils s'enfonçaient dans l'immensité de la nature vierge. Ils évitèrent quelques rochers, naviguèrent encore un moment, priant le ciel de retenir sa colère. Puis, ils bifurquèrent sur les eaux rubigineuses de la Petite Rivière Rouge. Enfin, les derniers coups de pagaie les amenèrent jusqu'à la rive. Isabelle laissa échapper un nouveau soupir de soulagement.

– Il nous reste encore un tiers de lieue à parcourir à pied, expliqua Alexander. Des récifs nous empêchent d'aller plus loin en canot. C'est trop dangereux.

Horrifiée, la femme rassembla son courage pour emboîter le pas avec son fils à Mikwanikwe, Otemin et Marie, qui s'engageaient déjà sur le sentier envahi par la végétation. Le terrain rendu boueux par l'eau de pluie s'enfonçait sous leurs pieds. Chargés lourdement, les hommes marchaient sur les racines et les pierres pour éviter de glisser. Isabelle, peu habituée à ce type d'excursion, avait beaucoup de difficulté avec ses longues jupes. Sans la main secourable du Sauvage qui la suivait, elle serait tombée plus d'une fois dans la boue. Quand elle retrouvait son équilibre, elle jurait entre ses dents et se hâtait pour rattraper les enfants, devant.

– *Aye, Alasdair! Ye wemen has the harshest tongue I've ever heard*[81]*!*

– *Dinna mind, Munro,* répliqua Alexander en riant, *as long t'is as sweet as t'is harsh*[82]*!*

Isabelle se retourna, affichant une expression menaçante.

– Je vous prierais de bien vouloir parler dans une langue que je peux décoder, messieurs les Écossais! La bienséance est une chose qui doooit!... Meeerde!

Alexander fut incapable de retenir son éclat de rire, auquel se joignirent ceux des autres hommes. La femme, assise au milieu d'une mare de boue, sentit un sanglot monter dans sa gorge, mais s'efforça de le contenir. Repoussant rageusement une mèche de cheveux, elle marmonna:

– Tu ne perds rien pour attendre, Macdonald.

Alexander se penchait justement vers elle pour l'aider à se relever.

– Ne me touche pas!

– Comme tu voudras.

Elle s'extirpa lentement de la mare visqueuse et s'essuya les mains sur sa jupe déjà bien crottée. Sa piètre apparence la découragea. D'un mouvement excédé, elle chassa les moustiques qui lui tournaient autour et vit alors l'expression hilare que tentaient désespérément de camoufler derrière leurs menottes Otemin et Gabriel.

– Qu'avez-vous à me regarder ainsi, vous deux?!

Les enfants tournèrent le dos et se remirent en route derrière

---

81. Hé, Alexander! La bouche de ta femme s'exprime dans les termes les plus crus que j'ai jamais entendus!

82. Ne t'en fais pas, Munro, tant qu'elle reste aussi douce qu'elle peut être rude!

Mikwanikwe, qui n'avait rien dit. Cherchant à reprendre contenance, Isabelle respira profondément et fit trois pas. Mais elle s'arrêta, complètement désespérée, lorsqu'elle sentit un liquide chaud couler entre ses cuisses. S'accroupissant pour feindre de resserrer les lacets de ses mocassins, elle glissa discrètement une main sous ses jupes. Lorsqu'elle la ressortit, elle ne put empêcher le sanglot qu'elle retenait à grand-peine depuis plusieurs minutes de s'échapper. Alexander la soutint pour qu'elle ne retombe pas.

– Tu es blessée? demanda-t-il fébrilement en voyant la main ensanglantée.

Se mordant la lèvre, elle hocha la tête de droite à gauche, puis se dégagea vivement. Alexander tenta de lui prendre la main, mais elle se déroba.

– Isabelle! C'est du...

– Je-ne-suis-pas-blessée!

– Mais?...

Alexander abaissa son regard soucieux sur l'autre main qui massait le ventre. Revenant au visage d'Isabelle, qui exprimait un mélange de honte et de désarroi, il comprit. Compatissant, il murmura:

– D'accord. J'envoie Mikwanikwe s'occuper de toi.

– Merci, réussit à articuler Isabelle entre deux sanglots.

Une éclaircie dans l'épaisseur des bois indiqua à Isabelle qu'ils atteignaient enfin l'endroit où elle vivrait désormais. Au détour d'un hallier de jeunes saules noirs, elle vit un terrain à moitié défriché, jonché de souches brûlées et de tas de pierres grises. Tout au bout des sillons gravés dans la terre noire se dressait une cabane montée en pièce sur pièce[83], percée de deux fenêtres et d'une porte protégée par un petit porche, et surmontée d'un toit d'essentes[84] moussues au centre duquel surgissait une cheminée de pierre.

– Maman! Maman! 'egarde, là-bas!

Gabriel pointait du doigt le faîte d'un wigwam qui dominait un taillis de vinaigriers.

– On va habiter là-dedans? Dis, c'est là qu'on va habiter?

– Je crains que ta mère ne préfère la maison de bois, *a bhalaich*, répondit Alexander en se dirigeant vers la cabane.

---

83. Les maisons pièce sur pièce datent du début de la colonisation au Canada. Il s'agit de constructions faites de madriers ou de rondins – le plus souvent de pin blanc – horizontaux empilés et retenus dans cette position par des madriers verticaux. Les murs ainsi érigés pouvaient être recouverts de bardeaux de cèdres ou chaulés.

84. Tuiles de bois.

Sous le choc de la découverte de sa nouvelle «demeure», Isabelle serrait convulsivement ses jupes maculées de boue et résistait à l'envie de s'enfuir, de retourner à Montréal. Écrasant un moustique dans son cou et observant son fils qui gambadait tel un chiot fou autour d'Alexander, elle était assaillie de sentiments contradictoires. D'un côté, elle enviait la joie de Gabriel qu'elle n'arrivait pas à partager. De l'autre, elle frémissait de bonheur à la vue du père et du fils réunis dans une complicité naissante.

– Voilà ce à quoi me réduit l'amour! marmotta-t-elle en marchant d'un pas hésitant.

Mais à quoi s'attendait-elle, en fait? Elle savait, au plus profond de son âme, qu'Alexander ne pouvait lui offrir la même chose que Pierre. Quand elle atteignit la maison où l'homme pour qui elle avait tout abandonné lui tenait la porte ouverte, elle prit une grande respiration avant d'entrer.

Alexander l'accueillit avec un sourire qui se voulait rassurant, mais qui disparut rapidement. Il déposa son fardeau près de la porte et attendit.

Gabriel étant parti visiter l'habitation indienne, le silence régnait. Seul un «ploc! ploc!» agaçant faisait écho sur les murs fraîchement chaulés de l'unique pièce. Ne sachant trop que penser, Isabelle fit le tour de l'endroit du regard. L'équipement de cuisson de l'âtre était plutôt rudimentaire. Une table bancale et deux longs bancs, ainsi que quelques étagères fixées au mur, meublaient le coin cuisine. De l'autre côté de la cheminée, un grand lit à la paillasse de sapinage recouverte d'un drap de coutil faisait office de chambre. Elle était soudain mal à l'aise: elle n'avait pas encore pensé qu'elle aurait une vie de couple avec Alexander. Elle fronça les sourcils.

– Je dormirai ailleurs, s'empressa de dire l'Écossais, déçu devant l'expression de celle qu'il avait tant envie d'étreindre.

– Et pour Marie?

– Je lui fabriquerai une couche avant la nuit. Tu n'auras qu'à m'indiquer où tu désires que je l'installe.

– Oui... Le reste de mes effets?

– Nous y retournons immédiatement.

Sans le regarder, elle se dirigea vers le lit en hochant la tête et en lissant soigneusement sa robe toute sale. Baissant les yeux sur ses pieds trempés et tout boueux, elle sentit une immense fatigue l'envahir et eut envie de pleurer.

– Je... j'ai besoin de me reposer.

– Oui...

Alexander se dirigea vers la sortie. Sur le seuil, il s'immobilisa et se retourna vers elle, l'air triste.

– Je sais, Isabelle. C'est... modeste.

– Modeste, oui, c'est le moins qu'on puisse dire! souffla-t-elle.

Alexander toussota et pianota avec ses doigts sur sa cuisse. Aurait-il dû la prévenir des conditions dans lesquelles ils vivraient? Comme elle ne lui avait rien demandé, il s'était imaginé qu'elle avait deviné. Il semblait qu'il s'était trompé.

– Cette situation est temporaire... Je veux dire... Dès que possible, je ferai mieux.

Isabelle, sans rien répondre, se laissa tomber sur le lit et s'étendit. Le cœur battant, Alexander considéra cette femme en repensant à celle qui s'était un jour penchée sur lui, dans un hôpital, et qui l'avait ébloui. Malgré la robe noire toute crottée, les mocassins boueux, le bonnet de guingois d'où s'échappaient des mèches blondes dégoulinantes, il la trouvait tout aussi merveilleuse que la première fois.

Il sortit, vérifia où se trouvait son fils et jeta un œil vers le toit pour chercher la source de la fuite: il lui faudrait s'en occuper rapidement. Puis, il repartit vers les canots pour aller chercher le reste des bagages. Il était épouvanté à l'idée de ne pas retrouver Isabelle à son retour. Elle avait certainement envie de retourner chez elle, dans le confort et la sécurité de sa belle maison de Montréal. Il lui serait possible de lui offrir mieux. Mais il s'était juré de ne pas toucher à l'or du Hollandais, sous aucun prétexte. Ce trésor ne lui appartenait pas et ne pourrait que lui porter malheur. Mais c'était tellement tentant. Arriverait-il à tenir sa promesse et à garder Isabelle près de lui?

Lorsque la femme ouvrit les yeux, il faisait sombre. Une lueur jetant des ombres sur les murs indiquait qu'un feu flambait dans l'âtre, au centre de la pièce. Encore ensommeillée, Isabelle se souleva sur un coude. Son estomac manifesta en même temps son insatisfaction. Combien de temps avait-elle dormi? Il lui faudrait demander à Louisette...

– Oh, juste ciel!

Faisant soudain le constat de l'endroit où elle se trouvait, elle se laissa retomber sur la couche. Des voix d'hommes lui parvenaient faiblement et une délicieuse odeur de viande grillée et de résine de conifère venait lui chatouiller les narines. Se concentrant sur les parfums de son nouvel environnement, elle essaya de reprendre courage. Mais un moustique vint fredonner à son oreille et réveiller ses angoisses. Elle l'écrasa sur sa joue en grognant.

– Je pourrais peut-être tenter de convaincre Alex de venir vivre en ville... Bien sûr, on trouverait autre chose que la maison de Pierre...

Elle remua de nouveau : ses jupes lui collaient aux cuisses. Elle pensa qu'elle avait commis une erreur en acceptant de suivre Alexander. Elle referma les yeux, revit les murs jaune paille de sa chambre, son lit que Louisette avait garni d'indienne pour l'été... Elle reconnut les gloussements de Marie et le rire de Gabriel : ils semblaient s'amuser. Elle pinça les lèvres de dépit.

– Non, Alexander ne voudra jamais aller à Montréal. D'ailleurs, je ne pourrais pas m'y afficher avec lui... Peut-être qu'avec l'argent dont je dispose, nous pourrions améliorer l'état de cette... baraque! Peut-être que... Non, Alex refusera. Il est trop orgueilleux pour accepter de se faire entretenir par une femme.

Dehors, les gens s'amusaient tandis qu'elle s'apitoyait sur son sort. L'appétit aiguisé par les odeurs de grillades, elle s'assit avec détermination.

– Vais-je rester ici à gémir sur « mon » choix, alors que ceux à qui je l'ai imposé se réjouissent?

Sautant du lit, elle nota que la couche de Marie était prête et que ses bagages étaient soigneusement empilés dans un coin. Il lui fallait se changer et se laver un peu pour être un peu plus présentable. Elle fouillait dans une caisse lorsque la porte s'ouvrit en grinçant. Une petite silhouette se découpa sur le fond gris du paysage.

– Maman, tu es rrréveillée?

– Oui, Gabriel. Tu as mangé?

– Oui. Monsieur Alexander a fait 'ôtir une d'ôle... une drrrôle de bête.

– Ah oui? Qu'est-ce que c'est?

– Du castor.

– Du castor?! Mais nous sommes vendredi! On ne mange pas de viande le vendredi!

L'enfant haussa les épaules et s'avança vers elle avec un grand sourire et des yeux brillants en faisant surgir de derrière son dos un bouquet de marguerites.

– C'est pou' toi, maman. Il y en a plein au bout du champ, p'ès des pommiers. J'ai vu des papillons et des chauves-sou'is. Il y a des g'illons aussi. Tu les entends? Ils chantent pour nous souhaiter la bienvenue.

– C'est gentil, mon amour. Mais les grillons chanteraient même si on n'était pas là.

– C'est monsieur Alexander qui me l'a dit.

Gabriel se balançait d'un pied sur l'autre. Des éclats de voix ponctués de jappements de chiens s'élevèrent.

– Ah oui? Et que t'a-t-il dit d'autre, monsieur Alexander?

– Que si t'aimes pas tes vacances ici, il nous rrramènera à Mont'éal.

– Vraiment?

– Oui. Mais moi, je me plais bien ici. Je ne veux pas rrretou'ner là-bas tout de suite.

Prenant le bouquet, Isabelle y plongea le nez pour cacher son émotion. Le temps était exécrable, ils étaient crottés de la tête aux pieds, entourés de Sauvages au milieu de nulle part et n'avaient que du castor à se mettre sous la dent… Pourtant, Gabriel était heureux. Elle effleura la joue rebondie de son fils avant d'y déposer un baiser.

– Alors je ferai tout mon possible pour qu'il n'ait pas à nous reconduire jusqu'à Montréal.

***

Les jours qui suivirent n'eurent rien des douceurs que promettaient habituellement les vacances. Jean Nanatish et ses compagnons repartirent vite pour la mission du lac des Deux-Montagnes avec les canots et une lettre destinée au notaire Guillot: la veuve de Pierre Larue s'y faisait rassurante et y indiquait où faire suivre son courrier.

Décidée à rendre la cabane plus confortable, Isabelle la nettoya de fond en comble avec Marie et Gabriel. On aménagea la cuisine de façon plus fonctionnelle et on y installa une huche à pain… enfin, une sorte de boîte d'écorce faisant office de huche à pain. À la demande de la nouvelle «maîtresse de maison», Alexander ajouta deux étagères, et on put ranger chaudrons, bols, tourtières à fond de cuivre, tasses, assiettes, pichets, timbales, ainsi que la cafetière et la théière de faïence française choisie pour sa résistance. Seuls les quatre couverts du service de Worcester restèrent emballés. On les sortirait pour recevoir convenablement le curé de la paroisse s'il y en avait un, ce qui ne semblait pas sûr du tout.

Isabelle avait apporté, pour tous accessoires de luxe, ses chandeliers de laiton, deux lampes à huile, des becs-de-corbeaux et trois lanternes de fer. On accrocha l'une de ces dernières au-dessus de la table. Quant au violon muet de Gabriel, il orna fièrement un mur, entre un miroir qui s'était cassé pendant le voyage et la fenêtre garnie d'un drap. Isabelle décida d'agrémenter le modeste rideau de broderies au cours de l'hiver. Elle pourrait travailler dans le coin le plus éclairé de la pièce, où elle avait installé une vieille chaise ainsi que son nécessaire à couture rangé dans un panier de clisse de frêne offert par Mikwanikwe.

Lorsque chaque chose eut trouvé sa place, Isabelle demanda à Alexander de suspendre la grosse marmite de fonte à la crémaillère. Bien qu'elle ait décrété que le gaspillage serait sévèrement puni, Marie fit, quant à elle, le tour de la maison en lançant des pincées de sel.

Les jours suivants, pendant que Munro fabriquait un nouveau canot, plus petit, Alexander suivit Isabelle autour de la maison pour l'aider aux travaux urgents les plus difficiles. Aucun des deux ne voulant évoquer le passé, les relations étaient quelque peu tendues.

Troublé par cette promiscuité frustrante, Alexander finit par décider que le moment était venu de retourner à la chasse. Il partit avec son cousin durant de longues journées, depuis l'aube jusqu'à la tombée de la nuit. Les animaux tués étaient aussitôt écorchés et débités en morceaux. On cuisait la viande ou on la tranchait en fines languettes pour la faire sécher au soleil sur des claies. Le gras était conservé dans des contenants d'écorce afin de servir aussi bien à cuire les aliments qu'à se protéger des moustiques et à rendre les toiles imperméables. Tout ce travail était harassant, mais évitait de trop penser. Les peaux s'accumulaient rapidement et promettaient un marchandage intéressant et une meilleure situation.

Cet éloignement quotidien améliora sensiblement les rapports entre Isabelle et Alexander. Après une rude journée passée à pester contre les insectes, à peiner dans un potager plein de mauvaises herbes et à gronder Gabriel qui jouait dans la boue, la femme se surprenait à attendre l'Écossais en ornant ses cheveux d'un ruban ou en glissant une fleur dans son corsage. La routine qui s'installait agissait comme une pommade sur sa déception et son moral.

Les bras croisés sur son estomac bien rempli, Alexander étendit les jambes. Satisfait, il permit à la fatigue de l'envahir. Le Hollandais avait su choisir l'emplacement de son terrain. Situé sur le versant ouest de la colline, il descendait en pente douce vers la Petite Rivière Rouge. Un ruisseau prenant sa source dans les hauteurs coulait à proximité. Il avait donc suffi de fabriquer un barrage en amont pour former un point d'eau. Ce jour-là, Munro et lui avaient terminé de creuser un canal qui acheminait l'eau jusqu'au champ et l'irriguait. La terre était riche en humus et promettait une bonne récolte de maïs.

Délaissant le champ verdoyant, Alexander reporta son attention sur les silhouettes qui se découpaient devant les feux. Les flammes éloignaient les moustiques, voraces à la brunante. La pommade préparée par Mikwanikwe ne suffisait pas à protéger les peaux tendres et sucrées de Gabriel et d'Isabelle.

Il observa cette dernière, en train de pendre des vêtements devant le feu pour les faire sécher. Elle s'adaptait plutôt bien. Contrairement à ce qu'il avait craint, elle ne rechignait pas trop à la tâche. Il la suivit des yeux tandis qu'elle revenait vers la cabane, talonnée par Gabriel qui était coiffé du panier vide. Elle se pencha pour ramasser un seau et offrit une délicieuse vue sur son encolure. Alexander remarqua qu'elle avait renoncé à ses épaisseurs de jupons et délacé légèrement son corsage. Il sourit, l'imagina dans une robe de peau comme celles que portaient Tsorihia... puis à demi nue, dans ses bras.

Arrivée à la cabane, Isabelle déposa le seau d'eau, essuya ses mains sur son tablier et souffla sur une mèche qui lui tombait devant le visage. Tandis qu'elle se relevait, elle croisa le regard bleu saphir posé sur elle et s'empourpra. Mais elle ne rajusta pas son corsage qui dévoilait impudiquement sa gorge. Elle se contenta de relâcher son tablier et de sourire. Après avoir plongé la main dans l'eau et s'être rafraîchi la nuque, elle rejoignit Alexander sur le banc.

– Dis-moi, où va le soleil quand la lune se lève? Il fait si chaud qu'on a l'impression qu'il se cache derrière elle pour continuer de nous harceler!

Gabriel, qui se tortillait pour se faire une place entre eux, se mit en devoir de l'instruire:

– Le soleil va faire dodo, maman.

– Puisque tu es mon petit soleil et que la lune se lève, je pense que c'est ce que tu devrais faire, toi aussi.

– C'est que pa'fois, la lune pa'tage le ciel avec le soleil.

Isabelle pinça tendrement le nez de son fils.

– Ah oui? Hum, petit Copernic... Puisqu'il fait si chaud, je crois que je peux t'accorder quelques minutes supplémentaires.

Le visage de Gabriel, doré par la lueur du soir, se plissa dans une moue comique qui fit rire Alexander. Des papillons de nuit voletaient tout autour d'eux. Une chauve-souris, en quête d'un festin, vint les frôler et arracha un cri de frayeur à Isabelle. L'enfant, pouffant de rire, partit aussitôt à la chasse.

L'espace qui séparait dorénavant Isabelle et Alexander accueillit vite leurs mains, qui n'osèrent cependant pas se toucher. Du champ montaient des effluves d'humus. L'astre du jour s'était éclipsé, mais peignait encore le ciel de couleurs sublimes au-dessus de la cime des arbres.

– J'aurais aimé le tenir dans mes bras... commença Alexander d'une voix rauque au bout d'un long moment.

Il regardait son fils, qui essayait d'attraper les insectes avec les mains avant qu'ils ne se jettent dans les flammes.

– J'aurais aimé être là à sa naissance... J'aurais voulu le rattraper à sa première chute, l'entendre rire... J'aurais voulu...

– Je sais.

Isabelle baissa les yeux sur leurs deux mains. Mais il retira brusquement la sienne pour la glisser dans ses cheveux en bataille. Soudain, il arrêta son geste.

– Il a les cheveux de ma mère.

– Ah oui? Je ne savais pas.

– Elle s'appelait Marion. Te l'ai-je déjà dit?

– Tu ne m'as jamais vraiment parlé d'elle.

– Hum...

– Elle te manque?

Il chassa un moustique d'un geste exprimant l'agacement tant physique que moral. Après un silence, il laissa tomber:

– Elle est morte... Elle est morte en 1748, et... enfin... c'est du passé.

– Veux-tu me parler d'elle?

Il demeura silencieux. Il repensait à cette mère qui l'avait attendu pendant deux ans puis avait abandonné tout espoir de le revoir et s'était laissée mourir. Il ne pouvait s'adresser que des reproches. L'évoquer l'attristait. Il n'en avait pas envie, pas ce soir.

– Une autre fois, peut-être...

Isabelle acquiesça de la tête, puis reporta son attention sur le paysage. Elle pressentait que la famille était un sujet tabou pour Alexander et se demandait quel secret, terrible peut-être, l'Écossais voulait cacher. Elle se leva.

Alexander sentit le banc bouger. Absorbé dans ses souvenirs, il ne tenta pas de retenir sa compagne. Lorsqu'elle revint quelques minutes plus tard, il s'empressa de passer une main sur son visage pour essuyer une larme. Se rasseyant près de lui, elle déposa un coffret sur ses cuisses.

– Ceci t'appartient, Alex. J'aurais dû te le remettre bien avant, mais... je voulais attendre le bon moment.

– Qu'est-ce que c'est?

– Ouvre-le...

La pénombre grandissante masquait une partie du contenu de

la boîte. Mais le feu du ciel faisait étinceler les objets métalliques, qu'il reconnut. Pendant un moment, il resta insensible devant son maigre avoir. Puis, comme les circonstances expliquant la présence de ses biens dans ce coffret lui revenaient en mémoire, il sentit la colère gronder en lui.

– Comment... comment se fait-il que?...

– J'ai trouvé ça par hasard, Alex, scellé sous le bureau de Pierre. Il y a ton testament, ton poignard, la montre de ton grand-père... La lettre que tu me destinais et dont tu parles dans ton testament a disparu. Je crains que Pierre...

Alexander serra les mâchoires à s'en briser les dents. Il prit le portrait peint par John et le caressa du bout du doigt.

– C'est ta mère?

– Oui.

– Tu lui ressembles beaucoup... Pourquoi n'es-tu pas reparti en Écosse pour retrouver ta famille, Alex?

– J'avais treize ans quand je l'ai quittée. Ma mère est morte deux ans plus tard... Plus rien ne me rappelle là-bas.

– Et ton père? Et Coll? Ne m'as-tu pas dit que lui était retourné là-bas à la fin de la guerre? Tu semblais pourtant bien t'entendre avec lui...

La gorge nouée d'émotion, Alexander ne pouvait répondre. Reposant le portrait dans le coffret, il effleura le manche de son poignard et prit la montre.

– Elle marche toujours. J'ai vérifié.

Il hocha la tête en faisant disparaître l'objet dans son sac à tabac. Puis, soupirant, il prit la bourse contenant les pièces sonnantes et la laissa tomber sur les genoux d'Isabelle.

– Il doit bien y avoir assez, là-dedans, pour se procurer une chèvre et un porc à la mission.

– Alex, c'est tout ce que tu possèdes. Nous ferons sans le porc. Quoique... si tu tiens vraiment au porc pour faire boucherie, je peux très bien participer en te donnant...

Elle s'interrompit brusquement et se mordit la langue devant le regard bleu glacial qui la fixait.

– Alex, je suis désolée... Ce n'est pas ce que je voulais dire...

– Ne crois pas que ce soit là toute ma fortune, Isabelle « Larue »! Je t'assure que je peux très bien nous procurer de quoi faire boucherie sans me ruiner, si c'est ce qui t'inquiète! Le jour où j'accepterai que tu utilises l'argent de ton mari sera celui où l'on dressera ma sépulture. Jamais on me reprochera de profiter de l'héritage d'une riche veuve. Que ce soit clair entre nous!

Sous le choc, Isabelle regarda Alexander se lever et s'éloigner vers l'abri qui servait au faisandage des carcasses de viande. Il disparut derrière. Jetant un œil vers Gabriel, qui s'amusait à attraper des papillons avec Otemin et Marie, Isabelle se mit debout à son tour et courut sur ses traces. Elle croisa Munro, qui arrivait avec une bouteille d'eau-de-vie de son cru et avait l'air intrigué.

Alexander entendit Isabelle venir; il l'attendait. Il savait qu'il avait été trop loin dans ses propos. Mais il était dominé par la colère. Revoir son poignard lui avait confirmé ce qu'il soupçonnait depuis quelque temps, plus précisément depuis le jour tragique où il s'était trouvé face à Pierre Larue, dans l'écurie. Le notaire avait l'air tellement contrarié de le voir vivant. C'était très certainement lui qui avait ordonné à Étienne de le supprimer. Il devait d'ailleurs faire partie de la ligue et, comme il s'occupait des affaires de Van der Meer, devait être au courant pour l'or. Avec l'attaque iroquoise, il faisait d'une pierre deux coups!

L'odeur d'Isabelle l'enveloppa et ses doigts lui touchèrent doucement l'épaule.

– Alex... je ne veux pas que nous nous disputions à ce sujet.

– À quel sujet?

Il avait encore en tête l'ignoble crime d'Étienne.

– Eh bien... de l'argent. Je ne voulais pas te blesser... Je...

Se tournant d'un bloc, il la dévisagea d'un air soupçonneux. De quel argent parlait-elle donc? De l'or convoité par son frère et son mari ou bien de sa fortune personnelle? Après avoir longuement réfléchi, il avait décidé de ne pas révéler à Isabelle le vrai rôle d'Étienne, sa trahison. Bien qu'il s'agît de son frère, elle n'avait rien à voir avec cette histoire. De plus, le mal était fait. Rien de ce qu'il pourrait dire ou faire ne ramènerait le Hollandais et les autres. Rien n'effacerait de sa mémoire les terribles images du supplice qu'avait subi Hébert Chamard.

– Ne t'en fais pas pour l'argent, Isabelle. Crois-tu que je t'aurais proposé de venir ici si je n'avais pas de quoi subvenir à vos besoins?

– Non... enfin...

Il trahirait sa promesse faite à Van der Meer plutôt que de toucher un seul denier de Larue. Il souhaitait pourtant ne pas avoir à le faire. Ce qu'il offrirait à Isabelle et à Gabriel, il le gagnerait à la sueur de son front et non grâce au sang versé par d'autres. La main de la femme serra doucement son épaule et glissa jusque sur sa nuque; il frissonna.

– Parle-moi, Alex. Je sais que cela te bouleverse de retrouver ces objets. J'aimerais que...

– Je n'ai vraiment pas envie de discuter de ce qui est arrivé! Encore moins de Pierre Larue et de ta vie avec lui! lâcha-t-il en disparaissant de nouveau dans l'obscurité.

– Alex, attends!

Isabelle se lança encore à sa poursuite, trébuchant sur les reliefs invisibles du sol.

– Alex, il ne s'agit pas de ça... Aïe!

– Isabelle? *God damn!* Où es-tu?

– Ici.

La voix venait d'en bas. Un pas de plus, et il lui marchait dessus. Il s'accroupit et tâta à l'aveuglette.

– Tu t'es fait mal?

– Ça va, je n'ai rien.

Alexander, le cœur battant, demeura un moment muet. Il avait soudain eu très peur: Munro et lui avaient aperçu un ours trois jours plus tôt. Seule Mikwanikwe en avait été avertie. Elle devait empêcher Isabelle et les enfants de s'aventurer trop loin.

– Ça va, je te dis! J'ai mis le pied dans un trou, c'est tout. Je n'ai rien de cassé.

– Ouais...

Ignorant ses protestations, il fouilla sous ses jupes et trouva le pied en question, qu'il palpa avec douceur. Comme par magie, il se retrouva alors dans une ruelle de Québec, à tâter la cheville d'une jeune femme coquine et rougissante qui s'était soi-disant fait mal par accident. Ses doigts firent le tour de la délicate articulation, puis remontèrent le long du mollet. Bon Dieu, ce qu'il la désirait! Il en avait assez de dormir sous la tente de Munro, nuit après nuit, d'entendre les soupirs que le couple poussait. Cette situation gênante pour tout le monde ne pourrait durer encore très longtemps.

– Nous devons parler, murmura Isabelle en emprisonnant dans la sienne la main qui continuait de monter.

– D'argent?

– Non. Ce n'est pas ce qui m'importe pour l'instant. Et puis, je ne crois pas que ce sujet nous aide à nous rapprocher. Non, je voudrais qu'on discute de toi, de moi... de nous deux. Hormis les souvenirs qui me restent de toi, à Québec et à Montréal, dont je préfère en oublier certains, que sais-je de toi? Rien. Et toi, que sais-tu de moi?

– Ce que je sais me suffit. Il devrait en être de même pour toi, Isabelle.

– Non!

Elle serra plus fort sa main et l'attira vers elle d'un geste brusque. Il tomba sur elle, l'écrasant de tout son poids. Ils restèrent ainsi sans bouger, profitant du contact, de la chaleur de l'autre.

– Non, répéta-t-elle plus doucement. Nous ne pouvons simplement reprendre là où nous en étions à Québec, au moment de notre séparation, Alex. L'amour que nous avions alors l'un pour l'autre n'est plus, ne le vois-tu donc pas?

– Ne dis pas cela, gémit Alexander en cherchant le reflet de la lune dans les yeux de la femme.

– Cet amour-là n'est plus. Nous ne sommes plus les mêmes. Alex, les événements t'ont changé, et moi aussi. Nous n'y pouvons rien.

– Gabriel nous a unis pour l'éternité, Isabelle, tu ne peux le nier.

– C'est vrai.

Il approcha ses lèvres des siennes, huma son haleine. Puis, obéissant au désir qui s'emparait de lui, il se mit à la caresser. Mais elle, prise de panique, se mit à gigoter pour lui échapper.

– Non! Il nous faut nous retrouver avant, Alex... Et nous n'y arriverons pas de cette façon, je t'assure.

– C'est ridicule, Isabelle. Souviens-toi de ce que nous avons vécu.

– Je ne l'oublierai jamais! Mais il y a si longtemps de cela. J'étais si jeune et si naïve... Oh, Alex! J'essaye de t'expliquer que, malgré ce qui nous unit, nous repartons à zéro. Tu comprends? Nous devons établir de nouvelles bases, solides, vraies. Le fragile échafaudage de nos souvenirs ne résistera pas à la première tempête.

– Qu'attends-tu de moi alors? Je suis prêt à tout pour te rendre heureuse!

– Je ne veux rien de ce que l'argent peut acheter. Ce que je veux... Alex... j'ai des sentiments pour toi, mais... je ne suis plus certaine de ce que je ressens. C'est différent de ce que j'éprouvais pour toi à Québec. Il y a du désir, oh oui! Mais désir et amour sont deux...

– *Dinna say nothing, Iseabail. Dinna...*

– Non, laisse-moi continuer! Le désir n'est pas tout! Il y a la confiance aussi et...

– Alors pourquoi as-tu accepté de me suivre? gronda-t-il en se redressant.

– Pour être honnête, je ne le sais pas vraiment. Sans doute parce que je désirais retrouver un peu de ce que nous avons vécu et qu'on nous a volé. Pour Gabriel, aussi. En ce qui le concerne, je sais que j'ai pris la bonne décision: il est heureux. Mais, pour ce qui est de nous deux, c'est un peu plus compliqué. Je me rends compte que l'époque de Québec est loin, trop loin maintenant. Je ne peux plus t'aimer comme avant, Alexander, tu comprends? L'amour, comme le reste, évolue. Mais je veux t'aimer malgré tout. Fais battre mon cœur; donne-lui des ailes.

– Comment? Je suis ce que je suis, Isabelle. Que veux-tu que je fasse? Que je me métamorphose en dieu de l'amour et que je te coure après avec un arc et des flèches? *Mo chreach!*

– Pourquoi pas?

Il scrutait la femme, à la recherche d'indices de moquerie ou de cynisme. Elle se dressa sur les genoux pour lui faire face et continua.

– Pourquoi pas? Séduis-moi, gagne mon cœur comme tu l'as fait à Québec!

Alexander dévisageait Isabelle, incrédule. Il avait presque envie d'éclater de rire.

– Tu veux que je te fasse la cour?! Tu veux que je te fasse manger des cornichons trempés dans de la confiture?!

– En quelque sorte.

– Mais c'est ridicule! Nous n'en sommes plus là, Isabelle! Les pique-niques, les balades sur le bord de la rivière... c'est dépassé, tout ça! Bon sang, tu as porté mon fils! Nous avons...

– Il n'y a pas que les pique-niques et les cornichons...

– Tu veux des fleurs, des lettres d'amour? Une sérénade sous le clair de lune peut-être? Désolé, mais je ne suis pas très doué pour ce genre de choses.

– Non!

– Quoi, alors?

– Toi! Je veux Alasdair Macdonald. Celui que j'ai rencontré la veille de la capitulation de la Nouvelle-France et qui sommeille désormais dans ce corps tourmenté. Alex, tu n'es plus le même homme. Tu es devenu amer... Tu peux rire aux larmes devant une grimace de Gabriel, et l'instant d'après te rembrunir et t'éloigner. J'ai vu tes blessures... sur tes jambes. Je ne sais pas d'où elles viennent. Je vois aussi ton regard sombre parfois. Tu peux toujours me dire que la journée a été rude et que tu es fatigué. Mais je sais qu'il y a bien d'autres choses. Tes yeux ne mentent pas, Alex.

– Tu veux que je te fasse le récit de ma triste vie, Isabelle? Qu'est-ce qui pourrait bien t'intéresser dans mon misérable passé?

– Mais tout, bon sang! La vie d'un couple ne se limite pas au lit! Alex, tu es une énigme totale pour moi! N'as-tu pas confiance en moi? Je voudrais seulement mieux te comprendre, t'aider. Je ne demande qu'à mieux connaître l'homme avec qui je partagerai mon lit *et* ma vie. Est-ce si compliqué?

– Tu ne t'encombrais pas de tant de principes avant.

– Tout était différent...

– Tu ne connaissais pas du tout Pierre Larue lorsque tu l'as épousé, à ce que je sais! L'as-tu soumis à un interrogatoire, lui aussi, avant de lui ouvrir tes draps?

La respiration d'Isabelle se précipita. L'obscurité semblait s'épaissir, devenir étouffante. Alexander serra les paupières et les poings en se maudissant de sa bêtise.

– Pardonne-moi, murmura-t-il après un moment. Pardonne-moi. Cela m'a échappé.

Elle ne bougeait pas. Bien que craignant de la voir fuir, il osa poser la main sur elle, doucement. Une chouette cria quelque part, dans la profondeur des bois. Elle tressaillit. Bouleversé, il lui saisit les épaules et l'attira contre lui comme il l'aurait fait avec une fleur fragile. Elle se mit alors à trembler dans ses bras.

– Isabelle, *I'm sae sorry*... Je ne voulais pas...

Elle éclata en sanglots, se débattit, voulut le frapper et le griffer. Il attrapa ses poignets et la plaqua au sol pour l'immobiliser.

– *Cum air do làimh*[85]*! Stop it!*

L'effet fut immédiat: toujours en pleurs, elle abandonna toute résistance.

– Me le re-reprocheras-tu tou-oute ma vie?

– Non, non... bon Dieu, non!

– Il te fau-faudra vivre avec, A-Alex.

– Je sais. Mais c'est si difficile parfois. J'ai besoin de temps.

Oui, il devrait vivre avec; c'était là son problème. Il n'avait pas à faire de reproches à Isabelle, comme il n'avait pas à la tenir responsable des agissements impardonnables de son mari et de son frère. Elle avait raison. Tout n'allait pas comme il se l'était imaginé. Combien de fois avait-il rêvé de ce moment: elle blottie dans ses bras? L'imagination n'est pas la réalité. Elle n'est que l'image d'un souhait. Le passé devenait leur principal obstacle. La vie et les événements les avaient changés, et ils devaient s'apprivoiser de nouveau. Repartir à zéro...

Il écouta Isabelle pleurer en silence. Le visage enfoui dans ses cheveux, il se sentait apaisé par son odeur. La rancœur qu'il portait en lui depuis tant d'années se dissipait. Au bout de longues minutes, sa compagne se calma. La voix de Gabriel appelant sa mère domina le chant assourdissant des grillons. La chouette cria de nouveau, et leur fils se mit à l'imiter. Ils ne purent s'empêcher de sourire.

---

85. Contiens-toi!

13

Dis-moi qui tu es, et je te dirai si je t'aime

Le temps était splendide. De petits moutons blancs évoluaient tranquillement dans l'immensité azurée et un soleil radieux réchauffait la nature. Ce matin-là, les hommes étant partis à la chasse, Isabelle décida d'aller cueillir des petits fruits. Glissant son bras sous l'anse de son panier, qui contenait de quoi pique-niquer, elle appela Marie et les enfants. Elle salua au passage Mikwanikwe, dont la grossesse avancée l'empêchait de s'éloigner. La Sauvagesse, qui surveillait le fumage des peaux, l'avertit avec force gestes dans son français approximatif:

– Vous pas éloigner trop, *Makwa* aussi manger *miskominag*.

– Qu'est-ce qu'un *makwa*? demanda Isabelle à Otemin en s'engageant sur le sentier menant au ruisseau.

– *Makwa* faire grrrrr! répondit la fillette pour imiter une bête féroce. *Makwa* être un ours et aimer *miskominag*, comme nous. Framboises bonnes pour toutes les créatures.

– Il y a des ours dans les bois? demanda Gabriel avec ravissement.

– Oh oui!

– Les ours fuient les êtres humains, s'empressa de préciser Isabelle en lançant un regard incertain derrière elle.

Le groupe longea le verger. Isabelle remarqua alors que la clôture avait une fois de plus été défoncée. Il faudrait qu'Alexander la répare rapidement, sinon la récolte profiterait aux cerfs et non à eux. En arrivant à la clairière aux marguerites, Isabelle huma l'air qui embaumait les fleurs sauvages. Le soleil projetait une myriade de rayons lumineux à travers le feuillage, évoquant autant de ficelles menant au paradis. L'ombre d'un méchant ours se dissipait. Les asclépiades, les chicorées, les chardons et les moutardes formaient un tapis chatoyant que survolaient des dizaines de gros papillons orange et noir. L'air tiède et sec portait les chants des oiseaux célébrant la beauté de la nature. Ici, pas de grincements de roues de voitures, pas de beuglements d'ivrognes, pas de volées de cloches marquant le temps ni d'appels de crieurs annonçant une proclamation. Non, ici, ne régnait que le silence...

– Maman! s'exclama soudain Gabriel devant le tapis multicolore. On di'ait un a'c-en-ciel tombé sur la te'e!

– Un arc-en-ciel apporte la chance, Gaby. Quoique sur le sol... je ne sais pas, en fait.

– Moi, je te dis qu'on va t'ouver plein de f'amboises!

Sur ce, le petit garçon fendit la mer colorée. Avec sa chevelure orangée voletant au-dessus de ses épaules, il ressemblait à un papillon. La mignonne Otemin s'élança sur ses talons, gambadant comme un faon. Isabelle regarda les deux enfants plonger dans la végétation chatoyante et ressurgir aussitôt, le visage rouge d'excitation et de chaleur. Quel magnifique tableau! Quel bonheur pour son fils! Un sourire aux lèvres, Isabelle leva les yeux au ciel, dont le bleu lui rappelait Alexander. Elle se demanda qui elle devait remercier pour ce beau moment.

– Je le savais! Je le savais! cria Gabriel en revenant vers sa mère.

– Quoi, mon cœur? As-tu trouvé beaucoup de framboises?

– Je le savais qu'il y avait des aut'uches! Pe'sonne voulait me c'oire. J'ai t'ouvé un œuf. Viens voir, maman! Il est éno'me!

Coupant à travers le tapis de couleurs, Isabelle et Marie suivirent Gabriel jusqu'au bord de l'eau qui cascadait en chantant. Là, nichée dans une touffe d'herbe verte se trouvait une chose qui ressemblait effectivement à s'y méprendre à un œuf gigantesque. Isabelle se pencha et le toucha avec circonspection. La surface douce et mate était plutôt molle pour une coquille.

– Ce n'est pas un œuf, Gaby, c'est un champignon.

– Un champignon? Mais il ne po' te pas de chapeau!

– Tu te souviens de ces petites boules que tu adores faire éclater sous ton pied et d'où s'échappe une poussière brune qui salit tes bas? Eh bien, ce champignon est de la même espèce, mais il est plus gros.

– Les p'outs de loup?

– Les vesses-de-loup, oui!

Isabelle rit. Incrédule, son fils fronça les sourcils.

– Ça, c'est un prrrrout de loup?

– Oui.

Elle cueillit délicatement le champignon.

– Chouette! Cela va fai'e un éno'me prrrrout quand je vais sauter dessus!

Marie et Otemin éclatèrent de rire devant l'expression ravie de Gabriel.

– C'est effectivement ce qu'il ferait s'il était à point! Je le rapporte à la maison. Rôti avec des oignons, il sera excellent.

– Mais, maman! Je veux pas le manger! Je veux le ga'der pour le fai'e péter!

Ignorant les protestations de son fils, Isabelle plaça le curieux fongus dans son panier. Puis elle se releva et scruta le sous-bois.

– Il doit certainement y avoir d'autres champignons comestibles par ici. Nous pourrions faire un délicieux ragoût.

– Beu'k! fit Gabriel avec une grimace éloquente.

– On ne fait pas la fine bouche pour manger lorsque la nourriture est si difficile à trouver, Gaby! Quelques bolets, girolles ou coulemelles dans ton bouillon ne te feront pas mourir. Allons! Venez! Ensuite, nous chercherons des framboises et des bleuets.

Le soleil était déjà bien haut dans le ciel lorsque Isabelle cala le dernier cornet d'écorce débordant de noisettes à côté des petits fruits. Contemplant sa récolte d'un œil satisfait, elle la recouvrit d'une serviette. Marie, elle, ramassait son panier lorsqu'un bruit de branchages leur fit dresser la tête.

– Ce doit être un lièvre.

Gabriel s'amusait avec Otemin, non loin. Les deux enfants avaient trouvé un oisillon tombé par terre et lui confectionnaient un nid provisoire. Haussant les épaules, Isabelle s'apprêtait à les rejoindre lorsqu'un craquement lui fit dresser les cheveux sur la tête. Elle eut le curieux sentiment d'être surveillée. Fouillant les bois des yeux, elle appela:

– Gabriel, il est l'heure de rentrer!

– Oui, maman. On peut amener le petit oiseau?

Se pouvait-il qu'un *makwa* habite cette forêt?

– Euh... oui.

Une branche oscilla. Isabelle sentit son cœur s'emballer. Elle n'avait vraiment pas envie de s'attarder ici.

– Dépêchez-vous, les enfants!

Gabriel et Otemin accoururent vers elle en riant. Elle poussa son fils vers l'endroit par lequel ils étaient arrivés. « L'arbre fourchu », se rappela-t-elle, cherchant frénétiquement le repère visuel.

– Mais où est-il?

Soudain, il lui semblait que tous les arbres se ressemblaient, que des dizaines de sentiers partaient dans toutes les directions. Elle paniqua.

– Marie! Marie! Je ne sais plus... Nous sommes perdus!

– Non, madame, bredouilla la servante, gagnée elle aussi par l'affolement. Je suis certaine que c'est vers ici... oui, voilà!

– Maman!

– Gaby, ne traîne pas!

Se retournant vers son fils, Isabelle vit qu'il la regardait d'une drôle de façon. Il fixait en fait un point par-dessus son épaule. Pivotant sur ses talons, elle laissa son panier lui glisser des mains en hurlant de frayeur.

– Aaaah!

Devant elle se dressait une imposante créature poilue et crottée, surgie de l'ombre des bois.

– Pardon, madame. Je ne voulais pas vous faire peur.

– Vous-vous ne vouliez pas-pas... Non, mais! Vraiment!

Ahurie, elle fixait le fusil de chasse pointé sur elle. L'inconnu baissa son arme et s'éclaircit la gorge. Puis il siffla. Un deuxième homme se montra alors. Plus grand et plus mince que son compagnon, il avait le teint très sombre et de remarquables yeux dorés qui roulaient de gauche à droite. Il lui adressa un sourire qui se voulait convivial. Les enfants l'ayant rejointe, Isabelle tint leurs petites mains bien serrées dans les siennes. Elle était prête à s'enfuir.

– Qui êtes-vous et que faites-vous ici?

– Je suis Stewart MacInnis, expliqua le premier homme, et voici mon frère, Francis.

– MacInnis? Vous êtes écossais? À vous entendre, qui le croirait?

– Je suis né en Écosse, mais j'ai grandi sur l'île d'Antigua.

– Antigua?

Cela expliquait son curieux accent et la peau foncée de celui qu'il appelait son frère.

– Vous êtes bien loin de chez vous, il me semble, monsieur MacInnis! fit-elle remarquer avec cynisme. Vous êtes-vous perdus?

– Nous avons débarqué il y a deux mois seulement. Notre mère est morte de la fièvre jaune l'été dernier. Nous avons saisi la première occasion de fuir nos conditions d'esclaves. Nous espérions qu'au Québec nous pourrions...

L'expression des deux jeunes gens exprimait mieux que des mots leur déception. Leurs visages étant dissimulés sous une croûte de crasse et de longs poils, Isabelle n'arrivait pas à se faire une idée du genre d'hommes auquel elle avait affaire. Feignant de ramasser son panier, elle glissa sa main sous la serviette pour s'emparer de son couteau. Puis elle montra son arme.

– Marie, pars devant avec les enfants! Avertis Alexander et Munro que nous venons de trouver de bien curieux... *makwas*.

– C'est qu'ils sont partis...

– Allez, file!

Devant l'expression de sa maîtresse, la jeune Mohawk obéit sur-le-champ en entraînant les enfants. Soulagée, Isabelle attendit que les protestations de son fils se soient éloignées pour oser bouger à son tour. Alors, elle s'adressa aux inconnus sur un ton qui se voulait plein d'assurance.

– Allez-vous-en! Partez d'ici et laissez-nous tranquilles!

– Nous ne vous voulons aucun mal, madame, je vous assure.

Stewart fixait le petit couteau à éplucher d'un air amusé. Il planta le bout de son canon dans le sol entre ses pieds et s'appuya sur la crosse en dévoilant une rangée de dents étonnamment blanches dans son visage gris. Prenant soudain conscience de l'inutilité de son arme face aux deux hommes, la femme recula de deux pas.

– Euh... oui. Alors, je vous interdis de me suivre!

Francis éclata de rire. Stewart lui décocha un regard noir pour le faire taire. Puis il lui fit un clin d'œil.

– Nous vous le promettons. Seulement, je voudrais vous mettre en garde...

À ce moment-là, un cri horrible leur glaça le sang. Stewart s'élança sur le sentier qu'avaient emprunté la Sauvagesse et les enfants.

– Ça ne peut être que lui! Vierge Marie, faites que nous n'arrivions pas trop tard!

Isabelle se précipita derrière lui avec Francis, qui la dépassa sur ses longues jambes.

– Gabriel! Gaby, j'arrive!

Si le cri de Marie la fit frémir d'effroi, le grognement qui l'accueillit la figea de stupeur; son cœur s'arrêta net. Un ours! Placé entre eux et Marie et les enfants pétrifiés de terreur, l'animal se dressait sur ses pattes arrière en grognant et montrant ses crocs et ses griffes.

– Ne bougez surtout pas, suggéra doucement Stewart en épaulant lentement son arme.

Retombant à quatre pattes, l'ours renifla le sol de son long museau en se dirigeant vers le panier aux pieds de Marie.

– Madame... sanglota la servante.

– Reste tranquille, Marie, souffla Isabelle.

La bête grogna, regarda à gauche et à droite.

– Maman... le *makwa* va nous dévo'er... gémit Gabriel, les yeux agrandis par l'épouvante.

– Ne bouge pas, Gaby, je t'en conjure! Ne bouge... Gaby, nooon!

L'enfant se précipitait vers sa mère. Excité, l'ours se mit à sa poursuite. Deux détonations secouèrent la paisible nature. Les oiseaux, effrayés, s'envolèrent en piaillant. Il y eut un lourd bruit mat, puis ce fut le silence. L'animal gisait aux pieds de Gabriel, qui le fixait, comme hypnotisé. Le roux de la chevelure enfantine tranchait étrangement avec la pâleur du petit visage. Otemin éclata en sanglots dans les jupes de Marie qui caressa d'une main tremblante ses cheveux noirs parsemés d'aiguilles de pin.

– Je t'avais dit de ne pas bouger! cria soudain Isabelle en se jetant sur son fils.

L'enfant, toujours pétrifié devant la masse de poils noirs, s'abandonna sans rien dire aux bras de sa mère.

– Tu vas bien, mon grand? lui demanda Francis en se penchant sur lui.

– Oui, il... il va bien. Je... vous remercie... Je ne sais pas comment... Voulez-vous rester pour souper?

– Y a pas de quoi. Cela nous fera plaisir, madame, répondit Stewart tout en piquant avec précaution le bout de son canon dans le flanc de l'ours. Nous le suivions depuis deux jours. Vous avez eu de la chance de nous croiser avant de le rencontrer.

– Oui, j'en conviens, murmura-t-elle, le cœur au bord des lèvres comme l'odeur fétide de la bête et celles, non moins désagréables, des deux hommes l'enveloppaient.

– Si je puis me permettre, vous ne devriez pas vous promener sans arme à feu. Votre petit canif n'aurait pas été suffisant pour sauver la vie du garçon. Et puis, que faites-vous dans cet endroit perdu?

– Nous habitons tout près d'ici.

Isabelle sentait une nouvelle détermination monter en elle: elle devait convaincre Alexander d'accepter de vivre en ville. Les bois n'étaient vraiment pas assez sûrs!

Isabelle découvrit que Stewart avait des cheveux d'un beau brun brillant et des taches de rousseur sur le nez. Son visage de vingt ans, rose et joufflu, était agréable à regarder. Elle se demandait s'il ne portait pas la barbe dans le seul but de se vieillir un peu.

Assis sur une bûche, un verre de la première cuvée de tafia de Munro à la main, le jeune homme racontait son histoire dans un français laborieux entrecoupé d'anglais. Issu d'une famille de fermiers, il avait vu le jour dans la pauvreté des Highlands. Plus précisément dans le Morvern. Son père avait péri avant sa naissance, en 1746, avec des centaines de compatriotes lors de la bataille de

Culloden. Sa mère, Jane MacInnis, avait été embarquée avec d'autres détenus sur un navire, puis déportée vers les colonies d'Amérique.

Après une longue et pénible traversée, la cargaison humaine avait été larguée à moitié morte sur l'île d'Antigua, dans les Caraïbes, et vendue aux enchères. Stewart, qui n'était alors qu'un nourrisson, avait miraculeusement survécu. Sa mère avait été achetée par le propriétaire d'une plantation de cannes à sucre, où elle avait travaillé comme couturière, puis comme cuisinière. Là, elle était tombée amoureuse d'un esclave avec lequel elle avait eu sept enfants. Mais seul Francis avait franchi le cap de l'âge adulte.

Écoutant le récit avec intérêt, Isabelle déposa deux assiettes sur la table. Du coin de l'œil, elle lorgna Alexander, qui affichait une expression placide pour masquer les véritables émotions qu'avait fait naître en lui l'évocation de Culloden. Les hommes piquèrent leur fourchette dans le ragoût d'ours tout en continuant à deviser. Marie servit Gabriel et Francis, gratifiant ce dernier d'un sourire qui n'échappa pas à Isabelle. Bien qu'étant aussi grand qu'Alexander, l'Antiguais ne devait pas avoir plus de seize ou dix-sept ans. Il avait le même sourire avenant que son demi-frère, mais un visage plus fin, à l'ossature saillante sous une peau lisse et très sombre.

– Beu'k! fit Gabriel en recrachant sa bouchée dans son assiette. Je veux pas manger ça! C'est pas bon!

– C'est de l'ours, expliqua Alexander en brandissant un morceau de viande au bout de son couteau. C'est bon, de l'ours. Arrête de pleurnicher et avale ton repas.

N'appréciant guère le ton qu'il avait employé, Isabelle fronça les sourcils et tapa du talon pour attirer son attention.

– Quoi? fit-il en haussant les épaules, indifférent aux regards qui se tournaient vers eux. Ce n'est pourtant pas la première fois qu'on lui sert de l'ours, *God damn*! Il doit apprendre à manger ce qu'on lui donne!

Sur ce, il porta un morceau à sa bouche, puis un autre. Tout en mastiquant, il baissa les yeux sur le contenu de son assiette, qu'il remua pendant quelques secondes.

– *Dé a tha seo*[86]*?*

– C'est du ragoût d'ours, Alex!

Stewart avala sa bouchée en retenant une grimace, par politesse.

– Je t'avais dit que c'était pas bon, maman!

Gabriel poussa un cube plein de sauce vers le bord de son assiette, puis se tourna vers les hommes:

86. Qu'est-ce que c'est?

– C'est le prrrout de loup qui est pas bon.

– *What?*

– Le prrrout de loup, tu sais! Il devait être drôlement gros, le loup, pour faire un prout comme ça! Moi, je voulais le ga'der pour le faire péter, mais maman voulait le faire cuire.

– Oh, juste ciel, Gaby! C'est un champignon, et les champignons sont bons!

Ce disant, Isabelle s'assit.

– Les champignons sont bons pour les sorcières, oui! s'exclama Alexander. Tu cherches à nous empoisonner, à faire fuir nos visiteurs?

Mordant dans un morceau de l'aliment en question, la femme ravala sa réplique en même temps que la vesse-de-loup et réprima un haut-le-cœur.

– Alors, *a ghràidh*, demanda Alexander avec un grand sourire, il est comment, ton ragoût?

– N'ayant rien trouvé d'autre, hormis des bêtes sauvages prêtes à nous croquer, je m'en contente très bien! Je trouve même ce champignon... assez bon.

Elle mâchait un autre morceau, tout en s'efforçant d'accorder son expression à ses paroles.

– D'accord! Pour ma part, je ne peux en dire autant! J'ai avalé pas mal d'horreurs dans ma vie... Ce soir, je préfère nettement cette saleté d'ours qui n'aurait fait qu'une bouchée de *mon fils* si tu n'avais pas eu l'idée de t'aventurer aussi loin.

La fourchette dégoulinante de sauce d'Isabelle s'immobilisa devant sa bouche restée ouverte d'ébahissement. Le cube qui y était piqué retomba avec un petit «ploc!» Jetant un regard vers Gabriel, qui paraissait trop occupé à faire le tri dans son assiette pour avoir saisi quoi que ce soit, la femme pâlit puis rougit. Les autres, qui n'avaient aucune raison de faire grand cas de la déclaration d'Alexander, ne réagirent pas. Personne n'aurait pensé douter du lien entre l'Écossais et l'enfant qui lui ressemblait tant! Seule Marie écarquilla les yeux. Quant à Alexander, prenant conscience de sa bévue, il se leva et sortit.

– Il ne doit pas savoir, Alex! Tu dois apprendre à tenir ta langue!

Se retournant vivement et posant ses poings tremblants de rage sur ses hanches, Alexander fit face à Isabelle.

– As-tu l'intention de lui cacher la vérité toute sa vie, Isabelle?

– Non! Mais il est trop jeune! Il ne comprendrait pas. Pour lui, son père, c'est Pierre. Je ne veux pas commencer à lui expliquer les raisons qui font de toi son père naturel... enfin... pas pour le moment!

– JE suis son père! Gabriel est MON fils, *God damn!*

– Il le saura plus tard. En attendant, je te demande de faire attention à tes propos... Et puis... pourquoi ne m'as-tu pas avertie qu'un ours rôdait dans le coin? Comment oses-tu m'accuser d'imprudence, alors que tu savais et que tu ne m'as rien dit? Ne nie pas! Mikwanikwe m'a raconté!

– Elle devait se contenter de te mettre en garde des dangers possibles. Tu n'avais pas à t'éloigner autant de la maison!

– Je ne l'aurais pas fait si tu m'avais dit la vérité. Tu vois, tu ne me fais pas confiance, Alex! Tu me crois sotte, ignorante des dangers que je prenais en venant ici? Tu te trompes! Maintenant, laisse-moi te dire une chose: cette situation n'est que provisoire. Je ne suis pas et ne serai jamais une femme de colon. J'ai accepté de te suivre aveuglément pour Gabriel. Je t'ai fait confiance, moi. Évidemment, j'avais espéré un endroit un peu plus «civilisé», où mon fils et moi aurions trouvé d'autres gens que des Sauvagesses pour nous tenir compagnie...

– Mikwanikwe est très bonne avec toi! Elle est surtout très «patiente». Tes airs condescendants la blessent.

– Ah, parce qu'elle se confie à toi! Elle pleure sur ton épaule!

– Arrête! Mikwanikwe est la femme de Munro, devant Dieu!

– Tu crois peut-être que je ne connais pas les mœurs des Sauvages?! Ne me leurre pas avec tes histoires de fidélité! Cette femme te dévore des yeux, et toi!...

Trop furieuse pour remarquer l'air éberlué d'Alexander, Isabelle fit volte-face et, l'abandonnant là dans un lourd silence, s'éloigna vers la cabane. Se répétant les dernières paroles prononcées, l'Écossais se demanda si son cousin avait remarqué l'attitude de Mikwanikwe, qui effectivement ne cessait de lui faire les yeux doux.

Alexander se rappela cette nuit de canicule où il était sorti du wigwam pour rechercher un peu de fraîcheur, car il n'arrivait pas à dormir. C'était deux semaines plus tôt seulement. La Sauvagesse l'avait vite rejoint sur la butte qui surplombait le champ et offrait une vue sur la cabane et ses dépendances. Telle une couleuvre, elle était arrivée silencieusement et s'était enroulée autour de lui, posant sa joue contre son torse.

– Badwadjigan...

«Celui qui est un rêve...» Elle pressait son énorme ventre contre lui,

et le bébé remua. Alexander, sentant le mouvement contre son bas-ventre, s'écarta. Mais, rapidement, elle revint contre lui.

– Toi malheureux. Moi te donner un peu de joie.

Tout en parlant, elle promenait ses mains sur ses flancs et ses fesses. Malgré lui, son sexe se dressa. Troublé, il était déchiré entre l'envie de la laisser faire et celle de fuir à toutes jambes.

– Non. Tu es la femme de mon cousin et tu portes son enfant. De plus... j'aime Isabelle.

– Ta femme blanche ne veut pas t'aimer, elle.

Elle glissait sa main dans sa culotte. Il l'arrêta brusquement.

– Mikwanikwe, je ne peux pas et ne pourrai jamais plus faire l'amour avec toi. Que ce soit bien clair!

L'Ojibwa le regarda de ses yeux de velours avec une moue déçue, puis leva le menton dans une attitude hautaine. Sans rien dire, elle retourna vers son mari. Alexander resta un moment seul à observer les flots de lumière bleue sur la cabane. Celle dont il avait envie, c'était Isabelle. Or il ne désirait pas seulement son corps, mais surtout son cœur. Il serait donc patient.

Constatant que la jalousie faisait son chemin dans ce cœur qu'il convoitait, il sourit. Il se sentait plus léger. Jetant un dernier regard vers la cabane, il rejoignit les hommes réunis autour du feu que venait d'allumer Munro sur la butte.

***

L'aiguille tombée sur le plancher restait introuvable. Isabelle se mit donc à fouiller dans son panier à couture pour en prendre une autre. S'emparant d'une chemise d'enfant, elle se mit à penser à son propriétaire. Gabriel s'adaptait mieux qu'elle ne s'y attendait. De plus, grâce à l'accent d'Alexander et de Munro qu'il cherchait à imiter, il faisait beaucoup de progrès dans sa prononciation. Une douce complicité s'établissait lentement entre son père et lui. Isabelle finissait d'ailleurs par éprouver un sentiment bizarre quand elle les voyait discuter ensemble: il lui était encore difficile d'accepter de partager l'amour de son fils.

Elle avait vécu le même problème avec Pierre. Le notaire n'étant pas le père naturel de l'enfant, elle avait cherché à l'empêcher de s'attacher à lui. À l'époque, elle pensait que c'était normal. Maintenant, elle se rendait compte qu'elle voulait en fait Gabriel pour elle seule. On lui avait arraché son amour, on ne lui enlèverait pas son fils! Elle couvait donc Gabriel comme une caille son petit. En réaction à cela, Pierre achetait des jouets et des livres qui faisaient baver d'envie les enfants du quartier. C'est ainsi qu'il avait réussi, malgré elle, à attirer l'attention de Gabriel et à se faire aimer de lui.

Les yeux perdus dans le vague, la main suspendue dans le vide, Isabelle pensa que Pierre s'y prenait de la même façon avec tout le monde. N'avait-il pas agi de même avec elle? Pour lui, tous les moyens étaient bons: il l'avait couverte de bijoux et entourée de beaux objets. Par ses relations adultères, sans doute espérait-il la rendre jalouse et la ramener dans son lit... Humilié de ne pas arriver à ses fins, il avait fini par faire pire encore...

L'avait-il vraiment aimée? N'avait-elle pas été uniquement pour lui l'objet d'un jeu de séduction? Ne voulait-il pas simplement éprouver le pouvoir de savoir se faire aimer? Il l'avait aimée à sa façon cependant, elle ne pouvait le nier. Chaque humain avait une raison particulière pour en aimer un autre... Dieu seul aimait d'un amour désintéressé...

Hochant la tête, elle ramena son esprit à l'objet de ses recherches, plongeant de nouveau la main dans l'enchevêtrement de rubans et d'écheveaux de fils.

– Où sont mes aiguilles, batinse?! Gaaabriel! Viens ici! Mais où est-il, ce petit chenapan? Lorsque je lui aurai mis la main au collet...

Abandonnant son ravaudage sur la table, elle sortit de la cabane. Son fils ne semblait pas se trouver dans les alentours. D'un pas rapide, elle se dirigea vers le champ, où les hommes s'éreintaient à arracher une souche. Les frères MacInnis participaient aux travaux. Alexander voyait leur présence dans le coin d'un bon œil. Les deux jeunes gens non seulement aidaient à la chasse et aux travaux, mais aussi contribuaient à assurer la sécurité des femmes et des enfants. Toutefois, Isabelle avait remarqué la façon particulière dont Francis regardait Marie, qui était une femme maintenant. Était-ce vraiment là ce qu'on appelait la «sécurité»?

– Alex!

Les hommes grognaient sous l'effort. Croisant les bras, Isabelle attendit en tapant nerveusement du pied. Alexander lui tournait le dos; ses cicatrices luisaient de transpiration. Elle se rappela l'expression stupéfaite et fascinée qu'avait affichée Gabriel la première fois qu'il avait vu le réseau de boursouflures enchevêtrées.

Alexander avait retiré sa chemise pour s'asperger d'eau. Gabriel, trop curieux pour penser à être poli, lui avait demandé: «Pourquoi as-tu des marques dans le dos?» Alexander avait été saisi; il avait oublié que son fils n'avait jamais vu son dos. Puis, il avait répondu sur un ton désinvolte: «Parce que j'ai désobéi, mon garçon.» «Ouille! Elle devait être terrrriblement g'osse, ta bêtise?» «Grosse? Ah! Pour celui qui m'a puni, elle l'était, oui!» «Ça a fait mal?» Alexander avait hoché la tête d'un air grave: «Assez mal pour que je m'en souvienne et que je ne recommence pas.»

– Qu'y a-t-il?

Appuyé sur le manche d'une fourche enfoncée entre ses pieds, Alexander lui offrait un large sourire au milieu de son visage dégoulinant de boue et de sueur.

– Alors? J'ai pas toute la journée! Tu as vu ces gros nuages?

– Où est Gabriel?

Il soupira. Isabelle fixait sa poitrine bronzée et musclée, couverte d'un sombre duvet. Flatté par autant d'attention, il arrondit les bras et contracta ses biceps tatoués. Jeu de séduction assez primitif, mais qui donnait toujours des résultats, même avec les femmes les plus puritaines.

– S'il n'est pas dans son abri sous les sapins, c'est qu'il est parti à l'étang pêcher avec Otemin.

– Euh... oui, je vais voir.

Légèrement embarrassée devant cette manifestation de virilité, Isabelle remercia Alexander et le laissa là pour se diriger vers l'endroit où les enfants se réfugiaient parfois. Il s'agissait d'un abri fait de branches d'arbres laissées par les hommes lors de la construction de la cabane destinée à Munro et Mikwanikwe. Gabriel l'appelait le «repaire des bandits». Il était vide pour le moment.

La femme, à qui son fils avait formellement interdit l'accès de l'abri, profita, non sans quelque honte, de l'occasion pour inspecter les lieux. Comme ses yeux s'habituaient à la pénombre, elle grimaça de dégoût en découvrant le résultat des activités de Gabriel et d'Otemin. Sur plusieurs planchettes d'écorce étaient épinglés divers insectes et petits animaux: une collection de coccinelles porte-bonheur, des araignées, des batraciens, des rongeurs curieusement bien conservés dans une substance qui sentait fort la résine de pin...

– Beurk!

Elle découvrit même la peau d'un rat musqué étirée dans un cadre grossièrement fait de petites branches et imitant ceux que fabriquaient Mikwanikwe. Gabriel était tellement curieux, avide de découvrir de nouvelles choses et d'apprendre qu'il fouillait son environnement avec allégresse et se livrait à toutes les expériences possibles. Irait-il jusqu'à chasser?

– Cette vie de sauvage finira par corrompre son esprit! gronda-t-elle en ramassant sa boîte d'épingles sur le sol.

Une brise fraîche s'était levée. Isabelle délaça un peu son corsage pour caresser sa peau humide. Cela faisait du bien. Puis, elle aperçut Mikwanikwe qui sarclait à quatre pattes dans le potager. Sa jupe étant retroussée, la jeune femme offrait une vue surprenante sur ses longues jambes d'airain. Elle ne semblait éprouver aucune honte à s'exhiber ainsi aux hommes. Se souvenant très bien de quelques regards d'Alexander sur la peau dorée, Isabelle ne pouvait nier son agacement. Elle examina sa propre tenue. Elle devait bien admettre que sa robe noire n'était pas la plus coquette des cinq qu'elle s'était permis d'emporter et qu'il était normal qu'Alexander s'intéressât plus à Mikwanikwe.

Une plainte venant du potager la sortit abruptement de ses méditations. Mikwanikwe, une main pleine de chiendent contre son entrecuisse, tenait son ventre bien rond de l'autre. Marie appelait les hommes à l'aide et agitait les bras. Isabelle blêmit. Dévalant la butte, elle emprunta le canal, dans lequel ne coulait qu'un filet d'eau, pour accourir vers la Sauvagesse.

– Isabelle, *dinna*!...

Alexander se précipitait vers elle en hurlant et en lui faisant de grands signes. Il sauta à son tour dans la tranchée. Désorientée par son étrange attitude, Isabelle s'était immobilisée et le dévisageait avec perplexité.

– Mais ce n'est pas moi qui...

– Derrière toi!

Tandis qu'elle se retournait, elle sentit le sol se dérober sous ses pieds et l'entraîner comme si elle n'était qu'une brindille de bois. Une poigne saisit solidement sa jupe et la tira pour la sortir des remous vaseux qui pénétraient sa bouche et ses narines. Crachant, toussant, elle s'accrochait comme elle le pouvait à la culotte d'Alexander.

– Tiens bon!

Poussant un cri du plus profond de ses entrailles, l'Écossais la souleva puis la posa rudement sur le sol sec, avant de tomber près d'elle, haletant. Après quelques secondes, comprenant ce qui se passait, il murmura, livide:

– La digue... *God damn!* La digue! Gabriel!

Gravissant en dérapant le monticule de terre, il se mit à courir le long du canal pour remonter vers la source qui s'y déversait.

– La digue? Nooon! Gaby!

Roulant sur elle-même, se prenant les pieds dans ses jupes, Isabelle finit par réussir à se relever. Munro, qui avait rejoint son épouse pliée de douleur, tournait la tête dans la direction où avait disparu Alexander. Puis, il croisa le regard d'Isabelle et vit le débit anormal du canal. Se rendant compte de la gravité de la situation, il abandonna aussitôt sa femme aux mains de Marie. Talonné par les MacInnis, il courut vers le barrage. L'ouvrage n'avait pas pu supporter la pression considérable de l'eau qui s'était accumulée lors des fortes pluies du début de septembre.

– Gabriel! Gabriel!

Alexander craignait le pire. Suivant le cours furieux du ruisseau, il escalada la colline.

– Gabriel!

Ni son fils ni la fillette n'étaient en vue. Il essayait de se rassurer en se disant qu'il les aurait forcément aperçus s'ils avaient été emportés par le courant.

– Gabriel! *A Thighearna mhór! Mo bhalach*[87]*!*

Son regard affolé scrutait l'étang qui, en se vidant, emportait des troncs d'arbres et de la végétation. Cela formait un mur de débris contre la digue. De toute façon, en cas de noyade, le corps ne remontait à la surface qu'après plusieurs heures. Il secoua frénétiquement la tête pour chasser l'idée... Soudain, un éclat métallique attira son attention dans l'herbe. Il s'avança: une hache... Ramassant l'outil, il l'examina et fronça les sourcils. Cela lui appartenait.

– Gabriel...

Tout en murmurant, il leva la tête et vit alors une chevelure rousse traverser son champ de vision. À la fois furieux et soulagé, il se précipita vers le petit garçon en hurlant.

– Gaby!

Lorsqu'il arriva à sa hauteur, Gabriel s'accroupit au pied d'un bouleau blanc et éclata en sanglots.

– C'est... c'est un accident. Je ne savais pas que la corde retenait la vanne... J'ai pas fait exprès...

Figé par la peur, trop conscient de l'énormité de sa bêtise, l'enfant n'osait bouger, lever les yeux vers le regard si bleu de monsieur Alexander. Il entendit l'homme grogner et cracher des jurons avec sa façon si particulière de rouler les *r*. Puis ce fut le silence, et il se crut seul. C'est alors qu'il sentit deux bras l'envelopper et le serrer si fort qu'il en eut le souffle coupé.

– Ne me désobéis plus jamais, mon garçon. Plus jamais! Tu entends?

– J'ai pas désobéi.

– La hache... Je t'avais formellement interdit d'y toucher.

---

87. Oh, grand Dieu! Mon garçon!

– C'est Otemin qui l'a prise... pour couper la tête des poissons.

– Qui a coupé la corde maintenant la porte de la vanne fermée?

Il y eut un long moment de silence. Gabriel avait toujours les yeux baissés.

– C'est moi... Je voulais une longue corde pour pêcher. Otemin avait déjà pris deux poissons, et moi, aucun. J'ai pensé que ma ficelle était trop courte.

– Bon sang! Et où se trouve Otemin maintenant?

Alexander prit son fils, qui reniflait bruyamment, dans ses bras.

– Elle est partie se cacher. Elle a peur de se faire gronder par Munro. Moi, j'étais venu récupérer la hache que j'avais oubliée... pour pas me faire gronder pour ça aussi...

Alexander était ému par l'aveu de Gabriel et par le fait qu'il s'appliquait à bien prononcer les *r* pour l'amadouer un peu.

– La hache n'est pas le plus important... Te rends-tu compte que tu as détruit le barrage, inondé le champ, failli noyer ta mère... Tu m'as causé une peur bleue, Gabriel! Je devrai te punir.

– Je sais...

L'enfant, plein de remords, se blottit contre Alexander, qui se mit en route vers la cabane. Sur le chemin, ils croisèrent les trois autres hommes qui furent rassurés. Une partie de la récolte était perdue et il faudrait travailler fort pour remplacer le grain qui manquerait. Mais Gabriel et Otemin étaient sains et saufs. C'était l'essentiel.

La hache fendit le bois dans un puissant « tchouc! » accompagné d'un cri de rage. Alexander ramassa les morceaux et les lança violemment sur le tas qu'il avait déjà fait. Puis, il prit une autre bûche, la mit debout et recommença en grognant. Une goutte de sueur lui chatouilla la tempe et coula jusqu'à son menton qu'il essuya d'un geste brusque. Les paroles de Gabriel ne cessaient de résonner dans sa tête: « Mon v'ai pè'e ne me battait pas, lui! »

Cela lui avait fait si mal que la colère l'avait envahi. Il avait alors abattu la ceinture de cuir plus violemment qu'il ne l'aurait dû sur les fesses nues de son fils qui cria en se tordant de douleur.

– C'est moi, ton vrai père, Gabriel. Que tu le veuilles ou non, tu es à moitié écossais.

– Tu dis des mensonges. Mon v'ai pè'e était papa, et tu n'as pas le d'oit...

– *Mo chreach!* J'ai tous les droits! Tu es mon fils de sang, et je vais te corriger pour que tu te souviennes. Ne crois pas que cela me plaise...

« Tchouc! » fit à nouveau la hache. Revoyant la haine déformer les traits de son fils qui courait se réfugier derrière une caisse de bois, Alexander rugit et lança son outil. Il éprouvait des remords.

– Tu es devenu fou ou quoi?

Isabelle, qui arrivait à ce moment-là, était furieuse.

– De quel droit as-tu battu Gabriel? Il n'a jamais été corrigé de cette façon, et ce n'est pas aujourd'hui que je le permettrai!

– Cet enfant est pourri jusqu'à la moelle. Il a désobéi et devait être puni.

– Tu veux me le reprocher? J'ai fait ce que j'ai pu! Mais je te ferai remarquer qu'il a la tête aussi dure que... toi. Ce n'est pas facile d'élever seule un enfant.

– Et l'homme qu'il appelle son vrai père? Ton mari? Où était-il?

– Pierre ne se mêlait pas directement de l'éducation de Gabriel. Il le nourrissait, l'habillait, s'assurait qu'il ne manquait de rien. Pour le reste, c'était mon affaire. Tu crois que l'argent achète tout, Alex? Tu crois que je me la suis coulée douce? En fait, tu ne sais rien de nous, de moi.

– Si je ne sais rien, c'est parce que je ne voulais pas...

– Tu ne voulais pas savoir, oui! Et puis, pourquoi ne pas avoir tout simplement privé Gabriel d'un privilège au lieu de t'acharner sur lui comme un barbare? Il sera marqué à jamais!

– Il y a des choses qui marquent bien plus qu'un simple coup de ceinture.

– Oh oui, bien sûr! Le fouet et...

Se mordant soudain la langue sur ses mots, Isabelle regarda Alexander dont les narines frémissaient d'une rage contenue.

– Je suis désolée... Je ne voulais pas faire allusion à...

– Je ne parlais pas de blessures physiques, Isabelle... mais d'autres choses qui t'échappent totalement!

Donnant un coup de pied dans un morceau de bois, il se détourna, prêt à partir.

– Alex! bredouilla-t-elle. Je sais... je ne connais pas toute ton histoire. Cependant, si tu voulais bien te donner la peine de me raconter...

– Je vais chasser!

– C'est ça! Sauve-toi! Va te cacher dans les bois! Comment arriverai-je à comprendre ces « choses qui m'échappent » si tu ne m'expliques rien et fuis sans cesse?

Alexander était déjà loin. Ses derniers mots s'étant perdus dans le hurlement du vent qui entortillait ses jupes autour de ses jambes, Isabelle restait là, immobile. Elle hésitait à se mettre à la poursuite de l'homme. Puis Marie l'appela, et elle retourna à la maison pour s'occuper avec elle du souper.

***

L'orage éclata au milieu de la nuit. Il était d'une violence telle qu'Isabelle, qui d'habitude ne craignait pas les colères du ciel, tremblait sous ses draps. Gabriel s'était blotti contre elle et, chose incroyable, dormait à poings fermés. Marie, elle, n'en finissait plus de geindre.

Isabelle ne pouvait s'empêcher de s'inquiéter pour Mikwanikwe qui, après que Munro fut parti rechercher les enfants au moment de l'accident, et malgré les supplications de Marie, s'était enfuie dans les bois. Munro avait expliqué que, selon la tradition, à l'annonce des premières contractions, les femmes indiennes se réfugiaient dans un abri qu'elles avaient préparé spécialement pour l'événement. Là, seules, sans un cri, elles accouchaient. « Sans un cri... j'aimerais bien être là pour m'en assurer! » pensait Isabelle en se rappelant son horrible accouchement.

À la tombée de la nuit, la Sauvagesse n'était toujours pas revenue; Alexander non plus. «*Dinna worry*, lui avait dit Munro entre deux gorgées d'eau-de-vie, eux reviendre bientôt.» Mais le pauvre homme, qui avait promis à sa femme de respecter ses traditions, n'arrivait plus à contrôler sa propre nervosité et, tout en marchant de long en large, surveillait l'orée des bois de ses yeux rouges.

— Eux reviendre bientôt... murmura-t-elle en imitant l'accent de l'Écossais. Non, elle pas reviendre bientôt, mon pauvre ami. Quant à Alex, il peut bien rester là où il est!

Elle tira le drap jusqu'à son menton et sentit son estomac se crisper. Et si un autre ours rôdait? Si des loups... Alexander n'avait que son poignard. Quant à Mikwanikwe... Elle n'osait imaginer ce qui pourrait arriver. Si l'accouchement tournait mal? Si l'enfant était mal positionné? Bon sang! Mais, de toute façon, quelle aide aurait-elle pu apporter à la Sauvagesse?

Un nouvel éclair interrompit ses réflexions et éblouit l'intérieur de la cabane. Le coup de tonnerre qui suivit presque immédiatement fut si violent qu'il sembla secouer tout le monde. Gabriel se réveilla en criant et s'agrippa à la chemise de nuit de sa mère. Marie, qui s'était assise dans sa couche, hurlait de frayeur.

– Ce n'est rien, ce n'est que la foudre qui est tombée un peu plus loin, dit Isabelle, qui se voulait rassurante. Estimons-nous heureux qu'elle ne nous soit pas tombée carrément dessus.

Marie, qui se cachait maintenant sous son drap, continuait de pousser des cris de porcelet qu'on s'apprête à égorger. Gabriel écarquillait les yeux.

– Maman, c'est le bon Dieu qui se fâche contre moi... pa'ce que j'ai fait une grosse bêtise aujourd'hui.

– Non, Gaby, c'est seulement un orage. Dans les forêts, les orages sont parfois plus violents qu'en ville.

– Mais monsieur Alexander est pa'ti. Il ne reviendra pas, j'en suis sûr.

– Que vas-tu chercher là? demanda Isabelle en prenant le menton de son fils pour plonger dans son regard mouillé. Monsieur Alexander est allé faire le tour des pièges et...

– Il a dit qu'il était mon v'ai papa... Il va mou'ir... comme mon papa Pierre.

– Quoi? Quand as-tu entendu cela, Gabriel?

– Quand il m'a donné ma co'ection. Il a dit que mon sang était...

On tambourina violemment à la porte. Le vacarme interrompit Gabriel, qui s'accrocha de plus belle à sa mère en tremblant de tous ses membres.

– Maman! Ce sont les loups-ga'ous! Ce sont eux qu'on entend hu'ler. Ils veulent ent'er pour me manger. C'est le méchant diable qui les envoie.

– Tout ça, c'est des sornettes, Gaby. Et puis, avec tout le sel que Marie a jeté autour de la maison, il n'y a pas le moindre danger qu'un seul feu follet vienne rôder par ici. Ce doit être Munro qui vient nous annoncer qu'Otemin a maintenant une petite sœur ou un petit frère...

Les coups redoublèrent.

– Isabelle! Isabelle! *Dè tha 'dol? Fosgail an doras*[88]*!*

– Alex?

Isabelle était à la fois soulagée et en colère. D'un geste, elle couvrit Gabriel et courut jusqu'à la porte, qu'elle ouvrit. Une volée de pluie et de vent hurlant pénétra alors dans la cabane en même temps qu'Alexander. Trempé jusqu'aux os, l'homme titubait. Avec ses habits dégoulinants et ses cheveux plaqués sur le crâne, il avait tout du loup-garou. Promenant un regard affolé dans la pièce, il

88. Que se passe-t-il? Ouvre la porte!

avisa la servante courbée sous son drap et le visage rouge de son fils dépassant de la couverture. Il soupira et se laissa aller contre le mur en baissant les paupières.

– Que se passe-t-il, Alex? D'où arrives-tu comme ça? Tu es à faire peur. Et puis, tu mouilles tout mon plancher. Retire ces vêtements. Je vais te donner de quoi t'habiller et te faire chauffer un peu d'eau pour un thé.

– *Chan eil*... Laisse le thé... Je n'en veux pas... Pas de thé... non...

– Mais qu'as-tu?

Isabelle s'approcha pour voir s'il était blessé. À ce moment-là seulement, elle sentit une odeur d'alcool.

– *Cha bhi mi fada*[89]... Je voulais juste... vérifier... *heard screaming*. La foudre... Je croyais que... Bon, je repars. Bonne nuit.

– Tu as bu? Tu viens de chez ton cousin? Comment va Mikwanikwe? Tu as des nouvelles?

Poussant un long soupir, il haussa les épaules pour toute réponse. Il n'avait pas envie de s'expliquer. Pas maintenant.

– Alex, as-tu vu Mikwanikwe?

– *Chan eil mi a'tuigsinn*[90]... Mikwanikwe? J'étais pas avec... elle.

Il exécuta une pirouette, perdit l'équilibre et se retint à la poignée de la porte qui s'ouvrit. Il tomba alors de tout son long et se retrouva les pieds au sec et la tête sous la pluie. Isabelle, furieuse, se pencha vers lui pour le secouer.

– Ah non! Si tu crois que tu vas rester là pendant que le ciel inonde ma maison, eh bien, tu te trompes!

– *An taigh agam... an taigh agam*[91]...

– Allez, relève-toi! Quelle piètre figure tu offres à ton fils! Son père, un ivrogne... Non, mais!

«... tu offres à ton fils... Son père, un ivrogne...» Les mots traversaient l'esprit embrumé d'Alexander et le foudroyaient. Le tonnerre gronda. Il roula sur le côté. La pluie ruisselait sur son visage, coulait dans sa bouche. Il se lécha les lèvres et déglutit.

– *Dh'òlainn deoch... a làimh mo rùin*[92]... chantonna-t-il tout bas, avant de ricaner et de se mettre à geindre. Je ne voulais pas... Je ne voulais pas, mais il le fallait. Il doit comprendre... la désobéissance... les conséquences... Il le fallait, même si je ne le voulais pas. Isabelle... pardonne-moi.

---

89. Je ne serai pas long...

90. Je ne comprends pas...

91. Ma maison... ma maison...

92. Je boirais dans la main de mon amour...

Il enfouit son visage dans ses mains.

– Maman, qu'est-ce qu'il a, monsieur Alexander? Il a pas l'air bien. Il parle drôlement. Il va pas mourir, dis, il va pas mourir! Je serai sage, je le promets. Je ne désobéi'ai plus jamais. Je ne veux pas qu'il meure à cause de moi.

– Putain d'escargot... *Bluidy rainy day... Tha mi 'nam sheilcheag... God damn snail...*

Alexander balançait la tête de gauche à droite, les prunelles égarées. Pinçant les lèvres en une moue réprobatrice, Isabelle refusait de se laisser aller à un sentiment de pitié. Il avait battu Gabriel après tout! Elle ne pouvait le tolérer! Elle se pencha sur lui en se promettant de le chapitrer dès qu'il serait redevenu sobre. Puis, empoignant ses chevilles boueuses, elle se redressa et tourna la tête vers son fils en affichant un air rassurant.

– Monsieur Alexander ne mourra pas, mon amour. Il est seulement... un peu trop fatigué de sa journée.

Elle tirait sur les jambes d'Alexander. Se tournant vers la servante, qui tremblait toujours comme une feuille sous sa couverture, elle lui ordonna, sur un ton autoritaire:

– Aide-moi à le rentrer, Marie, et cesse de geindre, tu veux?

Gabriel s'assit sur un banc en fixant Alexander d'un air inquiet. Avec l'aide de la servante, Isabelle arriva non sans mal à rentrer l'Écossais au sec et à refermer la porte avant que le plancher soit complètement inondé. Qu'allait-elle faire de lui maintenant? De toute évidence, il passerait le reste de la nuit sous son toit... Marie jeta un regard interrogateur à sa maîtresse qui déshabillait l'homme délirant étendu sur le sol.

– Bon, ça va. Va te recoucher, Marie. Je vais me débrouiller pour le reste... Est-ce que cela t'ennuierait de faire une place pour Gabriel dans ton lit? J'en ai encore pour un moment et il ne voudra pas se rendormir seul.

– Pas du tout, madame! s'exclama la jeune femme, trop heureuse d'avoir de la compagnie.

Après avoir bordé et embrassé son fils, Isabelle revint dans le coin cuisine avec une couverture. Tombant à genoux, elle contempla Alexander, qui ronflait. Les traits de l'Écossais étaient détendus dans le sommeil. Elle imagina l'enfant qu'il avait dû être, y reconnaissant Gabriel. Était-il curieux comme lui? Inventif et d'une intelligence vive qui le poussait à des écarts de conduite? Quels petits moments de bonheur et de malheur avaient forgé sa personnalité?

– Qui es-tu, Alasdair Macdonald? Un ancien amant? Le père de mon fils? Mais encore? Quels tourments t'habitent donc?

D'un geste tendre, elle repoussa une mèche dégoulinante pour dégager le visage. La bouche entrouverte lui dévoilait une dentition saine et apparemment complète. Cela lui rappela que Pierre avait coquettement fait remplacer deux incisives qu'il avait perdues par de fausses dents taillées dans de l'ivoire qu'il fixait à l'aide de fils d'or fins aux dents adjacentes.

S'apprêtant à couvrir Alexander, elle s'arrêta pour examiner son corps. Du doigt, elle suivit doucement le contour de la tête de loup qui ornait son épaule et lui donnait l'air d'un Sauvage. Elle baissa ensuite le regard sur les cuisses, qui gonflaient la toile élimée de la culotte, puis descendit le long des jambes. Les mollets nus barbouillés de boue l'intriguèrent et la troublèrent. Ils étaient couverts d'étranges motifs géométriques indélébiles dans le même style que ceux des biceps: des bandes s'entremêlaient autour de ce qu'elle devinait être une tortue. Elle savait que les engagés-voyageurs se faisaient couramment marquer la peau d'ornements de ce genre. Étienne et plusieurs négociants qui défilaient jadis dans l'étude de Pierre arboraient fièrement ces tatouages. D'après son mari, certains décoraient même des parties de leur anatomie intime.

Ce qui la gênait le plus, cependant, ce n'étaient pas ces dessins, mais plutôt les horribles cicatrices lisses et rosées, dépourvues de pilosité, qui parsemaient les jambes de l'Écossais. Elle en avait vu beaucoup d'autres du même style à l'Hôpital général. Mais elle n'avait jamais osé demander à Alexander dans quelles circonstances il avait reçu ces brûlures. «Il y a des choses qui marquent bien plus qu'un simple coup de ceinture.» «Je ne parlais pas de blessures physiques, Isabelle... mais d'autres choses qui t'échappent totalement!» Ces mots résonnaient dans sa tête, et elle devinait que sous chacune des cicatrices s'en cachait une autre plus profonde qui ne se refermerait jamais complètement.

– À quoi faisais-tu donc allusion, Alex? Je ne peux le deviner. À toi de me le dire... chuchota-t-elle en le recouvrant du drap.

Voir ces affreuses marques sur le corps d'Alexander lui chavirait le cœur. Pourquoi était-elle tombée amoureuse de cet homme? Elle se rendait compte qu'elle n'avait bizarrement jamais réfléchi à la question. Depuis qu'il était soldat, l'Écossais avait toujours été mystérieux, réservé. Cependant, chaque fois qu'ils avaient fait l'amour, il s'abandonnait tant qu'elle avait eu l'impression de tenir son cœur dans sa main. En fin de compte, malgré ce qu'elle avait voulu se faire croire, jamais elle n'avait regretté de lui avoir cédé. Par contre, elle était désolée de ne pas le connaître davantage. Si sa mère ne l'avait pas contrainte à épouser Pierre Larue, où en seraient-ils aujourd'hui?

S'aimeraient-ils toujours? Dieu les avait-il séparés pour mieux les réunir ensuite? Ces journées de désespoir, ces nuits de larmes avaient-elles finalement une raison d'être? Que de questions!

– Que reste-t-il de nous, Alex? Qu'allons-nous devenir?

Un nouvel éclair illumina l'intérieur de la cabane. Puis tout s'obscurcit. Alexander ronflait toujours. Isabelle souffla la chandelle avant de laisser ses paupières lourdes se fermer en soupirant.

– Bonne nuit, Alasdair.

14

La fête du maïs

Un joyeux gazouillement vint rejoindre Isabelle dans son sommeil. Un oiseau volait au-dessus d'elle, dessinant du bout de ses ailes un arc-en-ciel. Puis, ce fut un rire d'enfant, et Gabriel surgit dans les flots de lumière colorés. Un chien se mit alors à aboyer, et ses jappements couvrirent bientôt le doux gazouillement de l'oiseau et le rire du petit garçon. Soulevant péniblement les paupières, Isabelle fixa un moment les poutres du plafond. Bizarrement, le chien continuait d'aboyer, et l'oiseau et Gabriel s'étaient tus.

– Gaby, fais taire ce chien! grogna-t-elle.

Une lourde chaleur l'écrasait, collait sa chemise à sa peau moite. Elle roula la tête du côté du lit de Marie: vide.

– Gaby?

La tournant dans l'autre direction, elle se retrouva le nez dans une masse de cheveux. Elle porta alors la main à sa bouche pour étouffer un cri: Alexander dormait dans son lit!

– Mais qu'est-ce que?...

Au bout de quelques secondes, les événements de la veille lui revinrent à l'esprit. Avaient-ils?... Oh, juste ciel! Non, Dieu merci! Alexander était sans doute simplement venu la rejoindre pendant son sommeil. Mais quelle imprudence! Qu'avait bien pu penser Gabriel en découvrant à son réveil un homme couché dans le même lit que sa mère? Et Marie? Avait-elle cru que?...

– Maman, chuchota la voix de Gabriel à son oreille, je peux aller jouer avec Otemin et les chiens?

Isabelle se redressa d'un coup et s'assura de la décence de l'homme couché à ses côtés. Avisant la culotte encore humide qu'elle avait renoncé à retirer, elle soupira de soulagement. Gabriel, tout sourire, semblait totalement indifférent à la présence d'Alexander dans le lit de sa mère, comme si c'était tout à fait naturel, normal.

– Il fait beau aujourd'hui, je peux sortir? Je me suis habillé tout seul.

– Où est Marie?

Isabelle, un peu mal à l'aise, balaya la pièce d'un regard circulaire.

– Pa'tie aider Mikwanikwe.

– Mikwanikwe? Elle est de retour? Déjà?

– Ben oui. Elle a t'ouvé un bébé pe'du dans les bois pendant l'orage.

– Oh, oui! Tu vas aller le voir?

– Non, j'ai pas le temps. Je vais au champ aider Francis et Stewart.

– Au champ?

– T'as oublié? C'est la fête du maïs, aujourd'hui! On ramasse les épis, puis on les épluche.

– Quelle heure est-il? Où se trouve le soleil?

– Juste au-dessus du gros chêne.

– Déjà! Il est si tard?

– Alors, je peux sortir?

– Oui, vas-y.

Retombant sur le matelas, elle referma les yeux. La porte grinça et se referma doucement. Tiens! Pourtant, d'habitude, Gabriel la claquait quand il était pressé...

Les chuchotements et le mouvement de la paillasse finirent par réveiller Alexander qui remua légèrement. Il reconnut avec ravissement une odeur de femme, près de lui, et la huma.

– *A ghràidh mo chridhe... Och! Ma heid!*

Il se prit la tête entre les mains.

– Si tu te plains d'un mal de tête, c'est bien fait pour toi, Alexander Macdonald!

– *Dinna be sae harsh, wemen*[93]...

– Je te ferai remarquer que je ne t'ai pas invité dans mon lit!

– Le plancher est plutôt inconfortable. Ta couche me semblait tellement plus douillette. De plus, Gabriel dormait avec Marie. J'ai jugé qu'il y avait là assez de place pour deux...

– Encore heureuse que l'idée de me sauter dessus ne t'ait pas effleuré l'esprit!

Il émit un petit ricanement qui s'acheva en gémissement.

– Là... tu te trompes! Tu ne peux imaginer tout ce qui m'est passé par la tête.

---

93. Ne sois pas si dure, femme...

– Espèce de vieux... vicieux! Dans ce cas, qu'est-ce qui t'a retenu?

– Mon mal de tête.

Il grimaça.

– Ha, oui? s'exclama-t-elle bien fort. Eh bien, c'est tout ce que tu mérites! Est-ce possible de manquer de... Vraiment! Dans mon lit? Je devrais te gifler et t'obliger à...

Il attendit la suite, qui ne vint pas. Oh oui, malgré son mal de tête, il avait usé d'un effort incommensurable pour s'empêcher de s'allonger sur elle et de... Résigné à attendre encore, il s'était contenté de la contempler, de la respirer, de l'écouter dormir et de rêver avec elle.

Un rayon de soleil traversait la couche de poussière des carreaux et caressait les cheveux en bataille d'Alexander qui s'étalaient sur l'oreiller de plumes de canard, les faisant scintiller. Ébloui, l'homme bougea pour se mettre à l'ombre. Isabelle regardait cette chevelure singulière si sombre dans la pénombre, si éclatante à la lumière. «À ton image, Alexander, songea-t-elle avec tristesse. N'en as-tu pas assez de vivre dans le noir?»

– Isabelle, réussit à articuler Alexander en se massant lentement les paupières avec les pouces, j'ai un peu de mal à me rappeler les événements de cette nuit... T'ai-je mise dans l'embarras? Je veux dire... Ai-je fait quelque chose qui t'a choquée?

– Eh bien... en dehors de la raclée que tu as donnée à Gabriel, de ta disparition prolongée, de ton irruption chez moi au beau milieu de la nuit, ivre mort...

Laissant échapper un grognement de sa gorge enflammée et sèche, Alexander afficha un air penaud.

– Arrête de me faire ces yeux-là! Me voir souffrir te fait-il tant plaisir?

– Pour l'instant, oui! Oh! J'oubliais! Tu as aussi récité un acte de contrition!

– Hum... c'est tout?

– Bah! Pour finir, tu t'es sagement allongé sur mon plancher en marmonnant des incohérences à propos d'une journée d'escargot... et tu t'es endormi. Ce que tu peux ronfler d'ailleurs!

– Humph...

– Peux-tu m'expliquer ce qu'est une journée d'escargot?

– *'T is a bluidy rainy day!*

– Serait-ce trop te demander de me traduire?

– Un foutu jour de pluie!

Il grogna. Il n'allait tout de même pas lui avouer qu'il se sentait aussi minable qu'un mollusque durant les journées d'escargot! Il y eut un long silence, troublé uniquement par le brouhaha de l'activité extérieure. Puis, Alexander rouvrit les yeux et les tourna vers la femme qui était allongée à ses côtés. Elle fixait le plafond et contractait les mâchoires. Quelque chose devait la tourmenter.

– Tu mériterais que je te batte à ton tour, vieil ivrogne!

– Ne te gêne surtout pas. Je ne suis pas vraiment en mesure de me défendre.

– Tout comme Gabriel.

– *Och!* Suffit, Isabelle!

– Non! Tu n'avais pas le droit de frapper mon fils!

– C'est aussi mon fils, je te ferai remarquer... *Och! God damn heid!* Gabriel devait comprendre... Il doit apprendre les conséquences de ses actes.

Isabelle serrait les poings et enfonçait ses ongles dans ses paumes à se faire mal.

– À coups de ceinture? Pour toi, c'est la meilleure méthode? Je suppose que tu y as goûté plus d'une fois et que tu emploies cette tactique pour...

– *Stop it!*

Alexander se hissa sur un coude et dévisagea la femme d'un œil noir. Elle soutint son regard, le temps de sentir son rythme cardiaque s'accélérer. Puis, d'un geste brusque, elle lui tourna le dos, plus troublée par la présence de l'homme dans son lit que par le litige qui les opposait. Un déluge de cris de joie et d'aboiements leur parvint, faisant baisser la tension entre eux.

– Comment va-t-il? demanda Alexander après une longue pause.

– Plutôt bien, étant donné les circonstances! répliqua-t-elle, acerbe.

– Les circonstances... *aye!*

– Les dégâts ne sont que matériels, Alex, ajouta-t-elle sur un ton moins rude.

S'appliquant à se recoucher sans brusquer sa tête, Alexander fut envahi par un flot de souvenirs douloureux, les mêmes que ceux qui l'avaient tellement perturbé la veille, après qu'il eut donné une correction à son fils. Cela s'était passé sur le bord du loch Leven, un jour de pluie comme la veille. Un jour orageux qui avait mouillé les yeux des siens. Son premier jour d'escargot.

– Lorsque j'avais onze ans, commença-t-il lentement, mon père m'a donné la raclée de ma vie parce que je lui avais désobéi. Je me souviens très bien... La pluie qui était tombée toute la nuit avait cessé peu après l'aube. Mais le ciel était resté gris et lourd. Mon ami Tim et moi voulions aller à la pêche. Andrew, le frère de Tim, qui était un peu plus âgé que nous, refusait de venir. Nous avions l'interdiction formelle de ne jamais nous aventurer sur le lac lorsqu'une tempête menaçait. Cependant, j'insistai tant qu'il finit par céder. Ma nièce Marcy, l'aînée de mon frère Duncan Og, et le petit Brian, son frère benjamin, se mirent en tête de venir avec nous. Marcy menaça de nous dénoncer si nous ne les emmenions pas avec nous. Elle était bonne à la pêche et connaissait les meilleurs endroits... Nous prîmes donc une barque en cachette. Au bout d'un moment... le vent se leva et notre embarcation se mit à tanguer dangereusement. Tim avait peur; le petit Brian pleurait. Marcy essayait de les rassurer tout en ramant pour rejoindre la rive. Je tentais moi aussi de calmer mon neveu et mon ami, mais n'y arrivais pas. Pris de panique, Brian se mit à gesticuler et à appeler sa mère... Je me suis levé pour le ramener vers moi. Les vagues arrivaient sur le côté. Je crois que... dans mon geste... j'ai fait chavirer la barque. Puis, tout s'est précipité. Je me souviens de l'eau qui pénétrait dans ma bouche et mes narines... du sel qui me brûlait la gorge, les poumons et les yeux. À cet âge, je ne nageais pas très bien... Je cherchais frénétiquement quelque chose à quoi me raccrocher. Marcy se trouvait tout près de moi. C'était une bonne nageuse. Je me suis agrippé à elle, mais elle tenait déjà le petit Brian...

Sur l'écran de ses paupières, Alexander revoyait sa nièce et son neveu étendus sur la plage, leurs doux visages auréolés de varech visqueux, leurs yeux grands ouverts sur le ciel qu'ils avaient déjà rejoint. Se ressaisissant, il s'éclaircit la gorge.

– Tim, Andrew et moi avons été punis publiquement par nos parents respectifs : trente coups de bâton pour mes amis, cinquante pour moi parce que j'étais l'instigateur de cette sortie et que j'avais poussé les autres à désobéir. C'était la première fois que mon père me battait aussi rudement. Ce que j'avais mal! J'avais l'impression d'avoir tous les os rompus. Puis, dans la soirée, mon père est venu me voir. Après s'être assuré que je n'avais rien de cassé, il m'a demandé ce que j'aimais le plus dans la vie. Un peu dérouté par la nature de sa question en un moment si triste, j'ai d'abord cru qu'il avait des remords et désirait me faire plaisir, me faire oublier ma punition. Naïvement, je lui ai répondu que j'aimais beaucoup aller à la chasse dans les montagnes. Il m'a regardé dans les yeux et m'a dit : « Cinquante coups de bâton, c'est bien dérisoire pour deux vies perdues. Tu es d'accord? » Incertain de la suite, j'ai acquiescé. Il est resté silencieux un long moment, puis a laissé tomber son verdict : j'étais privé de chasse pendant un an.

Alexander se souvenait encore mot pour mot des paroles de son père: «Ta mère a raison. Les punitions physiques n'apportent que de la rancœur. La douleur ne permet pas de réfléchir à ce qu'on a fait. Il y a plusieurs types de punitions. Il te faut expier ta faute, mon fils, et tu dois en tirer une leçon. La désobéissance est un déshonneur pour le clan, tu comprends? C'est manquer de loyauté envers ton père et envers le chef. Les conséquences... comme tu l'as constaté... peuvent être terribles. Normalement, le pardon ne s'obtient que par la réparation. Mais ici, il est impossible de réparer. Tu dois pourtant retirer quelque chose de cette tragédie. C'est pourquoi, à compter de ce jour, il te sera formellement interdit d'aller chasser pendant une année complète. Tu auras ainsi le temps de réfléchir à ce que tu as fait. Ne va pas croire que je fais cela par plaisir, Alasdair. C'est parce que je t'aime, mon fils...»

Le poids de la punition était atrocement lourd. Une année, c'était long! Toutefois, qu'était-ce en comparaison de la mort de Marcy et du petit Brian? Bien sûr, il le comprenait aujourd'hui. Mais à onze ans... Cette histoire s'était produite quelques mois avant l'accident fatal ayant causé la mort de son grand-père Liam. Un an ne s'était pas encore écoulé, et il avait désobéi à nouveau... et les conséquences avaient encore été terribles.

– Les conséquences de nos actes... elles peuvent détruire des vies, déclara-t-il tout haut. Elles peuvent transformer notre propre existence en cauchemar. Je le sais, et je ne le désire pas pour Gabriel. Tu aurais pu... te noyer! Il aurait dû alors porter le poids de ta mort toute sa vie!

S'asseyant dans le lit, Alexander passa une main sur son visage pour s'essuyer les yeux. Il avait allégé son âme un peu. C'était un début. Silencieuse et émue, Isabelle avança une main vers lui, lui toucha la hanche. Il tressaillit, puis courba davantage les épaules.

– Comme ma mère, tu as raison. Les punitions physiques n'apportent que de la rancœur et du mépris, murmura-t-il. Mais c'est tout ce qui m'est venu à l'esprit... Après la noyade de Marcy et de Brian, bien que je l'eusse maintes fois mérité, mon père n'a plus jamais levé la main sur moi. Et moi... Bon sang! Qu'ai-je fait?!

Il avala avec difficulté, inspira profondément et frappa énergiquement du poing sur la paillasse en jurant.

– Si mon fils me hait autant que je me méprise...

– Je ne crois pas que ce soit le cas, Alex. Gabriel ne t'en veut pas. Il n'a jamais subi de châtiment aussi sévère... et aussi curieux que cela puisse paraître, il semble penser qu'il l'a mérité.

– Je ne le referai plus, *mo chreach*... plus jamais! Je te le jure! ajouta-t-il en tournant vers Isabelle son visage torturé par le chagrin.

– D'accord, Alex... Je te crois.

– Je n'ai jamais eu à m'occuper que de moi-même, tu comprends? J'ai besoin de temps pour m'adapter. La vie à trois est tellement différente... Se retrouver père du jour au lendemain n'est pas facile. C'est que j'ai dû sauter des étapes. Mais c'est ce que je voulais... *A Dhia!* Je vous voulais dans ma vie... qui est si vide... sans vous!

La voix d'Alexander se brisa. Se dressant sur les genoux, Isabelle prit doucement la tête de son compagnon dans ses mains et colla son front au sien pour plonger dans les yeux azur tourmentés par la tempête d'émotions. Elle en voulait toujours à l'Écossais, même si elle le comprenait mieux maintenant. Elle se rendait compte avec tristesse que la violence des gestes était le seul moyen qu'il avait trouvé pour se libérer un peu de tout le poids qui pesait sur son âme. À bout d'arguments, elle hocha la tête pour indiquer que le sujet était clos.

– J'ai besoin de toi, Isabelle. J'ai besoin de Gabriel. Vous êtes tout ce que j'ai. Je ne sais pas comment agir en tant que père, *a ghràidh*. Mais ce que je sais, c'est que mon fils m'est aussi précieux que ma vie. Quand j'ai compris que la digue avait cédé et que Gabriel se trouvait à l'étang... *Mo chreach!* J'ai cru mourir! C'était comme si on m'écartelait... La douleur... *A Thighearna mhór!* Même les tourments des Iroquois ne...

Il s'interrompit brusquement. Isabelle fut saisie d'horreur: Alexander, torturé par les Iroquois? Comme elle fermait les yeux pour endiguer les larmes qui jaillissaient, il reprit:

– Tu sais, j'ai toujours eu l'impression que Dieu me faisait chèrement payer ce qu'il me donnait. Alors, là... j'ai cru...

Isabelle, toute remuée, n'osait interroger Alexander sur ce qu'il avait laissé échapper. Elle tenta plutôt de le rassurer.

– Gabriel est sauf, Alex. Certes, il nous a donné à tous une bonne peur. Mais il n'a rien. Et regarde-moi... Je suis ici, avec toi... grâce à toi.

– Oui, tu es ici... Oh, Isabelle! Combien de fois ai-je cru que tu n'étais qu'un rêve, que notre amour n'était que chimère?

La colère les abandonnait, laissait progressivement la place à un autre sentiment tout aussi puissant, mais bien plus doux pour l'âme. Alexander laissa ses doigts courir sur les cuisses d'Isabelle. Puis, il s'enhardit et remonta jusqu'aux hanches et aux flancs. Effleurant les seins au passage, il continua jusqu'aux épaules, qu'il serra.

– Je peux te toucher, souffla-t-il. Tu es bien réelle.

Isabelle avait fermé les yeux et s'abandonnait peu à peu à l'homme qui se trouvait dans son lit. Les doigts libérèrent ses épaules pour trouver refuge dans sa chevelure. Elle sentit une haleine chaude sur sa joue, des cheveux qui lui chatouillaient le cou, une odeur musquée, un tantinet terreuse.

Un court instant, elle sentit la panique la gagner. La mort de Pierre lui paraissait si lointaine. Pourtant, elle se demandait si elle ne confondait pas le toucher d'Alexander sur sa peau avec celui de son défunt mari. Cela la troublait, faisait naître en elle des craintes qui l'empêchaient de se laisser aller complètement. Si les baisers d'Alexander se mêlaient à ceux de Pierre, s'ils n'arrivaient plus à faire naître dans sa tête la musique de jadis? Si, dans un moment d'extase, elle prononçait le nom de Pierre? Elle savait trop ce que cela ferait à Alexander. Qu'adviendrait-il d'eux, de leur amour, alors?

Lui caressant doucement la tempe des lèvres, Alexander lui souffla à l'oreille:

– Souviens-toi du moulin. Ne désires-tu pas retrouver ce que nous avons connu là?

– Oui...

La réponse s'était glissée hors de sa bouche presque à son insu. Surprise par sa propre audace, elle aventura ses mains sur les fesses d'Alexander, qui pressa son bassin contre le sien pour lui faire sentir son envie d'elle.

– Souviens-toi de cette nuit dans la clairière, sous la lune... Souviens-toi de nos vœux.

– Oui...

– Isabelle, curieusement, je me dis parfois que, si tu n'étais pas partie, je serais mort sans jamais savoir combien tu me manques lorsque tu es loin de moi. *A ghràidh... Tha gaol agam ort, nis agus daonnan*[94]. Tu es l'oiseau blanc qui dissipe le gris du ciel après une longue traversée sur une mer déchaînée. Tu es le velours d'un pétale de lys parmi les ronces. Tu es... les mots qui me manquaient... qui me manquent encore...

– Chut!

Isabelle posa délicatement le doigt sur les lèvres d'Alexander. Elle n'en voulait pas plus. Elle voulait goûter l'émotion du moment, en silence. Pourquoi le nier? L'amour était là, la faisait vibrer et palpiter. Une envolée de papillons lui chatouillait le ventre. Elle le sentait, et lui aussi. Une douce aria emplissait sa tête. Elle dénouait comme par enchantement tous les nœuds de son cœur, dissipait toute la rancœur et le ressentiment. Elle purifiait son âme, vidait son esprit.

---

94. Chérie, je t'aime, maintenant et pour toujours.

Comme aimantées, leurs deux bouches se collèrent l'une à l'autre, se frôlèrent. Elles essuyèrent les larmes, effacèrent les tourments. Avides, elles prenaient sans demander. Exigeantes, elles réduisaient au silence. Ensemble, elles goûtaient au bonheur nouveau.

– Maman?

La musique s'évanouit d'un coup; les papillons s'enfuirent. Isabelle sursauta.

– Aaaah!

S'écartant vivement d'Alexander, elle s'empara de la couverture pour se couvrir pudiquement jusqu'au menton.

– Gaby! Bon sang! Que fais-tu là? Tu ne peux pas frapper avant d'entrer? Qu'est-ce que c'est que ces manières?

Les yeux ronds, l'enfant regarda sa mère puis monsieur Alexander d'un air intrigué. Il savait qu'il n'était pas poli d'interrompre les adultes quand ils discutaient... ou faisaient autre chose. Il l'avait appris un jour, lorsqu'il était entré dans la chambre de ses parents sans crier gare et y avait surpris son père en train de chercher une épingle à cravate sous les jupons de sa mère. Drôle d'endroit pour perdre une épingle à cravate! Mais bon, c'était l'explication que lui avait donnée son papa Pierre. Bizarrement, ce jour-là, le visage de son papa avait pris la même teinte que celui de monsieur Alexander maintenant. Gabriel fronça les sourcils: avait-on encore perdu une épingle à cravate? Pourtant, les messieurs ne portaient jamais de cravate ici! Le petit garçon baissa les yeux.

– J'ai frappé.

– Je... n'ai pas entendu. Enfin... qu'as-tu à dire qui ne pouvait attendre?

Isabelle était rouge de honte.

– C'est Munro... Il voulait vous dire que Mikwanikwe va bien et que le bébé est un garçon. Il voulait aussi savoir... si monsieur Alexander va bien.

– Si Alex va bien? Mais bien sûr qu'il va bien!

La femme ne savait quoi dire tellement elle se sentait gênée. N'en pouvant plus, Alexander explosa de rire. Quelques minutes de plus, et Gabriel les surprenait dans une position encore plus... intrigante!

– Va dire à Munro que j'arrive.

Le petit garçon ne savait quoi penser et se mordillait la lèvre dans la réflexion. Il lança un regard par en dessous.

– Tu vas encore me punir?

Alexander s'étrangla. S'éclaircissant la voix, il répondit avec sérieux:

– Une fois suffit, si la leçon est apprise.

– Elle l'est. Je ne désobéirai plus, je le jure!

– Ne jure pas, mon garçon. Cela se reproduira certainement. Tu n'es encore qu'un enfant. Mais n'oublie pas qu'il y a une différence entre arriver quelque part à l'improviste et provoquer un déluge.

Alexander ébouriffa les cheveux de l'enfant. Le regard bleu plein de remords le fixait intensément. Ces yeux... Son fils. Un Macdonald. C'était son sang à lui qui coulait dans ses veines. Il eut brusquement envie de le crier haut et fort à la face du monde. Ce garçon était le sien; il porterait son nom.

– Est-ce que tu m'aimes encore après ce que j'ai fait?

Alexander ouvrit la bouche... mais ne réussit à prononcer aucun mot tellement il était ému. Les doigts crispés sur le drap qu'il avait remonté par réflexe sur le renflement de sa culotte, il émit un son étranglé en hochant la tête. Fou de joie, l'enfant lui dévoila ses deux nouvelles incisives dans un magnifique sourire qui lui creusa les joues. Puis il disparut dans une virevolte de boucles de feu.

***

– Gaby! Ton doigt!

Le doigt fautif se retira prestement de la narine et trouva refuge dans la poche, où il se mit à tripoter un cadavre desséché de sauterelle.

– Termine ta soupe, et tu pourras retourner éplucher le maïs... Pas en la buvant, avec ta cuillère! Tu oublies les bonnes manières, Gabriel!

– Monsieur Alexander n'en a pas, lui, et tu le reprends pas tout le temps!

Interloquée, Isabelle se tourna vers Alexander, qui gardait la tête baissée pour ne pas rire.

– C'est que... sa mère ne devait pas le reprendre assez souvent.

– Ma mère reprenait mes manières, intervint l'Écossais en s'appliquant à tenir son ustensile correctement. J'ai même eu droit à un coup de louche derrière la tête pour avoir un jour bu ma soupe directement au bol. Ma mère vient d'une famille où les bonnes manières étaient de mise. Elle est la fille d'un chef de clan.

– Alors, explique-nous pourquoi tu n'as pas de bonnes manières, *sir* Macdonald! l'interrogea Isabelle en le fixant d'un air goguenard et intrigué.

– C'est à cause des haricots.

– Des haricots? répéta Gabriel en plissant le nez.

– Tu ne connais pas le truc des haricots?

– Non, c'est quoi?

Alexander fit signe à Gabriel de se pencher vers lui. L'enfant jeta un regard à sa mère.

– Tu les mets dans tes oreilles, et tu n'entends plus les remontrances de ta mère.

– Alex! s'écria Isabelle en menaçant l'homme de sa louche. Cesse de lui raconter des bêtises! Et toi, mon garçon, je te préviens que, si je te surprends avec des haricots ne serait-ce qu'une seule fois, je te coupe les oreilles et je les mets dans ta soupe.

– Aïe!

Gabriel rit, puis revint à Alexander:

– Tous les enfants écossais mettaient des haricots dans leurs oreilles?

– Pas tous, seulement ceux de mon clan.

– C'est quoi, un clan? Une tribu d'Indiens?

Alexander trempa un morceau de pain dans sa soupe.

– Pas tout à fait. En Écosse, un clan, c'est un peu comme une grande famille réunie sous un même nom. Ma mère appartenait à celui des Campbell de Glenlyon.

– Et ton père?

– À celui des Macdonald de Glencoe.

– C'est comme les Chartier *de* Lotbinière ou Saint-Luc *de* La Corne, alors! Tu es un noble, monsieur Alexander!

– Hum... pas exactement. Vois-tu, Gabriel, en Écosse, il y a tant d'Alexander Macdonald, de John Campbell, de Robert Macgregor et d'Angus Mackenzie qu'il est nécessaire, pour éviter les quiproquos, de préciser après son nom celui du village ou de l'endroit d'où l'on vient.

– Alors, tu n'es pas un noble?

Le garçonnet fit une moue de déception.

– La noblesse est avant tout une qualité du cœur, Gaby, observa Isabelle en débarrassant. Les titres s'achètent, pas l'honneur...

Courbant agréablement ses lèvres, la femme lança un regard à Alexander avant de tourner la tête vers le panier rempli de maïs qui attendait près de la porte.

– Allons! Nous avons encore du travail si nous voulons déguster avant la tombée de la nuit la récolte que Dieu a su préserver!

En fait, l'inondation avait provoqué plus de peur que de mal. Une petite partie seulement du champ avait été emportée par l'eau et on avait pu récupérer la plupart des plants de maïs. Ainsi, tout était bien qui finissait bien. Tous préparaient la fête avec entrain sous un soleil radieux qui terminait d'assécher les dégâts.

Installés sur un tas de pierres, Alexander, Isabelle et Gabriel épluchaient les épis en riant comme trois enfants. C'était à celui qui éplucherait le plus gros. La joie était contagieuse, cet après-midi-là. Munro, qui arrachait les épis dans le champ avec Mikwanikwe, ne cessait d'éclater de rire. Otemin s'escrimait à faire sourire aux anges son nouveau petit frère, qui dormait, confortablement installé dans le dos de sa mère. Marie se tordait devant Francis et Stewart qui faisaient des pitreries tout en égrenant les épis.

– Sais-tu pour quelle raison on accroche des vers à notre hameçon? demanda Alexander à Gabriel avec sérieux.

– Non.

– C'est parce qu'ils ne parlent pas, eux, quand on les emmène pêcher!

– Je ne parlais pas tout le temps! bougonna Gabriel en lançant un épi épluché sur le tas.

– Si! Tu ne cesses d'ouvrir la bouche! C'est bien certain que dans ce cas les poissons préfèrent le fil d'Otemin! le taquina gentiment sa mère.

– Il fallait bien que je lui demande comment faire! Et puis, elle ne voulait pas mettre le ver sur mon hameçon. Moi, je voulais pas le faire!

– Pour quelle raison? C'est pas si difficile pourtant!

– Je sais. C'est que... je me disais que ça devait leur faire mal, aux vers, de se faire percer le ventre...

– C'est pour ça qu'ils sont muets! s'esclaffa Alexander. Comme ça, on ne les entend pas crier!

– C'est pas drôle! rétorqua Gabriel, vexé, en abaissant ses longs cils dorés sur ses joues rougies par le soleil.

– Hum... Je crois qu'il serait temps que je prenne ton éducation en main, mon garçon. Savoir enfiler un ver sur un hameçon est l'un des enseignements de base dans la vie d'un homme. Je pourrai aussi te montrer comment les faire cuire si la pêche n'a pas été bonne.

– Beurk! Ça se mange pas, des vers de terre!

– Oh, mais si! J'en ai avalé des dizaines de fois! Frits, grillés, bouillis dans la sagamité... Je dois dire que je les préfère grillés et bien croquants sous la dent.

Isabelle et Gabriel dévisagèrent Alexander en faisant des grimaces qui expriment assez bien leur opinion sur ses goûts gastronomiques. La femme, qui remplissait maintenant son tablier du maïs épluché, observa, après un moment de réflexion:

– Cela dit, Otemin devrait peut-être finalement enseigner à Gabriel les rudiments de la pêche.

Alexander fronça les sourcils.

– Pourquoi? J'ai certainement une trentaine d'années d'expérience de plus qu'elle dans ce domaine!

– Bah! Si tu as mangé des vers de terre des dizaines de fois, cela signifie que tu dois être un piètre pêcheur...

– Hum... Je t'emmènerai à la pêche un de ces jours, *a ghràidh,* et tu verras.

– Je surveillerai plutôt tes deux mains!

Isabelle se leva en adressant un large sourire à son compagnon. Le regard qu'elle lui lança avant de tourner les talons attisa la flamme qui lui dévorait les entrailles depuis le matin. Les joues en feu, il la suivit des yeux jusque sur la butte où s'accumulaient le bois et les épis destinés à être cuits.

– Tu allais souvent à la pêche quand tu vivais en Écosse?

La voix de Gabriel le tira de ses concupiscentes pensées.

– Euh... oui, marmonna-t-il en se rappelant la triste aventure sur le loch dont il avait fait le récit à Isabelle le matin même. Cependant, ta mère a vu juste, Gabriel. Je suis meilleur à la chasse qu'à la pêche.

– Ça, je le sais. Tu étais certainement le meilleur chasseur de ta famille.

Fixant les grains dorés tout en les caressant distraitement, Alexander ne répondit pas. Son esprit s'était envolé vers les montagnes de la vallée de Glencoe. Les yeux d'Isabelle avaient cette particularité de prendre la teinte des pâturages printaniers lorsque le bonheur les éclairait.

– C'est comment, l'Écosse?

Voyant que l'homme ne réagissait pas, Gabriel répéta sa question un peu plus fort en lui touchant le bras.

– L'Écosse, monsieur Alexander, c'est comment?

– Oh, l'Écosse? C'est un pays qui se trouve de l'autre côté du grand lac salé. Il est beaucoup plus petit que le Canada.

– Le grand lac salé? Tu veux parler de la mer?

– Hum... oui.

– Et c'est aussi beau que le Canada?

– Disons que... c'est différent. Mais c'est tout aussi beau. Il y a là-bas beaucoup de montagnes et de belles landes couvertes de bruyères. Autrefois, il y avait de grandes forêts, comme ici. Malheureusement, des hommes riches ont coupé les arbres pour les vendre aux gens vivant dans le Sud.

– Et comment s'appelait la ville où tu habitais?

– J'habitais... un petit village dans une vallée qui s'appelait Glencoe.

– Elle était comment, cette vallée?

Alexander interrompit son travail et suivit avec intérêt le déhanchement balancé d'Isabelle qui se dirigeait maintenant vers la cabane.

– Aussi belle et verte que les yeux de ta mère...

Gabriel réfléchit un moment à ce que venait de lui dire l'homme.

– Monsieur Alexander?

– Hum?

– Tu aimes ma maman?

Pris au dépourvu, Alexander arqua les sourcils. Le garçon avait-il des soupçons sur ce qu'Isabelle et lui faisaient dans le lit ce matin-là?

– Ta mère?

L'enfant hocha la tête d'un air grave. Alexander soupira, hésita un instant.

– Ta mère... Bien sûr que je l'aime.

– Dans ce cas, tu ne retourneras pas en Écosse?

– Euh... non.

Le visage de Gabriel se détendit et s'illumina d'un grand sourire.

– Alors, je peux t'appeler papa Alexander?

Saisi, l'Écossais laissa l'épi de maïs qu'il finissait d'éplucher lui glisser des mains et resta figé. Gabriel le ramassa puis l'essuya soigneusement sur sa culotte avant de le lui rendre. Alexander dut faire un effort démesuré pour reprendre ses esprits. Les doigts crispés sur les grains dorés qu'il sentit éclater, il respira profondément avant de répondre:

– Tu... n'y es pas obligé.

– Si tu aimes ma maman et que tu fais dodo dans son lit, c'est que tu es un papa, non? C'est ça qu'ils font, les papas. Et moi... je n'ai plus de papa. Alors j'ai pensé que tu pourrais peut-être... enfin, si ça t'ennuie pas trop...

– M'ennuyer? Euh... non.

– Chouette! J'ai un nouveau papa, comme Otemin!

Submergé par l'émotion, Alexander s'éclaircit la gorge et fit mine de se lever. Mais ses genoux flanchèrent, et il retomba sur son postérieur.

– Peut-être que... papa Alex serait plus court, fit remarquer avec désinvolture le petit bout d'homme, qui réfléchissait tout haut en plissant le nez.

Se détournant pour cacher son trouble, Alexander ramassa quelques épis qu'il lui tendit.

– Tiens... euh... Va porter ceci à Munro. Je crois qu'on en aura assez. Tu peux aller jouer avec Otemin maintenant.

– Chouette!

Soulagé, le cœur gonflé d'une joie indicible, Alexander regarda son fils filer à travers une brume.

– Après un jour d'escargot vient le beau temps...

Que pouvait-il espérer de plus? Il n'avait qu'une vie de misère à offrir à Isabelle et à Gabriel. Pourtant, il recevait joie et amour. Délaissant la butte où se dressait le bûcher, il dirigea son regard vers le petit verger, tout au bout du terrain en friche. Là-bas, quelque part, se trouvait l'or du Hollandais, promesse de puissance et de gloire. Il se souvenait très bien du plan, qu'il se représentait mentalement chaque fois qu'il coupait du bois. Il avait eu raison de ne pas y toucher. Tout cet or n'aurait pu lui permettre d'acheter le pur bonheur de vivre auquel il accédait enfin.

***

Des guirlandes de feuilles et de fleurs ornaient la façade de la maison et la table, où s'entassaient les victuailles. Les flammes du feu de joie montaient haut vers le ciel et les étincelles rejoignaient les étoiles. Le maïs bouilli, l'oie rôtie, la courge cuite sous la cendre et les pommes rissolées aux oignons furent vite engloutis. Le repas terminé, Stewart et Munro animèrent la soirée, l'un en chantant, l'autre en jouant du violon. Gabriel ne se servant guère de son instrument, Isabelle l'avait prêté pour l'occasion.

Touché, Stewart avait déclaré à la femme: «Je ne prétends pas pouvoir jouer de la grande musique comme "Vlivladi". Mais on me dit plutôt bon pour la gigue.» Ainsi, Francis, Marie, Otemin, Gabriel, Isabelle et Alexander virevoltèrent des heures durant au rythme de la musique. La joie habitait les corps; la paix, les âmes.

La fête se prolongea jusqu'à minuit. Les enfants, éreintés, s'étaient endormis sur des couvertures étalées sur l'herbe. Munro raccompagna sa petite famille dans leur nouvelle cabane. Alexander porta Gabriel jusque sur la couche de Marie. La servante, un sourire en coin, ne dit mot: Gabriel avait l'habitude de dormir avec sa mère. Lorsque l'Écossais fut ressorti, Gabriel refusa de quitter le lit de Marie, prétextant qu'elle n'avait personne pour la protéger la nuit. Isabelle n'insista pas et lui fit réciter sa prière. Puis elle le borda et repartit. La jeune servante, trop fatiguée, demeura avec le petit garçon.

Adossé contre un tronc d'arbre couché en travers, Stewart chantonnait une douce ballade en gaélique que lui avait apprise sa mère. Les grillons et un engoulevent ou une chouette l'accompagnaient. Francis somnolait près de lui. L'odeur terreuse de la nuit enveloppait l'endroit.

Tirant un peu sur son corsage qui lui collait à la peau, Isabelle chercha Alexander des yeux. Ne le voyant nulle part, elle déduisit avec un pincement au cœur qu'il devait se sentir trop épuisé pour veiller plus longtemps et qu'il était allé dormir sous le wigwam qu'il partageait maintenant avec les MacInnis. Sans doute pensait-il qu'elle ferait de même.

Elle soupira. Après ce qui s'était passé le matin, elle s'attendait à ce qu'il lui demandât de partager son lit cette nuit. Elle devrait en être soulagée. Pourtant... elle ne pouvait s'empêcher d'être un peu déçue.

Un moustique bourdonna autour d'elle. Elle le chassa de la main, pivota sur ses talons et prit la direction de la maison. Bien que la nuit fût tombée depuis plusieurs heures, il faisait encore très chaud. Elle aurait donné n'importe quoi pour aller se rafraîchir un peu et s'éclaircir l'esprit dans la rivière avant de se coucher. Tout en marchant, elle repensa aux paroles de son fils.

Comme elle le bordait et l'embrassait, Gabriel la dévisageait bizarrement.

– Tu veux quelque chose, Gaby? Tu me regardes d'une bien drôle de façon. J'ai quelque chose sur la figure peut-être?

Elle lui sourit en lui caressant tendrement le visage. Il secoua la tête de droite à gauche et fronça les sourcils.

–Je cherche la vallée d'Écosse dans tes yeux. Papa Alex dit que sa vallée...

– Tu appelles monsieur Alexander "papa Alex"?

Elle sentit une boule monter dans sa gorge.

– Tu n'es pas fâchée?

– Oh non, mon chou! Non! Je suis certaine... qu'il en est très heureux...

«Je cherche la vallée d'Écosse dans tes yeux...» Trop bouleversée par l'appellation «papa Alex», elle avait oublié ce qui faisait l'objet de l'attention de son fils. Qu'avait donc raconté Alexander à Gabriel?

Tout en se déshabillant, Isabelle repensa à l'étreinte du matin et ferma les paupières pour mieux revivre les émotions qui l'avaient secouée et la faisaient toujours vibrer. Grimpant dans son lit rempli de l'odeur d'Alexander, elle se sentit étrangement seule.

« Nous avons le temps. C'est sans doute mieux comme ça... » Elle posa la tête sur son oreiller et sombra presque aussitôt dans un profond sommeil.

***

Il faisait chaud. L'air était lourd, saturé d'humidité. Isabelle, en sueur, ne cessait de se retourner dans son lit, s'enchevêtrant les jambes dans les draps. Elle étouffait dans sa chemise de nuit. Au bout d'un moment, n'en pouvant plus, elle s'assit et chercha à se libérer de l'étoffe. La lune pénétrait faiblement dans la pièce par la fenêtre entrouverte. Les moustiques s'y faufilaient et la narguaient en bourdonnant.

Se tournant vers le carré de nuit étoilée, elle se demanda qui avait bien pu ouvrir. Elle avait pourtant tout fermé avant de se coucher. Marie peut-être... Il faisait si chaud... Il fallait choisir entre mourir de suffocation et être dévoré par ces saletés de bestioles. Alexander ne lui avait-il pas affirmé que les moustiques préféraient les peaux pâles et parfumées? Elle renifla et esquissa une moue de dégoût : il se trompait assurément!

Sautant du lit, elle jeta un coup d'œil à Marie et à Gabriel, qui dormaient paisiblement, leur couverture repoussée. Les cheveux roux du petit garçon se mêlaient aux longues mèches sombres de la Mohawk sur les draps blancs. Les respirations étaient lentes et régulières. S'éloignant pour aller se verser un gobelet d'eau, elle contournait la cheminée de pierre lorsqu'elle entendit le bois du perron craquer. Elle se figea. Un ours? Un loup? Elle attendit quelques secondes. Plus rien.

Le cœur battant la chamade, elle se précipita vers la fenêtre en regrettant qu'Alexander ne fût pas là. Là, elle fouilla l'obscurité du regard et reconnut les silhouettes des objets qui lui étaient familiers. Rien de suspect. Le feu brûlait maintenant faiblement sur la butte. Ce fut à ce moment-là qu'elle le vit, là, debout, tel un grand manitou dominant son royaume.

Souriant, elle porta ses doigts à ses lèvres en repensant à la journée passée. Ils avaient tant dansé et tant ri qu'elle en avait été tout étourdie. Tout avait été si parfait, si délicieux. Trop même. Elle en avait oublié sa condition de femme endeuillée. Pourtant, elle n'avait aucun remords...

Elle soupira et frémit. Elle sentait encore les larges mains d'Alexander qui lui ceignaient la taille, et ses lèvres qui parcouraient sa nuque. Elle revoyait ce regard qu'elle lui avait surpris à plusieurs reprises: brillant de désir et d'amour... oui, d'amour.

– Oh, Alex... Je ne sais plus où j'en suis.

Alexander fixait les braises, le corps dévoré par un feu ardent. Il n'avait pu se résoudre à entrer dans la cabane. La seule pensée d'essuyer un refus l'avait dissuadé d'aller plus loin que le perron. Près de deux mois s'étaient écoulés depuis qu'Isabelle s'était installée ici. S'il excluait les événements du matin, il trouvait que sa relation avec elle évoluait à pas de tortue.

En revanche, ses rapports avec son fils connaissaient d'énormes progrès. Gabriel l'appelait désormais «papa Alex». Cela n'éclipsait pas totalement Pierre de sa mémoire, mais... que pouvait-il exiger? En dépit du mal que cela lui faisait de le reconnaître, Pierre avait été le père adoptif du petit garçon. Il l'avait nourri, protégé et... assurément aimé, comme lui l'aurait fait. Il ne pouvait revendiquer haut et fort la place qui lui revenait de droit en claquant des doigts, comme ça! Pas plus qu'il ne pouvait exiger d'Isabelle qu'elle l'accueille dans son lit... Pourtant, il n'arrivait pas à s'expliquer les réticences de la femme. Ne l'avait-elle pas suivi jusqu'ici de son plein gré, défiant toutes les convenances?

Un craquement de brindilles lui fit dresser l'oreille. Il se pencha immédiatement vers le fusil posé sur le sol, près de lui. Depuis l'épisode de l'ours, l'arme ne le quittait pratiquement plus. Se redressant et se retournant, saisi de stupéfaction, il relâcha son arme: lumineuse dans son vêtement de nuit, Aataentsic venait vers lui.

– Nous ne nous sommes pas souhaité bonne nuit. Tu ne dors pas?

Fasciné par la vision, incapable de prononcer le moindre mot, il secoua la tête.

– Je peux rester un peu avec toi? Il fait si chaud à l'intérieur...

Tel un demeuré, il acquiesça de la tête. Isabelle s'assit à ses pieds en souriant. Il regarda le dessus de son crâne dépourvu du sempiternel bonnet. Ébouriffés par un sommeil agité, les cheveux partaient en tous sens.

Le cœur battant, la femme n'osait lever les yeux. La vue de ce grand corps bronzé vêtu d'un simple brayet de peau d'orignal l'avait à la fois émue et terrifiée. Il émanait de l'homme une force brute qui gonflait tant ses muscles qu'ils semblaient sur le point d'exploser.

Alexander se décida enfin à la rejoindre au sol. Il y eut un long moment de silence.

– C'est toi qui es venu sur le perron de la maison?

– Oui. Désolé, je ne voulais pas te réveiller...

– Je ne dormais pas.

– La chaleur?

– Oui... et ces damnés moustiques!

Elle assena une claque sur son genou qui dépassait de sa chemise de nuit. Alexander baissa les yeux et admira la rotule et le tibia délicatement sculptés par la lueur dorée. Dégageant sa jambe repliée sous elle, Isabelle l'étira devant, exposant le galbe de son mollet, la finesse de sa cheville, l'étroitesse de son pied... Il se retint de se pencher pour embrasser, caresser... Un délicieux malaise l'envahissait. Il leva les yeux vers le visage qui se tournait vers lui, illuminé par un sourire.

– Ce fut une belle fête!

– Euh... oui. Gabriel a dû s'endormir sitôt couché.

– Oui. Il était exténué, mais tellement heureux.

– Et toi?

Repassant dans sa tête les événements de la journée, elle sourit, puis soupira. Elle avait vécu l'un des plus beaux jours de sa vie.

– Cela faisait longtemps que je ne m'étais pas autant amusée, il me semble.

– Votre joie de vivre vous allait très bien, madame.

Il inclina la tête avec déférence.

– Vous êtes bien aimable, monsieur!

– Pour le plaisir d'une femme aussi belle que vous, je le serais avec le diable en personne.

– Alex! J'ai l'air d'un *épeureux* à corbeaux!

Elle lui donna un coup de coude, puis, tout en faisant la grimace, étendit les bras pour imiter la position d'un épouvantail.

– Je suis sérieux.

Troublée, elle sourit, puis tourna les yeux vers les braises sans rien répondre. Au bout de quelques minutes, elle demanda:

– Où es-tu parti lorsque je bordais Gabriel? En ressortant, je ne t'ai pas trouvé.

– J'étais à la rivière. J'avais besoin de me rafraîchir.

En fait, il s'était éclipsé pour éviter le malaise qu'ils auraient éprouvé à son retour au moment de se souhaiter une bonne nuit. Malgré les événements de la journée, il doutait qu'elle l'aurait invité à dormir près d'elle une autre fois, même chastement. Il ne souhaitait cependant pas briser la douceur de l'instant, et s'abstint de toute explication supplémentaire. Il préféra orienter la conversation sur la cour ouverte que faisaient Stewart et Francis à Marie, et sur Munro, qui ne quittait pas une seconde son fils nouveau-né.

Le silence des bois rempli de sons irréels finit par les envelopper. Un petit mouvement dans l'herbe fit tressaillir Isabelle, qui ramena prestement ses jambes sous elle. Un gros crapaud apparut et s'enfuit aussitôt dans les brindilles humides de rosée. Ils éclatèrent de rire. Pendant un instant, Alexander retrouva la femme qu'il avait connue à Québec.

Durant la fête, il l'avait observée en train de boire et de manger avec appétit, en train de danser et de chanter avec enthousiasme. Il avait écouté son rire se mêler aux autres. Il découvrait qu'Isabelle était toujours aussi gourmande de la vie et s'en réjouissait. C'est que cela transparaissait dans ses gestes empreints de sensualité : ronds de jambes gracieux, déhanchements lascifs, démarche aérienne... Lorsqu'elle croquait dans une pomme en fermant les yeux pour mieux la goûter et en se pourléchant les lèvres pour ne rien perdre du jus, elle lui donnait envie d'être à la place de ce fruit.

Il la regarda lisser la fine batiste de sa chemise sur ses cuisses et s'emparer d'une mèche dorée pour l'enrouler nerveusement autour de son index. Sans fard, les traits fatigués, la tenue toute fripée et la chevelure en bataille, Isabelle ne ressemblait guère à cette dame de la bonne société qu'elle était. Mais il la trouvait tellement plus délicieuse comme ça. Son cœur s'emballa : il était totalement subjugué. Une *leannan-sìth*[95].

– Tu es si belle quand le bonheur t'habite... murmura-t-il.

– Tu n'es pas mal, toi non plus ! répondit-elle en riant pour cacher sa gêne.

Inclinant la tête, elle l'examina à son tour. La lune éclairait la moitié de son visage, l'autre moitié restant dans l'ombre. La maturité en accentuait les angles. « Un dieu sauvage », pensa-t-elle en fixant la ligne brisée du nez qu'elle avait appris à apprécier. Les années avaient approfondi son regard. Les rigueurs de la vie avaient développé sa musculature. Il lui semblait même que la courbure de la bouche s'était accentuée, exprimant le désabusement. Mais lorsqu'il lui souriait... Comment une femme pouvait-elle résister à ce sourire ? Sentant l'amertume monter en elle, elle se détourna brusquement pour qu'il ne le vît pas. Combien de femmes, justement, n'avaient pas pu lui résister ?

De son côté, la détaillant dans sa tenue légère, Alexander nour-

95. Fée séductrice.

rissait des pensées similaires. La chemise de nuit laissait entrevoir la gorge alourdie par la maternité et l'âge. Il imaginait aisément les yeux de Pierre Larue se poser sur ces seins, ses mains palper ces fruits mûrs et veloutés, sa bouche mordre voluptueusement dedans. Il devinait le désir qu'elle avait dû susciter dans son corps... comme dans celui de cet autre homme avec qui il l'avait aperçue, le soir ayant suivi la mort de son mari. Il se demanda quels sentiments elle avait elle-même éprouvés en retour. Assurément, elle avait dû soupirer d'aise sous d'autres baisers que les siens, crier de plaisir sous d'autres caresses que les siennes...

Pour briser l'élan subit de jalousie qui menaçait de l'emporter, il leva les yeux vers le ciel. Il se concentra sur la magnificence de la voûte céleste afin qu'elle lui apporte la paix de l'esprit. Mais, en dépit de ses efforts, il ne parvenait pas à chasser les images d'Isabelle dans d'autres bras, les anciens griefs qu'il s'était juré d'oublier.

Levant les bras pour rassembler ses cheveux derrière ses épaules, Isabelle bomba le torse, tendant scandaleusement la trop fine chemise avec sa poitrine. La volonté d'Alexander s'évanouit.

– Tu l'as aimé?

Prise au dépourvu, la femme se demanda pendant un instant de qui il parlait. Puis, voyant son air contrit, elle devina qu'il faisait allusion à Pierre. Brusquement, elle se raidit et pinça les lèvres.

– Je ne veux pas parler de cela... pas ce soir. S'il te plaît, Alex... Pierre est mort et repose à des lieues d'ici, tandis que moi, je suis avec toi. Cela ne te suffit-il pas?

Le moment était mal choisi. Mais il était trop tard pour faire marche arrière. Alexander tenta de dissimuler son désordre intérieur en prenant un ton bourru.

– L'amour ne meurt pas, tu le sais. Le cycle éternel... Tu te souviens de ce que je t'ai expliqué? Les spirales? La roue de la vie ne cesse de tourner. Les corps se séparent, mais les âmes se retrouvent dans l'Autre Monde. Alors, j'aimerais savoir si tu l'as aimé.

– Alex, tu n'as pas le droit de... commença-t-elle, choquée par son manque de tact.

Puis, elle se ravisa. Ne voulant pas jeter de l'huile sur le feu, elle reprit plus calmement:

– Ce que j'ai ressenti pour Pierre ne change rien à ce que j'éprouve pour toi.

– D'accord, répondit Alexander en tempérant à son tour sa voix et son humeur. C'était une question égoïste, j'en conviens. Mais je suis comme ça. Tu as été mariée avec lui pendant plusieurs années, alors...

– Et je suis sa veuve depuis peu, ne l'oublie pas.

– Cela fait maintenant deux mois que la couleur de ta robe me le rappelle sans cesse, Isabelle. Mais, est-ce vraiment ce que tu veux: que je ne l'oublie pas? Ce matin, dans la cabane...

Isabelle le regarda d'un air intrigué. Les yeux bleus lui firent comprendre les insinuations, et elle sentit un malaise l'envahir. Elle regretta soudain d'être sortie dans la nuit.

– Il s'en est fallu de peu...

– Oui. Je bénis le ciel d'avoir envoyé Gabriel pour nous empêcher de faire une bêtise.

– Une bêtise? Si je comprends bien, tu considères que faire l'amour avec moi serait une erreur?

– Non, mais pas... pas comme ça.

Alexander se mit à rire nerveusement.

– Je suis perdu, là. J'ai besoin d'explications, je le crains.

– Le deuil, qu'en fais-tu?

– Le deuil? *Och!* Isabelle, tu pars vivre avec un homme quelques mois seulement après la mort de ton mari, et tu t'arrêtes encore au respect du deuil? Tu crois que je vais avaler ça? Parfois, je me demande si tu ne te caches pas derrière ton Dieu pour...

– *Mon* Dieu?! Pourquoi, *mon* Dieu? Ne crois-tu pas en Dieu, Alex?

– Croire en Dieu? Dis-moi en quel dieu je devrais croire! Contrairement à toi, la vie ne m'a pas fait de cadeaux. J'ai vu, j'ai vécu des choses... qui te feraient tant frémir d'horreur, si je te les racontais, que tu me traiterais de menteur. J'ai connu le cachot. J'ai dormi parmi des cadavres, rêvant que j'en serais un à l'aube. Je me suis effectivement nourri de vers de terre, et plus d'une fois! Alors, laisse-moi te dire qu'il y a longtemps que j'ai jeté certains principes de l'Église aux orties! La nécessité de la survie m'a poussé à remettre en question les bases de la religion. Longtemps, le seul crucifix que j'ai adoré a été celui que formait la garde de mon poignard.

– Mais... mais... tu es athée? Tu... tu ne crois pas en Dieu? Tu es aussi païen que tous ces Sauvages avec qui tu as couru les bois?

– Ils ne sont pas païens; ils croient en un dieu. Mais pour leur malheur, ce dieu ne porte pas le même nom que celui des chrétiens. Croire en Dieu signifie-t-il suivre aveuglément les règles, que nous dictent des hommes tout aussi mortels que nous, pour éviter la damnation éternelle? Assister hypocritement à l'office tous les jours pour écouter des hommes – dont certains, je t'assure, ont l'âme aussi noire que leur robe – dénigrer publiquement les faibles et sublimer les forts, sans considération des valeurs morales qui les habitent? Eh bien, non, Isabelle! Je ne fais rien de cela! Pourtant, je crois en un dieu, en la justice. Le nom que je lui donne est-il si important? Mon dieu à moi ne veut pas de guerres, ni de massacres d'enfants ni de viols. Il refuse que je vole pour m'enrichir cupidement, mais m'invite au partage, même si tout ce que je possède n'est que l'air qui m'entoure. Mon dieu désire que les hommes vivent dans la paix et l'amour.

Le silence retomba, lourd. Étant donné la tournure de la conversation, Isabelle ne savait plus que penser, que faire. N'avait-elle pas demandé à Alexander de la séduire, de gagner son cœur? Le matin même, ne l'avait-elle pas embrassé passionnément dans son lit, totalement conquise? Plus tard, elle avait même été déçue qu'il ne lui demande pas de partager sa couche. Et voilà que maintenant, là, à demi nue devant lui, elle se comportait en brebis effrayée par le gros méchant loup qui ne demandait qu'à la croquer, et se cachait derrière les préceptes religieux! Que voulait-elle au juste? Elle le savait parfaitement, la question n'était pas là. Mais elle était terrifiée à l'idée de refaire l'amour avec Alexander, et tout lui servait de prétexte pour retarder le moment.

Alexander remua brusquement. Lui aussi ne savait quelle attitude adopter. La journée avait été si parfaite! Il n'avait pas envie de la gâcher. Mais la résistance d'Isabelle le blessait. Que pensait-elle donc en venant le rejoindre ici, vêtue d'un simple voile qui ne cachait rien? Il ne comprenait rien au comportement de la femme.

– Isabelle, chuchota-t-il en osant une furtive caresse sur l'angle de la mâchoire. J'ai envie de toi... Ce n'est pas comme si nous étions totalement étrangers. Nous avons fait un enfant et...

– Tu peux toujours aller te soulager dans les bois! lui lança-t-elle, caustique, en se dégageant vivement.

Les mots lui avaient échappé. Aussitôt, elle se méprisa et se mordit la langue si fort que le goût du sang se mêla à l'amertume qui lui restait dans la bouche. Sous le choc, Alexander laissa un moment sa main suspendue dans le vide.

– Me soulager? Tu crois donc que tout ce que je veux de toi est?... *Mo chreach!* Si c'était le cas, je... Le sexe se paie au détour de tous les chemins, bon sang!

– Tu m'apparais bien au fait de cela, Alex! Il a bien dû en défiler, des créatures, dans ta couche!

– *What? God damn!* Que racontes-tu? Je ne suis pas fait de bois!

Tandis qu'il se dressait devant elle, indigné, elle voyait des visages se succéder dans son esprit: celui de la mignonne serveuse du cabaret où il avait l'habitude d'aller s'amuser à Québec, avec laquelle elle l'avait surpris sous une table un soir qu'elle cherchait un peu de réconfort; celui de Mikwanikwe aussi... Une flambée de jalousie eut raison d'elle. Elle ne put se retenir.

– Ça, je le sais! J'ai bien vu les regards que tu lances à Mikwanikwe. D'ailleurs, d'après ses réactions à elle, je présume qu'elle t'a déjà offert de réchauffer tes draps... à moins que ce ne soit déjà fait? Tu as couché avec elle, Alex?

Bouleversé, la mâchoire pendante, Alexander ne sut que répondre sur le coup. Isabelle le condamnerait définitivement s'il lui avouait la vérité.

– Réponds-moi, Alex! Je sais les Indiennes plutôt accommodantes, pour avoir entendu les histoires grivoises des négociants. On les dit particulièrement compréhensives concernant vos «besoins» masculins... et très inventives aussi.

– Tu deviens vulgaire, Isabelle, et cela ne te sied pas!

– Tu as couché avec elle? Le sexe se paie aussi avec des colifichets et des babioles clinquantes avec ces femmes, non?

Hors de lui, il explosa.

– Oui! J'ai couché avec Mikwanikwe! Je t'interdis toutefois de la traiter de la sorte!

Isabelle ouvrit la bouche et écarquilla les yeux. Elle l'avait un peu deviné, mais... qu'il le lui avoue directement... C'était comme si elle avait reçu un coup de poignard en plein cœur. Elle mit plusieurs secondes à retrouver la parole.

– Misérable pervers! Tu couches avec la femme de ton cousin sous mon nez!? Ensuite, tu oses me demander ce que je ressens pour Pierre qui, lui, est mort!? Tu... tu... Je n'en reviens pas!

Elle respirait rapidement et bruyamment. Soudain submergée par la rage, elle se mit à donner des coups de poing à Alexander et à cracher des injures. Elle lui décocha une droite si solide qu'ils en furent tous deux surpris. Profitant du moment de stupéfaction, le cœur en miettes, elle s'élança dans le noir, courant à l'aveuglette, trébuchant et tombant.

– *Nighean an diabhail*[96]*!*

Ils ne pouvaient pas en rester là. Une main sur sa mâchoire endolorie, l'homme saisit son fusil et partit à la poursuite de la femme. La chemise de nuit flottait, ondulait comme un mouchoir lumineux dans la nuit d'encre. Soudain, le vêtement blanc disparut. Pantelant, l'esprit en déroute, il scruta l'obscurité et tendit l'oreille.

96. Fille du diable!

Elle ne lui échapperait pas si facilement, à lui, chasseur d'expérience. Un craquement. Il bondit vers le canal, la peur au ventre. Le niveau de l'eau y était encore relativement élevé. Si elle plongeait dedans...

– Isabelle!

Elle surgit soudain d'un buisson, fila en direction du verger. Il n'eut pas trop de mal à la rattraper. L'agrippant par le col, il lui fit faire un bond en arrière. Elle gémit. Sans lui laisser le temps de se remettre à le battre, il la poussa rudement et la cloua au sol de ses mains. Elle se débattit, le roua de coups de pied, lui débita toute une litanie de grossièretés. Enfin, réussissant à emprisonner ses jambes sous les siennes, il l'immobilisa et fixa, haletant, son regard brillant d'un feu meurtrier que n'arrivaient pas à éteindre les rivières de larmes.

– *Sguir dheth*[97]*! Dinna bed Mikwa... Och!*

Prenant une grande respiration pour se calmer un peu, il reprit:

– Cela s'est passé bien avant le mariage de Mikwanikwe avec Munro. Je n'ai pas couché avec elle après. Tu me connais mal...

– Justement! Je ne sais pas du tout qui tu es, Alexander Macdonald! Laisse-moi partir. Je suis fatiguée et je veux retourner...

Elle se tortillait pour se dégager. Il la repoussa rudement au sol.

– Non, tu n'iras nulle part! Tu vas m'écouter jusqu'au bout maintenant!

Elle cessa subitement de gigoter. Lentement, prêt à réagir si nécessaire, Alexander la libéra après une minute et se laissa rouler à côté d'elle. Il se frotta vigoureusement le visage avant de commencer à expliquer:

– J'ai connu Mikwanikwe au poste de traite du Grand Portage... Son frère l'avait échangée contre un barillet d'eau-de-vie...

L'Écossais se mit ainsi à parler de sa vie d'engagé-voyageur. Il prit soin de ne pas entrer dans certains détails qui auraient blessé la femme inutilement. De fil en aiguille, il en vint à raconter tout naturellement les circonstances de l'attaque sournoise menée par Étienne, dont il évita de mentionner le nom.

Tout en écoutant l'horrible récit, Isabelle s'imaginait parfaitement Alexander au bout du poignard de son frère et se mordillait les lèvres. Elle faillit avouer qu'elle savait tout, mais préféra rester muette. Alexander croyait sans doute qu'Étienne ne cherchait qu'à voler les marchandises que le groupe transportait avec lui... À quoi bon, alors, lui expliquer que des marchands montréalais avaient

97. Arrête!

commandé le massacre pour de l'or? Pierre étant mort, la rébellion ayant été réprimée et le commerce de la fourrure ayant repris, cette histoire était terminée. Classée.

Ensuite, le visage ruisselant de larmes, la femme se boucha les oreilles en entendant les horreurs vécues pendant la capture par les Iroquois, la séquestration et le supplice de cet ami surnommé le Revenant. Elle geignit en écoutant les explications concernant l'origine de ces affreuses brûlures sur les jambes. Étourdie et écœurée par tant de souffrance, elle se tourna sur le ventre et, posant la main sur l'épaule tatouée, resta songeuse. Voilà pourquoi Étienne avait affirmé à Pierre qu'Alexander avait été tué avec les autres: il avait laissé les Iroquois l'emmener et était persuadé qu'il succomberait au supplice que les Sauvages lui réservaient certainement.

Alexander lisait les émotions d'Isabelle sur son visage. La femme fixait la tête de loup sur son épaule.

– C'est une Sauvagesse qui me l'a tatouée, comme la tortue et le reste.

– Quelle est la signification de ces animaux?

– Quand un individu est adopté par une tribu, on le marque du symbole du clan. Cela indique qu'il est membre du clan et qu'il est le bienvenu chez toutes les nations qui en font partie. Il est ainsi protégé. La tortue est l'emblème des Tsonnontouans, chez qui j'ai vécu.

– Et le loup?

– C'est mon totem.

Il narra son aventure avec la meute de loups sauvages qui se régalaient d'une carcasse.

– Pourquoi as-tu fui ce peuple s'il t'avait adopté?

– Ma place n'était pas avec eux... celle de Tsorihia non plus. Elle était la fille adoptive de... enfin... de celle qui a choisi de me garder.

Le doigt qui traçait distraitement le contour de la tête de loup se retira avec promptitude.

– Tsorihia? C'est elle qui t'a peint?

– Piqué[98], Isabelle.

Alexander soupira. Le nom de la belle Wyandotte lui avait échappé. Il ne pouvait de toute façon passer sous silence la présence de Tsorihia dans sa vie. Il raconta donc la suite des événements: sa fuite, son errance dans la région des Grands Lacs. Il insista sur le fait que, sans cette femme, il serait certainement mort chez les Tsonnontouans ou dans les bois.

---

98. Tatoué.

– Elle m'a tout appris, Isabelle. À survivre...

Il allait ajouter « et à vivre sans toi », mais se tut. Isabelle ne se départait pas de sa froideur.

– Tu l'as aimée?

Piégé, il baissa les paupières. Il comprenait maintenant la violente réaction qu'elle avait eue lorsqu'il lui avait posé la même question. Quel imbécile!

– Je suppose que... ce que j'ai éprouvé pour elle doit ressembler à ce que tu as éprouvé pour Pierre.

Elle ne répondit pas tout de suite. Les stridulations incessantes des grillons meublèrent le silence qui se prolongeait.

– Sans doute...

Tandis que leurs respirations s'accordaient, ils laissèrent leurs regards vagabonder dans la voûte céleste. Une étoile traça brièvement une voie lumineuse. Isabelle sourit. Enfant, elle s'amusait à compter les étoiles filantes avec Madeleine. Les deux cousines s'inventaient des histoires, imaginaient qu'elles chevauchaient ces montures de feu et visitaient un monde fabuleux fait d'une mer de confiture et d'îlots de pâtisseries coiffés de crème fraîche.

– Isabelle... je ne peux nier que j'ai eu d'autres femmes que toi dans mon lit. Cependant, aucune d'elles ne t'a remplacée dans mon cœur. *Mo chreach!* Tu es là, pour toujours... En mon âme et conscience, avec Dieu comme témoin, je te dis la vérité.

Pour toute réponse, elle hocha la tête et renifla. Quelques secondes plus tard, elle demanda, d'une voix hésitante :

– Tu... étais toujours avec elle quand tu es venu à Montréal, au printemps dernier?

– Oui...

– Je vois. Tu l'as donc abandonnée pour revenir me chercher sans savoir ce que j'avais décidé?

– C'est un peu ça.

Il repensa à la belle Wyandotte avec tristesse. S'il ne regrettait rien, il était désolé de ne pas avoir pu agir autrement, de l'avoir blessée.

– Cette vie te manque-t-elle parfois, Alex?

Elle tourna son visage vers lui.

– J'aimais me perdre dans les contrées éloignées. La nature sauvage me plaisait, apaisait mon esprit. Mais...

Il fronça les sourcils et la regarda.

– Je ne m'y suis jamais senti totalement libre. Un lien me retenait à la civilisation.

– Quel lien?

– Quel lien?!

Roulant sur le côté, il lui fit face et la dévisagea longuement. Elle avait baissé les yeux. Il prit son menton.

– Dois-je vraiment répondre à cela? Ne te lasses-tu donc pas d'entendre la même réponse?

Elle retroussa les coins de sa bouche, et une fossette se creusa dans sa joue de nacre éclairée par la lune. Ne pouvant résister, il l'attira contre lui et l'embrassa. Le cœur soudain plus léger, elle se blottit, se recroquevilla.

– Je dois t'avouer quelque chose... Avant de me retrouver en face de toi, dans l'atelier à dessin, j'avais décidé...

– Je le sais... la coupa-t-il en la pressant contre lui. Tu avais choisi de ne pas me suivre.

– Comment as-tu deviné?!

– À ton attitude, à ta voix... Tu hésitais trop. Pourtant, des caisses encombraient le couloir. Tu partais, mais où?

– À Beaumont.

– Beaumont? Tu allais y rejoindre... quelqu'un?

– Non. Je possède une concession là-bas. Je désirais quitter Montréal, faire respirer l'air de la campagne à Gabriel, lui acheter un poney.

– Oui, son poney. Tu m'en as parlé.

– Beaumont peut attendre, le poney aussi... pour le moment. Gabriel semble tellement heureux ici. Il a Otemin et plein de petites bêtes pour s'amuser.

– Tu peux le dire!

Alexander ricana en chassant un vilain moustique qui lui tournait autour.

– Lorsqu'il a fait sa prière, ce soir, il a demandé au petit Jésus de protéger son nouveau « papa Alex ».

– Il... il a dit ça?

– Oui.

S'éclaircissant la gorge pour masquer son trouble, Alexander se détourna.

– Il s'attache rapidement à toi, Alex.

– Je sais... Mais je ne me fais pas trop d'illusions... Enfin... Gabriel remplace simplement son père disparu par un autre avec qui il s'amuse bien et qui le sécurise.

– Et qu'il aime! Gaby ne sème pas son affection à tous vents. En plusieurs années, Jacques Guillot n'est pas arrivé à ce que toi, tu as obtenu en deux mois à peine.

– Qui est Jacques Guillot?

– L'associé de Pierre.

– L'associé de Pierre... oui, c'est vrai.

Alexander fronça les sourcils. Il s'agissait certainement de ce bellâtre qu'il avait aperçu sur le seuil de la maison, rue Saint-Gabriel, en train de baiser avec effusion les mains de la veuve. Il chassa ce souvenir qui risquait de troubler la paix relative qui s'était installée. Après quelques minutes de réflexion, il demanda:

– Ta maison, la ville, tes amis... Tout cela te manque-t-il?

Isabelle ne répondit rien. Cherchant dans l'obscurité, il vit ses yeux briller à la lueur de la lune.

– Isabelle?

– Non... enfin, pas vraiment. Je me plais assez ici, sachant que cette situation est temporaire. Parce que c'est bien ce que tu m'as dit, n'est-ce pas? Cette situation est temporaire? Gabriel doit aller au collège, tu sais! Je veux qu'il reçoive une éducation respectable et... Les bois, c'est amusant pour un enfant, j'en conviens! Mais Gabriel doit apprendre à vivre dans un monde civilisé, avec d'autres enfants.

– Je sais! répondit-il un peu rudement. Nous verrons au printemps ce que j'aurai réussi à accumuler en pelleterie.

– Au printemps? Bon, d'accord. Je peux attendre jusque-là...

Brusquement, Alexander plaqua sa paume sur la bouche d'Isabelle, dont les yeux s'arrondirent de frayeur.

– *Tuch!*

Un reniflement leur indiquait qu'une bête rôdait non loin d'eux. Prudemment, l'Écossais s'empara de son fusil et l'arma. Ordonnant d'un geste à sa compagne de ne pas bouger, il se mit à genoux et plissa les yeux pour scruter les alentours. Tout près de la table du festin, trois ou quatre animaux de la taille d'un chien furetaient bruyamment. L'un d'eux traversa un rai de lumière lunaire: faciès noir, queue striée de bandes claires et sombres. Soulagé, il déposa son arme et, à quatre pattes, les observa encore un moment. Une autre bête vint se joindre au groupe de voleurs, ce qui engendra des grognements intenses.

– Ce sont des ratons, fit remarquer Isabelle.

Puis, il y eut une grande agitation. Le dernier arrivé, n'ayant de toute évidence pas été invité, fut chassé par un gros spécimen particulièrement agressif. Ses grognements et grincements de dents donnèrent froid dans le dos à Isabelle, qui se colla à Alexander. La bataille dura quelques minutes. Puis les chiens, alertés par le vacarme, vinrent se jeter dans la mêlée, aboyant et grondant férocement. Les ratons disparurent sur-le-champ en emportant quelques rafles de maïs. Le cœur battant, les poils hérissés, Isabelle entendit Munro et Stewart hurler après les chiens pour leur ordonner de se taire. Le silence revint dans la forêt.

– C'est fini, déclara Alexander en ricanant et en regardant sa compagne. *By God!* On dirait un petit chaton qui aurait vu un gros loup!

Vexée, elle lui donna un coup de coude dans l'estomac.

– Ne te moque pas de moi, Alex! J'ai eu peur, c'est tout! Il n'y a pas de quoi rire!

– Non...

Tout sourire, cependant, il la poussa et l'écrasa contre le sol de tout son poids. Elle se débattit et toucha à nouveau sa mâchoire.

– Non... Aïe! Doucement!

– Oh! Désolée...

– Tu as une sacrée droite, tu sais?

– Tu l'avais mérité!

Les sourires disparurent. Alexander sentait la rondeur des seins d'Isabelle contre sa poitrine. La bouche frémissante de la femme ne se trouvait qu'à quelques pouces de la sienne. Il la fixa un bref moment, puis remonta vers les yeux.

– Les Tsonnontouans m'avaient baptisé Loup Blanc, dit-il en dévoilant ses crocs luisants.

– Je n'ai pas peur des loups!

– Non? Rien que des ratons?

Sans lui laisser le temps de répliquer, il écrasa sa bouche sur la sienne. Puis, il grogna de satisfaction lorsqu'elle enfonça ses doigts dans ses côtes pour le repousser tout en s'accrochant à lui. Il s'écarta subitement pour reprendre son souffle.

– Isabelle... je sais, pour le deuil... Je comprends que tu doives... *Mo chreach!* Je ne veux pas brusquer les choses, mais... *A Dhia!*

– Je pue, Alex! La chaleur, tu sais... déplora-t-elle stupidement.

– As-tu déjà vu un cerf se détourner de l'odeur de sa femelle?

– Quoi?! Il ne manquerait plus que tu me demandes de porter une peau de biche!

Ils rirent, puis se turent, les yeux dans les yeux. Alexander approcha lentement ses lèvres de celles d'Isabelle, les effleurant avec douceur. La bouche un peu plus tôt réticente s'entrouvrit dans un soupir. Il l'embrassa d'abord avec légèreté. Puis, sentant le corps ramollir sous lui, il recommença plus longuement, plus profondément.

– *Iseabail...*

Avec une lenteur mesurée, il remonta la chemise de nuit le long de la cuisse et fit une pause en atteignant le repli humide de l'aine. Il voulait mettre dans ses gestes tout l'amour qu'il ressentait. Il voulait ne rien précipiter, goûter chaque seconde de leurs retrouvailles. Il avait attendu tellement longtemps, désespérant de ne jamais revivre ce moment, qu'il souhaitait ne pas tout gâcher par égoïsme.

Il s'assit et, glissant ses mains sous les reins cambrés, souleva la femme et la mit à califourchon sur ses cuisses. Isabelle, prise de vertige, ferma les paupières et noua ses bras autour de son cou. Laissant un gémissement s'échapper de ses poumons momentanément bloqués par l'exaltation des sens, elle bascula la tête vers l'arrière et ouvrit les yeux: les étoiles scintillaient merveilleusement dans l'immensité du ciel.

L'étoffe de la chemise lui caressa le ventre. Elle frémit au léger contact. Gémissant doucement, elle se cramponna davantage à Alexander. Il y avait si longtemps, si longtemps...

– Alex...

– *Tuch! A bhean mo rùin, dinna say nothing*[99].

Il la dévisageait avec intensité. Elle respirait de façon précipitée, autant à cause de l'anxiété que de l'excitation. Ses boucles d'or ébouriffées ruisselaient sur ses épaules opalines. Sous la chemise froissée, il découvrit la poitrine satinée par la clarté lunaire. De sa bouche, il enveloppa un mamelon dressé, puis le libéra pour voyager sur la peau moite et s'emparer de l'autre. Luttant contre ses dernières réticences, elle empoigna la chevelure sombre. Une main ferme se plaqua alors sur la chute de ses reins, tandis que l'autre, impérative, écartait ses cuisses et se frayait un chemin vers sa féminité qui s'enfiévrait inexorablement.

Elle délaissa la chevelure pour plonger ses griffes dans les épaules masculines. La caresse, d'abord douce, se fit véhémente. Un tourbillon de sensations étourdit son bon sens. Une à une, ses défenses s'envolaient comme des feuilles d'automne.

– Oh oui!

Elle s'arqua fortement en écartant davantage les cuisses. Il n'en fallut pas plus à Alexander. L'allongeant délicatement dans l'herbe, il lui vola sa bouche, s'empara de tout son corps. Il la palpa avec douceur, la caressa avec fougue, l'enflamma, la hissa sur des sommets vertigineux. Il s'arrêtait juste avant le point ultime pour mieux recommencer, pour prolonger le supplice qui décuplait l'intensité du plaisir jusqu'à la limite du supportable.

---

99. Chut! Mon amour, ne dis rien.

Enfin, il la posséda, et elle laissa s'échapper un soupir de contentement. Il se cambra, s'enfonça profondément en elle. Elle gémit. Puis, il remua délicieusement son sexe dans sa moiteur brûlante. Elle haletait, s'accrochait à lui. Le besoin d'habiter totalement l'autre, d'effacer toute empreinte laissée par une caresse étrangère les animait, les guidait avec frénésie. À la fougue des gestes succédait la tendresse d'un mot ou la douceur d'un regard.

Au moment où elle entendait son nom couler des lèvres d'Alexander, Isabelle émit un long gémissement et poussa davantage son compagnon en elle pour combler ce vide qui l'avait trop longtemps habitée. Ce fut alors une explosion de musiques d'orgue dans sa tête qui fit vibrer chaque fibre de son corps, éclater son âme. Envoûtement céleste... Isabelle était totalement possédée. La musique et l'amour... «Une fin viendra en ce monde, toutefois il subsistera toujours l'amour et la musique...»

Tandis que sa compagne était encore secouée de soubresauts d'assouvissement, Alexander était à son tour happé par l'extase. À la fois râle et sanglot, son cri s'étouffa dans sa gorge comprimée. Déverser sa vie en elle l'entraîna vers l'abandon total de soi, cet instant où le monde disparaissait et où n'existaient plus que deux corps fusionnés en un amour qui les cueillait dans toute leur vulnérabilité.

Épuisé, il se laissa tomber lourdement sur elle. Son haleine balaya le lobe de son oreille, dans lequel il souffla «*I love you*», avant d'enfouir son visage dans sa chevelure. Toujours sous l'effet du vertige, ils n'en revenaient pas de la violence de l'ouragan qui avait secoué leurs âmes autant que leurs corps pour en extirper la grisaille et la semer aux quatre vents. Engourdis, blottis dans cette lumière nouvelle qui les habitait maintenant, ils respiraient au même rythme, nageaient dans cette mer calme de bonheur qui les portait.

– Je veux un autre enfant, murmura Alexander longtemps après en se retirant doucement.

– Un enfant?

Isabelle sortait lentement de sa douce torpeur.

– Un frère ou une sœur pour Gabriel...

Il s'interrompit, soudain mal à l'aise. Curieusement, il prenait conscience seulement maintenant du fait que Gabriel n'avait ni sœur ni frère, et de ce que cela pouvait signifier: un accouchement difficile empêchait parfois... Il la sentit se raidir dans ses bras et l'embrassa tendrement sur le front. Il était déçu.

– Non! Oublie ce que je viens de dire! Je ne m'étais pas rendu compte que... enfin... ce n'est pas grave si tu ne peux plus me donner...

– Pierre était stérile, laissa tomber Isabelle.

– Pierre? Stérile? Tu veux dire qu'il...

– Ne pouvait procréer, oui.

– Oh!

– Il... il le savait, Alex. Il le savait depuis le début et me l'avait caché. Gabriel... était pour lui le fils qu'il n'aurait jamais eu autrement. Il connaissait mon état lorsque nous nous sommes mariés et...

– *Dinna, Iseabail... No more...*

Posant ses lèvres sur sa joue, il goûta l'amertume de ses larmes.

– Une seule chose... Il t'a maltraitée?

Elle secoua la tête de droite à gauche.

– Non... Pierre était bon avec moi. Nous avons eu des problèmes, certes... Mais il essayait toujours de me rendre heureuse.

– Et... il y est arrivé?

Isabelle dévisagea Alexander tout en réfléchissant. Heureuse? Pas vraiment. En fait, elle n'avait jamais ressenti avec Pierre ce qu'elle ressentait en cet instant. Cette impression d'être l'une de ces étoiles qui brillaient dans l'immensité du ciel.

– Je ne pourrai jamais nier qu'il m'a apporté la sérénité... une forme de bonheur... Je te croyais mort, alors...

– Hum...

Fixant l'étoile Polaire dont les branches lumineuses se brouillaient dans un halo scintillant, Alexander serra les dents. Pierre Larue l'avait dépossédé d'une partie importante de sa vie qui jamais ne lui serait rendue. Il devait se résigner, oublier. Il essuya ses larmes qui coulaient dans les cheveux d'Isabelle, qu'il serrait étroitement contre lui. La femme qu'il n'avait cessé d'aimer depuis Québec lui était revenue, corps et âme. Enfin, Dieu lui rendait justice. Sa douleur à la mâchoire et cette impression d'euphorie qui persistait dans tout son corps étaient autant de preuves qu'il ne rêvait pas. Il prit la main de sa femme qui reposait mollement sur sa poitrine et en embrassa les phalanges qui se repliaient sur les siennes. Il effleura l'anneau de corne qu'il avait remarqué à son doigt au début de la fête. C'était le symbole de leur appartenance l'un à l'autre: le lys et le chardon entrelacés pour l'éternité.

Il repensa à ce Dieu qui l'avait, pensait-il, définitivement abandonné. Combien de fois, tellement déçu et découragé, l'avait-il renié, honni? Combien de fois avait-il blasphémé contre Lui? Certainement assez pour mériter de finir en enfer! Pourtant, Dieu lui avait accordé cet instant de bonheur suprême. Lui accordait-Il enfin le repos du guerrier? N'était-ce pas encore une fausse joie avant le prochain coup de glaive dans le cœur? Alexander ne pouvait s'empêcher de douter, d'avoir du mal à croire que ce bonheur pouvait durer. Il avait connu tellement de déceptions. Le moment présent était tout ce à quoi il pouvait s'accrocher: *carpe diem...*

Au loin, un huard pleura. L'aube pâlissait le ciel, jetait un voile opalin sur les étoiles qui disparaissaient les unes après les autres. Cela lui rappela une aube passée au-dessus d'une clairière. Il retrouvait les mêmes teintes merveilleuses et aurait voulu les figer pour toujours et à jamais, afin de les protéger du destin, du temps qui ternit tout.

15

La puce à l'oreille

Les couleurs vives embrasèrent la nature: rubis flamboyants, ambres chaleureux, grenats profonds, jaunes lumineux. L'automne était en fête. Les dernières chaleurs de l'été durèrent encore quelques jours. Puis *Kiwetin*, le vent du nord, les chassa. Alors, les forêts s'effeuillèrent et les rivières se figèrent.

Dépouillé de ses joyaux, le pays des *Anishnabek*[100] s'endormit. L'hiver recouvrit le paysage ondulant d'un magnifique manteau lilial. Les sapins, lourdement parés d'éblouissantes robes blanches, ne pouvaient que s'incliner devant *Nanabozo*[101] pour son art merveilleux.

Douillettement installée dans cet écrin, Isabelle en oublia sa solitude. Bien que parfois elle fût nostalgique et pensât à Madeleine, qui lui manquait cruellement, elle avait fait sa place. Les chapeaux de paille et les poupées de pelures de maïs s'accumulaient dans la cabane en attendant qu'on aille les vendre au printemps, à la mission du lac des Deux-Montagnes. Elle était de plus en plus habile et rapide. Ainsi, bientôt, elle s'attaqua aux paniers d'écorce.

Pendant que les hommes faisaient le tour des pièges, se livraient à la pêche blanche[102] ou coupaient du bois, Mikwanikwe lui enseignait l'art de broder avec des poils de porc-épic. Isabelle plongeait les piquants assouplis dans des solutions de teinture dont seule l'Ojibwa connaissait les recettes. Puis, elle les piquait dans la fine peau blanche du bouleau en suivant méticuleusement les

100. Appellation qu'emploient les Algonquins pour se désigner eux-mêmes. Mot qui signifie « les vrais hommes ».

101. Pour les Algonquins, celui qui crée le monde. Il est le fils d'un esprit céleste (Kije-Manito) et d'une femme de la Terre.

102. Pêche sur la glace.

motifs gravés: tortues, fraises, oiseaux, fleurs. On ornait ainsi les couvercles de boîtes qu'on destinait aussi à la vente.

Quand le temps le permettait, les femmes sortaient avec les enfants pour faire des bonshommes de neige, explorer la colline en raquettes ou glisser sur le toboggan fabriqué par Munro pour la fête du jour de l'An.

La nuit tombée, lorsque les crépitements du feu et les respirations régulières de Gabriel et de Marie emplissaient la cabane, Isabelle et Alexander se réfugiaient derrière des courtines de peaux et s'enlaçaient sous des épaisseurs de laine et de fourrures. Quel bonheur de boire à la coupe d'un amour capiteux et long en bouche! Ensuite, heureux, ils s'endormaient avec la certitude que rien n'avait été vain, que tout avait eu sa raison d'être.

Depuis quelques jours, *Sawaniyottin,* le vent du sud, caressait les ramures maintenant fatiguées de porter leur lourde vêture. La douceur de son souffle faisait chanter les mésanges et les jaseurs. L'épais manteau blanc en fondait de joie. Mais l'hiver refusait de libérer encore le pays des *Anishnabek,* et *Kiwetin* cristallisait des larmes de glace au bout des branches et des corniches. Puis, comme tous les ans, ainsi que le voulait *Nanabozo, Sawaniyottin* triompha. De sa tiède haleine, il libéra les rivières pour leur permettre de ruisseler gaiement à nouveau. De son doux chant, il réveilla les animaux endormis depuis longtemps. Il pétrit la terre avec tant de tendresse qu'elle ramollit un peu plus chaque jour. Conquise par le printemps, la nature reprenait vie et se réjouissait.

La vapeur se cristallisait sur les branches des arbres, autour de la sucrerie, les transformant en présentoirs d'énormes bâtonnets de sucre candi. Les effluves faisaient saliver Gabriel, dont l'œil gourmand ne quittait pas les cornets d'écorce que Mikwanikwe remplissait d'une substance ambrée et visqueuse. Le garçon lança un regard vers sa mère qui, postée devant l'unique fenêtre de l'abri, était absorbée dans la contemplation du paysage. Le surprenant la main tendue vers la tire, l'Ojibwa le rabroua aussitôt:

— Faut attendre après carême, *Mushkemush kemit*[103]*!* Et puis, c'est trop chaud. Toi te brûler la langue.

Se laissant lourdement tomber sur le banc près d'Otemin, qui comme lui lorgnait l'épais sirop en train de refroidir, Gabriel grogna. Mikwanikwe prit place en face des enfants, sur un autre banc, en souriant.

103. Petit rat musqué blanc.

– Moi vous raconter une histoire...

L'Ojibwa jeta un œil sur son fils Duglas qui, confortablement enveloppé de fourrures, dormait dans le berceau que lui avait fabriqué Munro au début de l'hiver. Puis, lissant sa pelisse d'ours sur ses genoux, elle commença :

– C'est l'histoire de la leçon que donne Grand Pin à Petit Bouleau... Il y a très longtemps, les arbres pouvaient parler entre eux. Bercés par la douce brise, ils discutaient calmement. Secoués par le vent violent, ils disaient leur peur et leur courage. Il y a Grand Pin le majestueux, Érable le délicieux, Orme le géant, Chêne le solide, Thuya le souple et Bouleau le magnifique. Tous sont utiles aux *Anishnabek,* qui se nourrissent de leur sève et de leurs fruits, s'abritent sous leurs branches ou leur écorce et se servent de leur bois mort pour se réchauffer et faire la cuisine. Un jour d'été où la forêt chante sous le soleil, Bouleau se trouve si magnifique dans son habit tout blanc qu'il en devient vaniteux. Il décide de se tenir à l'écart des réjouissances et refuse d'agiter joyeusement ses branches avec les autres arbres. Inquiet, Érable lui demande s'il est malade. « Oh non ! fit Mikwanikwe en imitant le ton condescendant de Bouleau, ce qui fit rire les enfants, moi aller très bien ! Moi pas vouloir abîmer belle écorce toute blanche. Allez ! Vous avec vos écorces ordinaires vous amuser sans moi ! » Érable n'aime pas les paroles de Bouleau. Il pense que Grand Pin sera très fâché de les entendre... Grand Pin est le roi de la forêt. Tous lui doivent respect et doivent obéir à ses ordres pour que règne l'harmonie. Les paroles de Bouleau font rapidement le tour de la forêt. Bientôt, tous les arbres se liguent contre lui. « Tu es prétentieux ! » lui dit Orme. « Si Grand Pin t'entendait, il serait très mécontent ! » s'exclame Thuya. « Je me fiche bien de Grand Pin, déclare Bouleau avec un air hautain en remuant brusquement ses belles branches rouge sombre et ses feuilles en dentelle. Je suis le plus beau et je n'ai plus besoin de me courber devant le roi ! » Mais Grand Pin a le sommeil léger. Il se réveille en entendant son nom et fait vibrer ses longues aiguilles de mécontentement. « Qu'ai-je entendu ? » fit Mikwanikwe en prenant une voix grave. Tous les arbres se mettent à trembler ; cela fait beaucoup de vacarme. « Je suis plus beau que vous, donc je n'ai plus à vous saluer, Grand Pin. » Le roi de la forêt se fâche, comme l'a prédit Érable. Il crie très fort pour que tous l'entendent : « Bouleau, tu deviens trop orgueilleux ! Tu dois apprendre l'humilité ! » Puis, d'un grand coup de branche, il frappe la belle écorce de Bouleau. Les aiguilles font des milliers d'éraflures sur la peau blanche. Satisfait, Grand Pin dit encore : « Par toi, tous se souviendront que la vanité est une mauvaise chose. »

– C'est pour ça que tous les bouleaux ont des cicatrices noires? demanda Gabriel, qui avait oublié les cornets de tire d'érable plantés dans le tas de neige.

– C'est Grand Pin qui a corrigé ton père, Gaby? demanda Otemin.

– *Otemin! Bezaan!*

Mikwanikwe lança un regard menaçant à sa fille.

– Mais le papa de Gaby a le dos tout griffé, comme l'écorce d'un bouleau.

– *Bezaan!*

Gabriel, aussi rouge qu'une pivoine, se leva d'un bond.

– Mon papa est pas vaniteux! C'était pas une punition pour lui apprendre l'huminité...

– L'humilité, corrigea Isabelle en soupirant. Allons, les enfants! Allez dehors chercher d'autres récipients remplis de sève.

– C'était un acte de bravoure, il me l'a dit... continua son fils en ouvrant la porte de l'abri.

Sa voix se perdit dans le vacarme que faisait un groupe d'oies dans le ciel. Isabelle se leva, secoua ses jambes engourdies et passa la tête hors de la sucrerie dans la colonne de vapeur sucrée qui s'échappait. Elle admira les beaux oiseaux au ventre immaculé qui volaient bruyamment au-dessus de la cime des arbres. Puis, elle scruta les abords de la forêt.

– Ils ne devraient plus tarder...

Alexander et Stewart étaient partis vérifier les pièges depuis trois jours. Or c'était le temps qu'ils mettaient habituellement pour faire leur tournée, selon ce qu'ils avaient attrapé. À l'autre bout du champ, Francis et Munro s'escrimaient à élaguer un tronc d'arbre. Au-dessus de la cabane, la cheminée fumait toujours. Terrassée depuis deux jours par une forte fièvre, Marie avait gardé le lit avec un cataplasme d'oignons.

– Comment va le bébé aujourd'hui?

Isabelle, qui n'avait pas entendu approcher Mikwanikwe, se retourna brusquement.

– Le bébé? Oh! Bien! Il va bien.

La Sauvagesse palpa doucement le gros ventre en hochant la tête de satisfaction.

– Ce sera une fille.

– C'est ce que me dit Alex! s'exclama Isabelle en riant.

Mikwanikwe retourna à son banc, où elle avait abandonné la boîte d'écorce qu'elle assemblait avec du *watap* tout en surveillant la cuisson du sirop d'érable. Caressant son ventre tendu, Isabelle laissa son regard vagabonder au milieu des arbres avec les enfants qui récoltaient la sève dans un seau de cuir. La découverte de sa deuxième grossesse l'avait emplie de panique. Elle se souvenait avec horreur de l'accouchement de sa belle-sœur Françoise, dont le petit Maurice avait été sacrifié, et de son premier accouchement à elle, si long et si difficile. De plus, elle se sentait vraiment inquiète à l'idée de devoir donner naissance à son bébé dans un endroit aussi isolé. Que se passerait-il si les choses tournaient mal?

Mikwanikwe avait tenté de la rassurer en lui expliquant les positions qui facilitaient la délivrance. Ses propos allaient à l'encontre de ce que les sages-femmes prônaient dans la chambre d'une parturiente. Cependant, la Sauvagesse avait accouché seule, au milieu d'un violent orage, et son fils était en parfaite santé. Il fallait lui faire confiance. De toute façon, il n'y avait pas d'autre solution.

Isabelle sourit, tandis que son amie se remettait à l'ouvrage. Elle devait bien l'admettre: Mikwanikwe et elle s'étaient rapprochées. Tout au long de l'hiver, avec patience, la Sauvagesse lui avait montré comment apprivoiser l'hostile et oser l'insurmontable. Elle lui avait appris qu'on n'était pas prisonnier de la forêt, mais qu'on était son hôte. Il fallait vivre à son rythme et respecter ses règles pour pouvoir recueillir en retour toutes les richesses qu'elle offrait. Isabelle, de son côté, avait élargi les horizons de Mikwanikwe en lui parlant de la religion chrétienne. L'Ojibwa avait montré un intérêt peu commun lors des leçons de catéchèse des dimanches après-midi, pendant la sieste du petit Duglas. Par la même occasion, elle avait fait beaucoup de progrès en français, tandis que son amie avait appris quelques mots d'algonquin.

Les épaules secouées par un frisson, Isabelle resserra comme elle le put son mantelet, qu'elle n'arrivait plus à fermer sur son ventre. La dernière chose qu'elle voulait était de contracter le vilain rhume de Marie. Malgré les recommandations d'Alexander – rester le plus loin possible de la malade –, elle décida d'aller se mettre au chaud. Si Marie ne lui transmettait pas son mal, elle l'attraperait certainement ici, les pieds dans la boue gelée. Avant de s'en aller, elle sourit à Mikwanikwe, qui vidait dans un pichet un récipient de sève réduite.

– Je rentre préparer une infusion pour la toux de Marie.

– Marie ira mieux avec ceci...

La Sauvagesse plongea la main dans le sac qu'elle portait toujours sur elle et en retira un sachet qu'elle lui tendit.

– Pour boire.

– Merci... *Miigwech*, Mikwanikwe.

Isabelle était touchée. Tandis que l'Ojibwa, souriante, reportait son attention sur le sirop qui frémissait, elle sortit. Ses mocassins s'enfonçaient dans la boue, la déséquilibrant. Elle grogna, fit une pause pour reprendre son souffle. Le ciel était gris et bas. Il semblait vouloir écraser le paysage.

– Pays de malheur! gronda-t-elle entre ses dents comme quelques gouttelettes lui tombaient sur le nez. L'hiver prochain, je jure que je serai à...

– Madame Larue?

– Ah! Juste ciel!

Une poigne solide la rattrapa juste au moment où elle allait choir dans la boue. Levant les yeux, elle se figea devant un regard gris ombrageux profondément enfoncé dans un visage chafouin qui lui était inconnu. Poussant un second cri de surprise, elle se dégagea et s'écarta. L'homme sentait la graisse d'ours rancie, le chou bouilli, l'urine. Il puait!

– Qui... qui êtes-vous?

– Léopold Ouellet dit Lavigueur, répondit l'inconnu d'une voix nasillarde. Un ami, madame Larue.

Elle fronça les sourcils.

– Un ami? Mais je ne vous connais pas! Et puis, comment avez-vous appris que je me trouvais ici? En dehors de monsieur Guillot, personne ne sait.

– J'arrive de la mission de Deux-Montagnes, expliqua nerveusement monsieur Ouellet. C'est votre mari, je crois, qui vient au poste pour prendre le courrier...

Ce disant, il scrutait les environs.

– Il a des amis là-bas qui connaissent l'emplacement de sa terre. J'ai parlé à un certain Paul Anaouari.

– Anaraoui, le reprit Isabelle, légèrement agacée. Mais... que lui voulez-vous à... mon mari?

L'homme étira sa bouche, dévoilant une mauvaise dentition, et fouilla dans la besace de cuir qu'il portait en bandoulière. Il sortit un colis qu'il lui tendit.

– En fait, c'est pas à votre mari que j'en veux, mais à vous, madame. La poste venait de livrer ceci à votre intention. Comme je me dirigeais vers l'ouest, j'ai offert de venir vous le porter... espérant gagner pour ma peine le gîte et un bon repas, ajouta-t-il plus bas.

– Un gîte et un repas...

Baissant les yeux sur le paquet, Isabelle reconnut l'écriture de Jacques Guillot. La note « De première urgence » avait été griffonnée en grosses lettres sur le papier mouillé. L'eau avait dilué une partie de son nom, qui restait cependant lisible: Madame Isabelle Larue. Les lettres noires lui sautèrent au visage et la firent vaciller: elles étaient un rappel de qui elle était avant tout, la veuve de Pierre Larue, et l'arrachaient brusquement à son petit monde clos.

– Oui... d'accord... pour une nuit. Merci... euh... Mon mari ne devrait pas tarder.

Coinçant le petit colis sous son bras, elle reprit contenance et se remit en route vers la cabane. Mais, presque immédiatement, elle se retourna vers le curieux messager, qu'elle avait laissé planté là.

– Vous voulez du thé, monsieur Ouellet?

– Mes amis m'appellent Lavigueur, madame. Merci, j'apprécierais. Avec une larme de rhum, si vous en avez.

– Avec du rhum... oui, bien sûr.

Ils furent accueillis à l'intérieur à grands cris par Géraldine, le cochon qu'avait rapporté Alexander du poste à l'automne. L'animal, destiné à garnir la table de Noël, s'était vu accorder un sursis jusqu'à Pâques. Isabelle n'avait pu se résigner à le faire saigner: elle se rappelait trop bien la crise de larmes qu'avait eue son frère Ti'Paul en découvrant son copain Blaise couché sur un lit de pommes et figé sous une couche de gelée, au beau milieu du buffet du réveillon du jour de l'An, à Québec. Voulant éviter le même chagrin à Gabriel, qui s'était attaché à Géraldine, elle avait convaincu Alexander qu'un rôti du chevreuil qu'il venait d'abattre serait tout aussi bien et qu'ils gagneraient à laisser le porc engraisser jusqu'au printemps. Il ne fallait pas non plus oublier que le cochon gardait la maison propre...

Repoussant du pied l'animal, qui émit un couinement aigu, la femme indiqua un banc au visiteur et se dirigea vers Marie qui, à son arrivée, s'était redressée sur un coude, le regard vitreux et le teint cireux. Le front était encore chaud, mais la température avait diminué.

– Ça va mieux, on dirait?

Elle était soulagée. Un grognement suivi d'une quinte de toux lui répondit, tandis qu'elle ramassait le cataplasme sur le plancher. La servante se recoucha et ferma ses paupières turgides.

– Je te prépare une tisane.

Isabelle mit une bûche dans le feu, puis ajouta de l'eau dans le coquemar posé sur la grille, au-dessus. Quelques regards furtifs lui confirmèrent que l'homme, silencieux, suivait ses gestes.

– Votre mari est trappeur?

Elle planta le couteau dans le sucre, qui formait un pain compact, et se mit à piocher dedans pour détacher des morceaux.

– Euh... oui. Je croyais que vous le connaissiez?

– J'ai jamais dit ça, protesta l'homme avec un sourire. J'ai juste dit que des hommes au poste de traite le connaissaient. Moi, je suis seulement de passage et j'ai jamais eu le plaisir de le rencontrer. On m'a raconté qu'il se ramasse une jolie p'tite fortune avec ses fourrures...

– Une fortune?

Isabelle leva la tête, l'air incertain. Le visage émacié de l'homme, avec son éternel sourire, prenait un air maquignon qui ne lui disait rien qui vaille. Elle embrassa l'unique pièce d'un mouvement ample.

– Évidemment, le luxe nous étouffe, comme vous pouvez le remarquer!

Lavigueur haussa ses épaules osseuses. Tapotant sur la table avec ses longs doigts gercés, il observa les lieux de ses yeux gris.

– Ben... c'est ce qu'on raconte, madame.

Isabelle laissa nerveusement tomber sa poignée de thé dans la théière de faïence. Le cœur battant, elle referma le couvercle de la boîte de fer-blanc, puis mit le sachet d'herbes à infuser dans un bol. Se dirigeant avec un torchon vers l'âtre pour y prendre le coquemar fumant, elle enjamba Géraldine qui, le groin dans son auge vide, grognait.

– Cette maison n'appartenait-elle pas à un Hollandais? Un marchand, je crois...

« Un Hollandais? » Elle demeura immobile, le temps que l'information pénètre son esprit et réveille certains souvenirs désagréables. Décidément, le malaise allait grandissant. Revenant à la table, elle versa de l'eau dans la théière, puis dans le bol, tout en évitant le regard de l'homme.

Lavigueur dévisageait la femme. Il la trouvait jolie et aurait bien aimé goûter à la douceur de ses cheveux dorés. Il en avait humé le parfum en la suivant sur le sentier. Dommage qu'elle fût grosse et bientôt prête à enfanter. Il l'aurait bien culbutée sur la table... L'Écossais n'avait vraiment pas été long à la mettre dans son lit, le veinard.

– On raconte que ce Hollandais possédait une formidable fortune. De l'or, à ce qu'on dit.

Isabelle suspendit son geste et fixa la théière qu'elle tenait serrée dans sa main. Pourquoi cet homme lui parlait-il de Van der Meer? Qu'était-ce que cette histoire de maison qui lui appartiendrait? Il se méprenait certainement. Avec un air agacé, elle déposa la théière devant l'homme.

– Il ne faut pas croire toutes les rumeurs, monsieur Lavigueur!

Mon mari a construit cette maison. Ce que nous possédons, il l'a gagné à la sueur de son front et par la force de ses bras. Pour ce qui est de l'or de ce Van der quelque chose dont vous parlez, je peux vous affirmer que mon mari n'en possède pas une seule piécette. Si cela avait été le cas, je ne me retrouverais point ici, mais plutôt dans une coquette maison sur une avenue bordée d'arbres où je ne m'enliserais pas dans la boue jusqu'aux genoux.

Lavigueur sourit en pensant: «Van der quelque chose... Cette dame sait de quoi je parle.»

– Oui, bien sûr. Vous avez raison, madame. Faut pas croire tout ce qu'on dit. C'est pourquoi j'ai pour habitude de vérifier les rumeurs avant de les répandre. Oh! En passant... je ne me souviens pas de vous avoir mentionné le nom du Hollandais.

Perturbée, Isabelle retourna vers le feu avec le coquemar, qu'elle remplit de nouveau. Que racontait-on sur Alexander? Que savait cet homme sur l'or du Hollandais? Faisait-il partie de ces marchands qui avaient commandé le massacre? Croyait-il qu'Alexander possédait cet or qu'on disait perdu? Si cela avait été le cas, il lui en aurait parlé... enfin... elle le pensait. Il ne l'aurait certainement pas fait venir dans une petite cabane de bois s'il avait pu lui offrir une maison digne de ce nom!

Tandis qu'elle se redressait, elle vit le paquet oublié sur le coin de la table. «De première urgence», était-il écrit. S'agissait-il de mauvaises nouvelles? Était-il arrivé quelque chose à un membre de la famille? Un incendie aurait-il détruit sa maison de Montréal? ou celle de Beaumont? L'écriture était bien celle de Jacques Guillot. Le notaire n'avait donc rien. Une violente quinte de toux de Marie la tira de ses troublantes réflexions.

– Madame... le rhum, vous en avez une goutte pour ma peine?

– Pour votre peine, oui...

Se retenant de faire remarquer à Lavigueur qu'on était en plein carême et que l'alcool était interdit, elle saisit la cruche qu'Alexander gardait sous une étagère et la lui offrit. Puis, elle termina de préparer la tisane et la porta à la servante. Elle revint enfin s'emparer du paquet.

– Vous permettez?

L'homme, qui se versait une généreuse rasade d'eau-de-vie, acquiesça de la tête sans se départir de son obséquieux sourire qui devenait franchement énervant. Puis, il plongea le nez dans les vapeurs de l'alcool sans même prendre une larme de thé.

Lui tournant le dos, Isabelle s'installa sur la chaise placée devant la fenêtre. La faible lumière d'un début d'avril pluvieux pénétrait dans la pièce. Fébrile, elle ouvrit le colis. Trois lettres s'y trouvaient. La première était signée du notaire. Les deux autres venaient de Madeleine et l'une d'elles portait la mention «égarée». C'était le deuxième paquet qu'elle recevait du notaire depuis son arrivée ici. Le premier lui était parvenu seulement à l'automne, lorsque Alexander s'était rendu à la mission pour l'approvisionnement de l'hiver. Jacques Guillot n'avait pas caché sa surprise ni son mécontentement concernant son départ précipité. Il avait même poussé l'audace jusqu'à sous-entendre qu'elle avait dû avoir un moment d'égarement. Il disait vouloir envoyer Étienne et les autorités pour la chercher et faire emprisonner celui qui l'avait «forcée» à le suivre dans cette folle aventure.

Connaissant l'amour que l'ancien associé de Pierre lui vouait, elle comprenait la violente réaction: l'homme était profondément blessé. Mais de quel droit prétendait-il s'immiscer dans sa vie? Déçue, elle avait décidé de ne pas lui révéler l'endroit exact où elle se trouvait. Toutefois, le notaire étant l'administrateur désigné de ses biens, elle devait rester en contact avec lui. C'est pourquoi elle lui avait promptement répondu pour le rassurer: Gabriel et elle allaient très bien; ils profitaient de l'air pur de la campagne. Elle déclarait aussi qu'elle ne souhaitait nullement retourner à Montréal pour le moment et que, si elle voyait ne serait-ce que le bout du nez de son frère, elle lui retirerait son affection et l'administration de ses propriétés.

Dans cette deuxième lettre qu'elle finissait de lire, Jacques Guillot s'était efforcé de faire preuve de beaucoup plus de compréhension. Il promettait qu'il serait patient et indulgent quant à son «comportement indigne de sa qualité» en attendant son retour dès que le temps le permettrait. Isabelle avait souri: quelle tête le pauvre homme ferait en voyant son ventre rond!

Délaissant la lettre du notaire, Isabelle prit celles de sa cousine. La première l'informait simplement des dernières nouvelles concernant la ville de Québec et, sur un ton compatissant, lui annonçait une visite pour le mois d'août: Madeleine, qui avait reçu une permission spéciale de deux semaines de son employeur, monsieur Audet, voulait se rendre à Montréal pour la soutenir dans son malheur, elle qui savait ce qu'était être veuve. La deuxième, elle, était écrite sur un tout autre ton:

N'ayant pas reçu de réponse à ma dernière lettre et étant grandement inquiète, j'ai pris sur moi de mettre ton frère Louis au courant de ton silence prolongé. Abandonnant sa boulangerie à son fils aîné, il a fait le voyage jusqu'à Montréal pour se frapper le nez sur la porte d'une maison fermée. Le notaire Guillot, qu'il a rencontré, a avoué ne pas savoir exactement où tu te terrais. Je t'en conjure, Isa, réponds à cette lettre! Tu peux comprendre que ta disparition nous bouleverse. Louisette soutient que tu es partie avec un cousin, précisant que l'homme avait l'allure d'un Sauvage au regard aussi bleu que celui de Gabriel. Aurais-tu perdu la tête, Isa? Te rends-tu compte qu'en te sauvant avec le premier inconnu ressemblant à Alexander, tu entraînes le pauvre petit Gabriel dans ta folie? La colère et la déception m'étouffent. Je veux des réponses.

– Ta cousine, Madeleine Gosselin, murmura Isabelle en se mordant la lèvre.

Prise de remords, elle froissa le papier. Elle aurait dû écrire à sa cousine bien avant et lui expliquer ce qui lui arrivait. S'excuser en expliquant que l'encre était gelée dans l'encrier était bien inutile... Madeleine méritait mieux.

Des éclats de voix crevèrent sa bulle. Elle tourna les yeux vers Lavigueur : l'homme avait allumé sa pipe et s'était confortablement allongé sur le banc. « Quel malotru! » pensa-t-elle. La théière fumait toujours, exactement au même endroit où elle l'avait posée sur la table.

Des talons martelèrent le perron et la porte s'ouvrit toute grande. Gabriel entra en courant, suivi de près par Otemin. Excitée, Géraldine se mit à crier et à trottiner, bousculant paniers et meubles sur son passage.

– Tu veux bien fermer la porte, Gaby! lança Isabelle en fourrant les lettres dans la poche de sa jupe.

– Regarde, maman! Un raton! Je peux le garder? Dis, tu veux bien? Regarde, il est tout petit!

Une boule de poils remuait entre les mitaines du petit garçon qui sautillait sur place.

– Cesse de gesticuler comme ça, Gaby! Tu vas l'effrayer, et il pourrait te mordre!

Voyant soudain l'inconnu qui s'était redressé sur le banc et le dévisageait, l'enfant s'immobilisa.

– Où l'as-tu trouvé, mon garçon?

Lavigueur souffla un rond de fumée vers le plafond, puis se leva pour s'approcher de Gabriel. Il s'accroupit pour examiner l'animal qui reniflait la fourrure des petites mitaines.

– Il était au pied d'un arbre, dans la neige. Tout seul. J'ai pensé qu'il allait mourir de froid si je le laissais là.

– Il a de la chance que tu l'aies trouvé avant un loup-cervier ou un renard. Il est mignon, ton *racoune*, et pas ben vieux. Sa mère a dû se prendre dans un piège et lui est sans doute sorti de son trou tout seul. Faudra le nourrir et le sevrer, sinon il va périr.

– Comment on fait? demanda Gabriel, soudain très intéressé par l'étranger.

– Je te montrerai, intervint Isabelle en poussant son fils vers la porte. Est-ce qu'il n'y a pas une chienne qui a mis bas dernièrement?

– Oui! Lourag! Francis l'a installée avec ses chiots dans sa cabane, sous son lit.

– Hum... peut-être qu'elle accepterait d'adopter ton nouvel ami. Si tu allais vérifier? Francis est-il revenu du terrain de coupe?

– Je vais le chercher! proposa Otemin en se précipitant dehors.

– Attends-moi! Je peux pas courir aussi vite que toi avec mon raton!

– C'est votre fils? demanda Lavigueur dans le dos d'Isabelle qui fit volte-face.

– Oui.

L'homme hocha la tête tout en observant de son regard gris sombre l'enfant qui courait dans la boue. La femme ressentit une soudaine répulsion pour cet étranger qui était apparu comme par enchantement. Un messager du malheur, pensait-elle. Un mauvais esprit venu ébranler son nid douillet et l'en faire tomber. Craignant d'instinct pour la sécurité de Gabriel et la sienne, elle espérait ardemment le retour d'Alexander avant la tombée de la nuit.

Rudement bousculée, elle baissa les yeux: Géraldine, voyant la porte ouverte, s'élançait à son tour à l'extérieur en criant de joie. L'animal dérapa sur les planches mouillées, puis dévala les marches avant d'atterrir dans la neige sale.

– Batinse! Le porc s'est échappé!

Lavigueur se mit à la poursuite du cochon. Mikwanikwe, Munro, Francis et les enfants, attirés par le bruit, se joignirent à lui en riant. Ils dérapaient, tombaient dans la boue et criaient de joie lorsqu'ils arrivaient à coincer l'animal. Mais Géraldine, très vive, leur glissait entre les doigts comme une anguille dès qu'ils cherchaient à s'en emparer. Au bout d'une demi-heure, Lavigueur et Francis, utilisant un filet de pêche sur la suggestion de Munro, piégèrent la pauvre bête à l'angle de la sucrerie et la ramenèrent à la cabane.

– Tu ne perds rien pour attendre! gronda Isabelle en assenant à la bête des coups de torchon sur la croupe. Pâques arrivera bien assez tôt! Dans le fond de la marmite, tu resteras tranquille, je t'assure! Mon plancher est tout crotté maintenant! Grrrr! Il va falloir que je te donne un bain!

Le cochon courut se réfugier sous la table en couinant. Levant les yeux vers Lavigueur et Munro, debout devant la porte et tout aussi sales que l'animal, Isabelle continua:

– Enfin... après celui de ces messieurs, je suppose. Munro, va me chercher le grand bac de bois dans l'appentis. Je vais faire chauffer de l'eau pour que vous puissiez vous laver.

Les deux visages barbouillés de boue se fendirent d'un grand sourire au-dessous des quatre yeux brillants. Lavigueur remercia Isabelle et sortit. La femme retint Munro quelques secondes.

– Cet homme m'inquiète, Munro, lui confia-t-elle tout bas. Il pose des questions sur ce marchand hollandais pour lequel vous avez travaillé, Alex et toi. Tu peux garder un œil sur lui? Alex n'est pas encore rentré et...

– *Aye! Winna loose sicht aff him.* Je le surveiller. *Cha tàinig eun glan riamh à nead a' chlamhain.*

– Merci, Munro... Euh... La phrase de gaélique, elle veut dire quoi?

– Un oiseau propre tombe jamais d'un nid d'aigle.

– En effet...

Ce disant, Isabelle jeta un œil par-dessus l'épaule de Munro: Lavigueur, couvert de boue de la tête aux pieds, attendait tranquillement dehors.

Comme cela arrivait à l'occasion, tous les habitants du petit domaine se trouvaient réunis pour le souper sous le toit d'Alexander, qui n'était pas encore rentré. Le repas se déroula sans anicroche. Sentant le regard de Munro qui ne le quittait pas, l'étranger s'abstint de poser d'autres questions embarrassantes. Isabelle déposait une troisième assiette de crêpes sur la table avant de s'asseoir enfin pour se servir. La purée de poisson fumé et de pommes de terre n'était pas très ragoûtante, mais elle avait l'avantage de bien nourrir. Parfois, du maïs ou des pois s'y ajoutaient. Peut-être qu'avec un peu de beurre... Cependant, il fallait oublier le beurre. Amener une vache jusqu'ici était impensable. Il fallait donc se contenter du gras de castor...

– Je peux avoir une autre queue de castor, maman?

– Une quoi? Je te ferai remarquer, Gaby, que nous sommes samedi, jour d'abstinence. On ne mange pas de castor...

– Je veux une crêpe, précisa le garçon en désignant le gâteau de crêpes au maïs. Ça a le même goût que le castor et la même forme que sa queue. Alors... je peux?

– Ah! Bien sûr que tu peux en prendre une!

– Pour quelle raison on peut pas manger du castor le samedi? intervint Otemin. Papa dit que c'est plus un poisson qu'un animal, parce qu'il vit dans l'eau et que sa queue est couverte d'écales.

– On dit *écailles*, Otemin, corrigea Isabelle. Et puis, le castor *est* un animal.

– C'est un mammifère, maman, comme les chiens, précisa Gabriel en mâchouillant, après avoir enfourné une grosse bouchée.

Les yeux agrandis de surprise et de fierté, Isabelle interrogea son fils sur l'origine de ses connaissances.

– Eh bien, l'autre jour, papa Alex a trouvé deux bébés dans le ventre d'un castor. Puis, dans un de mes livres sur les animaux, on dit que les mammifères portent leurs petits dans leur ventre. C'est qu'ils doivent faire leurs bébés de la même manière que les chiens!

– Oh! s'exclama Isabelle en rougissant, tandis que les hommes éclataient de rire. Et... comment sais-tu que les chiens ont des bébés dans leur ventre?

– Maman! soupira Gabriel en roulant les yeux. Tu sais bien, Lourag! J'ai vu ses bébés sortir de... ses fesses. Je sais qu'ils étaient dans son ventre, alors je sais d'où ils viennent.

– Euh... oui.

– Et puis, je sais aussi comment ils sont entrés dans son ventre.

Marie, qui s'était sentie assez forte pour s'asseoir à table, piqua du nez dans son assiette après avoir croisé le regard amoureux de Francis puis celui, concupiscent, de Lavigueur, qui la lorgnait depuis le début du repas.

– Hum... Qui t'a appris toutes ces belles choses, Gaby?

Isabelle affectait un air désinvolte qui ne dupa personne.

– C'est Otemin. L'autre jour, nous regardions un des chiens monter sur la chienne. Je lui ai demandé ce qu'ils faisaient et elle m'a expliqué qu'ils faisaient comme nos papas et nos mamans pour avoir des bébés. Est-ce que ça fait mal quand le papa met les bébés dans le ventre de la maman? C'est que la chienne gémissait et...

– Gaby!

Munro partit d'un grand rire sonore que les autres hommes reprirent.

– Le fils de son père, hein?

– Munro MacPhail! C'est ta fille, je te ferai remarquer, qui lui apprend ces vilaines... choses! Tu devrais t'en occuper! Bientôt elle... oh! Et puis, batinse!

L'Écossais rit de plus belle, ce qui donna un peu d'assurance à Gabriel, heureux d'être le centre de l'attention:

– Ben, c'est que des fois... vous faites de drôles de bruits, papa Alex et toi... et t'as un bébé dans ton ventre, alors...

— Gabriel Larue! Ce ne sont pas des sujets...

Isabelle, bondissant, exhiba malgré elle le fruit de ses ébats. Munro et Francis se tordaient de rire. Elle avait bien envie de leur botter le derrière.

— Vous deux! *Stop it!* Vous voulez goûter à ma louche peut-être? rugit-elle, sur le point d'exploser.

Juste au moment où elle s'emparait de l'ustensile planté dans le bol de purée et le levait au-dessus de la tête de Francis, la porte s'ouvrit et un coup de vent glacial s'engouffra à l'intérieur. La nourriture restée dans la louche tomba mollement. Francis émit un grognement sourd.

— On s'amuse sans moi? s'exclama Alexander, tout sourire, en pénétrant dans la maison devant Stewart, qui abandonna son ballot sur le perron.

Le silence était total. Même Géraldine, qui avait trouvé refuge dans un coin de la cuisine, n'osait couiner. Avec leurs capots et toques de fourrure recouverts de glace, ils avaient l'allure de barbares s'apprêtant à les piller et à les massacrer.

— Bon sang! Il fait un temps à ne pas laisser les chiens coucher dehors!

Alexander se débarrassait de ses vêtements lorsqu'il vit le petit tas de purée qui coiffait curieusement la tête de Francis. Perplexe, il fronça les sourcils.

— J'ai manqué quelque chose, *a ghràidh*?

Une explosion de rires accueillit sa question. Gabriel s'élança dans les bras de son père. Isabelle, soulagée du retour de son compagnon, oublia sa colère et, après avoir remis la purée dans le bol, nettoya le crâne du pauvre Francis avec son tablier.

— Vous arrivez à point nommé! annonça-t-elle en prenant deux assiettes sur l'étagère. Un peu plus, et il ne restait plus rien...

Laissant des plaques de glace sur le plancher, Alexander vint vers elle et l'enlaça tendrement sans se soucier des expressions amusées des autres.

— Comment vont mes filles? lui susurra-t-il dans le creux de l'oreille en lui caressant le ventre.

— Tu es glacé, Alex! s'écria Isabelle, gênée, en cherchant à se dégager.

— Hum... c'est parce que j'ai été trop longtemps éloigné de toi et que...

S'interrompant, il posa un regard sur la tablée, qui était visiblement sur le point d'exploser de rire une nouvelle fois.

— Qu'y a-t-il? De quoi parliez-vous? Gabriel, tu peux me raconter, toi?

Cramoisi, le garçon se fourra un morceau de crêpe dégoulinante de gras dans la bouche en haussant les épaules. Munro expliqua la situation à sa façon:

– Nous remarquions combien Gabriel te ressemblait, Alas!

– Vraiment? s'exclama le père, enchanté.

– Vraiment! confirma Isabelle. Allez, mange avant que tout ne soit complètement froid. Nous avons un visiteur. Voici monsieur Ouellet dit Lavigueur.

Elle s'était tournée vers l'étranger, qui était resté muet depuis l'arrivée des deux trappeurs. Alexander sourit en tendant la main. L'homme se leva et la serra.

– Je vous remercie de votre hospitalité, monsieur... Larue.

Les traits d'Alexander se durcirent et son sourire disparut progressivement, tandis que le visage de Lavigueur exprimait une certaine satisfaction. Isabelle se raidit légèrement. Elle toucha subrepticement Alexander à la cuisse pour l'inviter à ignorer les dernières paroles. L'Écossais lâcha la main de Lavigueur, qu'il fixait intensément.

– Ma porte est toujours ouverte pour les hommes de bonne foi.

– J'en prends note, monsieur, j'en prends note. Merci.

Tous les convives se remirent à manger en silence.

***

Alexander attendit que les flammes eussent embrasé la bûche pour retourner se coucher. Passant devant le lit où dormaient Marie et Gabriel, il s'arrêta pour observer son fils d'un œil attendri. Isabelle lui avait rapporté les explications de l'enfant sur les bébés chiens, et il en avait ri. Il remerciait le dieu, quel qu'il fût, qui lui permettait de s'émerveiller ainsi.

Revenant au lit, il écarta les courtines. Isabelle s'était lovée dans le creux de chaleur qu'il avait laissé. Il hésitait à la réveiller pour reprendre sa place. La faible lumière du seuil du jour éclairait les fils d'or qui s'étalaient sur l'oreiller et cachaient une partie du visage de la femme. Avançant la main, il survola la belle chevelure sans oser la toucher.

– Je vous aime tant... murmura-t-il avec angoisse et tristesse.

Il s'inquiétait pour elle, pour Gabriel et pour le bébé qui s'annonçait. Isabelle lui avait répété les paroles de ce Lavigueur dont le regard gris sombre donnait froid dans le dos. Cet homme avait fait exprès de s'adresser à lui en disant «monsieur Larue». Par son sourire, il avait montré qu'il savait en fait très bien qui il était. Quant à ses propos et ses questions sur l'or de Van der Meer, ils indiquaient clairement la raison réelle de sa visite. Le colis n'était qu'un prétexte : Louis-Joseph, le maître commis du poste de traite situé dans la mission Deux-Montagnes, n'aurait jamais accepté qu'un autre que Paul Anaraoui porte le courrier à Isabelle. On l'avait certainement *forcé* à le faire. Cela signifiait soit que ce Lavigueur était un homme bien renseigné, soit qu'il travaillait pour quelqu'un qui l'était. De plus, personne à la mission n'ignorait qu'Isabelle était veuve, qu'elle était sa concubine et non son épouse légitime.

Ainsi, on le traquait toujours... Les marchands de la ligue de la résistance le savaient donc toujours vivant et espéraient mettre la main sur le trésor disparu. Isabelle et Gabriel, qui partageaient maintenant sa vie, étaient en danger. On pouvait s'en prendre à eux pour l'atteindre, lui. Il n'avait pas le choix; il devait affronter Lavigueur, lui faire cracher les noms de ceux qui le cherchaient, quitte à le tuer s'il le fallait.

– Personne ne vous fera de mal... chuchota-t-il en effleurant la joue de celle qu'il considérait désormais comme sa femme.

Laissant retomber la courtine, il s'habilla en silence. Puis, il décrocha son fusil, remplit sa cartouchière et se glissa dans la brume grise. L'un des chiens qui dormaient sur le perron leva la tête. Reconnaissant son maître, il battit le bois de sa queue et vint le rejoindre pour quêter une caresse.

– *Tuch! Suidh, a Cheannaird*[104]*!*

Le suroît soufflait entre les branches nues des érables et des bouleaux, faisait frémir les rameaux des grands sapins et emportait la neige qui résistait encore à l'assaut du printemps. On entendait le gargouillis que faisait l'eau du canal un peu plus haut et le clapotis des gouttes qui tombaient de la toiture, dans le baril. Quelques corbeaux se livraient à une joute oratoire. Alexander ferma les yeux et prit une longue respiration. Ceannard, le museau contre sa main, haletait d'enthousiasme en lui frappant les jambes avec la queue.

– Bon, d'accord, tête de mule! Tu peux venir à condition de ne pas courir après le premier lièvre que tu flaireras, compris?

L'endroit, qu'ils appelaient maintenant Red River Hill[105], était encore plongé dans le sommeil. C'était le bon moment pour aller trouver Lavigueur et le faire parler. Alexander s'approcha de la cabane des MacInnis en tendant l'oreille. Des ronflements lui par-

---

104. Chut! Assis, Capitaine!
105. La Colline de la rivière Rouge.

venaient. Posant son fusil tout près, il poussa doucement la porte et passa la tête à l'intérieur. La pénombre ne lui permettait pas de distinguer les visages des dormeurs. Cependant, il vit qu'une couche faite de branches de sapin hâtivement étalées sur le sol, près du feu qui se mourait, était vide. Il referma la porte en serrant les dents: Lavigueur, se sachant certainement surveillé, leur avait faussé compagnie.

– Allons, il n'y a plus rien à faire ici!

Reprenant, déçu, le chemin de sa cabane, il scruta les abords de la forêt qui émergeait lentement de la brume. La cime des pommiers, à l'autre bout du champ, accrocha son regard. Il ralentit sa foulée. Une idée lui traversa l'esprit. Et si le trésor ne se trouvait pas à l'endroit que lui avait indiqué le vieux marchand? Van der Meer ne lui avait-il pas menti une fois? Et si quelqu'un d'autre, l'épouse du Hollandais peut-être, avait été informé de la cachette du trésor et en avait pris possession dès le décès du marchand? Si... s'il mettait les siens en danger pour rien?

Il resta un long moment immobile à fixer les branches qui oscillaient doucement, pensant que finalement il n'avait jamais vu de ses yeux cet or maudit. Et ce mystérieux Lavigueur... Connaissait-il lui aussi l'emplacement de l'or? Peut-être... Il pouvait très bien être venu ici pour le récupérer durant la nuit, pendant que tout le monde dormait, non? Alexander se remit en marche vers la cabane, puis s'arrêta de nouveau. Il hésitait. Après tout, il valait mieux vérifier. Ensuite, il pourrait dormir. Jetant un œil à droite et à gauche, il emprunta, Ceannard sur ses talons, d'un pas décidé le sentier qui menait au champ: il devait en avoir le cœur net.

– Le cinquième pommier, se rappela-t-il tout haut en s'enfonçant dans la boue. Celui qui se trouve le plus à l'est par rapport à la cabane...

Repérant l'arbre en question, il s'y dirigea sans hésiter, une main crispée sur son fusil. Mais, le cœur battant, nerveux, il tourna autour un moment avant de se placer enfin dos au tronc, face au chemin qui descendait vers le ruisseau. C'était la première fois qu'il suivait les indications du plan de Van der Meer.

– Quinze pas vers l'est...

Se concentrant en fixant ses mocassins, il compta les pas puis s'arrêta devant une futaie de jeunes bouleaux. Là, il se tourna vers le nord avant de faire encore huit pas. Levant les yeux, il vit qu'il se trouvait devant un affleurement rocheux entouré des tiges sèches de verges d'or et d'asclépiades. Il baissa les paupières et revit nettement, comme s'il avait encore dans la main le papier qu'il avait brûlé, l'indication suivante. Il se tourna alors lentement vers la cabane. Il pensa à Isabelle qui dormait tranquillement dans les draps tièdes: il avait envie de la retrouver.

– Dix pas vers la cabane...

Ceannard grogna; Alexander se figea. Immobile, le chien retroussait les babines en regardant dans la direction opposée à celle où l'homme se dirigeait.

– Tu as vu un lièvre, *a charaid*?

Non, si c'était un lièvre, il aurait déjà filé comme une flèche. Il s'agissait sans doute d'autre chose. Un loup, un ours peut-être? Alexander, mal à l'aise, tint son fusil plus fermement. Se pourrait-il que ce soit... Lavigueur? Tournant sur lui-même, l'Écossais fouilla l'orée de la forêt en plissant les paupières. Mais la brume épaisse masquait les sous-bois. Si Lavigueur se planquait là, il ne pourrait le voir. De plus, il était inutile de se mettre à sa poursuite, même avec le chien: l'homme le sèmerait aisément et était armé de toute façon. Cependant, il pouvait être certain que l'étranger reviendrait avec du renfort.

Alexander attendit quelques minutes sans bouger. Le chien s'était assis et se tenait tranquille maintenant. Ce qu'il avait flairé avait dû s'éloigner. Délaissant les sous-bois, l'Écossais examina le sol à ses pieds. La terre n'avait pas été remuée.

– Allons, rentrons! ordonna-t-il au chien.

Ramassé sur lui-même derrière un bosquet de jeunes ormeaux, Lavigueur ne s'autorisa à bouger que lorsque l'Écossais fut hors de vue. Le chien ne repérerait plus ses mouvements ni son odeur à cette distance. Récupérant son sac, mettant son fusil en bandoulière, il prit la route de l'est en souriant. Il savait tout ce qu'il devait savoir et jubilait en pensant à la récompense que lui donnerait son patron.

Isabelle s'étira et fouilla les draps refroidis à côté d'elle. Réalisant brusquement qu'Alexander n'était plus dans le lit, elle ouvrit les yeux et s'assit d'un coup, saisie d'un sombre pressentiment.

– Alex?

Aucune réponse. Où était-il allé? S'extirpant de la chaleur de son nid, elle se glissa dans le demi-jour et attrapa en frissonnant son mantelet accroché près de la porte pour s'en couvrir. Puis, enfilant ses mocassins, elle se précipita dehors.

– Alex?

Où était-il donc allé? Un sinistre ricanement la glaça. Enveloppées de brume, deux silhouettes apparurent: l'une empoignait l'autre par la chevelure et tirait la tête vers l'arrière.

– Alex... mais que se passe?... Oh, mon Dieu! Non!

Horrifiée à la vue de la lame posée sur la gorge de son compagnon, Isabelle s'étrangla. Le visage de l'homme qui tenait le couteau se tourna lentement vers elle, et son cœur s'arrêta de battre : Étienne la dévisageait avec un sourire sournois. Elle allait lui crier de libérer Alexander sur-le-champ, mais elle n'en eut pas le temps. Déjà, la lame plongeait dans la gorge aussi facilement que dans du beurre tiède. Une violente nausée la plia en deux. Le rire d'Étienne emplissait ses oreilles comme le sang de son bien-aimé giclait et formait une flaque écarlate sur la neige sale.

– Noooon!

Elle se précipita vers eux, mais la brume envahit tout, et bientôt elle n'y vit plus rien.

– Isabelle... Isabelle...

Une poigne ferme la redressa et l'écrasa contre un torse chaud.

– Isabelle, *'tis over. Dinna fear, 'tis over... Tuch! Tuch!*

Le cœur battant, elle ouvrit les yeux. Il n'y avait plus de brume, plus de sang... Se réfugiant dans l'odeur familière, elle éclata en sanglots.

– Alex... j'ai cru que... j'ai rêvé...

« Qu'Étienne t'égorgeait... » se retint-elle de lui avouer.

– Ça va, lui murmura-t-il en lui caressant les cheveux. *'Tis over.*

Alors qu'il entrait dans la maison, il avait entendu Isabelle s'agiter dans les draps en parlant. Au moment où il arrivait près des courtines, elle avait crié son nom. Marie avait ouvert un œil affolé; il lui avait fait un signe pour la calmer, l'inviter à se rendormir. La servante, encore saisie, avait hoché la tête avec raideur et, couvrant les épaules de Gabriel, s'était recouchée.

– C'est terminé. Ce n'était qu'un cauchemar.

Il essuya les yeux verts qui débordaient de chagrin. Elle n'était pas vraiment rassurée. Son rêve lui avait fait prendre conscience qu'Étienne pouvait la retrouver. Cependant, elle ne voulait pas le dire à Alexander.

– Je te cherchais...

– Désolé, j'étais sorti... Je... n'arrivais plus à dormir.

– À cause de Lavigueur?

– Si on veut... Il a filé durant la nuit.

– Il est parti? Tu es sûr?

– Oui, mentit-il, mal à l'aise, se sentant toujours épié.

Il s'allongea près d'elle, calant son ventre à lui contre son dos, et lui embrassa le dessus du crâne.

– Tu es glacé!

– Hum...

Le silence retomba. Chacun dériva sur une mer d'incertitude, se perdant en conjectures quant à la suite des événements. Le fond de l'air était frais. Mais, sous les fourrures, une douce chaleur les berçait. Alexander, lentement, s'endormait. Isabelle sentait la pression de ses mains se relâcher sur son ventre et son souffle prendre un rythme plus lent.

Elle-même n'arrivait pas à se calmer. L'angoisse, la peur l'étouffaient. Son rêve lui avait paru si réel, si... affreusement possible! Étienne savait-il qu'Alexander avait survécu? Si oui, chercherait-il à le tuer de nouveau? Que savait au juste Alexander concernant le massacre, l'or? Lavigueur semblait penser qu'il connaissait l'existence du trésor... Quand elle avait rapporté à son compagnon les propos de l'étranger quant à cet or qu'aurait laissé le Hollandais, elle avait bien observé son expression. Il était resté impassible, trop peut-être. Ses traits n'avaient exprimé aucune curiosité ni surprise. Il avait même semblé pâlir.

L'enfant bougea dans son ventre. Alexander déplaça la main, la serra plus étroitement. Elle sentit son souffle lui réchauffer la nuque, ses paumes s'appliquer délicatement sur sa peau, sous sa chemise de laine.

– À quoi penses-tu? lui demanda-t-elle doucement.

– À toi, à l'enfant...

Il fit une pause. Elle mit ses mains sur les siennes.

– Et à tout ce que la vie m'a volé et peut encore me prendre... à tous ces gestes que tu as faits depuis ce jour maudit où je t'ai quittée, à Québec, et jusqu'à celui où je t'ai aidée à descendre de la voiture, à Lachine... Ce doit être curieux de le sentir bouger comme ça, en toi. Pour Gabriel, c'était pareil?

– Oui... mais lui était plus vigoureux le soir. Ce bébé-là, c'est le matin. On dit qu'il n'y a pas deux grossesses semblables, tout comme il n'y a pas deux enfants identiques. As-tu réfléchi à des prénoms?

– Hum... J'aimerais... William.

– William? C'était le prénom d'un membre de ta famille?

– Celui de mon grand-père paternel. En fait, c'était Liam, qui est la forme irlandaise de William.

– Et William est la forme anglaise de Guillaume, mon frère décédé, souligna Isabelle avec tristesse. Va pour William. Et si c'est une fille?

– J'ai choisi pour le garçon. Je te laisse l'honneur pour la fille.

Isabelle fit mine de réfléchir.

– Élisabeth.

– Élisabeth Macdonald... J'aurais été surpris que tu me répondes le prénom de ta mère. Mais à qui devons-nous celui-là?

– Élisabeth est mon nom de baptême, qu'on m'a donné en l'honneur de Marie-Élisabeth Bourdon. Elle était l'épouse de mon arrière-grand-père, Louis, soldat dans le régiment de Carignan-Salière. On la disait aussi belle qu'un ange du ciel, mais rusée comme le diable. Mon père m'a raconté qu'elle avait réussi à mater toute seule cinq Iroquois qui voulaient s'en prendre à elle, un jour que son mari était absent. Elle les a empoisonnés en mettant de la grande ciguë dans l'eau-de-vie qu'ils étaient venus voler.

– Hum... d'accord! Si c'est une fille, elle sera assurément belle comme un ange du ciel. Je me risquerai quand même bien à goûter à ses potions.

Il rit doucement.

– Marie-Élisabeth était une guérisseuse, pas une sorcière.

– Une femme aussi belle qu'un ange ne peut être qu'une sorcière. Chez nous, une sorcière qui envoûte les hommes par ses charmes est une *leannan-sìth.*

Il embrassa délicatement la courbe de son épaule. Elle le repoussa tendrement.

– Alex... Marie ne dort peut-être pas.

– Ne t'en fais pas pour elle, ricana-t-il en la retenant fermement contre lui. Grâce à Gabriel, elle sait dorénavant comment les chiots arrivent dans le ventre de la chienne.

– Non! Ne recommence pas avec ça!

– Étant donné les yeux que lui fait Francis, je pense qu'il est grand temps qu'elle apprenne...

– Alex!

– C'est vrai qu'elle doit déjà en avoir une bonne idée!

– Parce que tu penses que tout le monde est aussi lubrique que toi?

– Qu'y puis-je, *mo leannan-sìth*? Depuis le premier regard que j'ai posé sur toi, je n'ai pu m'empêcher de penser à autre chose... Tu te souviens de ce fameux jour, à l'hôpital?

– Oui... après la bataille... Tu n'étais heureusement pas en état de me peloter comme tu le fais maintenant! gronda-t-elle en repoussant les mains qui s'aventuraient sur ses cuisses et ses hanches. Arrête, je te dis! Alex! Hi! Hi! Gabriel va se réveiller d'un moment à l'autre... Ouille! Et même s'il sait comment sont faits les chiots, je ne tiens pas à lui faire la démonstration de la façon dont on fabrique les petites sœurs et les petits frères!

Soupirant de déconvenue, Alexander refréna ses ardeurs et se contenta de l'embrasser. Après un petit moment, elle rompit le silence et la magie de leur étreinte.

– Tu crois qu'il reviendra?

– Qui?

– Lavigueur.

Il se raidit. Isabelle ne pouvait s'y tromper: il était inquiet, même s'il ne voulait pas le montrer.

– Pourquoi reviendrait-il? Nous n'avons pas ce qu'il cherche.

– Alex... Dis-moi la vérité. C'est bien toi qui as construit cette maison?

L'enfant remua à nouveau, détournant momentanément l'attention d'Alexander. L'homme soupira.

– Oui et non. En fait, je l'ai reconstruite. Il n'y avait quasiment plus que des fondations.

– Et cela appartenait au marchand dont a parlé Lavigueur?

– Oui.

– C'est lui qui t'a révélé l'existence de sa cabane?

– Oui.

Il s'écarta, roula sur le dos et enfouit son visage dans ses mains.

– Et l'or? Tu étais au courant de son existence avant que je te rapporte les paroles de Lavigueur, n'est-ce pas?

Le silence qui se prolongeait dissipa le doute qui planait dans l'esprit d'Isabelle. La certitude qui le remplaça tomba comme une pierre dans son cœur.

– Je sais où il se trouve, Isabelle.

Ils restèrent un moment sans rien dire. Puis Alexander se tourna vers sa compagne, l'air contrit.

– Je ne voulais pas te parler de ça. Tu n'avais pas à savoir. Cet or ne m'appartient pas et...

– Néanmoins, c'est à cause de lui qu'on a assassiné Van der... enfin, ce commerçant montréalais.

– Van der Meer, oui. Il refusait de le remettre aux autres marchands. Cet or devait servir à payer l'armement des rebelles dans la guerre de Pontiac.

– Armer les Sauvages?

Isabelle se demandait vraiment ce que Pierre aurait eu à gagner dans cette histoire. Certes, en tant que notaire, il avait rendu service à ces marchands. Il y avait aussi ce document trouvé dans le coffre secret avec le testament d'Alexander... Cependant, elle ne se souvenait pas qu'il se fût jamais impliqué personnellement dans une expédition. Quel intérêt avait-il alors à s'acoquiner avec ces marchands cupides? Il avait effectivement cherché à mettre la main sur une partie de ce trésor, ça, elle ne pouvait le nier. Mais pourquoi? Était-ce pour s'enrichir davantage? Ou bien avait-il épousé, par patriotisme, la cause de Pontiac? Cela, elle ne le saurait jamais.

– Ceux... qui vous ont attaqués... est-ce qu'ils savaient que tu étais au courant pour le trésor?

– Oui. Un métis chippewa du nom de Wemikwanit m'avait longuement observé au poste du Grand Portage. Il avait deviné que Van der Meer s'était confié à moi. Mais j'ai tout nié. J'avais promis de garder le secret.

Elle tourna son ventre pour lui faire face et posa la main sur sa poitrine. Il avait fermé les yeux.

– Alex... Je sais que c'est Étienne qui a organisé ce carnage. Et... je devine... que c'est aussi à cause de lui que tu as été torturé par les Sauvages. Oh, mon Dieu! Alex! Je le hais tant pour ce qu'il a fait que je pourrais le tuer! Lorsqu'il a rapporté ton poignard et ma croix de baptême, il a affirmé... qu'il t'avait enseveli!

Elle éclata en sanglots.

– *Tuch! Tuch!* N'y pense plus, *a ghràidh*.

– Comment le pourrais-je, dis-moi? Comment? Et cet or, ils le recherchent toujours! Pour quelle raison? Comment as-tu été mêlé à ça?

Les yeux levés vers lui, elle attendit. Il réfléchit quelques minutes, puis lui raconta toute son histoire.

– Dix mille livres, Isabelle... Tu te rends compte de ce que cela peut représenter? Et je suis le seul à connaître la cachette. Cependant, je n'ai jamais vérifié...

Elle l'avait écouté en silence, lissant distraitement sa chemise et sentant les battements de son cœur sous ses doigts. Une larme tomba sur l'étoffe, la marquant d'un petit rond humide. Elle avait d'abord été choquée de découvrir que, malgré cette grande fortune à portée de main, il s'entêtait à les faire vivre dans une situation proche de l'indigence. Pourquoi ne se servait-il pas de cet argent inutilisé pour les loger plus convenablement et leur offrir une vie plus confortable? Mais, au fur et à mesure qu'il expliquait les raisons qui l'avaient poussé à respecter sa promesse, elle se rendait compte avec tristesse des tourments qu'il avait vécus pour garder le secret. Alexander était un homme de parole; elle prenait soudain la mesure de la valeur inestimable de cette parole.

– Je suis incapable de toucher à cet or, murmura-t-il en la regardant dans les yeux. Je ne pourrais vivre la conscience tranquille en le dépensant comme ça pour mon bon plaisir... sachant à quoi le destinait Van der Meer. J'ai connu la répression, Isabelle. J'ai vu ce qu'un gouvernement peut accomplir pour arriver à ses fins. En Écosse, après la bataille de Culloden, en 1746, les Anglais ont mis les Highlands à feu et à sang. Ils ont voulu exterminer une race qu'ils considéraient comme tarée, comme nuisible. Ils nous ont pourchassés, violés, affamés... Mais nous avons résisté. Après quoi, ils ont décidé d'employer d'autres moyens. Nous pousser à nous engager dans l'armée était intéressant. Non seulement ils débarrassaient ainsi l'Écosse de milliers d'hommes, mais en plus ils avaient des soldats pour se battre pour la gloire de *leur* empire. Maintenant que la paix les a renvoyés chez eux, les survivants n'ont plus que la contrebande et le bétail pour survivre. Mais les chefs de clans grognent devant les faibles revenus qu'ils en tirent. Les liens de confiance se dissipent dans la cupidité.

– Dis-moi, qu'est-ce que cela a à voir avec la guerre de Pontiac? Tu n'étais pas concerné?

– Non, mais Van der Meer, sachant sa vie menacée, voulait confier son secret à un homme de confiance. Connaissant mes origines, il m'a choisi. Il savait que je ne soutiendrais pas ceux qui voulaient aider les Sauvages à riposter à un mauvais moment, qui allaient les pousser à aller se faire massacrer, comme dans les Highlands. Les Sauvages vivent la même chose que les Highlanders. Ils résistent avec la même obstination que nous. Mais les Anglais ne céderont pas facilement, crois-moi. Ils s'acharneront jusqu'à obtenir gain de cause, quitte à exterminer tout un peuple. Ils veulent des terres pour installer leurs colons, à tout prix. Ce qu'ils ont fait en Acadie montre bien qu'ils ne reculent devant rien. Je ne veux pas permettre ça ici. Je ne veux pas avoir sur ma conscience le poids du massacre des Sauvages. D'ailleurs, plusieurs membres de la ligue se sont déjà retirés du projet. Les autres sont des hommes qui ne visent que leurs intérêts personnels, et je ne leur remettrai jamais cet or, Isabelle, dussé-je y laisser ma vie. Je ne me permettrai jamais non plus de m'en servir à mes propres fins, car je ne pourrai considérer que je vaux mieux qu'eux. Même toi, ajouta-t-il plus bas, baissant les paupières. Van der Meer voulait que je l'utilise pour aider les Sauvages à survivre. Je dois confesser avec honte que je n'ai pas rempli cette part du contrat.

Isabelle pensa à toutes ces précieuses peaux de castors, de loups, de renards, de martres, d'hermines qu'Alexander accumulait dans un endroit secret, dans les bois, dans le seul but de leur acheter une vraie maison. Il avait le choix: l'orgueil cupide ou l'honneur humble. Or il voulait pouvoir se regarder dans une glace sans se mépriser. Ces yeux qui la sondaient en cet instant demandaient son appui, voulaient une preuve qu'il avait fait le bon choix.

— Je comprends, chuchota-t-elle en caressant une de ses pommettes.

Il hocha la tête et soupira de soulagement. C'était comme si on l'avait arraché de sous une montagne de pierres qui l'écrasait et l'empêchait de respirer. Puis il repensa à Lavigueur, et sentit un nouveau poids peser sur lui. Il avait une autre décision importante à prendre. Or, cette fois-ci, la sécurité de sa famille était en jeu.

— Tu crois que Lavigueur reviendra? redemanda Isabelle, songeuse.

— J'en suis certain. Et je me tromperais si je disais qu'il reviendra seul.

— Que comptes-tu faire?

Que devait-il faire? Convaincre Isabelle qu'il ne fallait pas remettre l'or à cet homme? Se convaincre lui-même qu'il devait sacrifier son honneur pour acheter le bonheur des siens? Mais après, comment vivrait-il avec ça?

— Isabelle... je ne sais plus... Guide-moi.

— Il pourrait te tuer.

— Il pourrait s'en prendre à toi et à Gabriel... à l'enfant aussi.

Il posa la main sur le ventre rond qui abritait une vie, *leur* vie.

— Lui remettre l'or nous donnerait-il l'assurance qu'il nous laisse tranquilles? Tu sais des choses qui... enfin, que d'autres veulent garder secrètes. Puis, ces gens craindront toujours que tu cherches à te venger. Reste la solution de trouver l'or et de partir.

— Pour passer notre vie à fuir? Ils me traqueront jusqu'à obtenir ce qu'ils veulent.

— C'est l'impasse.

Posant sa joue sur la poitrine d'Alexander, Isabelle ferma les yeux et serra les dents. Elle comprenait qu'il n'y avait pas d'issue côté jardin, qu'ils ne pourraient se défiler. Allait-on la priver encore une fois de l'amour et du bonheur auxquels elle aspirait et qu'elle n'avait fait que goûter du bout des lèvres? Maîtrisant son envie de hurler à l'injustice, elle se hissa sur le torse de son compagnon et, emprisonnant son visage tourmenté dans ses mains, plongea dans son regard de saphir.

— Quoi que tu décides, j'aurai peur pour toi, pour nous. Mais écoute ton cœur, Alex. Ce sera ma seule consolation.

— Mon cœur, c'est toi, Isabelle! Et je ne sais pas ce qu'il veut!

— Ton cœur veut respecter la parole donnée à un homme qui y a cru et qui a sacrifié sa vie pour ce en quoi il avait foi.

Trop bouleversé pour parler, Alexander hocha mollement la tête. Il pressa sa main entre les omoplates d'Isabelle, puis fit glisser ses doigts jusque sur la nuque et les enfouit dans les cheveux soyeux. Les yeux vert mordoré qui le fixaient brillaient. Il essuya de ses lèvres les larmes qui coulaient.

– Je t'aime...

Des cris de corbeaux brisèrent la quiétude des lieux. Des oiseaux de malheur, disait toujours sa grand-mère Caitlin. Il laissa ses paupières se baisser avec lassitude. Quand aurait-il droit à un peu de paix? Quand?

16

Un retour inattendu

— Qui veut mes beaux jarrets? Voyez ces jarrets appétissants! criait une femme aux passants. Qui veut mes jarrets de veau? Oyez! Monsieur! V'là t'y pas de beaux jarrets pour vot' dame?

L'homme examinait l'étal de boucherie en salivant devant les quartiers de viande suspendus. Il les imaginait déjà tous baignant dans un bouillon fumant bien gras. La femme lui balança sous le nez un superbe morceau. Puis, voyant qu'elle perdait son temps, elle lui tourna le dos pour essayer d'attirer l'attention de quelqu'un d'autre.

Voyant que le vieillard le suivait toujours, l'homme tira sur la corde. Le coffre qu'il tirait crissa sur le sol. La jeune femme qu'il accompagnait avait déjà pris un peu d'avance et traversait la place du Marché de la Basse-Ville. L'enfant qu'elle portait dans un sac, sur sa poitrine, pleurait depuis plusieurs minutes. Comme eux tous, il avait faim.

La jeune femme s'arrêta devant une grande maison de pierre donnant directement sur la place publique et vérifia l'adresse inscrite sur un bout de papier graisseux qu'elle venait de sortir de sa poche. Elle hocha la tête, puis confia le bébé à l'homme avant de grimper les deux marches.

– Il serait préférable que vous restiez ici pendant que je donne mes références à la dame, suggéra-t-elle en frappant à la lourde porte peinte d'un beau bleu brillant.

Quelques secondes s'écoulèrent avant qu'une vieille femme vienne ouvrir. Sans cou pratiquement, elle avait la tête enfoncée dans les épaules. Plissant les yeux, elle détailla la visiteuse avec circonspection.

– Oui? demanda-t-elle d'une voix grinçante.

Mademoiselle Maggie Abbot, madame, répondit la jeune femme dans un anglais où perçait son accent écossais malgré ses efforts pour l'estomper.

– Abbot? Ah! La fille de Glasgow? Vous arrivez...

L'enfant poussa un cri strident. La vieille femme, intriguée, avança son nez, pour apercevoir deux hommes et un nourrisson qui attendaient. Fronçant les sourcils, elle reporta son regard sombre et sévère sur Maggie.

– Pas de bébé ni de mari. Le contrat stipulait bien que...

– Je connais les conditions du contrat par cœur, madame Smith. Cet enfant n'est pas le mien et cet homme n'est pas mon mari. Ils voyageaient avec moi sur le navire. La mère de l'enfant est morte en accouchant, et je me suis proposée comme...

S'interrompant brusquement, la jeune femme baissa les yeux sur ses mains, qui trituraient nerveusement l'enveloppe contenant ses références.

– Comme nourrice, termina-t-elle plus bas.

– Comme nourrice? Pas d'enfant! Je ne reviendrai pas sur mes conditions. Bonté divine! Quand j'ai écrit à ma sœur pour qu'elle me trouve une jeune servante, j'ai pourtant bien insisté sur le fait que je voulais quelqu'un qui soit honnête et sans attaches!

– Je suis sans attaches! Et je suis honnête. Je n'ai jamais volé ni menti. Votre sœur connaissait ma... situation, madame. Je ne la lui avais point cachée. D'ailleurs... je n'aurais pas pu.

– Essayez-vous de me dire que c'est ma sœur Gracie qui m'a menti!

La vieille femme était rouge de colère.

– Madame Smith, je ne veux pas médire, sur qui que ce soit. Je dis seulement que madame Lewis savait que j'avais un petit garçon, Jonathan. Si elle a payé mon billet, elle a refusé de le faire pour mon bébé... Malheureusement, mon petit est mort pendant la traversée...

Madame Smith, effrayée, recula d'un pas et demanda sèchement:

– De quoi est-il mort?

Maggie leva le menton avec assurance.

– De diarrhées et...

– Laissez les détails! Du moment qu'il ne s'agissait pas de la grande picote[106]!

– Aucun cas de grande picote n'a été déclaré à bord au cours du voyage. Vous pouvez vérifier auprès du capitaine Lansing.

– C'est bon.

---

106. La variole.

Toisant la jeune femme avec condescendance, madame Smith jeta un regard à l'enfant avant de revenir sur elle.

– Ce sont vos affaires? Que cet homme les monte dans votre chambre.

– Puis-je nourrir l'enfant une dernière fois pendant que?...

– Pas d'enfant! insista la vieille femme sur un ton autoritaire.

Maggie serra les poings et pinça les lèvres.

– L'enfant a faim, madame Smith.

L'homme s'approcha de Maggie, qui luttait manifestement contre les larmes.

– Ça va aller, nous allons nous débrouiller. Il doit bien se trouver d'autres nourrices dans la ville.

– Pas question!

Prenant le bébé hurlant de faim des bras de l'homme, Maggie se planta devant la vieille dame en le lui plaçant sous le nez.

– Vous laisseriez ce pauvre bébé affamé partir sans me permettre de le nourrir?

Baissant les yeux sur le nourrisson qui gesticulait dans ses langes, madame Smith resta silencieuse un moment. On entendait derrière le brouhaha du marché bondé.

– C'est bon. Mais il doit partir sitôt repu.

Le cœur gros, Maggie serrait l'enfant contre son sein, qui la faisait souffrir autant que la perspective de devoir se séparer de la fillette. Son petit Jonathan lui manquait terriblement. S'occuper de ce bébé l'avait un peu aidée à surmonter son immense chagrin. Si elle savait la séparation inévitable à leur arrivée à Québec, elle n'avait pu s'empêcher de s'attacher à la petite.

– Oui, madame Smith. C'est promis. Merci.

Elle se retourna vers le père de la fillette, auquel elle s'adressa en gaélique en souriant faiblement.

– Cela me prendra une heure. Ensuite, vous serez tranquille pendant quelque temps.

L'homme hocha la tête.

– Merci, Maggie. Nous comprenons. C'était ce qui avait été convenu. Il me reste des amis ici. Si par malchance je ne les retrouve pas, je crois qu'il existe un hôpital sur les rives de la rivière Saint-Charles qui s'occupe des orphelins et où je pourrai l'emmener. Ils s'en occuperont jusqu'à ce que je trouve un travail qui me permette de payer une nourrice.

La gorge nouée, la jeune femme acquiesça de la tête. Puis, comme elle allait entrer dans la maison, elle l'appela:

– Coll?

– Oui?

– Je... j'aime beaucoup votre fille, vous savez. J'aurais tellement aimé... Je suis désolée.

– Lorsque je serai installé, je viendrai vous rendre visite avec elle, si cela vous fait plaisir...

– Oh oui!

– D'accord. Je monte vos affaires, puis je reviens la chercher dans une heure.

Maggie disparut avec l'enfant derrière madame Smith. Coll soupira. Le soleil éblouissant éclaboussait les façades des maisons d'une lumière si vive qu'il dut fermer à moitié ses yeux fatigués. Promenant son regard sur la place du Marché, il revisita ces lieux au milieu desquels il avait autrefois déambulé: l'église Notre-Dame-des-Victoires, la boutique de l'apothicaire Fornel, l'atelier du maître voilier Charest... Les souvenirs lui revenaient au fur et à mesure qu'il redécouvrait Québec relevée de ses cendres. Peggy aurait adoré. Elle aurait appris à aimer cette ville qu'il n'avait jamais vraiment quittée. Cinq ans s'étaient écoulés depuis la fin de la guerre. Enfin, il était de retour...

Deux officiers anglais passèrent près de lui et bousculèrent le vieil homme qui l'accompagnait. Ce dernier se mit à jurer en se penchant pour ramasser sa canne qui lui avait échappé des mains. Coll se précipita.

– Père! Ça va?

– Oui, oui! Ces imbéciles ne regardent pas où ils vont!

Ruminant sa colère, Duncan Coll grinça des dents et suivit d'un œil noir les deux officiers jusqu'à ce qu'ils disparaissent à l'angle d'une rue.

– J'ai faim!

Comme pour lui répondre, l'estomac de Coll poussa une plainte au même moment.

– Dépêche-toi, mon garçon! Termine ta besogne et trouve-nous un endroit où on nous servira de quoi nous remplir la panse. Il nous faut revenir dans une heure. Je suis certain que cette vieille harpie de madame Smith mettra la petite sur les marches de son perron dès que Maggie aura terminé de la nourrir. Putain de monde! Dans les Highlands, il en aurait été autrement.

– Père, autre pays, autres mœurs...

– Mais la femme est écossaise, non?

– Ici, c'est la bourse qui compte. Écossais, Anglais ou Français, on ne fait pas attention. On s'intéresse plutôt à ce que la personne a en poche. Nous sommes en Amérique, père.

Duncan s'assit sur les marches en grimaçant. Sa jambe le faisait atrocement souffrir. L'humidité et les mauvaises conditions à bord du *Shelley* avaient beaucoup aggravé sa santé. Il lui faudrait plusieurs mois pour se remettre. Allons! Il était arrivé sain et sauf à destination. Qu'avait-il à se plaindre?

Admirant la ville et ses habitants qui bougeaient sous ses yeux, Duncan ne put s'empêcher d'esquisser un sourire. Qu'il eût survécu à la longue et pénible traversée en dépit de la maladie qui l'affaiblissait l'emplissait d'espoir. Si Dieu avait choisi de l'épargner, c'était qu'il avait une raison de le faire. Son vœu serait exaucé. Il lissa sa veste là où il avait caché la lettre de John reçue quelques années plus tôt. La confession de son fils l'avait bouleversé. Mais, de toute façon, depuis Culloden, ses propres remords ne lui laissaient pas de repos. Il ne serait en paix que lorsqu'il aurait parlé à Alexander... même sur sa tombe. Il devait lui dire la vérité. Il devait lui dire qu'il n'avait jamais cessé de l'aimer, qu'il l'aimerait jusqu'à son dernier souffle. Or il s'essoufflait justement.

***

Empochant les trois shillings que lui avait remis la dame Rivest, Madeleine eut un sourire de satisfaction. Elle venait de vendre ses derniers pots de confiture de fraises. Or c'était juste le début de l'après-midi. Elle n'aurait pas à dépenser pour manger avant de retourner sur son île. Tout en nettoyant son étal, elle réfléchit à ce que contenait son garde-manger pour établir son menu. Puis, elle eut l'idée de faire un saut à la boulangerie de son cousin. Il y avait bien longtemps qu'elle n'avait pas eu de nouvelles de Louis et de Françoise. Peut-être le boulanger avait-il du nouveau sur sa sœur... La disparition soudaine d'Isabelle, qui n'avait même pas daigné répondre à une seule lettre, avait surpris et peiné tout le monde.

Au début, Madeleine était très en colère contre sa cousine. Mais, le temps passant, elle était devenue plutôt inquiète. Louis était revenu bredouille de son voyage à Montréal. Isabelle avait fermé la maison et, au dire de sa servante, était partie avec un membre de la famille. L'associé de Pierre Larue, Jacques Guillot, n'en savait pas plus sur l'identité de l'homme qui avait enlevé Isabelle et Gabriel. Cependant, il avait reçu deux lettres rassurantes postées depuis la mission de Deux-Montagnes : tout allait bien. Pour le reste, le mystère était entier.

S'emparant de son sac et de son panier, Madeleine leva la tête. Le ciel était d'un bleu lumineux et l'air, sec et tiède. Une journée parfaite. La femme commença à traverser la place du Marché, toujours grouillante de monde le vendredi. Tout en rajustant son corsage et son fichu, elle repéra l'enseigne de la boulangerie Lacroix et se dirigea vers la boutique en se promettant une belle brioche qu'elle grignoterait sur le chemin du retour.

– Bien le bonjour, madame Gosselin! lui lança une vieille femme qui peinait sous son fardeau de volailles.

– Bonjour, ma bonne Roseline. Ce sera du poulet pour le souper, à ce que je vois?

– On ne peut rien vous cacher! Monsieur reçoit dix invités et la petite Catherine Michel est au lit. Curieusement, cette petite gueuse tombe toujours malade lorsqu'il y a une surcharge de travail aux cuisines. Dommage que vous persistiez à refuser l'emploi!

– Je ne veux pas quitter mon île, Roseline, expliqua encore une fois Madeleine, sachant toutefois que la vieille femme ne faisait que la taquiner. Vous en faites pas! Lorsque j'aurai épousé un homme riche, je promets de vous prendre chez moi et de vous aider à votre tâche!

– Dépêchez-vous, ma belle! Je prends du vieux! Betôt, il faudra tenir ma cuillère!

– Vous, vieillir? Allons donc! Vous...

S'interrompant brusquement, Madeleine plissa les yeux, certaine d'avoir la berlue.

– Vous allez bien, madame Gosselin?

– Euh... oui, répondit-elle sans cesser de fixer la chevelure rousse. Je vous souhaite bonne chance avec votre basse-cour.

Les politesses de Roseline, que la foule emportait dans son mouvement, se perdirent dans le brouhaha. Madeleine resta plantée là, les yeux rivés sur la haute silhouette familière. Non, elle ne rêvait pas, c'était bien lui. Son cœur se mit à battre plus vite, sans qu'elle comprît pourquoi. Les souvenirs affluèrent dans son esprit. Le douloureux rappel de la mort de son Julien, la vision de sa maison en cendres firent monter en elle une colère froide; elle avait tout perdu, elle avait dû demander asile à son oncle Charles-Hubert...

Ignorant les passants qui la bousculaient, elle restait immobile tandis que le grand gaillard venait dans sa direction. Son sac lui glissa des mains et alla choir sur le sol à ses pieds. Elle se penchait pour le ramasser quand un pied le piétina. Elle se redressa vivement.

– Hé! Vous pouvez pas regarder où vous allez, batinse?!

– *Sorry, Ma'am. I was distracted... May I help?*

– Bonyeu d'Anglais! *No, sir. Thank you.*

Sa brève relation avec monsieur Henry lui avait été profitable au moins sur un point: elle avait appris l'anglais et se débrouillait maintenant assez bien. Pour le reste, elle était amère. Après le bal donné au château Saint-Louis, le jeune officier anglais l'avait invitée chez lui. Il voulait, avait-il dit, lui montrer ses nouveaux volumes sur les animaux d'Afrique qu'il venait tout juste de recevoir d'Angleterre. Il lui avait parlé de l'éléphant, lui expliquant les différences entre l'espèce qui vivait en Afrique et celle qui vivait en Asie, puis du lion...

Un peu grise et mélancolique, elle s'était laissé entraîner dans la chambrette. Pendant qu'elle feuilletait le livre, placé derrière elle, il avait regardé par-dessus son épaule et avait fait des commentaires sur les planches. Ses mains s'étaient mises à frôler sa taille, ses lèvres, sa nuque. Elle avait frémi. Elle savait qu'elle aurait dû l'arrêter dès cet instant, mais elle n'en avait pas eu la force. Tout en lui faisant remarquer l'étrange ressemblance entre le chimpanzé et le lieutenant Miller, monsieur Henry avait caressé l'étoffe soyeuse de sa robe et était monté jusqu'à sa poitrine. Puis, lui expliquant comment un serpent arrivait à avaler un mouton entier sans même le mastiquer, il avait délacé lentement son corsage. Les pulsions qu'elle avait si longtemps refoulées s'étaient réveillées et l'avaient emportée.

Au petit matin, mortifiée, elle s'était éclipsée avant même que l'homme ne se réveille. Il avait tenté de la revoir à plusieurs reprises, lui envoyant des billets doux, des fruits rares et des friandises venant d'Angleterre. Mais elle n'avait jamais répondu. Tout ce qu'il voulait, c'était faire d'elle sa maîtresse! Que pouvait-il attendre d'autre d'une femme qui s'abandonnait si légèrement dès le premier rendez-vous? Que pouvait-elle attendre d'autre de lui, elle, simple veuve vivant dans des conditions modestes? Le comble aurait été qu'elle tombe enceinte... Cependant, avec Julien, en deux ans, aucun enfant n'était venu malgré ses prières quotidiennes à sainte Anne...

L'homme qui avait marché sur son sac s'inclina en souriant affablement et disparut dans la cohue, au milieu de laquelle circulaient à l'occasion un cavalier ou une voiture. Madeleine jeta un œil dans son sac pour vérifier l'état de son contenu. Satisfaite, elle releva la tête. Ce fut alors qu'elle croisa le regard clair de Coll qui, à quelques pas, la dévisageait avec stupéfaction.

– *Madam* Madeleine?!

La femme pâlit puis retrouva d'un coup ses couleurs. Elle fit une petite révérence.

– Monsieur Macdonald. Que... que faites-vous à Québec? Je croyais que... enfin... N'étiez-vous pas retourné en Écosse?

Coll, toujours sous le choc, n'arrivait pas à détacher ses yeux de la femme qui semblait sortir tout droit de l'un de ses rêves.

– *Aye! Came back*... Suis revenou à Québec.

– Pour y vivre?

– *Aye!*

Devant l'expression de l'Écossais, Madeleine se sentait de plus en plus mal à l'aise.

– Bon... eh bien, je vous souhaite bonne chance, monsieur Macdonald!

– Alexander? *Mo bhrathair*, vous avez nouvelles de lui?

– Alexander? Je... euh... Non.

Madeleine ne voulait pas annoncer elle-même la mauvaise nouvelle. Ce n'était pas à elle de le faire. Voyant l'air profondément déçu de Coll, elle éprouva un sentiment de compassion qu'elle s'efforça de refouler. Elle faisait un pas pour s'éloigner lorsque l'Écossais l'attrapa par le coude.

– *Maybe, Finlay Gordon*? Vous connaître? Lui travailler pour... *shoemaker... Och! Dinna remember the name!*

– Gordon, le cordonnier Gordon? Oui, je le connais. Enfin...

Coll retrouvait espoir.

– Où il habite?

– Ça, je pourrais pas vous le dire, monsieur Macdonald. Je sais juste que sa boutique est située sur la côte de la Fabrique.

– Côte de la Fabrique, *aye! Tapadh leat, madam* Madeleine.

Froissant nerveusement son chapeau entre ses mains, il lui souriait. Ne sachant plus où se mettre, elle baissa les yeux pour fuir ce regard qui la détaillait avec autant d'ardeur que dans ses souvenirs.

– Je vous souhaite... de trouver votre ami, monsieur Macdonald, arriva-t-elle à articuler en relevant enfin le menton.

Il s'inclina, remit son chapeau puis s'en alla. Elle le suivit des yeux un moment et allait se détourner quand elle le vit s'arrêter devant un homme aux cheveux blancs assis sur un coffre et portant un paquet. Coll lui parla et lui indiqua en tendant le bras la direction qu'ils devaient prendre. Puis, il prit le paquet et se pencha dessus. Madeleine haussa les sourcils en le voyant fourrer le nez dans le monceau de couvertures. S'appuyant sur une canne, le vieil homme se leva en grimaçant. Coll secoua légèrement son paquet, et une couverture glissa, laissant apparaître une boule de poils roux comme sa chevelure. Madeleine ouvrit de grands yeux stupéfaits.

– Mais... C'est un bébé?!

Elle scruta la foule, puis reporta son regard sur les deux hommes qui se remettaient en marche avec leur paquet et leurs bagages. Quelque chose clochait: aucune femme ne les accompagnait.

– Bonyeu! Il l'a sans doute laissée quelque part pour qu'elle se repose...

Mais le vieil homme et l'enfant seraient restés avec elle, non? Elle s'élança vers le petit groupe en criant.

– Monsieur Macdonald!

Duncan se retourna et repéra la créature avec laquelle Coll avait discuté quelques secondes plus tôt. Il tapota l'épaule de son fils.

– Mon garçon, on te réclame.

– Monsieur Macdonald, je...

Madeleine, arrivant à leur hauteur, jeta un coup d'œil vers le paquet en hésitant. «Qu'est-ce que je fais icitte, batinse!»

– Je peux vous être utile avec... C'est votre bébé?

– *Aye, madam.*

Elle tourna la tête à gauche et à droite, cherchant visiblement quelque chose.

– La mère... je veux dire, la mère du bébé?

– La mère... *she's deid.* Morte.

– Oh! Je suis... désolée. Avez-vous quelqu'un pour vous occuper de l'enfant?

Coll la dévisageait sans répondre, comme s'il n'avait pas compris le sens de la question.

– *Help,* avec *baby?*

– *Nay.* Je m'occupe du bébé.

Pour souligner sa détresse, l'enfant se mit à geindre et à gesticuler dans les bras de son père qui, de toute évidence, ne savait trop qu'en faire. Posant son sac, Madeleine tendit les mains.

– Je peux?

Elle blottit l'enfant emmailloté dans le creux de son coude et l'examina en souriant. Coll sentit son cœur se liquéfier devant ce sourire: s'il savait qu'il ne lui était pas destiné et ne le serait jamais, il était enchanté que sa fille réussît à le susciter.

– Comment s'appelle-t-il? demanda la femme sans lever les yeux du petit visage qui suivait les balancements de ses boucles.

– C'est une fille. Et... *her name...*

Il hésita. Pour son premier-né, Duncan, la question ne s'était pas posée. Peggy avait tout simplement respecté la tradition qui était de donner au premier garçon le nom du père ou du grand-père paternel. Pour sa fille, il en allait autrement. Peggy n'avait jamais repris connaissance après l'accouchement... Puis, Maggie s'était occupée du bébé et l'avait appelé Joan, prénom qui lui rappelait celui de son fils disparu.

– Votre fille n'a pas de prénom?

Madeleine dévisageait bizarrement Coll, qui expliqua, tout penaud:

– *Not yet*. J'ai pas encore pensé.

La femme était en admiration devant la délicatesse des traits et la finesse de la peau du nourrisson. Elle glissa son index sur la joue rebondie.

– Elle est si jolie! Anne lui conviendrait bien. C'est un prénom qui se prononce aussi bien en anglais qu'en français. Alors, comme vous avez l'intention de vous installer ici... Et puis, ce serait un hommage à sainte Anne, la patronne des voyageurs qui a veillé sur elle lors de votre traversée.

– Anne, répéta Coll. Anna Macdonald. C'est bien.

– Coll! fit Duncan avec impatience.

– Oh! *Madam* Madeleine, voici mon père, Duncan Coll.

Levant les yeux, Madeleine rencontra le visage sombre et triste, marqué d'une longue balafre, du vieil homme, qui la salua d'un léger hochement de tête. La froideur de l'expression aurait pu l'offusquer, mais elle devinait qu'elle masquait la souffrance. Les deux se regardèrent pendant un petit moment, se jaugeant mutuellement. Puis, la femme sourit, et un petit mouvement des lèvres adoucit les traits du vieillard.

Tout en marchant, Coll écoutait la voix suave de Madeleine, qui berçait le poupon en chantonnant doucement. Son père suivait derrière le coffre qui crissait bruyamment sur les pierres. Coll était troublé. Jamais il n'aurait cru que revoir cette femme le bouleverserait à ce point. Il s'efforça de penser à Peggy, à ses derniers instants, à la souffrance qui déformait son beau visage tandis qu'elle mettait leur fille au monde entre deux barils de vinaigre, dans les miasmes putrides d'un fond de cale obscur. Terrassée par les douleurs de l'enfantement et les nausées que provoquait le roulis du navire, sa femme avait râlé et déliré des heures durant. Elle avait rendu l'âme au cours de la nuit qui avait suivi son martyre. Le bébé était en bonne santé. Des femmes s'en étaient occupées immédiatement, le nettoyant comme elles le pouvaient et l'emmaillotant dans un drap.

Coll serra les mâchoires: cela n'aurait pas dû se passer ainsi... Peggy lui avait assuré que l'enfant ne devait pas naître avant la fin de la traversée. Elle était tombée enceinte alors qu'ils venaient de quitter Glencoe pour Glasgow. Là-bas, ils avaient vivoté chez sa sœur Mary en attendant d'avoir assez d'argent pour payer le voyage en bateau. Il avait trouvé une place comme manutentionnaire chez le négociant en tabac pour lequel travaillait son beau-frère. Soit Peggy lui avait menti pour ne pas repousser davantage leur départ, soit le bébé s'était annoncé plus tôt que prévu. Quoi qu'il en fût, le résultat était ce qu'il était : deux semaines avant d'atteindre la destination, il se retrouvait veuf avec une petite fille à nourrir et à bercer, et en était terrifié.

Il y avait bien eu la gentille Maggie. La jeune femme pleurait son fils depuis plus de deux semaines et, souffrant dans son corps de ne pouvoir subvenir au besoin le plus fondamental de l'être qu'elle avait engendré, avait tout naturellement pris en charge la fillette. Bien qu'ils eussent plus de vingt ans d'écart, Coll avait pensé la garder avec lui après le débarquement. Cependant, elle avait déjà signé un engagement pour travailler chez la sœur de son ancienne patronne. Étant l'aînée de onze enfants, elle avait absolument besoin de l'emploi pour aider sa famille restée à Paisley, en banlieue de Glasgow. Son père avait été tué lors d'un accident dans une mine de houille, deux ans plus tôt, et sa mère n'arrivait plus à subvenir seule aux besoins de tous.

Chez Gracie Lewis, elle gagnait un salaire raisonnable... si on ne regardait pas trop la charge de travail. Seulement, pour son plus grand malheur, elle était tombée amoureuse du fils et s'était rapidement retrouvée enceinte. Placée devant le fait accompli, sa patronne, tenant encore la dernière lettre de sa sœur en main, avait vu là l'occasion parfaite pour l'éloigner afin d'empêcher son garçon de l'épouser. Étant donné sa situation difficile, Maggie n'avait pas eu le choix : elle avait accepté l'offre. Après avoir mis l'enfant au monde, elle s'était embarquée avec le petit Jonathan pour la province de Québec.

– C'est icitte.

Madeleine secouait son avant-bras. Coll fixa sa main, dont il sentait la chaleur.

– Monsieur Macdonald! C'est icitte que travaille votre ami!

Étroite, la boutique du cordonnier était coincée entre celle d'un tailleur et le cabinet d'un chirurgien. Elle donnait sur la Grande Place, où s'exerçait un régiment de vestes rouges, sous le regard attentif de plusieurs promeneurs et de quelques chiens.

Coll observait Madeleine, qui jouait avec le bébé et le faisait gazouiller. Elle avait changé, la grande furie. Les années avaient ajouté un peu de chair sur son ossature, ainsi que des pattes-d'oie aux coins de ses magnifiques yeux. Une fine parenthèse encadrait dorénavant son sourire, et sa chevelure était légèrement plus foncée. Mais il la trouvait encore très belle, peut-être plus charmante même.

Une main sur son épaule le fit se retourner. Son père, qui avait un air étrange, s'adressa à lui en gaélique:

– Tu connais bien cette femme, mon garçon?

– Père... elle est juste à côté...

Duncan sourit. Coll, soupirant, fit mine de lui expliquer les manœuvres militaires en pointant l'index vers le régiment.

– Oui... Elle est la cousine de la femme que... courtisait Alasdair lorsque nous étions en garnison ici.

– Je comprends pourquoi tu désirais tant revenir.

– Père! Je n'ai jamais pensé à revoir cette femme! J'emmenais Peggy avec moi et... Bon sang!

– Je sais bien. Néanmoins, il me semblait que tu avais laissé ici un peu de ton cœur...

– Cessez de dire des sottises! Je n'étais pas amoureux de... d'elle. Elle nous méprisait et refusait tout simplement de nous adresser la parole.

– Hum...

Duncan serra l'épaule de son fils. Même si Coll et Peggy s'entendaient bien, il devinait que c'étaient, plutôt que l'amour, l'amitié et la volonté de tenir la promesse de leur engagement qui les avaient unis.

– Mais là est tout le défi de la conquête! L'enivrement que le processus engendre est grand. J'en sais quelque chose. N'oublie pas que ta mère a voulu me faire la peau avant de m'épouser. Et j'ai réussi à la garder auprès de moi pendant plus de trente ans, jusqu'à ce que Dieu nous sépare.

Le vieil homme ricana et sourit, comme il le faisait souvent lorsqu'il pensait à sa femme. Même après plusieurs années, Marion lui manquait énormément. D'autant plus que ses vieux os réclamaient maintenant plus de soins et la douceur d'une femme... Depuis qu'il était veuf, il avait eu quelques maîtresses. L'une d'elles avait même partagé sa vie pendant près de huit ans. Mais, après Marion, jamais il n'avait redonné son cœur à quelqu'un... Se raclant la gorge, il poussa son fils dans le dos.

– Va trouver ton ami. Peut-être pourra-t-il nous aider, avec ta fille...

– Je le souhaite, père. Sinon, il me faudra me tourner vers les religieuses...

Coll hocha la tête et fit tinter une clochette en poussant la porte de la boutique. Dix minutes plus tard, il ressortit avec une triste mine.

– Il n'est pas là? demanda Madeleine.

– Finlay travaille plus ici. Il a... euh... quitté son emploi il y a une mois. Sa patron dit qu'il sait pas où il est.

– Oh! Connaissez-vous quelqu'un d'autre dans cette ville?

– Mon cousin Munro...

– Votre cousin est parti avec votre frère Alexander et n'est jamais revenu icitte... enfin, je ne l'ai jamais revu.

Soupirant bruyamment, Coll glissa la main dans son épaisse tignasse et baissa ses paupières de lassitude. Il repensa à cette veuve qui lui avait donné des cours de français. Toutefois, il se dit que ce serait de mauvais goût de débarquer comme ça avec père et fille chez une ancienne maîtresse.

– *Ochone! Dinna have any choice.* Il reste plus que la *General Hospital* pour s'occuper du bébé. Merci pour votre aide.

Il s'approcha pour reprendre le nourrisson, qui dormait maintenant paisiblement. Inconsciemment, Madeleine resserra son étreinte. Les mains de Coll se glissèrent sous les couvertures et soulevèrent la petite Anna. Les bras vides, elle sentit son cœur battre plus fort.

– *Tuch! Tuch! Mo nighean...* chuchota le père au bébé qui, dérangé dans son sommeil, geignait faiblement.

– Monsieur Macdonald?

Coll, tout en caressant le crâne de sa petite fille, leva son regard clair. Madeleine était émue. Elle ne retrouvait plus en cet homme le soldat qu'elle avait toujours fait en sorte d'éviter dans les rues de la ville, lors de l'occupation. Il lui paraissait maintenant si... différent. Si humain.

– Merci, *madam* Madeleine.

– Je suis... désolée.

Il haussa les épaules. L'enfant était si minuscule dans ses grands bras qu'elle pensa qu'il pourrait l'écraser sans même s'en rendre compte.

– Je peux peut-être vous aider à trouver un endroit?

– Ça va aller...

Coll fit signe à son père qu'ils repartaient. Se retournant une dernière fois vers la femme, il lui sourit. Mais ses yeux exprimaient une grande tristesse. Le bébé se mit à pleurer. Tout en nouant solidement le drap autour de son propre cou, il tapota le petit postérieur en murmurant des paroles rassurantes dans sa langue si étrange. Madeleine avait soudain envie d'entendre ces mots, de les apprendre pour les murmurer elle aussi à Anna, une petite fille comme elle n'en aurait jamais.

« Mais qu'est-ce qui m'arrive? Je deviens complètement folle! Cet homme faisait partie de l'armée qui a tué mon Julien! » La crinière rousse de l'Écossais ondulait dans la brise tiède de cette journée de fin de juin. Presque neuf années, jour pour jour, s'étaient écoulées depuis que les troupes de Wolfe avaient débarqué sur l'île... *son* île... pour y mettre le feu, la dévaster. Elle avait passé trois années à reconstruire ce que les soldats avaient détruit en quelques heures. Son Julien, parti combattre, n'était jamais revenu...

Les pleurs de la petite qui s'éloignait et l'horrible bruit du coffre traînant sur la chaussée la firent grimacer. Son cœur lui faisait mal. Pourquoi, aujourd'hui, cet homme et cette enfant croisaient-ils son chemin? Les secondes s'égrenant, elle avait de plus en plus l'impression qu'elle commettait une erreur en les laissant partir.

– Attendez! *Wait! Wait!* J'ai... peut-être quelque chose à vous proposer!

N'en revenant pas de son audace, elle accourait vers le trio. Coll se retourna. Il avait l'air si désespéré qu'elle était certaine qu'il accepterait de dormir dans l'étable si elle le lui offrait.

– Ma maison est grande, pis j'y vis toute seule. Je pourrais vous prêter une chambre en échange de quelques travaux... le temps que vous trouviez un emploi et un endroit pour vivre. Qu'en dites-vous? Pis, je pourrais m'occuper d'Anna.

– *But... the bairn needs to be breastfed!* s'écria Coll sans réfléchir.

– Comment?

– Bébé... lait, expliqua-t-il en désignant sa poitrine de sa main libre.

– Ah, oui, le lait!

La femme, se rendant compte qu'elle ne pourrait apporter son aide pour cet aspect de la situation, se sentit soudain bête.

– *General Hospital* sera bien. Il y a nourrices là-bas.

– Mais... les religieuses vous retireront l'enfant, monsieur Macdonald. Elles vous convaincront d'abandonner la petite afin qu'elle soit adoptée, pour son bien. Vous êtes veuf, sans travail, pis à la rue... Pardonnez-moi ma franchise, mais... ce sont les faits.

« Abandonner. » « Adoptée. » Coll entendait ces mots résonner douloureusement dans sa tête. Il pâlit. L'éventualité de se séparer de sa fille ne lui avait jamais effleuré l'esprit. Or Madeleine en parlait comme d'une réalité incontournable. Grimaçant, il baissa la tête au-dessus du petit paquet de chair rose qui reposait dans le drap suspendu contre sa poitrine. Il jura alors, sur la tête de son petit

Duncan mort à un an seulement, que si Dieu le lui permettait, il n'abandonnerait jamais sa fille.

***

Le foin embaumait et promettait un grenier bien rempli. Les couleurs de l'été déjà bien avancé chatoyaient sous le soleil. Retournant la pomme dans le creux de sa main, Madeleine hocha la tête de satisfaction: la récolte serait bonne, cette année, et le cidre coulerait en quantité. Lâchant doucement la branche, elle embrassa le verger du regard. Les cerisiers avaient déjà donné leurs fruits; les pruniers, eux, croulaient. Elle avait encore des confitures à faire. De la purée aussi. Les Anglais adoraient accompagner leur rôti de bœuf d'une purée de prunes.

Se dirigeant vers l'étable, Madeleine passa devant le potager encore plein d'oignons et de poireaux. Elle devrait penser à cueillir quelques légumes pour le potage. Coll aimait les oignons. Penser à lui la fit ralentir. Elle se retourna et regarda vers la maison, où il s'affairait à remplacer quelques bardeaux sur le toit. Son dos rouge luisait de sueur et ses cheveux étincelaient sous le soleil.

Le temps avait filé comme le cours d'un torrent, creusant son lit dans son quotidien. Au fil des jours, elle s'était habituée à la présence des deux hommes et de la petite Anna qui comblait un vide dans sa vie. Bien sûr, la cohabitation ne s'était pas faite sans heurts ni pleurs. Chacun avait dû s'adapter aux us et coutumes de l'autre. Cependant, tous y avaient mis de la bonne volonté. En fait, Madeleine redoutait maintenant le jour où Coll viendrait lui annoncer qu'il avait trouvé du travail et un logement à Québec. Qui l'eût cru?

L'Écossais était dur à la tâche et ne s'arrêtait que pour manger et dormir. Il avait réparé les clôtures, remplacé six planches à l'étable, huilé tout ce qui pivotait sur des gonds, fabriqué deux nouveaux bancs pour la cuisine, en plus d'un berceau pour la petite, participé aux premières moissons... La liste des tâches accomplies s'allongeait de jour en jour. Jamais il ne se plaignait. Le soir, après avoir rangé les outils dans la remise, il engloutissait son repas, fumait une pipe, puis, tombant de sommeil, allait vite se coucher.

Au début, les conversations se limitaient à de brefs échanges concernant les travaux en cours et à venir. Coll était taciturne et s'isolait souvent derrière la grange pour méditer tout en fixant le champ. Madeleine devinait le malaise qu'il devait éprouver à vivre sous le même toit qu'elle. Pour briser la monotonie des soirées et pour lui exprimer sa bonne foi, elle lui proposait parfois une partie de cartes. Un soir, alors qu'elle le cherchait pour jouer au whist, elle le surprit ainsi en réflexion. Elle allait s'éclipser lorsque, sans se retourner, il l'invita à s'asseoir avec lui si elle le voulait.

Ils étaient demeurés silencieux pendant plusieurs minutes. Puis Coll, comme s'il en avait soudain ressenti le besoin, s'était mis à parler. Il avait raconté son retour en Écosse, la misère dans laquelle stagnaient les Highlands et dont il ne voyait plus la fin, son épouse, Peggy, la mort précoce de leur fils Duncan... Amer, il avait fait le récit bouleversant de la traversée jusqu'au Canada. Peu à peu, en l'écoutant, Madeleine avait découvert un homme au cœur tendre. En même temps, elle s'était rendu compte que, malgré les barrières linguistique et physique, les mêmes espérances unissaient les hommes. Mais, ce qui l'avait bouleversée plus que tout, c'était qu'elle avait enfin compris pourquoi elle avait tant cherché à fuir l'Écossais dans les ruelles de Québec huit ans plus tôt.

Les coups de marteau résonnaient jusque dans la maison. Mais ils n'empêchaient pas le père Macdonald de dormir. Il reposait dans le fauteuil à bascule, sa tête chenue sur sa poitrine qui se soulevait lentement en émettant des sifflements. Pauvre homme! Seul le sommeil le délivrait de ses souffrances.

Le vieil homme parlait très peu français, mais le comprenait bien. Il suivait en silence toutes les conversations qu'avaient Madeleine et son fils. Bien qu'il fît des efforts pour apprendre quelques mots, lorsqu'il désirait quelque chose, il préférait sa langue. Coll traduisait alors. La femme surprenait parfois les deux hommes en plein conciliabule. Comme ils discutaient en gaélique, elle n'en devinait le sujet qu'au ton de leurs voix et au nom d'Alasdair, qui revenait fréquemment. Coll lui avait expliqué que son père avait fait ce pénible voyage dans le but de retrouver son fils, Alexander.

Madeleine se sentait de plus en plus coupable. Un jour, elle s'était armée de courage et avait révélé la triste vérité. Le père s'était levé, avait pris sa canne et était sorti sans un mot. Lorsqu'elle repensait à cette soirée, la femme sentait la honte l'étreindre.

—Il doit faire son deuil. Cela s'est passé de la même manière pour ma mère. Il reviendra.

—Il m'en veut de ne pas vous l'avoir annoncé avant, n'est-ce pas? J'aurais dû, je sais, mais... je n'y arrivais pas.

Coll ne répondit pas tout de suite.

– C'est possible. De toute façon, il sait que cela revient au même: Alasdair ne lui reviendra pas.

Il se tut, leur laissant à tous les deux le temps de remettre de l'ordre dans leurs idées. Puis il reprit:

– Vous savez, finalement, apprendre la mort de mon frère le jour où je vous ai demandé de ses nouvelles aurait sans doute été fatal à mon père... Maintenant qu'il a eu le temps de se remettre un peu du voyage, il est plus en mesure d'y faire face. Peut-être devrais-je vous remercier d'avoir... attendu. Il vous aurait été si facile... Je veux dire, sachant la douleur que me causerait une si terrible nouvelle, vous auriez pu vouloir vous... soulager.

Surprise, Madeleine leva ses prunelles vertes vers Coll qui la regardait fixement, sans animosité aucune.

– À défaut de pouvoir vous en prendre directement au soldat qui a tué votre mari...

– Non! Ce n'est pas...

– Tuch! Madam *Madeleine*, dinna lie to spare my feelings[107]. *Votre mensonge me blessera plus que la vérité. Vous croyez que je n'ai jamais ressenti ce désir de vengeance? Que je n'ai jamais cherché à l'assouvir sur le premier venu?* Mo chreach! Many times I did! Too many!

Les jours passaient. Le père Macdonald restait silencieux, n'ouvrant la bouche que lorsqu'il ne pouvait faire autrement. Ne pouvant déchiffrer son âme, Madeleine persistait à penser qu'il lui en voulait. Seule sa petite-fille arrivait à lui arracher des sourires.

Baptisée le troisième dimanche après son arrivée au Québec, Anna Morag Macdonald faisait le bonheur de tous. Avec l'aide d'une voisine, Madeleine apprit à s'occuper du nourrisson. Elle s'appliquait à préparer le biberon de faïence, s'assurant que la tétine de tissu trempait bien dans le lait et que le liquide était à la température idéale. Elle lavait soigneusement les langes et emmaillotait bien l'enfant. Mais si elle était une élève douée, Anna était aussi une fillette attachante.

La petite commençait à babiller à travers ses bulles de salive et distribuait ses sourires. Ses boucles s'allongeaient et, soyeuses et étincelantes au soleil, s'enroulaient autour des doigts. Coll lui réservait toujours quelques minutes de son temps pour lui chanter des airs de son pays, qui berçaient aussi le cœur de Madeleine. C'était devenu un rituel le soir. La petite princesse s'endormait ainsi et ne saluait sa cour qu'au lever du soleil.

---

107. Ne mentez pas pour épargner mes sentiments.

Madeleine avait vu sa vie transformée par l'arrivée de cette délicate créature. Mais il y avait toujours le revers de la médaille : si elle était un baume sur son chagrin de femme, Anna était aussi une épine qui s'enfonçait dans son cœur. Un jour, inévitablement, on la lui retirerait, et cela lui ferait très mal.

Avec une pointe de tristesse, Madeleine finit de nourrir la fillette, dont les doigts potelés s'agrippaient à son fichu et lui griffaient la gorge. Sentant soudain une odeur de brûlé, elle sursauta en se rappelant que le souper était resté sur le feu.

– Batinse!

Elle essuya vite la petite bouche cernée de lait et confia l'enfant à son père qui entrait justement. Puis elle se précipita vers le fourneau. Juste à temps! Pour dérider un peu le père Macdonald et célébrer le deuxième mois des Écossais sur l'île d'Orléans, elle préparait un repas qui se voulait dans l'esprit des Highlands. Au menu : potage aux poireaux et aux oignons; pâté de mouton épicé, la panse pour le fameux quoique pas très ragoûtant haggis étant restée introuvable; oignons caramélisés au four; petits sablés et crème fraîche, deux fournées d'une version personnelle des scones ayant tourné à l'échec.

– Où étiez-vous, Coll Macdonald? J'avais besoin de bois pour la cuisine!

Immobile, le bébé gesticulant entre ses grandes mains écorchées, Coll observait Madeleine qui s'affairait pour sortir son pâté fumant du fourneau. Une odeur âcre de brûlé se mêlait au parfum douceâtre de l'oignon rôti. Il balaya la pièce d'un œil perplexe. Une nappe immaculée et joliment brodée recouvrait la table. Dans son coin, son père affichait toujours son air indéchiffrable. Cependant, les coins de sa bouche se retroussaient légèrement tandis qu'il suivait le ballet de la femme de la table de travail au buffet, puis du fourneau à la plaque de cuisson. Que se passait-il? Recevait-elle pour le souper?

– Vous ne m'avez pas répondu!

– J'étais parti faire un tour au village.

Anna s'était arrêtée de remuer et grimaçait, cramoisie. Coll fronça les sourcils. En même temps, il se disait que Madeleine allait lui faire une scène parce qu'il ne l'avait pas avertie de son absence, et attendait l'orage. Mais la femme se remit au travail sans rien dire. Alors il continua sans quitter sa fille des yeux.

– J'ai trouvé du travail.

Madeleine arrêta son geste un bref instant. Elle leva les yeux et regarda par la fenêtre le clocher de l'église Saint-Laurent, qu'on apercevait au loin, au-dessus de la cime des arbres. Puis, elle attrapa une louche pour remuer le potage afin qu'il n'accroche pas au fond de la marmite.

– Ah oui? Où ça?

– Euh... j'ai discuté avec le maître-meunier. Il m'a affirmé qu'un confrère avait besoin de mes services pour la livraison de la farine. L'un de ses hommes s'est cassé le bras la semaine dernière.

– Ah bon! Pour le moulin Gosselin?

– Non...

Anna grogna, et un son surprenant s'échappa du lange dans lequel elle était emmaillotée. Coll grimaça. Une odeur désagréable monta jusqu'à ses narines.

– C'est pour le moulin de Vincennes.

La louche s'immobilisa au milieu de la marmite. Anna émit un rot sonore, et un filet de lait dégoulina sur son menton.

– *Mo chreach!*

– Mais... c'est sur la Côte-du-Sud? Vous ne pourrez pas traverser tous les jours... Il faudra...

– *Aye!* Je sais. Un certain Antoine Guérette serait prêt à m'héberger le temps que je trouve quelque chose là-bas.

– Oh! Quand commencez-vous?

– Dans deux jours.

Un deuxième rot retentit, suivi d'un bruit inquiétant puis d'un gazouillis de satisfaction. Coll dévisagea sa fille avec circonspection, ne sachant que faire. L'odeur ne trompait pas. Mais Madeleine était occupée et il n'osait l'interrompre. Duncan, qui avait suivi toute la scène en silence, se mit à ricaner.

– *Aye! A mhic, a bheil thu a'faireachdainn ceart gu leòr*[108]*?*

– *'Tis Anna*[109].

– *Fhioscam, chuala mi na pìoba-móra. Déan do dhicheall*[110].

– *Och! Winna do wemen's work*[111]*!*

Madeleine vit l'air désemparé de l'Écossais et, bien qu'il ne se souciât pas de traduire l'échange qu'il venait d'avoir avec son père, devina de quoi il était question. Elle s'avança vers lui.

– Donnez-la-moi, pis sortez les assiettes et les couverts, voulez-vous?

Le délestant de son petit fardeau nauséabond, elle disparut

---

108. Hé! Mon fils, tu te sens bien?

109. C'est Anna.

110. Je sais, j'ai entendu la musique de la cornemuse. Fais de ton mieux.

111. Bon sang! Je ne vais pas faire une besogne de femme!

dans la chambre. Voyant la mine hagarde de son fils, Duncan éclata de rire.

– Tu ne feras pas un travail de femme, mon fils? Elle t'a demandé de sortir les couverts. Alors, tu vas t'asseoir et ne rien faire?

Lui lançant un regard noir, Coll se dirigea vers le buffet et l'ouvrit. Il compta trois assiettes et allait fermer le meuble lorsqu'il vit de la belle vaisselle sur l'étagère du haut. Il hésita, considérant les assiettes de grès qu'il tenait puis la nappe. Pour finir, il opta pour le service de porcelaine au décor chinois. Mais il se demanda soudain combien il devait mettre de couverts.

– Elle te plaît, non?

Duncan se remit à se balancer, ce qui produisit un craquement de bois.

– Père...

– Je ne t'ai jamais posé la question, Coll. Mais je devine que tu n'as jamais pu oublier cette femme...

– Père, bon sang! Elle pourrait nous entendre!

– Parce qu'elle comprend le gaélique maintenant?

– Juste quelques mots que je lui ai appris, mais... Enfin, sans Anna, nous vivrions de l'air du temps. Elle nous offre le gîte et le couvert par pure charité chrétienne. Il ne faut pas s'attendre à... penser que... C'est ridicule!

– Hum... fit Duncan en plissant ses yeux toujours aussi perçants malgré sa vue qui diminuait considérablement depuis quelques années. D'accord, elle adore ta fille et la soigne comme s'il s'agissait de la sienne. Mais je l'ai vue: elle se recoiffe et remet de l'ordre dans sa tenue dès qu'elle entend la porte de la remise se refermer le soir, juste avant que tu rentres pour le souper.

– C'est une femme. Elle est coquette, c'est tout!

– Et ce souper qu'elle prépare depuis l'aube et qui me fait saliver depuis des heures? C'est pour Anna peut-être?

Coll avait sorti le coffre dans lequel Madeleine rangeait les couverts. Il regardait sans vraiment les voir les couteaux qui étincelaient dans sa main. Son père semblait avoir beaucoup observé et analysé. Se pouvait-il qu'il eût raison?

– J'ai trouvé un travail qui m'aidera à subvenir aux besoins de ma fille. C'était l'entente. Je partirai dans deux jours. Anna et toi pourrez rester ici le temps que je trouve une nourrice et un endroit pour vivre. Ensuite, Madeleine sera libérée de notre encombrante présence.

– Et tu lui as demandé son avis, à elle? Peut-être qu'elle ne te trouve pas aussi encombrant que tu le crois, Coll! Elle vit seule et ne peut de toute évidence pas faire tout le travail que requiert cette propriété.

– Elle est bien arrivée à se débrouiller seule pendant toutes ces années. Elle n'a pas besoin de moi.

– Vraiment?

– Père! Que voulez-vous que je fasse?

– Épouse-la.

– Quoi?!

Duncan ne dit rien de plus. Coll, abasourdi, laissa les couteaux tomber bruyamment dans les assiettes. Madeleine apparut dans l'embrasure de la porte avec la petite dans les bras.

– Tout va bien?

Elle avait l'air inquiète, mais fut rapidement soulagée en voyant qu'il n'y avait pas de dégâts. Coll la dévisagea en hochant lentement et silencieusement la tête. Devant le spectacle de cette femme tenant son enfant, il était soudain bouleversé. Son cœur se mit à battre la chamade. Et si son père avait raison?

Sur la belle nappe de toile de Mesly, que Madeleine avait héritée de sa mère, brillaient de superbes chandeliers d'argent, cadeau de mariage de l'oncle Charles-Hubert. Une magnifique soupière de faïence française représentant un énorme artichaut et offerte par Isabelle trônait également, dépoussiérée pour l'occasion. Enfin, un bol de faïence de Moustier décoré de motifs animaliers bleus contenait du sel gris laborieusement broyé, le blanc étant trop cher. Autrefois muni d'un couvercle, cet héritage venant de la grand-mère maternelle servait habituellement pour les pots-pourris.

Attablée devant son assiette qu'elle venait d'essuyer avec un morceau de pain, Madeleine vida son verre de vin. Duncan Macdonald, qui avait repoussé son banc, sortait sa pipe de sa poche et une poignée de tabac de sa blague. Malgré la croûte un peu trop cuite du pâté, le repas avait été délicieux et les hommes lui avaient fait honneur. Replaçant nerveusement une mèche dorée sous son bonnet, la femme demanda si quelqu'un voulait du café. Avait-elle de l'eau-de-vie? Bien sûr...

Elle se leva et vacilla un peu sur ses jambes. L'effet de légèreté lui était cependant agréable. Pivotant sur ses talons, elle fut saisie de vertige et dut se raccrocher au bord de la table. Coll vint à son secours en l'attrapant par le coude. Le contact se prolongea, troublant. Puis, l'homme la lâcha doucement, laissant sa main glisser délicatement sur son avant-bras. Elle frémit, emplie d'un étrange émoi.

Scrutant les traits de la femme, Duncan étudia sa réaction. Puis il observa le visage de son fils, comme il l'avait fait tout au long du repas. Il ne pouvait se tromper. Ayant terminé de bourrer sa pipe, il attrapa sa canne, se leva et, dans un français encore hésitant, annonça :

– Tour dehors... fumer... Hum?

– Et votre verre d'eau-de-vie?

– *Dinna mind it, a laochag*[112], répondit-il en balayant l'air de sa canne pour lui faire comprendre le sens de ses mots.

Puis, il se tourna vers Coll :

– *Cha mhise cho dall ri damh anns a' cheò, a mhic. 'S e deagh bhoireannach a th'innte. 'S e deagh bhean-taighe a bhios innte*[113].

– *Seadh, seadh! Tha mi tuigsinn*[114]*!*

– *Bidh mi fadalach, gun téid e math leat*[115]*!*

– Voulez-vous que nous vous accompagnions, monsieur Macdonald?

– Non, merci.

Duncan sortit, refermant la porte derrière lui. Un silence trouble retomba sur les deux jeunes gens. Croyant avoir dit quelque chose qui avait blessé le père Macdonald et provoqué son départ, Madeleine se tourna vers Coll. L'Écossais semblait embarrassé et soucieux.

– Qu'y a-t-il? Ai-je dit ou fait une bêtise?

– Non! Il... a trop mangé, je le crains. Un peu d'air lui fera du bien. Il reviendra plus tard.

– Ah! Pendant un moment, j'ai cru... C'est que je désirais uniquement vous faire plaisir...

Elle se tut, soudain gênée sous le regard clair qui la détaillait.

– Nous vous en remercions. Le repas était délicieux. Ne vous en faites pas. Mon père vous aime beaucoup.

Jouant avec les miettes de pain qui parsemaient la nappe, Coll dévisagea longuement Madeleine. Son cœur tambourinait dans sa cage thoracique. Comment pouvait-il aborder le sujet sans qu'elle prenne ses jambes à son cou? Mille phrases surgissaient dans son esprit, se mélangeaient dans sa bouche, s'évaporaient sur ses lèvres. Il n'y arriverait pas. Sentant le besoin de mettre fin au malaise qui grandissait, Madeleine fit un petit sourire et lança :

112. Oublie ça, ma fille.

113. Je ne suis pas aussi aveugle qu'un bœuf dans la brume, mon fils. C'est une femme bien. Elle fera une bonne épouse.

114. Ça va! J'ai compris!

115. Je rentrerai tard, bonne chance!

– Vraiment, il m'aime bien?! Je croyais que... Et vous?

Aussitôt, elle regretta sa question et rougit violemment. Elle se pencha pour empiler les assiettes sales.

– Oh! N'imaginez pas que...

La grande main rugueuse de Coll enveloppa la sienne, qui tenait une fourchette.

– *Sae do I, madam* Madeleine, répondit gravement l'homme. Tout ce que je... souhaite, c'est que... vous pensiez la même chose de moi.

Fixant leurs deux mains soudées, Madeleine laissa échapper une faible plainte. La pression se relâcha, et l'ustensile tomba sur la nappe en tintant. Elle serait restée des heures entières comme ça, sa main sous celle de Coll, sous sa chaleur. Les émotions remuaient son cœur; les mots se bousculaient dans sa tête. Devait-elle se draper de vertu et s'en aller, ou bien laisser libre cours à ses sens qui la poussaient vers lui?

– Elle vous ressemblait un peu...

– Qui ça?

Elle leva les yeux vers lui.

– Ma femme, Peggy.

Elle le dévisagea en inclinant légèrement la tête, sans répondre.

– Excusez-moi si je vous parle d'elle. Peggy était une femme charmante et sensible... *madam* Madeleine... comme vous. C'est stupide, je sais... En fait, je voudrais vous dire... que, depuis mon retour en Écosse, je n'ai jamais pu vous oublier complètement.

Madeleine restant muette, il hésitait à continuer. L'épiant du coin de l'œil, essayant d'interpréter les changements d'expression de son visage, il attendait. De toute façon, il ne pouvait plus faire marche arrière maintenant. Soit il se déclarait, soit il partait définitivement. Enfin, elle ouvrit la bouche:

– Moi? Mais j'avais tout fait pour vous être désagréable!

– Vous souffriez... et je le comprenais.

– Oh oui! Ça oui!

Elle baissa les paupières en soupirant. Une douleur diffuse qui s'était atténuée avec les années se réveillait en elle. Parfois, elle songeait que cette douleur ne l'habitait plus que pour lui rappeler qu'elle avait un jour aimé. Les souvenirs de son amour perdu lui revenaient par bribes, de temps en temps. Lorsqu'elle n'arrivait plus à se rappeler un fait, un moment précis, elle était prise de panique. Elle se rendait compte qu'elle se détachait peu à peu de son Julien et en était terrifiée.

L'arrivée des Macdonald chez elle, dans sa vie, avait donné un coup de fouet à sa mémoire. Les souvenirs la happaient sans la prévenir, au détour de la laiterie, au sortir de l'étable, quand Coll traversait son champ de vision... Désemparée, contrariée par ce qui naissait en elle et qui ensevelissait son ancien amour, elle se précipitait vers Anna et épanchait son affection sur elle. Elle ne pouvait reconnaître, accepter d'autres émotions dans son cœur que la tendresse.

—J'ai ben souffert! Pis longtemps! Et pour être franche, vous revoir sur la place du Marché a réveillé la douleur... a fait ressurgir les souvenirs de la guerre, de la mort de mon mari.

— Et ce soir, *madam*? Quels sont vos sentiments? Suis-je toujours coupable à vos yeux de vos tourments?

— Non, murmura-t-elle, vous ne l'êtes plus, Coll. Comment pourrais-je vous en vouloir pour quelque chose qui date d'il y a huit ans? Comment ai-je pu le faire alors? Nous avons tous, d'une certaine façon, été victimes de cette guerre...

L'espoir gonflait la poitrine de Coll et serrait sa gorge. L'homme affermit sa prise sur la main qu'il retenait toujours prisonnière tout en laissant son regard flotter sur les reflets d'or des boucles qui dépassaient du bonnet empesé. Madeleine avait mis sa plus belle toilette, il aurait pu le jurer. À cet instant même, le basin cramoisi de son casaquin s'assortissait merveilleusement à son teint. Elle ne portait pas de fichu. Il se permit de baisser les yeux sur son décolleté.

Une brise transportant le parfum sucré du jardin pénétrait dans la pièce par la fenêtre restée ouverte en cette tiède soirée d'août. On entendait le bruissement de la clématite qui enlaçait le treillis, ainsi que les stridulations des grillons à la mélodie lénifiante. L'escarpolette suspendue sous le porche grinçait faiblement.

Coll étouffait. Que convenait-il de dire? Une demande en mariage lui paraissait un peu précipitée. Pourtant, s'il n'en tenait qu'à lui... et pour le seul bien de sa fille...

— Merci. Alors, je me demandais si... vous me permettriez de...

— Rester?

Se contemplant mutuellement, ils ne dirent plus rien. Les gestes prirent alors le relais des paroles. D'abord, Coll caressa furtivement le dos de la main qui tremblait puis remonta sur l'avant-bras jusqu'à la saignée du coude, découvrant la peau veloutée de Madeleine. Quel sentiment l'animait vraiment? Le désir? Certainement. Mais encore? L'amour? Il était encore un peu tôt pour le dire. Avec le temps, cela se préciserait...

Madeleine, que l'effroi gagnait, déplaça timidement son bras pour se soustraire à la main qui la faisait pourtant frémir de désir. Elle souhaitait que la petite se réveille, la réclame. Mais elle savait qu'elle dormirait jusqu'à l'aube. Elle attendait le retour du père Macdonald. Mais, étrangement, elle avait le sentiment qu'il n'apparaîtrait pas de sitôt.

Hardie, la main se reposa sur sa peau, là où elle l'avait quittée. Bouleversée, Madeleine leva les yeux vers les prunelles azurées qui la fixaient. Il y avait si longtemps qu'elle n'avait trouvé un homme si beau. Elle s'attendrit de voir les joues rosir et eut la subite envie de les caresser, d'y apposer ses lèvres pour sentir la rudesse du chaume doré qui les recouvrait.

– Si c'est ce que vous voulez, *madam* Madeleine, je ne partirai pas pour Vincennes.

Elle hocha la tête silencieusement. Sans qu'elle sût comment, leurs mains s'étaient retrouvées, leurs doigts s'enchevêtraient. Prudemment, lentement, Coll l'attira à lui. Il ne voulait pas l'effaroucher. Ils étaient maintenant face à face, debout. Il se pencha; elle baissa la tête pour fuir la bouche qui la cherchait. La nuque s'offrit à lui, tendre et crémeuse sous les mèches folles qui la balayaient. Il l'embrassa doucement, l'effleura du bout des lèvres. Elle gémit faiblement.

Lorsqu'elle releva enfin son visage vers lui, il la trouva si pâle qu'il la crut mal. Ses beaux yeux verts, un peu égarés, brillaient de larmes.

– Pardon...

Il s'écarta. Mais la main restait soudée à la sienne et le regard ne cachait rien du tumulte intérieur de la femme.

– *Madam* Madeleine...

– Tout le monde m'appelle Mado.

– Pour moi, ce sera Maddy...

Elle esquissa un doux sourire qui le ragaillardit. Coll revit alors, jaillie du fond de sa mémoire, l'image d'une grande furie le rouant de coups, l'abreuvant d'injures, lui crachant sa haine... C'était un soir de l'hiver 1760. Si ce jour-là on lui avait dit que la même femme finirait dans ses bras, il aurait ri. Suffoquant d'enivrement, il se pencha sur le visage qui se tendait vers lui et qui exprimait un sentiment nouveau. Madeleine ne se déroba pas, cette fois-ci, mais accueillit la caresse de ses lèvres sur les siennes avec un plaisir indicible. Tous ses anciens griefs s'envolaient avec la bourrasque qui les emportait, tous les deux.

17

Croix de bois, croix de fer...

Un froissement de feuilles fit dresser la tête à Isabelle. La femme attendit que le bruit se reproduise. Puis, tournant vivement les yeux vers l'endroit d'où il lui semblait être venu, le cœur battant, elle brandit la pelle au-dessus d'elle. Le buisson frémit encore. Elle attendit. Mais rien n'en surgit, comme cela arrivait souvent depuis quelques jours. Elle lâcha alors l'outil et s'empara du fusil de chasse qu'elle gardait toujours avec elle depuis la visite de Lavigueur. On n'avait pas revu l'homme rôder autour de Red River Hill et personne ne l'avait aperçu à la mission de Deux-Montagnes. Mais Isabelle gardait l'œil et tendait l'oreille. Elle sentait des yeux constamment braqués sur elle dans les bois, épiant ses moindres gestes.

Cinq longues minutes s'égrenèrent encore sans que rien ne se produisît. Elle n'entendait que le caquètement des poules et le chant des oiseaux. Enfin, elle baissa les bras et reposa prudemment son arme à ses pieds, la troquant pour la pelle. Cela devenait une habitude...

– Maman! Maman!

– Gaby! Gaaaby! Où es-tu?

De nouveau affolée, elle reprit le fusil et pivota sur ses talons.

– Ici, maman.

Gabriel surgit du buisson qui avait bougé un peu plus tôt. Soulagée, Isabelle, qui avait retenu sa respiration, expulsa d'un coup son air.

– Viens ici. Que faisais-tu là? Tu m'as flanqué une de ces peurs! J'aurais pu te tirer dessus! Ne refais plus jamais ça! JAMAIS!

La lippe tordue en une grimace contrite, son fils, n'osant plus bouger, baissa les yeux sur le fusil.

– Maman...

Se rendant compte qu'elle pointait l'arme sur son fils, Isabelle la laissa tomber sur le sol. Puis, faisant un pas, elle prit Gabriel dans ses bras.

– Je suis désolée, mon Gaby. J'ai eu peur... qu'un ours...

– Mais, maman, les ours ne s'approchent pas de la cabane en plein jour, tu le sais bien!

– Je sais, je sais! Mais... enfin... D'abord, pourquoi criais-tu?

– J'ai trouvé Bandit. Il est tout bizarre.

– Qu'est-ce qu'il a encore, ton raton?

– Il veut plus jouer avec nous. Il reste couché sous la grosse souche et il grogne quand on l'approche.

– Il a peut-être faim... Voilà plus d'une semaine qu'on ne le voit plus.

– Je lui ai donné un morceau de pomme et des carottes, mais il en veut pas.

– C'est qu'il doit être malade alors. Laisse-le se reposer. Il ira mieux dans quelques jours. Euh... où est Otemin?

– Elle est restée avec Bandit. Nous avons trouvé un nid de fourmis plein de riz. Tu savais que les fourmis mangeaient du riz, maman? Mais il a un drôle de goût...

– Du riz?

– Ben oui! Tu sais, les petits grains blancs qui ressemblent à de petits vers mais qui grouillent pas et qui poussent dans les pays où les gens ont des yeux comme ça?

Il étira les coins de ses yeux vers ses tempes.

– Les fourmis ne mangent pas de riz, mon Gaby... Oh, juste ciel! J'espère que tu n'as pas mangé d'œufs de fourmis! s'écria Isabelle, soudain dégoûtée.

– Des... œufs? Tu veux dire que les grains blancs, c'était pas du riz? J'ai mangé des œufs de fourmis? Des bébés fourmis?

Gabriel, tout pâle, porta une main à son ventre et l'autre à sa bouche tout en regardant sa mère avec horreur. Puis, ses yeux s'agrandirent d'épouvante.

– Je vais avoir des bébés fourmis dans mon ventre! Maman! Je vais avoir le ventre tout plein de fourmis qui vont me dévorer! Sors les fourmis de moi avant qu'elles me mangent, maman!

Isabelle caressa la tête de son fils, dont les yeux s'emplissaient de larmes.

– Voyons, Gabriel, il n'y aura pas de fourmis dans ton ventre. Tu as déjà mangé des fourmis quand tu étais petit, et tu vois, tu es en parfaite santé! Les fourmis, c'est pas du poison. Cependant, je dois dire que je ne les trouve pas très appétissantes.

Sceptique, l'enfant plissait le nez en reniflant.

– Tu es certaine qu'elles ne vont pas me manger? J'ai l'impression de les sentir grouiller là-dedans. Ça me chatouille!

– C'est le fruit de ton imagination, rien de plus. Je te le jure.

– Croix de bois, croix de fer?

– Si je mens, je vais en enfer. Ça te va comme ça?

Gabriel hocha la tête, tout en restant bien attentif au moindre borborygme venant de ses entrailles. Isabelle, repensant à Lavigueur, lança un regard autour d'eux.

– As-tu vu des gens rôder dans les alentours aujourd'hui, Gaby?

– Non. J'ai juste vu une mouffette qui fouillait l'endroit où on brûle les déchets. Je m'en suis pas approché, comme papa Alex m'a dit.

– Saleté de charognard!

Elle en avait assez de ces bêtes nuisibles qui empestaient. Un des chiens avait été copieusement parfumé la semaine dernière, et elle craignait toujours que Gabriel, Alexander ou elle-même se fassent surprendre et arroser.

– C'est quoi, un charognard?

– C'est un animal qui se nourrit de viandes pourries et de déchets.

Gabriel réfléchit en fronçant les sourcils.

– Ça veut dire que Bandit est un charognard, vu qu'il mange des déchets de table?

– Euh... eh bien, en quelque sorte.

– Beurk! Il va être malade s'il mange de la viande pourrite! C'est peut-être pour ça qu'il ne veut plus bouger!

– On dit «pourrie», pas «pourrite».

– Otemin dit «pourrite» et sa maman la gronde pas.

Isabelle poussa un soupir d'exaspération en se redressant et en essuyant son front moite.

– Bandit ne se nourrit pas de restes en état de décomposition. Nous le nourrissons assez bien pour lui éviter cela. Tu n'as rien à craindre pour sa santé.

– Mais tu m'as dit qu'il était malade?

– C'est une supposition... Reste autour de la maison, s'il te plaît.

– D'accord!

Le garçonnet rajusta sa culotte en un geste imitant son père. Au moment où il tournait les talons, sa mère l'appela encore.

– Si tu as besoin de quelque chose, va trouver Mikwanikwe. Je dois nourrir ta sœur et j'ai beaucoup à faire à la cuisine.

— D'accord, maman!

Il s'élança, gambadant tel un jeune faon entre les choux pommés et les feuillages vaporeux des carottes. Brusquement, il s'arrêta et trébucha dans un sillon de terre.

— Dis, maman, quand est-ce que Zabeth sera assez grande pour jouer avec Otemin et moi?

— Oh! s'exclama Isabelle en riant, il faudra attendre encore bien des jours et des semaines avant qu'elle puisse vous suivre! Pour le moment, elle doit dormir et manger pour grandir, avant de pouvoir marcher et parler.

— Et ses cheveux? Quand est-ce qu'ils vont pousser?

— Mais elle en a déjà beaucoup, tu ne trouves pas? Ils sont tout frisés, comme les tiens quand tu es né.

— Mais moi, je suis un garçon. Les filles, ça a des cheveux longs! Zabeth... eh bien... elle a pas l'air d'une fille.

— Tu ne la trouves pas jolie?

Gabriel resta un moment silencieux.

— Elle est toute fripée et elle a une grosse tête.

— C'est un bébé. Tu te souviens de Duglas? Il était comme ça à sa naissance, et tu vois combien il a changé! Il grandit, comme toi tu continues de le faire.

— Hum...

Le petit garçon haussa les épaules et se remit en route. Récupérant sa pelle, Isabelle le regarda partir d'un œil attendri avant de se remettre au travail. Après en avoir fini avec les poireaux, elle ramassa son arme et se dirigea vers la cabane.

— *... tu as le cœur à rire, moi, je l'ai à pleurer!...* chantonnait Isabelle en épluchant son troisième oignon. *J'ai perdu mon ami sans l'avoir mérité...*

L'odeur du pain cuit la faisait saliver. Les hommes avaient construit un four à pain derrière la cabane au début de l'été. Cela leur permettait de cuisiner autre chose que de la bannique et des galettes. Déposant son couteau, la femme s'essuya les mains sur son tablier, renifla et ferma les paupières pour soulager ses yeux en feu.

— Oh! Je déteste éplucher des oignons! grogna-t-elle en lorgnant la montre d'Alexander posée sur la table de travail. Le pain doit être suffisamment doré.

Avant d'aller sortir les miches, elle se pencha au-dessus du berceau, où dormait sa petite Élisabeth.

— Tu sais que tu ressembles à un ange, toi, quand tu dors?

Admirant les cheveux frisés du bébé, Isabelle pensa au moment de sa délivrance. Si Gabriel s'était accroché à ses entrailles, la faisant souffrir le martyre, Élisabeth, elle, avait démontré un désir ardent de découvrir le monde et ses merveilles. Isabelle avait senti les premières douleurs lors d'une randonnée sur le bord de l'étang, avec les enfants qui chassaient les têtards. Le temps qu'elle se rende à la cabane de Mikwanikwe - plus proche que la sienne -, la poche des eaux avait crevé. Quatre heures plus tard, la petite était expulsée et hurlait.

– Hum... Cependant, j'imagine déjà tout ce que cette jolie petite tête va manigancer! Tu m'en promets de bonnes, j'en suis sûre!

La porte s'ouvrit toute grande et la haute silhouette d'Alexander apparut dans un faisceau lumineux. Isabelle s'élança.

– Ah! Vous êtes déjà de retour de la mission! Qu'est-ce que c'est?

Alexander lui tendait un gros paquet enveloppé dans de la toile cirée. Il sourit d'un air étrange.

– Un trésor!

– Un trésor?

Perplexe mais joyeuse, la femme palpa le paquet.

– Hé! Tu vas tout abîmer! Il y a là du beurre, du sucre, de la cannelle...

– Oh, du beurre! Et ça? C'est dur. On dirait le goulot d'une bouteille...

– Je nous ai déniché une bouteille de vin!

– Un bordeaux?

– Non, ce n'est pas un vin français, *a ghràidh*, mais un vin d'Espagne qu'on m'a dit aussi divin qu'un baiser d'Émeline.

– Un baiser d'Émeline?

Alexander se pencha sur sa compagne avec un air moqueur.

– Eh bien, c'est ce qu'on m'a assuré! Et ayant vu cette Émeline en question... Cependant, je suis certain que ses baisers ne sont rien comparés aux tiens...

Il l'embrassa doucement, puis, s'écartant, huma l'air qui embaumait.

– Que nous prépares-tu de bon?

– Du pain, répondit-elle en déballant le paquet. J'avais justement envie de mordre dans une bonne tartine beurrée!

Elle sortit le petit morceau de beurre, le manipulant avec autant de soin et d'admiration que si cela avait été une barre d'or pur. Voyant son visage s'illuminer de joie, Alexander se rappela qu'Isabelle pouvait s'extasier comme une enfant devant un rien... Un rien?

Contrairement à ce qu'il avait craint, le luxe n'avait pas corrompu le cœur innocent qu'il avait découvert à Québec. Si Isabelle avait mûri à travers les épreuves, elle ne s'était pas aigrie ni endurcie. Elle s'émerveillait devant une envolée d'oies, s'esclaffait devant les grimaces d'Élisabeth, s'émouvait lorsque Gabriel lui offrait un coléoptère chatoyant pour le piquer à son bonnet en guise de bijou... Mais, après tout, toutes ces petites joies n'étaient pas rien.

Gonflé de bonheur, Alexander contempla la femme d'un regard tendre et s'approcha d'elle. Elle venait de planter son index dans le beurre pour le porter à sa bouche.

– Hum... fit-elle en fermant les yeux. Il est tout frais! Il y a si longtemps...

– Hum... fit-il contre son oreille en l'enlaçant par-derrière. Il y a si longtemps... que nous n'avons eu quelques minutes rien que pour nous. On entre dans cette maison comme dans un moulin... En parlant de moulin... cela ne te donne pas d'idées?

– Alex! Zabeth est dans son berceau et...

– Elle dort. Quant à Gabriel, il s'amuse avec Otemin et a pour ordre de ne pas te déranger à ce qu'il m'a dit. Il m'a prévenu que je risquais moi-même un coup de balai si je pointais le nez dans la cabane.

Pivotant entre les bras d'Alexander, Isabelle leva son visage.

– Et mon souper? murmura-t-elle avec un petit sourire.

– Si nous commencions par le dessert?

Il posa le beurre et fit basculer la femme sur la table.

– Coquin!

– Hum... grogna-t-il en enfouissant le nez dans le décolleté. Qu'y a-t-il au menu, *a ghràidh*?

– Eh bien... les poules nous ont donné deux œufs ce matin... Avec les trois que j'ai gardés depuis le début de la semaine... je devrais pouvoir faire un flan au caramel... Oh! s'écria-t-elle en sentant les lèvres d'Alexander glisser entre ses seins. Je pourrais aussi... faire des petits gâteaux aux bleuets et aux noix... Marie est partie faire une cueillette avec Francis... Nous pourrions garder les œufs pour le petit-déjeuner de demain.

– Un flanc bien crémeux... velouté... c'est ce que je veux... décréta-t-il en embrassant la poitrine puis en remontant jusqu'à la gorge et à la bouche. De toute façon, si Francis accompagne Marie... la récolte risque d'être bien maigre...

– Oui... souffla-t-elle, je suppose que tu as raison. Toutefois, pour un flan, il me faut... huit œufs...

– Eh bien, mets-y moins de lait... chuchota-t-il à son oreille.

– Peut-être, mais… Alex, gémit-elle tandis qu'il plongeait sa langue dans son cou.

Isabelle respirait bruyamment. Alexander enfouit sa main sous ses jupes et remonta le long de ses jambes. Elle tressaillit lorsque la main téméraire s'immisça entre ses cuisses; elle s'arqua dans un mouvement langoureux.

– Alors… poursuivit-elle en s'agrippant au col de la chemise de son compagnon, il n'y en aura pas… pour tout le monde.

– Hum… en effet.

Isabelle poussa un cri étouffé. Avec détermination, Alexander la prit là, sur la table. Quelques secondes plus tard, s'écroulant sur elle, il lui souffla à l'oreille:

– Pour le dessert, *a ghràidh,* ne t'en fais pas. J'ai eu la meilleure part.

Le bonnet de guingois, le corsage ouvert, les jupes retroussées, Isabelle pouffa de rire en repoussant l'homme.

– Glouton, goinfre!

– N'êtes-vous point gourmande vous-même, madame Macdonald?

– Gourmande, moi? se récria-t-elle tandis que les dernières paroles d'Alexander faisaient leur chemin dans son cerveau encore engourdi par l'ivresse des sens. Je ne suis pas… Mais… que viens-tu de dire?

– Que tu es gourmande!

– Non, après cela! Comment m'as-tu appelée?

Elle se souleva sur ses coudes pour mieux le dévisager.

– Madame Macdonald.

Elle fronça les sourcils en étudiant le visage barré d'un large sourire. Se moquait-il d'elle ou lui adressait-il une demande en mariage? S'ils vivaient comme mari et femme depuis plusieurs mois, ils n'étaient pas mariés aux yeux des hommes. Pour le bien des enfants… Elle attendit. Malheureusement, il ne continua pas. Elle était profondément déçue.

– Pour toi, je le suis sans doute. Mais je te ferai remarquer que nous sommes bien loin de l'Écosse. Ici, pour être valables, les serments doivent être…

– … sur un document que les deux parties sont obligés de signer. Il s'agit d'un contrat. J'ai bien retenu ta leçon!

– Tu n'es pas drôle! Tu te moques de moi, Alex!

Elle se dégagea. Il la prit par les épaules et la retint avec fermeté.

– Je suis sérieux, Isabelle.

– Oui, bien sûr! Et c'est Munro qui dirigera la cérémonie? Je suppose que tu as déjà pensé à une date!

– J'ai effectivement pensé au 23 septembre...

Il fouilla dans sa poche, puis lui tendit une enveloppe froissée.

– Qu'est-ce que c'est?

– Une copie du contrat... enfin, cela reste officieux jusqu'à ce que tu signes. J'ai pris sur moi de faire rédiger un texte juridique par l'homme de loi de la mission. Il ne manque plus que ta signature et celles de nos témoins. Si tu le désires, cela va de soi! Je voulais attendre la fin du souper pour t'en parler... Mais ce moment-ci n'est pas mal non plus.

L'idée du mariage lui était venue comme ça, alors qu'il passait devant la chapelle d'où sortaient justement deux nouveaux épousés. La période de deuil d'Isabelle était terminée et Élisabeth n'avait pas officiellement de père... De plus, il ne pouvait adopter Gabriel sans passer par là.

Isabelle leva des yeux humides vers lui.

– Oh, Alex! Bien sûr que c'est ce que je veux! Pourquoi ne pas m'en avoir parlé avant? Quelqu'un d'autre est-il au courant?

– Non. J'attendais de connaître ta décision avant de l'annoncer. Je ne savais pas si la petite chapelle de la mission te conviendrait...

– Le 23 septembre... Mais, c'est dans trois semaines! Je n'ai pas de robe convenable et... Bon sang, Alex! Je n'ai pas mis les pieds dans une église depuis mon départ de Montréal! Gabriel est prêt pour sa première communion et Élisabeth doit être baptisée! Nous avons déjà trop attendu pour cela! Je dois me confesser et...

Isabelle était soudain prise de panique. Alexander essaya de la calmer un peu.

– D'accord, d'accord! Ne t'inquiète pas! Tu verras le prêtre avant la cérémonie et nous ferons baptiser la petite. Pour la première communion de Gabriel, est-ce que cela ne peut pas attendre encore un peu?

– Pas plus tard que Noël, Alex. Et je veux que cela se passe à l'église Notre-Dame.

S'assombrissant, il hocha silencieusement la tête. Il ne souhaitait pas aborder maintenant le sujet épineux qu'était leur départ de Red River Hill. La perspective de devoir quitter l'endroit l'angoissait au plus haut point et lui ôtait toute volonté de respecter la promesse qu'il avait faite au début de l'été. Après avoir vécu tant d'années dans la nature sauvage où les seuls principes étaient ceux de la survie, il se demandait comment il arriverait à s'intégrer à cette civilisation qu'était le monde d'Isabelle.

La femme avait accepté de laisser s'écouler encore un été complet pour permettre à Alexander d'accumuler le plus de peaux possible. Ensuite, ils retourneraient à Montréal où ils s'installeraient temporairement dans la maison de la rue Saint-Gabriel, le temps de trouver quelque chose d'autre. C'était l'entente. Or les premiers jours de septembre étaient déjà là. Isabelle avait attendu, comme convenu. Il devait maintenant respecter sa parole.

– Alors... ce sera pour le meilleur de moi et le pire de toi! lui chuchota-t-elle, taquine, dans l'oreille en se hissant sur la pointe des pieds pour l'embrasser.

– Oui... Que le meilleur de l'un apprivoise le pire de l'autre, répondit-il en lui ceignant la taille.

Le geignement d'Élisabeth mit fin à leur conversation. Se dégageant avec célérité des bras d'Alexander, Isabelle se dirigeait vers le berceau qui oscillait lorsqu'une odeur de brûlé lui piqua les narines. Tout en prenant sa fille, elle pensa que Munro avait allumé bien tôt le feu du soir. Puis, un filet de fumée grise qui entrait par la fenêtre lui rappela brusquement ce qu'elle faisait cuire dehors.

– Mon pain!

Surprise par l'éclat de voix, l'enfant se mit à pleurer. Tout à son affolement, Isabelle la confia à son père et sortit de la cabane en courant. Elle retira la planche qui bloquait l'entrée du four et plongea la spatule de bois au milieu de la fumée qui sortait pour récupérer sa fournée. La première miche était aussi noire que du charbon. La deuxième ne semblait guère plus comestible. Cependant, la troisième, bien qu'elle fût légèrement brûlée, pourrait être consommée si on grattait la croûte. Mince consolation.

– Batinse!

Debout devant la cabane, Alexander, les dents serrées, berçait la petite Élisabeth qui jouait maintenant avec un hochet de cuir rempli de pois secs. Voyant la bonne humeur d'Isabelle s'envoler avec la fumée grise qui s'échappait du four dans les dernières lueurs du jour, il soupira. La lettre qu'il avait rapportée pour elle de la mission pourrait bien attendre au lendemain. Les nouvelles de la civilisation la rendaient toujours morose... Il ne voulait pas ajouter à son désenchantement.

Tournant la tête vers l'ouest qui s'enflammait, il s'absorba pendant un moment de la beauté du paysage. Il allait pivoter sur ses talons pour rentrer dans la cabane lorsqu'il vit une silhouette émerger des bois. Son premier réflexe fut de penser au fusil. Mais il n'osait poser Élisabeth par terre. Il observa scrupuleusement l'homme qui avançait. D'après la stature et la démarche, il ne s'agissait pas de Lavigueur. Il plissa les yeux.

– Nonyacha?

Le repas qu'ils partagèrent avec l'ami wyandot d'Alexander fut gai et léger. Cependant, Nonyacha était un homme mystérieux et peu prolixe. À plusieurs reprises, Isabelle avait surpris sur elle son regard noir qui la détaillait avec une certaine froideur. Bien qu'elle fût tout à son nouveau bonheur et qu'elle eût l'esprit occupé à imaginer comment elle remodèlerait sa plus belle robe pour son mariage et comment elle habillerait ses enfants, elle n'y avait pas été insensible.

Au centre de la table trônaient, côte à côte dans une assiette, les carcasses de deux perdrix rôties. Tout en dégustant sa troisième tartine au beurre, Isabelle contemplait le motif des pièces du service de porcelaine de Worcester et rêvait. Les deux hommes, de leur côté, discutaient de la valeur d'échange des fourrures et du cours des valeurs monétaires.

– ... les Anglais cherchent à liquider les valeurs françaises, c'est évident, affirmait Nonyacha, les coudes sur la table. Sinon, pourquoi les surévalueraient-ils?

– Cela ne durera pas, répondit Alexander en se frottant le menton, songeur.

Remarquant la lueur qui faisait étinceler ses yeux, Isabelle, intriguée, redescendit de son nuage et porta discrètement son attention sur la discussion.

– Cela durera tant qu'il restera des couronnes et des dollars de l'ancien régime dans les bourses. Or, à 1,25 penny au-dessus de leur valeur réelle, les couronnes ne tarderont pas à disparaître dans les bourses de nos maîtres anglais. Le louis d'or, lui, est surévalué de près de 2,5 pence!

– Tu te trompes, Nonyacha. Si les Anglais veulent faire sortir les devises françaises des bourses en les surévaluant, c'est sans doute pour établir un nouveau système monétaire. Que feraient-ils de tous ces écus, couronnes et louis sur le marché européen où leur valeur est moindre? Non, je pense qu'ils veulent donner un nouveau souffle à l'économie. Avec les treize colonies du Sud qui ne cessent de prendre de l'expansion et la Louisiane qui est en plein essor, ils ont grandement besoin de liquidités. L'armée coûte cher à l'empire. C'est un vrai gouffre financier...

Alexander se tut, soudain obsédé par la dernière information que lui avait donnée Nonyacha: le louis d'or valait 2,5 pence de plus par rapport à la guinée[116] anglaise... Bon Dieu! À combien se montait aujourd'hui le trésor du Hollandais? Depuis quelques jours,

---

116. Ancienne monnaie anglaise valant 21 shillings, soit une livre et un shilling.

il ne cessait de penser qu'il pourrait s'en servir pour offrir à Isabelle le confort dont elle avait naguère profité... Il avait bien accumulé près de mille deux cents livres et en obtiendrait certainement trois cents de plus avec son prochain chargement de fourrures. Cependant, il était encore loin des cinq mille nécessaires. L'envie de prendre cet argent qui ne lui appartenait pas s'emparait de lui, s'enroulait progressivement, l'air de rien, autour de sa bonne foi, qu'elle allait finir par étouffer.

Saisissant brusquement la bouteille de vin, il la retourna au-dessus de son verre. Puis, faisant une grimace, il la reposa bruyamment sur la table en grognant.

– *Och! Always empty!* Viens avec moi, l'ami! Munro doit bien avoir quelque chose à nous faire goûter. Il faut fêter nos retrouvailles, non?

Il repoussa son banc. Puis, se tournant vers Isabelle qui se levait en même temps que Nonyacha et lui, il lui affirma, sur un ton qui laissait percer certaines espérances:

– Je ne rentrerai pas trop tard, *a ghràidh.*

Sa compagne lui fit un sourire complice.

– De toute façon, je dois tout ranger et m'occuper d'Élisabeth, qui ne va pas tarder à me réclamer. Peux-tu m'envoyer Gaby pour que je le mette au lit?

Alexander se pencha pour l'embrasser sur la joue. Le geste la fit réagir. La main sur sa peau encore humide, elle fronça les sourcils avec perplexité. Curieux! Alexander n'avait pas pour habitude de s'encombrer des convenances devant des inconnus. Tandis que les deux hommes sortaient, elle se mit à empiler les assiettes, pensive.

Après avoir changé sa fille, l'avoir emmaillotée bien serré et l'avoir déposée dans son berceau, elle retira son tablier et se nettoya. Examinant de près le morceau de savon fabriqué avec le suif de la pauvre Géraldine, elle vit qu'un coin avait été grignoté.

– Ces bon Dieu de souris! Si elles croient que je tiens une auberge pour rongeurs, elles se trompent!

Elle rangea le savon dans la boîte de fer tout en se promettant d'installer des pièges dès le lendemain. Puis elle remplit le coquemar d'eau et le posa sur la grille du feu. Elle méritait bien une infusion pour se détendre. Elle passait en revue les herbes séchées du jardin qu'elle avait là: thym, sauge, marjolaine, menthe, camomille... La camomille était tout indiquée pour ses états d'âme. Mais elle ajouterait bien aussi de la mélisse, dont elle aimait le goût citronné.

Elle garnit le fond de la théière de faïence d'une poignée de fleurs de camomille séchées. Puis, après avoir jeté un œil sur le berceau où dormait paisiblement la petite Élisabeth, elle sortit pour aller cueillir de la mélisse au jardin. Le ciel s'était rapidement obscurci, et elle avançait à tâtons et de mémoire. Reniflant les plantes après les avoir effleurées, elle finit par trouver ce qu'elle cherchait. Elle huma le parfum de la mélisse tout en se levant.

– Ce sera parfait!

Enjambant le rang de haricots, elle allait prendre le chemin du retour lorsqu'un bruit la figea. Son cœur se mit à battre rapidement. Par réflexe, elle se pencha pour ramasser le fusil, mais se rendit compte qu'elle l'avait laissé dans la cabane.

– Qui va là? demanda-t-elle, prête à fuir en hurlant.

– C'est moi... lui répondit une petite voix dans le noir.

Elle poussa un profond soupir de soulagement, se vidant de la peur qui l'habitait. La silhouette bougea.

– Ah! Juste ciel, c'est toi, Gaby! Tu en as mis du temps! J'attendais justement ton retour. Il me semble qu'il est l'heure de te mettre au lit.

– C'est ce que j'allais faire, maman.

– Où est papa Alex?

– Il était derrière moi, avec Nonyacha, quand je suis parti.

Le petit garçon faisait de grands gestes. Il y eut un grondement sourd.

– C'est toi, Gaby, qui as fait ce bruit?

– Non, c'est Bandit. J'ai réussi à le faire sortir de son trou.

– Je t'avais bien dit qu'il irait mieux. Allez, rentre! Et tâche de bien nettoyer tes oreilles et tes pieds avant de te glisser dans le lit. Marie se plaint que les draps sont couverts de grains de sable.

– Oui, maman...

Gabriel fila vers la cabane, où il s'engouffra. Isabelle se dirigea vers le baril d'eau de pluie pour rincer ses mains souillées de terre avant de rentrer à son tour. Elle entendit soudain la voix d'Alexander et fut soulagée de constater que les deux hommes, calmes, rentraient tôt. Les voix se rapprochaient.

– ... trois jours, je retourne à la rivière du Lièvre, dit Nonyacha.

– Je vois... Vous n'êtes donc pas retournés à Detroit?

– Non. Tsorihia se plaît bien là-bas et Mathias s'est lié d'amitié avec plusieurs chasseurs...

– Elle... va bien?

Le cœur d'Isabelle fit un bond; son sang ne fit qu'un tour: cet homme était une connaissance de la Sauvagesse qui avait tatoué Alexander! Ne voulant pas que les deux hommes la voient, elle s'accroupit dans l'herbe en tendant l'oreille.

– Elle va bien.

Le silence qui suivit emplit Isabelle d'un mélange d'angoisse et de jalousie. Les hommes firent encore quelques pas, puis s'arrêtèrent devant les latrines. Alexander battit son briquet. Une flamme jaillit, éclaira les deux visages qui semblèrent alors ceux de conspirateurs. Chacun tira une bouffée de sa pipe. Puis la voix du visiteur résonna à nouveau, hésitante.

– Elle a un enfant, Alexander... un petit garçon qu'ils ont appelé Joseph Saonaresti. Joseph était le prénom chrétien que notre père avait pris lors de son baptême, juste avant de mourir. Comme tu peux le deviner, Mathias tenait à ce que le bébé soit baptisé.

– Oh! Je suis... heureux pour eux.

Alexander s'éclaircit la gorge. Il était mal à l'aise, à n'en pas douter. Il reprit:

– Il doit avoir environ le même âge que ma fille, je suppose.

– Joseph a eu un an quand les cloches de vos églises ont sonné l'arrivée de la nouvelle année de votre calendrier.

– Tiens, un cadeau de... *Och!* Un an? Tu es certain?

– Il a des reflets roux dans ses cheveux, Alexander. J'ai pensé que tu devais savoir, mon ami.

– Et... qu'en dit Mathias?

– Tsorihia ne lui a jamais caché la vérité. Il est un bon père pour Joseph.

– Oh! Bon sang!

Le silence retomba, lourd. Isabelle en sentit tout le poids; elle n'arrivait plus à respirer. Elle avait envie de mettre ses mains sur ses oreilles et de se sauver à toutes jambes pour ne pas entendre la suite, qu'elle devinait. Mais elle resta là, paralysée dans l'herbe mouillée qui imprégnait sa robe.

Le fourneau incandescent de la pipe d'Alexander allait et venait, s'immobilisant puis reprenant son mouvement. Les deux hommes restèrent silencieux pendant plusieurs minutes. Enfin, l'Écossais brisa le silence, mettant en pièces le cœur d'Isabelle.

– Que dois-je faire, Nonyacha? Si Joseph est... mon fils...

– Tu en doutes?

– Eh bien... s'il a eu un an en janvier... Non. Mais je n'arrive pas à y croire! Je veux dire... après trois années!

– Ma sœur faisait en sorte de ne pas tomber enceinte. Cependant, les herbes ne sont pas infaillibles.

– Quoi?! Mais pourquoi? Elle savait combien je désirais un enfant!

– Tsorihia se doutait qu'un jour ou l'autre tu la quitterais...

– Elle t'a dit ça? C'est ridicule!

– Vraiment? Pourtant, c'est ce que tu as fait, non?

– Mais si elle était tombée enceinte... enfin... je ne sais pas... peut-être que... Pourquoi ne m'a-t-elle rien dit? Elle devait bien connaître son état lorsque je suis revenu de Montréal au printemps dernier?

La pipe d'Alexander s'était immobilisée à quelques pas de celle de Nonyacha. Les deux feux clignotaient comme deux lucioles dans la nuit noire.

– Je n'en sais rien! Moi-même, je ne l'ai su qu'en voyant sa taille changer. C'est à ce moment-là que Mathias a demandé sa main.

Après plusieurs minutes encore, la voix grave de l'Écossais se fit entendre, résonnant douloureusement aux oreilles d'Isabelle.

– Demain, je pars avec toi pour la rivière du Lièvre.

– Je ne crois pas que... ta femme...

– Je vais avec toi! Je *dois* parler à Tsorihia. Je dois... Oh, bon Dieu! Je dois voir ce garçon!

– D'accord. Seulement, n'oublie pas que Joseph est désormais le fils de Mathias Makons.

– Mathias... son père...

Isabelle ne put deviner la pensée d'Alexander sur ce point. La luciole de l'Écossais s'éloigna vers le champ de maïs, précédant celle du Wyandot. Isabelle fixait la rosée qui ornait d'une résille de gouttes cristallines le feuillage dentelé d'une potentille. Elle songea bêtement qu'une telle parure, brodée et sertie de perles de verre, brillerait magnifiquement sur sa robe, le jour de son mariage. Anéantie par ce qu'elle venait d'entendre, elle se redressa et franchit lentement et en trébuchant la distance qui la séparait de la cabane.

Tandis qu'elle refermait la porte derrière elle, elle croisa le regard de Gabriel, qui l'attendait sous les couvertures. Le petit garçon avait maintenant appris à s'endormir seul. Marie se promenait souvent avec Francis, le soir, et rentrait de plus en plus tard. S'efforçant de sourire, la femme s'approcha du lit et vérifia les oreilles et les pieds de son fils avant de le border et de l'embrasser. Elle prit soudain conscience que Gabriel avait un demi-frère, et ne put retenir un sanglot, qu'elle camoufla dans un éternuement factice.

– À tes souhaits, maman, fit la voix ensommeillée du garçon.

– Bonne nuit, mon soleil, chuchota Isabelle en caressant les boucles qui s'étalaient sur l'oreiller. Fais de beaux rêves.

– Hum...

Elle se dirigea vers la cuisine. Là, dépliant ses doigts crispés, elle contempla d'un regard vide les branches de mélisse qui étaient en piteux état.

– Joseph... Demain, il y aura Antoine. Ensuite, ce sera Charles et... combien d'autres? Combien de fils as-tu semés aux quatre vents, Alexander Macdonald? Combien?

La stupeur fit place à une rage froide qui déferla en elle, la submergea. Elle voulut hurler, tout détruire autour d'elle. Laissant la mélisse tomber sur le plancher, se laissant emporter par son élan de fureur, elle s'empara de la théière et la lança contre le mur. La faïence éclata en mille morceaux dans un fracas épouvantable. Gabriel se mit à crier dans son lit.

– Maman! Qu'est-ce qui se passe?

Se ressaisissant d'un coup, elle s'élança vers son fils qui pleurait.

– Je suis désolée de t'avoir fait peur, mon cœur. C'est la théière qui m'a échappé des mains...

– Elle est toute cassée?

– Oui, en mille morceaux, je le crains.

– Oh! Il va falloir en acheter une autre, tu n'en avais qu'une.

– Je sais... Ne t'en fais pas pour ça. Dors, mon soleil.

Serrant son fils contre sa poitrine qui voulait éclater de chagrin, elle se berça avec lui.

Lorsque Alexander poussa la porte de la cabane, la lune avait déjà bien voyagé dans le ciel. Tout était silencieux. Il hésitait à entrer, craignant de trouver Isabelle encore éveillée. Il n'avait pas envie de l'affronter cette nuit. Refermant le battant avec précaution, il examina la pièce avec lassitude. Posée sur le coin de la table, une chandelle éclairait faiblement l'intérieur soigneusement rangé. Isabelle attachait de l'importance à l'ordre des choses. Lui-même se rendait compte qu'il avait besoin de cette stabilité physique pour le sécuriser... surtout quand il avait l'impression que tout lui échappait.

Il fit quelques pas vers la source lumineuse. La flamme vacillait. Il joua avec, songeur. Il allait la souffler lorsque la paume de sa main retint son attention. Il fixa avec curiosité, pendant un moment, le réseau compliqué de sillons qui la creusaient. Il avait un jour tendu cette même main à une gitane, dans un petit hameau des abords de Glasgow. On disait que cette bohémienne savait prédire l'avenir. Qu'avait-il à perdre, sinon une piécette de cuivre?

La femme avait longuement caressé sa paume, comme l'aurait fait une mère. Du bout de ses ongles longs, elle avait survolé les lignes de sa vie. « La main d'un homme est le livre de son destin », avait-elle déclaré. Il avait ri. Puis, voyant son air grave et contrarié, il s'était tu. À la faible lueur d'une chandelle, plissant ses yeux usés, elle s'était penchée sur ce destin et l'avait minutieusement étudié.

« Très curieuse main, très compliquée... Vie longue, mais très compliquée. » Il lui avait demandé des explications, des précisions. Elle avait levé les yeux vers lui, avait secoué la tête de droite à gauche : « Trop compliquée. » Il avait insisté : « Je vous donne trois farthings[117] de plus si vous me racontez mon destin. » Elle avait hésité. Puis, plongeant son regard de nuit dans les mystères de sa vie, elle avait murmuré : « Quand un homme connaît la fin d'un roman, quel intérêt éprouve-t-il à le lire ? »

Curieusement, cette nuit, Alexander avait envie de sauter un chapitre de cette vie tellement compliquée. Un bruit mat lui fit lever les yeux vers le plafond. Il entendit un léger grattement, puis un court trottinement. « Tiens, des locataires qui s'installent pour l'hiver ? » Il eut un petit sourire cynique.

– Doit-on dire que tu rentres très tard ou très tôt ?

Il sursauta, et sa main heurta le chandelier qui faillit choir sur le plancher. Après avoir stabilisé l'objet, il se retourna. Une ombre surgit, comme dans un rêve. Il cligna des yeux. Un ample mouvement fit se déployer le vêtement autour de la silhouette féminine, telle la corolle d'un lys. Il sentit son cœur s'alléger ; il était sous l'emprise de la beauté de l'instant. Les nymphes ne vivaient-elles pas au fond des bois, loin des hommes, dans un monde irréel connu seulement de celui qui y croit ?

– Où étais-tu ?

La voix monocorde et sans chaleur le ramena à la réalité.

– Dans le verger.

– À fêter tes retrouvailles avec Nonyacha en buvant ?

Il nia d'un lent mouvement de la tête, levant les yeux vers le plafond. Les trottinements semblaient redoubler. Combien de souris hébergeaient-ils ? À moins que ce ne fût des rats ? En tout cas, ils devaient les chasser au plus vite s'ils ne voulaient pas voir leurs réserves saccagées.

– Mais tu as bu, Alex ! Tu as cherché l'absolution dans une bouteille ! Crois-tu donc que cela t'aidera ? As-tu trouvé une solution ?

– L'absolution ? Une... solution ? J'ai fait quelque chose de mal... *a ghràidh* ?

Isabelle s'approchait de lui, faisant grincer les lames du plancher. Le bruit lui fit se rendre compte qu'elle n'était pas une créature de rêve, mais bien une femme réelle, sensible, qu'il pouvait blesser. Or

117. Ancienne monnaie anglaise valant environ le quart du penny.

il ne le voulait pas, et cela le torturait de savoir qu'il le ferait inévitablement.

– Si tu as fait... quelque chose? Ne serait-ce pas à toi de me le dire?

Il vit ses yeux rouges et gonflés, ses joues encore luisantes de larmes. Prenant conscience de son désarroi, il se demanda si Nonyacha ne lui avait pas rendu visite après l'avoir abandonné avec le reste de la bouteille d'eau-de-vie, sous le cinquième pommier. Elle savait quelque chose, mais quoi?

– Peut-être en es-tu encore à t'interroger sur la façon de me l'annoncer, de me l'expliquer?

Il blêmit: elle savait, il en avait maintenant la certitude. Cela faisait des heures qu'il cherchait comment il allait lui annoncer son départ avec Nonyacha pour la rivière du Lièvre. Comprendraitelle? Ne trouvant rien de mieux à dire, il demanda bêtement:

– Marie est rentrée?

– Oui, elle dort depuis un bon moment. Apparemment, ces batinses de souris ne l'en empêchent pas! Il faudrait vraiment faire quelque chose pour nous débarrasser de ces bêtes nuisibles!

Elle levait la tête vers la source du dérangement qui allait grandissant et l'emplissait d'une crainte nouvelle. Un grand bruit les fit sursauter. Trop heureux de la diversion, Alexander se dirigea vers l'étroite échelle.

– J'y vais!

Les barreaux grincèrent. L'Écossais poussa sur le panneau qui bloquait l'entrée du grenier. Isabelle lui tendit la chandelle ainsi que trois pièges à rongeurs qu'elle avait récupérés dans les recoins de la cuisine. Passant la tête dans l'ouverture, l'homme balaya les lieux de la lumière dorée et s'immobilisa devant une paire de billes noires qui le fixaient.

– Mais c'est...

Il se tut brusquement.

– Qu'est-ce que c'est? demanda Isabelle, intriguée par son silence subit. Il y en a beaucoup?

Partout où il posait les yeux, Alexander ne voyait que désolation: les sacs de farine et de maïs étaient éventrés et leur contenu était répandu sur le sol. C'était un désordre indescriptible. Installée au milieu, la bête le regardait, l'air vaguement égaré. Soudain, elle se mit à gronder en retroussant légèrement ses babines et en montrant ses petits crocs. Un filet de bave écumeuse dégoulina. L'homme fut saisi d'effroi.

– *Mo chreach!*

– Alex, qu'est-ce qui se passe?

Bandit se dressa sur ses pattes et fit quelques pas vers Alexander. Mais il perdit l'équilibre; son postérieur bascula sur le côté. Il tomba mollement.

– Va chercher mon fusil, Isabelle!

– Alex?

La femme était intriguée par le ton ferme. L'homme répéta plus durement.

– Va chercher mon fusil, je te dis! Réveille doucement Gabriel et Marie, et fais-les sortir.

Alexander ne perdait pas le raton des yeux. Il entendit Isabelle courir vers la cuisine et revenir. La crosse de l'arme frôla sa cuisse; il s'en empara lentement. La voix de la femme réveillant les deux autres occupants de la cabane lui parvint. Puis celle de Marie, plus aiguë, lui répondit. Enfin, Gabriel posa la question inévitable. Son père eut la gorge nouée. Isabelle revint.

– Tu peux m'expliquer ce que tu fabriques là-haut avec ton fusil, Alex?

– Maman! Que fait papa Alex? Il va pas tuer Bandit, hein?

– C'est Bandit qui est là-haut?

Le regard fou, la gueule écumante, le raton grondait toujours. Ses pattes arrière ne lui obéissaient plus. Il n'arrivait pas à se redresser. Alexander, le cœur serré, épaula son fusil.

– Fais-le sortir, Isabelle!

La femme ne comprenait plus rien et s'affolait.

– Alex, c'est Bandit? Mais que fais-tu, bon sang? Alex!

– Maman! Maman! Il va tuer Bandit! C'est pas sa faute! C'est moi qui l'ai monté là-haut! Je vais réparer les dégâts!

– C'est toi? Mais pourquoi donc?

– Je voulais pas qu'il reste toute la nuit dehors sous la souche. Il est malade. Les ours seraient venus le dévorer...

Isabelle saisit la cheville d'Alexander.

– Alex, tu ne vas tout de même pas tuer cette pauvre bête simplement parce que...

– Le *racoune* est atteint de la rage.

Le silence se fit d'un coup. Puis un geignement désespéré emplit la cabane. La femme fixait avec incrédulité les mocassins d'Alexander, tandis que le message pénétrait son esprit et y faisait surgir des images de chiens féroces mordant des enfants.

– La rage?

Se retournant vers Gabriel qui, accroché à sa chemise de nuit, pleurait, elle se pencha pour l'examiner.

– Le raton t'a-t-il mordu, Gaby?

– Bandit? Non, maman...

Elle tournait et retournait les petits membres.

– Tu en es certain?

– Oui, maman.

– Est-ce qu'il a mordu Otemin?

– Non...

– Tu dois me dire la vérité, Gaby. Tu ne sauveras pas Bandit en me mentant. Il est perdu de toute façon.

Le garçon se remit à sangloter.

– Maman... Bandit n'a rien fait de mal.

– Isabelle, *God damn!* Tu le sors ou... *Get out of here!*

Coupant court à son interrogatoire, Isabelle empoigna son fils par le bras et le poussa dehors. Marie les suivit avec Élisabeth.

Lorsqu'il fut bien certain que tout le monde était sorti, Alexander soupira. Il fixa la pauvre bête une dernière fois avant de se décider à appuyer sur la détente. Il ne pouvait se tromper: les symptômes étaient bien ceux de la rage. Il visa, puis ferma les yeux tandis que son doigt bougeait. La détonation retentit fortement sous les combles. Le cœur battant, Alexander entendit le coup de tonnerre et les cris de Gabriel résonner dans sa tête. Devant lui gisait Bandit, immobile, la gueule ouverte, le regard vitreux.

L'odeur de la poudre flottait encore quand les pleurs de l'enfant se turent enfin. Isabelle se laissa lourdement tomber sur le banc, devant les flammes. Munro, les frères MacInnis et le Wyandot, alertés par le coup de feu, étaient accourus. Ils avaient aidé à nettoyer et à ranger, puis étaient repartis. Marie terminait de rincer et de ranger sa tasse.

– C'en est trop, c'en est trop...

Isabelle n'en pouvait plus. Cela faisait trop de joies et trop de peines en une seule journée.

– Voulez-vous que je vous réchauffe votre infusion, madame?

– Quoi?

La femme leva la tête. Le coquemar et le torchon à la main, la Sauvagesse montra du doigt la tasse restée sur la table.

– Votre infusion. Elle s'est refroidie, madame.

– Non. Merci, Marie. Tu peux retourner te coucher.

La jeune servante acquiesça. Après avoir déposé le lourd objet sur la pierre plate, près de l'âtre, elle disparut de l'autre côté de la cheminée. Des bruits de pas indiquaient qu'Alexander rentrait. Sa mission était accomplie: il avait enterré profondément le pauvre Bandit dans le petit cimetière improvisé par Gabriel pour le repos éternel des créatures capturées qui ne survivaient pas.

Isabelle tourna la tête vers la porte qui s'ouvrit lentement. L'homme entra, le torse nu, la chemise roulée sous le bras. Passant ses doigts dans ses cheveux mouillés, il la regarda d'un air indéchiffrable. Elle avait ramené ses genoux sous son menton et se balançait d'avant en arrière en se mordillant la lèvre.

Jetant un œil vers les lits, Alexander vit Marie se glisser aux côtés de Gabriel. Le petit garçon geignit. Puis, le silence se fit de nouveau à l'intérieur de la cabane. Le cas de Bandit étant réglé, restait à reprendre leur discussion brusquement interrompue. D'après l'expression grave d'Isabelle, il devinait qu'il ne pouvait se défiler. Il suggéra donc doucement:

– Sortons.

Luttant visiblement contre les larmes, elle le dévisageait sans rien dire. Ses orteils nus se recroquevillaient sur le banc; ses bras serraient fortement ses jambes. Il attendit. Il était prêt à patienter jusqu'à l'aube s'il le fallait. Des explications s'imposaient. Enfin, Isabelle se décida à bouger. Après avoir placé la chandelle dans une lanterne de fer et s'être couverte de son châle, elle passa devant lui en emportant la lumière, le laissant dans l'obscurité. Il lui emboîta le pas et referma la porte de la cabane derrière lui.

Il suivit Isabelle jusque sur la butte. Là, elle posa la lampe sur le banc où ils avaient l'habitude de s'asseoir l'été, à la brunante, pour admirer leur petit monde. Puis, lui tournant le dos, elle s'adressa à lui d'une voix contrôlée:

– Gabriel s'en remettra difficilement.

– Mais il s'en remettra.

– Te rends-tu compte qu'il a été à un cheveu de...

– Il n'a pas été mordu.

Alexander ne voulait pas s'étendre sur le sujet, encore moins recevoir de blâme concernant le malheur de son fils.

– Les bois sont trop dangereux, Alex. Tu m'avais promis que nous quitterions cet endroit avant l'hiver.

– Les animaux peuvent attraper la rage même aux abords des villes, Isabelle, et tu le sais très bien.

– Là n'est pas la question.

Elle se retourna pour le toiser, exprimant son irritation.

– Il s'agit de la promesse que tu m'as faite que nous retournerions vivre dans un environnement civilisé.

– Je m'en souviens...

– Bon. Demain, nous commencerons donc à emballer nos affaires, déclara-t-elle pour le mettre au défi.

– Pas demain... Non, je ne peux pas.

– Pas demain? Et pourquoi donc? Tu vas quelque part peut-être?

Elle avait pris un ton où pointait l'ironie. Il la dévisagea avec tristesse, sans répondre. Puis il baissa les yeux vers la flamme.

– Je ne veux pas de demi-vérité, Alex, je te préviens.

– D'accord. Cependant, je pense que tu sais déjà ce que j'ai à t'annoncer.

Isabelle, secouée par un violent spasme, enfouit son visage dans les pans de son châle, y étouffant un hoquet. Puis, se ressaisissant, elle redressa le buste.

– Vas-y, parle!

– Nonyacha est le frère de Tsorihia. Je ne voyais pas l'intérêt de te le préciser, car je considère cet homme avant tout comme un ami.

– Ensuite seulement comme ton beau-frère?

– Je n'ai pas épousé Tsorihia, Isabelle. Je n'aurais jamais pu.

Une exclamation teintée de sarcasme retentit. Isabelle se détourna, puis refit presque aussitôt volte-face.

– Et si elle t'avait donné le fils que tu voulais tant, Alex? Est-ce que tu n'aurais pas pu, dis-moi?

Il soupira. Il ne s'était pas trompé: elle savait. Les lèvres pincées, Isabelle le dévisageait en silence. Il fit un effort pour se maîtriser, lui demander calmement:

– Nonyacha est venu te parler?

– Non. J'ai entendu votre conversation près des latrines... lui avoua-t-elle plus bas.

– D'accord... J'en suis désolé.

Elle porta son pouce à sa bouche pour en ronger l'ongle, tout en fixant la flamme de la chandelle, qui faisait danser des ombres autour d'eux. Soudain, elle explosa:

– Tu vas retrouver ta squaw et tu crois pouvoir ensuite reprendre ta place dans mon lit?

– Quoi?!

– Cette Tsorihia... cette squaw...

– Tsorihia est une Wyandotte. Je ne veux plus jamais t'entendre l'appeler comme ça, c'est compris?

– J'appellerai cette femme comme bon me semble! Idiot d'Écossais! C'est tout ce que tu es, Alexander Macdonald! Depuis ce jour où tu m'as fait manger ce cornichon à la confiture, je n'ai cessé de t'aimer. Même après avoir été mariée de force, même après t'avoir cru mort. J'ai tout abandonné. J'ai certainement sacrifié ma réputation pour te suivre dans ce misérable trou perdu avec notre fils. Regarde mes mains, elles sont toutes abîmées, toutes râpeuses. Je supporte tout cela, oh oui! Mais cela n'est pas grand-chose en comparaison de la peur qui me dévore, Alex. Quand tu pars des jours durant pour faire la tournée des pièges, je ne peux faire trois pas sans le fusil, car je ne sais pas quand ce Lavigueur finira par revenir. Je supporte, cependant, parce que c'est la vie que j'ai choisi de partager avec toi. Mais je ne supporterai jamais que tu ailles rejoindre cette femme. JAMAIS! Tu entends? Si tu le fais, je te jure que je quitte cet endroit avec les enfants et... que tu peux nous oublier!

Alexander ne broncha pas sous la menace. Submergée par la frustration, elle brandit le poing. Il lui attrapa le poignet, lui arrachant un cri de douleur. Puis, ses traits se décomposèrent et il la relâcha brusquement. Il se détourna et resta un long moment silencieux. Enfin, il murmura:

– Isabelle, te rends-tu compte... de ce que tu me demandes?

– Je veux que tu choisisses.

– Que je choisisse?

– Entre moi et cette... Tsorihia.

– Je n'ai nullement l'intention de retourner vivre avec elle, Isabelle!

– Ne me mens pas, Alex. Qu'est-ce qui t'a poussé vers moi? Est-ce Gabriel? Serais-tu revenu vers moi s'il n'avait pas été là? Si ta... Sauvagesse t'avait donné ce fils avant que tu ne découvres l'existence de Gabriel?

Secouant ses mèches emmêlées et refermant ses paupières fatiguées, il se frotta le visage, puis laissa ses mains retomber mollement. Il soupira profondément.

– Honnêtement, je ne peux te répondre. Je n'aurai jamais de réponse à cette question. Mais il y a une chose dont je suis certain: je t'aime, Isabelle. Gabriel, Élisabeth et toi êtes mon présent... et mon futur. Je ne vois plus ma vie sans vous.

Les yeux dans le vague, elle tenait fermement les pans de son châle sous son menton. Elle tremblait. Les larmes mouillaient ses joues. Prudemment, il s'approcha d'elle. Elle ne bougea pas.

– Isabelle, je ne désire revoir Tsorihia que pour m'assurer que Joseph va bien, que tous les deux n'ont besoin de rien.

Elle leva les yeux vers lui, gémissante.

– J'ai peur, Alex... J'ai peur de vivre sans toi. J'ai peur que tu ne me reviennes plus. Que tu restes avec elle, que tu préfères ce monde de liberté... Crois-tu que je ne vois pas tes hésitations à revenir à la civilisation avec moi? Penses-tu que je ne comprends pas tes craintes? Tout comme tu m'aimes, tu l'as aimée, elle. Tout comme moi, elle a porté ton fils. Mais, contrairement à moi, elle ne t'imposera jamais rien. Cependant, je n'y peux rien, Alex. Je ne peux plus vivre de cette façon, quel que soit l'effort que j'y mette. C'est au-dessus de mes forces. Je ne passerai pas un autre hiver ici.

Il l'enveloppa de ses bras et la serra doucement contre lui. Elle s'accrocha à sa chemise.

– J'ai besoin de toi, Alex... J'ai besoin de sentir que tu respires le même air que moi, que tu réchauffes mon lit, que tu berces ma vie. Je ne pourrai supporter de te perdre encore...

Se penchant sur elle, il essuya ses larmes et l'embrassa.

– *I love ye, Iseabail, never doubt that*[118]. Je ne serai parti que deux semaines. Je reviendrai pour le mariage. Munro et les MacInnis veilleront sur vous.

Encadrant de ses mains son visage ravagé par l'angoisse, il la contempla avec tant d'amour qu'elle se remit à pleurer.

– *Dinna cry, a ghràidh.* Pendant mon absence, demande à Mikwanikwe de t'aider à confectionner la robe que tu porteras le 23 septembre. Emballe nos affaires. Envoie Stewart à la mission pour poster une lettre au notaire Guillot afin qu'il s'occupe d'avertir tes domestiques de préparer la maison de la rue Saint-Gabriel. Cet hiver, vous n'aurez pas froid. Gabriel fera sa première communion à la cathédrale.

– Avec toi, je n'ai jamais froid... Oh, Alex! Serre-moi fort! Promets-moi de revenir rapidement!

– Je te le promets, Isabelle, sur ce que j'ai de plus cher au monde. Pour être bien certain que tu me croies, j'ajouterai... comment dis-tu? Croix de bois, croix de fer...

– Si je mens, j'irai en enfer.

Il rit doucement dans la chevelure soyeuse et serra la femme avec tant de force qu'elle protesta. Il aimait que quelqu'un eût besoin de lui, s'accrochât à lui comme ça. Il avait connu beaucoup de femmes dans sa vie - mère, sœurs, amantes - qui chacune à sa manière l'avait guidé ou rassuré. Mais curieusement, avec Isabelle, c'était différent. Pour la première fois, une femme se montrait vulnérable, exposait ses faiblesses, et cela lui donnait une volonté puissante qui bousculait tout et le poussait en avant.

---

118. Je t'aime, Isabelle, ne doute jamais de cela.

18

Affrontements

Ils approchaient du village. Alexander, submergé par un flot de souvenirs, sentait son cœur s'emballer. Il plongeait sa pagaie dans l'eau et la replongeait avec détermination tout en fixant les remous qu'il provoquait dans la Grande Rivière. Un groupe de canards passa au-dessus d'eux. Leurs cris le tirèrent de ses troublantes pensées.

Nonyacha se retourna et le dévisagea un moment avant de se remettre à ramer. Alexander doutait, s'interrogeait sur le bien-fondé de sa démarche. Tsorihia ne l'attendait pas. Comment l'accueillerait-elle? Et Mathias? L'homme ne verrait certainement pas d'un bon œil qu'il réapparaisse comme ça, brusquement. Il représentait une menace pour l'équilibre du couple. Il devrait faire bien attention, garder ses distances et ne parler à Tsorihia qu'en sa présence.

– Voilà, annonça Nonyacha en pointant le doigt sur l'embouchure de la rivière du Lièvre.

Tandis que l'embarcation remontait le cours d'eau, le Wyandot fouillait des yeux les berges dans l'espoir d'apercevoir quelques villageois. Revenant d'un périple qui l'avait porté jusqu'à Montréal et qui avait duré trois semaines, il s'attendait à ce qu'on le salue avec de grands signes. Mais ce matin-là, personne ne s'affairait au bord de l'eau. Un calme étrange régnait.

– Tu es certain que c'est ici?

Nonyacha s'était arrêté de pagayer et scrutait la rive tout en dressant l'oreille. Soudain, il désigna trois canots à moitié dissimulés sous des branchages.

– Là!

Ils se trouvaient bien à la hauteur du village. Immobilisant le canot à quelques pas du bord, ils sautèrent à l'eau et transportèrent l'esquif sur la terre ferme. Après avoir tout déchargé, ils retournèrent l'embarcation et glissèrent leurs pagaies dessous avec leurs bagages.

Fusils en main, ils s'engagèrent sur le sentier. L'atmosphère silencieuse les rendait mal à l'aise. Ce n'était pas normal. C'était comme si le temps s'était arrêté. Pas de bruits d'activité dans le sous-bois, pas de rires d'enfants, pas d'appels. Les lieux étaient complètement déserts. Au fur et à mesure qu'ils avançaient, Alexander sentait son estomac se crisper. Une odeur fade parvenait maintenant jusqu'à leurs narines. Au-dessus d'eux, une colonie de corbeaux se mit à croasser bruyamment sur leur passage.

Tandis qu'ils approchaient du village, l'Écossais pensa que les Algonquins avaient déménagé, sans doute parce que le gibier se faisait rare après quelques années de chasse sur le même territoire. Mais, quand ils durent enjamber des objets à usage quotidien, il comprit qu'il s'était passé autre chose: on avait fui, on avait tout abandonné dans la précipitation...

Nonyacha ralentit jusqu'à s'arrêter complètement. Alexander l'imita. Un chien était couché en travers du sentier; une nuée de mouches volaient autour de lui. L'odeur qui les avait accueillis s'accentuait, prenait à la gorge. Se penchant sur la carcasse, le Wyandot émit un grondement: l'animal avait été abattu d'une balle dans la poitrine. Saisissant d'un coup toute l'horreur de la situation, les deux hommes s'élancèrent sur le sentier en dégainant leurs poignards, bien qu'ils se doutassent que c'était inutile. Ils virent le cadavre d'un homme qui gisait face au sol et avait le crâne scalpé. Livides, ils portèrent leur regard vers le groupe de huttes d'écorce qui se nichait au creux d'un vallon. Nonyacha se mit à dévaler la pente en hurlant de rage et de douleur. Alexander le suivit.

– Tsorihia!

Une scène d'horreur les attendait en bas. Et cette odeur... Depuis son emprisonnement dans le Tolbooth d'Inverness, Alexander ne pouvait l'oublier. Il courut jusqu'à la première hutte. Trois corps: une femme et deux enfants. Tous morts et scalpés.

– Nooon! Tsorihia! Tsorihia!

D'instinct, il se dirigeait vers la petite hutte qui avait jadis été la sienne. Il devait voir...

– Tsorihia! Mathias! appelait Nonyacha, parti dans une autre direction.

Alexander allait pénétrer dans l'abri lorsqu'un cri effroyable lui fit dresser les cheveux sur la tête. Puis plus rien. La hutte était vide. Se doutant de ce qu'avait découvert le Wyandot, c'est anéanti qu'il alla le retrouver. Il trouva l'homme à genoux, sanglotant comme un enfant. Elle était là, couchée sur le dos, les bras et les jambes écartés. On devinait aisément ce qu'elle avait dû subir avant d'être sauvagement égorgée.

– Oh, Tsorihia!

Contrairement à la plupart des autres morts, la jeune femme avait toujours sa chevelure. Sa longue tresse reposait sur sa poitrine. Éclatant en sanglots, Alexander se détourna de ce corps qu'il avait jadis caressé et aimé. C'est alors qu'il aperçut à travers ses larmes un reflet de bronze entre les fougères. Croyant avoir vu le pire, il écarta les plantes avec appréhension. Un cri s'échappa de sa poitrine. Un enfant. La tête avait été fracassée; le sang avait séché dans les courts cheveux aux reflets orangés. C'était un petit garçon: Joseph, son fils... Il gémit de douleur, n'ayant plus la force de crier. Puis, il prit le petit corps et le posa sur le ventre de sa mère.

Comme il se relevait, un objet brillant, entre les doigts crispés de Tsorihia, attira son attention. C'était un de ces colifichets de troc que les Sauvages affectionnaient. Celui-là était particulier: c'était une croix dorée sertie de pierreries. Il avait déjà vu cet objet, mais pas sur la Wyandotte. Il n'arrivait cependant pas à se souvenir où... Écartant doucement les doigts, il prit la croix. Une mèche de cheveux bruns y était accrochée. Tsorihia avait dû arracher l'objet à la chevelure de son agresseur. Refermant la main sur le bijou, il se fit le serment de découvrir qui avait commis cet odieux crime et de tuer le ou les coupables.

Nonyacha sanglotait à côté. Les corbeaux ne cessaient de croasser tout en volant d'un cadavre à l'autre et en se disputant le festin avec les mouches. Alexander fut soudain pris de rage. Se levant d'un bond et ramassant une branche, il se mit à courir en hurlant et en fouettant l'air devant lui. Les oiseaux s'envolèrent bruyamment et allèrent se réfugier dans les arbres en attendant qu'il s'éloigne.

Soudain, l'Écossais entendit une faible plainte. Le cœur battant, il tourna la tête et cessa de respirer. Quelqu'un gémissait; il y avait un survivant! Il appela, chercha dans les huttes, scruta les visages qui lui étaient familiers, cherchant une étincelle de vie dans les regards vides. Enfin, il arriva à une hutte, en bordure du village. C'était de là que venait le lugubre chant. Il pénétra dans l'abri, haletant. La plainte s'interrompit brusquement.

Dans la pénombre, il distingua une vieille femme recroquevillée en position assise sous une couverture. L'aïeule du village. Elle ne bougeait pas, semblait le fixer. Il s'avança lentement. De bourdonnements et l'odeur de la mort emplissaient l'air. Le corps d'une adolescente gisait sur une natte. Il se pencha vers la vieille femme et remarqua qu'elle était blessée au ventre et saignait abondamment. Faisant appel à ses souvenirs, il lui parla dans sa langue avec les quelques mots qu'il connaissait.

Le visage était aussi fripé que l'écorce d'un érable et de longs cheveux blancs, fins et légers, s'étalaient sur les frêles épaules. Le regard, qui exprimait toute la misère de la race, le survola tout en semblant se concentrer sur quelque chose de lointain. Alexander comprit que l'aïeule lisait en lui, et cela lui donna la chair de poule. Il comprenait pourquoi on l'appelait la sorcière. Tous se tournaient vers elle pour faire appel à sa sagesse et à ses connaissances. Une *bean-sìth,* comme on disait dans les Highlands... Respirant faiblement, elle tendit sa main aux doigts tordus et ensanglantés.

– L'homme qui parle aux loups... Vous êtes revenu.

– Oui, et j'ai vu, Ishkadaikwe. Dites-moi ce qui s'est passé.

– Ils sont venus à l'heure où le hibou chasse. Ils ont tué et violé ma petite-fille...

Elle parlait tout bas tout en se balançant d'avant en arrière.

– Qui est venu?

Elle secoua la tête en gémissant. Des rivières de larmes coulaient dans les sillons creusés par la fatigue et l'âge.

– Ils sont venus... Ils les ont tués... Haaaa! Haaaa! Ceux qui n'ont pu se sauver, ils les ont tous tués!

– Qui? Savez-vous qui a fait ça? Dites-moi! Je les vengerai, Tsorihia et les autres, je les vengerai!

– Des Iroquois et un homme de ta race. J'ai senti... son odeur.

– Un Anglais?

– Non, pas anglais...

Baissant les paupières, elle lâcha le col de sa chemise et se laissa aller contre la cloison d'écorce. Le colifichet... Alexander ouvrit la main et considéra l'objet tout en cherchant dans ses souvenirs où il l'avait vu... sur qui? Il le suspendit devant ses yeux, fixa la mèche qui y était accrochée. Chevelure sombre... regard noir, vicieux... Bon sang! Étienne! Il avait vu le bijou sur Étienne Lacroix! La révélation lui transperça le cœur.

La vieille femme rendit l'âme quelques heures plus tard. Alexander et Nonyacha rassemblèrent les corps et les enterrèrent. Ils retrouvèrent, scalpé et une balle entre les omoplates, celui de Mathias, à une certaine distance du village. Leur affreuse tâche leur prit deux jours.

Nonyacha choisit de rentrer à Detroit. Les deux hommes se dirent adieu sur le bord de la rivière, dans la brume matinale. Ce fut sous un ciel sans astre qu'Alexander entreprit à pied le trajet du retour. L'Écossais était tourmenté et éprouvait des sentiments mêlés : la tristesse parfois, la révolte et la haine souvent. À la nuit tombée, il se construisait un abri avec des branches de sapins. Mais il s'endormait tard, lorsque l'épuisement finissait par le gagner. Et au lever du jour, il se réveillait avec les paupières gonflées. Tantôt tapis de frondes tendres, tantôt broussailles de ronces, le pays se déroulait sous ses pieds. Il se laissait guider par son instinct, franchissait les obstacles avec indifférence. Au fur et à mesure s'affermissait une conviction : Étienne Lacroix allait payer.

Le cinquième jour, le soleil se montra enfin, éclaboussant le feuillage qui se teintait de rouge. L'automne se glissait dans les replis de Dame Nature, la caressant de son souffle tempéré, l'assoupissant doucement. Une grive chantait quelque part dans les arbres. Des abeilles bourdonnaient au-dessus des épis laineux des molènes et poilus des spirées blanches. Seul au milieu de cette mélancolie collective, Alexander prenait peu à peu du recul par rapport à ce qu'il venait de vivre et cherchait des réponses.

Dans quel but Étienne avait-il massacré autant d'hommes, de femmes et d'enfants d'un petit village algonquin isolé? Que possédaient ces gens qu'il aurait pu désirer au point de commettre de si terribles et nombreux crimes? Des fourrures? Certes, les Algonquins devaient en avoir accumulé une grande quantité durant l'été. Mais cela justifiait-il le massacre d'une dizaine d'innocents? La valeur des peaux était-elle équivalente à celle de plusieurs vies? Au fil de ses réflexions, Alexander arrivait de moins en moins à refouler ce doute qui revenait sans cesse : Étienne convoitait quelque chose d'autre. Mais quoi?

Assis sur un rocher, il mâchonnait laborieusement un morceau de pemmican tout en fixant une verge d'or qui se balançait sous la brise. Tout à coup, il laissa sa mâchoire tomber.

– L'or... L'or du Hollandais!

Onze âmes sacrifiées pour le trésor? S'il devinait juste, Étienne Lacroix était vraiment un monstre, un être infâme! Il le savait vivant et avait sans doute appris qu'il avait vécu avec les Algonquins du petit hameau perdu qui refusaient les lois des Blancs. Il avait dû penser que certains de ces gens savaient quelque chose concernant le secret du Hollandais... Alexander avala péniblement sa bouchée. Puis, une crampe à l'estomac le fit gémir : Mathias connaissait son secret...

Se levant d'un bond, il s'empara de sa besace et de son fusil. Qu'avait pu avouer Mathias à Étienne? Son cœur galopait comme un animal pris en chasse. Il prit quand même le temps d'étudier la position du soleil et d'évaluer approximativement l'heure. Combien de jours le séparaient encore de Red River Hill? Deux, trois? Si Mathias avait espéré sauver Tsorihia et Joseph en révélant l'emplacement du trésor, Étienne était certainement en route, peut-être même déjà à destination. D'après l'état des corps, deux jours environ s'étaient écoulés entre le massacre et son arrivée avec Nonyacha.

Alexander regrettait maintenant de ne pas avoir pris l'un des canots abandonnés sur la rive. Il avait voulu profiter des jours de marche pour digérer l'horreur. Mais il lui semblait en cet instant que Red River Hill se trouvait à l'autre bout du monde! Il n'y arriverait pas... Levant les yeux au ciel, il pria.

L'obscurité ralentit son avancée fiévreuse. Cheminant entre les arbres qui semblaient être les barreaux d'une geôle, il sentait ses jambes se dérober sous lui tellement il était éreinté. S'étant empêtré dans les buissons qui bordaient la rivière, il décida de marcher dans l'eau. Il glissait et se blessait sur les pierres. Mais, accablé par l'angoisse, il avançait avec l'énergie du désespoir. Étienne s'attaquerait-il à Isabelle et aux enfants? Il ne savait plus, n'osait imaginer la tragédie.

La chouette ululait depuis de nombreuses heures, du moins lui semblait-il. Ses jambes ne le portaient plus. Il se laissa lourdement tomber dans l'herbe, les genoux dans l'eau froide. Le manche de son poignard qui s'enfonçait dans son flanc le fit rouler sur le dos. Aussitôt, le magnifique dais étoilé qui tapissait la voûte céleste disparut derrière ses paupières. Il devait s'arrêter... un peu... Sombrant dans le sommeil, il se vit chevauchant une abeille géante dont le long dard effilé transperçait un diable ayant les traits d'Étienne Lacroix.

Un picotement aux orteils le fit remuer. Encore plongé dans son rêve, il grogna. L'impression de morsure persistait. Il souleva lentement une paupière, regarda le bas de ses jambes. Étrangement, il pensa d'abord aux pièges à souris: il devait en mettre dans le grenier. Un pincement au gros orteil le fit alors bondir. L'œil hagard, la respiration sifflante, il suivit un petit banc de poissons qui fuyait sous l'onde froissée.

À ce moment-là seulement, il constata dans quel endroit il se trouvait. Ses angoisses revinrent d'un coup, engendrant des images terrifiantes. Il se leva prestement, sécha ses pieds engourdis et gonflés, puis enfila ses mocassins. Ses mitasses sécheraient au soleil. Fouillant dans sa besace, il sortit un morceau de pemmican qu'il mâcherait en marchant. Il compléterait ce maigre repas en cueillant les noix que les créatures des bois lui auraient laissées.

Le soleil apparaissait à l'horizon, à l'est, lorsqu'il reprit la route. Il coupa à travers bois sans pour autant perdre le bruit de la rivière, sa seule source d'eau et son guide. Il marchait, enjambait, glissait, sautait, trébuchait. Une seule pensée occupait son esprit : avancer, arriver au plus vite à Red River Hill. N'ayant pas le temps de s'arrêter pour manger, il prenait dans sa réserve de quoi grignoter, arrachant à l'occasion des fruits restés accrochés aux sorbiers et aux merisiers, et ramassant quelques faines et glands tombés au sol.

Le soleil avait voyagé avec lui, mais en sens inverse. Au moment où leurs routes se croisaient, il était sur la rive d'un affluent. Il en profita pour remplir son outre vide avant de trouver un gué pour traverser. Penché sur son reflet, qui faisait peur, il plongeait le sac de cuir dans l'eau, attendant impatiemment qu'il se gonfle, lorsque des éclats de voix lui firent dresser la tête et les oreilles.

Il se leva, ne prêtant pas attention à l'outre qui lui dégoulinait sur le pied. Les voix venaient de la Grande Rivière. Il entendit quelques rires, des clapotis. À l'endroit où il se trouvait, la rivière était trop large et trop profonde pour qu'il arrive à la traverser rapidement. Si les canots surgissaient dans l'embouchure avant qu'il n'atteigne l'autre rive et c'en était fait de lui s'il s'agissait de Lacroix et de ses hommes. Cependant, s'il s'agissait de voyageurs rentrant à Montréal, il pourrait peut-être demander qu'on l'amène à la rivière du Nord... Il n'y avait qu'une seule façon de savoir.

Six hommes, une seule embarcation. Le canot de maître avait été renversé sur le sable. Deux individus le radoubaient pendant que les autres paressaient, assis sur les ballots ou étendus sur le sol. Plissant les yeux, Alexander cherchait parmi les visages celui d'Étienne lorsqu'il entendit un déclic métallique derrière lui. Il eut froid dans le dos, crispa ses doigts sur son poignard. Il allait le sortir, mais un deuxième déclic le figea sur place.

– Si j'étais toi, je ferais pas ça! Dépose ton arme et sois sage, l'ami!

Saisi, Alexander n'esquissa aucun geste, ne souffla aucun mot. Une paire de vieux mocassins tout rapiécés se plantèrent sous son nez. L'un d'eux appuya sur la lame de son poignard, qu'Alexander relâcha, et écarta l'arme.

– C'est ça... Hé! Le Chrétien! Va trouver le chef! Dis-lui qu'on a de la compagnie!

– Tout de suite!

Le deuxième homme s'éloigna dans un craquement de brindilles.

– Pose tes mains à plat devant toi!

Alexander obéit au premier homme. L'odeur familière de la résine de pin fondue lui piquait les narines, et les voix des hommes sur la plage résonnaient à ses oreilles. Il comptait les dernières minutes qu'il lui restait à vivre. Au bout d'un moment qui lui parut assez long, des voix s'approchèrent. Le chef de la troupe allait se montrer. Tout serait bientôt terminé. Il eut une pensée pour Gabriel, Élisabeth et Isabelle, dont il revit les visages...

– Qui est-ce?

À l'accent, Alexander devina que l'homme était écossais. Curieusement, cette voix lui sembla vaguement familière...

– Je lui ai pas demandé. Je pensais que vous voudriez le faire vous-même, patron.

– Hum...

– Il nous espionnait. J'suis certain qu'il cherchait à nous voler.

Du métal froid faisant pression dans le creux de ses reins força Alexander à s'aplatir contre le sol. Les bottes du chef prirent la place des mocassins.

– Quel est ton nom?

– Il parle peut-être pas français.

– Fouille-le!

L'œil rivé sur son poignard, à une distance d'un bras, Alexander fouillait dans sa mémoire pour attribuer un visage à la voix du patron. En vain. Deux mains s'affairaient maintenant à le fouiller. Il vit le contenu de sa besace se répandre sur le sol.

– Y a rien là-dedans!

Alexander cherchait des yeux son fusil, qu'il savait prêt à tirer. Si seulement il pouvait mettre la main dessus... Enfin, il aperçut sur sa gauche, dans l'herbe, l'éclat du laiton ornant la crosse. Situant mentalement l'arme, il réfléchit à la façon de s'en emparer qui lui permettrait de tirer le plus rapidement possible. Ses chances de réussite étaient minces. Mais il ne pouvait accepter de mourir sans tenter quelque chose.

De son côté, le chef fixait le dos du prisonnier en silence. Il y avait quelque chose de familier dans le gabarit de l'homme, dans la couleur de la chevelure... Oui, c'était quelqu'un qu'il connaissait... Serait-il possible que celui qu'il tenait ainsi en joue au bout de son canon fût?... Sa respiration s'accéléra. Il devait s'en assurer.

Les bottes se déplacèrent légèrement vers la droite. Alexander retrouva un peu d'espoir. Les yeux toujours tournés vers son arme, il écarta les doigts et allongea un peu son bras gauche, le soulevant imperceptiblement pour lui permettre de s'élancer plus vite.

Le chef, qui surprit le geste, se mit à regarder la main du prisonnier: l'auriculaire manquait! On lui avait certifié qu'Alexander était mort... Il devait avoir la berlue! Pourtant... cette main, cette chevelure aussi sombre que la sienne... Il sentit sa gorge se nouer.

Le silence s'éternisait. Le canon quitta son dos. Alexander entendit l'herbe se froisser: les bottes reculaient. Il devait saisir cette chance... Attrapant son fusil avec la vitesse de l'éclair, il roula sur lui-même, affermit sa prise sur l'arme et plaça son doigt sur la détente. Le ciel, la lumière éblouissante du soleil entre les branches des arbres, les ramures du gros pin sous lequel il s'était tapi, tout défila devant ses yeux en une seconde. Il ne s'immobilisa que lorsqu'il vit la silhouette d'un homme dans sa ligne de mire.

Ses yeux s'habituaient peu à peu à la lumière; son doigt était prêt à appuyer... Tandis que le visage exsangue de celui qui se faisait appeler le chef se définissait, le sang se figea dans ses membres. Un gémissement s'échappa de sa poitrine. Il hésita. Un flot de souvenirs inondait son esprit. Ses muscles étaient tendus à l'extrême et lui faisaient horriblement mal.

L'homme laissa tomber son fusil à ses pieds.

– Mais... que faites-vous, patron?

– Laissez-nous, Cabanac...

Cabanac, interloqué, porta son attention sur Alexander. Il agrandit alors subitement les yeux, reconnaissant les traits qu'il visait. Il abaissa son arme.

– Jésus, Marie, Joseph!

– Laissez-nous! Et veillez à ce que personne ne vienne par ici!

– Mais, Jean?...

– C'est un ordre!

Sans répliquer, Cabanac et Le Chrétien disparurent dans la pénombre du sentier. Alexander n'avait pas bougé d'un iota. Seul son doigt tremblait sur la détente. Il serra les mâchoires pour tenter de maîtriser la panique qui le gagnait.

– Allez, tire! dit John d'une voix mesurée. Tu en meurs d'envie, non? Voilà ta chance, Alas. Je ne suis pas armé et mes hommes sont partis.

Toujours sous le choc de la découverte et de l'émotion qu'elle avait engendrée, Alexander n'arrivait plus à penser. Il entendait des explosions qui le faisaient sursauter, des hurlements lugubres qui lui donnaient des frissons, des sifflements de bombes qui faisaient battre son cœur plus vite. Il avait froid, comme ce jour-là, sur Drummossie Moor, sous le grésil. Il voyait les dragons foncer sur les Highlanders, fauchant têtes et bras avec leur épée. Il vit son père, qui disparut aussitôt dans la cohue... puis l'œil noir d'un canon qui se pointait sur lui... Se ressaisissant peu à peu, il revint à son frère.

– Comment se sent-on devant la gueule d'un fusil, John?

John considéra l'arme, puis Alexander.

– Tout dépend de qui tient l'arme et de la raison pour laquelle la personne veut tirer.

Alexander, en qui montait la colère, gronda:

– En cet instant précis, que ressens-tu?

John, le teint crayeux, était aussi immobile qu'une statue de plâtre.

– Je pense... que je me sentirais mieux si tu finissais par appuyer sur cette damnée détente.

Affermissant sa prise sur le fusil, Alexander ricana avec cynisme.

– Tu aimerais bien, hein? Je sais très bien ce que c'est, John. Vingt-deux ans... Cela fait vingt-deux putains d'années que je traîne ce souvenir!

John pencha la tête, perplexe.

– Quoi? Tu ne te souviens pas?

– De quoi parles-tu, Alas?

– Bon sang! Drummossie Moor, Culloden!

– Culloden...

John devint gris. Il secoua ses mèches brunes. Alexander remarqua les reflets cuivrés particuliers qui brillaient et se souvint d'un commentaire qu'avait fait un jour Tsorihia sur sa chevelure.

– Tu crois... tu crois que j'ai tiré sur toi ce jour-là, Alas?

John continuait de secouer frénétiquement ses cheveux. Il leva les bras au ciel, puis se prit la tête entre les mains en poussant une longue plainte et tomba à genoux.

– *Ochone!* Alas! C'est vraiment ce que tu as cru pendant toutes ces années?!

Alexander, intrigué par l'attitude de son frère, baissa légèrement son arme. Mais l'image de la gueule du canon crachant le feu lui revint. La hargne l'envahit de nouveau. Il lança son fusil avec fureur et se jeta sur John, lui donnant un coup de poing à la mâchoire. Son frère, encore sous le choc de la révélation, n'eut pas le temps de l'éviter et se retrouva coincé sous lui. Alexander leva le bras. Il respirait bruyamment. Les secondes s'égrenaient. Soudain, le poing s'abattit dans l'herbe, à quelques pouces seulement de la tête de John.

Libérant son frère avec rudesse, Alexander s'écarta et tira violemment sur l'encolure de sa chemise pour découvrir son épaule et montrer la pâle cicatrice qui la marquait toujours.

– Et ça? C'est mon imagination peut-être?

John se relevait lentement.

– Non... Mais tu te trompes, Alas! Nom de Dieu! Ce n'est pas moi qui ai tiré sur toi. C'est un soldat du régiment de Pulteney.

– Pulteney... Tu mens, John! Comment pourrais-je croire un homme qui a déshonoré son clan en désertant?

– Cela n'a rien à voir avec cette affaire!

– Oh, que si!

– Ce n'était pas *ma* guerre, Alas!

– À moi non plus! Pourtant, je suis resté... comme Coll et Munro...

– Moi, je me refusais à faire subir à ces gens ce qu'on nous a fait subir à nous, Alas. Je ne pouvais pas faire ça! Alors j'ai choisi mon camp!

– Nous sommes bien loin des batailles pour la gloire des Stuarts! Crois-tu que nous nous battions pour ce en quoi nous croyions? Non! Il s'agissait des intérêts de l'Angleterre et de ceux de la France! Nous le savions tous! Nous, les simples soldats, n'étions que des instruments, comme les paysans canadiens. Nous échangions des vivres et des informations... Nous essayions de survivre, c'est tout! L'honneur, la morale et la loyauté, certes! Mais quand le ventre est plein, John! Pourquoi ne me dis-tu pas tout simplement que tu m'as fui?!

– De quoi parles-tu? D'accord! Je ne pouvais supporter plus longtemps ton indifférence à mon égard. Ne peux-tu imaginer un instant ce que j'ai pu vivre toutes ces années, me demandant chaque jour ce qui avait bien pu t'arriver? Puis, je te retrouve vivant sur le même navire que moi, mais cherche vainement ton regard, ne comprenant pas ton attitude? C'en était trop! J'ai pensé aussi que mon absence te permettrait de mieux renouer avec Coll...

– Oh! Bien entendu, le souvenir de ton odieux geste était étranger à tout cela?

– Quel odieux geste? Je n'ai pas tiré sur toi, Alas!

– Tu mens! Juste avant d'appuyer sur la détente, tu m'as fixé droit dans les yeux. Tu savais, et c'est pour ça que tu as tiré sur moi! Tu as tiré sur moi parce que tu savais la vérité!

– Quelle vérité?

– Tu sais très bien de quoi je parle, John! Le jour où grand-père Liam est mort... tu sais très bien ce qui s'est passé alors! Lors de la bataille de Culloden, tu as profité de la confusion pour agir!

– C'était une bêtise, Alas... Je n'aurais pas dû, je sais...

– Me tirer dessus, une simple bêtise?

– Non, sur la Garde noire!

– Mais c'est moi qui ai tiré sur la Garde noire, nigaud! Ne te souviens-tu pas? Tu t'es brûlé en prenant le mousquet que j'avais laissé tomber en fuyant. Je t'ai menti. Je t'ai raconté que j'avais entendu un coup de feu et trouvé l'arme, alors que...

– Je savais que tu n'avais pas simplement trouvé l'arme, tête de lard! Je t'ai vu partir avec, ce matin-là. Je t'ai suivi jusque dans les montagnes pour te rejoindre. Croyais-tu que je ne savais pas que tu profitais de l'absence de père pour aller chasser malgré l'interdiction? Pour la désobéissance, tu étais doué, Alas! J'avais envie de t'accompagner ce jour-là. Mais, avant de te retrouver, j'ai aperçu le détachement de la Garde...

John s'interrompit. Alexander attendait la suite. Voyant que son frère hésitait à poursuivre, il prit la parole:

– Tu m'as vu tirer sur les soldats, c'est ça?

– Je te dis que c'est moi qui ai tiré, imbécile!

– C'est que... j'ai tiré aussi! insista Alexander, qui n'y comprenait plus rien. Bon sang! Toute cette histoire est insensée! Il n'y a eu qu'un coup de feu...

– Et son écho... ajouta John, perdu dans ses pensées.

Le silence retomba. Les deux hommes assimilaient lentement les dernières informations qu'ils avaient échangées. Alexander scrutait les traits défaits de son frère à la recherche d'un indice. Finalement, il reprit, sur un ton plus calme:

– D'accord: j'ai tiré et tu as tiré. Ce qui fait que je ne suis pas plus coupable que toi de la mort de grand-père. Ceci dit, j'aimerais que tu m'expliques pourquoi tu as tiré sur moi sur Drummossie Moor.

John soupira tristement.

– Je n'ai pas tiré sur toi, Alas!

– Si!

– C'est faux! J'ai tué le soldat de Pulteney qui t'a blessé!

Ébranlé, Alexander ferma les paupières pour se concentrer sur ses souvenirs. Les faits lui revenaient par bribes, mais restaient terriblement présents: des blessés agrippaient son kilt, un boulet atterrissait tout près et l'envoyait voler dans les airs, l'odeur du sang et celle de la poudre le prenaient à la gorge...

– Il y avait les canons... Un vacarme infernal... Je courais sur le champ de bataille et tu me poursuivais en criant.

– Père avait donné des ordres formels.

– Oui, je sais. Mais je ne pouvais pas me contenter de les regarder se battre contre ces damnés *Sassannachs*!

Alexander, à genoux, fixait ses paumes ouvertes comme pour

trouver la vérité dans les lignes de ses mains. John partit d'un rire sarcastique.

– Il n'y avait que toi pour agir comme ça! Tu n'avais jamais peur de rien, tu bravais toujours l'autorité!

Enfouissant son visage dans ses mains, Alexander essaya de se rappeler la suite des événements. Son frère le poursuivait sur le champ de bataille en l'appelant, en l'exhortant de revenir sur ses pas. Lui se retournait pour crier qu'on le laisse... C'est alors qu'il avait vu le canon du mousquet de son frère pointé sur lui. Pris de panique, il s'était remis à courir.

John l'appelait toujours. Le coup de feu avait retenti, il l'entendait encore, se détachant des centaines d'autres. Touché à l'épaule gauche, il avait été rudement projeté au sol, sur le dos... Sur le dos! Il était tombé *sur le dos* alors qu'il *s'éloignait* de John! Il revoyait maintenant plus clairement la scène... À l'instant où il avait senti la balle lui traverser l'épaule, en cette fraction de seconde où il s'était vu tomber, il avait croisé le regard stupéfait de son père derrière celui de l'ennemi. L'ennemi... Des yeux clairs au milieu d'un visage couvert de suie le fixaient intensément...

– Le soldat du régiment de Pulteney! C'était le soldat de Pulteney!

Son frère avait raison. Il avait tout confondu: les yeux bleus d'O'Shea avec ceux du soldat de Pulteney, les directions, les mousquets... Il n'avait donc fondé toute sa vie que sur des idées fausses? Quel habile architecte de sa propre prison, de son propre malheur avait-il été! Voilà que l'échafaudage de tout ce qu'il s'était imaginé concernant les événements s'effondrait d'un coup, le laissant complètement désorienté.

– C'est... pour ça que tu n'es jamais rentré? demanda faiblement John, sidéré. Tu n'es jamais revenu à la maison parce que tu croyais... que j'avais voulu?... Nom de Dieu! Alas! Moi qui pensais que c'était parce que j'avais provoqué la mort de grand-père!

Sous le choc de la vérité qui s'imposait en bloc à lui, Alexander manquait de souffle et avait terriblement mal au cœur. Il se plia en deux, se prenant le ventre à deux mains. Plus de haine, plus d'angoisse ni de remords... Il ne restait plus que l'amertume qui l'étouffait et cette douleur qui grandissait en lui débordait:

– Oh, Dieu tout-puissant! Nooon!

Anéanti, il éclata en sanglots. John, tout aussi bouleversé, s'approcha de lui, posa une main sur son épaule. Alexander releva son visage vers son jumeau, cette moitié de lui. Il prenait conscience que John avait porté le même fardeau que lui sa vie durant. Les yeux bleus se trouvèrent, se fixèrent intensément. Quelle étrange sensation que de plonger dans un regard identique au sien mais animé d'une âme différente! Les paroles étant désormais inutiles, les frères s'étreignirent avec force.

***

– ... et quand le prêtre dépose l'hostie sur ta langue, tu la laisses fondre. Tu ne la croques pas, d'accord?

– Mais, maman! Je veux pas manger le corps de Jésus! C'est... c'est... Je suis pas un cannibale!

Isabelle referma la deuxième malle qu'elle venait de terminer de remplir en s'esclaffant:

– On ne le fait pas pour de vrai, Gaby! L'hostie est un symbole du corps du Christ.

– C'est quoi, un symbole?

– Quelque chose qui remplace le vrai...

– Dans ce cas, je vais faire semblant d'être un cannibale?

– Gaby! De toute façon... tu auras bien le temps de comprendre tout cela avant la fête de Noël... Mais où ai-je mis l'encrier?

Gabriel sauta de son banc.

– Dans la première malle, maman. Je peux aller jouer avec Otemin et Duglas?

Isabelle se souvint d'avoir effectivement rangé l'écritoire au fond de la malle. Elle était découragée.

– Oh, zut! Il me faut cette encre pour écrire à monsieur Guillot!

– Maman, je peux, dis?

– Euh... oui. Seulement, tâche de ne pas trop t'éloigner. J'aurai besoin de toi pour ranger tes jouets... Veux-tu... Gaby?

Le garçon était déjà parti, laissant la porte grande ouverte.

– Bon, j'ai compris! J'irai moi-même trouver Marie après avoir écrit cette lettre. L'amour, c'est bien beau. Mais il y a les bagages à faire!

Ayant récupéré l'écritoire, elle l'ouvrit. La dernière lettre de Madeleine y était soigneusement rangée au-dessus de la pile de missives reçues depuis son arrivée à Red River Hill. Alexander la lui avait remise le matin de son départ avec Nonyacha. Avec fébrilité, elle la prit et la déplia sur ses genoux pour la relire. La vie était parfois surprenante... Elle parcourut rapidement les formalités d'usage, sauta d'une ligne à l'autre et trouva enfin le passage qui l'avait bouleversée:

Avant de terminer cette lettre, je voudrais t'annoncer quelque chose, ma chère Isa. Toute cette histoire est arrivée si vite... Pourtant, je me rends compte en écrivant que je ne l'ai pas rêvée...

Elle passa encore quelques phrases.

La maison est si vivante depuis leur arrivée! Coll ne rechigne pas à la tâche et le père Macdonald est un homme charmant sous son air revêche. Il faut comprendre... Il est malade et souffre beaucoup. Il a fait ce long voyage pour retrouver Alexander.

Coll est si différent, enfin, je le vois avec un regard nouveau. Sa petite fille, Anna, est la plus mignonne des créatures, Isa. De la compassion, me diras-tu? Je l'ai cru au début. Certainement, ce père veuf, seul avec un nourrisson et accompagné d'un vieillard, m'a émue. Mais, lorsque je pose les yeux sur lui aujourd'hui, je sais que ce n'est plus la compassion qui me pousse vers lui. Est-ce que je l'aime? Je ne saurais dire exactement dans quelle mesure. Le sentiment que j'éprouve est si différent de celui que j'avais pour Julien. Mais je sais que l'amour peut prendre différentes formes. Alors soit! Je te dirai que je l'aime.

Et voilà! Nous nous marierons à l'église Saint-Laurent le lundi 24 octobre prochain, sitôt la corvée des moissons terminée. La joie me transporte. Mais elle serait totale si je voyais dans les bancs ton sourire et la tête rousse de mon petit Gaby. Vous me manquez énormément. Je ne te demanderai pas d'assister à ce mariage pour que tu n'aies pas à refuser...

Une larme se forma au coin de son œil. Elle l'essuya avec le dos de sa main et rangea la lettre.

—J'y serai, chère Mado, j'y serai. Quelle surprise t'attend! Tu ne peux savoir combien je partage ton bonheur grandement mérité...

L'esprit léger, elle s'arma d'une plume, en vérifia la pointe et sortit une feuille de papier. Elle imaginait déjà la joie que manifesterait Alexander lorsqu'elle lui apprendrait la nouvelle.

Ayant aperçu sa jeune servante s'éloigner avec Francis en direction des bois, Isabelle hésitait à aller la chercher. Surprendre les amoureux à un mauvais moment serait aussi embarrassant pour elle que pour eux. Cependant, il restait encore plusieurs malles à remplir. Elle se décida donc et se faufila entre les arbres en les appelant pour leur permettre de rajuster leurs vêtements, si nécessaire.

Les feuilles craquaient sous ses pas et l'odeur un peu acide du sol humide lui montait à la tête. Elle pensa à la concession de Beaumont, imagina les boisés qui devaient border les champs de blé, le fleuve qui coulait tranquillement. La maison avait été restaurée dans les années qui avaient suivi la conquête par les Anglais. De plus, les terres avaient aujourd'hui un excellent rendement. Les greniers du «P'tit Bonheur», comme l'ancien propriétaire, Jean Couture, avait baptisé l'endroit, étaient toujours pleins. Au décès de son mari, qui n'avait pas d'héritier, madame Couture avait mis la propriété en vente pour aller vivre chez sa sœur, près de la rivière au Saumon.

Isabelle songeait de plus en plus à cette concession que Pierre avait achetée et qu'on louait. Si Alexander acceptait... le temps que le locataire trouve un autre logement... enfin, peut-être pourraient-ils aller y habiter avant le début des semailles, l'été prochain? Un froissement la sortit brusquement de ses réflexions.

– Marie?

Une main se plaqua sur sa bouche, étouffant son cri. Écarquillant les yeux d'effroi, elle se débattit furieusement, mais bien inutilement.

– Calme-toi, Isa! J'te veux pas de mal. Pis j'voudrais pas avoir à blesser tes amis, si tu vois c'que j'veux dire!

Reconnaissant la voix de son frère qui chuchotait à son oreille, Isabelle se pétrifia. L'homme enleva sa main et la libéra avec prudence. Elle prit le temps de respirer. Puis, faisant tout à coup volte-face, elle leva le bras pour le gifler. Son geste fut vite arrêté. Étienne, tout en lui tordant le poignet, la foudroyait d'un regard tellement haineux qu'elle comprit qu'elle ne devait plus rien tenter. Il la relâcha avec brusquerie et cracha un amas noirâtre au sol.

– Étienne... Que... que fais-tu ici? Comment sais-tu?...

L'homme émit un ricanement qui la fit frémir. Plissant les yeux, il pencha la tête.

– Voyons, Isa! Comment j'ai su? Pensais-tu vraiment que personne te retrouverait?

– C'est Jacques Guillot qui?...

– Le pauvre, il s'meurt d'amour pour ma dévergondée de sœur! Il a suffi que je lui dise que je te ramènerais pour qu'il m'indique l'endroit où il faisait suivre ton courrier.

– Que me veux-tu? Pourquoi me cherches-tu? Si tu viens pour prendre possession de la concession de...

– J'en veux plus de la concession de Beaumont!

Il tendit son index à l'ongle long et noir sous son nez.

– Tu sais très bien c'que je cherche, p'tite sœur! Pis astheure, tu vas me dire où j'vais l'trouver!

– Mais... qu-quoi? De quoi parles-tu? Je ne comprends pas!

Percevant d'autres présences, Isabelle se retourna pour se trouver face à trois Sauvages affreusement peints en rouge et en noir et coiffés d'une unique mèche de longs cheveux trônant au milieu de leur crâne soigneusement rasé. Immobiles, tomahawk à la main et poignard à scalper au cou, ils la dévisageaient d'un air imperturbable. Le cœur battant, terrifiée, elle pivota de nouveau sur elle-même.

– Que veux-tu, Étienne?

– L'or!

– Je ne sais pas où il est!

Étienne afficha un air satisfait.

– Mais, apparemment, tu en connais l'existence! Lavigueur avait raison.

– C'est toi qui l'as envoyé ici?

– Guillot m'a averti que je ne s'rais pas ben reçu... Lavigueur pense que l'or s'trouve icitte. J'ai fait ma p'tite enquête. J'sais qu'il est icitte, quelque part. J'vous ai espionnés une bonne partie de l'été en espérant que ton Écossais trahisse le secret de l'endroit où il est caché... Mais il n'en a rien fait. Lavigueur pense qu'il se trouve dans le verger. Comme j'pouvais pas passer mes nuits à creuser, j'ai interrogé ben des gens et j'ai mis leur loyauté envers Alexander à rude épreuve. J'ai rien appris de plus que ce que j'savais déjà. Alors, je dois maintenant prendre les grands moyens!

– Je ne sais pas où il est, je te le jure, Étienne! Sur la tête de Gabriel et d'Élisabeth!

– Élisabeth, hum... C'est comme ça que tu l'as appelée? C'est-y pas honteux d'avoir donné le nom de not' aïeule à ta nouvelle bâtarde!

La gifle partit d'un coup. Aussi stupéfaite qu'Étienne de son geste, Isabelle porta sa main endolorie à sa bouche restée ouverte. Le regard que lui renvoya son frère lui fit l'effet d'une coulée de lave sur la peau. Elle émit un petit hoquet d'effarement.

– T'es ben comme ta mère! Une traînée!

L'évocation de Justine aida la femme à reprendre contenance.

– Curieusement, Étienne, je pense que tu lui ressembles beaucoup plus que moi avec ton cœur sec.

L'homme ne releva pas. Il se contenta de retrousser les coins de sa bouche en un sourire cynique. Le temps pressait. Il voulait quitter cet endroit le plus rapidement possible.

– D'accord. Tu sais pas où est caché l'or. Mais ton Écossais le sait, lui! Alors, j'vais l'attendre icitte. J'espérais ne pas en arriver là, mais j'ai pas le choix.

Isabelle se jeta sur son frère, toutes griffes dehors.

– Tu n'es qu'un scélérat, Étienne Lacroix! Je te hais! Je sais que tu as tué le Hollandais et les hommes qui l'accompagnaient! Je sais que tu as laissé Alex à tes maudits Sauvages pour qu'ils le torturent!

Lui attrapant les poignets et les broyant, Étienne plongea son regard mauvais dans ses yeux voilés de larmes.

– Sais-tu aussi que Pierre m'avait commandé un souvenir de ton Écossais, Isa? Il te l'avait pas dit, ça, hein?

Estomaquée, elle ouvrit la bouche. Mais aucun son n'en sortit. Ses jambes mollirent. Si Étienne ne la tenait pas, elle se serait écroulée à ses pieds.

– Astheure, écoute-moi ben! Si tu racontes c'qui vient de se passer icitte, tu pourras pleurer sur le sort de tes amis! La squaw, celle qui vit avec l'aut' Écossais, elle est ben mignonne. Pis ses rej'tons sont si fragiles. Tu comprends c'que j'te dis?

Dépassée par tant de méchanceté de la part de son propre frère, Isabelle n'arrivait plus à articuler aucun mot. Elle acquiesça simplement de la tête. Étienne la relâcha tout en jetant un dernier coup d'œil autour d'eux. Puis, sans plus tarder, il s'enfonça avec ses sbires dans les profondeurs des bois.

Se laissant tomber sur les genoux, Isabelle demeura un long moment prostrée. Elle sentait avec angoisse le regard de la forêt peser sur elle. Désormais, elle savait à qui il appartenait.

***

Le canot s'éloignait de la rive, froissant l'eau de la petite baie recouverte d'un voile orangé. Les pagayeurs entonnèrent un chant. Deux hérons, dérangés par le bruit, s'envolèrent en déployant leurs longues ailes dont les bouts tracèrent des traits interrompus sur la surface de l'onde tranquille. Alexander ramassa ses affaires; John l'imita. Puis, les deux hommes s'engagèrent dans les broussailles marécageuses. À la tombée de la nuit, ils seraient à destination.

Au fur et à mesure qu'ils approchaient, Alexander était de plus en plus anxieux. Il leur fit emprunter un sentier qu'il connaissait bien, puisqu'il le prenait souvent avec Munro lorsqu'il chassait les oies ou les canards. Il savait qu'il leur restait encore une bonne lieue à parcourir à travers bois.

Les derniers rayons du soleil étincelaient dans la chevelure de John, qui marchait à sa droite. Quelle impression étrange que de marcher de nouveau à côté de son jumeau! Étrange mais tellement émouvante...

– Cette femme, Isabelle... commença John en lui lançant un

regard en coin, elle sait pour moi? Je veux dire... que tu as un frère jumeau?

– Non, avoua Alexander à voix basse, je ne lui ai pas parlé de toi.

Étant donné l'urgence de la situation, il avait simplement parlé à son frère d'Isabelle et de ses enfants. Pour le reste, il voulait attendre. Il devait réapprendre à lui faire confiance. Ainsi, ni l'un ni l'autre n'avaient fait allusion au Hollandais et à son dernier voyage. Pour expliquer son retour précipité vers Red River Hill, il avait raconté à John qu'un groupe de Sauvages hostiles avait été repéré dans les environs. Il voulait protéger les siens.

– Hum... fit John en hochant la tête, songeur. Je parie qu'elle est très jolie.

– Tu te souviens que nous avions la fâcheuse habitude de toujours jeter notre dévolu sur la même fille?

– Ha! ha! ha! Si je m'en souviens? La petite Lilidh ne savait plus où donner de la tête! Elle jurait que nous nous étions embrassés derrière la grange. C'était toi, hein?

Un sourire éclaira le visage d'Alexander, qui éclata de rire avant de se taire.

– Mais toi... tu es marié, d'après ce que j'ai entendu? Avec Marie-Anne, hein?

Il avait ralenti le pas. John, qui l'épiait discrètement, avoua soudain:

– Je sais, Alas. Marie-Anne m'a tout raconté.

Sentant le sang affluer d'un coup à son visage, Alexander piqua du nez.

– Je ne sais pas quoi te dire, John... Elle... enfin, j'étais...

Son frère posa la main sur son bras pour le rassurer.

– Je sais. À cette époque, Marie-Anne n'était pas mon épouse. Puis... c'est ridicule, je sais, mais... En fait, apprendre que tu avais couché avec elle m'a ouvert les yeux. La jalousie, tu comprends? Je me suis rendu compte que j'étais vraiment attaché à cette femme et que je ne voulais pas la perdre.

Repensant à Isabelle, Alexander accéléra l'allure.

– Je tiens à t'avertir que je n'aurai pas besoin de cette «médecine» pour prendre conscience de mes propres sentiments, John!

Ajustant son pas au sien, son frère s'esclaffa:

– J'en prends note, Alas.

Soudain, un craquement venant des buissons les alerta. Épaulant leurs fusils, ils se tapirent derrière un écran de verges d'or qui ondulaient sous la brise du soir. Alexander scruta les abords des bois et vit une ombre entre les troncs pâles des bouleaux. Ajustant son arme, il ferma un œil et visa de l'autre la silhouette, attendant que l'intrus apparaisse. Plusieurs secondes s'égrenèrent. Puis une biche surgit. Le cœur battant, Alexander soupira en abaissant son arme et en montrant à John de quoi il s'agissait. Les deux hommes se remirent en route.

– Maintenant, nous avons une petite fille, Marguerite! annonça fièrement John. Elle ressemble à sa mère. Il faudra que tu viennes un de ces jours à la Batiscan avec les tiens. Marguerite sera enchantée de découvrir de nouveaux cousins.

– Sais-tu que Munro est père de deux enfants?

– Munro, père? Tu rigoles?

– Il a épousé une femme ojibwa au Grand Portage.

Pénétrant l'obscurité de la forêt, ils se turent.

***

Marie rajustait sa robe sous le regard amoureux de Francis. Le jeune homme, taquin, tendit la main pour dénouer le lacet de son corsage. Elle le repoussa en riant.

– Oh! non! Vilain garnement! Il faut que je retourne aider madame Larue... euh... Macdonald.

– Marie, ma douce et belle Marie, reste avec moi!

– Si je n'y vais pas immédiatement, elle viendra me chercher ici. Je ne veux pas qu'elle nous trouve ensemble... pas comme ça.

– Non, Marie. Reste avec moi à Red River Hill! Dois-tu vraiment partir avec eux? Ils trouveront bien quelqu'un d'autre pour s'occuper des enfants et...

La jeune Mohawk se pencha sur son amoureux couché à ses côtés pour l'embrasser sur le bout du nez.

– Francis, je ne peux pas laisser madame Macdonald seule avec ses deux enfants. Je m'occupe de Gabriel depuis sa naissance. Et si toi, tu venais avec nous? Ils auront certainement besoin d'un homme à tout faire en ville. Si Basile... Mais... qu'y a-t-il, Francis?

Avisant l'air stupéfait du jeune homme, Marie se retourna d'un bloc, prête à débiter une excuse quelconque pour expliquer son retard. Deux bras puissants la soulevèrent alors. Francis la poussa brusquement en direction de la cabane. Elle cria.

– Francis!

– Va, sauve-toi, Marie! Va avertir Stewart et Munro!

Paralysée devant l'Iroquois qui s'avançait, elle se mit à hurler de terreur. Francis, tout en saisissant son poignard qui ne le quittait jamais, lui ordonna en hurlant:

– Sauve-toi, Marie!

La jeune femme s'exécuta alors, prenant ses jambes à son cou. Le Sauvage se mit aussitôt à sa poursuite et Francis s'élança derrière.

***

Isabelle terminait de changer le lange d'Élisabeth, qui gazouillait comme un petit oiseau.

– Gaby, lave tes pieds avant de te coucher!

– Mais je les ai lavés!

– L'eau de la bassine est claire. Tu ne veux quand même pas me faire croire qu'après avoir passé la journée à chasser les couleuvres pieds nus dans les rangs de maïs, tu peux laisser l'eau aussi limpide?

– Bon, j'y vais...

– Tâche de bien nettoyer tes ongles. Ensuite, tu videras la bassine dehors.

– Oui, maman!

Gabriel abandonna en grognant son dessin sur la table qu'éclairait une chandelle. Isabelle le suivit des yeux. S'étant assurée qu'il prenait la boîte de savon, elle revint vers sa fille qui, à force de gesticuler, avait défait son lange.

– Eh bien! Qu'est-ce que ce sera lorsque tu te mettras à courir, toi?! Tu n'arrêtes pas, juste ciel!

À ce moment-là, le cri de Marie lui déchira les tympans. Elle crut d'abord que Francis courait après la jeune femme pour lui faire peur, comme il le faisait parfois. Mais un deuxième cri retentit, strident. Ses cheveux se dressèrent sur sa tête: il ne s'agissait certainement pas d'un jeu.

– Qu'est-ce qu'elle a, Marie, maman? demanda Gabriel d'une voix inquiète.

Isabelle remit le lange à la hâte, puis emmaillota et déposa Élisabeth dans son berceau.

– Gaby, ordonna-t-elle, tu restes ici avec ta sœur et tu la surveilles. Ne la quitte pas un seul instant des yeux, ou je te chauffe les fesses à mon retour.

Sans donner à son fils le temps de répliquer, elle s'élança ensuite hors de la cabane. Mais elle revint vite sur ses pas, décrocha le fusil et ressortit en fermant la porte, laissant Gabriel effaré.

***

Le vent qui se levait soulevait les feuilles, faisait grincer les branches et assourdissait le bruit de leurs pas tout autant que celui d'éventuels assaillants. Alexander sursautait au moindre craquement, au moindre cri animal. Il connaissait assez les Sauvages pour savoir qu'ils imitaient les créatures des bois pour communiquer entre eux sans que rien n'y paraisse. Ainsi, quand l'engoulevent chanta, il s'immobilisa pour guetter une réponse. Rien. Soulagé, il invita John à reprendre la marche.

La nuit tombait, emplissait de son opacité chaque buisson, chaque trou, chaque pente et fournissait de nombreuses cachettes à qui voudrait surprendre les deux hommes. Avec elle, le silence se faisait presque total. Hormis quelques oiseaux et insectes nocturnes, les bêtes n'osaient le troubler. Au-dessus, entre les branches d'arbres enchevêtrées, le ciel s'assombrissait de plus en plus: une nuit sans lune.

Pendant un moment, Alexander écouta le cliquetis de leurs armes, le chuintement du cuir de leurs sacs, les froissements sous leurs pas et le sifflement de leurs respirations. Ils approchaient de Red River Hill. Tout était silencieux. Trop? Pas assez? Il ne savait plus. Son pied heurta une racine d'arbre. Il bondit en jurant. Ses craintes et ses sombres pensées l'avaient distrait. Pourtant, il connaissait l'endroit comme le fond de sa poche.

– Ça va?

– Ouais...

Il devait maîtriser sa peur tout en restant sur ses gardes. Pour tromper l'angoisse, il décida d'engager la conversation.

– Les hommes qui t'accompagnaient... ils travaillent pour toi?

– Oui. Je suis mon propre employeur depuis trois ans.

– Hum... J'ai effectivement entendu dire que tu avais rompu tes relations d'affaires avec le frère de ta femme.

– Philippe Durand? Si on veut. Disons que je n'approuvais pas certaines de ses méthodes de travail. J'ai préféré me mettre à mon compte. Plusieurs des hommes qui travaillaient pour lui ont choisi de me suivre. Cabanac et Le Chrétien sont de ceux-là. Je mettrais ma vie entre les mains de Cabanac. Il m'est plus loyal qu'un chien, ma foi.

– Cabanac? Est-ce que ce n'est pas lui qui m'a tranché le doigt?

John, qui marchait derrière son frère, soupira.

– Tu m'en veux, Alas?

– Tu as fait ce qu'il fallait. Je suppose que, si ton intention avait été de me mutiler, tu m'aurais carrément tranché la main! Marie-Anne a veillé à ce que la guérison soit complète avant de me laisser retourner à Québec.

– Tu as déserté?

– Non... Une drôle d'histoire que je te raconterai une autre fois.

– Ouais... Il nous faudra un baril entier de whisky pour pouvoir nous dire tout ce que nous avons manqué chacun de la vie de l'autre.

– Un baril ne sera pas suffisant, si tu veux mon avis!

Alexander évita un tronc d'arbre tombé en travers du sentier.

– Attention, là!

– Merci.

Ils firent encore quelques pas à l'aveuglette.

– Alas...

– Oui?

– Tu es heureux?

– Heureux?

Alexander ne trouvait pas que le moment était particulièrement joyeux.

– Je veux dire... Tu vas épouser cette femme, ton sang coule dans les veines de tes deux enfants. Pour le passé, je sais bien qu'il n'y a plus rien à faire. Mais pour demain, pour les jours à venir?

– Eh bien... Je crois que je suis heureux, oui.

– D'accord. C'est ce que mère voulait. Tu sais qu'elle te savait vivant?

– Oui, on me l'a dit.

– Hum... Alors, si tu es heureux, je le suis, moi aussi.

Ralentissant, Alexander se tourna légèrement vers John qui faillit le heurter. Tandis qu'ils se fixaient, voyant leur reflet en l'autre, ils pensaient chacun à ce qu'avait dû être la vie de l'autre. Deux vies parallèles, similaires et pourtant si différentes. Alexander découvrait que John avait comme lui suffoqué sous les tourments.

– Tu sais, la montre de grand-père Campbell? dit tout à coup John.

– Celle que Coll m'a rendue? Je l'ai toujours. Pourquoi?

– Quand je suis revenu de Culloden, je l'ai cherchée.

– Je l'avais cachée pour que ce stupide Iain MacKendrick ne me la pique pas.

John rit doucement.

– Pas si stupide que ça, ce MacKendrick! Il avait réussi à la trouver, ta cachette. Coll m'a averti, et je suis allé le trouver pour la récupérer avant qu'il n'aille la vendre. Je lui ai cassé deux dents et lui ai fait un œil aussi gros qu'un œuf d'oie. Ensuite, je lui ai poliment demandé s'il n'avait pas, par hasard, trouvé ta montre. Le pauvre est allé la chercher immédiatement. Je l'ai gardée sur moi à partir de ce jour... jusqu'à la campagne de Louisbourg.

– Merci, John.

Alexander, profondément troublé, avait la gorge nouée. L'enfant qu'il avait été hurlait en lui, ne demandait qu'à retrouver cette moitié de lui qui lui avait été enlevée. Il prit une grande respiration. John posa la main sur son épaule. Il fit de même. Puis, dans un élan d'affection, ils s'étreignirent.

– C'est bon de se retrouver, déclara John d'une voix modulée par l'émotion.

– Oui... acquiesça Alexander.

***

– Il va le tuer! Faites quelque chose! Le Sauvage va tuer Francis!

Munro avait rejoint Marie, qui hurlait de terreur, et criait à Stewart d'aller chercher les armes. Isabelle arriva, et la jeune servante s'écroula à ses pieds en sanglotant.

– Combien étaient-ils, Marie?

– Je sais pas... J'en ai vu qu'un seul... Francis, oh, Francis!

– Un seul Sauvage?

La malheureuse acquiesça et enfouit son visage dans ses mains. Munro et Stewart disparurent dans les bois. Prenant Marie par les épaules, Isabelle la força à se relever.

– Viens, ne reste pas ici. Rentre à la cabane.

– Mais Francis, madame?

La jeune femme leva ses grands yeux noirs et luisants.

– Munro et Stewart vont le ramener sain et sauf, ne t'inquiète pas.

Revoyant l'aspect sinistre des trois Sauvages qui accompagnaient son frère, Isabelle essayait de se convaincre elle-même, tant bien que mal, que les deux Écossais feraient ce qu'il fallait.

– Ce fils du diable!

L'idée lui vint alors que les quatre hommes avaient pu intercepter Alexander. Cela lui fit l'effet d'un coup de poignard, et elle gémit. Soudain envahie par la rage, elle arma le chien du fusil comme on le lui avait enseigné.

– Rentre, Marie!

L'arme était lourde et encombrante. Mais Alexander lui avait montré comment la tenir pour arriver à marcher sans trop de difficulté. Formulant une courte prière, elle fouilla des yeux l'obscurité. Deux silhouettes surgirent alors du sentier. Le cœur battant, Isabelle leva le canon, le doigt fébrile sur la détente. La jeune servante, qui se dirigeait vers la cabane, perçut les mouvements et se retourna.

– Francis!

Elle s'élança vers les deux hommes qui revenaient. Les amoureux s'étreignirent fougueusement. Munro vint vers Isabelle, l'air grave.

– Stewart l'a pris en chasse. C'est sans doute juste un Sauvage en fuite à la recherche de nourriture. Le *bastard* n'ira pas loin.

– Ce Sauvage n'est pas seul, Munro. Ils étaient trois...

L'Écossais haussa les sourcils d'incompréhension. Elle lui raconta alors sa triste rencontre de la journée. Consterné, il secoua sa chevelure et fourra ses doigts dans sa barbe dans une attitude de réflexion. Tout à coup, il partit vers sa cabane en criant.

– *Greas ort! Dinna stay footering here, wemen! Be aff and fetch the bairns*[119]*!*

Isabelle fixait son dos tout en s'interrogeant sur le sens de ses paroles. Lorsqu'il eut disparu, elle pivota sur elle-même pour rentrer chez elle. Les aboiements des chiens surexcités par l'atmosphère tendue s'éparpillèrent dans les bois. Il avait libéré la meute.

– Marie!

La jeune femme était penchée sur Francis, dont elle inspectait la blessure au bras. Isabelle jugea bon de les laisser et se dirigea vers la cabane. Mais, au moment où elle atteignait la porte, elle fut poussée violemment et se retrouva au sol. L'arme lui échappa des mains; la sous-garde lui entailla l'index. Affolée, elle rampa pour la récupérer. Mais un pied lui écrasa le poignet. Elle gémit de douleur et de déconvenue.

– T'as pas pu garder ta boîte fermée, hein?

– Je n'ai rien dit, Étienne, je te le jure! Ce n'est pas moi qui ai donné l'alerte! Marie... Marie est arrivée en criant. Un de tes Sauvages s'est attaqué à elle.

Étienne jura. Puis un rai de lumière lui barra le visage.

– Maman?

Isabelle, paniquée, essaya vainement de dégager son poignet.

– Gaby, rentre! Je t'avais dit de rester avec ta sœur!

– Mais elle peut pas aller... Qu'est-ce que tu fais, maman? Oncle Étienne?

– Écoute ta mère, Gabriel! Rentre!

Effrayé par le ton de son oncle et l'étrange attitude de sa mère, le garçon obéit avec un hoquet. De nouveau, l'obscurité fut complète. Isabelle lacérait la cheville de son frère avec ses ongles. Enfin, Étienne la libéra en grognant. Dans un geste désespéré, elle saisit la crosse à deux mains et, usant de toutes ses forces, souleva

119. Dépêchez-vous! Ne restez pas ici à ne rien faire! Allez chercher les enfants!

l'arme. Puis elle roula sur le dos. Le coup partit, se répercutant jusque dans ses épaules. Portant la main à sa mâchoire, où coulait un filet de sang, Étienne jura.

–Je t'avais avertie, Isa!

Un raffut épouvantable parvenait de la cabane. Élisabeth pleurait; Gabriel criait. Mue par l'angoisse, la volonté de porter secours à ses enfants, Isabelle se releva. Mais elle s'empêtra dans ses jupes. Le fusil lui échappa des mains. Elle le ramassa, le tâta pour situer la détente. Soudain, Étienne la prit par la taille. Elle expulsa d'un coup l'air de ses poumons et laissa encore une fois tomber le fusil qui atterrit sur son pied.

– Laisse-moi! Les enfants! Laisse-moi, Étienne!

–J'veux l'or! Pis tu vas me servir à le récupérer! Je sais qu'il est icitte. Personne touchera à tes mômes si tu coopères, compris?

Désespérée, elle abandonna la lutte qu'elle savait inutile et se mit à sangloter. Étienne l'entraîna vers la lisière des bois. Tremblante, elle trébuchait sans cesse, mais il la retenait. Derrière un rideau de larmes, elle fixait les fenêtres faiblement éclairées de la cabane qui rapetissaient de plus en plus dans l'obscurité.

Il y eut des coups de feu. Étienne, nerveux, la tira plus rudement. Soudain, un Sauvage surgit de l'ombre des bois : un filet de sang s'écoulant d'une entaille au front lui barrait la joue. Il cria quelque chose qu'Isabelle ne comprit pas. Étienne lui répondit sur le même ton, dans le même idiome étrange.

Isabelle ne quittait pas la cabane des yeux. Elle entendait toujours les pleurs de sa fille, bien qu'ils fussent de plus en plus atténués. Curieusement, l'intensité de la lumière à l'une des fenêtres semblait augmenter maintenant. Elle cessa de pleurer. Paralysée de stupeur, elle oubliait son propre sort pour se concentrer sur ce qui se passait avec ses enfants.

– Nooon!

Comprenant d'un coup la situation, elle fut saisie d'horreur. Son cœur se mit à battre la chamade.

– Nooon! Gabriel! Gabriel!

Elle se débattit frénétiquement pour se dégager de l'emprise d'Étienne, qui, voyant les premières flammes s'élever derrière la petite fenêtre, la libéra sur-le-champ.

***

Les détonations et les cris saisirent Alexander d'effroi. L'Écossais se mit à courir entre les arbres, John sur ses talons. Mais il lui semblait qu'il n'avançait pas. Il avait l'impression que le sol s'enfonçait sous ses pieds, que les branches des arbres voulaient l'arrêter avec leurs griffes. Les hurlements lui transperçaient le cœur, lui enlevaient toute sa raison. Il revoyait Tsorihia, les bras en croix sur le sol, le visage portant encore le masque de la terreur; Joseph avec sa petite tête fracassée, abandonné sur le sol, privé de la chaleur de sa mère... et les autres, tous les autres...

Non! Pas eux! Alexander vit tout à coup des éclats de lumière, une nuée de lucioles dansant dans les arbres. Puis, le phénomène s'amplifia. Une lueur rougeoyante s'élevait du sol. Pris de folie, il poussa un hurlement effroyable qui lui déchira la gorge.

– Le feu! C'est le feu!

Comme un seul homme, les deux frères volaient au-dessus du sol, approchant de leur but malgré les obstacles et les irrégularités du terrain. Soudain, comme surgissant des flammes de l'enfer vers lequel ils se dirigeaient, des silhouettes se dressèrent devant eux. Ils virent l'éclat des lames, le lustre de la peau nue, la lueur de la haine dans les yeux noirs.

Sans avoir besoin de se concerter, les jumeaux se séparèrent, entraînant les Iroquois dans leur sillage. L'un partit vers la droite, l'autre vers la gauche. Ils convergeaient vers la maison en flammes lorsque l'un d'eux se heurta fortement contre une branche. Il perdit l'équilibre et glissa, dévalant une pente boueuse. Quelques pieds plus bas, son pied se coinça entre deux pierres. Il poussa un cri, tenta de se rattraper aux arbustes. Mais les branches cédèrent. Il bascula vers l'avant et se frappa violemment la tête. Son corps finit sa course dans un épais fourré, en bas de la côte, tandis qu'il sombrait dans l'inconscience.

***

Isabelle se précipita pour porter secours aux enfants, qu'on n'entendait plus. Mais l'haleine brûlante du feu l'arrêta. Marie, complètement hystérique, faisait le tour de la maison à la recherche d'une autre entrée, en vain. Les flammes avides enlaçaient les rideaux, léchaient les vitres, faisaient disparaître l'étoupe et s'échappaient par les interstices des murs, dévorant la maison de bois et d'écorce à une rapidité surprenante.

Isabelle assistait, impuissante, au funeste spectacle et étouffait de douleur. Allant et venant nerveusement, elle criait et pleurait sous la pluie de tisons qui se dispersaient autour d'elle comme autant d'étoiles tombant du ciel. Les hommes plongeaient des seaux dans le baril d'eau de pluie. Les maigrelettes langues d'eau qu'ils s'éreintaient à lancer sur le feu s'évaporaient aussitôt dans un crépitement. Isabelle se dirigea vers eux et s'empara d'un seau pour s'arroser d'eau.

– Que faites-vous?

Stewart lui arracha le seau des mains. Le lui reprenant, elle le remplit de nouveau et termina d'imbiber ses jupes. Puis, sous le regard perplexe de Francis et de Munro, elle grimpa les marches du perron. Marie l'appela:

– Madame! Non, madame!

C'est alors qu'Isabelle entendit un hurlement derrière elle, qui la figea sur le seuil. Se retournant, elle vit entre les volutes de fumée la silhouette familière d'un homme qui arrivait en courant.

– Alex! Alex! Les enfants! Les enfants sont restés dans la cabane!

Étienne, qui était resté sous le couvert des arbres, se tourna lui aussi vers la source du nouveau cri. Il aperçut alors l'homme qui accourait, vit les reflets de bronze de sa chevelure, reconnut sa stature et son agilité. Envahi par la haine et la folie, il saisit son pistolet glissé dans sa ceinture et siffla ses sbires.

– Je t'offre un billet pour l'enfer, Macdonald!

Dévalant les marches, Isabelle se lança à la rencontre d'Alexander. Les deux regards se croisèrent, exprimant chacun une grande douleur.

– Les enfants... ils sont restés dans la cabane!

Il dévisagea la femme un bref instant. Puis il serra ses mains dans les siennes.

– Reste ici.

Scrutant les alentours, il chercha son frère, mais ne le vit pas. Cependant, il ne pouvait attendre plus longtemps. Il arrivait peut-être déjà trop tard. La fumée et la chaleur lui brûlaient la peau et les poumons. Sous le regard désespéré et abasourdi des spectateurs, il enfouit le nez dans sa chemise et franchit la porte entourée de flammes.

Deux, trois, quatre minutes s'écoulèrent lentement. Isabelle fixait l'entrée, le cœur battant. Puis, un craquement lugubre lui fit lever les yeux vers le toit, qui disparaissait sous l'épaisse fumée noire. Le bruit s'amplifia, se mua rapidement en un horrible grincement. Les fenêtres éclatèrent alors dans un fracas épouvantable en crachant des gerbes d'étincelles, et le toit s'effondra au milieu des flammes. C'en était fini.

– Alex! NOOON! Gaby, Zabeth!

– Madame, madame!

Marie l'appelait doucement. « Un rêve... » Isabelle laissa ses paupières fermées. Elle refusait de lever le voile sur la réalité.

– Madame, regardez!

« Non, je ne veux pas voir leurs corps! » Elle gémit, roula dans l'herbe pour se recroqueviller sur elle-même et éclata en sanglots. Mais Marie insistait et la secouait.

– Laissez-moi...

L'odeur de la fumée lui soulevait le cœur. Secouée par un violent spasme, elle se mit sur le ventre. Des jappements de chiens et des pleurs d'enfants s'approchaient. Elle entendit la voix de Mikwanikwe, puis celle de Munro, pleine de chagrin. L'Écossais expliquait à sa femme le malheur qui s'était abattu sur eux.

Les enfants pleuraient toujours. Isabelle se boucha les oreilles : quelle stupide idée Mikwanikwe avait eue de les emmener ici! Elle roula encore sur le côté et, à travers ses jupes mouillées qui lui collaient aux jambes, sentit le froid de cette cruelle nuit de septembre qui lui rappelait qu'elle était toujours vivante.

Les mains de Marie s'acharnaient sur elle. Elles lui caressaient les joues, dégageaient son visage en repoussant ses cheveux. Ce qu'elles étaient petites, ces mains...

– Maman... Maman... réveille-toi!

Une haleine chaude arriva sur son front. La fumée était étouffante. On toussota près d'elle.

– Maman, maman!

Tandis que les petites mains la secouaient, la voix enfantine se mit à sangloter devant son immobilité et son mutisme persistants. Laissant sa tête basculer sur le côté, Isabelle ouvrit lentement les yeux : une petite silhouette était penchée sur elle et un bébé pleurait tout près.

– Madame, ils sont saufs! Les enfants, ils sont vivants!

– Gaby? Gaby, c'est bien toi, mon cœur?

– Maman...

Isabelle n'osait y croire. Elle ouvrit plus grands les yeux : c'étaient bien ses enfants! Elle s'assit, serra son fils contre elle pour sentir sa chaleur. Marie se pencha pour lui montrer la petite Élisabeth qui, la bouille couverte de terre, gesticulait dans ses bras. C'était incroyable! Alexander avait réussi! Le cœur battant, elle regarda autour d'elle. Stewart et Francis charriaient des seaux d'eau et les vidaient sur le squelette enflammé de la cabane. Un peu plus loin, Mikwanikwe, tout en serrant ses enfants contre elle, caressait la tête de Munro qui avait enfoui son visage dans ses mains. Isabelle fut soudain saisie d'angoisse.

– Alex?

Le visage de Marie se décomposa. Pour détourner son attention, la jeune servante lui tendit Élisabeth. La petite fille agrippa une mèche de cheveux et tira dessus, comme pour dire: «Je suis là, moi!» Gabriel, blotti contre elle, restait muet. Alors elle comprit. Alexander à peine revenu, elle l'avait déjà perdu. Les yeux égarés dans les flammes qui lui avaient ravi une partie de son âme, elle étreignit fortement ses enfants en versant des larmes.

***

L'aube était grise. Une fine pluie tombait sur les restes fumants de la cabane du Hollandais. Leur maison. Prostrée sur le banc qu'avait installé Munro sous l'aubépine, Isabelle fixait la croix de bois. Un peu plus loin, les enfants attendaient patiemment avec Mikwanikwe. Isabelle, grelottant, finit par se lever, lentement. Sur la croix, Munro avait gravé: *Alasdair Colin Campbell Macdonald of Glencoe - 1732-1768.*

– Trente-six ans... Sais-tu que je ne connais même pas la date exacte de ta naissance, mon amour?

Sa voix se cassa; ses yeux s'emplirent de larmes. S'essuyant le visage du revers de sa manche souillée de suie, elle se tourna en direction de ceux qui l'attendaient. Gabriel, sagement assis sur les genoux de Francis, gardait la tête penchée. Quel brave petit garçon elle avait! À l'image de son père, vraiment! Elle se pencha sur la croix et en caressa le bois rugueux.

– Tu serais fier de ton fils... Sais-tu qu'il a sauvé la vie de notre petite Zabeth? Après qu'il se fut enfermé dans la maison comme je le lui avais demandé, la petite s'est mise à pleurer. Avec tout ce qui se passait, j'avais oublié de la nourrir... Gabriel a eu l'idée de lui faire chauffer un peu d'eau pour la faire boire. Il a mis le coquemar sur le feu et s'est muni d'un torchon pour le reprendre, comme j'ai l'habitude de le faire. La toile a dû toucher les braises, car elle a pris feu. Gabriel a paniqué et l'a lancée à travers la pièce. Elle a atterri dans une malle restée ouverte dans laquelle j'avais rangé les vêtements. Les flammes n'ont pas tardé à se propager. Ayant senti que quelque chose n'allait pas avec son oncle Étienne, Gabriel n'a pas osé appeler à l'aide. Il a enveloppé sa sœur dans un drap et s'est échappé par une trappe menant sous le plancher. Te souviens-tu de cette pierre descellée dans les fondations que je ne cessais de te demander de réparer pour que nous ne soyons pas envahis par les bêtes puantes? Eh bien, pour une fois, je te remercie de ne pas m'avoir écoutée. Gabriel en connaissait l'existence et savait qu'il y avait un passage sous la maison. Il avait l'habitude de s'en servir lorsqu'il jouait à cache-cache avec Otemin. L'espace est trop étroit pour un adulte... mais pas pour un petit garçon de sept ans. Une fois dehors, ton fils a filé tout droit chez Munro pour s'y réfugier avec sa sœur.

Isabelle respira profondément en baissant ses paupières sur ses yeux brûlants.

– Nous partons, Alex. Munro et les frères MacInnis nous conduiront à Montréal, où nous passerons l'hiver comme nous avions prévu de le faire. Au printemps, je quitterai la ville pour aller m'installer à Beaumont. Je crois que cela nous fera du bien à tous. J'ai proposé à Munro de venir avec nous... Il y réfléchit encore. Ensuite, j'irai voir ton père et Coll. Je suis tellement triste que tu n'aies pas pu les retrouver... enfin, c'est comme ça! On ne nous demande pas notre avis! Les événements se produisent, c'est tout! Mais comme tu me l'as déjà dit, tout arrive pour une raison précise... ou quelque chose comme ça. Voilà. Je tenais à te raconter cela... Oh, Alex!

Elle renifla, rassemblant ses forces. Posant une main sur son cœur, elle effleura sa croix de baptême. Quelques souvenirs surgirent. Puis, elle dénoua le ruban et, après avoir embrassé le bijou, l'enfouit sous la terre.

– Ainsi, tu auras quelque chose de moi. Que Dieu te garde, Alex! Tu mérites le repos. Tu seras toujours en moi!

Elle prit encore quelques secondes de silence. Enfin, elle se leva et, sans un regard pour l'autre tombe creusée à la lisière des bois et où était enseveli l'un des Sauvages, elle s'éloigna pour rejoindre ce qu'elle conservait de son amour : Gabriel et Élisabeth.

TROISIÈME PARTIE

1768-1769

Le repos du guerrier

Quand on ne trouve pas le repos en soi-même,
il est inutile de le chercher ailleurs.

LA ROCHEFOUCAULD

La force de l'âme est préférable à la beauté des larmes.

EURIPIDE

19

Retour aux sources

Tout en promenant son regard autour d'elle, Isabelle écoutait Gabriel réciter son alphabet dans la pièce à côté, qui servait maintenant à la fois de salle de cours et d'atelier à dessin. Bien qu'il eût un horaire très chargé, Monsieur Labonté avait gentiment accepté de prendre le garçon comme élève pour la durée de l'hiver, afin de lui apprendre les bases de la lecture et de l'écriture. Mais Isabelle désespérait que son fils sût écrire son nom avant le printemps: il butait constamment sur les lettres *m* et *n*, qu'il confondait, et oubliait toujours ou presque la lettre *y*. Il était tellement distrait!

Tirant sur son châle, elle tenta de se replonger dans sa lecture. Les mots défilaient dans la lumière grise de cette fin de matinée de février. Elle avait du mal à se concentrer pour en saisir tout le sens et devait régulièrement revenir en arrière. Au bout d'un moment, elle referma le livre dans un claquement sec et murmura:

– Ah! Mon cher Rousseau! Désolée, mais je ne suis pas de bonne compagnie aujourd'hui. Vous qui avez souffert de solitude et d'incompréhension pouvez comprendre mes états d'âme et me pardonner.

Elle déposa *La Nouvelle Héloïse* sur le coffre, dans lequel était encore rangée l'argenterie qu'elle n'avait pas cru très utile de faire déballer. À quoi bon? Cela aurait alourdi le décor qui lui pesait tant déjà... Elle se leva et fit quelques pas dans le salon en se frictionnant. Ses talons claquaient et résonnaient sur le parquet gelé. L'hiver était rude. N'ayant pu se procurer une quantité suffisante de bois de chauffage, elle économisait celui que Basile avait commandé à l'automne. Les deux domestiques, qui ne se servaient que de trois pièces dans la maison, n'en avaient pas fait une grande réserve. Bah! C'était ainsi! À Red River Hill, on entendait bien le vent glacial siffler dans les fenêtres mal calfeutrées de la cabane!

Elle s'immobilisa devant le clavecin toujours recouvert d'un vieux drap. Posant un doigt dessus, elle ferma les paupières et se laissa aller à la mélancolie en se remémorant le petit domaine situé sur la colline de la Petite Rivière Rouge.

– *e, f, g, h, i, j, k, l, n, m, o...*

– Monsieur Larue!

Tirée de ses tristes rêveries par la voix haut perchée du précepteur, Isabelle eut un petit sourire en imaginant la grimace d'agacement de son fils.

– M, N, O, P!

– C'est mieux! Maintenant, reprenez depuis le début et tâchez de ne pas vous tromper, je vous prie.

– *Och!*

Entendre Gabriel employer des expressions appartenant à la langue de son père lui broyait le cœur. Elle crispa ses doigts sur le drap. Un coin du meuble apparut, sombre et lustré. Elle fixa un moment une rose peinte entre deux rinceaux dorés. Il y avait bien longtemps qu'elle n'avait pas touché à un instrument de musique...

Tirant brusquement sur l'étoffe qui glissa à ses pieds, elle découvrit complètement le clavecin et le contempla longuement. Sa forme évoquait une aile d'oiseau déployée. Elle se souvint qu'enfant, elle déclarait que c'était pour ça que le clavecin chantait. Son père, alors, lui répondait: «Mais qu'il chante donc, pardi! Tu le taquines si merveilleusement, ma chouette, qu'il ne peut le faire que divinement!»

Elle fit le tour de l'instrument, qu'elle caressa du bout des doigts en suivant les arabesques qui le décoraient. Heurtant du pied le tabouret, elle baissa les yeux et remarqua que le vernis était usé à quelques endroits. Elle fronça légèrement les sourcils.

– Toi aussi, tu vieillis!

Elle tira sur le siège et s'assit, songeuse. Il y avait des années qu'elle n'avait pas fait accorder son clavecin. Mais elle se risqua quand même à poser les doigts sur les touches du clavier pour jouer quelque chose. Il n'était pas indispensable de soulever le couvercle. Dans un geste coulant, elle entama un concerto de Bach.

– Tiens! Un sautereau qui m'abandonne!

Déçue, elle recommença en exécutant cette fois une gamme ascendante. Elle se rendit ainsi compte que plusieurs touches consécutives restaient muettes. Intriguée, elle souleva le couvercle de l'instrument: une enveloppe était glissée là. Elle la prit, se rassit et en examina l'inscription: «À Isabelle».

Reconnaissant l'écriture fine et nette de sa mère, elle fut assaillie par des sentiments mitigés. Elle avait reçu une lettre de son frère Ti'Paul à la fin de l'été, qui lui était parvenue par le dernier bateau venant de France. Le jeune homme lui annonçait une grande nouvelle: il faisait le grand saut, il se mariait. Sa future épouse, Julienne Maufils, était la fille d'un lieutenant en second des chevau-légers d'Orléans. Pauvre Paul! Il avait tant rêvé d'aventures militaires... enfin! Il n'était pas si loin de ce à quoi il aspirait. Il achevait ses études en ingénierie militaire, au collège de génie Mézières, et s'était vu offrir un poste aux Antilles pour la reconstruction du fort Bourbon. Après les bonnes nouvelles venait la mauvaise: le 8 juin, à l'âge de cinquante-quatre ans, leur mère s'était éteinte entre les murs humides et froids d'un couvent de la région de La Rochelle.

Les yeux toujours rivés sur le papier vieilli, Isabelle pencha la tête et revit les traits de sa mère dans son esprit. La dernière image qu'elle conservait d'elle était celle de cette femme belle et froide qu'elle avait toujours été. Justine se tenait alors debout sous une pluie fine, à côté de la voiture pleine de cartons qui s'apprêtait à partir pour Québec. Elle l'avait embrassée pour la dernière fois. Ses joues, qui avaient commencé à se creuser, étaient mouillées. Isabelle avait cru y voir une larme se mêler aux gouttes de pluie. Sa mère avait-elle pleuré parce qu'elle savait leur séparation définitive? parce qu'elle ne reverrait jamais son petit-fils? Sa répulsion profonde pour ce pays l'avait pourtant emporté sur les liens du sang. Non, Justine ne pouvait pas avoir pleuré...

Le papier jauni craqua lorsqu'elle le déplia. La date du 18 juillet 1761 figurait en haut. Isabelle parcourut l'écriture déliée. Brouillés par endroits, les mots étaient parfois entourés de cernes fades qui faisaient onduler le papier. L'émotion? Elle s'approcha de la fenêtre pour y voir plus clair et plissa les yeux.

Ma très chère fille,

Lorsque vous lirez ces mots, je serai sans doute déjà sur le navire m'emportant vers la vieille patrie. Les préparatifs du départ sont presque tous terminés. Ne restent que les accessoires à emballer à la dernière minute. J'attendais depuis tant d'années ce retour en France. Cependant, je dois vous avouer que c'est avec une certaine tristesse que je m'apprête à embarquer aujourd'hui.

C'est l'âge, me dis-je. Mais non, je sais au fond de moi qu'il y a une autre raison... C'est le cœur lourd que...

Ici, l'écriture devenait illisible. Une ligne plus bas, elle était de nouveau nette et serrée: la lettre avait été reprise quelque temps après.

Depuis mon retour à Québec, j'ai eu le temps de faire le bilan de ma vie... M'est apparu soudain un vide angoissant. Je ne puis blâmer que moi-même. Je sais que j'en ai été l'artisan. Depuis la mort de votre père, je me rends compte de tout ce qu'a fait ce pauvre homme pour essayer de me rendre heureuse. Je suis ingrate. Oui, Isabelle, je l'avoue: je suis une ingrate et une égoïste. J'ai toujours refusé d'accepter l'amour que m'offrait Charles-Hubert... qui avait pourtant un cœur en or, je le vois maintenant seulement.

– Et il en est mort de chagrin... gronda Isabelle.

J'ai nourri ma vie de rancunes et de ressentiments. Chaque jour, je renforçais ainsi ma carapace et m'isolais davantage. J'en voulais à mon père, à Charles-Hubert. Je vous en voulais à vous... oui, Isabelle, à vous qui me renvoyiez l'image de ce que j'avais été et que je ne serais plus: une jeune fille heureuse, insouciante et amoureuse. Sans doute vous sera-t-il difficile de me croire, mais je n'ai pas toujours été celle que vous avez connue. Votre père est tombé amoureux d'une femme animée par la joie de vivre. Pour son malheur, la joyeuse jouvencelle est restée sur les quais de La Rochelle, sous le froid soleil d'un matin de février 1739. Parfois, je me dis que c'est pour la retrouver et faire la paix avec elle que je m'impose ce terrifiant périple jusqu'en France.

Elle s'appelait Justine Lahaye et était amoureuse d'un autre homme, Peter Sheridan, capitaine irlandais au service du roi de France et auteur de ces lettres que vous avez trouvées dans le grenier. Permettez-moi de vous parler un peu de cet amour...

Peter et Justine se sont rencontrés par hasard, en mai 1738, lors d'une fête donnée en l'honneur du nouveau préfet de La Rochelle. Ce jour-là, un déluge s'abattit sur la place publique. Tout le monde courut se réfugier dans les quelques boutiques et auberges avoisinantes. Il y avait si grande foule que Justine se retrouva coincée entre un comptoir croulant sous les pâtisseries et un soldat qui lui écrasait le pied. Après avoir furieusement repoussé l'homme, elle s'apprêtait à lui faire remarquer son indélicate position lorsqu'un beau visage souriant se tourna vers elle. Tombant d'un coup en pâmoison, elle resta muette. «Pardon, mademoiselle, dit-il alors, permettez-moi de me présenter: Peter Sheridan, deuxième lieutenant de la Garde française. Je suis... terriblement confus.» Elle reprit un peu ses esprits et réussit à lui répondre: «Mademoiselle Justine Lahaye, merveilleusement enchantée...» Puis, tous deux, sans bouger ni parler davantage, restèrent à se fixer intensément, laissant chacun leur regard exprimer leur émoi.

À la fin de juillet 1738, après des fréquentations assidues faites dans les règles, Peter fit la promesse à Justine, avant de quitter la ville pour la Bretagne, de revenir au début de l'hiver suivant pour demander officiellement sa main. Il devait d'abord obtenir un prêt de son père et désirait acheter une jolie maison à Lorient. La jeune fille s'affaira tout l'automne à préparer son trousseau avec l'aide de sa mère et de sa nourrice. Peter ne revint pas. Noël passa; la nouvelle année débuta. Justine gardait espoir. Elle se disait qu'il avait dû être envoyé à l'étranger et que sa lettre ne lui était pas encore parvenue. C'est alors que se présenta Charles-Hubert...

À trente-six ans, votre père avait encore belle prestance. Les mille et une histoires de voyages qu'il me racontait me firent apprécier sa compagnie. J'oubliais alors mon inquiétude quant au silence de Peter. J'accompagnais souvent Charles-Hubert en promenade au bord de la mer ou dans les jardins. Mais jamais mon cœur ne s'ouvrit à lui. Il était pour moi une relation d'affaires de mon père, rien de plus. Je m'efforçais de lui être agréable en attendant que le dégel du grand fleuve canadien lui permette de rentrer à Québec, dans sa lointaine Nouvelle-France. C'était en songeant à mon mariage prochain que je lui souriais alors.

Un matin, mon père me fit venir dans son bureau et me présenta un contrat de mariage. Certaine que Peter avait enfin fait sa demande, ne connaissant rien aux procédures juridiques, je signai, toute joyeuse, sans lire consciencieusement le document. Je ne remarquai pas le nom de celui qui allait devenir mon époux. Charles-Hubert était-il au courant, à ce moment-là, que mon cœur était promis à un autre? Je ne le saurai jamais. Quoi qu'il en fût, Peter ne donna aucun signe de vie. Je m'embarquai alors pour le Canada, le cœur en miettes, mariée à un homme que je n'aimais pas.

Cette histoire vous en rappelle une autre, n'est-ce pas? Sachant maintenant combien j'ai souffert de ce mariage imposé, vous vous demandez certainement comment j'ai pu avoir la cruauté de vous faire subir le même sort tragique? Je croyais ne jamais avoir à divulguer mon lourd secret... Mais je pense qu'il est temps de vous révéler la vérité, si dure dût-elle être à entendre pour vous.

— Vous cherchez à soulager votre conscience, mère? Vous n'aviez pas le droit de me prendre ce que l'on vous avait refusé!

Isabelle changea de feuille.

Ma fille, depuis le début je vous savais amoureuse de ce soldat écossais. Je fermais les yeux, je feignais l'ignorance. Je mentirais si je vous disais que cette relation m'indifférait. Cet homme n'ayant ni grade ni fortune, je ne pouvais que m'inquiéter de ses intentions. J'aurais dû intervenir, mettre rapidement fin à cette idylle pour nous éviter à tous ces déchirements. Je n'ai pas bougé assez tôt, ce fut là une terrible erreur. Je ne pensais pas que cela irait si loin... C'était sans compter la fougue et les emportements de l'amour qui nous poussent à oublier la raison et à faire des choses qui peuvent engendrer des conséquences terribles pour nous, les femmes.

Discourir sur ce sujet difficile me met mal à l'aise. Pourtant, je le dois. Je n'espère pas obtenir votre pardon avec ce que je vais vous avouer. Non, ce que vous apprendrez vous bouleversera tellement que vous ne ferez certainement que me haïr davantage. Cependant, je vous dois la vérité, ma fille. Je veux aussi que vous sachiez pourquoi j'ai agi comme je l'ai fait à partir du moment où j'ai compris la triste condition dans laquelle vous avait mise monsieur Macdonald.

Je commencerai par vous dire que la date réelle de mon mariage avec Charles-Hubert est le 30 janvier 1739 et non le 2 juillet 1738 comme le stipule le contrat. Charles-Hubert ayant débarqué à La Rochelle en mai 1738, personne ne pouvait mettre en doute la véridicité du document. Le but de ce « mensonge » était de vous protéger de l'opprobre qu'on aurait inévitablement jeté sur vous ici, à Québec, si on avait appris la vérité. Comprenez-moi, Isabelle... Je vous portais déjà quand j'ai épousé celui que vous avez toujours appelé votre père. Après m'avoir fait une montagne de promesses, après que je lui eus cédé mon bien le plus précieux, Peter m'avait abandonnée. C'est pourquoi, lorsque j'ai su que vous aviez commis la même terrible erreur que moi, j'ai voulu agir rapidement. Comment, en effet, un simple soldat anglais de condition inférieure à la vôtre aurait-il pu agir différemment d'un lieutenant?

Je me suis rendu compte trop tard que la haine et l'amertume m'aveuglaient alors et que je m'étais trompée: monsieur Alexander Macdonald est revenu.

Essuyant ses larmes, Isabelle renifla.

– Oh oui, mère! Vous ne pouvez imaginer combien vous vous êtes trompée! Où que vous soyez, que la tristesse vous étouffe!

Vous souvenez-vous de cette lettre rédigée en anglais que Charles-Hubert avait cachée? Je me demande bien pourquoi il ne l'a jamais détruite, étant donné son contenu. Peter m'y criait son amour qui volait en éclats, m'injuriait, m'accusait de trahison, promettait de s'embarquer sur le premier navire en partance pour la Nouvelle-France afin de venir me chercher. Il disait espérer mourir au combat pour oublier. Voyez-vous, Isabelle, Peter avait simplement été blessé lors d'un exercice militaire. C'était ce qui l'avait empêché de faire le voyage jusqu'à La Rochelle. Il affirmait avoir envoyé deux lettres expliquant son retard. Mais mon père, constatant avec horreur que mon ventre s'arrondissait et voulant saisir la chance qui s'offrait à lui de contracter une alliance profitable avec Charles-Hubert, les a certainement brûlées.

Maintenant, vous savez tout. Il importe peu que Charles-Hubert n'était pas votre père naturel. Il a été pour vous, en effet, le père le plus merveilleux. De cela, je lui serai éternellement reconnaissante. Lors de mon dernier voyage à Montréal, j'ai acquis la conviction que Pierre ferait de même avec votre petit Gabriel, que je chérirai toute ma vie même si je sais que je ne le verrai jamais grandir. Embrassez-le pour moi, ma chère Isabelle, et demandez-lui de prier pour mon âme tourmentée lorsque vous le borderez le soir.

À notre arrivée en France, Paul et moi serons accueillis par ma cousine, Isabella. Ton frère se rendra aussitôt à Paris, où un parent le prendra en charge. Quant à moi, on me conduira dans un cloître...

—J'ai toujours pensé que c'était l'endroit qui vous convenait le mieux...

... où je passerai le reste de mes jours à me repentir de tout le mal que je vous ai fait. Je sais que je ne fus pas pour vous la mère aimante que j'aurais dû être. Vous me rappeliez tellement cet homme que j'avais aimé, cette jeune femme que j'avais été, cet amour que j'avais perdu. Le seul fait de poser mon regard sur vous me blessait au plus profond de mon âme. Je ne souhaite pas pour vous une vie remplie de rancune comme la mienne. Le ressentiment vous détourne de ce que la vie continue de vous offrir. Pour le bonheur d'un mariage d'amour, je sais qu'il est trop tard, maintenant, par ma faute, à cause du zèle que j'ai mis à vous sauver. En écrivant cette lettre, j'espère de tout mon cœur que vous réussirez malgré tout à trouver un peu de sérénité, de bonheur. Pierre est un homme bien, comme l'a été Charles-Hubert. À défaut de pouvoir l'aimer, appréciez-le pour ce qu'il est.

Avant de déposer ma plume, je vous demanderai une seule chose. Paul vous écrira pour vous faire le compte rendu de notre voyage et vous donner l'adresse où vous pourrez lui écrire. Je ne m'attends pas à ce que vous éprouviez le désir de m'écrire. Seulement, j'aimerais que vous m'envoyiez un portrait de Gabriel lorsqu'il aura atteint sa première année, puis un autre à chaque anniversaire. Je prendrai en charge la dépense que cela occasionnera.

Voilà, tout a été dit. Je quitte ce pays le cœur un peu plus tranquille. Adieu!

Votre mère qui vous aime de tout son être,
Justine

Laissant les feuilles tomber à terre, Isabelle enfouit son visage dans ses mains et éclata en sanglots. Foudroyée par ce qu'elle venait de lire, elle resta ainsi un moment, tandis que les informations faisaient douloureusement leur chemin dans son esprit.

Charles-Hubert n'était pas son vrai père? Mais c'était absurde! Invraisemblable! L'ultime coup de griffe de sa mère qui avait déjà tellement lacéré sa vie! Dans un violent accès de colère et de chagrin, elle se leva d'un coup et piétina les feuilles en gémissant. Les larmes revinrent.

– Non, vous me mentez, mère! Je ne suis pas une bâtarde! Tout ceci n'est qu'un tissu de mensonges! Charles-Hubert était mon père... Vous n'avez pas le droit de me faire ça! Vous... vous... Oh, mon Dieu! L'enfer est encore une trop douce punition pour tout le mal que vous m'avez infligé! Vous m'avez tout volé! Mon père, mon amour, ma vie!

Le souffle coupé par l'intense douleur, elle s'écroula dans le fauteuil. Les voix de Gabriel et du précepteur lui parvenaient de manière assourdie. Une exclamation de dépit, un éclat de rire. Elle entendait aussi le vacarme métallique de la cuisine, la voix de Louisette qui grondait Arlequine. Tous ces bruits familiers l'apaisèrent, la bercèrent. La colère s'envola, laissant place à de nouveaux sentiments.

L'œil rivé sur le terrible aveu qu'elle cherchait à faire disparaître sous ses escarpins, elle imagina sa mère, pleine de remords, penchée sur les feuilles vierges, cherchant à expliquer. Puis, elle se souvint de ce jour où Gabriel, grimaçant d'incompréhension et de souffrance, lui avait demandé ce qu'était un bâtard. Elle aurait tout donné pour protéger son fils du venin des langues de vipères qui attaquaient son innocence. N'était-ce pas justement pour le protéger qu'elle lui avait caché la vérité sur son véritable père, comme sa propre mère l'avait fait avec elle? De toute façon, que pouvait comprendre un enfant des tribulations amoureuses des adultes dont il faisait les frais? Tout d'un coup, elle se rendit compte qu'elle avait été cet enfant pour une femme qui avait elle aussi choisi de ne rien dire.

Le goût des larmes qui baignaient les joues de sa mère le jour de leur séparation définitive et qu'elle avait senties en les embrassant lui revint aux lèvres. Elle comprenait maintenant. Si le cœur de Justine en avait été la source, elle pouvait aisément deviner pourquoi il n'en restait plus rien.

– Mon Dieu! Maman!

Elle rechercha fébrilement la dernière page dans le fouillis. Enfin, elle la trouva, relut la dernière ligne: « *Votre mère qui vous aime de tout son être...»* Ces mots, elle avait espéré toute sa vie les entendre de sa bouche. Sa mère l'avait donc aimée? Sa mère avait pleuré pour elle? Malheureusement, elle ne l'apprenait qu'aujourd'hui, maintenant qu'elle était morte... sans avoir pu revoir le visage de Gabriel. Elle avait trouvé la lettre sept années trop tard! Elle s'effondra et sanglota longtemps, déversant des rivières de larmes sur le dernier morceau de sa vie brisée qui lui échappait.

L'obscurité l'enveloppait lorsqu'elle rouvrit les yeux. S'efforçant de ne penser à rien, elle fixa la flamme vacillante d'une chandelle que quelqu'un avait posée sur la table de jeu pendant son somme. Le rire de Gabriel lui parvenait de la cuisine. Les leçons étaient terminées. Le petit garçon devait aider Marie à nourrir Élisabeth, qui exprimait par des cris stridents sa joie d'être le centre de l'attention.

Les enfants lui rappelant ses devoirs de mère, elle bougea pour s'asseoir. Mais un bruissement suspendit son mouvement; elle cessa de respirer. Pourquoi avait-elle souvent cette étrange impression qu'Alexander était là à l'épier? Elle ne croyait pourtant pas aux fantômes. Le son feutré se reproduisit. Le cœur battant, elle se redressa d'un coup, posa les mains sur les accoudoirs. Il y avait bel et bien quelqu'un avec elle dans la pièce.

– Tu es réveillée?

C'était la voix grave et douce de Jacques Guillot. L'homme, qui se tenait derrière elle, lui toucha l'épaule avec tendresse. Hagarde, elle fixa sa belle main sans bouger. Il l'entourait souvent ainsi de son bras protecteur depuis qu'elle était de retour à Montréal.

– Isabelle?

– Vous m'avez fait peur!

– Je... suis désolé. Quand je suis entré, je vous ai trouvée là, avec ces papiers par terre...

– C'est une lettre de ma mère que j'ai trouvée dans le clavecin.

– Ah! fit-il, manifestement soulagé. J'ai cru remarquer vos yeux rouges. Comprenant que vous aviez pleuré, j'ai préféré ne pas vous réveiller. On dit qu'il faut laisser le chagrin se reposer pour mieux l'apprivoiser. Ainsi, il se fait plus doux.

– Qui dit cela? demanda-t-elle en lui accordant finalement un mince sourire. C'est la première fois que j'entends ce proverbe, si c'en est un.

– C'est moi.

Elle se mit debout en soupirant et en lissant sa robe. Pendant ce temps, Jacques se penchait pour ramasser les feuilles de papier.

– Vous avez trouvé cette lettre dans le clavecin? Vous voulez dire que vous n'avez pas joué depuis...

– Plus de sept ans, oui!

Elle lui prit les feuilles des mains et les posa sur l'instrument de musique qui était resté ouvert. Son regard effleura les touches d'ivoire. « Subsisteront toujours l'amour et la musique... » Hésitante, elle s'assit sur le tabouret. Puis, lentement, elle positionna ses doigts.

Jacques la contemplait amoureusement tandis qu'elle se mettait à jouer. Avait-il choisi le bon moment? Elle semblait si perturbée. Mais ne l'était-elle pas souvent depuis son retour de cette folle escapade avec cet Écossais? En la voyant revenir, effondrée sous le poids de ses malheurs, il n'avait pu qu'admettre qu'il l'aimait toujours, en dépit de tout. Même la naissance de la petite Élisabeth n'arrivait pas à altérer ses sentiments pour cette femme. Cinq mois s'étaient écoulés. Il avait attendu, s'était noyé dans le travail. Ce matin, il avait décrété que le moment était venu.

Les mains d'Isabelle, légères telles deux petites ailes de colombe, volaient au-dessus du clavier, engendrant un gai tourbillon de musique qui résonnait dans la caisse du clavecin et emplissait la pièce. Jacques ne pouvait en détacher ses yeux. Il les fixa encore quelques secondes pour se donner du courage. Puis, il attrapa les blanches ailes, de peur qu'elles ne s'envolent loin de lui. Isabelle sursauta. Les dernières notes résonnèrent encore un instant.

– J'ai à vous parler, commença-t-il avec douceur en se penchant sur elle jusqu'à lui effleurer la joue de ses lèvres.

La femme courba légèrement le dos. Elle savait que ce moment qu'elle redoutait arriverait tôt ou tard.

– De quoi? demanda-t-elle en feignant l'innocence.

Serrant plus fortement ses mains et les portant à sa bouche pour les baiser, Jacques s'assit à côté d'elle.

Aussitôt arrivée en ville, Isabelle avait dû affronter l'impitoyable horde de femmes à falbalas qui la pressaient de questions tout en affectant les bons sentiments. On n'avait pas manqué de s'extasier devant la petite Élisabeth et surtout de souligner sa grande ressemblance avec son frère qui, soudain, n'avait plus rien de Pierre.

Jacques Guillot l'avait soutenue dans cette épreuve, se dressant tel un rempart pour la protéger des médisances. La « catin d'Édimbourg », la « squaw écossaise » était revenue en ville, disait-on... Le jeune notaire lui avait offert son épaule, et elle y avait posé son front lorsque le chagrin et la méchanceté la faisaient céder.

Isabelle connaissait depuis longtemps les sentiments de Jacques pour ne pas se douter de ses intentions. Sans l'encourager, elle ne le repoussait pas toutefois. Toujours beaucoup affectée par la mort d'Alexander, sans lequel elle se refusait à envisager l'avenir, elle trouvait cependant réconfortante la compagnie du notaire.

– Isabelle... Je... je vous ai déjà fait part de mes sentiments pour vous, vous ne pouvez l'avoir oublié...

– Je n'ai pas oublié, Jacques.

Elle baissa les yeux.

– Ils n'ont guère changé. Et maintenant que vous êtes seule avec deux enfants...

Sur la défensive, elle retira ses mains des siennes.

– Ils ne manquent de rien!

Tout en soupirant, il lui reprit la main et en caressa le dos.

– Je sais, Isabelle. Mais... ils ont besoin d'une certaine sécurité. Il faut penser à leur avenir.

Oppressée par l'angoisse, elle hocha lentement la tête. Elle détailla le visage de l'homme. Il transpirait l'amour, exprimait la compréhension, inspirait confiance. Il possédait cette beauté qu'on avait envie d'immortaliser dans le marbre. Mais il n'était pas celui qui faisait battre son cœur...

– Puis, il y a vous... continua Jacques.

– Oui, moi.

– Qui êtes si seule... et si... désirable.

Le regard ambré de Jacques accrocha celui d'Isabelle. La femme ne fuyait plus. Cependant, il ne trouvait pas dans ses yeux verts cette étincelle qui l'aurait rempli de joie. Il fit courir ses doigts sur sa joue. Il lui arrivait maintenant, lorsqu'il la consolait, d'oser la toucher. Chaque fois, elle s'esquivait mollement. Alors il s'excusait, pour la forme. Il désespérait de pouvoir franchir l'espace qui le séparait d'elle, de pouvoir la posséder. Combien il comprenait la détresse et la solitude qu'avaient dû être celles de Pierre!

Mais, en cet instant, plus que jamais déterminé à aller jusqu'au bout de sa démarche, Jacques ne s'excusa point et prolongea même sa caresse sur la nuque.

– Je vous aime, Isabelle. Je désire tant m'occuper de vous... vous redonner cette joie de vivre qui vous allait si bien.

– Le temps, Jacques... Il me faut du temps pour guérir.

– Laissez-moi panser votre cœur. Permettez-moi de vous envelopper de tendresse.

Ce disant, il s'approcha d'elle, osa poser ses lèvres sur les siennes. Elle ne se déroba pas. Alors, il espéra. L'enlaçant, il l'attira contre lui pour l'embrasser avec plus de fougue.

Isabelle sentait son cœur se briser en mille morceaux. Mais, si dure fût-elle, elle devait affronter la réalité qui était la sienne et que Jacques venait de lui résumer. Elle n'avait plus la force de continuer seule. L'effort que lui demandaient les tâches quotidiennes les plus simples lui prenait toute son énergie. Bientôt, elle n'aurait plus rien à donner aux enfants.

– Épousez-moi, Isabelle, demanda enfin Jacques en s'écartant d'elle. Soyez ma femme. Nous irons habiter dans la seigneurie de Beaumont, comme vous le désirez. D'ailleurs, cela vous fera le plus grand bien de vous éloigner de Montréal.

– Il faut avertir le locataire, dit Isabelle en guise de réponse, comme si tout ne dépendait que de l'homme en question.

– Je lui ferai parvenir une lettre par coursier demain.

– Cela prendra un certain temps avant qu'il ne trouve à se reloger.

– C'est déjà fait, Isabelle. Ne vous en faites pas pour lui. Ne vous en faites plus pour quoi que ce soit. Je m'occupe de vous. Oh! Isabelle! susurra-t-il en l'écrasant contre sa poitrine. Je vous aime! Je vous aime!

« Alex! criait le cœur d'Isabelle, en émoi. Reviens! Je n'y arriverai pas! Non, je ne pourrai jamais en aimer un autre! » Mais elle devait se raisonner : Alexander n'était plus; elle avait vu son corps qu'on sortait des débris fumants. Cette vision d'horreur l'accompagnerait d'ailleurs toute sa vie. Oh oui! Cette fois, il était bel et bien mort. Les enfants et elle demeuraient seuls et désespérément vivants. Elle devait accepter la réalité. Jacques ferait un bon père et un mari aimant.

***

– Va donc voir ce qui retient Munro! cria Isabelle à Gabriel.

L'enfant la suivait de près. Soufflant sur une mèche qui pendait mollement devant ses yeux brûlants de transpiration, Isabelle se laissa lourdement tomber sur le siège de la charrette et jura dans un dernier accès d'impatience. Le silence retomba alors dans l'air immobile chauffé par un soleil intense.

Un oiseau-mouche bourdonna à ses tympans et fit dresser les oreilles à Bellotte, la superbe jument pommelée que lui avait offerte Jacques. La bête s'ébroua, secouant les brancards et sa passagère, puis replongea ses naseaux dans l'herbe. Le bruit de la

« chute à Maillou » couvrait les voix des enfants et le grincement de la roue à aubes. L'œil rivé sur l'île d'Orléans, en face, Isabelle se mit à rêvasser.

– Encore deux jours... Le 5 mai, je serai madame Jacques Guillot.

Son fiancé était rentré de Montréal trois jours plus tôt et reparti pour Québec, où il était retenu jusqu'au matin fatidique. Il assistait le notaire Saillant dans une affaire compliquée de calculs de redevances pour les censitaires de la seigneurie de Beaumont. Il fallait également procéder au partage équitable de la succession du sieur Charles-Marie Couillard, ancien propriétaire de Beaumont décédé seize ans plus tôt, qui traînait encore. Isabelle était heureuse que Madeleine vînt aujourd'hui pour lui apporter sa robe de mariée. La présence de sa cousine lui serait d'un grand réconfort. Madame Fortin, la couturière, avait fait un magnifique travail, elle devait l'admettre. Toutefois, les multiples essayages n'avaient fait naître aucune joie dans son cœur, au contraire. Elle laissa son regard vagabonder vers l'horizon qui se fondait dans une brume humide. Une nuée de taches lumineuses constellait les eaux du fleuve.

– Deux jours...

Soupirant de lassitude, Isabelle sauta de la charrette et se mit à arpenter le terrain longeant le ruisseau. L'eau se jetait d'une falaise de cent cinquante pieds pour se fracasser sur les rochers et alimenter la roue à aubes du moulin Péan. Cette construction sise sur les rives rocailleuses du fleuve était l'un des chaînons de la célèbre Friponne, entreprise frauduleuse de la clique de Bigot dont faisait également partie le seigneur Michel Jean Hugues Péan. Aujourd'hui exilé en France avec sa fortune scandaleusement amassée en Nouvelle-France, le sieur de Livaudière, qui avait acheté le moulin banal au sieur Couillard, un homme ruiné, en avait confié l'exploitation à son ancien associé, Joseph Brassard Deschenaux.

L'ombre des arbres offrait bien peu de fraîcheur. La femme sortit son mouchoir et le trempa dans l'eau pour s'éponger la nuque. Une douce brise venant du large effleura sa peau mouillée. Elle ferma les yeux pour se concentrer sur le léger frisson que cela lui procura. Puis, jugeant qu'elle avait assez attendu, elle se décida. Elle allait emprunter à son tour le périlleux sentier quand trois hommes apparurent, chargés de lourds sacs de farine. Elle reconnut notamment le meunier Patry, accompagné de Munro.

– C'est pas trop tôt!

– Pardonnez-moi, madame Larue! J'ai dû conduire d'urgence

mon compagnon farinier chez lui. Son dos... encore coincé, le pauvre! Cela m'a retardé dans mon travail. C'est que le grain se moud pas tout seul! Mais voilà, votre commande est prête!

Les enfants suivaient de près, joyeuse bande bruyante qui se faufilait entre les hommes et grimpait en riant dans la charrette qu'on chargeait avec force grognements et soupirs.

– Merci, bredouilla Isabelle, honteuse de s'être si vite emportée.

Tout l'énervait depuis quelque temps. Elle était irritable, changeait rapidement d'humeur. Sans doute qu'une fois les vœux du mariage prononcés, les choses se replaceraient. Enfin, elle l'espérait.

Une fois les politesses d'usage échangées, elle grimpa dans la charrette avec l'aide de Munro qui s'installa à son tour. Entonnant une chanson de son cru, l'Écossais fit claquer le fouet sur la croupe brillante de Bellotte. La joie des enfants étant communicative, Isabelle réussit à sourire. Elle essayait de se convaincre qu'elle devait se réjouir de ce qu'elle avait et non regretter ce qu'elle n'avait pas.

Dans un craquement de bois inquiétant, le véhicule s'ébranla et s'engagea sur le chemin crevé du P'tit Bonheur. La maison surgit au bout de la haie d'érables, solidement ancrée dans la terre qu'avaient amoureusement soignée les propriétaires précédents. Reconstruite face au fleuve en 1765, sur l'emplacement de l'ancienne demeure incendiée en 1759 par les soldats anglais, l'habitation de bois était surmontée d'une toiture pentue, à quatre versants, recouverte de bardeaux de cèdre.

L'entrée était percée au ras du sol, au centre de la façade sud, et encadrée de quatre fenêtres. Une seule cheminée se dressait au-dessus des quatre lucarnes. Isabelle projetait d'en faire construire une deuxième sur le mur situé à l'ouest. Mais il faudrait attendre l'été prochain. Le puits récemment creusé dans la cave et le crépi jeté sur les murs intérieurs avaient déjà suffisamment entamé ses économies. Les réparations les plus urgentes n'étaient pas encore achevées. Depuis un mois, elle vivait avec les enfants dans un véritable chantier. Mais la vue était tellement magnifique! Quand elle se sentait nostalgique, elle s'y abandonnait pendant des heures.

La charrette s'immobilisa dans une explosion de cris de joie. Les enfants bondirent aussitôt pour s'élancer vers la maison, où les attendaient une collation et des rafraîchissements.

– Tante Mado est arrivée! cria Gabriel en voyant la silhouette familière apparaître sur le pas de la porte. Zabeth va être contente de retrouver Anna!

– Et toi, heureux qu'elle tire les cheveux de quelqu'un d'autre!

Après avoir salué Munro, elle suivit les enfants. Ce fut avec une joie sincère qu'elle étreignit Madeleine. Baissant le regard sur le ventre qui ne cachait plus son trésor, elle demanda:

– La traversée a été bonne?

– Fort bonne, Isa. Le fleuve coule doucement ces jours-ci.

Sa cousine était resplendissante. Dans ses yeux se lisait un grand bonheur. «La récompense vient à ceux qui savent attendre», disait-elle. À ces mots, Isabelle riait avec elle. Mais elle ne pouvait s'empêcher de ressentir de l'amertume. Elle était heureuse pour Madeleine. Après dix ans de solitude, sa cousine méritait ce qui lui arrivait. Seulement, la présence des Macdonald n'aidait pas Isabelle à oublier son malheur.

Tout excitée, Madeleine l'entraîna à l'intérieur. La robe était suspendue au centre de la cuisine: elle était faite dans un somptueux tissu, mais était de coupe simple. Ainsi la désirait Isabelle, qui avait pris en horreur les rubans et dentelles. Taillée à l'anglaise dans un style «négligé», le vêtement de taffetas vert céladon s'ouvrait sur un jupon de soie ivoire rebrodé de guirlandes de roses, ton sur ton. Le corps, lui, était largement décolleté, comme le voulait la mode. Une fine ruche, seule fantaisie que s'était permise Isabelle, au grand désespoir de la couturière, bordait l'encolure. Il n'y avait pas de paniers; seul un petit «cul» soulignait la cambrure des reins.

Ce serait un mariage simple. Après la cérémonie aurait lieu un pique-nique convivial sur le coteau descendant vers le fleuve. Silencieuse, Isabelle, n'osant y toucher, faisait le tour de sa tenue nuptiale.

– Elle est... magnifique. Madame Fortin travaille merveilleusement.

– Sur toi, elle sera encore plus belle, Isa!

– Arriverai-je seulement à sourire, Mado? Parfois, j'ai l'impression de me tromper. Tout va trop vite! Il me semble que... enfin, je ne sais plus.

– Tu y arriveras, crois-moi!

Bien que sa cousine essayât de la rassurer, de l'encourager, Isabelle avait le cœur gros. Elle tourna le dos à la robe et se mordit la lèvre pour contenir le désarroi qui l'envahissait malgré elle.

– Cette robe aurait dû être celle...

N'arrivant plus à contenir son chagrin, elle hoqueta et éclata en sanglots. Madeleine la prit dans ses bras et lui parla doucement.

– Isa, ma chère Isa, je sais. Allons, pleure, ma douce, pleure.

– Je n'y arriverai p-pas... C'est trop tôt! Je ne peux p-pas épouser Ja-Jacques!

– Isa, c'est pour après-demain. Pense aux enfants. Ils ont besoin d'un père; ils ont besoin de sécurité. Pis, Jacques est si amoureux de toi. Tu peux plus reculer.

Isabelle essuya ses joues, puis renifla. Elle demeura silencieuse un long moment, les yeux rivés sur les petites maisons qui bordaient l'île d'Orléans. Il lui semblait que plus elle s'efforçait de ne pas penser à Alexander, plus il prenait de place dans son esprit. Malgré toute l'affection qu'elle avait pour Jacques, elle ne pouvait s'empêcher de croire que l'épouser était une terrible erreur. Mais, comme on ne manquait pas de le lui rappeler constamment, il y avait les enfants.

Baissant le regard sur ses mains qui se tordaient nerveusement, elle poussa un long soupir en ravalant ainsi toute l'amertume qui formait une boule dans sa gorge.

– Non, c'est vrai : je ne peux plus reculer. Pour les enfants.

Elle hocha la tête, comme pour se convaincre elle-même, et se tourna vers Madeleine.

– Tu te souviens... pendant le siège, quand tu habitais chez moi... J'étais amoureuse d'Avène des Méloizes. Je rêvais d'un mariage fastueux. J'imaginais une grande fête... dont je serais la reine.

– Oui, je me rappelle très bien ton beau capitaine, répondit Madeleine en feignant d'ignorer les remarques sur le mariage. Tu sais combien les autres filles t'enviaient, Isa? Un homme aussi beau et important que lui était amoureux de toi... Tu en avais de la chance!

Isabelle fit une moue sceptique.

– Tu crois? C'est vrai que monsieur des Méloizes était charmant. Il me promettait une vie agréable... Mais je sais aujourd'hui que ce n'est pas ce qui m'aurait rendue heureuse. Moi, ce que je désire... J'étais si naïve à cette époque! Je ne rêvais que de devenir madame Quelqu'un et d'entendre les cloches de la cathédrale sonner pour moi.

– C'est normal! Toutes les jeunes filles sont comme ça!

– Sans doute. Mais je ne suis plus une jeune fille, Mado. Je ne rêve plus de ça depuis fort longtemps. J'ai connu le confort et le luxe dénué d'amour, puis la pauvreté pleine des richesses du cœur. Je sais maintenant ce que je veux vraiment. Mais les rêves, l'amour... c'est terminé! J'en suis à mon deuxième mariage et, comme la première fois, j'ai l'impression de me rendre à un enterrement.

– Dis pas ça! T'es encore jeune et belle, bonyeu!

– Ça n'aide pas vraiment quand on ne désire plus aimer.

– Isa! Tu vas juste avoir trente ans la semaine prochaine!

– Tu ne peux pas savoir combien j'ai hâte d'arriver à cinquante ans.

– Parce que tu penses qu'une vieille femme n'aspire pas à l'amour? L'amour peut prendre différentes formes, Isa. Regarde-moi. Je pensais jamais arriver à aimer un autre homme que mon Julien. Et astheure, me voilà mariée à l'un de ces «maudits» Anglais!

– Tu as eu neuf longues années pour l'oublier, ton Julien!

– Neuf années pour me le rappeler aussi! C'est vrai, les souvenirs s'adoucissent. Je l'ai pas oublié, comme tu n'oublieras jamais ton Alexander. Mais tu le reverras plus jamais non plus! C'est aussi simple que ça! Fais pas comme j'ai fait, Isa.

– Je sais, juste ciel! C'est que moi, je n'ai pas encore eu le temps de m'y faire. Puis, contrairement à toi, je n'aime pas mon fiancé... enfin, pas de la même manière. Tout est différent, ne le vois-tu donc pas?

– Laisse-toi pas enterrer vivante par tes souvenirs. C'est pas sain. Pis les enfants...

– Les enfants! Oui, je sais, les enfants!

Isabelle respira profondément pour se calmer. Elle ne voulait pas se disputer avec sa cousine deux jours avant son mariage. Elle choisit donc de changer de sujet.

– Comment va le père Macdonald?

– Comme ci, comme ça. D'après moi, il va pas tenir jusqu'à la Saint-Jean. Coll a traversé le fleuve pour aller quérir un médecin à Québec. Il retourne à l'île ce soir. Il pourra pas être icitte pour le mariage. Mais il espère que tu comprendras.

– Je comprends très bien... Sans doute est-ce mieux ainsi, ajouta Isabelle tout bas, en se disant que la présence de Coll ne ferait qu'augmenter son désarroi.

Sur ces entrefaites, Louisette pénétra dans la maison avec Mikwanikwe et des plateaux vides. Les enfants les suivaient de près en réclamant d'autres gâteaux. Il y eut un instant de silence, bientôt rompu par des exclamations d'admiration. La servante, les joues roses de plaisir, s'était immobilisée devant la merveille qu'Isabelle avait promis de lui prêter: Basile et elle devaient convoler sitôt les moissons terminées. Le cocher était resté à Montréal pour terminer d'emballer les affaires de Jacques. Il devait arriver le lendemain pour assister au mariage.

Otemin s'était aussi plantée devant la robe et ouvrait de grands yeux. Gabriel, quant à lui, plissait le nez dans une attitude incertaine. Isabelle l'observait. Son fils lui avait exprimé à sa manière son opinion concernant son union avec Jacques : il avait déclaré qu'il ne désirait plus d'autres papas. Par conséquent, en parfait petit homme du monde, il appelait son futur beau-père « monsieur ».

Des pleurs d'enfants détournèrent le groupe de sa contemplation. Élisabeth et Anna faisaient leur entrée dans les bras de Marie en réclamant bruyamment leurs mamans. Isabelle prit sa fille, qui se tut dès qu'elle vit cet étrange fantôme au centre de la cuisine. La jeune Mohawk admirait aussi la robe. Elle effleura de ses doigts l'étoffe précieuse, les broderies et les rubans. Isabelle devinait les pensées qui faisaient rosir son teint. Cependant, elle trouvait que Francis et Marie étaient encore bien jeunes. L'Antiguais habitait avec son frère dans la seigneurie de Saint-Vallier, où les deux hommes travaillaient comme garçons d'écurie chez les sœurs hospitalières. Cette situation allait calmer un peu les ardeurs de Francis et lui permettre d'amasser un petit pécule.

Mikwanikwe poussa les plus vieux des enfants à l'extérieur, dans la chaleur inhabituelle de ce début de mai. La présence de l'Ojibwa et de Munro réconfortait Isabelle. L'Écossais aux airs bourrus n'avait pas résisté longtemps à ses demandes pressantes pour qu'il vienne habiter Beaumont avec sa famille. Il logeait ainsi avec Mikwanikwe à quelques toises, dans une dépendance qui avait autrefois servi de tonnellerie. Jacques l'avait engagé pour exploiter la terre, dont il ne pouvait s'occuper lui-même. Les enfants, qui se considéraient comme frères et sœurs, n'étaient donc pas séparés.

Marie tira subitement Isabelle de ses pensées.

– Vous avez pensé aux fleurs, madame?

– Les fleurs?

– Pour le mariage! précisa Madeleine.

– Oh! s'exclama Louisette.

Personne n'avait pensé aux fleurs. Or le temps des lilas et des fleurs de pommiers n'était pas encore venu.

– Je n'aurai pas de fleurs, Mado!

Les quatre femmes se regardèrent, consternées.

20

Le gardien de l'or

Un disque diffus perçait faiblement le voile brumeux, tel un œil l'observant. L'homme pensa qu'il s'agissait du regard suprême, implacable et impitoyable, qui se penchait sur lui à l'heure du Jugement dernier...

Il remua, roula sur le dos. Un objet s'enfonça alors dans ses reins, lui causant une vive douleur. Il commença alors à bouger la jambe pour se repositionner, mais fut vite arrêté par une douleur encore pire qui lui arracha un long gémissement. D'une main tremblante de froid, il palpa précautionneusement ses mitasses : elles étaient trempées et raides. Puis, il tenta péniblement de se hisser sur un coude. Mais il finit par se laisser choir sur les feuilles mortes qui formaient son lit.

Ne trouvant plus la force de lutter, il s'abandonna à la souffrance.

Il flottait sur une mer étale, quelque part entre sa finitude et son infinité. Il entendait des bruits assourdis, percevait des odeurs. Cela faisait naître des images dans sa tête. Mais avant même qu'il pût les saisir, elles s'effilochaient et se dispersaient.

Les sons se définissaient, se rapprochaient. Des voix. Il essaya de bouger. Puis, une faible secousse réveilla de vives douleurs dans son corps. C'était atroce, insupportable. Il hurla, chercha à repousser les mains qui se posaient sur lui.

Soulevant ses paupières, il vit deux visages. L'un d'eux était coiffé d'un chapeau français de feutre noir tout rond, d'où sortait une fine frange de cheveux argentés. L'homme lui parla en algonquin. Mais il ne saisit que des bribes de mots. Sa jambe? Qu'avait-elle donc?

Des mains se joignirent aux premières pour le manipuler. Il poussa une longue plainte. On l'ignora. On le tâta, le souleva, le déplaça. Des images de corps torturés, dépecés et jetés dans le feu lui traversèrent l'esprit. Puis ce fut un poteau de torture. Il hurla. On lui arrachait la jambe! Ces damnés Sauvages lui volaient sa jambe! S'arc-boutant, il tenta de se soustraire aux mains. Mais une poigne l'immobilisa avec fermeté et deux billes noires comme l'ébène sous des paupières fripées lui ordonnèrent de ne plus bouger.

L'air embaumait la résine. Il sentit de souples aiguilles de sapin lui chatouiller la nuque. Tandis que le regard pénétrant le tenait paralysé sur le brancard, deux autres Sauvages l'attachaient solidement avec des lanières.

Ainsi, ils ne se contentaient pas de sa jambe, mais voulaient son corps entier, pensa le blessé avec ironie. De toute façon, ils n'auraient que le corps... Que contenait, en effet, cette misérable enveloppe charnelle qu'il était? Rien. Sa tête n'était qu'un grand vide. Il ne savait plus rien, ne se souvenait plus de rien.

Le brancard se souleva en faisant un angle qui lui permit de voir ceux qui l'accompagnaient. Des visages inconnus se présentaient à lui: certains étaient fermés; d'autres souriaient avec compassion. Il remarqua deux autres brancards. Le premier ployait sous une carcasse de chevreuil, le second sous des ballots de peaux. Des chasseurs... Ces hommes étaient des chasseurs et lui était le gibier.

Le convoi s'ébranla au milieu des murmures et des frottements des branchages sur le sol. Tiré de son engourdissement, le blessé souffrait atrocement à la jambe. Il leva les yeux vers les lambeaux de ciel bleu qui défilaient entre les branches des grands ormes roux et des frênes noirs. Il les fixait, se concentrait sur eux pour oublier le reste.

Soupirant, il passa sa langue sur ses lèvres crevassées. Une douce chaleur lui effleura la joue, le tirant de sa contemplation. Une vieille femme marchait à côté de lui. Le regardant avec tendresse et compassion, elle approchait une gourde de ses lèvres. Il but l'eau goulûment.

– Miigwech... *murmura-t-il.*

Sans rien dire, la femme weskarini secoua ses tresses parsemées de fils gris et étira ses minces lèvres en un sourire bienveillant qui défroissa momentanément ses joues.

Un rayon de soleil éblouit l'homme, qui cligna des yeux. Goûtant la chaleur sur son visage, il laissa ses paupières brûlantes de fièvre se baisser et replongea dans son univers intérieur. Il souffrait beaucoup. Le cri strident d'un pygargue réduisit soudain au silence une joyeuse bande de jaseurs. Une mouche bourdonnait à ses oreilles. Doucement, il se laissa bercer par les mouvements du brancard et s'endormit.

***

Mai 1769

Appuyé sur sa canne, l'homme observait le ciel qui s'embrasait et humait l'air frais qui portait le parfum du varech amoncelé sur les battures en de longues et sombres guirlandes. Bientôt flotteraient au-dessus de la ville les suaves effluves des pommiers en fleurs. Il pouvait presque sentir, dans son dos, le poids des pierres des maisons qui se pressaient les unes contre les autres pour se ménager une petite place sur l'avancée de schiste. Québec, la magnifique. Québec, la reine sur son trône colonial. Alexandrie de l'Amérique française. La ville conquise s'était débarrassée des restes de la guerre et de son masque de suie pour se refaire une beauté.

Le commerce florissant gonflait les faubourgs d'artisans et de marins et faisait sortir de terre de fragiles habitations de bois pleines d'enfants. Le maître anglais, froid et calculateur, surveillait, de sa fenêtre donnant sur la très chic rue Saint-Louis, la naissance de cette nouvelle société multiethnique dont la hiérarchie était fondée sur la langue. Les conquis, seigneurs et paysans, s'adaptaient à la vision de l'*english establishment* et modifiaient du même coup légèrement leur façon de parler.

L'odeur de la poudre s'était dissipée, certes. Cependant, les Canadiens, si soumis qu'ils fussent en apparence avec leurs sourires mielleux, ruminaient toujours leur humiliation. Si les Anglais n'avaient pas fait de la Nouvelle-France une nouvelle Acadie ou un exemple à craindre comme celui des Highlands, ils avaient cependant porté un coup dur au pays. On se souviendrait certainement longtemps... Dans la tourmente, les racines profondément ancrées résistaient.

Le son d'une cloche rasa la surface lisse de l'eau, se détachant du vacarme assourdi du port. Changement de quart, pensa Alexander en promenant le regard sur les mâtures nues qui oscillaient doucement : véritable forêt invitant au voyage.

Six barques plates chargées d'humains, de bétail, de malles et de barils approchaient. Un brick en provenance de Southampton, qui avait perdu son mât d'artimon, avait jeté l'ancre depuis une heure à peine. L'inspecteur du port venait de le quitter : apparemment, la fièvre n'avait pas fait partie du voyage. Bientôt, la jetée grouillerait de marins pressés et de passagers hagards. Tout devait être débardé avant la tombée de la nuit et l'arrivée de maraudeurs qui l'accompagnait.

Les remugles des entrailles du navire enveloppaient toujours les gens qui sortaient et la marchandise qu'on hissait sur les quais. Les immigrants se serraient les uns contre les autres comme s'ils refusaient de quitter la sécurité relative des entreponts exigus où ils avaient vécu entassés pendant plusieurs longues semaines. La vastitude de ce pays inconnu, par contraste, était angoissante. Les airs inquiets des visages aux teints terreux se tournaient d'un côté et de l'autre, et les corps recroquevillés durant la rude traversée se dépliaient douloureusement.

Un homme débarqua à quelques pas d'Alexander. La fine peau de son visage parsemée de taches brunâtres et de piqûres de puces se tendait sur l'ossature de son crâne, lui donnant un air austère. Sa sombre vêture le désignait comme un pasteur presbytérien. Une femme et deux jeunes enfants le suivaient. Dès qu'ils furent sur le quai, le chef de famille les invita d'un geste pontifiant à s'agenouiller devant lui.

La femme, maigre corps au visage livide et aux yeux chassieux, étouffa une toux sèche dans son tablier sale. Le garçon, chétif lui aussi, serrait contre lui son maigre ballot et écoutait d'une oreille distraite la bénédiction paternelle. La tête certainement pleine de rêves d'aventures, il parcourait déjà du regard les rues de la Basse-Ville. Voyant l'Écossais qui l'observait, il lui sourit timidement sous sa tignasse rousse. Derrière lui se tenait sa cadette.

La gorge serrée, Alexander se détourna brusquement de ces enfants qui soulignaient douloureusement le vide de sa vie. Près de sept mois s'étaient écoulés depuis que les Algonquins l'avaient recueilli puis confié à une famille de colons vivant au bord de la rivière du Chêne. Il se souvenait très peu des premières semaines, durant lesquelles il avait beaucoup dormi et déliré. Au milieu de ses nuits agitées, il lui arrivait de se réveiller en sursaut, le corps en nage. Des images affolantes emplissaient alors sa tête. Mais elles s'envolaient dès qu'il ouvrait l'œil. Fermant les paupières, il plongea dans les souvenirs des derniers mois...

***

Septembre 1768

« Vous avez reçu un gros coup sur la tête, lui expliqua le colon Dumont. Le médecin dit que les souvenirs devraient vous revenir progressivement. Vous vous rappelez déjà votre nom et ceux de votre famille. Vous savez que vous êtes venu au Canada pour nous donner une bonne raclée! Vous connaissez la langue des Sauvages. Votre tête n'est donc pas trop amochée. On ne peut cependant pas en dire autant de votre jambe. Faudra peut-être la couper... »

Indifférent au sort de ses membres, Alexander glissa ses doigts dans sa chevelure puis laissa mollement tomber sa main sur sa cuisse en soupirant. Si perdre sa jambe pouvait lui permettre de retrouver complètement sa mémoire, il s'abandonnerait volontiers à la hache d'un bûcheron.

Effectivement, jour après jour, de nouveaux souvenirs émergèrent, formant un étrange tableau rapiécé de ce qu'était sa vie. Un visage arrondi creusé de deux délicieuses fossettes se glissait parmi eux. Une femme se penchait sur un potager, le corsage ouvert. Un garçon accourait vers elle. Mais Alexander n'arrivait pas à mettre des noms sur ces gens. D'autres scènes, d'autres visages se présentèrent à son esprit, le transportant d'émoi et d'extrême frustration. Puis, à l'arrivée des grands froids, lorsque les ponts de glace apparurent, le colon partit avec les siens jusqu'à la mission du lac des Deux-Montagnes pour se confesser avant la fête de Noël. À son retour, la famille était accompagnée de trois Sauvages vivant là-bas.

Jean Nanatish avait par hasard entendu le colon parler de cet étranger que des chasseurs algonquins lui avaient emmené au début de l'automne. Après s'être informé du nom de l'homme et de ses caractéristiques physiques, il avait demandé qu'on le conduise auprès de lui. Il s'agissait d'un ami, avait-il assuré à Dumont. Le colon, jugeant qu'il avait suffisamment fait preuve de charité chrétienne, accepta avec soulagement de lui remettre son taciturne pensionnaire.

Ce Nanatish révéla à Alexander les noms qui lui échappaient pour qu'il pût enfin les apposer sur les visages qui le hantaient. Sa visite eut un effet foudroyant. Elle déclencha une avalanche de souvenirs récents qui vinrent trouver leur place avec les autres pour compléter le casse-tête.

Mais Alexander, qui se souvenait désormais de la visite de Nonyacha, du spectacle du massacre de Tsorihia et du petit Joseph, de ses retrouvailles avec John... puis du feu ravageant Red River Hill, restait effondré. L'inquiétude le rongeait à l'intérieur. Que s'était-il passé? Où étaient les siens? Pourquoi ne le recherchait-on pas? Qu'étaient devenus Isabelle et les enfants? Et John? Et Munro? Toutes ces questions qui ne trouvaient pas de réponses finissaient par menacer sa raison.

Autour de lui, on murmurait. On haussait les épaules, on grognait et se raclait la gorge de manière embarrassée. Puis on se détournait. Non... on n'avait revu personne de Red River Hill depuis la fin de l'automne. Alexander savait qu'on ne lui disait pas tout.

Ne pouvant supporter plus longtemps la frustration et l'incertitude, l'Écossais finit par supplier Jean Nanatish de l'emmener jusqu'à la rivière du Nord: il devait en avoir le cœur net. L'Algonquin s'assombrit alors. Son regard de houille fuit pour trouver refuge dans la contemplation des flammes, dans l'âtre de leur petite maison de bois.

– Mon ami... comme je n'avais pas de nouvelles depuis début septembre, comme personne n'était venu faire de provisions pour l'hiver pour Red River Hill, je me suis inquiété. J'ai profité des derniers jours de novembre pour me rendre là-bas avant les premières vraies neiges... C'était désert, déclara Nanatish d'une voix empreinte de tristesse. Les cabanes de Munro et des frères MacInnis avaient été saccagées et abandonnées aux quatre vents.

L'Écossais agrippa le bras de son ami.

– Et la mienne?

– ... complètement rasée.

Alexander cessa de respirer. Puis, il cria de désespoir.

– Où est Isabelle? Où sont ma femme et mes enfants?

Nanatish dut demander l'aide d'autres bras solides pour calmer le blessé, le maintenir immobile. Il ne fallait pas que la plaie, qui commençait seulement à cicatriser, se rouvre, car la jambe, infectée, mettrait encore plus de temps à guérir. Dissimulé dans un bosquet d'aulnes près d'un ruisseau, Alexander avait eu de la chance que les chiens des Algonquins l'eussent découvert. À moitié mort de faim et de froid, il était en bien piètre état et avait une vilaine fracture.

Le Sauvage pencha son visage grave sur l'Écossais et posa une main compatissante sur son épaule. En sa qualité d'ami intime, il lui incombait de dévoiler la terrible nouvelle. Lentement, il annonça:

– Il y avait des tombes, Alexander. Deux, pour être exact.

– Deux?

«Deux tombes... Deux tombes...» Alexander entendait son cœur rythmer la répétition de ces mots dans son crâne. «Deux tombes... Deux tombes...» Cela devenait insoutenable. Il étouffait dans l'atmosphère enfumée de la pièce où il était alité. Les mots prenaient peu à peu tout leur sens, lui assenant un coup d'une violence inouïe. Gonflant avec une grande difficulté sa poitrine, il poussa une longue plainte.

Il sentit son esprit se détacher, s'envoler jusqu'à Red River Hill. Les paupières rabattues sur son incommensurable chagrin, il revisita son modeste domaine, revoyant le champ de maïs former un ruban verdoyant sur la terre noire. Il aperçut la tête rousse de Gabriel au milieu des plants qui ondulaient sous le vent brûlant de l'été. Le visage rouge à cause du soleil et de l'excitation, le garçon avait une couleuvre enroulée autour de son poignet. Derrière lui, Otemin gloussait en cherchant à attraper la queue du reptile.

Il vit encore Munro et les frères MacInnis qui, leurs chemises trempées de sueur, s'escrimaient à tirer un tronc d'épinette. Le premier chantait à tue-tête pour encourager le groupe, donner le rythme. Non loin, Mikwanikwe, qui portait Duglas sur le dos, dans un support qu'elle avait confectionné elle-même, écorçait précautionneusement un bouleau blanc. Elle coupait de larges carrés et les enroulait soigneusement avant de les placer sur un traîneau auquel était attelée Lourag.

Le cœur battant, submergé par les émotions, il vit ensuite Isabelle se tourner vers lui, faisant gonfler sa jupe dans un mouvement gracieux. Leur fille dans les bras, elle lui souriait derrière ses mèches de cheveux qui, telles des oriflammes dorées, volaient en tous sens.

Sortant brusquement de ses visions, il hurla de douleur.

—Je dois y aller!

Ce disant, il se débattait frénétiquement pour se libérer de la poigne des hommes qui le retenaient fermement.

—Tu ne peux pas, tu dois rester immobile encore quelques semaines. Et puis, les sentiers sont encore trop enneigés pour que tu puisses faire le voyage. Alexander, je ferai mon possible pour essayer de savoir ce qui s'est passé là-bas.

Jean Nanatish devinait cependant qu'il ne pourrait rien apprendre de plus avant le dégel complet du lac des Deux-Montagnes. Les glaces s'étaient rompues et s'enfonçaient. On ne pouvait plus traverser avec les chiens, pas encore avec un canot. Il fallait attendre.

Trois interminables et éprouvantes semaines passèrent. Immobilisé sur sa paillasse, Alexander damnait tous les dieux du ciel pour la souffrance qu'il endurait. L'aube du jour tant attendu, mais également craint, arriva enfin, grise et froide. Une fine bruine tombait; la brume voilait le paysage. Bien que sa jambe ne supportât pas son poids très longtemps, il enfila ses mocassins et, accompagné de quatre hommes, se mit en marche pour Red River Hill.

Le voyage fut pénible. Sa blessure encore trop récente obligeait Alexander à s'arrêter fréquemment. La route était encore difficile à certains endroits. Il fallut même chausser des raquettes. Enfin, le groupe atteignit le verger, ravagé par les cerfs. L'Écossais monta lentement le sentier menant à la cabane. Le souffle coupé, il contempla ce qui ne pouvait qu'être l'œuvre d'Étienne Lacroix...

Le noroît sifflait entre les squelettes des bâtiments. La porte de la cabane de Munro grinçait sur ses gonds rouillés, supportée par un chambranle calciné. Il ne restait plus rien des fenêtres et la toiture enfoncée laissait entrevoir le ciel laiteux. La petite bicoque des frères MacInnis et la cabane du Hollandais n'étaient plus que des carrés de pierres noircies sur lesquels reposaient quelques poutres. Alexander emprunta machinalement ce qui était auparavant l'entrée. Du bout du pied, il poussa des morceaux de bois carbonisés, cherchant un objet qui aurait échappé à la destruction, un indice de ce qui s'était réellement produit. En vain. Tout n'était que cendres froides.

Il se plaça face à la cheminée. À la crémaillère rouillée pendait toujours la marmite dans laquelle Isabelle préparait ses bouillons. Il lui sembla voir celle qu'il considérait comme sa femme se pencher au-dessus du récipient pour humer les vapeurs puis se redresser en criant: «La soupe va être servie! Ceux qui ne seront pas à table avec les mains propres iront dormir le ventre vide!» Gabriel avait appris à ses dépens qu'on n'ignorait pas impunément les commandements de sa mère. Un soir, il était allé dormir sans souper parce qu'il avait posé les fesses sur le banc après que les bols eurent été remplis.

De ce bonheur qu'Alexander avait connu ne restaient plus que ruines désolées et une persistante odeur de suie. L'Écossais se retourna vers Jean Nanatish qui l'attendait sur le banc faisant face au four à pain.

– Où sont-elles?

L'Algonquin pointa le doigt en direction des latrines et vers la lisière de la forêt.

– Il y en a une là-bas, à quelques pas de la dépendance, sous une aubépine. L'autre est plus loin, près du sentier.

Alexander s'étonna que les sépultures fussent ainsi séparées. Avançant d'un pas mal assuré, il se dirigea d'abord, avec appréhension, vers l'orée du bois. Une seule croix de bois, ne comportant aucune inscription, marquait l'emplacement de la sépulture. Il s'accroupit. D'après la taille de la tombe, il conclut qu'il s'agissait d'un adulte et non d'un enfant. Il en fut soulagé, mais pas complètement rassuré. Qui se trouvait donc là sous la terre? Où étaient les survivants de Red River Hill? Isabelle et les enfants avaient dû retourner à Montréal. Mais pourquoi ne l'avait-on pas recherché? Que s'était-il passé?

Délaissant cette première tombe, il se dirigea vers la deuxième. Sous l'aubépine qui couvrait les latrines de son ombre se trouvait un petit monticule de terre sur la longueur d'un homme. Il s'agenouilla.

– Il y avait une croix ici aussi, lui expliqua Jean Nanatish, qui le suivait. Un animal a dû l'arracher.

– Y avait-il un nom inscrit dessus?

L'Algonquin se rembrunit et pinça les lèvres.

– Je ne sais pas lire.

– Ah! Désolé.

Déçu, Alexander se leva et, dégainant son poignard, coupa une branche de l'aubépine. Puis, prenant une lanière de cuir dans son sac, il fabriqua une autre croix.

– Voilà!

Tandis qu'il enfonçait le bois et lissait la terre, sa paume accrocha un objet. Intrigué, il le dégagea doucement. Il hésitait à le prendre, se doutant qu'on l'avait laissé là exprès. Cependant, sa forme lui était familière. Il ne résista pas longtemps. Le ramassant, il l'approcha de ses yeux, qui se brouillèrent: c'était la croix de baptême d'Isabelle.

Il referma la main sur le bijou, auquel pendait encore le ruban qui était jadis bleu. Isabelle suspendait toujours sa croix à un ruban bleu. « C'est la couleur du ciel et celle du drapeau de la Nouvelle-France... Mais c'est aussi celle de tes yeux», lui avait-elle expliqué. Les extrémités de l'objet s'enfonçaient douloureusement dans sa paume tandis qu'il pensait à sa nouvelle réalité; sans Isabelle, il se remettrait à errer, sans but.

Mon Dieu! Il enfouit son visage dans ses mains. Se pouvait-il vraiment qu'Étienne eût sacrifié sa propre sœur pour ces damnées pièces d'or? Il était vrai que l'humanité avait connu de tristes exemples d'hommes qui ne s'embarrassaient pas de problèmes de conscience...

Désespéré, Alexander se retenait cependant de pleurer. Il ne voulait pas se donner en spectacle aux Sauvages qui le regardaient silencieusement. Nanatish, devinant son trouble, lui serra doucement l'épaule puis s'éloigna avec les autres. Alors, il poussa un gémissement. Enfin réveillé de sa longue hibernation, il s'écroula sur la tombe et pleura comme il n'avait jamais pleuré.

Il ne dormit pas cette nuit-là. Le sommeil le fuyait. Debout près des ruines de la cabane de Munro, il écoutait les ronflements de ses compagnons couchés sur le sol recouvert de sapinage. Il réfléchissait à ce qu'il devait faire. Isabelle à jamais perdue, restaient ses enfants... enfin, il l'espérait. Il devait les retrouver. Il voulait aussi découvrir ce qui était arrivé aux autres et à John. Qui se trouvait sous la terre, à la lisière du bois?

Portant le regard vers la cime de l'aubépine, visible dans l'obscurité pâlissante, il soupira profondément. Lorsque le jour serait levé, il partirait pour ne plus jamais revenir. Il avait donc une pénible décision à prendre. Ses yeux se dirigèrent vers l'est, là où était planté le verger...

– Tu dois en avoir le cœur net, Alasdair Macdonald.

Armé de sa canne et d'une pelle, il emprunta résolument le sentier. Les nuits de mars étaient encore froides, et un givre scintillant recouvrait le sol.

Reprenant chaque fois le trajet du plan depuis le début, il dut creuser à quatre endroits différents avant que sa pelle percute autre chose que de la pierre. Entendant encore le son creux résonner à ses oreilles, il se laissa choir sur les genoux et ferma les yeux, exténué. Puis, il plongea le bras dans le trou d'une demi-verge qu'il avait creusé. Il était là, cet or maudit! Grognant sous l'effort, il hissa jusqu'à lui le lourd coffre. Puis, animé par la rage, il fit sauter le cadenas à coups de pelle. Haletant, il fixa le coffre en silence, s'attendant à ce qu'il s'ouvre tout seul.

Un oiseau nocturne poussa son dernier cri avant de rentrer au nid. Le ciel gris terne baignait maintenant le verger d'une lumière cendrée. Les mains d'Alexander tremblaient sur le couvercle. La rouille empêchait encore le coffre de s'ouvrir. Le poignard fut nécessaire. Enfin, un sac de cuir apparut. L'Écossais en dénoua les lacets et l'ouvrit. Il resta estomaqué devant le trésor. Jamais il n'avait vu autant de pièces en même temps. Cette fortune avait dormi sous ses pieds, tout près de lui. Il lui aurait été tellement facile de...

Plongeant sa main dans le sac, il en ressortit des moïdores[120], des pistoles et des louis d'or. De lourdes pièces... pour lesquelles on avait pris des vies.

– Bon Dieu! À combien peut s'élever toute cette somme d'argent?

Il laissa les pièces d'or glisser entre ses doigts. Brusquement, il s'assombrit et fixa d'un œil vide les bouts de métal brillants, réfléchissant à ce qu'il allait en faire.

Auri sacra fames... La soif de l'or pousse les hommes aux pires infamies. Alexander remua les pièces dans un bruissement métallique. La vie d'un homme pour chacune d'elles... Un louis d'or pour Chamard? Un autre pour «Pas-de-Poil» Chabot? Un troisième pour Touranjau? Isabelle? En contrepartie, combien d'âmes ces pièces avaient-elles sauvées en restant dans ce coffre? Il ne le saurait jamais... Cela l'indifférait même maintenant.

---

120. Monnaie portugaise très répandue dans le Nouveau Monde au XVIIIe siècle. Le mot «moïdore» est une contraction de l'expression *moeda de ouro*, qui signifie «monnaie d'or».

Le bruit métallique, auquel il avait rêvé autrefois, résonnait sinistrement à ses oreilles et lui donnait des frissons de dégoût. Il avait donné sa parole d'honneur... Mais sa volonté de tenir promesse ne s'était-elle pas transformée en orgueil obstiné pour le conduire là où il en était aujourd'hui? Il ne savait plus s'il avait bien fait.

– Tu as mésestimé le prix de ta parole. Elle t'a coûté bien plus cher que tout cet or...

Il se dit alors que le contenu de ce coffre ne pourrait jamais lui rembourser tout ce qu'il avait perdu.

De retour à la mission, attablés devant des pichets, Alexander et Jean Nanatish buvaient tranquillement leur bière. Leurs chemins se séparaient. Alexander partait pour Montréal, où il comptait retrouver ses enfants et découvrir ce qu'étaient devenus les autres...

Devant le visage fermé de son ami, l'Écossais se disait qu'il allait lui manquer. L'Algonquin, qui était à peu près du même âge que lui, avait été pour lui le compagnon idéal dans l'épreuve. Revêche et peu bavard, il ne posait jamais de questions et ne parlait que lorsqu'on le sollicitait. Sa seule présence était réconfortante. Son seul regard montrait qu'il comprenait et compatissait. Quatre ans plus tôt, il avait perdu accidentellement sa femme et ses trois enfants dans les flots de la Grande Rivière.

– Tu pars pour la chasse à l'aube? finit par demander Alexander pour briser le silence qui durait.

– Hum... dès que le soleil pointera à l'horizon.

– Hum...

Glissant la main dans la poche de sa veste, l'Écossais en sortit une lourde bourse qu'il laissa tomber sur la table devant l'Algonquin.

– Tiens, c'est pour toi.

Fixant le présent, Nanatish pinça les lèvres et leva le menton.

– Je ne peux pas accepter.

– Pourquoi? Je te l'offre pour te remercier de ton aide.

– Un service rendu à un ami ne se paie pas.

Alexander resta un instant coi. Il allait reprendre l'argent, mais se ravisa soudain.

– D'accord, Jean. Si tu ne veux pas garder ces pièces pour toi, alors offre-les aux tiens qui en auraient besoin. Pense à Marie-Catherine Ouabanangokwe. Elle a huit enfants... Je suis sûr qu'elle en ferait bon usage.

L'Algonquin leva ses yeux sombres et dévisagea l'Écossais attentivement.

– C'est l'argent volé au marchand?

– Au marchand? De quel marchand parles-tu?

– Celui que tous appelaient le Hollandais.

– Qui t'a parlé d'argent volé au Hollandais?

Nanatish se gratta le front et repoussa une mèche de cheveux tout en continuant à regarder son ami droit dans les yeux.

– Toi.

Alexander haussa les sourcils.

– Moi?

– Dans tes songes.

– Dans mes songes... Oui, j'aurais dû m'en douter.

Ce n'était pas la première fois qu'il parlait ainsi dans ses délires et racontait sa vie. L'Algonquin, lorgnant la bourse pleine, insista.

– C'est l'argent volé au marchand?

– Non, Jean, je n'ai pas volé cet argent. Le marchand me l'avait confié pour qu'il ne tombe pas entre les mains d'hommes sans scrupules qui en auraient fait un mauvais usage.

– C'est ce que cherche cet Étienne Lacroix dont tu m'as parlé?

– Oui. Lui et beaucoup d'autres hommes, comme Lavigueur.

– Oui, beaucoup d'hommes ont parlé de ce trésor. Mais tous croyaient qu'il s'agissait d'une histoire inventée...

L'Algonquin tendit la main pour ramasser le sac.

– D'accord. Pour Marie-Catherine et ses enfants.

– Tu es un homme bon, Jean Nanatish, et un ami que je n'oublierai jamais.

Nanatish, ayant rangé la bourse dans sa besace, se repositionna nerveusement sur sa chaise. Alexander ne put s'empêcher de sourire devant l'effort qu'il faisait pour paraître détaché de ses sentiments.

– Toi aussi, Alexander, dit finalement son ami. Je t'ai vu déterrer le coffre. Je t'ai entendu ce matin-là, à Red River Hill, et je t'ai suivi...

– Oh!

– J'étais inquiet. Un homme qui a un cœur mort peine dans un corps vivant.

L'Algonquin le fouillait de son regard noir. Mais il ne continua pas ses explications, comme s'il ne désirait pas divulguer davantage les sombres présomptions qui l'avaient assailli et qui pouvaient blesser l'orgueil de son ami.

Alexander ne pouvait que lui donner raison. Il était vrai qu'il avait eu des envies de capitulation brutale et définitive ce jour-là. N'avait-il pas déjà tenté l'irréparable auparavant? Cette fois-là, lorsqu'il avait appris ce qu'il croyait être une trahison de la part d'Isabelle, son frère Coll l'avait arrêté. À Red River Hill, c'était une main invisible qui l'avait retenu: il s'était rappelé que sa tâche, si pénible fût-elle, n'était pas terminée ici-bas. Cette main, ce ne pouvait cependant pas être celle de Dieu. Il lui avait toujours tourné le dos.

– Tu as raison, Jean. Mais, dis-moi, qui offense-t-on lorsqu'on veut mourir et qu'on ne croit plus en un Dieu qui permet tant de cruauté dans ce monde?

– Dieu a créé les hommes et leur a donné des outils. À eux maintenant d'apprendre à s'en servir et de bien cultiver leur cœur.

– Et pour ceux qui paient le prix des mauvaises cultures, Jean?

– Dieu leur offre la paix éternelle. La justice n'est pas de ce monde-ci. Mais elle existe...

– Souhaitons-le.

– Que feras-tu après avoir retrouvé tes enfants?

Alexander plongea le nez dans son verre et resta silencieux un moment. Il n'avait pas encore eu le temps de penser à ce qu'il ferait de sa vie à partir de là. Une idée l'obsédait cependant: retrouver Étienne Lacroix et le supprimer. Mais rien ne pressait.

– Je veux m'assurer que mon fils et ma fille vont bien.

– Et après?

– Après... je retourne en Écosse.

La veille, Alexander avait beaucoup réfléchi avant de prendre cette difficile décision. Il prenait de l'âge. Il était temps pour lui de tout régler ici-bas. Il irait donc à la Batiscan pour trouver John. Ensuite, il retournerait en Écosse. À son retour, il réglerait le cas de cet infâme Lacroix. L'âme en paix, il pourrait alors regarder ses enfants grandir... de loin. Pensant à Gabriel et à Élisabeth, il se rendit compte qu'il n'avait aucun droit sur eux puisque leur mère n'était pas officiellement sa femme. Cela lui fit l'effet d'une pierre lestant son cœur. La petite fille ne se souviendrait même pas de lui. Quant au garçon, il ne pouvait qu'espérer qu'il le considère comme un bon ami...

Alexander crispa ses doigts sur le verre. L'Algonquin, à qui cela n'échappa pas, fronça les sourcils.

– Tu as le temps de réfléchir...

– Oui... Je dois méditer tout cela...

L'Écossais repoussa son verre et se leva.

– Peut-être que retrouver ton pays quelque temps te sera bénéfique. Tes enfants seront encore ici si tu choisis de revenir. Ton âme a besoin des conseils de tes anciens, de leur sagesse.

– Mes anciens...

Alexander repensa à sa grand-mère Caitlin, qui aurait si bien su le guider. Nanatish se leva à son tour pour le saluer, l'étreindre rapidement. Les mots étaient inutiles.

– Je reviendrai te voir à mon retour, Jean.

– Ma maison te sera toujours ouverte, mon ami. Prends soin de ta jambe.

L'Écossais ricana pour cacher son trouble.

– J'essaierai. Et... pour le reste de l'or...

– Je n'ai rien vu. Je suis retourné me coucher.

Le sourire entendu de l'Algonquin s'effaça soudain pour faire place à une expression soucieuse. Alexander savait qu'il avait ses propres problèmes. Les autochtones qui résidaient à la mission avaient fort à faire pour qu'on reconnaisse leurs droits séculaires sur les terres de leurs ancêtres. Depuis quelques années, leur situation économique déclinait. Mais les sulpiciens refusaient de mettre à leur disposition les ressources de la seigneurie afin qu'ils s'en sortent dignement.

Les Iroquois et les Algonquins avaient déjà commencé à revendiquer bruyamment leurs droits par des actes illicites. Cette terre que les sulpiciens disaient posséder n'appartenait qu'à l' tre suprême et devait faire l'objet d'un partage entre les hommes. Un Amérindien qui était convaincu de son droit de disposer de ses biens comme bon lui semblait avait bravé l'autorité religieuse en vendant sa maison à un marchand anglais. Les sulpiciens avaient vivement protesté auprès du gouvernement anglais, qui leur avait donné raison: ils étaient bien, après Dieu et en son nom évidemment, les propriétaires exclusifs de la terre qui constituait la seigneurie de Deux-Montagnes et étaient donc de ce fait les seuls maîtres de son exploitation, comme ils étaient les seuls dirigeants de la mission située sur son territoire. Les prétentions légitimes des Amérindiens ayant ainsi été foulées au pied, une atmosphère d'hostilité régnait désormais dans la mission. Alexander devinait aisément que Jean Nanatish ne s'y plaisait guère.

Alexander quitta la taverne. Un canot l'attendait pour le conduire jusqu'à Lachine.

À Montréal, il apprit ensuite que la maison de la rue Saint-Gabriel appartenait depuis la fin de l'hiver à l'aubergiste Dulong. Quant au notaire Guillot, il était parti établir son étude sur la Côte-du-Sud. Alexander ne put rien savoir concernant l'endroit où étaient allés Gabriel et Élisabeth. Il ne réussit pas non plus à obtenir quelque information que ce soit dans les tavernes et les auberges sur Munro et les frères MacInnis. C'était comme s'ils s'étaient évaporés. Cependant, il lui restait un endroit où il pensait pouvoir trouver de l'aide : à la Batiscan, auprès de son frère John.

***

Un passant bouscula Alexander, l'extirpant de ses douloureuses rêveries. Il ouvrit les yeux, indifférent aux excuses de l'homme, et reporta son attention sur l'activité du port. Le pasteur anglais, qui en avait fini avec ses prières, s'empara d'un bagage. Sa femme et ses enfants firent de même. Puis tous s'éloignèrent, disparaissant derrière une chaise à porteurs gardée par deux laquais en livrée. Une jeune fille brune surgit et toqua à la petite fenêtre. Apparut alors un visage fardé, perdu au milieu d'un nuage de boucles poudrées élégamment maintenues sous un petit tricorne posé de guingois. La dame se mit à gronder la fille, qui ne répondait rien mais se tordait les mains.

Alexander survola des yeux le port, dont l'activité faisait penser à celle d'une ruche. Bientôt, cependant, lorsque la nuit serait tombée, il ne resterait sur les quais que quelques marins, badauds et sentinelles. L'Écossais eut soudain envie de refaire son tour de ronde, comme autrefois, avant de s'embarquer.

Palpant la poche de sa nouvelle veste de drap noir pour vérifier si son billet s'y trouvait toujours, il jeta un coup d'œil vers la rade. Le vent du soir sifflait dans les cordages et la forêt de mâts nus. Entre un brigantin et un senau, il repéra le *Suzanna* et eut une grimace amère. Cinq jours plus tôt, en déjeunant, il avait vu par hasard dans *La Gazette* de Québec l'annonce du départ de la goélette pour Portsmouth : « ... quelques places sont encore disponibles pour des passagers. Pour plus d'information, s'adresser au capitaine Henry Mure. » Le voyage serait pénible, il le savait. Il ne s'était décidé que ce matin à acheter son billet.

John avait disparu. Sans doute était-il mort. D'après Marie-Anne, son épouse à qui Alexander avait rendu visite, Jean l'Écossais n'était plus jamais reparu à la Batiscan après son départ pour Michillimackinac, au printemps 1768, avec ses hommes. Seul le dénommé Cabanac était repassé : il était venu déposer son rapport et les renouvellements de contrats des engagés. L'inconnu enterré à Red River Hill, à l'orée des bois, serait-il son frère ? Il ne le saurait qu'en retrouvant Munro. Tant de questions demeuraient encore sans réponse.

Alexander était resté trois jours à la Bastican. Il avait raconté sa rencontre fortuite avec John à Marie-Anne, qui était inconsolable. Il avait également fait la connaissance de sa petite nièce, Marguerite Macdonald. Le regard clair et rieur de l'enfant lui rappelait étrangement celui de leur mère, Marion. Puis, il avait repris la route en direction de Québec. Sur le chemin, il n'avait cessé de penser aux dernières révélations que lui avait faites son frère jumeau et avait peu à peu senti le désir de retourner enfin en Écosse, dans sa vallée ancestrale. Les événements des derniers mois l'avaient beaucoup changé. Il ressentait le besoin de renouer avec ses racines pour retrouver sa voie.

Pour le moment, il n'avait pas encore retracé ses enfants. Cependant, il avait revu Finlay Gordon, par hasard, dans la rue. L'homme attendait devant une boutique, où sa femme et ses quatre filles faisaient leurs achats. Il avait ouvert sa propre cordonnerie dans le quartier Saint-Roch et avait réussi à obtenir l'exclusivité des travaux de raccommodage de l'armée, moyennant un prix compétitif. Finlay lui avait promis de faire ce qu'il pourrait pour retrouver ses enfants et Munro d'ici son retour d'Écosse, au printemps prochain.

Alexander s'engagea dans les rues de la Basse-Ville, jusqu'où flottaient les odeurs du port. La nuit tombait peu à peu. Les gens fuyaient chez eux, fermaient leurs fenêtres pour protéger leur intimité dans la promiscuité causée par l'exiguïté des terrains. Les couleurs disparaissaient, laissant place aux ombres.

Passant par la rue Saint-Pierre, Alexander remarqua un nouveau remblai. Ainsi, petit à petit, on volait des toises à la grève pour rejoindre la rue du Sault-au-Matelot qui doublait le pied de la falaise. L'Écossais se dirigea machinalement vers la Haute-Ville à l'ouest. Les yeux rivés au sol, faisant bien attention de ne pas mettre les pieds dans l'un des innombrables nids-de-poule, il se heurta à un jeune garçon qui cherchait à vendre ce qui lui restait de bois dans sa petite charrette tirée par un chien. Puis, avisant une voiture qui venait droit sur lui, il essaya de sauter par-dessus une profonde ornière boueuse. Il manqua de tomber et grimaça en atterrissant sur sa jambe blessée. La voiture le frôla; sa canne lui échappa des mains. En se poussant contre le mur, il mit le pied dans un tas de crottes de chien. Il jura. Décidément, les rues de Québec étaient plus dangereuses qu'un champ de bataille!

Tandis qu'il se penchait pour ramasser sa canne, un passant le bouscula, le forçant à prendre appui une fois de plus sur sa jambe tout juste guérie. Il se redressa en grognant, s'apprêtant à crier une grossièreté. Mais, le poing dressé, il demeura muet en voyant le rustre personnage qui l'avait heurté s'éloigner; ces mèches rousses s'échappant du chapeau bosselé, cette haute stature, cette démarche assurée... S'il s'était trouvé à Glasgow ou à Édimbourg, il aurait juré qu'il s'agissait de Coll.

Le solide gaillard disparut à l'angle de la rue, sur la côte de la Montagne. L'obscurité camouflait son visage. Dans un élan de curiosité, Alexander eut envie de se mettre à sa poursuite. Mais les élancements dans sa jambe l'en dissuadèrent. Baissant les yeux sur sa canne, il fut consterné en voyant l'état dans lequel elle était; elle ne valait guère mieux que lui! Claudiquant, il poursuivit sa route dans la même direction que le passant. Peut-être le croiserait-il en sens inverse?

Il faisait nuit noire lorsqu'il passa devant le collège des jésuites, transformé en caserne militaire. Devant une taverne, il ralentit le pas. Il lui semblait retrouver l'atmosphère bruyante dans laquelle il plongeait après ses patrouilles du soir. Il repensa au cabaret du Lapin qui court. Qu'était devenue Émilie? Une lueur chaleureuse dorait la fenêtre de l'établissement et l'invitait à entrer. Pourquoi pas prendre un verre? Sa jambe avait besoin de repos. Il lui faudrait s'équiper d'une nouvelle canne avant de prendre le large.

Dans la taverne du Chien bleu, des exclamations joyeuses s'élevaient du brouillard de fumée. L'effervescence était aussi rassurante que dans ses souvenirs. Mais les vestes rouges étaient absentes. Seuls des Canadiens fréquentaient l'établissement. Alexander s'installa au comptoir et commanda un whisky.

Il terminait tranquillement son troisième verre tout en observant la clientèle. Il s'arrêta sur les rondeurs de la servante penchée vers un client. Des mèches brunes s'échappant du bonnet ondulaient sur la nuque délicate. Elle lui parut familière. Puis, l'homme dit quelque chose et la femme éclata de rire. Quand elle se redressa et se retourna, Alexander poussa un petit soupir de soulagement; ce n'était pas Émilie.

Jugeant qu'il en avait assez, Alexander vida son verre d'un trait et se prépara à sortir. Un homme assis à une table voisine se leva en même temps que lui et le heurta.

– Pardonnez ma maladresse, monsieur...

L'inconnu le dévisageait d'un air étrange.

– Il n'y a pas de mal.

Alexander croisa le regard de l'homme et se sentit mal à l'aise.

– Nous nous connaissons?

– C'est possible. N'êtes-vous point monsieur Alexander Macdonald, soldat du régiment des Fraser Highlanders?

– Eh bien... tout dépend de ce que vous lui voulez.

– Vous ne vous souvenez pas de moi, monsieur Macdonald?

Intrigué par ce Canadien aux yeux charbonneux qui le fixait sans animosité aucune, Alexander se recula d'un pas et le détailla. Vu ses vêtements, il s'agissait d'un gentilhomme, pour sûr. L'homme souleva dans un geste courtois son tricorne de feutre emplumé, découvrant une longue chevelure brune soigneusement ramassée sur la nuque et emprisonnée dans un catogan.

– Non...

Le personnage avait une arrogance aristocratique qui n'arrivait toutefois pas à camoufler ses manières un peu provinciales. Ses traits réguliers et agréables parurent vaguement familiers à Alexander, sans plus.

– Enseigne Michel Gauthier de Sainte-Hélène Varennes, de la compagnie de Deschaillons de Saint-Ours, clama enfin l'inconnu en claquant des talons. Je suis l'officier à qui vous avez laissé la vie sauve sur les Hauteurs. Cela vous revient-il?

Abasourdi, Alexander resta bouche bée. L'homme éclata de rire et, avec une tape amicale, l'invita à sa table.

– Je constate avec plaisir que votre blessure n'a pas été trop grave et que vous avez toujours votre voix. Votre français s'est grandement amélioré.

– Oui... enfin...

– Vous n'êtes donc pas retourné dans votre patrie, mon ami? Euh... Vous me permettez de vous appeler « mon ami »?

– Si vous le désirez, monsieur.

– C'est que je vous considère comme mon ami... et que j'aimerais aussi être le vôtre.

– Euh, bien sûr...

Alexander se laissa pousser sur une chaise. Michel Gauthier, qui épiait l'Écossais depuis un bon moment, avait remarqué ce qu'il buvait. Il commanda la meilleure bouteille de whisky que pouvait offrir la maison et en versa une généreuse rasade à son ami.

– Alors, parlez-moi de ce que vous avez fait ces dernières années!

Les deux hommes devisèrent amicalement. Après trois verres de whisky, Alexander, détendu, était plus bavard. Michel s'intéressa beaucoup aux manœuvres de Murray et d'Amherst qui avaient mené à la capitulation de la colonie. Il commenta les erreurs de l'un et l'autre camp, critiqua la mollesse de Montcalm, l'entêtement de Lévis et l'impardonnable erreur de Bougainville. Cette rencontre inopinée avec ce Canadien qui lui parlait comme si tous les deux étaient des amis de longue date fit du bien à Alexander. Cela l'empêchait de sombrer dans la mélancolie qui précédait invariablement les départs.

Deux heures s'écoulèrent ainsi. On finit par épuiser les sujets. Il y eut des silences. La bouche du Canadien semblait s'empâter. Finalement, l'officier se tut. Pianotant sur la table, fronçant les sourcils, il observait Alexander d'un œil qui jauge un adversaire pour établir une stratégie d'attaque. Puis, il inspira profondément avant de se lancer :

– Avec Wolfe, c'était votre première campagne?

– Euh... non. Sous les armes, il y a eu Louisbourg.

– Et sans les armes?

– J'ai suivi les régiments jacobites en Écosse, plusieurs années auparavant... Je n'étais alors qu'un adolescent.

– Hum... La campagne du jeune prince Stuart? Oui, j'en ai entendu parler en France. À Paris, j'ai rencontré un officier... MacNeil de Barra, si je me souviens bien. Il avait fui l'Écosse après votre défaite. Son île avait été dévastée par Caroline Scott et sa compagnie. D'après ce qu'il m'a raconté... cet homme était d'une brutalité particulière envers les catholiques.

– J'ai pu contempler l'œuvre du capitaine Scott à plusieurs reprises, murmura Alexander en plongeant le nez dans son verre pour cacher son trouble. Ce whisky est excellent.

– Oui, fit Michel en faisant tourbillonner le liquide ambré. Je dois dire qu'il est assez bon.

Alexander ne souhaitait pas en rajouter sur le capitaine Caroline Frederick Scott. Cet homme avait dirigé des expéditions punitives dans Glencoe et dans tout l'ouest des Highlands. Dire de lui qu'il était brutal dans ses méthodes était un euphémisme! Alexander était à la recherche de nourriture lorsque la compagnie de Scott avait fait irruption dans le Glen Nevis. Les soldats s'étaient rendus chez Alexander Cameron, mieux connu sous le nom de MacSorley. L'homme, qui n'avait pas participé à la rébellion, avait reçu le capitaine avec surprise. Il comprenait encore moins ce qui se passait lorsqu'il se retrouva sous un gros chêne avec un nœud coulant autour du cou. Les soldats de Scott s'en prirent aussi à son épouse et à son jeune fils. Leur maison ayant été incendiée, la femme et son enfant, qui n'avaient plus rien, pas même de vêtements, durent se réfugier dans une grotte pendant l'hiver qui suivit.

– De nombreux Écossais se sont installés ici depuis la capitulation. Le whisky remplace peu à peu le rhum des îles françaises. Mais je dois dire que j'apprécie beaucoup votre... comment appelez-vous cela dans votre langue?

– *Usquebaugh.*

— Oui, c'est ça.

Le Canadien leva son verre pour admirer la couleur de la boisson. Puis il but une gorgée et claqua la langue de satisfaction.

— Je n'ai jamais pu vous remercier comme il se doit. C'est pourquoi je me réjouis que Dieu me donne aujourd'hui l'occasion de le faire et d'acquitter cette dette d'honneur que j'ai envers vous, monsieur Macdonald.

— Une dette? Mais vous ne me devez rien, monsieur...

— Mais si! Tuer l'un de ses compatriotes pour sauver la vie de l'ennemi n'est pas coutume sur un champ de bataille, avouez-le. De plus, cet homme était votre supérieur, non?

— Le sergent Campbell n'avait pas de code moral.

— Les guerriers n'ont pas toujours de code moral, fit observer Michel en esquissant un sourire sagace.

Alexander repensa soudain à Red River Hill, dévasté, et au petit village algonquin de la rivière du Lièvre après le massacre.

— Les autres non plus, souligna-t-il en croisant le regard du Canadien.

— Non, en effet... Mais je remercie le ciel qu'il existe des hommes d'honneur. Vous m'avez sauvé la vie, monsieur Macdonald. Permettez-moi de retourner en France le cœur serein, satisfait du devoir accompli.

— Vous ne me devez rien, je vous assure. C'est justement l'honneur qui a dicté ma conduite ce jour-là, sur le champ de bataille.

— Mais vous auriez tout aussi bien pu l'obtenir autrement et avec plus d'éclat en vous emparant de mes couleurs.

— Je respecte... certains principes moraux et n'agis pas dans le seul but d'éblouir ceux qui m'observent, monsieur.

— C'est ce que je disais justement! C'est pour cela que vous méritez toute ma considération, toute mon admiration! Je vous ai vu aussi risquer votre vie pour sauver celle d'un garçon innocent.

— Ti'Paul? dit Alexander, se rappelant soudain ce détail.

— Ti'Paul? Vous le connaissiez?

— Non... C'est-à-dire... Je l'ai connu plus tard, en fait, lors de l'occupation.

— Et sa charmante sœur... Comment s'appelait-elle déjà? Ah! Isabelle! Comment aurais-je pu oublier ce prénom qui lui allait si bien! Belle Isabelle... Vous l'avez revue, elle aussi?

Alexander était très ému. Baissant la tête, il dut faire un gros effort pour répondre.

— Oui.

— Je lui ai demandé de retirer votre poignard du corps de votre sergent, et elle l'a fait. Une femme courageuse, qui a le cœur à la bonne place.

—Je ne... savais pas. Elle me l'a rendu... mais ne m'a jamais dit comment elle l'avait eu...

Un peu gris, Alexander s'absorba dans ses souvenirs. Puis, il leva ses yeux rougis par la fumée et l'alcool vers le Canadien.

— Isabelle est morte...

— Oh! Je... Quand?

Alexander sentit un goût amer monter à sa bouche. Il souleva son verre, puis, constatant qu'il était vide, le reposa sur la table et le fixa. Prenant note de son trouble mais n'en comprenant pas la raison, Michel lui versa le reste de whisky et commanda une autre bouteille.

— Vous la connaissiez bien, alors...

— Elle était... ma femme.

Michel ne dit mot. Buvant à petites gorgées et serrant les mâchoires, il écouta Alexander raconter son triste récit. Puis il resta longtemps silencieux, les coudes solidement appuyés sur la table pour ne pas vaciller. Cet Écossais qui était en face de lui avait les traits creusés et l'expression de celui qui en avait trop vu. Il était marqué de profondes blessures dans son corps comme dans son âme. Que pouvait-il faire, lui, pour l'aider? Pas grand-chose, à part le réconforter un peu.

— Dieu vous a laissé deux enfants, dit-il doucement.

Arraché à ses pensées brumeuses, Alexander releva le menton et croisa le regard compatissant. Il grimaça amèrement.

—Je ne sais pas où ce Dieu les a mis.

—Je pourrais peut-être vous aider à les retrouver? Je connais des gens... Hic!

— Même si j'arrivais à prouver qu'ils sont bien de moi, je ne pourrais jamais les garder. Bon Dieu! Regardez-moi! Je suis un vieux célibataire... un vétéran estropié de l'armée britannique! Vous savez bien qu'on ne me permettra jamais de m'occuper de mes enfants!

Tandis que le Canadien acquiesçait de la tête, Alexander fut traversé par une pensée subite, malgré les effets de l'alcool: l'or! Il pourrait peut-être... Mais il se ravisa aussitôt: non, l'or ne lui permettrait pas d'acheter ses enfants.

Michel baissa les yeux sur son verre. L'Écossais avait raison. Le garçon avait légalement été adopté par le notaire Larue. Cependant, la fillette...

— Vous dites que votre petite fille est née... là-bas, dans les bois. Elle... hic! a été baptisée officiellement? Votre nom devrait figurer sur...

– Non! Elle... Élisabeth n'a été qu'ondoyée symboliquement à la rivière. Elle devait être baptisée à l'église de la mission, à la fin du mois de septembre, le jour de... notre mariage.

Constatant l'inanité de ses efforts, Michel hocha la tête avec mollesse. Puis, il avala deux grandes gorgées. Il n'avait pas dit son dernier mot : quelle qu'en fût la façon, il voulait essayer d'aider son ami pour s'acquitter de sa dette.

– Ainsi... vous logez en ville jusqu'à ce qu'on lève l'ancre? Hic!

– Oui. Si le temps reste au beau fixe, cela devrait se faire après-demain.

En pensant au bateau, Alexander avait justement l'impression de sentir le tangage sous ses pieds.

– Hum... dommage! Je dois quitter Québec pour Montréal à l'aube. J'aurais bien aimé... avoir le plaisir de vous... rrrevoir.

Les lèvres pincées, les yeux dans le vague, Michel se mit à pianoter sur la table. Puis il hoqueta et immobilisa d'un coup ses doigts. Il leva son regard injecté de sang vers Alexander en souriant bizarrement.

– Puisque vous restez un jour de plus... peut-être pourraiii-je... vous demander un service? Rien de bien méchant, hic! Ne vous inquiétez pas! J'ai malencontreusement oublié de porter un message iiimportant chez un ami de longue date... Pourriez-vous le déposer chez lui à ma place? Il s'agit de hic! Charles-Louis Tarieu de la Naudière, le fils du seigneur de la Pérade, un ami de mon père. Je me suis lié d'amitié avec lui au cours de la dernière guerre. Il se trouvait juuustement sur les Hauteurs le jour de la malheureuse bataille. Un jeune homme énergique, talentueux et hic! fort courageux. Il a été blessé en 1760, à Sainte-Foy. Nous nous sommes retrouvés en France après la capitulation. Puis... à la suite d'une petite escapade à Londres, chez nos nouveaux aaamis les Anglais, Charles-Louis est revenu au Canada au printemps dernier. L'heureux homme! Hic! Il a épousé la fille du sieur de La Corne, la chaaarmante Geneviève-Élisabeth, il y a quelques semaines à peine. Il est à Québec en ce moment.

– Je porterai votre message, monsieur.

– En fait... il s'agit d'une lettre d'excuses... Je n'ai pas pu assister au mariage. C'est délicat, vous comprenez? C'est pourquoi j'aimerais que vous la lui remettiez en mains propres.

– Vous pouvez compter sur moi.

Enfin... s'il arrivait à se souvenir du nom à son réveil : Torieu de la Paudière... Non, Tanieu de la Pérade plutôt...

– À la bonne heure!

Un sourire satisfait sur les lèvres, Michel Gauthier se leva.

Alexander l'imita. Les deux hommes, vacillants, renversèrent les verres et durent se retenir à la table.

– Oh! je crois que... je ferais mieux de... demander qu'on m'apporte mon lit ici, hic! Vous voulez peut-être que je demande aussi le vôtre, monsieur Macdonald? Hi! hi! hi! Il doit bien rester une ou deux bouteilles de ce merveilleux whisky dans les réserves de Coutil. Maaarie-Sophie!

La jolie servante qu'avait lorgnée Alexander un peu plus tôt vint vers eux en balançant le bassin d'une manière charmante.

– De l'encre, du papier et de la ciiire! Maaarie-Sooophie, de l'encre, j'ai dit! Pas du jus de betterave, s'il vous plaît! Je dois rédiger... hic! une lettre... très importante pour mon ami... Pardieu! Me voilà ivre, mon ami!

Le Canadien se laissa mollement retomber sur sa chaise avec un « ouf! ». Portant la main à son bas-ventre, il grimaça.

– Ouille! Sans doute aurais-je dû demander à Marie-Sophie de m'apporter aussi le pot d'aisance... Je crois que ma vessie est sur le point d'exploser, pardieu!

Il éclata de rire et partagea le reste de whisky. Puis, il leva son verre en direction d'Alexander, qui plissait les yeux pour s'empêcher de loucher.

– À notre nouvelle amitié, mon ami! À la bonne vôtre!

– *Slàinte!*

***

– Hum... fit Charles-Louis Tarieu de sa voix chaude et profonde en reposant la lettre qu'il venait de lire. Puis-je vous offrir un verre de cognac ou de vin?

Le ton était poli, mais sans plus. Assis sur une chaise, Alexander torturait nerveusement le bord de son chapeau. Au regard suspect que le jeune seigneur posait sur ses habits quelque peu froissés et sur sa barbe non rasée, il devinait assez bien ce qu'il pensait de lui.

– Non, merci. Si monsieur n'a plus besoin de moi...

– Oh, mais si! mais si!

Sentant toujours le whisky courir dans ses veines, Alexander n'aspirait qu'à retourner s'étendre dans sa chambre. Cependant, bien que visiblement agacé, le jeune Charles-Louis ne semblait pas pressé de le laisser partir. Il se calait contre le dossier de son fauteuil de cuir et se frottait le bout du nez d'un air songeur. Au bout d'un petit moment, il agita ses doigts fins sur la surface libre de son bureau.

– Une dette qui doit être remboursée par l'acquittement d'une autre... enfin!

– Pardon?

– Monsieur Gauthier de Sainte-Hélène Varennes vous est redevable de sa vie, monsieur Macdonald. Et moi, je lui suis... redevable d'une certaine somme... La vie parisienne, que voulez-vous!...

Se levant brusquement, Charles-Louis se dirigea vers un meuble dont il ouvrit un tiroir pour fureter dedans pendant un moment en produisant des bruits de froissement de feuilles. Alexander fixait le dos courbé de l'homme sans comprendre. Qu'était-ce donc que cette histoire d'acquittement de dette? Quand Michel Gauthier avait-il pu parler de lui à monsieur Tarieu? Dans sa lettre?

Pinçant les lèvres, Alexander lança un regard impatient vers l'horloge, dont le tic-tac régulier emplissait la pièce et résonnait dans son crâne. La lettre remise, il n'avait plus rien à faire ici!

– Maintenant que je vous ai donné la lettre d'excuses de monsieur Gauthier, je...

– Lettre d'excuses?

Un grand registre entre les mains, le jeune seigneur se retourna d'un coup avec un air surpris. Alexander était de plus en plus perplexe.

– Pour n'avoir pu assister à votre mariage, monsieur.

Charles-Louis resta impassible quelques secondes, se demandant sans doute si son visiteur était un simple d'esprit. Puis, soudain, il éclata de rire, plongeant Alexander dans l'incompréhension la plus totale.

– Peut-être devrais-je souligner que monsieur Gauthier *a* assisté à mon mariage, monsieur Macdonald. Et, le connaissant, je sais que le bon vin n'a pas d'emprise sur sa mémoire malheureusement infaillible! Ha! ha! ha! Ce cher Michel! Toujours aussi malin lorsqu'il veut arriver à ses fins! À votre air, je devine que vous n'avez aucune idée de ce que contient véritablement la lettre que vous me portez.

– Monsieur Gauthier m'a dit...

– Qu'il voulait s'excuser de n'avoir pu être présent à mes noces?

– Oui...

Alexander n'était plus certain, tout d'un coup, d'avoir bien compris les explications de Michel la veille. Il eut une sueur froide et sentit un filet de bile et de whisky lui remonter dans la gorge. Déposant le lourd registre sur le bureau, Charles-Louis se pencha vers lui.

– Vous allez bien, monsieur Macdonald? Il me semble que vous êtes... tout pâle.

– Je vais bien... Juste un peu fatigué.

– Hum... oui.

Le jeune homme prit la lettre et la mit sous le nez d'Alexander.

– Tenez, lisez... Oh! fit-il brusquement en avisant le froncement de sourcils d'Alexander. Vous ne savez peut-être pas lire, vous m'excuserez...

– Je sais lire, monsieur! Mais plus difficilement le français que l'anglais.

Alexander était vexé. Mais l'écriture de Michel était pratiquement indéchiffrable et se concentrer trop longtemps sur les mots lui donnait le tournis. Charles-Louis reprit la lettre.

– D'accord. Alors, je vous ferai un bref résumé du message. En fait, il s'agit d'une demande d'acquittement de dette dûment signée et contresignée par un témoin, monsieur Coutil, le tenancier du Chien bleu.

Alexander dévisageait le jeune Tarieu avec incrédulité. Il comprenait qu'il s'était royalement fait berner par Michel Gauthier et en éprouvait une colère grandissante. D'après les explications de son interlocuteur, Michel réclamait de son débiteur, Charles-Louis Tarieu, son crédit et ses intérêts, qui devaient être remis, sous forme de bon de change, au porteur du document, monsieur Alexander Macdonald de Glencoe, ancien soldat de la compagnie de Campbell de Glenlyon du régiment des Fraser Highlanders, envers lequel il avait lui-même une dette. Il précisait qu'il était pleinement conscient qu'une vie sauvée et les années d'intérêt qui avaient suivi ne pouvaient s'évaluer sous forme de chiffre précis. Mais il voulait au moins assurer à son créancier une certaine qualité de vie pour les années à venir.

– Michel Gauthier tient toujours parole, monsieur Macdonald. Et moi, je dois tenir la mienne en ce qui concerne *ma* dette.

Le jeune Tarieu avait un air mi-amusé, mi-ennuyé.

– Mais je ne veux pas de cet argent! Je ne veux rien!

Ignorant les exclamations d'Alexander, Charles-Louis replongea le nez dans le document.

– Le montant de ma dette se monte à... Oh! Sacredieu! Trois mille six cent quatre-vingt-deux livres, douze sols et huit deniers, pour être exact. Vraiment? Tant que ça?

Parcourant les colonnes du registre de l'index, question de vérifier le montant, il griffonna en soupirant quelques chiffres sur le sous-main et fit un calcul rapide.

– Hum... Monsieur Gauthier tenait bien ses livres de comptes, je le crains.

– Je ne peux pas accepter!

Alexander bondit de son siège, puis s'y laissa retomber aussitôt en serrant les dents pour contrôler un malaise.

– Le connaissant, je suis certain qu'il viendra ici dans quelques jours pour s'assurer que j'ai bien suivi ses indications à la lettre. Non, je ne peux pas me dérober sans me couvrir d'opprobre et entacher une belle amitié de longue date! Je suppose que monsieur Gauthier avait prévu votre réaction, puisqu'il écrit ici... je cite: « Au cas où monsieur Macdonald s'obstinerait dans son refus, je... ne pourrai que prendre ce refus comme une offense majeure faite à mon honneur de gentilhomme et devrai, de ce fait, chercher réparation en jetant mon gant à ses pieds. »

– C'est ridicule!

– « Or le temps me presse. Je charge donc mon précieux ami, Charles-Louis Tarieu de la Naudière, de défendre mon honneur en duel. » Il ajoute que, pour avoir pu juger de vos qualités de fine lame, il préférerait... enfin... que vous acceptiez l'argent.

Le jeune seigneur fixa avec un petit sourire Alexander, qui rougissait.

– Sous-estimeriez-vous à ce point la valeur de la vie et de la parole d'un homme d'honneur, monsieur Macdonald?

Un grattement à la porte empêcha Alexander de protester. Jetant un coup d'œil vers l'horloge, Charles-Louis grimaça et répondit d'une voix forte qu'on pouvait entrer. Deux hommes pénétrèrent alors dans la pièce. Le premier, courtaud blond dont la rondeur de taille dénotait un goût certain pour la bonne chère, portait de lourds registres qu'il déposa sur une petite table. Le second, solide gaillard à la chevelure brune lissée en une queue de cheval, traînait deux valises gonflées de papiers. Le jeune Tarieu s'avança vers eux.

– Ha! Louis-Antoine! Je vous avais presque oublié. Pardonnez-moi, c'est que j'ai une urgence à régler...

Se tournant alors vers Alexander, qui s'était levé, il poursuivit:

– Monsieur Macdonald, laissez-moi vous présenter deux jeunes notaires à l'avenir prometteur. Voici monsieur Louis-Antoine Saillant, de Lévis, et monsieur Jacques Guillot, de Montréal.

Alexander serra les mains tendues. « Guillot... » Ce nom évoquait vaguement quelque chose en lui...

– Monsieur Guillot vient de fermer l'étude qu'il tenait avec le défunt Pierre Larue et compte reprendre celle de ce pauvre Deslauriers, qui a rendu l'âme l'hiver précédent, à Saint-Michel. À trente-huit ans... quelle malchance!

Alexander sentit son sang se figer dans ses veines: Jacques

Guillot! L'associé de Pierre Larue! Charles-Louis retourna à son bureau en ricanant.

– Quant à moi, je remercie Dieu de m'avoir préservé du notariat. Ce métier me paraît dangereux, vraiment. Asseyez-vous, messieurs, je vous en prie.

Tandis que le jeune seigneur expliquait aux notaires qu'il n'en avait que pour quelques minutes, Alexander, le cœur battant, étudiait Guillot. Oui, c'était bien l'homme qu'il avait surpris accroché aux mains d'Isabelle sur le pas de sa porte, le lendemain de la mort de Pierre. Il sentit monter en lui une bouffée d'espoir. Peut-être savait-il où se trouvaient Gabriel et Élisabeth. Il devait lui parler à tout prix avant de s'embarquer. Mais comment?

– Monsieur Macdonald?

Clignant des paupières, Alexander reporta son attention sur Charles-Louis, qui lui tendait un bout de papier. Il le fixa, hésitant.

– Désirez-vous... que ces deux gentilshommes nous servent de témoins?

Les deux notaires, ignorant totalement de quoi il retournait, se dévisagèrent. Puis ils lancèrent un regard soupçonneux à Alexander, se demandant s'il s'agissait d'un inspecteur du trésor venu vendre son silence après avoir découvert quelques irrégularités. Ne souhaitant pas faire d'histoire devant les deux hommes, l'Écossais choisit de prendre le bon de change. Il déciderait ce qu'il en ferait plus tard. Se levant, il salua le seigneur Tarieu de la Naudière et les deux notaires, puis sortit.

Il en était à son quatrième café lorsqu'il aperçut enfin les silhouettes des deux hommes à la porte de l'immeuble. Jacques Guillot, immobile sur la chaussée, s'entretenait avec Louis-Antoine Saillant avec animation. À la hâte, Alexander lança quelques pièces sur la table et quitta le commerce comme les deux hommes se séparaient. Guillot traversa la place du Marché, se faufilant telle une anguille à travers la foule. Traînant de la jambe, Alexander le suivait avec difficulté, sans le quitter des yeux. Au moment où le notaire atteignait une boutique, il le héla. L'homme se retourna et eut un air surpris en le voyant.

– Monsieur Macdonald?

– Monsieur Guillot? Vous êtes bien Jacques Guillot, ancien associé du notaire Pierre Larue?

– Oui, c'est bien moi.

– J'ai à vous parler... C'est important.

– Je suis pressé, monsieur, on m'attend. Je me marie demain et...

– Quelques minutes seulement...

Jacques Guillot, agacé, se demandait ce que lui voulait cet homme étrange. Lisant l'affolement dans ses yeux, il s'inquiéta : son interlocuteur semblait avoir un réel problème... Il se souvint du bon de change que lui avait remis Tarieu et n'en fut pas rassuré, au contraire. Mais peut-être était-ce plutôt le seigneur Tarieu qui avait des difficultés... avec la justice? Quelle bêtise avait encore pu commettre l'impétueux fils du grand seigneur Tarieu de la Naudière de la Pérade et petit-fils de la légendaire et intrépide Madeleine de Verchères?

– De quoi s'agit-il? demanda-t-il prudemment.

– De madame Isabelle Larue, laissa tomber Alexander d'une voix basse altérée par l'intense émotion.

– Isabelle?

Guillot examina son interlocuteur avec méfiance. L'homme s'exprimait parfaitement bien en français, mais son accent trahissait son origine anglaise. D'après les intonations rauques qui coloraient son discours, il n'y avait aucun doute qu'il était écossais.

– Qui êtes-vous?

Alexander jeta des regards nerveux autour de lui. Il aurait préféré discuter ailleurs, dans un endroit tranquille. Mais il craignait que Guillot ne refuse et le laisse là. C'est pourquoi il déclara tout de go :

– Je suis le père de Gabriel et d'Élisabeth. Je veux... je dois savoir s'ils vont bien. Je ne veux pas les embêter. Voyez-vous, je pars demain, je retourne en Écosse. Tout ce que je souhaite, c'est être rassuré quant aux enfants. Qui s'en occupe? Où sont-ils?

Le visage de Jacques Guillot perdit toutes ses couleurs.

– Les enfants?! Mais... Isabelle est...

– Morte, je le sais! Ils n'ont plus de mère, monsieur, mais ils ont encore un père! Je désire... m'assurer... Oh, mon Dieu!

Alexander, trop ému, s'étrangla dans un sanglot. D'une main tremblante, il sortit le bon de change de sa veste et le brandit sous les yeux éberlués du notaire, qui défaillait.

– Pour le moment, c'est tout ce que je peux vous offrir pour... pour... eux... leurs besoins...

Jacques fixait le papier comme s'il s'agissait de sa condamnation à mort. Sans lever les yeux, il déclara :

– Je... ne sais pas où ils sont, monsieur.

Alexander, persuadé que l'homme lui mentait, sentit la colère monter en lui. S'ils ne s'étaient pas trouvés sur une place publique, il aurait sauté à la gorge du notaire pour lui faire cracher la vérité.

Mais il se contint, prit quelques secondes pour réfléchir. Puis il glissa sa main à l'intérieur de sa veste et en extirpa cette fois une bourse de cuir qu'il ouvrit avec difficulté tant il tremblait. *Auri sacra fames...*

– Je veux savoir où sont mes enfants, monsieur Guillot...

Il prit plusieurs pièces de monnaie et les exhiba, les faisant miroiter dans le soleil. L'or lui redonnait de l'assurance.

– Vous êtes un homme de loi. Combien demandez-vous pour m'aider à les récupérer? C'est ce qu'aurait voulu Isabelle...

– Bonté divine!

Jacques Guillot laissa sa valise lui glisser des mains et choir sur la chaussée. Livide, il dévisageait le mort-vivant qui se tenait devant lui. Ce regard bleu... aussi bleu que celui de Gabriel. Il avait l'impression que le sol s'ouvrait sous ses pieds, que tout s'écroulait autour de lui. C'était la fin de ses rêves.

À quelques toises de là, un autre homme fixait avec stupeur la silhouette courbée de l'Écossais. Immobile, le souffle court, il attendait, se demandant s'il avait la berlue. Puis, l'Écossais ramassa la valise et la rendit à un Guillot tout pâle. Ce faisant, il se tourna légèrement. C'était bien lui!

Il lui paraissait moins massif que dans ses souvenirs et avait plus de cheveux gris. Mais la ligne brisée du nez, le menton volontaire, la bouche curieusement tordue, la main mutilée... tout le désignait comme Alexander Macdonald. Il ne pouvait se tromper.

Cependant, il ne pouvait s'expliquer ce qui s'était passé. Il l'avait pourtant bien vu disparaître dans les flammes de la cabane. Il avait bien vu les autres sortir son cadavre des décombres encore fumants. Il avait bien vu Isabelle pleurer sur sa tombe. Mais alors? Un affreux frisson lui parcourut l'échine. Qui était cet homme qui mourait et ressuscitait ainsi? Étienne secoua sa chevelure sombre et plissa les yeux. Puis son regard s'alluma d'une lueur inquiétante: il venait de voir l'éclat de l'or.

– D'où que tu reviennes, Macdonald, cette fois, tu m'échapperas pas!

21

Le sacrifice

La carriole s'immobilisa dans une symphonie de crissements de métal et de craquements de bois. Un carouge à épaulettes perché sur une clôture l'accueillit d'un long trille. Plus loin, deux chardonnerets se disputaient au milieu de bouleaux, dans la brume matinale qui traînait encore sur les champs de blé et de maïs.

– Voilà! Nous y sommes.

Jacques Guillot respira profondément et lentement. D'où il se tenait, il apercevait la toiture de la maison au-dessus de la haie d'érables. Une colonne de fumée grise et une douce odeur de viande rôtie indiquaient que les femmes préparaient activement le festin qui serait servi lors de la réception. Il soupira.

Plus loin, le Saint-Laurent coulait tranquillement. Lui revint soudain à l'esprit un souvenir d'enfance. Il devait avoir l'âge de Gabriel et pêchait avec son père sur ce même fleuve. Voyant l'île de Montréal bouger depuis la chaloupe qui suivait le courant, il avait cru que la terre se poussait et que l'eau restait immobile. Son père avait bien ri et lui avait déclaré: «Mon garçon, la terre est immuable comme le destin. L'eau, elle, coule comme la vie. L'eau se modèle sur la terre, comme la vie se conforme au destin.»

Ce matin, Jacques Guillot saisissait toute la force de ce destin. En dépit de l'attaque continuelle des vagues et des marées, il résistait, subsistait. Malgré l'érosion, il restait immuable. Une vache beugla au loin avec langueur; un chien lui répondit avec entrain. Puis, le silence retomba. Jacques laissa ses paupières se baisser. Son cœur tambourinait d'émotion dans sa poitrine. Regretterait-il son geste? Oh! Certainement! Toute sa vie... Mais il s'en voudrait davantage encore de n'avoir rien fait.

Tournant la tête vers la route, il vit, dans la poussière soulevée par la carriole, la silhouette d'un homme qui se profilait au loin. Il l'observa pendant un moment tout en pensant à Isabelle. Il imagina sa muse drapée de céladon s'avançant vers lui dans la pénombre de l'allée menant à l'autel. En cet instant, elle devait être installée dans son fauteuil préféré, devant l'une des fenêtres du salon, pour observer les eaux du fleuve qui s'écoulaient lentement vers l'océan. Bientôt, un navire traverserait le paysage...

La brise caressait ses joues rasées de près, apaisant le feu de la lame qui les embrasait encore et calmant un peu ses angoisses. Sur le chemin, il avait fait une halte au presbytère de la paroisse de Saint-Étienne-de-Beaumont pour y déposer les documents à signer qu'il avait préparés la veille. Le curé Parent lui avait offert un verre d'eau-de-vie de cerise qu'il avait accepté de bonne grâce. Oh, Dieu! Il aurait bien ingurgité la bouteille entière!

Une porte grinça et une voix d'enfant s'éleva, brisant le calme de la nature et dispersant ses mornes pensées. Il entendit encore l'appel d'une femme et le tintamarre métallique des chaudrons. Puis le silence revint. Ouvrant les yeux, Jacques aperçut l'éclat d'une voilure. Une goélette glissait doucement sur l'eau couleur d'acier de la Traverse qui séparait la Côte-du-Sud de l'île d'Orléans. Il imaginait le petit Gabriel accourant sur le coteau et sortant la lunette qu'il venait de lui offrir pour suivre la progression du navire qui entreprenait un périlleux voyage vers l'Angleterre. Le *Suzanna* avait quitté le port de Québec en même temps que lui.

Délaissant le gréement éclatant sous le soleil, le cœur lourd, il fit claquer les rênes sur la croupe du cheval. La carriole s'ébranla et s'engagea sur le chemin de la maison.

Assise devant la fenêtre qui donnait sur le fleuve, Isabelle essayait de se réconforter avec un chocolat chaud. Le regard perdu au loin, elle suivait sans vraiment le voir le navire qu'admirait Gabriel avec sa lunette d'approche. Tout excités, Otemin et le petit Duglas couraient d'un abri de toile à l'autre, tirant sur les chemises de Louis Lacroix, de Basile et de quelques neveux et cousins des Lacroix occupés à planter des piquets dans le sol.

Dans la cuisine, on s'affairait bruyamment. Des voix féminines ordonnaient. Françoise et Madeleine se disputaient amicalement la direction des opérations. Tout ce branle-bas laissait Isabelle indifférente dans son coin de salon.

Sentant soudain quelque chose lui effleurer le bout du nez, elle baissa le regard sur sa tasse. Une violette flottait sur le chocolat figé. Une deuxième s'y ajouta, puis une troisième... Intriguée, elle releva la tête et rencontra une paire d'yeux couleur d'ambre au-dessus d'elle. Elle tressaillit et se leva d'un bond, manquant renverser son chocolat sur sa robe de chambre.

– Que faites-vous ici, Jacques? Vous ne devriez pas... Ce n'est pas convenable! Ne savez-vous pas que voir la mariée le matin des noces porte malheur?

Jacques prit un air penaud pour masquer son désarroi: de toute façon, il ne pouvait connaître pire malheur que celui qu'il vivait déjà. Il sourit doucement.

– Je ne vous savais pas superstitieuse, chère amie. Quant aux convenances... avouez qu'elles ne vous embarrassent guère d'habitude.

Isabelle ne répondit pas, préférant se réfugier dans l'opaque substance qui tremblotait dans la tasse qu'elle tenait serrée entre ses mains. Jacques poussa un grand soupir et s'approcha d'elle. Il dégageait un parfum de menthe rafraîchissant. Avec douceur, il prit la tasse et la déposa sur la table de jeu à côté.

– Je suis désolé que ma visite vous contrarie à ce point, mon amour. Je le sais, j'aurais dû vous attendre devant l'autel. Mais je n'ai pas dormi de la nuit et...

Relevant le menton, elle le dévisagea pour vérifier les ravages causés sur ses traits par l'insomnie.

– Vous reprendrez votre sommeil cette nuit, dit-elle un peu trop froidement.

– Croyez-vous que j'y arriverai? rétorqua-t-il avec une pointe de cynisme qu'il regretta aussitôt.

Il fit glisser ses mains autour de la taille d'Isabelle, les plaquant dans le creux des reins puis les promenant dans le dos. Avec délicatesse, il l'attira contre lui, posa ses lèvres sur son front. Après quelques secondes, il soupira dans la chevelure indisciplinée.

– Oh! Isabelle! Dieu que je vous aime!

– Je sais... votre amour sincère, Jacques.

– Mais en connaissez-vous la démesure?

Posant ses paumes sur la poitrine de l'homme, Isabelle leva vers lui deux lacs d'émeraude.

– Vous avez abandonné votre pratique à Montréal pour me permettre de venir ici. Vous avez été si patient avec moi, Jacques.

– Ce n'était pas grand-chose, je vous assure, mon amour.

Il chercha à goûter le miel de ses lèvres. Elle ne résista pas, répondit à son baiser avec retenue. S'écartant légèrement, il s'imprégna de son haleine, de sa chaleur, de son parfum. Il permit encore à ses mains une petite escapade sur la rondeur des hanches, dans le dos, où il caressa chaque vertèbre à travers le fin tissu. Il imaginait les frissons que ces gestes auraient engendrés si les mains avaient été celles de l'Écossais.

– Isabelle... Je suis venu ici ce matin, car je devais vous parler avant... la cérémonie.

Il s'était brusquement détaché d'elle, la laissant pantoise, les mains suspendues dans le vide. Le cœur déchiré, il dut se détourner. De l'autre côté de la fenêtre, on s'activait autour des abris joliment décorés de guirlandes d'épis de blé et de feuillages aux teintes vives et fraîches.

– Je voulais... m'assurer d'une chose. Je suis conscient que vous acceptez de m'épouser de votre plein gré, Isabelle... Mais... je me demandais...

Le désespoir l'empêchait de parler. Les mots avaient du mal à sortir, coincés qu'ils étaient dans sa gorge nouée d'émotion. Il entendit le froissement des vêtements d'Isabelle, sentit la chaleur de ses doigts sur son cou et sa joue. Mais il se refusait à la regarder en face.

– Je sais que je peux vous paraître ridicule... C'est que je me demandais si...

– Si quoi?

Soudain, il se tourna vers elle et la fixa intensément.

– S'il arrivait un jour... que le père de vos enfants se présente pour vous réclamer, me quitteriez-vous pour partir avec lui?

Isabelle resta quelques secondes impassible. Puis, elle plissa le front et les sourcils, désorientée, perplexe.

– C'est ridicule, en effet! Il est mort, Jacques! Comment pouvez-vous jouer avec moi de cette façon? C'est... Ce n'est pas vous, ça!

– Je suis sincèrement désolé... Mais je dois savoir. Oubliez mon indélicatesse pour l'instant et répondez simplement à ma question.

– Oublier votre indélicatesse? Juste ciel! C'est aujourd'hui le jour de notre mariage, et vous venez ici, alors que je ne suis pas présentable, pour me parler d'Alexander! Mais il est mort, Jacques! Il ne reviendra pas! Cessez ce petit jeu!

Elle était au bord des larmes.

– Ne l'a-t-il pas déjà été auparavant? S'il est revenu des morts une fois, pourquoi pas deux?

Elle eut un hoquet de stupeur et porta la main à sa bouche ouverte.

– Jacques Guillot!

– Répondez-moi, Isabelle.

La prenant par les épaules, il plongea dans son regard mouillé.

Ce qu'il vit, qu'il savait déjà, le foudroya. La relâchant, il laissa ses mains glisser le long de ses bras.

– Vous l'aimez toujours autant... Vous l'aimerez toujours...

– Je ne vous l'ai jamais caché, Jacques.

Il hocha la tête.

– C'est vrai.

Puis, la libérant complètement, il recula d'un pas, l'air triste. Voyant son désarroi, elle voulut expliquer, nuancer.

– Ce que j'éprouve pour vous, Jacques, c'est plus que de l'amitié. Je pourrais même vous dire ce matin que... je vous aime.

– Mais vous ne m'aimez pas avec la même démesure que moi.

– Ne gâchez pas cette journée, je vous en prie. Le soleil brille. Les enfants sont joyeux...

Jacques émit un rire de dérision et secoua la tête. Ne pas gâcher cette journée? Le soleil brillait, oui, mais pas pour lui.

– Vous avez raison, Isabelle. Je suis ridicule. Pardonnez-moi.

Il reprit son chapeau, qu'il avait posé sur un fauteuil en entrant dans la pièce, et prit la main d'Isabelle pour la baiser avec une infinie douceur. Elle esquissa un sourire qui se voulait encourageant. Enfonçant son couvre-chef sur la tête, il s'inclina bien bas.

– Isabelle, vous êtes la muse de mes nuits, celle qui a écrit dans mon cœur la plus merveilleuse histoire d'amour. Vous êtes l'inspiration de mes jours, celle que chacune de mes pensées caresse. Cependant, une muse, comme la grâce de la beauté, est un poème capricieux, insaisissable pour celui qui ne sait la comprendre. Je ne suis pas votre poète, Isabelle. Vous m'avez ouvert votre cœur, certes, et j'y ai lu quelque chose de sublime, le rêve de tout homme... Mais les mots qui y sont gravés... une autre main que la mienne les a écrits.

Ses lèvres se figèrent. Il ferma les yeux et inspira profondément. Puis, dans une virevolte, il sortit, laissant Isabelle ébahie.

– Quelle mouche a bien pu le piquer ce matin?

Elle revint se poster devant la fenêtre pour puiser un peu de réconfort dans le paysage. De lourdes senteurs d'épices flottaient dans l'air, évoquant des souvenirs d'enfance. Elle regarda la goélette s'éloigner. Deux bateaux de pêche faisaient leur sortie. L'apercevant, Gabriel lui fit un signe de la main en lui souriant. Puis, il tourna la tête dans une autre direction. Un quelconque spécimen animal avait dû attirer son attention. Il disparut. Curieusement, Louis et les autres le suivirent, laissant en plan les travaux.

Reprenant place dans son fauteuil, elle vit son chocolat auquel elle n'avait pas encore touché et prit la tasse. Les violettes qui flottaient à la surface de la boisson ressemblaient à des papillons englués dans une mare de boue. Cela lui coupa l'appétit. Cependant, gourmande, elle trempa le doigt dans le liquide et le mit dans sa bouche. Trop sucré. Puis elle repensa à Jacques, s'interrogeant sur son curieux comportement. Pourquoi était-il donc venu lui parler d'Alexander le jour de leurs noces? Craignait-il de voir surgir son spectre en pleine nuit, dans leur chambre nuptiale? Elle trouva son attitude tout à fait déplacée... et puérile.

La porte d'entrée claqua; des voix retentirent. Puis il y eut un cri et un bruit de porcelaine qui se casse. Isabelle se figea.

– Faites que ce ne soit pas mon service anglais!

Le silence retomba. Silence coupable. Quelques secondes s'écoulèrent encore. Puis des bruits de pas rapides et des éclats de voix confirmèrent ce qu'elle appréhendait. Elle soupira, déçue.

– Oh, non! Pas le jour de mes noces!

Le service de Worcester devait garnir la table d'honneur. Du moins... ce qui n'avait pas été perdu à Red River Hill. Elle sentit un sanglot monter en elle. Pourquoi diable Jacques lui avait-il parlé d'Alexander ce jour même!

– Isa...

Voilà! On venait lui annoncer que son service anglais n'était plus. Comment arriver à se calmer dans de telles conditions? Sur le coup de la colère, elle se leva et pivota brusquement sur ses talons. Le ventre de Madeleine emplissait l'embrasure de la porte.

– Quoi! Combien d'assiettes?

– Combien d'assiettes?

– J'ai entendu le bruit de la vaisselle qui se casse. Mon service de Worcester...

Une seconde silhouette se tenait dans l'ombre, derrière sa cousine. Madeleine, qui avait une expression étrange, libéra le passage.

– J'espère que vous revenez pour vous excuser, Jacques. Car vous avez gâché mon humeur et...

Isabelle s'interrompit, plissant les paupières devant l'homme qui pénétrait dans la pièce. Son sang se figea dans ses veines; son cœur s'arrêta de battre. Écarquillant les yeux de stupeur, bouche bée, elle laissa s'échapper de sa gorge un faible gémissement.

Un rai de lumière éclairait une mèche de cheveux argentés qui pendait au-dessus d'un œil au bleu très particulier. L'homme la fixait avec une intensité qui la troubla. Elle ouvrit la bouche, mais n'arriva à en faire sortir aucun son. Elle crut voir la bouche esquisser un sourire incertain. L'air ne passait plus dans sa gorge étranglée. L'émotion était trop forte. Chancelant, elle dut se retenir au dossier du fauteuil.

– Juste ciel!

Le plancher se dérobait, la pièce valsait.

– Isa!

Alexander et Madeleine se précipitèrent vers Isabelle, qui heurta la table en tombant. Refermant ses bras autour du corps flasque, l'Écossais le pressa contre lui et enfouit son visage dans les boucles dorées dont il huma le parfum avec émotion.

– *Mo chridh' àghmhor...*

On s'affairait autour d'eux. Des pas précipités allaient et venaient. Des voix appelaient, d'autres chuchotaient. Mais Alexander ne les écoutait pas. Il se concentrait sur Isabelle, qui revenait lentement à elle.

Elle s'accrocha à son vêtement, sans toutefois oser ouvrir les yeux. N'était-ce pas tout simplement la nervosité qui lui avait joué un vilain tour, avait provoqué une vision? Cependant, les deux larges mains qui la pressaient doucement étaient bien réelles. Le cœur qui cognait violemment sous ses paumes était on ne peut plus vivant. Et cette voix, et ces mots... Enfin, elle souleva lentement les paupières pour regarder Alexander. Il avait maigri; ses cheveux étaient presque tout gris maintenant.

– Alexander? Comment... Comment est-ce possible? C'est bien toi?

– *Tuch! Tuch!* Plus tard, *a ghràidh...*

– Tu es... Oh!

Isabelle eut une deuxième faiblesse. Mais les bras masculins, bien qu'ils tremblassent, lui insufflèrent leur force, leur énergie. Elle entendait les gens qui s'agitaient, murmuraient autour d'elle. On posa une serviette mouillée sur sa nuque. Puis la voix de Madeleine s'approcha. Elle vit passer un verre dans son champ de vision. Les vapeurs de l'alcool la réveillèrent complètement. La brûlure du liquide qui coulait dans sa gorge la fit tousser.

Alexander la souleva et la déposa sur un canapé où il s'assit près d'elle. Gabriel se mit à pleurer parce qu'on l'empêchait d'entrer dans le salon. La porte se referma sur la confusion qu'avait provoquée l'apparition sur toute la maisonnée.

Enfin seuls, Alexander et Isabelle demeurèrent longtemps sans parler. Ils avaient avant tout besoin de sentir la présence bien vivante de l'autre. Assaillis par les émotions, ils étaient de toute façon incapables de formuler des phrases, ne serait-ce que dans leur tête.

Les cris et les pleurs des enfants, l'odeur de la poussière de plâtre, le parfum des rôtis et des pâtisseries, la rumeur de la cuisine... La réalité de la vie s'imposa à eux, les sortit de leur rêve éveillé.

– Combien de fois... devras-tu mourir et revenir, Alex? Combien? murmura Isabelle.

– Autant de fois qu'il le faudra pour te retrouver, *a ghràidh*, lui chuchota Alexander en la serrant contre lui.

La longue marche avait fatigué la jambe de l'homme et réveillé la douleur. Pour donner à Guillot le temps de s'expliquer avec Isabelle et pour tromper son impatience, l'Écossais avait demandé au notaire de le déposer sur la route. Il bougea le premier. S'écartant, il installa délicatement Isabelle contre le dossier de velours et l'observa. Elle était auréolée d'une brume de poussière blanche flottant dans la lumière vive. Dieu qu'elle était belle!

Elle prit son visage dans ses mains toutes tremblantes de bonheur. Puis, avec douceur, elle passa ses doigts sur les angles accentués par la souffrance.

– Isabelle... Il faut que...

– Tu me raconteras plus tard. Tu es ici, et c'est tout ce qui compte pour l'instant.

La gorge nouée, il acquiesça d'un hochement de tête. Elle avait raison: ils avaient le temps. Il goûtait le moment présent, s'en grisait. La considérant longuement, il vit qu'elle avait changé. Détails presque imperceptibles: un nouveau pli amer autour des lèvres, un voile de fatigue sur son teint, une ombre sur cette lueur gourmande qui habitait son regard. Elle semblait plus résignée qu'avant. Tel le fragile oiselet malmené par la tempête qui retombait brisé dans son nid, elle retrouvait ses bras avec soulagement.

– Oui, je suis ici.

Il fit courir ses doigts sur sa peau qu'il sentit frémir. Un sourire naissait sur les lèvres d'Isabelle, une étincelle d'espérance rallumait son regard vert mordoré. Il voulait lui parler de sa rencontre fortuite avec Guillot qui l'avait conduit jusqu'à elle, mais choisit de se taire encore.

En s'adressant au notaire, tout ce qu'il voulait, au départ, c'était savoir si ses enfants étaient en de bonnes mains et ne manquaient de rien. Guillot avait répondu qu'il ignorait où étaient Gabriel et Élisabeth. Mais son attitude démentait ses paroles. Alexander, supposant que l'homme hésitait à lui répondre par prudence, avait insisté. Puis, devant le mutisme persistant de Guillot, il s'était mis en colère. L'homme savait où étaient ses enfants. Il voulait les lui voler. On voulait lui prendre ce qui lui restait de plus cher! Jean Nanatish avait raison: il n'y avait pas de réelle justice en ce monde... À la guerre comme à la guerre! Il allait user de la loi des hommes pour arriver à ses fins. Faisant tinter les pièces d'or, il indiqua le nom de l'auberge où il logeait et partit.

Deux heures plus tard, le notaire frappait à sa porte avec l'air du condamné qui monte sur l'échafaud: «Isabelle est vivante.» Les mots avaient résonné quelques secondes dans le crâne d'Alexander avant qu'il en saisisse tout le sens. Totalement médusé, il fit répéter à Jacques Guillot ce qu'il venait de dire pour s'assurer qu'il avait bien entendu. L'homme lui avait alors raconté les événements qui avaient suivi l'incendie de Red River Hill.

Quelques éléments restaient obscurs. Mais cela pouvait attendre. De même, il remettrait plus tard à Isabelle la lettre cachée dans une poche intérieure de sa veste que Guillot lui avait remise avant de le quitter sur la route ce matin. Attirant Isabelle contre lui, il effleura son merveilleux sourire de son index. Les fossettes se creusèrent davantage dans les joues qui s'arrondissaient. L'amour et le bonheur s'inscrivaient sur les traits de sa femme.

– *Love ye...*

Il se pencha, posa tendrement ses lèvres sur les siennes. Un sentiment de bonheur intense l'envahit, submergea et emporta toute la solitude, l'amertume, la désillusion dans lesquelles il avait évolué ces derniers mois. Le visage d'Isabelle se déforma. Des larmes apparurent et inondèrent ses joues. Fermant les yeux pour essayer de contenir le flot de joie qui emplissait son cœur, le faisait déborder, il embrassa Isabelle avec ardeur. Mais la tension qu'il vivait depuis qu'il avait appris que sa bien-aimée était vivante était trop forte. Sa cuirasse trop malmenée par les épreuves finit par céder. Étreignant contre lui ce qu'il avait de plus cher au monde, il éclata en sanglots, libérant d'un coup tous ses cauchemars, toutes ses souffrances.

Larmes de tristesse, larmes de joie mêlées en un seul torrent d'émotions. Son prochain pas le mènerait vers le Paradis, il ne pouvait en être autrement. Pouvait-il rester encore une seule porte s'ouvrant sur l'Enfer qu'il n'eût ouverte? Si oui, alors il la franchirait avec courage, car il saurait qu'Isabelle l'attendrait quelque part dans le labyrinthe de sa vie et lui prendrait la main pour le guider de nouveau vers la lumière.

***

Après toutes ces années d'épreuves qu'il avait vécues, pouvait-il enfin espérer connaître une paix durable? Alexander considérait cette question avec circonspection. La réponse à laquelle il voulait désespérément croire fondait sur sa langue et lui laissait une saveur douce-amère dans la bouche. La vie ne lui avait pas appris la sérénité.

Il tourna son visage vers la fenêtre laissée entrouverte à cause de la chaleur. Une longue chevelure lui chatouilla le menton, dégageant un suave parfum d'herbes: Isabelle avait l'habitude de rincer ses cheveux avec une décoction de fleurs de camomille. Écoutant le souffle régulier de sa femme, Alexander plongea son regard dans la nuit pâlissante recouvrant toutes choses d'ombre et les fondant les unes aux autres. Le sommeil ne venant pas, il repensa aux événements de la journée.

Le mariage avait eu lieu comme prévu à l'église de Saint-Étienne de Beaumont. La parentèle de la future mariée fut évidemment surprise de voir un Anglais prendre, à la place de Jacques Guillot, la main d'une Isabelle encore toute flageolante, mais tellement radieuse. L'atmosphère fut un peu tendue. Mais tout le monde resta poli avec lui. Louis Lacroix lui témoigna même une certaine sympathie. Le temps ferait son œuvre.

Alexander revit le visage de Gabriel, inquiet qu'il disparût encore. L'enfant ne l'avait pas quitté de toute la journée. Même après qu'on l'eut couché, il se leva deux fois pour venir l'épier sur la terrasse. Finalement, Alexander lui avait confié sa montre en guise de gage, assurant qu'il ne partait jamais sans elle. Serrant le précieux objet dans sa petite main, le garçon s'était enfin endormi.

Élisabeth fut méfiante à son égard. Avec elle, il dut user de ruse. La petite, qui avait maintenant un an, se renfrognait dès qu'il faisait un geste vers elle: elle ne se laissait approcher que par le sexe féminin. Cependant, il la devinait déjà gourmande comme sa mère. Il saurait bien l'apprivoiser en exploitant ce délicieux défaut.

Cette journée en avait été une pour lui de renaissance. Certes, ayant connu l'adversité plus souvent qu'autrement, il savait qu'il aurait encore à l'affronter. Mais, pour l'instant, il avait l'essentiel: l'amour des siens.

Il laissa errer son regard dans l'encre grise de la pièce emplie d'un parfum agréable. Effluves du bonheur et de la chair aimée. Le corps tiède d'Isabelle bougea contre lui, se moulant parfaitement au sien. Ils s'étaient aimés avec fougue puis, ayant assouvi leur besoin urgent de se posséder l'un l'autre, avaient prolongé le plaisir de l'étreinte par la communication des âmes.

Un sentiment de plénitude lui fit courber la bouche en un sourire heureux. Oui, il y avait une étoile qui brillait pour lui dans ce firmament mystérieux. Il ne pouvait en douter: sa grand-mère

Caitlin veillait sur lui, comme toujours. Il comprenait maintenant que c'était elle qui avait guidé ses pas dans l'auberge du Chien bleu.

Emprisonnant de son bras la taille d'Isabelle, qui bougea de nouveau, il gonfla sa poitrine, satisfait et fier. Il éprouvait cependant de l'appréhension également : il lui faudrait affronter son père. Lorsqu'ils s'étaient enfin retrouvés seuls, à la fin de la journée, Isabelle lui avait annoncé que Duncan et Coll étaient là. Ils avaient débarqué à Québec à la fin de l'été dernier. « Ton frère a... enfin, ton frère et ma cousine sont mariés. » Coll et Madeleine? Sous l'effet de la surprise et de la joie, il n'avait osé y croire vraiment tout d'abord et avait ri. « C'est son enfant qu'elle porte, Alex. » Elle avait alors raconté le triste voyage de Coll et de Peggy.

– *A Thighearna mhór...* souffla Alexander dans un transport d'intense félicité.

– Hum... fit langoureusement Isabelle en se tortillant sous son bras. Tu vas parler toute la nuit et dormir tout le jour? Tu es moins bruyant quand tu ronfles...

– Désolé, marmonna-t-il en l'embrassant sur le crâne, je ne voulais pas te réveiller. Rendors-toi, *a ghràidh*. Il est encore tôt.

– Me rendormir? L'aube pointe...

Ricanant doucement, elle s'étira et se tourna de façon à se trouver nez à nez avec lui. Elle le fixa intensément avec un sourire coquin.

– Peut-être n'ai-je pas envie de me rendormir...

Faisant passer ses bras autour de ses épaules, elle se colla à lui.

– Il me semble que je rêve, Alex. C'est trop merveilleux pour être vrai. Prouve-moi que je ne rêve pas...

– *A leannan...*

Alexander remua sa jambe en gémissant. Aussitôt, Isabelle s'écarta légèrement.

– Oh! Je suis désolée, Alex! Je n'y pensais plus.

– Ça va.

– Ça te fait si mal que ça?

– Certains jours, oui. J'ai beaucoup marché dernièrement.

– Hum... Mais c'est terminé. À partir de maintenant, tu restes ici.

– Oui...

Il soupira en songeant qu'il aurait dû se réveiller sur le *Suzanna*. Il s'en était fallu de peu, de si peu...

Faisant fi de la douleur, il fit basculer Isabelle sur son abdomen et glissa les doigts dans les boucles d'or qui s'éparpillaient sur sa poitrine.

— *A Thighearna mhór! Iseabail, 'tis no dream*[121]...

Isabelle se dressa, à califourchon sur lui. Un pâle rai de lumière venant de la fenêtre l'enveloppa d'une aura opaline. Sa chemise de nuit entrouverte laissait paraître la naissance d'un sein velouté. Il la contempla longuement pour se convaincre lui-même que celle qui le chevauchait ainsi était bien sa femme. De ses mains incertaines, il palpa la rondeur des cuisses qu'il sentit frémir et se tendre contre ses flancs.

— *Och, no! 'Tis no dream*... Dire que j'ai été à un cheveu de partir!

— Chut! fit Isabelle en se penchant vers lui. Le *Suzanna* est bien loin, maintenant, avec un passager en moins. Et c'est très bien ainsi. Demain, Coll viendra chercher Madeleine. J'ai hâte de voir la tête qu'il va faire en te voyant.

Alexander repensa au gaillard roux qui l'avait bousculé dans la Basse-Ville. Il était convaincu maintenant qu'il s'agissait effectivement de son frère. Il avait essayé de le suivre, puis s'était arrêté devant la taverne du Chien bleu. Là, il avait trouvé Michel Gauthier, qui l'avait envoyé chez le jeune Tarieu. Enfin, il avait croisé Guillot. Hasards? Isabelle était persuadée que c'était la main divine qui avait orchestré tout cela. Lui-même préférait croire que c'était une main bienveillante, comme celle de sa grand-mère Caitlin, ou peut-être encore celle de Marion, sa mère.

Voyant son air songeur, Isabelle l'embrassa tendrement sur les lèvres.

— Je comprends que retrouver ton père après tant d'années te rende nerveux.

Nerveux? Le mot était faible! Il était terrifié! Cependant, un autre sentiment venait atténuer l'appréhension qui lui vrillait le ventre depuis qu'il savait Duncan ici. Il ressentait un certain soulagement. Il avait même hâte, et c'était sans doute ce qui l'avait empêché de dormir.

Les doigts d'Isabelle jouant avec la croix de baptême en argent dans les frisottis qui couvraient sa poitrine le chatouillèrent et interrompirent ses pensées. Il les arrêta en emprisonnant sa main dans les siennes. Puis, embrassant le bout de ces instruments de torture, il la dévisagea gravement.

— Il y a encore des choses que tu ignores sur moi.

— Que tu avais un frère jumeau? Que tu étais en froid avec lui?

— Cela et bien d'autres choses. Ce qui nous a conduits là, John et moi...

---

121. Grand Dieu! Isabelle, ceci n'est pas un rêve...

– Nous avons le temps. D'ailleurs, Coll m'a un peu expliqué votre différend... enfin... ce qu'il en savait.

– Isabelle, tu as raison... Nous devons nous parler. Le silence n'arrange rien, au contraire. Bon Dieu! Toute ma vie, j'ai cru que mon frère avait tenté de me tuer... simplement parce que je pensais qu'il m'en voulait d'avoir causé la mort accidentelle de notre grand-père. C'est... stupide, terrible! Je n'arrive pas à comprendre comment des craintes d'enfant ont pu prendre des proportions telles qu'elles ont détruit nos relations... nos vies...

Sa voix se cassa. Il ferma les yeux, revit les traits de John, sincèrement heureux de le retrouver.

– Isabelle! Ce n'est pas John qui a tiré sur moi... *Mo chreach!* Pendant toutes ces années, je me suis trompé. Et John est mort... et...

– Il s'est sacrifié pour sauver les enfants, Alex.

– Je sais! Je regrette... tout ce que j'ai fait subir aux miens, à cause de ma stupide obstination. Mon père me pardonnera-t-il?

– Pardonnerais-tu à ton fils, Alex?

Fixant une tache lumineuse sur le mur du fond de la chambre, Alexander acquiesça en silence. Il considéra sa femme un long moment. La lumière laiteuse du petit matin conférait au velours de sa peau un aspect irréel. Posant ses mains dessus, il la caressa, la pétrit pour en sentir la chaleur, la vie. Il baissa les paupières.

– Isabelle, tu es si... si vivante!

– Juste ciel, oui! Et toi aussi!

Des larmes coulèrent lentement sur les joues d'Isabelle. Alexander les essuya avec douceur. Puis, il laissa ses doigts glisser jusque sur la poitrine qui pointait orgueilleusement sous la chevelure.

– Fais-moi un autre enfant, Alex... Je veux un autre enfant, deux, trois... Autant de petits Macdonald que pourra en porter mon ventre. Qu'importe, pourvu qu'ils soient de toi.

Émue, elle se mit brusquement à rire avec raucité.

– Je désire être le jardin dans lequel pousseront plusieurs exemplaires d'Alexander Macdonald qui empliront cette maison de joie... de grenouilles et de chenilles!

– *Mo chreach!* Et autant d'exemplaires d'Isabelle Lacroix qui tireront sur la queue du chat et fleuriront le salon?

Tous deux éclatèrent de rire. Soudain, Alexander eut envie de se réfugier dans les bras de cette femme, de faire avec elle ces dizaines d'enfants qu'elle lui réclamait de tout son ventre, de connaître avec sa famille qu'il chérirait et protégerait un quotidien tranquille... Faisant basculer Isabelle sur le dos, il la couvrit de son corps. La brise matinale poussait dans la chambre les premiers trilles des oiseaux et apportait la fraîcheur de la nuit qui flottait encore. Il frissonna. Isabelle remonta le drap sur lui et emprisonna sa nuque dans ses bras. Elle les imagina en statues d'albâtre, figés dans leur étreinte pour l'éternité.

– Le temps nous échappe, Alex. Profitons de ce que nous avons, profitons de cet instant... Je t'aime tellement, Alexander Macdonald...

– *Tha gaol agam ort, mo chridh' àghmhor*[122]...

Il l'embrassa, s'écarta, l'embrassa encore. Avec une troublante sensualité, elle lui offrit sa gorge, toute tremblante sous lui, tendue. Il eut un sourire de satisfaction.

– *Mo chreach!* La courtisane la plus délicieuse aurait tout à apprendre de vos manières, madame.

– Quoi? Mais qui donc a suborné la pauvre ingénue que j'étais?

– Suborné?

– Séduit, corrompu, écarté du droit chemin. De quoi vous plaignez-vous, mon seigneur? Je vous suis tout acquise... et ne désire que le rester. Depuis ce jour où vous avez accepté de partager mon pique-nique, vous m'avez conquise. D'ailleurs... je me suis toujours demandé comment tu avais deviné que j'aimais particulièrement les cornichons au vinaigre trempés dans la confiture?

– Parce que je te savais déjà gourmande!

Un fracas au rez-de-chaussée coupa court à leurs minauderies. Alexander se dressa d'un bond, le cœur battant. Quelques secondes de silence suivirent, pendant lesquelles leurs souffles se firent bruyants. Isabelle, affolée, tira le drap sous son menton.

– Reste ici!

Alexander enfila sa chemise et sa culotte, et sortit de la chambre. L'aube s'infiltrait dans la maison par toutes les fenêtres, la baignant d'une lueur cendrée. Tout le monde étant encore endormi, le silence régnait dans chaque pièce qu'il traversait ou vérifiait. Les lames du plancher craquèrent dans le salon. Brusquement, il s'immobilisa en serrant les mâchoires de douleur. Baissant la tête, il vit une tache de sang qui maculait le bois de pin blond: il avait marché sur des débris de verre.

Il se pencha pour ramasser les morceaux de ce qu'il crut d'abord être un verre qu'aurait fait tomber Arlequine. Mais il remarqua vite une grosse pierre, tout près. Comprenant qu'on avait cassé un carreau avec, il se releva en fronçant les sourcils et regarda à travers la fenêtre. Qui avait bien pu lancer cette pierre? Et pourquoi?

Il sortit. La rosée mouillait ses chevilles, le faisant frissonner. Se

---

122. Je t'aime, mon cœur de joie...

frictionnant les bras, il fit trois fois le tour de la maison. Ne trouvant personne, il allait retourner à l'intérieur lorsqu'une voix éraillée le statufia sur place.

— Alors, on n'invite pas le beau-frère au mariage?

L'espace d'un instant, un gouffre s'ouvrit dans son esprit, emportant toute pensée cohérente. Puis, des images terrifiantes surgirent. Il sentit l'odeur âcre et suffocante d'un feu. Une boule se forma dans sa gorge et l'empêcha de respirer. Il entendit John et Isabelle crier, appeler désespérément à l'aide.

Faisant volte-face, il se retrouva devant un homme qui braquait un pistolet sur lui et dont le regard se perdait dans l'ombre d'orbites enfoncées.

— Très émouvante cérémonie, vraiment! À faire pleurer, ouais... Très émouvante!

— Lacroix...

Étienne tordit sa bouche en une moue cruelle et cynique devant l'air ahuri d'Alexander, qui revoyait maintenant les images des corps de Tsorihia et du petit Joseph... du petit crâne éclaté... Une volonté de vengeance le prit au ventre et se répandit jusque dans ses membres qui se bandèrent d'une fureur indicible.

— Putain de salaud! Tu n'es qu'un fils de pute! Tu... tu...

Son cœur battant à lui rompre la poitrine, il fit un pas en avant. Étienne recula d'un pas, agitant l'arme devant lui.

— La ferme, chien d'Anglais! Tu te tiens tranquille, et rien de fâcheux ne t'arrivera!

Alexander, fixant le doigt qui se crispait sur la détente, reprit ses esprits et essaya de conserver son sang-froid.

— Que veux-tu, Lacroix?

— C'que j'veux? Tu peux pas t'en douter, Macdonald? J'te croyais plus futé que ça! Pour un homme ressuscité des morts... D'ailleurs, j'aimerais bien savoir comment tu fais. P't'êt' que l'diab' t'habite, qui sait?

— Tu étais donc là-bas? L'incendie... c'était toi?

Isabelle avait raconté qu'il s'agissait d'un accident, que Gabriel... Elle n'avait pas évoqué la présence d'Étienne.

— J'étais là à t'attendre, pour sûr. Mais j'peux t'assurer que le feu, c'était pas moi.

— Les enfants... Tu es resté à observer la maison brûler sans porter secours aux enfants? Espèce de salaud! Tu les regardais brûler sans rien faire!

— Ils sont pas morts, tes marmots! J'ai pas touché à un seul de leurs cheveux. Alors ferme-la!

– Va te faire foutre, Lacroix! Tu as violé et tué Tsorihia! Tu as fracassé le crâne de son fils!

Étienne ne comprit pas tout de suite de quoi parlait Alexander. Puis les événements antérieurs à l'incendie de Red River Hill lui revinrent d'un coup. Il leva le menton et toisa l'Écossais avec morgue.

– Ah! Ainsi, c'est là-bas que t'étais! Monsieur entretenait une maîtresse tout en engrossant ma sœur! Je lui ai laissé le choix. Si elle avait bien voulu me révéler ton petit secret, elle serait encore en vie!

Alexander usait d'une volonté incroyable pour se retenir de sauter à la gorge d'Étienne. Il esquissa un pas vers lui.

– Bouge pas! On a assez perdu de temps comme ça! Maintenant, tu vas rester calme pis m'écouter... Tu sais ben c'que j'veux! J'espère pour toi que ma sœur t'a pas coûté tout l'or du Hollandais. Combien t'as donné à cet imbécile de Guillot pour l'acheter?

Serrant furieusement les dents et les poings, Alexander fixait Étienne avec un air assassin.

– Où t'as mis l'or, espèce de chien? J'ai fouillé les cabanes pis...

– Je ne l'ai plus!

Il y eut un mouvement près de l'écurie. Un chien furetait: Ceannard. Le Canadien resta silencieux quelques secondes, le temps d'enregistrer les paroles de l'Écossais. Puis, il grimaça d'incrédulité et de colère.

– T'as tout donné à Guillot?

– Guillot n'a rien demandé. Il n'y a tout simplement plus d'or, Lacroix.

– Tu mens! Aucun homme sain d'esprit ne se débarrasserait d'une telle fortune!

– Moi, si.

Étienne, nerveux, jeta un œil vers la maison puis vers les dépendances, où il savait l'autre Écossais endormi. Les murs peints de blanc se diapraient des couleurs de l'aurore, qui réveillait lentement le paysage. Il lui fallait faire vite. Il avait attendu l'aube pour se décider à agir, et le temps filait. Le coq ne tarderait pas à chanter. Bientôt, les autres se lèveraient.

– Allons derrière la grange! On sera plus tranquilles!

Alexander hésita. Le chien était trop loin pour lui être d'une quelconque utilité. Toutefois...

– Avance, torrieu de bâtard!

Ignorant l'ordre, Alexander siffla deux coups. L'animal dressa la tête et les oreilles dans sa direction. Étienne se tourna légèrement vers l'endroit où regardait l'Écossais et vit le chien se mettre à courir et à aboyer joyeusement. La manœuvre de distraction avait réussi.

Rassemblant toutes ses forces, Alexander se rua sur le Canadien et empoigna son bras armé pour le lui tordre dans le dos. Étienne poussa un cri étouffé. L'arme lui échappa, tomba au sol. Au même moment, un coup de poing l'atteignit à la mâchoire. Déséquilibré, il s'écroula au sol, entraînant l'autre dans sa chute.

Le chien les avait rejoints. Il aboyait et grognait autour d'eux. Alexander se retrouva coincé sous Étienne. Sa jambe blessée était tordue dans une position douloureuse. Le visage déformé par la folie de son assaillant se penchait sur lui, tandis qu'un poing plongeait. Il reçut le coup sur sa pommette gauche. La violence du choc le fit gémir, se répercuta dans tout son crâne. Le goût fade aux notes métalliques du sang emplit sa bouche.

– Qu'as-tu fait de l'or?

La voix âpre d'Étienne était assourdie par le tintement qui résonnait dans ses oreilles et le vacarme que faisait Ceannard. Enragé par la frustration, le Canadien le frappa une deuxième fois. Alexander entendit un craquement d'os et sentit une douleur atroce irradier dans son nez. Sa tête bascula sur le côté. Il cracha du sang. L'éclat du canon de l'arme abandonnée non loin attira alors son attention. L'œil rivé dessus, il essaya de réfléchir: il devait feindre la reddition. L'empoignant par le col de sa chemise, Étienne le força à se remettre sur ses pieds.

– Qu'as-tu fait de l'or?

Les yeux noirs luisaient. L'homme n'était apparemment plus maître de lui-même, n'avait plus toute sa raison.

– Je l'ai... donné.

– Donné?! Tu as donné le coffre?! À qui?

– Aux ordres.

– Aux ordres?

– Religieux.

Étienne, donnant un coup de pied vers le chien qui sautait, explosa.

– Satané chien! T'es vraiment une merde d'Anglais! Les communautés religieuses lèchent les bottes du gouvernement britannique! Elles lui mangent dans la main!

Maintenant livide, le Canadien respirait bruyamment en hochant la tête d'incrédulité. Il aperçut à son tour son arme oubliée dans l'herbe et voulut la ramasser. Mais Alexander se pencha avant lui. Le pugilat reprit de plus belle. Étienne ne fut pas long à prendre le dessus. Se saisissant enfin du pistolet, il plaqua le canon froid sous l'œil de son adversaire, l'immobilisant sur-le-champ. Sa respiration sifflante dénotait sa vive émotion, son indécision. Alexander s'attendait à entendre l'explosion de l'arme, à sentir son crâne éclater à tout moment. Le cœur serré, il eut une pensée pour Isabelle et les enfants.

– Lève-toi!

Son beau-frère venait brusquement de le libérer de son poids. Déglutissant, il obéit. Étienne lui planta ensuite le bout de l'arme dans les reins et le poussa vers le champ de blé.

– Chu ben désolé de faire de ma sœur une veuve encore une fois... Mais si j'peux pas récupérer le coffre, au moins je veux ma vengeance. Pour Marcelline.

– C'est pas lui qui l'a tuée, ta Marcelline! cria une voix derrière eux.

Pivotant sur leurs talons, les deux hommes firent face à une Isabelle en furie. Elle s'avançait vers eux avec le fusil de chasse qu'elle gardait à portée de main au cas où une bête enragée traînerait autour de la maison.

– Ben si c'est pas mignon, ça! Ma sœurette qui joue au soldat!

– Je jouerai au soldat si tu m'y forces, Étienne!

Elle arma le fusil avec assurance. Puis, voyant le visage barbouillé de sang d'Alexander, elle laissa échapper une plainte. L'œil noir, un sinistre sourire sur les lèvres, son frère la défiait. Il s'écoula un long moment de silence, meublé par les chants joyeux des oiseaux. Isabelle sentait son doigt trembler sur la détente. Elle respira profondément et dirigea de nouveau son regard vers Alexander. Son mari calmait d'une caresse le chien assis à ses pieds. Il la suppliait silencieusement de partir. Mais non, elle ne s'en irait pas! Elle le lui fit d'ailleurs bien comprendre en redressant les épaules d'une manière résolue. Puis, elle se tourna vers son frère, qui n'avait pas bougé.

– Va-t'en, Étienne!

– Pas avant d'avoir obtenu ce que je veux.

– Vengeance? C'est ça que tu veux? Tu crois pouvoir tout réparer, retrouver ce que tu as perdu en tuant Alexander? Tu rêves, Étienne! Toute ta vie n'a été que manigances et convoitises. Que ce fût au nom de la Nouvelle-France ou de celui de Marcelline... ou à cause de ta haine de ma mère. Tu n'as jamais eu que ce désir de vengeance injustifié au cœur. Alors, ne me dis pas que tuer quelqu'un pour venger Marcelline te permettra de repartir l'esprit plus léger, Étienne. Ce que tu ne supportes pas, c'est le bonheur des autres. Parce que toi, tu n'arrives pas à être heureux. Tu as toujours été comme ça, et je ne sais pas pour quelle raison. Mais détruire ma vie t'aura plu par-dessus tout.

– Ha! ha! ha! Qu'est-ce que tu racontes, Isa? Tu divagues!

– Vraiment?

Elle l'affrontait du regard, pinçant les lèvres de mépris et de peur. Ces yeux noirs qui la sondaient lui procuraient des frissons glacés le long de son échine. Un spasme nerveux lui fit secouer l'arme qu'elle s'efforçait de garder pointée sur lui. Son frère n'avait rien de Charles-Hubert. Ni dans son physique ni dans son âme. Cela lui rappela brusquement que Charles-Hubert n'était pas son père naturel. Elle en eut un choc. Sa seule consolation était que cet homme qui lui faisait face n'était pas son frère de sang.

– Peut-être que t'as un peu raison... Tu ressembles tellement à cette harpie de Justine.

– Personne ne t'a jamais demandé d'aimer Justine! Mais tu n'étais même pas capable de respecter l'amour de ton père pour ma mère!

– Père n'y voyait plus clair. Elle faisait de lui ce qu'elle voulait, tout comme toi! Pis, de toute façon, tu peux pas comprendre.

– Non, pour ça, tu as raison. J'arriverai jamais à comprendre que le cœur d'un homme puisse être aussi noir. As-tu jamais aimé, Étienne? As-tu jamais fait quelque chose dans un autre but que celui de détruire?

Il tiqua, serra les mâchoires. Il ruminait les paroles de sa sœur. Cependant, il ne quittait pas des yeux Alexander, qui n'osait bouger.

– J'ai aimé, Isa. Oui, j'ai aimé.

Isabelle arqua les sourcils et éclata de rire en toisant son frère avec dédain.

– Ah oui? Et qui donc? Perrine?

– Marie-Eugénie, la mère de ma fille.

– La domestique des Guillemin?

Étienne devint rouge de fureur.

– Marie-Eugénie était p't'êt une servante, comme ta Marie, mais elle était la femme que j'aimais! Elle était pas assez bien pour ta mère. Le fils d'un des plus riches marchands de Québec ne pouvait pas marier une domestique, encore moins une Sauvagesse! Non, impossible! Scandaleux!

– Marcelline m'a dit que sa mère était morte...

– Morte? Juste après l'accouchement, Marie-Eugénie a été vendue comme si elle était une esclave, Isa. Elle est pas morte. Profitant que j'étais parti pour les Grands Lacs, ta mère, à l'insu de mon père, a soudoyé les Guillemin pour qu'ils se débarrassent d'elle. Quand j'suis revenu, elle avait déjà embarqué pour une destination inconnue, dans les colonies américaines. Ma seule chance a été que l'acheteur ne voulait pas du bébé. Les Guillemin ont donc placé la fillette chez un couple sans enfant. Père a jamais su pour Marcelline. À quoi bon! De toute façon, il m'aurait mis à la porte pis déshérité avant de renvoyer sa Justine à La Rochelle.

Stupéfaite, Isabelle baissa les yeux vers le sol. Lorsqu'elle les releva, elle s'affola en lisant la folie sur les traits de son frère.

– Va-t'en, Étienne, laisse-nous. Tu n'as plus rien à obtenir de nous. L'or est...

– Au diable, ce satané trésor!

– Alors quoi? Veux-tu te venger de ce que t'a fait ma mère en me privant de ce dont elle t'a privé? Veux-tu te venger de ce qu'ont fait deux malotrus à ta fille? Ou veux-tu te venger parce que tu n'arrives pas à mettre la main sur l'or du Hollandais?

Alexander intervint alors.

– Je ne pense pas que ce que ton frère cherche vraiment à récupérer soit l'or... Il s'agit plutôt d'un document, d'un carnet...

Étienne ouvrit la bouche, mais n'émit aucun son. Affermissant sa prise sur le pistolet, il souleva légèrement le canon.

– De quoi parles-tu, Alex?

– D'une liste de noms... assez intéressante. En la parcourant, j'ai compris qu'elle pouvait être dangereuse entre les mains d'un individu... mal intentionné.

– Où se trouve ce carnet, astheure? demanda sourdement Étienne.

– Je l'ai brûlé.

– Espèce de chien!

Une terrible explosion déchira la quiétude du petit matin, réveillant le coq et les autres animaux. Pétrifiée sur place, les yeux agrandis par l'horreur, Isabelle vit le corps d'Alexander projeté au sol. Puis, comme Étienne braquait son arme encore fumante sur la tête de son mari, elle se précipita en hurlant.

– Nooon!

Avec toute l'énergie que lui donnait sa fureur, elle balaya l'espace de son fusil, désarmant Étienne, qui poussa un cri de douleur. L'homme porta la main à son bras blessé en grognant.

– Ne te mêle pas de ça, Isabelle. Cette affaire se réglera entre lui et moi.

– Malheureusement, je pense que cela me concerne aussi, Étienne Lacroix!

Ce disant, Isabelle s'agenouilla près d'Alexander. Il était étendu sur le dos et avait la chemise maculée d'une tache de sang au niveau du thorax. Mais il respirait encore.

– Alex! Alex! Oh, mon Dieu, non! Pas encore!

Anéantie, la vue brouillée par un rideau de larmes, elle souleva doucement sa tête et la posa sur ses cuisses.

– Si tu crois que je vais te laisser t'en tirer à bon compte, tu te trompes, Étienne! Je te ferai pendre... pour ça et pour le meurtre du Hollandais et de ses hommes. Et je te jure que je serai là pour tout voir. J'ai trouvé le contrat que tu as signé avec Pierre...

Essuyant le sang qui coulait sur sa main, Étienne posa un regard mi-sceptique, mi-inquiet sur sa sœur.

– Ce contrat ne prouve rien.

– Seul, c'est une preuve insuffisante pour te faire condamner, d'accord. Mais avec mon témoignage et celui de... À moins que tu n'aies l'intention de nous tuer tous?

Des cris et des aboiements s'élevèrent, allant grandissant. Francis, Stewart et Munro apparurent à l'angle de l'écurie. S'arrêtant net, ils laissèrent leurs blasphèmes s'évanouir sur leurs lèvres et perdirent toutes leurs couleurs devant la scène qui s'offrait à eux. Les chiens s'éparpillèrent en reniflant et grognant, menaçant Étienne qui cherchait à récupérer son arme dans l'herbe.

Isabelle sentit les bêtes lui mouiller la nuque de leur truffe et lui battre les épaules de leur queue. Elle entendit Munro parler en gaélique et ordonner à Étienne de se tenir tranquille. Francis s'approcha. Dans les bras de sa femme qui le berçait contre elle en pleurant et le protégeait des bêtes qui cherchaient à le lécher, Alexander gémissait. Le jeune Antiguais se pencha.

– Madame Isabelle, laissez-moi regarder.

Francis déchira la chemise. La plaie se situait au niveau des côtes, sur le côté gauche. Il la palpa avec précaution. Alexander se raidit et expira l'air de ses poumons en émettant un sifflement. La balle semblait avoir pénétré la chair et ripé sur un os pour sortir plus loin.

– Quelle chance inouïe! souffla Francis. Il en sera quitte pour quelques contusions et peut-être une côte brisée. Un vrai miracle!

Isabelle se signa et récita une prière pour rendre grâce à Dieu. Encore sonné, Alexander porta la main à son côté et grimaça en effleurant sa blessure.

– Tu ne devrais pas bouger, Alex.

– Ça va... aller.

Alexander s'assit en serrant les dents.

— *An bheil thu airson raige raithe mhairbh bhi air ragair*[123]?

Munro s'était emparé du fusil d'Isabelle et le pointait maintenant sur Étienne. Il attendait la réponse de son cousin.

Madeleine et Marie sortaient de la maison, suivies de Louisette, de Basile et de Gabriel. Quelques secondes après arrivait Mikwanikwe avec le petit Duglas dans les bras et Otemin dans ses jupes. Alexander ne voulait pas d'effusion de sang, surtout pas devant les enfants.

— Laisse-le partir... Munro.

— Va-t'en, Étienne! ajouta Isabelle.

Ruminant sa haine, Étienne ramassa son arme et la glissa dans sa ceinture. Il vit l'expression incrédule de son neveu dans son mouvement et se détourna aussitôt. Lançant un regard noir vers les autres qui le fixaient en silence, il se dirigea vers le chemin. Puis il s'éloigna.

Munro gardait le fusil braqué sur son dos. Isabelle était furieuse. Elle bondit et courut vers son frère.

— Ne reviens plus jamais ici! Jamais! Tu as compris? Je te jure que, si je te revois, j'appuierai moi-même sur la détente!

Étienne poursuivait tranquillement son chemin, indifférent à ses menaces. Elle ramassa une pierre et la lança, l'atteignant à l'épaule. Il ralentit, mais ne se retourna pas.

— Tu n'es pas mon frère, Étienne Lacroix! Tu savais ça? Tu n'es même pas mon frère, et j'en remercie Dieu!

L'homme s'arrêta. Blême, haletante de rage, Isabelle ramassa une deuxième pierre et la brandit, prête à la lancer. Étienne se retourna enfin, un sourire cynique aux lèvres.

— Bizarrement, Isa, je m'en suis toujours douté. Justine a ben su enfirouaper Charles-Hubert pour qu'il la marie dans son état. Finalement, t'es ben sa fille.

Puis, il se détourna et se remit en route. Isabelle hurla en lançant le projectile, qui cette fois manqua sa cible. Les pleurs de Gabriel la ramenèrent vers les siens. Abandonnant la silhouette qui s'éloignait, elle se tourna vers son fils. Le garçon accourait vers son père. Elle le rejoignit pour l'écarter avec douceur.

— Allons, Gaby! Papa va bien. Il n'a rien de grave. Mais laisse-le respirer un peu.

Il fallut trouver maintes paroles rassurantes pour convaincre l'enfant que son père n'allait pas mourir encore une fois. Puis, Marie attira tout le monde dans la maison en promettant de belles

---

123. Veux-tu le bâtard aussi raide qu'un chien mort?

crêpes au beurre et au sirop. Munro jeta un dernier coup d'œil sur son cousin et vers Étienne, avant de s'éloigner à son tour avec les chiens et Francis. Seule avec son mari, Isabelle se pencha pour examiner ses blessures.

– C'est profond, mais je pense que ça devrait bien guérir. Peux-tu bouger sans trop de mal?

Alexander remua lentement les épaules.

– Je crois, oui. Je dois avoir une côte brisée, mais rien d'irréparable.

– Et ça! Au moins, ça ne saigne plus.

Elle grimaça devant le nez tuméfié et la blessure à la pommette, qu'elle effleura. Alexander pinça les lèvres. Elle retira prestement sa main et se releva. La colère l'habitait encore. Elle se mit à faire les cent pas. Soudain, elle s'immobilisa et se tourna vers le chemin.

– Qu'il remette les pieds ici, celui-là!

Puis, tournant le dos à la silhouette d'Étienne qui disparaissait dans la végétation, elle revint vers Alexander.

– Tu devrais être mort, Alex! Oh! J'aurais dû lui faire goûter au plomb de mon fusil!

– C'est fini, Isabelle. Il ne reviendra pas.

L'Écossais grimaça de douleur comme il terminait d'examiner l'os de son nez, qui était intact. Isabelle se laissa tomber dans l'herbe devant lui en respirant bruyamment. Puis elle ferma les yeux pour essayer de se calmer.

– D'accord, ça va.

Elle n'était cependant pas convaincue qu'elle ne reverrait jamais Étienne. Soupirant, elle se mordit la lèvre pour s'empêcher de pleurer. Des phrases qu'avaient échangées son frère et Alexander lui revinrent à l'esprit.

– Qu'est-ce que c'est que cette histoire de liste de noms, Alex?

– J'ai trouvé un carnet dans le coffre... Van der Meer m'en avait parlé, mais j'en avais oublié l'existence jusqu'à ce que je tombe dessus. Il s'agit de la liste des membres de la ligue et des montants investis par chacun. J'ai pensé qu'il devait avoir une certaine valeur... enfin... pour ton frère.

Alexander examinait d'un œil sceptique sa blessure au thorax. Il souriait étrangement.

– Tu as déterré l'or, Alex?

Il acquiesça distraitement, tâtant sa côte du bout des doigts.

– Bon sang... je n'arrive pas à y croire! Un pouce plus bas, et...

– Et qu'en as-tu fait?

– De quoi? Du carnet?

– Non, de l'or!

– Rien.

Elle le dévisagea, perplexe. Il soupira. Il n'avait pas envie de parler du trésor du Hollandais. Pas maintenant.

– Tu as trouvé l'or, et tu n'en as rien fait?

– En fait... j'ai pris l'équivalent d'environ mille livres pour Jean Nanatish, pour son peuple. De cette façon, je respectais une partie de ma promesse faite au Hollandais. J'ai gardé trois cents livres pour moi-même. Le reste... je l'ai replacé dans le coffre et l'ai enterré ailleurs... à la tête... de John.

– De John?

– Oui... Je croyais alors que c'était toi. Maintenant, c'est John qui est le gardien de l'or.

La poitrine martelée par l'émotion, Isabelle fixait Alexander.

– Tu as enterré l'or?! Je ne comprends pas, Alex! Pourquoi l'avoir sorti dans ce cas?

– Je... je ne sais pas... Je pense que j'avais besoin de voir ce trésor maudit qui nous a coûté... si cher.

Alexander soupira. Il avait soudain senti la nécessité de voir la cause de ses malheurs et s'était précipité pour déterrer le trésor sans vraiment réfléchir. Puis, tandis que les pièces glissaient entre ses doigts en tintant, il avait repensé à la promesse qu'il avait faite au Hollandais. Il pouvait offrir cet or à des œuvres de charité. Mais comment s'assurer qu'il servirait réellement à des fins humanitaires? Même dans les ordres religieux, la corruption et la cupidité avaient ses adeptes. Non, il ne pouvait faire confiance à personne. Il avait donc décidé de laisser le trésor tranquille et l'avait enseveli à un autre endroit connu de lui seul: sous l'aubépine où était enterré... John.

Pour ce qui était du carnet, il l'avait trouvé sous le sac de cuir qui contenait les pièces. Mais de l'eau s'était infiltrée dans le coffre et avait dilué l'encre. Seuls quelques noms de la liste étaient encore déchiffrables. Étienne devait vouloir mettre la main dessus pour protéger les hommes concernés ou leur soutirer un montant supérieur à ce que contenait le coffre... Ce document avait retrouvé sa place sous la bourse de cuir.

Après son départ de Red River Hill, le tintement des pièces d'or était revenu le hanter, l'avait poursuivi au fil des jours. Cette fortune lui permettrait de faire tellement de choses...

– Pour être franc, Isabelle, je dois t'avouer que j'ai longuement hésité avant de décider quoi faire de l'or. J'ai pensé... en donner une partie pour les enfants.

– Pour les enfants? Mais donner l'argent à qui?

Elle le dévisagea un moment en silence avant de saisir ce à quoi il faisait allusion. Puis elle acquiesça avec tristesse. Elle ne pourrait jamais savoir à quel point il avait souffert, seul, croyant avoir perdu tous les siens.

– Et maintenant, qu'en est-il?

Il haussa les épaules et porta son attention vers la maison d'où leur parvenaient les cris de joie des enfants.

– Pour l'instant, je préfère laisser l'or dormir où il est. J'ai un peu d'argent... Munro m'a remis ma part du fruit de la vente de nos pelleteries. J'ai aussi le bon de change de Gauthier... Nous pourrons tenir le temps que je trouve du travail.

Isabelle s'approcha de lui et, posant sa main sur sa joue, le regarda droit dans les yeux.

– D'accord. L'or peut dormir encore... longtemps. Jamais il ne devra servir pour autre chose que pour une cause noble.

Alexander crispa ses mâchoires. Il ne pourrait jamais avouer à Isabelle ce qu'il avait pensé faire de la dernière partie du trésor. Bien que ses intentions fussent justifiables à ses yeux, elles n'avaient rien de nobles. Il aurait pu facilement attirer Étienne dans ses filets avec...

22

Au nom du père, du fils et d'un rêve

Depuis plusieurs minutes, ses mains trituraient la lettre en tremblant. L'encre, si souvent effleurée de ses doigts et en pensée, s'était estompée et même carrément effacée par endroits. Le bout de papier n'était plus qu'un lambeau. Mais cela n'avait plus d'importance aujourd'hui, car il connaissait le message par cœur. C'était l'aveu de son fils John, qui était mort; on venait de le lui apprendre.

Duncan entendit des voix derrière la porte de sa chambre. Il ne la quittait plus depuis des jours. Il froissa encore une fois le papier. Il savait qui était là. Son vieux cœur qui peinait pour faire circuler la vie dans ses veines menaçait de capituler. Mais il s'accrochait, remerciant le ciel de lui avoir octroyé ce sursis qui lui permettrait de se réconcilier avec sa conscience avant de partir rejoindre Marion.

Le silence était revenu dans la maison; les minutes s'égrenaient. Pendant un moment, il crut qu'Alexander était reparti. Pris de panique, il tenta de se lever. Mais ses jambes ne le soutinrent pas, et il s'effondra au sol dans un gémissement.

– Putain de merde!

Un rai de lumière vive s'étira sur le plancher, vint directement sur lui. Il se sentit subitement plus léger. Une poigne solide le soulevait avec douceur, le réinstallait sur la chaise placée à côté de son lit. Il regarda les mains qui le manipulaient. Larges et rudes, elles portaient les marques d'une vie d'épreuves. C'étaient des mains d'homme, et il ne les reconnaissait pas. Il retint un sanglot.

– Bon sang!

Ces mains, la dernière fois qu'il les avait tenues dans les siennes, portaient encore les rondeurs et la douceur de l'enfance, n'avaient pas été tachées par le sang. Il s'agrippa à la veste de son fils, refusant de le lâcher, de peur qu'il ne disparaisse avant qu'il n'ait pu tout lui dire. Prudemment, il leva les yeux vers Alexander, les plissant dans la pénombre de la pièce.

– Merci, mon Dieu! Merci, mon Dieu!

En découvrant le visage de ce fils si longtemps attendu, il reçut un choc. Dans les traits meurtris, il retrouvait John et Marion. Il se retrouvait lui, aussi. Devant les yeux bleus qui le fixaient, il se dit que son voyage n'avait pas été vain. Cela en valait la peine. La bouche restée ouverte d'émoi, il vit, derrière un brouillard de larmes, des images surgies d'un lointain passé et chercha dans l'homme qui lui faisait face l'enfant qu'il avait perdu.

– Père... fit Alexander, la gorge nouée.

– Alas... Alasdair... Enfin, mon fils!

Profondément troublé, Alexander dévisageait ce vieillard qu'était devenu son père. La souffrance déformait ses traits, voilait son regard et altérait le timbre de sa voix. En l'aidant à se relever, il avait senti les os fragiles et les muscles atrophiés à cause de l'âge et de la maladie. Maintenant accroupi devant lui, il remarquait les couleurs du tartan qu'il portait en travers de sa poitrine haletante, dans la pénombre d'une chambre, loin des Anglais. Un pied de nez à cette damnée proscription. Il caressa le tissu, s'absorba dans les souvenirs qu'évoquaient les couleurs de Glencoe.

– C'est ton frère Angus qui me l'a offert avant mon départ. Il a été fabriqué clandestinement dans une filature de Glasgow.

Rattrapé par l'émotion, Duncan geignit en s'accrochant davantage à son fils.

– Alasdair, Seigneur Dieu!

Alexander releva ses yeux humides. Son père lui paraissait si vieux. Quel âge pouvait-il avoir? Soixante-dix ans? Un peu plus? Les traits autrefois si virils s'affaissaient par endroits, se creusaient à d'autres. Il accusait dix, vingt ans de plus. C'était un pur miracle qu'il eût survécu à la pénible traversée.

– Vous avez mal, père?

Un faible ricanement s'échappa des lèvres grisâtres de Duncan.

– Mal? J'ai mal, oui. À l'âme plus que tout. Comme celui de ma mère, mon cœur se fatigue et m'abandonne. Je n'ai pas hérité de la solidité de mon père, qui serait certainement...

Il s'interrompit brusquement et brandit dans sa main tremblante le papier froissé et usé. Il irait jusqu'au bout, il se l'était juré. Il reprit d'une voix chevrotante:

– John m'a tout raconté... La raison pour laquelle tu n'es pas revenu après Culloden, la mort de grand-père Liam...

– J'en suis responsable, père.

Fronçant les sourcils, Duncan baissa la tête, crispant les doigts sur la lettre.

– Mais c'est aussi ce que prétend John... Il avoue avoir tiré sur la Garde noire et provoqué l'escarmouche.

Se remémorant le violent affrontement qu'il avait eu avec son frère jumeau, Alexander baissa les yeux en murmurant :

– Je sais... Il m'a dit la même chose. Mais j'ai moi aussi tiré sur les soldats, père.

Abaissant la ligne blanche de ses épais sourcils, Duncan devint songeur.

– Deux coups de feu, il y a eu deux coups de feu... C'est bien ce que je pensais. Le temps entre les deux était trop court pour que le second fût l'écho du premier. Ton frère croyait que tu avais deviné qu'il avait tiré, et vice versa.

Alexander hocha la tête en évitant le regard de son père qui exprimait de la tristesse. Le vieil homme posa sa main sur celle de son fils.

– D'accord, c'était un accident. Mais pourquoi? Que s'est-il passé exactement?

– Vous ayant vu arriver par Rannoch Moor, j'ai commencé à grimper le sentier menant au Coire na Tulaich dans le but de me cacher... C'est alors que j'ai aperçu le détachement de la Garde noire qui arrivait de la direction opposée. J'ai suivi sa progression, par curiosité... Puis, soudain, j'ai eu l'idée de tirer. Ce n'était pas un accident, père. Je voulais venger tante Frances de ce que ces soldats lui avaient fait... Mais... Ce jour-là, je vous ai désobéi, encore...

Alexander se confessait d'une voix presque inaudible, la tête penchée. Duncan serra les mâchoires et grimaça amèrement. Il prit un ton un peu rude.

– C'est juste. J'avais remarqué que le vieux mousquet avait disparu et j'avais deviné que tu m'avais désobéi. Ce n'est pas l'envie de t'user la peau des fesses qui m'a manqué! Tu méritais une bonne correction! Mais ta mère m'avait fait promettre de ne plus jamais lever la main sur toi. De toute façon, nous avions tous une part de responsabilité dans la mort de grand-père Liam. Cela nous pesait déjà assez pour que j'en rajoute. De mon côté, je me suis toujours reproché de ne pas l'avoir fait transporter plus rapidement dans la vallée. Il a perdu trop de sang... et...

Il poussa un long soupir et se cala contre le dossier de la chaise. Curieusement, ses traits ou son attitude ne témoignaient d'aucune colère, d'aucun ressentiment.

– Oh, Alas! Tu étais un enfant si imprévisible. Tu avais le don de me mettre dans une colère terrible parfois. Pourquoi devais-tu toujours te fourrer dans des situations dramatiques?

– Vous voulez parler de la noyade de Marcy et du petit Brian?

– Hum... et de la fameuse correction que je t'ai donnée. Mais... je refuse de penser que c'est cette faute ou l'autre, si lourdes à porter fussent-elles pour ta conscience, qui expliquent ton absence, ton refus de retrouver ton clan, Alas.

Alexander contracta sa mâchoire. Il se leva avec lenteur et se mit à faire les cent pas devant Duncan, qui l'observait attentivement d'un air accablé.

– Vous avez raison, père.

Il s'immobilisa, regarda par la fenêtre les enfants qui s'amusaient à capturer des insectes dans le jardin. L'esprit ailleurs, il contempla ensuite les longs rubans verdoyants des champs de blé qui s'étiraient jusqu'aux bois. Revenant enfin à son père, il se laissa lourdement tomber sur le lit en soupirant.

– La vraie raison, père, c'est que le gamin de quatorze ans que j'étais s'est inventé une histoire...

Les premiers mots sortis, le reste suivit plus facilement. Alexander soulagea son cœur, se délesta de son amertume comme un navire en perdition jette sa cargaison par-dessus bord pour éviter le naufrage. Duncan écoutait la confession de son fils en triturant nerveusement de ses doigts la lettre de John, geste qui était devenu une habitude quotidienne. Lorsque Alexander eut terminé son récit, il resta silencieux un moment. Puis, avec lassitude, il répéta les dernières paroles:

– Un soldat du régiment de Pulteney...

– Oui, père. Pendant toutes ces années, j'ai cru que John...

Alexander, s'étranglant dans un sanglot, n'arriva pas à terminer. Duncan, muet, fixait de ses yeux fatigués son tartan qu'il caressait d'une main hésitante.

– J'ai cru que John... m'en voulait et avait voulu venger la mort de grand-père Liam. Il me connaissait tellement bien. Il savait que, ce jour-là, j'avais désobéi en prenant le mousquet sans votre permission... À Culloden, croyant pouvoir racheter ma faute aux yeux de grand-père Liam que je savais posés sur moi, je me suis lancé dans la bataille au mépris de vos ordres. La première leçon ne m'avait pas suffi! Quel imbécile! Je ne suis arrivé à rien!

– Un soldat du régiment de Pulteney...

– Père?

Alexander, voyant l'air absent de Duncan, s'en inquiétait. Son père redressa légèrement l'échine et leva vers lui ses yeux larmoyants.

– Ce n'était pas le soldat du régiment de Pulteney.

Il était très pâle, manifestement bouleversé par quelque chose. Il froissait la lettre d'une main et le plaid de l'autre.

– Voulez-vous un verre de whisky, père? De l'eau?

– Pas le soldat, Alas...

– Père... C'était le soldat, je le sais. Il ne pouvait s'agir de John. J'en suis persuadé maintenant. La balle est venue de la direction opposée.

Duncan semblait maintenant recroqueviller sa frêle carcasse sur ce qui lui restait de vie. Cet homme qu'Alexander voyait toujours, dans ses souvenirs, comme quelqu'un de grand et de solide comme le roc qui formait les montagnes des Highlands, ce guerrier dont il avait écouté avec fierté les exploits lors d'innombrables raids sur les terres des Campbell, ce père dont il avait toujours cherché à attirer l'attention et qu'il s'était constamment efforcé d'imiter... se mourait.

Les larmes ruisselaient sur la peau parcheminée et amincie du visage de Duncan, convergeant vers l'affreuse balafre laissée sur sa joue par une lame anglaise... cette même lame qui avait fauché son frère cadet, Ranald, à Sheriffmuir, en 1715. Le vieil homme releva la tête.

– Toutes ces guerres, toutes ces batailles pour terminer dans un lit à mourir de honte... J'ai combattu avec courage et honoré mon nom. Mais ce jour-là... Oh, mon fils! Ce jour-là, sur Drummossie Moor, j'aurais dû mourir avec les lamentations des cornemuses... Dieu m'a forcé à survivre pour assister à la mort lente de nos traditions, de ta mère et pour... Marion ne m'a jamais pardonné de vous avoir emmenés avec moi en campagne, John et toi. Elle m'avait supplié de vous laisser en Glencoe avec elle. Je ne l'avais pas écoutée et vous avais entraînés dans cette damnée guerre. Je voulais vous donner la possibilité de croire en quelque chose. Pourtant, tout ce que j'ai réussi à faire... Oh, mon Dieu! Pourras-tu jamais me pardonner, Alas? Je n'ai jamais su te parler comme ma mère. J'aurais dû essayer, t'expliquer pourquoi nous t'avions éloigné de la famille un certain temps. La maladie avait emporté ta sœur Sarah; elle s'était attaquée à Coll et à John. Nous craignions pour ta vie.

Secouant la tête, Duncan fouilla quelques secondes dans son *sporran*. Puis, empoignant fermement la main de son fils, il l'ouvrit et y déposa un objet lourd et froid. Alexander baissa les yeux et découvrit l'écusson que son grand-père lui avait légué un quart de siècle plus tôt. Il le fixa, un peu surpris.

– Il te revient, Alas... Tu te souviens, tu m'as demandé de le conserver pour toi parce que tu avais peur de l'égarer? Tu n'es jamais revenu le réclamer... Je croyais que c'était parce que... Oh, grand Dieu! Alas, c'était moi. C'était moi, pas le soldat du régiment de Pulteney!

Le vieil homme sanglotait. Incapable de réagir, se demandant si son père divaguait, Alexander le dévisagea sans rien dire. Lui revint alors, encore une fois, le souvenir de cet instant où la balle lui avait traversé l'épaule. En cet instant terrible où sa vie avait basculé, il avait... croisé le regard stupéfait de son père derrière celui de l'ennemi.

Il posa la main sur celles de son père qui tremblaient beaucoup. Avec l'air désespéré d'un condamné à mort quémandant la clémence de ses juges, Duncan s'accrocha à lui.

– Je n'ai jamais pu le dire à personne, Alas, pas même à ta mère qui m'en voulait déjà tellement. Mais c'est moi qui t'ai blessé sur Drummossie Moor, tu comprends? Le soldat de Pulteney t'avait effectivement dans sa ligne de mire. Je voulais l'abattre pour l'empêcher de t'atteindre. Seulement, au moment où j'appuyais sur la détente, il était déjà en train de tomber. Alors, c'est toi que j'ai blessé, Alas. C'est moi, ton propre père, qui t'ai tiré dessus! Putain de merde, je te tuais! Je te tuais!

Sa voix se brisa. Le père anéanti s'effondra dans les bras de son fils atterré par l'aveu. Alexander reçut une douche glacée. Plusieurs longues minutes s'écoulèrent pendant lesquelles il jongla avec les sentiments qui le submergeaient. Puis, le poids du terrible secret de son père contrebalança celui du sien dans son esprit. Comment en vouloir à cet homme qui avait, comme lui, vieilli dans la douleur, nourri des regrets dévorants jusqu'à devenir un véritable squelette? Ainsi, son père, comme John et lui-même, avait construit sa vie sur un échafaudage de croyances erronées et de remords. C'était incroyable, tellement pathétique! Pressant l'épaule de Duncan, Alexander lui chuchota à l'oreille :

– Père, quelle faute y a-t-il à pardonner?

Le vieil homme s'écarta, montrant un visage plus lisse, moins marqué par les tourments. Il soupira.

– Longtemps je t'ai cherché, Alasdair... Ta mère était convaincue que tu étais vivant. Je voulais y croire, moi aussi. J'espérais. En même temps, j'avais peur de voir la haine dans tes yeux... Quand elle est morte, j'ai cessé les recherches et j'ai lâchement attendu que tu rentres. Au cours des années qui ont suivi, j'ai entendu parler d'un certain Alasdair Dhu MacGinnis, voleur de bétail notoire dont la tête était mise à prix. On me l'a décrit; on m'a même raconté qu'on l'avait aperçu dans une taverne de Dunoon... J'avais l'impression qu'il pouvait s'agir de toi. Pourtant, je n'ai rien fait, j'ai continué à attendre...

– C'était bien moi.

Duncan hocha tristement la tête.

– Que Dieu me punisse de n'avoir jamais tenté de vérifier... J'avais des soupçons... Voir que tu reniais ton nom, que tu t'obstinais à vivre en marge du clan, tout cela renforçait mon sentiment que tu avais deviné que c'était moi qui avais tiré sur toi... Oh, mon Dieu! Je regrette... Je regrette tellement, mon fils! Je t'ai poussé à l'exil, Alasdair!

L'exil? La fuite, oui! Mais l'exil? Alexander ne le croyait pas, plus maintenant. Toute sa vie, il avait cherché à se fuir lui-même. Ses tourments, formant comme un boulet à son pied, l'avaient tiré par le fond. S'engager dans l'armée avait été pour lui une porte de sortie, une bouée qu'il avait saisie dans un sursaut de lucidité avant de sombrer dans la déraison. D'une certaine manière, ce furent les paroles de sa grand-mère mourante qui l'avaient poussé à partir: « Ne les laisse pas te voler ton âme... *Per mare, per terras, no oblivis-caris.* Par-delà la mer, par-delà la terre, n'oublie pas qui tu es. » Ces mots avaient continué de résonner dans son esprit et réveillé sa conscience pour le ramener sur le droit chemin.

Maintenant encore, il entendait la voix de sa grand-mère avec la même clarté, tandis qu'il fixait l'écusson des Macdonald qui étincelait entre ses doigts. L'objet était lourd, lourd de tout le poids de l'histoire du clan. Soigneusement astiqué, il brillait comme un sou neuf. Alexander le piqua sur sa veste et, les yeux fermés, le caressa avec respect.

– Mon père... l'exil est pour celui qui n'est plus rien. *Is mise Alasdair Cailean MacDhòmhnuill*[124]. *Je suis* un Macdonald du clan Iain Abrach. Le sang qui coule dans mes veines est celui des maîtres de ce monde. *Je suis* le fils de Duncan Coll, fils de Liam Duncan, fils de Duncan Og, fils de Cailean Mor, fils de Dunnchad Mor, et ainsi de suite jusqu'à la nuit des temps. Non, mon père, je ne me suis pas perdu en partant. J'ai repoussé nos frontières. Un Macdonald, comme un Campbell, qu'il soit en Écosse, dans les colonies du Sud ou au Canada, restera toujours un Macdonald et se souviendra toujours de son cri de guerre qui ne cessera de faire bouillir son sang. Quand je ferme les yeux, père, je suis de retour chez moi...

Alexander fit une pause et prit une grande inspiration qui lui

---

124. Je suis Alexander Colin Macdonald. (« Mac » signifie « fils de » en gaélique et Donald signifie « maître du monde ».)

causa une douleur du côté blessé. «Je suis», avait-il dit. Il lui semblait qu'entendre sa propre voix affirmer son identité l'avait définitivement convaincu qu'il était toujours un Highlander, même dans ce pays qui n'était pas celui qui l'avait vu naître. Il reprit, d'une voix grave:

– Soyez en paix avec vous-même, mon père. Tout ce qui est arrivé, tout ce que nous avons vécu ne doit pas engendrer que des regrets... J'ai appris au travers des épreuves que rien n'est vain, que tout a sa raison d'être. Rien ne me sert de m'apitoyer sur mon sort et de regretter ce qui n'a pas été, car j'ai conservé l'essentiel... mon âme.

Duncan se pencha en avant en poussant un faible gémissement et se retint au bras de son fils. Inquiet, Alexander s'interrompit.

– Voulez-vous vous reposer, père? Je peux...

Le vieil homme se redressa d'un coup.

– Non! Ce n'est rien, cela va passer. Oh, Dieu! Si je dois mourir en ce jour béni, qu'il en soit ainsi. Alors, je mourrai entouré des miens et le cœur enfin en paix, et je serai le plus heureux des hommes.

Alexander eut soudain très mal à la poitrine. Elle se comprima. Tel un noyé se saisissant d'un bout de bois flottant, il resserra ses doigts sur le tartan de son père et le regarda. Ses joues étaient baignées de larmes. Il avait imaginé ces retrouvailles tendues, marquées par le ressentiment. Or il en allait tout autrement. Le simple fait de revoir son père, de pouvoir le toucher semblait apaiser ses angoisses, panser définitivement les plaies du jeune garçon qui était encore en lui.

– Vous savez, père... Enfant, j'espérais toujours vous plaire, gagner votre estime. Je voulais mériter ce nom que vous m'aviez légué.

Duncan rit doucement.

– Tu n'étais qu'un petit sot, Alas! Tu n'avais rien à me prouver!

– La fierté se mérite, me disiez-vous toujours...

– Par le courage. Et le courage s'apprend dans l'adversité, non dans la complaisance. L'école de la vie était dure avec toi. Mais tu étais un bon élève.

– Je ne sais pas. Je crois que je fanfaronnais plus souvent qu'autrement.

– Oh, Alas! Toujours aussi aveugle! Mais, puis-je te le reprocher, moi qui l'ai moi-même été? J'ai été aveugle, oui... Tu sais, ce jour terrible, sur Drummossie Moor... Quand je t'ai vu accourir vers nous, l'épée au poing, le visage déformé par la rage de vaincre...

Quand je t'ai aperçu sous la pluie de projectiles, parmi les nôtres qui se faisaient déchiqueter par les *Sassannachs*... Dieu du ciel! J'ai voulu te battre, Alas!

–Je sais. Je le méritais.

Le vieil homme sourit.

– Oui, encore! Mais, en même temps, je sentais mon cœur se gonfler de fierté! Tu ne fanfaronnais point, non! Tu étais tel... Cuchulain sur le champ de bataille. L'honneur des Macdonald irradiait de toi. Penser que mon sang coulait dans tes veines... T'ai-je déjà dit que, de tous mes fils, John compris, tu es celui qui ressemble le plus à mon père? Je sais combien tu admirais grand-père Liam et... j'ai honte de le dire, mais... je ne pouvais m'empêcher d'en être un peu jaloux.

– Père... Vous avez pourtant toujours été celui dont je cherchais le regard.

Or ce regard, en cet instant précis, Alexander s'en repaissait les yeux. Son père lui rendait ce morceau de lui-même qui lui manquait : l'estime de soi. Duncan pressa son bras.

–Je m'en rends compte aujourd'hui, Alas, mon fils bien-aimé. Combien aveugle j'ai été! À refuser de voir mes erreurs, je me suis détourné de la vérité. Je refusais de reconnaître que je m'étais trompé en t'envoyant en Glenlyon. Marion en a souffert, et toi aussi. Je ne voulais pas entendre ton cri de détresse. Je m'entêtais à croire que, par ton insoumission, ton indiscipline, tes incartades répétées, tu ne cherchais qu'à me mettre à l'épreuve. Je n'ai compris que trop tard mon aveuglement, ma surdité. Ce jour-là, sur le champ de bataille de Culloden, à l'instant même où j'appuyais sur la détente, te blessant, j'ai tout à coup découvert dans cette lueur qu'allumait dans tes yeux ce que je croyais encore être une obstination à la désobéissance le courage qui te poussait en avant dans le seul but de gagner mon affection. Pourquoi a-t-il fallu que ce fût en ce moment terrible seulement? Je ne sais pas... La vie nous impose parfois des détours cruels pour nous aider à comprendre certaines choses. Il y a eu tellement d'événements tristes... Tu as raison, il ne sert à rien de s'apitoyer. Je suppose qu'ils se sont produits pour une raison qui nous échappe. Cependant... je ne peux m'empêcher de penser que tout aurait été différent si j'avais compris avant. Il aurait suffi de si peu pour que tu saches combien j'étais fier de toi. Deux mots. Et ces deux mots, chaque jour depuis Culloden, j'ai espéré que Dieu m'accorde la chance de te les dire. Je t'aime, Alas.

Après un moment de silence, Alexander répondit d'une voix ténue :

– Moi aussi, père.

Le vieil homme secoua la tête et ferma les yeux, soulagé. Il se sentait libéré d'un poids immense.

– Tu sais, j'aurais aimé que ta mère soit ici. Je regrette qu'elle n'ait pas pu te voir une dernière fois avant de mourir.

– Je le... regrette aussi. Elle me manque beaucoup. Vous aussi, père... vous m'avez manqué.

– Je le lui dirai quand je la retrouverai.

– Rien ne presse... Coll a déniché une bonne bouteille de whisky!

Posant la main sur l'épaule osseuse et voûtée de son père, Alexander ébaucha un sourire engageant pour conjurer l'émoi qui le saisissait. Dans un sursaut d'énergie, Duncan se redressa et rit doucement.

– J'ai toujours pensé qu'il n'y avait rien de mieux pour mes vieux os que quelques *drams* d'*usquebaugh*! Et il y a ici des petits-enfants que j'ai bien hâte de voir. L'odeur des pâtisseries que cette gentille Maddy vient de sortir du four ne tardera certainement pas à les attirer dans la cuisine. Aide-moi, je veux être là pour les accueillir.

***

Assise sur un tronc d'arbre naufragé poli par l'eau, Isabelle observait Alexander qui allait sur les battures de Beaumont, fouettant l'eau glacée du fleuve de ses pieds nus. Avec la marée montante, les flots tranquilles reprenaient peu à peu possession de leur territoire, clapotant doucement contre les débris échoués sur le sable. Une bande de mouettes criantes planaient dans une lumière flavescente qui se teintait progressivement d'orangé et de magenta.

L'homme avançait lentement, s'arrêtait souvent pour contempler le paysage. La brise s'engouffrait dans son plaid soigneusement drapé en travers de son torse et faisait voler sa chevelure grisonnante. Un bras dans son dos qui se courbait légèrement vers l'avant, appuyé sur une branche de chêne solide qu'il avait commencé à orner de ces merveilleux entrelacs celtes, il ressemblait au père Macdonald. Les liens du sang... Gabriel avait parfois le même genre d'attitude.

En renouant avec son père, Alexander avait défait ce lourd balluchon dans lequel il avait traîné, depuis son enfance, son âme de plus en plus meurtrie. Ainsi, il refermait le maillon et assurait la continuité du sang, de sa race.

Était-ce une malédiction qui s'était abattue sur les Highlanders? Si oui, que Dieu en préserve leurs enfants! Alexander avait raconté les exactions perpétrées par les Anglais après la défaite de Culloden et qui avaient jeté son peuple dans une misère extrême. Les soldats traquaient et abattaient les hommes comme s'ils étaient des bêtes sauvages. Se retrouvant seuls sans ressources, les femmes et les enfants mouraient de faim et de froid. Duncan avait fait le récit de la suite. Cela correspondait à ce qu'Alexander appréhendait : les échos de la défaite de Culloden sonnaient le glas du système de clans des Highlanders.

Après les persécutions, le gouvernement britannique s'employa à faire disparaître la société abhorrée de façon plus sournoise. Ayant réduit les forces guerrières des clans, ils procédèrent à l'anglicisation des chefs. Ces derniers préférèrent souvent une carrière militaire dans l'armée britannique à la misère sur leurs terres. Les autorités interdisant l'enseignement de la langue gaélique écrite, une génération d'illettrés vit le jour chez les paysans ne parlant pas l'anglais et se retrouva plus isolée encore que la précédente.

De plus, après la guerre, la demande de bœufs diminua considérablement, et les prix chutèrent. Or il s'agissait de la principale source de revenus des Highlanders. Les chefs qui ne s'étaient pas engagés dans l'armée britannique étaient au bord de la faillite. La plupart avaient quitté leurs châteaux humides pour adopter les mœurs et le style de vie des aristocrates anglais dans le sud du pays et en Angleterre. Si la culture des pommes de terre nourrissait leur peuple, elles ne remplissaient pas leurs coffres. Il leur fallait trouver une autre source de profits. Le prix de la laine et celui du varech (dont les cendres servaient à fabriquer de la potasse) ayant progressé, ils se prévalurent alors de leurs droits de suzerains pour forcer les fermiers à quitter les vallées et à s'établir sur les côtes. En les faisant cultiver les algues, ils libérèrent du même coup les vertes collines pour l'élevage des ovins.

Ce fut ainsi que commença l'exode de tout un peuple. Glencoe n'y échappa pas. Dans l'espoir d'améliorer leur sort, plusieurs Highlanders choisirent de se diriger vers les grandes villes du Sud, où l'industrialisation leur promettait du travail. D'autres, à l'instar de Coll, s'embarquèrent pour les colonies, n'emportant avec eux que leurs maigres biens et un peu d'espoir. Angus migra vers Glasgow pour retrouver sa sœur Mary. Ainsi, de la famille d'Alexander ne resta plus dans la vallée que la veuve malade de Duncan Og dont s'occupait sa fille Bessie. C'est dans cette situation que le père Macdonald prit la terrible décision de traverser l'océan. Il savait que ses os ne reposeraient jamais près de ceux de sa femme, sur *Eilean Munde*.

Se rendant soudain compte qu'Alexander la regardait, Isabelle, lasse de l'observer de loin, le rejoignit. Ils firent quelques pas ensemble. Pataugeant dans l'eau, main dans la main, ils restèrent un long moment sans parler, écoutant le claquement des jupes d'Isabelle dans le vent et les éclats de voix de pêcheurs revenant vers la rive sur une pinasse. Bien qu'il parût serein, Alexander était chaviré par la mort récente de son père.

Trois semaines s'étaient écoulées après le mariage. Un jour, lui apportant son « p'tit coup » du matin, Coll avait trouvé son père reposant, paisible et serein, dans son lit. L'homme était mort de sa belle mort, au cours de la nuit. Pour les funérailles, Alexander avait prélevé un bout d'étoffe sur le plaid de Duncan afin de fabriquer un kilt pour Gabriel. Il avait expliqué à son fils la valeur qu'accordaient les Highlanders à ce vêtement, insistant sur le fait que seuls les hommes le portaient.

Le garçon avait regimbé : il ne voulait pas de jupe. Terriblement déçu, Alexander n'avait pas insisté. Cependant, le matin de l'enterrement, qui eut lieu dans la paroisse de Saint-Laurent, ce fut en kilt que Gabriel se présenta pour le petit-déjeuner et ce fut en gaélique qu'il récita les grâces, répétant les mots après son père en s'efforçant de les prononcer correctement bien qu'il n'en comprît pas encore complètement le sens.

Ainsi la boucle se refermait, formant le cercle de l'infini recommencement. À l'homme maintenant de la faire tourner encore et encore. Or Isabelle ne doutait plus un seul instant de la volonté de son mari.

– À quoi penses-tu, Alex?

Alexander ralentit sa foulée et leva la tête, offrant son visage à la douce chaleur du soleil couchant. Fermant à demi les paupières, il huma l'odeur humide du fleuve. En vérité, se disait-il, si le temps s'arrêtait en cette fraction de seconde même, il en serait heureux. Il ne ruminait plus aucun regret, ne désirait rien de plus que ce qu'il avait déjà. Que pouvait-il souhaiter de mieux? Qu'il n'y eût plus jamais de guerres? Certes. Mais il y aurait toujours des guerres. La paix n'était qu'un *modus vivendi*. C'était avec leur sang que les hommes écrivaient l'Histoire.

– Je pense... à la paix, cette utopie.

Portant son regard au loin, vers le large, Isabelle soupira. Ses boucles ondulaient dans la brise du soir, chassant les quelques moustiques qui lui bourdonnaient dans les oreilles avec insolence.

– La paix à jamais... Crois-tu vraiment cela possible?

– Si au moins c'était ce que tous les hommes désirent, *a ghràidh*.

Mais la paix n'enrichit que le cœur et ne remplit pas les bourses... C'est pourquoi je ne me permets que d'en rêver.

– C'est un début, non? Seul celui qui croit en ses rêves peut les voir se réaliser.

Il tourna vers elle ses yeux d'un bleu limpide comme le ciel et courba sa bouche en un curieux sourire.

– C'est de ton Jean-Jacques Rousseau, ça?

– Non! C'est d'une certaine Isabelle Macdonald!

– Hum... Voilà une femme cultivée qui possède une belle noblesse d'esprit!

Tendant la main vers le visage heureux de sa femme, Alexander en caressa la joue ronde. Puis, progressivement, l'amertume apparut sur ses traits. Il soupira.

– J'aimerais vraiment y croire, Isabelle. Mais la vie m'a appris que la volonté du rêveur ne suffit pas toujours. D'où qu'il arrive, le vent apporte l'odeur de la guerre. Dans les Highlands comme ailleurs, qu'importe de quel côté ils se trouvent, les hommes du peuple sont toujours perdants. Quand les cadavres puent trop, les princes de la guerre déménagent leurs bottes pleines de sang et de boue pour aller souiller d'autres lieux. Le peuple, lui, reste seul à attendre que les charognards qui suivent toujours les convois militaires nettoient tout. Au fond des cœurs, cependant, persistent le désespoir, la haine et le désir de vengeance qui constituent la seule nourriture pour les survivants.

– C'est ce que tu as vécu après les événements de Culloden?

– Hum... Tu sais, le désespoir et la haine poussent les hommes à commettre des choses parfois...

Il s'interrompit, comme sous le coup d'une vision. Puis, il secoua la tête. Se tournant vers Isabelle, il poursuivit:

– Après avoir pris la décision de ne plus revenir en Glencoe, j'ai erré seul avec mon chien dans les landes. J'ai tué pour la première fois à l'âge de quinze ans... Un soldat de la Garde noire, mais un homme quand même. Oh, Dieu! Ce fut grisant et terrifiant à la fois. Pendant plus d'une heure, je suis resté près du cadavre. Je tremblais, je ne croyais pas à ce que j'avais fait... Lorsque enfin je me suis relevé, j'ai remarqué que ma culotte était mouillée. Je m'étais pissé dessus! J'ai dépouillé le mort et me suis enfui dans les montagnes. Le lendemain, j'ai lavé mes mains pleines de sang séché et je me suis rendu au village le plus proche pour échanger les bottes et les boutons de la veste contre un bol de ragoût, un quignon de pain et une pinte de bière. Cela faisait plus de deux mois que je n'avais pas mangé à ma faim.

Alexander grogna et grimaça. Isabelle se tint coite, le nez vers le sol.

– Imagines-tu cela, Isabelle? J'ai tué un homme pour une bouchée de pain! En tuant ce soldat, j'ai peut-être fait d'une femme et de ses enfants une veuve et des orphelins qui, à leur tour, pour se nourrir, ont dû commettre des crimes. C'est la roue implacable de la vie qui nous entraîne dans son mouvement perpétuel. Quoi qu'on en pense, on doit s'y faire pour survivre. Alors... tu comprendras que, pour moi, la paix n'est rien de plus qu'un rêve.

– Pardonne-moi... mon ignorance.

Voyant l'embarras d'Isabelle, qui remuait le sable avec ses pieds, Alexander se tourna vers elle et saisit son menton. La bouche vermeille s'entrouvrit, laissant s'échapper un gémissement. Fuyant le regard qu'elle savait posé sur elle, la femme garda le sien braqué sur le bouton de corne qui ornait le gilet de toile brune de l'homme.

Quelle sotte elle était! Que savait-elle des gens du peuple? Ces hommes au ventre hurlant de faim ou à la culotte souillée par une peur viscérale osaient-ils rêver, espérer? Elle savait bien peu de chose d'eux en réalité... trop peu. Bien sûr, elle avait aussi eu son lot de peines et de misères. Mais, entre ce qu'eux supportaient et ce qu'elle vivait, il y avait un monde!

– Isabelle, appela Alexander avec tendresse. *Look at me.* Il ne s'agit pas d'ignorance, mais plutôt de chance. Et je suis heureux que tu en aies eu. Je souhaite aussi que nos enfants en aient et que leur sang ne serve jamais à fabriquer le mortier avec lequel se bâtit un empire.

Il secoua le menton prisonnier de ses doigts.

– Isabelle... malheureusement, dans le monde où nous vivons, les empires s'érigent et se développent sur des pierres tombales. Chaque coup de canon ou de baïonnette crée un vide dans les familles, anéantit même des familles. J'ai connu cela, et en venant ici, j'ai participé à cela. Pour me déculpabiliser, je me suis dit qu'un soldat se doit d'obéir aveuglément aux ordres de ses supérieurs. Je pouvais ainsi facilement rejeter toute la faute sur eux. Mais c'est une attitude stupide et lâche... Au fond, je ne vaux pas mieux que les hommes de Cumberland qui ont ravagé les Highlands. Je ne vaux pas mieux que tous ces charognards, que tous ces marchands véreux qui profitent de la guerre en changeant d'un coup de baguette tout ce qu'ils raflent sur les champs de bataille en gros chiffres s'alignant dans leurs livres de comptes. Je ne vaux pas mieux non plus que ces ecclésiastiques qui, par crainte de se voir déposséder de leur pouvoir terrestre sur les âmes, n'éprouvent aucun scrupule à bénir la tête de ceux qui foulent aux pieds les vaincus. Français ou Anglais, Allemand ou Espagnol, se consacrant à Dieu ou au diable, l'homme, imparfait, reste prisonnier de ses faiblesses. Il en va et en ira toujours ainsi, je le crains. J'ai honte de ce que j'ai fait. Mes actes pèseront sur ma conscience jusqu'au jour de mon jugement dernier... car je n'ai écouté que mes faiblesses.

Il marqua une pause. Isabelle plongea son regard dans les couleurs chaudes du ciel qui baignaient maintenant le paysage.

– Je pense, reprit-il doucement, que, de toutes les guerres, la plus difficile est celle que nous livrons chaque jour avec notre conscience, quand nous cherchons à oublier quelque chose que les circonstances nous ont poussés à faire... Mais la roue de la vie nous emporte.

Isabelle leva les yeux vers Alexander. Les traits marqués par une profonde affliction, il la fixait intensément. Il baissa les paupières.

– Alors... il faut apprendre à accepter nos erreurs, Isabelle. Si je l'avais fait depuis le début, peut-être que ma vie aurait été...

Il s'interrompit, pencha la tête avec un air étrange.

– Mais, d'un autre côté... sans doute devait-il en être ainsi. Mon chemin devait me mener jusqu'à toi, passer par tout ça pour y arriver. Oh, Isabelle! Je suis venu ici pour être aimé de toi. Quelle que soit la direction que je prends, je vais vers toi. Dans mes batailles intérieures, lorsque je m'enlisais dans l'incertitude de ce que j'étais, je trouvais dans le souvenir que je gardais de toi ma véritable bouée de survie. *A ghràidh mo chridhe,* je m'y suis accroché avec toute la force du désespoir... et, maintenant que j'y repense, peut-être un peu l'espoir du rêve. Car on peut rêver d'autre chose que de la paix universelle, non?

Au bout des doigts d'Alexander, Isabelle, l'air grave, restait immobile, les bras ballants. Elle sourit timidement.

– Tu peux donc te permettre de rêver un peu?

Songeur, Alexander fit mine de réfléchir. Le visage auréolé des derniers feux du ciel, Isabelle lui faisait penser à cette icône qu'il avait un jour admirée dans la fastueuse demeure d'un riche éleveur de l'Ayrshire. En visite clandestine avec ses complices de rapines, il avait pensé qu'il pourrait obtenir une belle somme en échange du précieux objet. Mais le sourire sibyllin de la madone à la peau dorée l'avait fait hésiter... Il s'était contenté de l'argenterie et de quelques bijoux.

Souvent, quand il avait commis des actes répréhensibles, il

s'était représenté cette madone, cherchant le pardon dans le souvenir de son mystérieux sourire. N'était-ce pas ce qu'il avait fait toute sa vie? Rechercher l'acceptation de ce qu'il était dans le sourire des femmes qui l'avaient accompagné à un moment ou à un autre. Cette acceptation de soi qu'il croyait avoir enfin trouvée dans le sourire qu'il tenait dans le creux de sa main, il se rendait brusquement compte qu'il ne la trouverait qu'en lui-même... en reconnaissant ses limites, ses qualités et ses défauts... sa nature humaine. *Errare humanum est.*

Tout semblait si simple, tout à coup. À l'instar de son père, il lui avait fallu presque toute sa vie pour comprendre et faire la paix avec lui-même. «Cuchulain n'était pas infaillible non plus», lui avait dit le vieil O'Shea. Qu'avait-il retenu des leçons du vieux prêtre? Le bonheur est en soi; il suffit de le cultiver. Quel piètre jardinier il avait été! Un fossoyeur plutôt! Mais que pouvait comprendre un jeune garçon de quatorze ans des enseignements d'Aristote? Il lui avait fallu plus de vingt ans pour n'en comprendre qu'un aspect précis. L'humanité tout entière cherchait toujours à interpréter ces écrits mystiques comme s'ils recelaient la Vérité. Sa vérité à lui, c'était qu'il avait cherché son bonheur dans le regard des autres. Or le regard des autres lui renvoyait simplement l'image de lui-même qu'il tentait désespérément de se forger pour plaire et être accepté. Quelle triste ironie!

Il lui faudrait enseigner tout cela à son fils.

– Oui... Je crois que je peux me permettre de rêver un peu, souffla Alexander en s'approchant de sa femme.

– J'aimerais bien. Ce serait un bon exemple à offrir aux enfants.

Prenant ses mains, il les porta à ses lèvres et les baisa longuement en pensant à Gabriel et à Élisabeth, ainsi qu'aux autres enfants qui suivraient... plaise à Dieu. Les paupières fermées, Isabelle s'abandonna à ce moment de tendresse. Alexander libéra ses mains pour la prendre par la taille et l'attirer contre lui.

– Vous ai-je déjà dit que vous étiez belle, madame? murmura-t-il à son oreille.

– Plus d'une fois, je le crains, mon mari. De ce fait, vous cultivez chez moi le péché de vanité.

– Entre autres...

– J'en aurais d'autres?

Passant ses bras autour de son cou, elle ricana doucement.

– Oh oui! La gourmandise, la luxure...

– Hum... fit-elle avec langueur dans un demi-sourire. C'est la faute aux cornichons à la confiture.

– Surtout à la confiture!

À ces mots, il caressa sa nuque, la faisant frémir. Leurs lèvres s'unirent tandis que les eaux du Saint-Laurent enlaçaient leurs chevilles, les enracinaient dans cette terre qui avait porté le rêve des désinvoltes Français dont s'étaient emparés les mercantiles Anglais. Ce nouveau monde vers lequel tous les espoirs se tournaient resterait pour tous les deux, qu'il portât le nom de Nouvelle-France, de Canada ou de Québec, le pays qui avait vu naître leurs enfants et les verrait grandir, avec leurs rêves.

Sur cette dernière pensée, Alexander étreignit Isabelle avec fougue. En ce moment de bonheur intense, il revit les traits sereins de sa grand-mère Caitlin et réentendit ses paroles: «*Per mare, per terras, no obliviscaris*: par-delà la mer, par-delà la terre, n'oublie pas qui tu es.»

Comme du bétail qu'on destine à l'abattoir, les Anglais avaient poussé les hommes de son peuple sur des navires en partance pour des contrées lointaines où on n'entendrait pas leurs cris lorsque les baïonnettes ennemies les transperceraient. À la fin de la guerre, lorsqu'on avait démantelé les armées, ceux qui avaient survécu étaient retournés chez eux. Mais quel accueil avait-on réservé aux valeureux guerriers! À peine arrivés dans leurs vallées, ils avaient dû emballer leur misère pour en repartir. Au nom du progrès, on les avait dépouillés de leur dignité pour les pousser vers les sombres fabriques de Glasgow et les ports de mer. Les derniers vestiges d'un peuple s'envolaient. Les fameuses montagnes ne seraient bientôt plus que silence hanté par les fantômes esseulés des grands guerriers fiannas et par les échos de Culloden, la dernière bataille.

Culloden... Falkirk, Prestonpans, Sheriffmuir, Killiecrankie, Flodden, Bannockburn, Stirling Bridge... Autant de batailles qui avaient marqué l'histoire de l'Écosse et fauché la vie de milliers d'hommes au nom de l'indépendance. Mais, à la fin, quand s'estompaient les dernières notes des cornemuses, quand se dissipaient les derniers lambeaux de fumée, dévoilant un champ de cadavres écorchés et criblés de plomb, que restait-il dans la mémoire du monde? Qui se souviendrait des noms des guerriers?

Non... La défaite de Culloden n'était pas la fin du rêve d'un peuple. La liberté pouvait prendre tant de formes. L'Écosse n'était pas que le bout de terre qui avait vu naître les Highlanders, qui l'avait vu naître lui, Alexander. C'était aussi et surtout l'âme d'un peuple, sa langue et ses traditions. Son esprit. «L'esprit de l'homme est sa seule liberté. Aucune loi, aucune menace pesant sur lui, aucune chaîne l'entravant ne pourra le contraindre. » Il en allait de même pour le peuple écossais.

Caitlin Dunn Macdonald avait raison : « Mais tu portes en toi l'héritage de ta race. À toi de le préserver, de le transmettre pour perpétuer nos traditions. C'est en quelque sorte une mission que je te confie, Alas... C'est à toi que je donne la tâche de réaliser mon rêve. » Cette petite femme qui avait su brandir l'arme la plus redoutable, celle de la conscience de ce qu'ils étaient, attendait de lui qu'il la brandisse à son tour.

Isabelle s'écarta légèrement, leva ses yeux vers Alexander. Le vert pailleté d'or qui lui rappelait à lui ses collines d'Écosse plongeait dans le bleu qui lui rappelait à elle le drapeau de la France. La douce brise les enveloppait de sa tiédeur et jouait avec leurs cheveux.

—Je t'aime, dit-il avec une infinie tendresse.

—*I love you*, lui chuchota-t-elle en retour.

Soudés l'un à l'autre, fleurs de chardon et de lys entrelacées, ils formaient une île déserte entourée des eaux du majestueux Saint-Laurent et baignant dans la paix.

Leurs enfants ne verraient probablement jamais ni l'Écosse ni la France. Cependant, ils sauraient d'où venait le sang qui coulait dans leurs veines. L'Écosse s'enracinerait ici comme l'avait fait la France, pensait Alexander. On ne quittait pas son pays, on l'emportait avec soi.

Oui, il avait compris : comme une mère donnait la vie à son enfant puis s'en séparait, une patrie donnait son âme à sa race. À lui, Alexander Macdonald, revenait la responsabilité de protéger cette dernière, fût-ce dans l'exil.

Pour l'amour de son peuple.

Dans le respect de ce qu'il était.

« Pour que se réalise ton rêve, Caitlin... »